창의적인 소프트웨어 파워 배양과 미래 IT 융합 기술

컴퓨팅 기술IT과 컴퓨팅 사고CT력

Understanding of IT & Computational Thinking

김정중 저

Self-Driving Car

Remote Control

IT

AI

Thinking Programming

Technology

CT

Robot

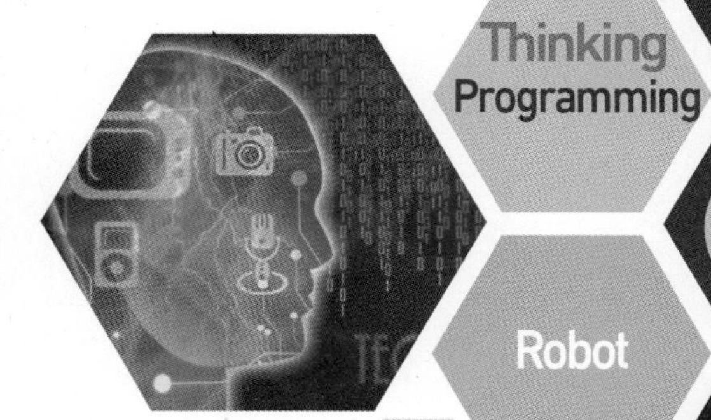

YD Edition 연두에디션

PREFACE

컴퓨터와 IT기술은 현대 과학기술 발전의 기반을 제공하고 있을 뿐만 아니라, 미래사회의 급격한 변화에 대한 새롭고 혁신적인 패러다임과 비전을 제시하면서 빠르게 발전하고 있다. IT기술은 스마트 폰을 비롯한, 새로운 뉴미디어와 융합되면서, 페이스북, 트위터, 유튜브, 카카오톡 등의 SNS에서 볼 수 있듯이, 현실 공간과 가상(사이버) 공간을 지능적으로 연결시키면서, 두 공간이 자연스럽게 융합된 새로운 통합 공간을 창출하고, 그 속에서 새로운 상호소통(Communication)의 방법을 만들어 낸다. 또한 사물인터넷(IoT)과 인공지능 프로그램에 따라 움직이는 지능형 로봇과 다양한 센서와 칩이 부착되어 스스로 운전 능력을 가진 미래형 무인 자율자동차 등 신기술과 융합되면서, 다양한 전공분야, 사회분야와의 IT(소프트웨어)융합으로, 제4차 산업혁명을 통하여 사회를 급속하게 변화, 혁신시켜 나가고 있다.

다양한 학문과 과학기술, 정치와 경제, 예술과 문화, 사회현상 등 거의 모든 영역은 IT(소프트웨어)라는 '그릇' 안에서 잘 융합될 수 있으며, IT(소프트웨어)의 도움을 받아서 더욱 빛나는 최첨단 신기술로 거듭날 수 있다. 따라서 다양한 전공을 가진 사람들이 IT(소프트웨어) 기술을 각자의 전공 분야에 접목하고 융합·응용해나가야 할 시점에 와 있다.

이와 같은 사회 환경의 변화 추세에 따라, 많은 대학에서 전공에 관계없이 컴퓨터와 IT기술을 필수 과목으로 생각하고, 많은 관심을 가지고 공부하고 있다. 그런데 기존의 컴퓨터와 IT 교재의 내용과 강의 방향은 저자와 가르치는 분에 따라서 아주 다양하다. 즉, IT기술을 처음 배우는 사람에게는 현실과 너무 거리가 먼, 옛날 대형 컴퓨터에 관련된 내용 일색으로 공허한 이론이 되거나, 입문 초보자에게는 너무 어려운 언어와 전자회로 등 하드웨어의 깊은 내용까지 다루어 흥미를 잃게 하거나, 한 학기 내내 한 가지 특정 소프트웨어의 단순한 메뉴 사용법만을 공부하는 것이 IT기술에 대한 폭 넓은 이해와 활용의 과정이라고 보기는 어렵다. 물론 이것은 제한된 시간과, 학생들의 다양한 학습수준과 실습 환경 등 현실적 제약과 무관하지 않다.

IT기술에 대한 폭 넓은 이해와 활용의 과정은 현재와 미래, 사회변화의 트랜드를 이해하고, 그 속에서 컴퓨터와 IT기술이라는 전반적인 큰 숲을 보게 하고 그 숲속에서 자신의 전공분야와 관련이 깊은 하나하나의 나무를, 스스로의 필요에 따라서 접근하고 공부할 수 있게 하는 관점을 제시할 필요가 있다고 본다. 그리고 IT 융합기술을 이용하여, 전공분야에서의 복잡한 문제들을 해결해 나가기 위해서는, 창의적으로 생각하고, 문제 해결 논리를 효율적으로 표현하는 컴퓨팅 사고(Computational Thinking)의 방법을 통해, 다양한 분야의 전문가들과 상호소통하고, 협력해 나가는 융·복합형 인재로서 가져야 할 소프트웨어 파워를 길러 나가야 할 것이다. 따라서 이 책은 이러한 점을 고려하여 다음과 같은 방향과 내용으로 구성되었다.

이 책의 방향과 특징

1. 컴퓨터와 IT기술은 모든 사람들이 지식정보를 쉽게 접하게 하여, 모든 사람들의 경제적, 사회적 평등을 만들어가는 기초적 핵심 인프라이기 때문에, 컴퓨터와 IT기술은 더 이상 전공인의 전유물이 아니라 전공, 직업, 연령을 불문하고 누구나 사용하는 생활 필수적인 도구가 되고 있다. 그리고 컴퓨터와 IT기술이 주도하는 제 4차 산업혁명시대에서, IT기술은 그 자체로 존재하기보다는 다른 첨단 기술들과 융합되는 디지털 컨버전스(Digital Convergence)를 통하여 급격하게 변화 발전하고 있다. 그래서 다양한 전공분야와 산업 간 융·복합화의 중심에는 항상 IT융합기술(IT Convergence Technology)이 있다.
   따라서 이 책의 제 1부에서는, 컴퓨터 과학과 IT기술에 대한 기본적 개념과 원리에 대한 전반적 이해와 활용을 기본으로 하고, 다양한 전공분야에 응용할 수 있는 IT융합기술에 대한 기초적 바탕과 마인드를 심어주는 내용을 중심으로 구성하고자 하였다. 또한 컴퓨터와 IT기술은 소프트웨어의 활용이 중요하기 때문에 사무실과 전공분야에서의 업무에 응용할 수 있는 다양한 소프트웨어들을 소개하고자 하였다.

그리고 학문과 과학기술, 정치와 경제, 예술과 문화, 사회현상 등 거의 모든 영역에서 일어나는, 사회 변화의 급속한 흐름 속에서, 차세대 IT기술의 발전방향을 올바르게 이해하고, 미래사회에 대한 비전과 기술 혁신 마인드를 가질 수 있도록, IT분야의 최신 주제들에 관심을 기울였으며, 앞으로도 계속적으로 새로운 내용과 최신 경향을 추가하고 수정하려고 한다.

2. 제 2부에서는 IT융합 능력을 만들어가기 위해서 창의적으로 사고하는 컴퓨팅 사고방법과 다양한 프로그램을 이해하고, 만들어가는 과정을 통해 문제를 해결해 나가는 소프트웨어 파워(프로그래밍 능력)를 기를 수 있도록 노력하였다. 컴퓨팅 사고방법은 컴퓨터과학 중에서도 소프트웨어공학의 원리를 중심으로 하는 문제해결방법이라고 할 수 있기 때문에, 소프트웨어공학 특히 객체지향 분석, 설계, 개발 방법론의 기본적 원리(본 교재 8.3.절과 8.4절, 9장, 10장 참고)를 중심으로, 비주얼 베이직(Visual Basic) 프로그램 개발과정 중심으로 구성하였다.
   IT 비전공자에게는 너무 어렵고 복잡한 절차지향 언어(C 등)와 다르게, 비주얼 베이직은 동작의 주체인 객체단위로 실행되는 객체지향 프로그래밍(OOP)언어이다. 또한 프로그램 코드를 쉽게 작성할 수 있는 이벤트기반언어이면서, 프로그램 코드를 자동으로 생성하는 시각적인 개발 환경이므로 초보자도 사용하기 쉽다. 그래서 IT 비전공자라고 하더라도, 소프트웨어(프로그램)가 모든 전공분야에 접목될 수 있음을 이해할 수 있도록, 다양한 전공분야에서의 흥미로운 주제들로, 학생들의 눈높이에 맞는 프로그램으로 구성하였다. 또한, 컴퓨팅 사고력을 키울 수 있는, 간단하고 쉬운 문제부터 어려운 문제까지 단계별 프로그램을 통해, 스스로 문제를 해결하는 성취감을 느낄 수 있도록 최대한 배려하였다. 특히 실습과정에서 학생들이 직접 작성한 프로그램의 발전적 확장을 위한 제언, 질문과 답변(Q & A), 그룹토론(Group Discussion)과정을 통하여, 프로그램을 바라보는 안목과 식견을 높이려고 노력하였다. 그중의 많은 부분은 직접 멘트하고 첨삭 수정하여, 좀 더 높은 수준의 프로그램으로 발전할 수 있도록 지도하면서, 학생들이 각자의 전공분야에서의 복잡한 문제 해결방법을 창의적으로 찾아나가는, 다양한 실전 프로그램 사례를 보여주려고 노력하였다.

3. 컴퓨터와 IT기술에 대한 참된 이해와 활용의 과정은 마치 자전거를 타고 자동차를 운전하는 것과 같아서, 직접 타고 운전해 보지 않으면 잘 할 수가 없기 때문에, 다양한 소프트웨어들을 넓고 얕게(Wide & Shallow), 가장 핵심적이고 기초적인 부분을 중심으로 설명하고, 많은 부분은 학생들이 하나하나 직접 실습해보고 숙달해 나갈 수 있도록, 여러 해 동안에 걸친 실제 강의를 통하여 작성한 강의내용(PPT) 중심으로 내용을 구성하였다.

4. 전술한바와 같이, 이 책의 제 1부에서는 컴퓨터 과학과 IT기술에 대한 기본적 개념과 원리 등, 전반적인 내용을 다루고 있고, 제 2부에서는 소프트웨어공학의 개념과 원리를 이해하고 적용하여, 여러 학문분야 및 일상생활에서 창의적으로 사고하는 컴퓨팅 사고방법을 통해, 다양한 프로그램을 이해하고, 만들어가는 과정을 다루고 있다.
필자가 여러 해 동안에 걸친 실제 강의 경험을 중심으로 작성한 강의계획서를 "교과목강의계획서 1 : 컴퓨터의 이해와 활용 (혹은 컴퓨터 개론 혹은 IT기술의 이해 등 입문 교과목)"과 "교과목강의계획서 2 : 컴퓨팅사고력" 2가지로 만들어, 참고로 첨부하였는데, 교수자와 학습자의 환경과 선택에 따라 다양한 내용과 순서를 변경하여 활용할 수 있다.

필자의 부족함과 시간적 제약 때문에 서두르다 보니 미흡한 점이 많고, 그 점은 계속해서 보완해 나갈 것을 약속드리며, 또한 잘못되고 부족한 점에 대해서는 많은 지도 편달을 부탁드린다.

2019년 8월 저자

CONTENTS

제 1 부 : 컴퓨팅 기술(IT : Information Technology)

CHAPTER **05** Multimedia와 Digital Contents의 제작기법

CHAPTER **06** 제4차 산업혁명(4IR)과 미래 IT융합기술

CHAPTER **07** IT융합기술 사례연구(Case Study)

제 2 부 : 컴퓨팅 사고(CT : Computational Thinking)

CHAPTER 08 소프트웨어 시스템 (Software System)

CHAPTER 09 Visual Basic과 객체지향 프로그래밍

CHAPTER 10 Visual Basic Programming 실습

CHAPTER 11 정보보안과 인터넷윤리

컴퓨터의 이해와 활용(혹은 컴퓨터 개론) 강의계획서

■ 교 과 목 명 : 컴퓨터의 이해와 활용(혹은 컴퓨터 개론)

■ 과목 영문명 : Introduction to Computer

■ 교과목 개설목적 및 수업 운영방침

빠르게 발전하고 있는 컴퓨터과학과 정보기술(IT)은 인류의 생활을 혁신적으로 변화시키면서 미래사회의 새로운 패러다임과 비전을 제시하고 있다. 따라서 이 교과목에서는컴퓨터 과학과 정보통신기술(IT)의 기본적 개념과 원리, 전문용어를 정확하게 이해하고 특히, 미래 IT기술의 방향에 대한 이해를 바탕으로 IT 융합기술에 대한 비전을 이해하고 학생각자의 다양한 전공분야에서 창의적으로 적용할 수 있는 기초적 바탕을 제공하는 것을 목표로 한다.

■ 강의계획서

주	강의주제 및 내용	과제물/실험실습 계획	강의형태
1주	교과목 Orientation : 강의 계획 안내	이론 강의	강의/실습
2주	Chapter1 : 제3의 물결과 제4차 산업혁명 1	이론 강의	강의/실습
3주	Chapter1 : 제3의 물결과 제4차 산업혁명 2	이론 강의	강의/실습
4주	Chapter2 : Computer의 특성과 기능	이론 강의	강의/실습
5주	Chapter3 : Computer 하드웨어	이론 강의	강의/실습
6주	Chapter4 : Digital Data의 개념과 표현 원리	이론 강의	강의/실습
7주	Chapter5 : Multimedia와 Digital Contents의 제작 기법	강의 및 실습	강의/실습
8주	중간고사	주관식, 논술형 시험	시험
9주	Chapter 6 : 제4차 산업혁명과 미래의 IT기술	이론 강의	강의/실습
10주	Chapter 10.1 Program, 10.2 컴퓨팅 사고력	강의 및 실습	강의/실습
11주	Chapter 10.3 VisualBasic 기초 Program : VBProgram 시작하기, 사칙연산 계산기	강의 및 실습	강의/실습
12주	Chapter 9 Visual Basic과 객체지향 Programming	강의 및 실습	강의/실습
13주	Chapter 9 Visual Basic과 객체지향 Programming	강의 및 실습	강의/실습
14주	Chapter10.4 전공분야 응용 IT융합 Program 사례1	강의 및 실습	강의/실습
15주	기말고사	주관식, 논술형 시험	시험

컴퓨팅 사고력 강의계획서

■ 교 과 목 명 : 컴퓨팅 사고력

■ 과목 영문명 : Computational Thinking

■ 교과목 개설목적 및 수업 운영방침

소프트웨어공학의 기본개념과 원리를 이해하고 적용하여 여러 학문 분야 및 일상생활에서 창의적으로 사고하는 컴퓨팅 사고방법으로, 다양한 프로그램을 이해하고, 만들어가는 과정을 통해, 문제를 해결해 나가는 소프트웨어 파워(프로그래밍 능력)를 기를 수 있도록 한다. 다양한 전공분야에서의 주제로, 학생들의 눈높이에 맞는 프로그램을, 간단하고 쉬운 문제부터 어려운 문제까지 프로그램을 단계별로 이해하도록 지도한다.

■ 강의계획서

주	강의주제 및 내용	과제물/실험실습 계획	강의형태
1주	교과목 Orientation : 강의 계획 안내	이론 강의	강의/실습
2주	Chapter 1 : 제3의 물결과 제4차 산업혁명	이론 강의	강의/실습
3주	Chapter 10.1 Program, 10.2 컴퓨팅 사고력	이론 강의	강의/실습
4주	Chapter 10.3 Visual Basic 기초 Program : VB Program 시작하기, 사칙연산계산기	강의 및 실습	강의/실습
5주	Chapter 10.4 전공분야 응용 IT융합 Program 사례1	강의 및 실습	강의/실습
6주	Chapter 9 Visual Basic과 객체지향 Programming	강의 및 실습	강의/실습
7주	Chapter 10.3 Visual Basic 기초 Program2 타이머, 스톱워치, 디지털시계, MsgBox, 인터넷접속, 날씨검색, 영화예매, 음악재생 Program	강의 및 실습	강의/실습
8주	중간고사	주관식, 논술형 시험	시험
9주	Chapter 8.4 Software System의 개발	강의 및 실습	강의/실습
10주	Chapter 8.3 Software System의 설계	강의 및 실습	강의/실습
11주	Chapter 10.5 Visual Basic 응용 Program Kiosk 각종상품, 음성출력, 24시간, 무인 자동판매기 Program	강의 및 실습	강의/실습
12주	Chapter 10.6 전공분야 응용 IT융합 Program 사례2 외부 서버와 연동, 실시간 환율계산기, 증권정보, 자율주행자동차	강의 및 실습	강의/실습
13주	VB Program 종합 실습1 전공분야 응용 IT융합 사례 : 발표1	강의 및 실습	강의/실습
14주	VB Program 종합 실습1 전공분야 응용 IT융합 사례 : 발표2	강의 및 실습	강의/실습
15주	기말고사	주관식, 논술형 시험	시험

CHAPTER 01

제3의 물결과 제4차 산업혁명

1.1 제3의 물결(The Third Wave)
1.2 지식 정보화 사회의 배경과 특징
1.3 지식정보화 사회의 IT기술 응용분야
1.4 Digital혁명과 지식기반 사회
1.5 제4차 산업혁명(Fourth Industrial Revolution, 4IR)
1.6 새로운 패러다임(Paradigm)으로의 변화

창의적 소프트웨어 파워배양과 미래 IT융합기술
컴퓨팅 기술(IT)과 컴퓨팅 사고(CT)력
Computing Technology (IT) & Computational Thinking (CT)

01 CHAPTER

제3의 물결과 제4차 산업혁명

최근 방송과 신문에서 '4차 산업혁명'이란 말을 자주 접하게 된다. '인더스트리 4.0'으로 불리는 4차 산업혁명은 빅데이터 기반의 '인공지능(AI)'과, 인간, 사물, 공간이 하나의 네트워크로, 모든 사물이 인터넷과 연결되는 '사물인터넷(IoT)' 등이 다양한 분야에 융합되면서 나타나는 여러 가지 변화를 말한다. 인터넷과 IT 산업을 기반으로 4차 산업혁명이 매우 빠른 속도로 발전하면서 지금 우리 인류의 생활과 삶은 지금까지의 어떤 세대에서도 경험해 보지 못한 엄청난 변화를 경제적, 정치적, 사회적, 문화적으로 맞이하고 있다.

컴퓨터와 정보기술(IT : Information Technology)이 과학이나 비즈니스 또는 각자의 전공 분야와 일상생활에서 어떻게 다양하게 활용되는지를 이해하고, IT융합기술(IT Convergence Technology)의 활용이 사회의 중심이 되는, 제4차 산업혁명(4IR) 시대의 모습과 특징과 변화의 방향을 살펴보는 것은, 미래 사회의 변화의 방향을 읽고 그 패러다임에 적응해 나가기 위해서도 매우 중요하다 할 것이다.

최근 매스컴에서 4차 산업혁명이 국가의 새로운 성장 동력이 된다고 하는데, 과연 4차 산업혁명이란 무엇인가?

인류는 3번의 산업혁명을 통해 사회적 · 경제적 변화를 겪었다. 18세기 후반의 1차 산업혁명은 섬유공업의 거대 산업화를 가져왔고, 2차 산업혁명에 의해 전기에너지를 기반으로 한 대량생산이 본격화되었다. 이어 20세기 후반의 3차 산업혁명으로 컴퓨터와 인터넷 등 정보통신기술(ICT)이 발달하면서 생산 시스템이 전산화 · 자동화되기 시작했다. 이로써 컴퓨터로 데이터를 정확하게 관리할 수 있고, 생산성과 효율성도 극대화되었다. 지식 · 정보 중심의 정보통신기술이 변화의 원동력이 됐다는 점에서는 3차 산업혁명과 비슷해 보이지만, 4차 산업혁명의 핵심은 '지능형 사물'과 '초연결성'이라고 할 수 있다. 3차 산업혁명의 결과가 사람이 입력한 명령을 따르는 기계의 단순 자동화에 머물렀다면, 4차 산업혁명은 인공지능 기반의 지능형 시스템이 광대한 양의 정보를 분석하고 해석해 인간과 소통하는 단계에 이르는 것을 의미한다. 사람과 사물, 공간이 하나의 네트워크로 연결되는 것이다.

1.1 제3의 물결(The Third Wave)

저명한 미래 학자이자 저널리스트인 앨빈 토플러(Alvin Toffler)는 『제3의 물결(*The Third Wave*)』이라는 그의 저서에서 컴퓨터와 정보통신기술의 혁신이 몰고 올 인류사회의 근본적인 사회변화의 물결을 지적하였다.

1.1.1 Alvin Toffler의"제3의 물결"

미국의 미래학자 Alvin Toffler는 "힘의 이동(Power shift)"에서 산업화 사회(무력 : War)에서 정보화 사회(지식 : Knowledge)로 "제 3의 물결(The third wave)"에서 (1980년) 인류의 역사에서 일어난 3번의 큰 변혁기를 농업혁명(Agricultural Revolution, 農業革命), 산업혁명(Industrial Revolution, 産業革命), 정보혁명(Information Revolution, 情報革命) 등으로 커다란 물결과 파도(Wave)에 비유했다.

그런데 이들을(특히 농업) 왜 혁명에 비유했을까?

1.1.2 농업혁명(Agricultural Revolution, 農業革命)

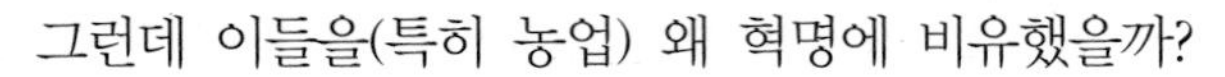

▸ BC 7000년경 농업혁명의 시작

가축을 기르고 곡식을 재배함으로써 한 곳에 안정적으로 정착하여 기본적인 의식주 문제의 안정적 해결로 그릇(토기), 석기, 철기, 청동기 등 도구의 사용과 인류의 문화가 태동하고 자급자족, 가내수공업경제가 시작되었다.

① 토지의 중요성과 점유의 시작

Ex) 광활한 대지를 찾아 서부로의 이동

② 사유재산제도의 시작

Ex) 사유재산을 지키기 위한 OK목장의 결투

③ 농업혁명 (BC7천년 경)

변화의 단계	농업혁명 (BC7천년 경)
변화의 동인	원시적 도구
변화의 구체적 모습	• 가축을 기르고 곡식을 재배함으로써 한곳에 안정적으로 정착하여 기본적인 의식주 문제의 안정적 해결로 그릇 (토기), 석기, 철기 청동기 등 • 인류 문화가 태동 • 자급자족, 가내수공업경제 • 토지의 점유와 사유재산제도의 시작
생활공간의 변화	물자를 자급자족하는 조용한 농촌 마을
주도	물리력(군대)
통제 구조	혈연, 지연 중심의 가부장제

1.1.3 산업혁명(Industrial Revolution, 産業革命)

(1) 1760년대 부터 산업혁명의 시작

○ 인간의 노동력을 대체하고 지원해주는 동력기관과 기계(1차 산업혁명)의 등장

○ 전기(2차 산업혁명)의 발달과 분업과 협업에 의한 전문화로 대량생산 대량소비 체제

○ 물질이나 유형의 재화가 중심인 공장제 기계공업 경제로 오늘날 풍요로운 물질문명의 토대를 마련

(2) 산업혁명, 정보화 혁명 비교

변화의 단계	산업혁명 (1760 년대)	정보 혁명 (1990 년대)
변화의 동인	동력기관, 기계엔진, 전기	컴퓨터와 ICT 기술
변화의 구체적 모습	• 인간의 노동력을 대체하고 지원해주는 동력기관과 기계(1차 산업혁명)의 발전 • 전기(2차 산업혁명)의 발전	• 인간의 정신력을 대체하고 지원해주는 컴퓨터와 IT기술의 발전으로(3차 산업혁명) • 무형의 재화인 지식정보 산업이 모체가

	• 분업과 협업에 의한 전문화로 대량생산 대량소비 체제 • 물질이나 유형의 재화가 중심인 공장제 기계공업 경제로 오늘날 풍요로운 물질 문명의 토대를 마련	되는 지식 창조사회 • 모든 사람들이 정보를 쉽게 접하고 공유할 수 있는 사회로 모든 사람들의 경제적, 사회적, 정치적 평등과 진정한 민주주의 실현을 위한 인프라
생활공간의 변화	복잡하고 문명화된 대규모 도시로의 변화	생활공간(Real Space)에 가상공간(Cyber Space)을 자연스럽게 융합(소통의 효율성)
주도	경제력(기업)	정보와 지식을 통한경제력(지식 근로자, 신 지식인)
통제 구조	관료적 중앙집권제(Bureaucracy)	수평적 위원회 제(Adhocracy) : 융통적 · 적응적 · 혁신적 구조를 지닌 특별임시조직

(3) 산업혁명, 정보화 혁명 비교

▸ **지식정보화 사회(Knowledge & Information Society)**

○ 인간의 정신력(Mental Power)을 지원하고, 향상

○ 인간에게 있어 육체적인 힘, 노동력(Muscle Power)보다는 정신적인 힘, 정신적인 능력(Mental Power)이 더욱 더 중요하고 인류의 역사가 인간의 정신력(Mental Power)이 축적되고 향상된 결과라고 한다면, 정신적인 능력(Mental Power)을 지원하고, 향상시키는 정보혁명은 인류 역사의 발전에 매우 중요하다고 할 수 있다.

1.1.4 "제 3의 물결(The third wave)"

변화 단계	농업혁명(BC7천년 경)	산업혁명(1760 년대)	정보 혁명(1990 년대)
변화 동인	원시적 도구	동력기관, 기계엔진, 전기	컴퓨터와 ICT 기술
변화의 구체적 모습	• 가축을 기르고 곡식을 재배함으로써 한곳에 안정적으로 정착하여 기본적인 의식주 문제의 안정적 해결로 그릇(토기), 석기, 철기, 청동기 등 • 인류 문화가 태동 • 자급자족, 가내수공업경제	• 인간의 노동력을 대체하고 지원해주는 동력기관과 기계(1차 산업혁명) • 전기(2차 산업혁명)의 발달과 분업과 협업에 의한 전문화로 대량생산 대량소비 체제 • 물질이나 유형의 재화가 중심인 공장제 기계공업 경제	• 인간의 정신력을 대체하고 지원해주는 컴퓨터와 IT기술의 발전으로(3차 산업혁명) • 무형의 재화인 지식정보 산업이 모체가 되는 지식 창조사회 • 모든 사람들이 정보를 쉽게 접하고 공유할수 있는 사회

	• 토지의 점유와 사유재산제도의 시작	로 오늘날 풍요로운 물질문명의 토대를 마련	• 모든 사람들의 경제적, 사회적, 정치적 평등과 진정한 민주주의 실현을 위한 인프라
공간의 변화	물자를 자급자족하는 조용한 농촌 마을	복잡하고 문명화된 대규모 도시로의 변화	생활공간(Real Space)에 가상공간(Cyber Space)을 융합 : 소통의 효율성
주도	물리력(군대)	경제력(기업)	정보와 지식을 통한경제력 (지식 근로자, 신 지식인)
통제 구조	혈연, 지연 중심의 가부장제	관료적 중앙집권제 (Bureaucracy)	수평적 위원회 제(Adhocracy): 융통적 · 적응적 · 혁신적 구조를 지닌'특별임시조직'

그는 미래사회의 특징으로 분권화에 의한 다양화 · 탈 획일화 사회 등을 규정하였고, 농경혁명(The First wave)으로 나타난 농업 사회와, 산업혁명(The Second wave)으로 나타난 산업사회가 인류의 생활과 문명에 커다란 변화를 가져온 것처럼, 컴퓨터와 통신망에 의한 정보혁명(The Third Wave)은 산업사회를 새로운 정보화 사회로 변화시킬 것이라고 1980년도에 출간된 『제3의 물결(The Third Wave)』이라는 그의 저서에서 예리한 통찰력으로 인류의 문명과 미래의 변화와 흐름을 예측하고 있다.

이러한 변화의 흐름인 이른바 "제3의 물결(The Third Wave)"에 슬기롭게 대처하는 개인 · 민족 · 국가가 새로운 시대의 선진 국민 · 선진 민족 · 선진 국가가 될 것이라고 예측하고 오늘날의 세계는 새로운 정보화 사회를 향해 이미 나아가고 있다고 진단하였다. 이러한 예측이 정확하게 적중해 나가고 있다는 것은 오늘날의 우리가 이미 현실적으로 실감하고 있다.

현대사회 즉, 미래사회를 표현하는 지식 정보화 사회라는 말의 의미를 한마디로 표현하기는 어렵지만, 정보화 사회는 정보를 자원, 에너지 등에 대응하는 제3의 요소로 보고, 그 생성 · 전달 · 이용 · 축적 등을 효율적으로 수행하여 정보를 최대한으로 활용하는 사회라고 할 수 있을 것이다. 산업화, 공업화 사회가 물질이나 유형의 재화가 중심인 데 비하여 정보화 사회는 정보의 생성과 흐름이 중심이 되고, 무형의 재화인 지식 산업이 모체가 되는 사회인 것이다.

그러므로 산업혁명이 인간의 노동력(Muscle Power)을 지원하고, 향상시킨 것이라면, 정보혁명은 인간의 정신력(Mental Power)을 지원하고, 향상시키는 것이라 할 수 있다.

인간에게 있어 육체적인 힘, 노동력(Muscle Power)보다는 정신적인 힘, 정신력(Mental Power)이 더욱 더 중요하다. 그리고 인간의 정신력(Mental Power)의 향상이 가져온 결과로 지식과 정보의 축적과정이 인류의 역사에 미친 영향을 생각해 보면, 정보혁명은 매우 중요하다고 할 수 있다.

1.2 지식 정보화 사회의 배경과 특징

캐나다의 마샬 맥루한(Marshall McLuhan)은 1962년, '지구촌(Global Village)' 이라는 개념을 처음으로 제시했다. 그리고 컴퓨터와 정보기술(IT)의 발전으로 정보화(Informatization), 세계화(Globalization)라는 미래사회 발전 방향의 두 가지 축은, 서로 맞물려 발전하며 지구촌의 개념을 실현해 나가고 있으며 이제는 많은 사람들이 현실적으로 느끼고 공감할 수 있는 이슈가 되고 있다. 디지털(Digital)기술과 정보 통신(Network)기술의 발전은 컴퓨터 기술과 결합하여 지식 정보화 사회의 도래에 큰 역할을 하고 있으며 장소와 시간의 한계를 뛰어넘어 정보를 즉시 생산, 전송, 공유하게 해줌으로써 지구촌 글로벌 사회를 촉진하고 있다. 미국의 경우 전화와 텔레비전이 전 인구의 30% 이용자를 확보하는데 각각 37년, 17년 걸린데 비해 인터넷과 초고속 인터넷은 각각 7년, 4년에 불과하다.

한편 미국의 다니엘 벨 교수는 현대 사회의 변화를 『탈산업화 사회의 도래(The Coming of the Post-Industrial Society)』라는 저서를 통하여 정보화 사회를 후기 산업사회 혹은 "산업화 이후의 세계(Post Industrial Society)"로 정의하였고, 컴퓨터와 정보기술(IT)의 발전으로 인하여 기존 제조업 위주의 산업사회가 끝나고 정보화 서비스가 사회 발전을 이끌어 가는 탈산업화 사회의 시작을 정보화 사회라고 했다. 즉, 정보화 사회란 산업 사회가 일정 수준으로 발전 성숙된 기반 위에서 정보 혁명을 매개로 하여 출현되는 산업화 사회 다음 단계의 사회로 볼 수 있다.

마흐르프(F. Machlup)는 지식이 갖는 경제적 측면에 중점을 두고 산업구조의 변화를 논하고 있다. 그는 모든 정보는 지식의 의미를 포함하는 것으로 해석하고 지식산업(Knowledge Industry)의 개념을 교육, 연구개발, 커뮤니케이션 미디어, 정보기기, 정보서비스의 다섯 가지 영역으로 구상하여 정보가 창출하는 부가가치가 생산의 주가 되는 사회가 될 것이라 하였다.

또한 제임스 마틴(James Martin)은 정보화 사회는 통신기술이 혁명적으로 변화함으로써 인간의 생활은 상상을 초월한 변혁을 겪게 될 것이라고 예측하였다.

이처럼 학자들의 관점에 따라 조금씩 다르게 설명되는 정보화 사회는 종합해보면 대량의 정보처리능력을 가진 컴퓨터와 정보기술(IT)에 의해 주도되는 사회로 정보혁명에 의해 형성된 사회임을 알 수 있다. 즉, 정보화 사회란 산업사회가 일정수준으로 발전 성숙하여 출현된 사회로서, 풍부한 정보의 빠르고 유용한 분배가 가능해지고 모든 사회구성원들이 적은 비용으로 정보에 쉽게 접근할 수 있는 사회를 말한다. 몇 가지 예를 들어보면, 통신은 디지털화되고 광섬유화되어 고속 전송이 가능해지고 인간과 자원의 이동이 아닌 정보의 이동으로 전국적, 국제적인 네트워크(Global Network)가 구성되어 양방향 통신이 가능해진다. 그리고 갈수록 작아지는 반도체 칩의 개발, 인간의 두뇌 활동을 닮은 지능형 컴퓨터의 연구, 사무자동화와 공장자동화의 물결, 사물 간 통신이 이루어지는 정보 통신 혁명의 물결 등이 역시 인류 문명의 변화의 흐름을 가속화시켜 나가게 될 것이다.

우리나라에서도 21세기가 시작될 무렵 이러한 추세에 맞추어 정부 기관을 비롯한 여러 연구소에서 경제 · 사회 · 교육 등 각 분야에 걸쳐 장기적인 발전 구상을 연구했다. 이러한 연구들의 보고서는 한결 같이 우리 사회도 고도 정보화 사회가 될 것이라는 공통적인 견해를 제시하고 있다.

이러한 예측을 했던 데에는 세 가지 중요한 이유가 있다.

첫째, 사회, 문화적인 관점에서 오늘날에는 정보의 발생이 폭발적으로 증가하고 있다. 따라서 정보의 저장, 분석, 가공, 전달의 과정이 더욱 효율적으로 이루어질 필요가 크게 증가하고 있다.

미 국무성의 한 보고서에 의하면 정보량이 2배로 증가하는데 걸리는 시간(싸이클)은 점점 짧아지고 있다고 한다. 급증하는 정보를 효율적으로 처리하고, 필요한 때에, 필요로 하는 곳에서, 필요한 내용과 양을 취사 선택적으로 받아들일 수 있는 효율적이고 강력한 도구로서의 컴퓨터와 정보기술(IT)의 사용이 필수적이 되고 있다. 또한 사회구조가 더욱 세분화되고 전문화되면서 보다 정확하고, 신속한 일의 처리를 위해서도 컴퓨터와 정보기술(IT)이 필요하게 되어 수요가 급증하고 있다.

지식정보혁명의 배경1 (수요적 측면)

① 정보 가치의 중요성 : 경제성

○ 정보의 발생이 폭발적으로 증가 : 따라서 정보의 저장, 분석, 가공, 전달의 과정이 더욱 효율적으로 이루어질 필요가 크게 증가 급증하는 정보를 효율적으로 처리할 수 있는 도구의 필요성

○ 효율적인 정보처리도구, 정보검색도구의 필요성 : 필요한 때에, 필요한 곳에서, 필요한 내용을 취사 선택적으로 받아들일 수 있는 효율적인 정보 처리 검색 도구로서의 Computer와 IT기기의 사용이 필수적

예) 취업정보 : 잡 코리아, 사람인 Site

둘째, 이른바 과학과 기술(Science & Technology)의 발전으로 등장하는 새로운 매체(New media)가 컴퓨터와 정보기술(IT)을 중심축으로 그 기능이 통합되고 있어 단순한 정보처리도구가 아닌 다목적 생활 필수적 도구가 되어 가고 있다.

즉, 컴퓨터는 기존의 퍼스널 컴퓨터(Personal computer) 기능뿐만 아니라, 다양한 소리와 음악을 연주할 수 있는 오디오기기와 결합되고, 사진과 화상을 처리하는 비디오 기기와 결합되며, 캠코더로 촬영한 움직이는 영상의 저장과 편집을 가능하게 하는 멀티미디어 기기와 통합되고, 전화, 휴대전화, TV, 팩시밀리, 스마트폰을 비롯한 다양한 통신 기기와의 통합이 이루어지면서 전 세계에 있는 다른 사람들과 네트워크를 통해 의사소통할 수 있는 웹기반 서비스인 SNS(Social Network Service)가 활발히 이루어지면서, 다목적 생활 필수적 도구로 발전하고 있다.

예를 들어 요즘의 휴대전화(스마트 폰)는 여러 가지 디지털 기기와 다양한 서비스가 융합되어 휴대전화 한 대로 사진, 음악, TV, 인터넷, 교통카드, 교통 안내 서비스까지 할 수 있다.

② 다목적, 생활 필수적, 전공 필수적 도구의 필요성

기존의 PC 기능뿐만 아니라, Internet이라는 Global Network에 연결되어져서 New media가 Computer와 IT환경을 중심축으로 기능 통합

Digital Convergence → IT융합기술

따라서 Computer는 단순한 정보처리도구가 아님

1. Audio기기와 통합되고, 다양한 음향, CD음악의 연주 등
2. Video기기와 통합되고, 사진과 화상을 통한 디지털 카메라 등
3. Multimedia기기와 통합되고, 캠코더로 촬영한 움직이는 영상의 저장과 편집 등
4. 전화, 휴대전화, TV, 팩시밀리 등의 통신 기기와 통합
   - TV와의 통합은 스마트 TV
   - 휴대전화와의 통합은 스마트 폰
5. SNS(Social Network Service)
   - Chat(Chatting)
   - Twit(Twitter)

Computer는 단순한 정보처리도구가 아니라 사회 변화를 주도해나가는 중심축의 기능

Digital Convergence → IT융합기술

지식정보혁명의 배경2 (수요적 측면)

Digital Convergence → IT융합기술

사회 변화를 주도해나가는 중심 축

Computer와 IT환경을 중심 축으로 모든 분야의 New media 기능이 흡수되어 통합

1. Audio기기(음악 ; mp3 플레이어)
2. Video기기(사진 ; 디지털 카메라)
3. Multimedia기기(동영상 ; 캠코드)
4. Telephone(Smart Phone)
5. Facsimile(Smart Fax)
6. TV(Smart TV)
7. Watch(Smart Watch)
8. SNS

(Smart Phone)
Computer와
IT환경

Digital Data + Global Network

이는 디지털 기술이 빠르게 발전하면서 카메라, MP3 플레이어, 방송 수신, 영상통화, 무선 인터넷, 신용카드, 교통카드 등의 기능이 쉽게 통합되어 스마트 폰은 디지털 복합기기로 변화되고 있다. 컴퓨터에 통합된 디지털 휴대전화는 이미 글로벌 네트워크에 연결되어 전 세계

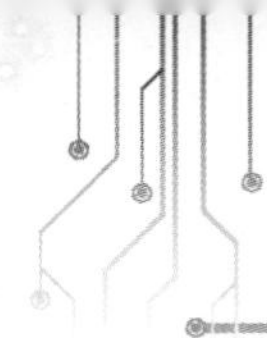

를 향한 열린 창의 역할을 수행하는 종합 정보 처리 기기로서 시장규모가 커지면서 다른 기능들이 스마트 폰의 컴퓨터를 중심으로 글로벌 디지털 복합기기로 융합되어지기 때문이다.

비디오 기기와의 통합, 오디오 기기와의 통합 등으로 멀티미디어(Multimedia)화되어 인간의 시각과 청각적 기능을 비롯한 오감이 결합되어지는 미래의 컴퓨터는 통신기기와의 통합, TV를 통한 방송과의 통합 등으로 네트워크(Network)화하고, 인간 지능과의 결합 등으로 지능화(Intelligent)화 하여, 우리의 생활과 문화를 급속하게 변모하게 할 것이다.

즉, 뉴미디어(New Media)가 디지털 데이터(Digital Data)를 다룰 수 있게 되고, 컴퓨터는 이미 전 세계와 인터넷이라는 글로벌 네트워크(Global Network)로 연결되어져 있기 때문에, 컴퓨터와 정보기술(IT)을 중심축으로 기능이 통합되어지면서 그 영향력을 증가시키는 디지털 융합(Digital Convergence)과 함께 IT융합 기술(IT Convergence & Fusion Technology)로 발전하면서 사회변화를 주도해 나가는 중심축으로서의 역할을 수행하고 있다.

셋째, 경제적인 관점에서는 컴퓨터 기술이 진보함에 따라, 컴퓨터의 가격이 급속하게 떨어지고 있다. 초기의 컴퓨터는 비싼 가격으로 일반인들과 너무 유리되어 멀리 떨어져 있었다. 그러나 오늘날 많은 사람들의 사무실과 가정의 책상 위에는 초기의 거대한 컴퓨터보다 더 작고, 더 값싸고, 더 빠르게, 더 많은 일을 할 수 있는 개인용 컴퓨터가 있으며, 기존의 전통적인 통신기기로서의 폰 기능에 컴퓨터의 기능이 통합된 스마트폰이 있다.

또한, 컴퓨터의 가격은 점점 더 하락하지만 활용방법은 점점 더 쉬워지고 있어서 컴퓨터의 보급과 활용은 기하급수적으로 증가하게 될 것이다.

더 많은 사람이 컴퓨터를 사용하면 할수록 일상생활에서의 컴퓨터 의존도는 더욱 커지게 되며, 그 영향력은 더욱 증가하게 되고, 이러한 경향은 앞으로 쉽게 변화할 것 같지 않다는 사실이다.

지식정보혁명의 배경3 (공급적 측면)

① Computer와 IT기기들의 가격은 하락하고 활용은 쉽게 기술의 진보로, 가격은 점점 더 하락하고 기술의 진보로, 활용방법은 점점 더 쉬워져서 Computer의 보급과 활용은 기하급수적으로 증가

② 더 많은 사람이 Computer를 사용하면 할수록 Computer와 IT환경의 영향력은 증대 따라서, 누구에게나 정보기술(IT) 이 필수적인 시대

③ 정보기술(IT ; Information Technology)

IT는 Computer를 활용하여, 정보를 만들고, 전파하고, 통제하는 능력

IT(Information Technology ; 정보기술)

① IT(Information Technology ; 정보기술)

지식정보혁명과 지식정보화 물결을 통해 사회변화를 주도하는 컴퓨터 H/W, S/W, 통신, 글로벌 네트워크(인터넷)과 관련된 기술과 산업을 모두 총칭하는 표현으로 전문가와 일반인들 모두에게 친숙하게 널리 사용되고 있다.

② ICT(Information & Communication Technology ; 정보통신기술)

때로는 통신을 강조한 ICT라는 용어도 가끔씩 사용되기는 하지만, 통신은 원래 IT의 응용 분야 중 하나에 불과한 만큼 ICT는 통신 산업을 특별히 강조하고 싶은 경우에만 사용되는 정도다.

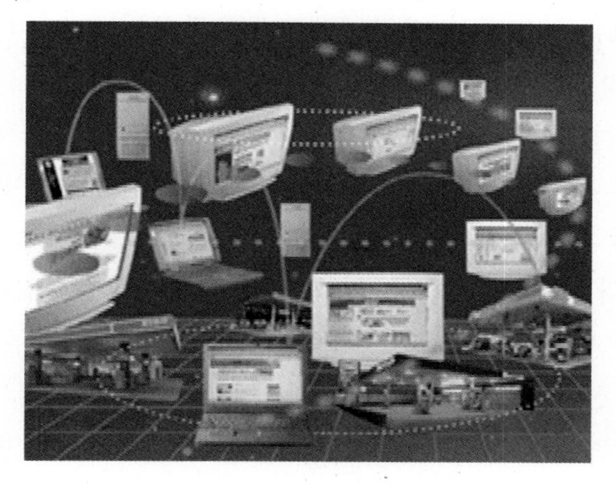

그러므로 우리 주변에서 하루가 다르게 급속하게 보급, 확산되고 있는 컴퓨터를 얼마나 잘 이용할 수 있느냐에 따라 자신의 능력과 자신이 수행할 일의 효율과 성과가 크게 달라지기 때문에 컴퓨터와 통신망을 이용하여, 정보를 만들고, 가공하고, 통제하는 능력인 정보기술(IT : Information Technology) 혹은 정보 통신 기술(ICT : Information & Communication Technology)은 급속하게 변화해 나가는 미래를 살아갈 사람들, 누구에게나 필수적이라 하겠다.

IT는 정보기술(Information Technology)의 약어이긴 하지만 그 범위가 매우 넓게 컴퓨터 하드웨어와 소프트웨어나 통신이나 인터넷과 관련된 기술과 산업을 모두 총칭하는 표현으로 전문가와 일반인들에게 널리 친숙하게 사용되고 있다. 때로는 통신을 강조한 정보 통신 기술

(ICT : Information & Communication Technology)이라는 용어도 가끔씩 사용되기는 하지만, 통신은 원래 IT의 응용 분야 중 하나에 불과한 만큼 IT가 더 널리 사용되고 있고, ICT는 일부 전문가들이 통신을 특별히 강조하고 싶은 경우에만 사용되는 정도다.

정보통신기술의 변화에 따라, 하루가 다르게 발전하는 멀티미디어를 비롯한 첨단 뉴미디어 기술들이 새로운 세상을 예고하면서 이미 사회의 제반 분야에 널리 유포되고 있는 미래형 기술들은 우리의 생활을 크게 변화시키면서 미래의 정보혁명을 확대해 가고 있다.

이러한 미래형 기술의 큰 흐름 중의 하나로 멀티미디어매체는 컴퓨터를 기반으로 문자뿐만 아니라 오디오, 비디오, 그래픽, 애니메이션, 동영상 등을 시스템에서 종합적으로 입·출력하며 처리하고 저장할 수 있는 매체라고 할 수 있다. 멀티미디어나 광통신 네트워크 등과 같은 뉴미디어 기술들은 하루가 다르게 우리의 생활을 변화시키면서 우리로 하여금 미래사회를 위한 새로운 준비를 하게끔 요구하고 있다. 꿈의 통신망이라고 하는 인터넷이 전 세계적으로 연결되어 누구라도 언제 어디서나 필요한 정보를 쉽게 얻을 수 있는 가상공간이 형성됨에 따라 21세기에는 컴퓨터시스템을 기반으로 멀티미디어, 디지털, 통신이 상호 보완적으로 결합되어 우리의 생활구조를 많은 분야에서 변화시킬 것으로 본다.

21세기 제4차 산업혁명(4IR)의 시대는 컴퓨터시스템을 기반으로 디지털, 멀티미디어 그리고 통신이 상호 결합되어 발전하면서 사회의 각 분야를 변화시키는 새로운 기술을 만들고 있다. 예를 들어 우리의 가정은 정보의 소비지로서 뿐만 아니라 정보의 생산지로서 중요한 역할을 하게 될 것이다. 즉 집에서 쉽게, 전 세계 어느 곳에 있는 사람과도 대화하고 정보를 주고받을 수 있으며, 거의 모든 생활이 시간과 공간을 초월하여 이루어질 수 있기 때문에 우리의 삶은 더욱더 편리하고 윤택해질 것이다.

또한 방송국에서 일방적으로 보내주는 TV Program을 집에서 보는 단방향(one-way) 통신에서 벗어나 필요한 Program을 원하는 시간에 골라서 볼 수 있는 양방향(two-way)통신의 주문형 시스템이 가능하고 백화점에 가지 않고서도 집에서 화면을 통해 필요한 물건을 입체적으로 살펴본 후 골라 그 물건에 대해 주문을 할 수 있고 그 물건 값은 자동적으로 결제되어 통장에서 빠져나가는 온라인 가상쇼핑이 이미 보편화되어 있다. 그리고 학생들은 가정에서도 세계적으로 저명한 교수들의 강의를 들으면서 화면을 통해 얼굴을 마주 대하고 질문과 토론 등을 할 수도 있고 외국으로 유학을 가지 않고서도 국내에서 학위를 취득할 수도 있게 된다. 또한 집에서 프랑스의 루브르 박물관이나 영국의 대영 박물관의 진기한 소장품의 입체적 모습을 볼 수 있고 그에 대한 자세한 설명도 들을 수 있다.

즉 지금까지 시간과 공간의 한계로 인해 발생한 많은 제약 사항은 미래의 제4차 산업혁명(4IR)의 시대에서는 사라지고 가상교육(Virtual education), 가상여행(Virtual travel), 가상근무(Virtual work), 가상문화(Cyber culture), 사이버쇼핑(Cyber shopping), 사이버 대학교(Cyber University) 등과 같이 가상(Virtual)이라는 말과 사이버(Cyber)라는 말이 보편화되어 지고 있다.

특히 교육 분야에서의 변화도 크다고 할 수 있는데 전통적인 교실수업에서 벗어나 시간과 공간을 초월한 가상교육 혹은 사이버교육이 보편화되어 인터넷을 기반으로 하는 가상공간에서 대학을 세우고(사이버 대학교 : Cyber University) 교수와 학생이 전 지구상에서 만나 강의하고 학습하는 새로운 교육의 패러다임이 형성되고 있다.

21세기 멀티미디어의 가장 큰 주안점은 정보 생성자와 정보 소비자 사이에 대화성(interactivity)을 극대화하는 쪽으로 발전하고 있는데 교육(Education)과 오락(Entertainment)을 합친 에듀테인먼트(EduTainment) 소프트웨어가 멀티미디어 시장의 주역으로 떠오르고 있다.

지금까지 우리의 주위에서 가장 발전된 영상매체로서의 TV는 단방향의 전달체제, 시간과 공간의 제한성 등의 단점을 극복하고 인터넷을 기반으로 한, 양방향 통신과 주문형 비디오(VOD : Video On Demand)로 발전되어가면서, 시간과 공간의 벽을 뛰어넘어 사이버 공간(Cyber space)의 구현이 가능한 3차원 영상기술(3D), 초 고품위 영상 기술(UHD : Ultra High Definition) 등 여러 가지 멀티미디어 기술들과 어우러지면서 빠르게 발전하고 있다.

그리고 초고속 통신이 가능한 네트워크 기술 등과 결합된 미래의 멀티미디어 장치들은 TV와 화상전화의 기능을 포함하고 무선으로 이용 가능한 소형 장치로 변해 손목시계(Galaxy Gear 등)같이 이동이 용이하고 지갑처럼 간편하며 음성을 인식하고 전자메일이나 음성메일을 수집 · 저장할 수 있는 최소형의 다기능 컴퓨터로 발전되어지고 있다. 따라서 21세기에는 처리의 고속화, 크기의 최소화, 가격의 저렴화를 지향하는 하드웨어 기술뿐만 아니라 대화형 TV 기술, 디지털 동영상 기술, 가상쇼핑 기술, 사물인터넷기술(IoT : Internet of Things) 등의 소프트웨어 기술은 더욱 발전해 나갈 것이다.

이와 같이 21세기는 사회 각 분야에서 엄청난 변화가 일어날 것으로 예상되는데 이러한 정보혁명을 이끌고 있는 것이 바로 컴퓨터와 정보기술(IT) 이라고 할 수 있다. 허드슨 연구소의 허만 칸(Herman Kahn)은 정보혁명 대신 컴퓨터혁명이라는 말을 사용했는데, "컴퓨터와 정보기술(IT)혁명은 역사적으로 가장 널리 알려진 혁명이다. 그럼에도 불구하고 우리는 이 효과를 대수롭지 않게 생각한다는 사실은 참으로 놀라운 일이다"라고 말한 것은 컴퓨터 활용 학습과 디지털 혁명에 대한 이해가 얼마나 중요한가를 말해주고 있다.

1.3 지식 정보화 사회의 IT기술 응용분야

1.3.1 정보기술(IT)과 경영

컴퓨터가 도입된 이후 기업과 산업체에 많은 영향을 주었다. 이는 컴퓨터를 이용함으로써 작업 속도가 빨라지고 계산상의 오류가 줄었으며 수작업으로는 거의 불가능했던 능률적이고 비용 효과적인 분석들을 할 수 있었기 때문이다.

(1) 경영 정보시스템(Management Information System : MIS)

경영 정보시스템(Management Information System : MIS)을 정의하면, 조직의 경영과 의사결정 등을 지원하는 정보를 제공하는 인간과 기계의 통합 시스템이라 할 수 있는데, 이 시스템에서는 컴퓨터 하드웨어와 소프트웨어, 업무의 절차, 경영과 의사 결정 모형 그리고 데이터베이스 기술 등이 이용되어진다.

① 경영 정보시스템(Management Information System : MIS)의 구조

MIS는 피라미드 구조로 되어 있는데, 주로 계산 능력을 담당하는 일상적인 업무 처리는 제일 하위 계층에 있고 그 위 계층은 중간 관리 수준의 기획과 운영 수준에서의 활동을 지원하는 부분이며 세 번째 계층은 전략 관리 수준의 기획과 의사결정의 기능을 담당하고 있으며, 의사결정 지원 시스템(DSS : Decision-making Support System)은 경영에 대한 전략적 수준의 기획과 의사결정을 위해 광범위한 자원을 활용하는 피라미드 정점에 위치하고 있다.

경영학, 회계학, 경영과학, 관리 이론, 정보기술(IT)과 같은 주요 분야는 MIS의 발전에 공헌에 왔으며 의사결정 지원 시스템으로 발전해 나가고 있다.

② 운영적 수준에서의 MIS

운영 측면에서의 주 관심 분야는 매일 매일의 거래에 대한 정보 수집 및 처리이다. 이 정보들은 일반적으로 여러 자원의 획득과 소비를 나타내고 있으며 그 예로는 수익, 지출, 임금 등을 들 수 있다. 이러한 자료들의 입력, 처리 및 출력 시에는 자료에 결함이 생기지 않도록 주의를 기울여야 한다.

③ 제어적 수준에서의 MIS

거래에 대한 자료는 적절한 형식을 통해 중간 책임자로 하여금 현재의 운영 과정을 검토 및 제어할 수 있도록 되어야 한다. 이러한 자료는 경영자에게 어떠한 결정을 내릴 수 있도록 해준다. 그 예로는 어떤 상품의 생산량을 늘릴 것인가 또는 줄일 것인가 등을 들 수 있다. 이러한 일련의 결정들은 그 조직체의 목표를 달성할 수 있도록 하는 방향으로 이루어지며 이것이 제어의 기능이라 할 수 있다.

④ 전략적 수준에서의 MIS

전략 단계는 조직체의 목적을 성취할 수 있는 효율적인 계획을 작성하는 단계이다. 그러므로 이 단계에서 필요한 정보는 공장, 경쟁 회사, 정부 및 고객에 관련된 사항들을 포함해야 한다. 이러한 정보들의 많은 부분은 그 조직체의 외부로부터 얻어진다.

(2) 전자 문서 교환(Electronic Data Interchange : EDI)

전자 문서 교환(Electronic Data Interchange : EDI)은 표준화된 기업 간 거래 서식(Business form)을 컴퓨터 간 통신으로 교환하는 것을 말한다. 현재의 기업에서 취급하는 총 데이터의 약 70%가 외부로부터 유입되는 점에서 EDI에 의한 신속하고 에러 없는 기업 간 정보 교환의 필요성이 점차 대두되고 있는 실정이다.

예를 들어 유통업계라면 판매 시점 관리(Point of sales : POS) 시스템에 의하여 팔린 상품을 신속하게 파악하고 그 정보와 물류 정보를 조합하고, 생산 정보와 판매 정보가 연결되면 기업의 경영 활동 가운데서 발생하는 갖가지 정보를 온라인 형태로 공유하여 필요에 따라 즉시 처리, 가공하여 활용할 수 있는 기업 정보 통신 네트워크 시스템의 방향으로 나아가게 되는 것이다.

1.3.2 정보기술(IT)과 산업

정보사회의 주요 산업들은 모두 컴퓨터 산업의 발달과 비례해서 밀접한 관계를 맺고 있다.

(1) 컴퓨터 이용 설계(Computer Aided Design : CAD)

기본적으로는 컴퓨터의 그래픽 능력을 이용하여 종이에 그릴 도면을 컴퓨터에 입력하고 그것을 화면이나 플로터 등으로 그려내는 것이지만, 보다 진보된 시스템에서는 설계에 대한

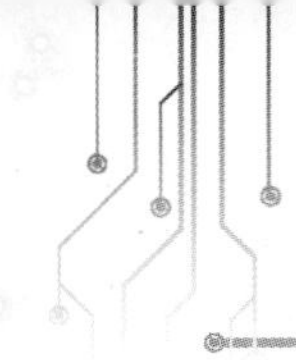

분석이나 지정된 기준에 대한 검사도 할 수 있다.

설계 단계에서 컴퓨터의 정교한 그래픽 기술을 이용하는 CAD와 제조 단계에서 컴퓨터와 수치 제어 기계, 순차 명령 시스템 및 로봇을 통합한 CAM의 2가지가 점차 유기적으로 결합되어 조직화되어 가고 있다. CAM/CAM의 연결이 원활하게 이루어지면 하나의 생산품의 설계에서 품질 검사까지가 동일 화면상에서 이루어지게 되어 설계에서 생산까지의 시간을 크게 단축하여 새로운 모형을 제작하기 위해 중간단계에서 변형을 가하여 주문생산이나 단기 가동 생산을 할 수 있게 되어 비용 면에서 보다 효율적이다.

(2) 컴퓨터 이용 제작(Computer Aided Manufacturing : CAM)

컴퓨터 이용 제작은 생산품의 제조를 도와주기 위해 공장에서 사용되는 제조 자동화의 여러 형태를 말한다. 주요한 부속 분야는 로봇, 수치 제어 공구, 유연성 제작 시스템(Flexible Manufacturing System : FMS)등이다. 컴퓨터 이용 제작은 컴퓨터를 이용해서 제조 및 관련 업무를 수행하는 것으로, 가공뿐만 아니라 계획, 관리를 포함하는 제조설비의 제어 등도 대상이 된다. 따라서 간단한 것으로는 공장의 각 기계에 컴퓨터를 부착시켜 수치제어를 하게 하는 것부터 공장의 모든 공정을 자동화시켜 무인공장을 만드는 것도 포함된다. 따라서 공장 자동화(FA)와 관련이 깊다.

CAD/CAM은 공장의 완전 자동화, 설계와 제조의 통합, 작업 장소의 분산 등과 같은 분야에 중요한 기술로 남게 되었고 컴퓨터 이용 공학(Computer Aided Engineering : CAE)에 매우 중요한 요소로 되어 있다.

(3) 통합 생산 자동화(Computer Integrated Manufacturing : CIM)

컴퓨터를 이용한 제조 전략으로 CAD/CAM을 대신하는 기술은 통합 생산 자동화(Computer Integrated Manufacturing : CIM)이다. 흔히 통합 생산 자동화를 3M(Marketing, Management, Manufacturing)이라고 하여 시장과 사무실과 공장을 연결한 통합된 경영 전략 시스템을 상징하고 있다.

1.3.3 정보기술(IT)과 자동화

산업혁명 이래로 자동화는 커다란 관심사였다. 기술의 발전에 따라, 더 많은 과정이 자동화되어 많은 직장에서 기계가 사람을 대신함으로써 더 낮은 비용과 더 큰 효율성을 얻게 되었다. 컴퓨터는 인간을 대신하여 자동화된 기계나 조립 공정 전체를 통제하는 데 이용될 수 있다. 컴퓨터가 반복적인 많은 일들을 처리하게 됨으로써 많은 직무가 없어지게 될 것으로 보인다. 컴퓨터의 출현으로 자동화가 실업(Unemployment)과 인간성의 상실(Dehumanization)을 낳는다는 우려가 더욱 커지게 되었다. 그러나 이 걱정들이 옳은 것인지는 좀 더 두고 봐야 한다. 지난 30년 동안 나타난 것으로 볼 때 자동화의 진전이 실업을 증가시킨다는 것으로 연결되지는 않았다. 확실히 노동자들은 해고되었지만 새로운 기술은 더욱더 많은 고용의 기회를 만들었다.

정보화 사회의 근간인 정보기술(IT)과 통신 기술의 발달로 인해 가정과 사무실, 공장, 점포, 빌딩 등 사회 각 분야에서 본격적인 자동화 시대를 맞이하고 있다.

(1) 가정 자동화(HA : Home Automation)

고도의 자동화, 정보화가 이루어진 주택을 선진국에서는 지능화된 주택이란 뜻으로 스마트 하우스 또는 인텔리젠트 홈이라고 부른다. 가정 자동화는 우리나라에서도 제품화되어 일부에서는 실용화되고 있다.

대표적인 예로 화재나 가스 누출, 침입 등 비상사태가 생겼을 때 경보음을 울려 주는 보안 기능, 외부에서 전화로 가전제품을 작동시켜 주는 원격 제어 기능, 방문한 사람을 비디오 영상으로 확인하는 비디오 도어폰 기능 등이 그것이다.

기존의 가정 자동화 시스템이 무선 방식이나 전력선 이용 방식의 도입으로 바뀌고 Home Bus로 통합되어 이용이 편리해지고 있다. 그러나 호환성이 결여되어 홈버스의 표준화가 가정 자동화 확산을 위한 핵심 과제로 남아 있다.

(2) 사무 자동화(OA : Office Automation)

사무 자동화(Office Automation : OA)란, 컴퓨터를 비롯한 첨단기기들을 이용하여, 사무실의 작업 실태를 분석하고, 일의 진행 방법이나 업무 처리 방법 등을 개선함으로써 일의 능률과 생산성을 향상시키는 것을 말한다. OA가 가장 먼저 시작된 부문은 문서 관리와 외부 통신 쪽이었다. 기업 운영의 측면에서 보면 인건비, 문서 작성비, 문서 보관비의 상승은 사무 자동화의 필요성을 고조시키고 있다. 사무 자동화는 공장 자동화(FA)등과 함께 기업의 생산성 향상에 도움을 주는 새로운 개념이다.

오늘날의 사무 자동화는 각종 문서와 자료들을 작성하고 보관하는 데 그치지 않고 이들을 심층 있게 분석하고 적절하게 분류해서 데이터베이스화하여 필요에 부응하는 가치 있는 정보로 가공하는 방향으로 발전하고 있다. 그러나 사무실에서 인간이 수행하고 있는 정보처리 업무 중에서 정보의 의미 내용을 이해하고 고도의 판단이나 의사결정 정보처리 작업 등 본질적인 정보처리 작업은 아직은 인간이 행하지 않을 수 없다.

(3) 공장 자동화(FA : Factory Automation)

블루 컬러를 대신해 공장과 작업 현장에 배치되어 밤낮을 가리지 않고 아무런 불평 없이 일하는 산업용 로봇을 일컫는 '스틸 컬러'가 등장하고 있다.

오늘날의 산업현장은 새로운 컴퓨터 통신망으로 통제실부터 조립 라인까지 모든 작업을 연결하는 공장의 중앙 통제 시스템을 만들어 내고 있다. 현대의 로봇은 이제 감지에서부터 명령 및 통제에 이르기까지 다양한 기능을 위해 컴퓨터 기술을 이용하고 있다.

공장 자동화와 관련된 최근의 기술 동향을 보면 FMS(Flexible Manufacturing System) CIM (Computer Integrated Manufacturing) 등의 용어를 많이 사용하고 있다. 이들은 모두 컴퓨터를 산업 현장에 어떻게 이용할 것인가, 생산 현장에서 발생하는 복잡하고 어려운 일들을 컴퓨터라는 '영리한 기계'를 이용하여 해결하기 위한 방법들이다. FA나 CIM, CAD/CAM 등은 컴퓨터의 확산과 더불어 새롭게 등장한 용어들이다.

(4) 점포 자동화(SA : Sale Automation)

점포 자동화의 핵심 기술인 판매시점 정보관리 시스템(POS : Point of sales system)은 막대기 모양의 bar code로 표시된 상품 정보를 터미널의 자동 판독 장치(스캐너)가 읽어 저장 제어기(소형 컴퓨터)로 보내면 컴퓨터가 이를 처리하고, 필요한 정보를 저장하며 영수증 등을 자동 발행하게 된다. 이 시스템은 단순히 상품의 판매과정만을 자동화하는 것이 아니라 매출, 회계, 재고, 자동발주관리뿐만 아니라 더 나아가, 고객의 성향에 대한 정보들을 분석, 제공하여 기업의 신제품 개발 및 종합적인 경영정책 수립과정에 이바지하고 있다.

(5) 빌딩 자동화(BA : Building Automation)

고층 건물의 운영을 보다 효율적으로 관리하기 위해 건물 내의 각종 설비를 원격 제어 감시하는 시스템을 말한다.

1.3.4 정보기술(IT)과 가정

(1) 재택근무

컴퓨터의 문서 작성과 통신 기능이 발전하게 됨에 따라 “재택근무”라는 말이 점차 일반화되고 있다. 회사에 출근하지 않고도 개인용 컴퓨터를 이용해 집에서 회사 업무를 처리하고 그 결과를 전화선과 연결된 통신기기를 통하여 회사에 전달하도록 하는 제도로 국내에서도 실시되어지고 있다. 재택근무 확산의 관건은 원격 통신 시설 설비비와 운영 경비가 통근에 소요되는 경비보다 적게 드는 때가 언제쯤인가 하는 점인데, 원격 통신 설비비는 기하급수적으로 떨어지고 있으므로 필요한 통신 설비를 가정에 배치하여 업무를 볼 수 있게 하는 재택근무가 우리 사회의 많은 부분에 자리를 잡아 가고 있다.

1.3.5 정보기술(IT)과 의료

다른 분야의 초기 현상과 마찬가지로 의료 분야에 있어서도 컴퓨터는 기록 보관 청구서 작성 그리고 봉급 계산 등의 단순 업무를 수행하는 데 처음 사용되었다.

그러나 최근에는 첨단 과학기술을 응용하여 과거의 치료 방법보다 혁신적인 치료법을 개발하고 있다. 성형외과의 경우 컴퓨터 시뮬레이션을 통해, 수술 후의 환자들의 얼굴 모습을 미리 보여준다. 의학에 있어서 또 하나의 놀라운 컴퓨터 응용의 예는 로봇에 의한 두뇌 수술이다.

(1) 의료 정보 시스템

의료 정보 시스템은 의사의 연구 업무를 보조할 뿐만 아니라 직접적으로 의료 행위를 돕는다. 다른 자료와는 달리 의료 기록은 정확하고, 완전하며 최근 정보이어야 하므로 의료 기술이 좀 더 전문화되고 정교해짐에 따라, 특히 시골이나 고립된 지역의 의사는 의료 정보 시스템을 이용하는 것이 효율적이라 할 수 있다.

(2) 의료 전달 시스템

다음 발전 단계는 질병의 진단, 의료 행위에 대한 조언이나 전문가의 의견을 제시하는 전문가 시스템(Expert System)의 출현이다. 이러한 분야에서는 인공지능 기술이 실질적인 공헌을 하고 있다. 인공지능의 주요한 연구 분야의 하나는 인간의 문제 해결이나 의사결정 능력

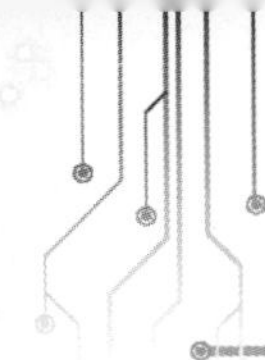

에 관한 모형화이다.

1.3.6 정보기술(IT)과 교육

멀티미디어 시스템을 비롯한 새로운 컴퓨터 기술이 혁신적인 교육 환경을 조성하고 있다. 새로운 지식을 받아들이는 교육적 효과(EDUcation)와 즐거움을 주는 오락적 효과(enterTAINMENT)를 적절하게 결합하여 새로운 교육환경(EDUTAINMENT)을 컴퓨터가 만들어 나가고 있다. 컴퓨터는 학생 개개인의 직접적인 선택에 의해, 자신에게 가장 적합한 학습수준에서, 학생 자신의 학습 능력에 맞게 학습하도록 도와주며, 다양한 분야의 지적 호기심이나 배우고자 하는 욕구를 만족시켜 준다.

(1) 컴퓨터 이용 교육(Computer Assisted Instruction : CAI)

컴퓨터 이용 교육(Computer Assisted Instruction : CAI 혹은 Computer Assisted Education : CAE)과 컴퓨터 기반 교육(Computer Based Training : CBT)은 단순한 컴퓨터 응용 분야가 아니고 전 교육 시스템에 영향을 미쳐, 전통적 교육 체계를 혁신시킬 가능성을 가지고 있다.

이밖에도 컴퓨터는 일반 교육에서의 응용은 물론, 고가의 훈련기자재로 비용이 많이 들고 사고의 위험 등으로 현실에서는 행하기 어려운 군사 훈련 Program에도 이미 이용되고 있다. 미사일을 유도하는 무기를 설계하고 테스트하는 일(모델링 : Modelling)에서 부터 모의전쟁(War Game)을 시뮬레이션(Simulation)하는 일에까지 응용되고 있다.

(2) 컴퓨터 이용 학습(Computer assisted learning)

컴퓨터 이용 학습은 어린이의 상상력을 키우는 좋은 친구가 되며, 최근에는 많은 CD와 앱(App)들이 출시되고 있으며 이러한 방법은 오락적 효과와 함께 교육적 효과를 준다(EduTainment).

1.3.7 정보기술(IT)과 예술

다른 컴퓨터 분야가 문자 정보를 강조하고 있는 데 비해 컴퓨터 그래픽은 시각적 정보를 강조하는 특성을 지니고 있다. 인간은 감각 기관을 통해 받아들이는 정보 중 60%를 시각으로 받아들이고 있다. '백문이 불여일견'이란 말을 통해서도 시각 정보의 중요성을 알 수 있을 것이다.

가령 컴퓨터에 익숙하지 않은 사람이 컴퓨터를 조작하는데, 조작 방법에 관한 설명이나 수행할 작업들에 관한 메뉴가 글로 화면에 가득 나열되어 있다면 읽기도 지루하고 작업을 빨리 수행할 수도 없을 것이다. 그러므로 이런 설명과 메뉴를 문자보다는 그림을 사용하여 함축적으로 나타내 주는 것이 사용자에게 편리할 것이다. 이러한 사용자와의 인터페이스뿐만 아니라 컴퓨터 그래픽은 많은 분야에 이용된다.

(1) 그래픽 소프트웨어

그래픽 소프트웨어 패키지는 영상을 컴퓨터 모니터에 출력하거나 프린터에 인쇄할 수 있게 해준다. 그래프는 간단한 막대그래프에서부터 복잡한 제품의 설계도에 이르기까지 다양하다. 그래픽 패키지의 사용은 메뉴를 통한 명령어 선택으로 간단하게 이루어질 수도 있고 영상을 구성하는 픽셀을 일일이 통제하는 복잡한 사용 방법도 있다. 각 화면은 영상을 만드는 데 일정한 수의 픽셀을 가지고 있으며 이러한 픽셀을 통제함으로써 사용자는 실제로 원하는 만큼의 해상도로 그래픽 영상을 생성해 낼 수 있다.

(2) 그래픽 소프트웨어의 응용

그래픽 소프트웨어 패키지의 응용 범위는 비즈니스에서 예술적 사용에 이르기까지 다양하다. 파이차트나 막대그래프 같은 그래프를 만들어 내는 그래프 패키지는 주로 관리자들에게 제시할 목적으로 데이터를 요약할 때 사용되는데 이러한 그래프는 모니터로 출력되거나, 인쇄할 수 있고 또한 슬라이드로도 만들 수 있다. 예술 분야에서 그래픽 패키지 사용의 증가는 현저하다. 컴퓨터 기술은 예술가가 창조한 영상에 만족하지 못하는 경우 화면의 영상을 쉽게 바꿀 수 있게 해준다.

1.3.8 정보기술(IT)과 금융

컴퓨터는 일상적인 생활에 밀접하게 연관되어 있다. 한 때, 은행의 예금과 인출은 은행에서만 가능했으나 지금은 백화점에서 볼링장에서 또는 거리에서도 현금의 인출과 이체가 가능해졌다.

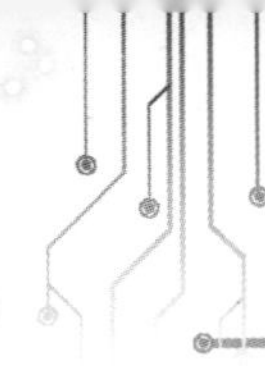

(1) 전자 화폐(Digital Cash : Cyber Cash)

돈의 지불 능력 여부를 알려주는 정보를 취급하면 그 정보는 컴퓨터에 기록되어질 수 있고 지불은 컴퓨터간의 자료 이동으로 행해질 수 있다. 전자 화폐(Cyber Cash)는 비트의 형태로 전화선을 통하여 보이지 않게 전달된다.

① 가정에서의 은행 이용(Home banking)

은행 고객은 가정에서 컴퓨터를 통해 그의 계좌 상황을 알아본다든지 계좌 이체를 이용하고 각 공공 기관의 고지서를 은행의 컴퓨터 지불 방식에 따라 자동으로 예금에서 결재하는 편리함을 누릴 수 있다.

② 가정에서의 상품 주문(Home shopping)

고객은 가정 내에서 컴퓨터를 통해 여러 가지 상품을 살펴보고 원하는 상품을 구매하는 편리함을 누릴 수 있다.

(2) 카드 사회

카드 전성시대를 맞아 자기 카드, 홀로그램카드, IC카드, 레이저 카드와 같은 개발이 점차 발전되어 오고 여러 카드를 통합하거나 정보 저장 기술을 고도화하는 방향으로 발전해 가고 있다.

(3) 금융 전산망

정보기술(IT)과 통신 기술의 발전으로 대량의 데이터를 저렴한 비용으로 안전하며 신속하고 정확하게 처리할 수 있게 됨에 따라 컴퓨터와 통신망을 연결해 금융 업무를 처리하는 시스템을 구축한 것을 금융 전산망이라 한다. 우리나라의 금융 전산망은 금융의 자유화 국제화에 대비하여 금융기관의 국제 경쟁력 확보하고, 정책 수립 자료를 신속하게 제공하고, 기존 금융 서비스를 대폭 개선하고, 새로운 전자 금융 서비스를 창출하여, 고객 서비스의 시간적, 장소적 제약을 없애고 24시간 365일 언제나 가정, 사무실, 공공장소 등 어디에서나 금융 거래를 할 수 있기 때문에 경제를 활성화 시키고 고객에게는 더 많은 편의를 제공하게 될 것이다.

1.3.9 정보기술(IT)과 범죄

(1) 소프트웨어 도난 및 불법 복사

소프트웨어는 소유권자의 고유 재산이므로 보호받아야 한다. 그 기술적인 방법으로 외부 유출을 방지하기 위해 접근 제한이나 정보를 암호화하는 방법을 이용하고 있다.

(2) 컴퓨터를 이용한 금품 횡령

단순한 현금 카드를 이용하는 방법과 단말기 조작으로 이동하는 방법, Program을 변조하여 이동하는 방법 등이 있다.

(3) 해커와 불법 침입

컴퓨터 통신망을 타고 들어가 가상 상태의 자료를 만들어 넣거나 기존의 자료를 파괴하여 컴퓨터 통신망을 교란시키는 범죄도 나타나고 있다. 이러한 종류의 범죄는 개인적 이해나 소속 조직의 불법적 이익을 챙기려는 범죄적 동기와 호기심이 많은 청소년들의 도전적 동기로 구분된다. 컴퓨터 범죄를 예방하는 길은 정보기관이 해독 불가능한 암호 메시지를 전달하는 방식으로 정보 전송을 하는 것이다.

1.3.10 정보기술(IT)과 정부

컴퓨터는 중앙 정부에서부터 기초 행정 단위의 사무실까지 정보를 조직화하여 대국민 서비스를 향상시키는 데 사용된다. 컴퓨터는 비용과 시간을 절약하고, 행방불명자의 추적에 도움을 주며 선거인 명부 작성에도 이용된다. 또한 정부는 다양한 연구에 대한 지원자로서 방대한 양의 유용한 정보를 컴퓨터를 통해 기업에 제공하고 있다. 우리나라의 경우, 행정 전산망, 교육 연구망, 금융 전산망, 국방망, 공안망 등의 기간 전산망이 구축되었으며 주민등록 업무, 자동차 등록 업무, 부동산 관리, 종합소득세 내지는 종합토지세 부과 등의 업무에 많은 전산 자원을 투입 활용하고 있다.

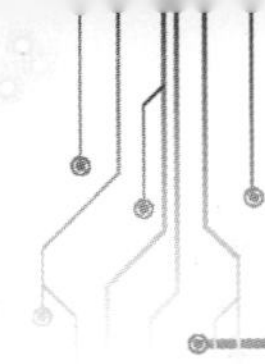

1.3.11 정보기술(IT)과 통신

우리 주위에서 널리 사용되고 있는 통신 시스템은 여러 가지 다양한 형태를 가지고 있다. 온라인 방식(On-line)의 대형 컴퓨터와 단말기간의 연결, 우리 생활의 매우 중요한 부분인 전화, 팩시밀리, TV나 라디오 방송, 무선 호출기, 스마트폰 등이 모두 통신 시스템의 범주에 속한다. 넓은 의미에서의 데이터 통신은 이러한 여러 가지 통신 시스템 내부에서의 데이터(음성, 화상, 파일 등)의 전송을 전부 포함하는 의미이나 실제로는 좁은 의미인 컴퓨터와 단말기 간 혹은 컴퓨터 간의 자료 교환을 의미하게 된다. 이러한 말들을 요약해 본다면 데이터 통신이란 "한 장소로부터 다른 장소로 전송 채널이라는 수단을 통하여 통신에 적합한 신호의 형태로 코드(Code)화된 정보를 전달하는 것"을 의미하게 된다.

우리가 흔히 말하는 정보기술(Information Technology)이란 크게 정보의 처리(Data Processing) 기술과 정보의 이동(Data Mobility) 기술의 두 가지로 분류된다. 그리고 이 두 가지 기술은 각기 독립적으로 발전해 왔다. 그러나 최근 들어 이 두 가지 기술이 결합되어 21세기 제4차 산업혁명(4IR)의 시대로 나아가는 초석이 되고 있다.

1.3.12 정보기술(IT)과 데이터베이스(Data Base)

(1) 데이터베이스(Data Base)

데이터베이스란 정보를 한 곳에 모아 놓고 이러한 정보를 일정한 규칙에 따라 구성한 것을 말한다. 사용자는 데이터베이스에서 원하는 정보를 찾아 그 정보를 사용하고, 내용을 변경하고, 새로운 내용을 첨가하기도 한다. 종전의 파일 시스템에서는 같은 내용의 데이터를 여러 곳에 분산하여 관리하였기 때문에 한 곳의 데이터를 변경하였을 경우 일일이 다른 곳에 있는 데이터를 찾아다니며 고쳐야 하는 불편이 있었고 데이터 내용의 불일치 등 여러 가지 문제점들이 발생하였었다. 데이터베이스 관리 시스템(DBMS)은 자료를 관리하는 규칙에 따라 자료를 변경하고 추가하고 필요한 자료를 찾는 등의 일련의 일을 하는 소프트웨어이다. 자주 변경되는 정보나 방대한 양의 데이터를 관리하기 위해서는 데이터베이스 관리 시스템이 필요하다.

(2) 데이터베이스(Data Base)의 편리함

이러한 정보를 전산화한 데이터베이스 시스템이 주는 이점은 다음과 같다.

첫째, 정보의 내용을 고치는 것이 매우 자유롭다. 전화번호부는 정기적으로 일 년에 한 번씩 갱신하여 새로 만들기 때문에 그 이후에 생기는 변동 사항은 현재의 전화번호부에 기록될 수 없다. 그래서 어제 전화를 새로 가설한 경우나 전화번호가 바뀐 경우 전화번호부에서는 찾아 볼 수 없다. 이 경우 우리는 보통 114에 전화하여 문의하는데, 그곳에는 전산화 시스템이 되어 있기 때문에 전화번호 가입자의 변경 사항이 즉각 입력되어 이러한 경우에도 우리에게 새로운 정보를 제공하여 준다.

둘째, 다양한 방법으로 정보를 찾는 것이 가능하다. 전화번호부는 가입자의 이름을 가나다 순으로 나열하였기 때문에 가입자의 이름으로 찾는 것은 매우 쉬우나 그 밖의 방법으로 전화번호를 찾는 것은 거의 불가능하다. 즉 가입자의 주소는 아는데 이름을 모르는 경우나 알고자 하는 사람의 이름이 전화 가입자의 이름이 아닌 경우에는 전화번호부는 소용이 없게 된다. 그러나 이 정보를 전산화하면 가입자의 이름뿐만 아니라 주소와 같은 다양한 방법으로 정보를 얻는 것이 가능해 진다.

셋째, 정보의 보급이 쉬워진다. 모든 사람이 컴퓨터를 소유하거나 사용할 수 있는 여건이 되어 전화번호부 대신에 USB 몇 장으로 똑같은 분량의 정보를 수록할 수 있을 뿐만 아니라, 초고속 인터넷망을 통해서 시시각각 변화하는 최신 정보까지 모든 사람이 이용할 수 있다.

1.4 Digital혁명과 지식기반 사회

인터넷과 지식 정보산업이 매우 빠른 속도로 발전하면서 지금 우리 인류의 생활과 삶은 지금까지의 어떤 세대에서도 경험해 보지 못한 엄청난 변화를 경제적, 정치적, 사회적, 문화적으로 맞이하고 있다.

1.4.1 지식정보혁명의 특징 : Communication

▸ **정보가 사회의 중심자원이 되는 지식창조사회**

모든 사람들이 정보를 쉽게 접할 수 있고 모든 사람들이 온라인 가상공간에서 쉽게 만날 수 있고 서로간의 생각과 입장이 편리하게 상호소통(Communication)되어 진정한 민주주의의 실현을 위한 기초적 역할을 수행하고 모든 사람들의 경제적, 정치적, 사회적 평등을 만들어가는 인프라 스트럭처(Infrastructure)

1.4.2 지식정보혁명과 공간의 확장

Digital혁명과 Digital문화의 가장 큰 특징은 시간과 공간을 초월하고 확장, 상호소통(Communication)의 확장

▸ 가상공간을 통하여 생활공간을 확장

지구촌의 모든 사람들이 온라인 가상공간에서 쉽게 만날 수 있다.

예) 서울의 호텔을 예약하기 위하여 지구촌의 사람들이 서울이라는 현실공간에 모두 모일 수는 없지만 가상공간 홈피에는 언제나 접속하여 대화하고, 상호 소통할 수 있다

사물인터넷(IoT)은 O2O(Offline to Online)를 통해서 실제의 생활공간에 해당하는 Offline의 정보를 가상의 생활공간에 해당하는 Online으로 넘기고 O2O(Online to Offline)를 통해서 실제의 생활공간에서 실행한다.

1.4.3 지식정보혁명의 경제적, 사회적 영향

상호소통(Communication)과 대화의 확장은 언제나(시간), 어디서나(공간) 서로간의 생각과 입장이 편리하게 상호소통(Communication)되어 정보의 공유와 (홍보 자료의)확산, 의견의 효율적 전달로

① SNS, 동호회, 포럼 등의 수많은 가상 공동체를 통하여 이루어지는 인터넷의 양방향 커뮤니케이션은 평범한 절대 다수시민들의 의견 개진과 여론 형성과정을 통해 직접민주주의를 구현(정치적, 사회적 평등)

② 원하는 상품의 경제적 구매가 가능한 지구촌 경제를 실현 (경제적 평등)

1.4.4 지식정보혁명과 시간의 공간의 확장

▸ 시간을 초월하고 확장

공간뿐만 아니라 시간개념도 초월하고 확장하여 Computer System과 Internet을 통해 시간

의 개념은 1일 8시간 근무형태를 넘어 24시간, 365일 활용되는 근무형태로 디지털 컨텐츠(광고, 홍보물, 작품세계 등) 자료가 때로는 10년 전, 100년 후에도 적극적으로 활용되어 언제나(시간), 어디서나(공간), 모든 정보를 활용한 적극적인 상호소통으로 경비의 절약, 고 품질화된 서비스의 확대로 인류의 삶을 발전적으로 변화시키고 있다.

1.4.5 온라인 전자 상거래와 상호소통(Communication)

▸ **수요공급의 법칙(law of supply & demand)과 가격**

자유경쟁시장에서 수요와 공급 간의 관계는 가격과 생산량을 결정한다는 경제학적 명제.

경쟁적인 시장에 있어서의 시장가격과 시장거래량은 수요자와 공급자의 상호교섭에 의하여 결정된다.

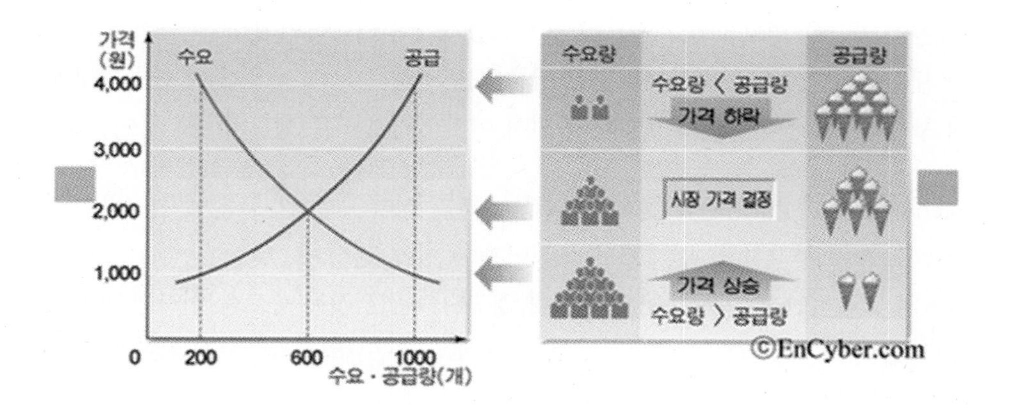

완전 경쟁 시장을 지향하는 온라인 전자 상거래는 이제 누구도 피할 수 없는 시대적 흐름이자 새로운 경제 질서이다. 인터넷상에서 가격정보를 비교해 주는 검색에이전트의 출현으로 소비자는 질 좋은 상품을 저가에 살 수 있게 되었으며 네이버 지식 쇼핑 같은 가격 비교 검색엔진들은 공급자 위주의 가격결정구조를 한 순간에 무너뜨리고 있다.

다수의 공급자와 다수의 소비자가 온라인 공간에서 언제나, 어디서나 만나서, 서로 상호소통(Communication) 하면서 서로의 정보를 완벽하게 공유한다는 전제에서 출발 가능한 완전 경쟁 시장은 거품 가득한 중간 마진을 제거해 가는 소비자 위주의 시장으로 발전되고 있다.

이미 전자 상거래(E-Commerce)가 피할 수 없는 시대적 흐름으로 또 하나의 새로운 경제 질서로 자리 잡아 가고 있음을 누구도 부인할 수 없다. 인터넷상에서 이루어지는 활동들은 SNS를 통하여 새로운 생활 패턴과 문화를 만들어 가고 가상과 현실을 하나로 만들려는 노력

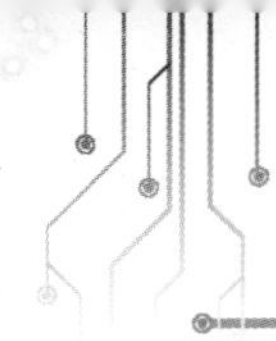

이 끝없이 시도되고 있다. 그것이 온라인상에서 벌어지는 전자상거래이든, 헬멧과 특수 안경을 통해 탄성을 지르며 가상현실을 만끽하는 3D 오락 게임이든, 네트워크 게임이든, 상호 친목을 도모하고 정보를 공유하는 동호회라는 가상 공동체이든, 새롭고 전문적인 지식을 나누는 포럼이든, 벌써 가상의 공간은 우리들 현실의 일부로 자리잡아가고 있다.

디지털 문화의 가장 큰 특징은 시간과 공간을 초월하고 확장한다는 점이다. 디지털 혁명에서의 공간 개념은 사이버 공간 속에서 기존의 국경과 대륙을 뛰어넘는 새로운 무한 공간으로 확장되었다. 광속으로 메시지를 주고받으며 커뮤니케이션을 활성화하고 앞으로 다가올 미래의 세계를 예측함으로써 시간의 흐름을 변화시킨다. 1일 8시간 근무형태를 넘어 컴퓨터 시스템과 인터넷이 24시간 활용되어 경비의 절약, 서비스의 확대로 시간과 공간을 확장하여 인류의 삶을 변화시키고 있다.

공간의 개념은 이제 물리적인 개념에서 벗어나 사이버 상의 무한대 공간으로까지 확장되고 있다. 기존의 공간은 영토권의 개념으로 해석되었지만 인터넷상의 공간은 국경과 대륙을 뛰어 넘는 새로운 공간이다. 언제 어디서나 상품의 구매와 정보의 공유가 가능한 지구촌 경제를 통해 구체적인 공간의 흐름도 변화시키면서 이미 자연스러운 생활의 일부분이 되고 있다.

- ○ Internet상의 가상공간은 기존의 국경과 대륙을 뛰어 넘는, 새로운 무한공간으로 확장
- ○ 국경의 벽은 사라지고, 전세계는 고객이자 동시에 경쟁자
- ○ 과거의 지리적인 공간은 누구와 경쟁할 것인가를 결정짓는 중요한 인자였지만 이제 모든 비즈니스는 실시간(On-line real time)으로 지구상의 모든 고객들과 연결
- ○ 반대로 전세계에 즉각적으로 경쟁자에게 노출
- ○ 아마존(Amazon)이라는 Internet 서점이 초창기 몇 년간 160개국의 7천만 여명에게 책을 판매
- ○ 지금은 세계 3위의 글로벌 기업으로 발전
- ○ 2018년 글로벌 기업순위(1 애플 2 Google 3 아마존 4 삼성)

공간의 벽은 사라지고 전 세계는 우리의 고객이자 동시에 경쟁자이다. 과거에는 지리적인 구분이 누구와 경쟁할 것인가를 결정짓는 중요한 인자였지만 이제 모든 비즈니스는 실시간(On-line real time)으로 전 지구상의 모든 고객들과 연결되어 이루어질 수 있다. 반대로 전 세계의 수많은 경쟁자들에게 즉각적으로 노출되기도 한다. 기회와 위기가 인류 역사상 지금처럼 역동적인 때는 없었다. 이제 지리적인 조건 때문에 지역시장에서 살아남았던 기업들이

예전과 같이 안이한 자세로 버틸 수는 없다. 미리 대비해야 한다.

수백만 권의 책을 진열하는 넓은 매장과 창고도 없이, 많은 운영 인력도 없이 아마존(Amazon)이라는 인터넷 서점이 초창기 몇 년간 세계 160개국의 몇 천 만명에게 책을 팔았고 이제는 단순한 인터넷서점이 아닌 글로벌 기업으로 발전해 나가고 있다. 인터넷이 아니고는

감히 생각할 수 없는 가공할 만한 결과가 현실로 나타나고 있다. 유에스 텔코스(U.S. Telcos)와 같은 미국의 거대 통신 기업이 이스라엘이나 유럽의 조그만 인터넷 개발 업체 때문에 심각한 위험에 빠졌다고 하면 이해가 될 것인가? 그러나 이것은 현실이다.

▸ 지식정보혁명의 특징 : Communication

○ 상호소통(Communication)과 대화의 확장

① 언제나(시간), 어디서나(사이버 공간) 만날 수 있고 대량의 정보가 아주 빠르게 유통되면서 (홍보 자료의)확산, 상품 정보의 효율적 공유

② 서로간의 생각과 입장이 편리하게 상호소통(Communication)되어 (상품 판매와 구매) 상호 의견의 전달과 공유

③ 원하는 상품의 경제적 구매가 가능한 지구촌 경제를 실현

▸ SNS와 상호소통(Communication)

○ 해외의 대표적인 SNS : twitter, facebook

① 플리커(Flickr)

미국의 기업 야후의 온라인 사진 공유 커뮤니티 사이트로 웹 2.0의 대표적인 Program 중 하나로 거론된다.

② 인스타그램(Instagram)

온라인 사진 및 비디오 공유 어플리케이션이다.

사진과 비디오를 페이스북, 트위터, 플리커(Flickr) 등과 같은 소셜 네트워크 플랫폼으로 공유할 수 있기 때문에 SNS로 보기도 한다.

인스타그램(Instagram)은 '인스턴트'(instant)와 '텔레그램'(telegram)이 더해진 단어다.'세상의 순간들을 포착하고 공유한다라는 슬로건을 내걸고 2010년 출시됐다.

○ 한국의 대표적인 SNS : 카카오톡(KakaoTalk),

cyworld, me2day, 네이트온(NateOn), 마이피플, 카페, 블로그 도 크게 보면 SNS의 일부

○ SNS의 분류 : 개방형 SNS 와 폐쇄형 SNS (Band)

인류의 삶과 역사를 어떻게, 어디까지 변화시킬지 그 누구도 쉽게 예견할 수 없는 엄청난 증폭성을 가진 디지털 문명이 서서히 그 실체를 드러내고 있다.

그러면 이러한 지식정보화 사회를 만들어 나가는 지식정보란 무엇인가? 먼저 자료란 어떤 사실이나 현상을 관찰하거나 측정하여 얻은 구체적인 값 등 정보의 원재료이고 정보는 어떤 목적을 위해 평가되고 처리된 결과적 데이터이다. 그리고 지식정보란 특정한 목적의 달성을 위해 도움이 되도록 조직화되고 체계화된 정보이다.

지식정보화 사회는 컴퓨터와 정보통신망의 결합으로 이러한 정보의 축적과 처리, 그리고 그 전달의 능력이 크게 향상된 사회이고 정보통신 기술 혁명에 의해 지식정보가 차지하는 비중이 매우 큰 사회이며, 정보 서비스를 저렴하고 신속, 편리하게 제공하여 대량의 정보가

▸ **SNS와 상호소통(Communication)**

○ SNS의 양면성 : 양날의 칼

① 장점 : 엄청난 전파력과 파급효과를 가진 영향력

첫째는 SNS를 기업의 제품 홍보와 마케팅 도구로 보는 관점

원하는 상품의 경제적 구매가 가능한 지구촌 경제를 실현 (경제적 측면의 평등)

둘째는 SNS를 컴퓨터가 매개하는 커뮤니케이션 (상호소통) 도구로 보는 관점으로

SNS, 동호회, 포럼 등의 수많은 가상 공동체를 통하여 이루어지는 인터넷의 양방향 커뮤니케이션은 평범한 절대 다수시민들의 의견 개진과 여론 형성과정을 통해 직접민주주의를 구현(정치적, 사회적 측면의 평등) 익명성을 가진 SNS가 면대면 커뮤니케이션과 어떤 차별성과 유사성을 갖는가에 주목한다.

② 단점 : 흑색선전도 SNS를 통해 급속도로 전파

가짜 뉴스, 불만이나 나쁜 의견, 마녀 사냥식 악성 댓글, 악플(러)

사생활이 담긴 사진과 동영상의 무차별적인 유포와 광범위한 확산

해외 사이트 이용으로 적발과 처벌도 어려움

명예훼손적인 정보와 잊힐 권리의 보장

Global Network을 통해 한번 유포되면, 타인이 이미 보관한 자료가, 지워도 지워도 계속 올라오는 자료들 본인의 잘못과 타인의 잘못 모두 포함하여 세심한 주의가 필요

③ Digital문화와 비판적인 시각

인터넷은 우리가 찾는 정보의 보물창고이지만 인터넷상의 정보는 무조건적인 맹신이 아니라 비판적인 시각을 갖고 접근

④ 네티즌으로서의 건전한 의무와 책임의식

인터넷 윤리의식을 가지고 사회의 건강한 구성원으로서의 책임감 있는 활동

유통되는 사회이다. 그리고 누구나 쉽게 그 정보의 가치를 공유하는 사회이다.

또한 SNS, 동호회, 포럼 등의 수많은 가상 공동체를 통하여 이루어지는 인터넷의 양방향 커뮤니케이션은 활발한 토론과 갑론을박의 과정을 거쳐 평범한 많은 시민들의 의견 개진과 여론 형성과정을 통해 사이버 민주주의라는 새로운 형태를 통하여 직접민주주의를 구현하는 강력한 수단이 될 것이며 새로운 정치적, 사회적 질서로 점차 자리매김할 것이다. 지식 정보화 사회는 모든 사람들이 정보를 쉽게 접할 수 있는 사회로 모든 사람들의 사회적, 경제적, 정치적 평등과 진정한 민주주의의 실현을 위한 기초적 인프라를 제공하는 역할을 수행하여 미래 사회를 발전시켜 나가게 될 것이기 때문이다.

이러한 지식정보화 사회는 모든 시민의 알권리를 충족시켜주면서 사회적, 정치적 민주화와 경제적 민주화 그리고 인류의 평등적 가치를 더욱 더 확대하는 진정한 민주주의의 실현을 위한 방향으로 미래의 사회변화를 이끌어 나가게 될 것이다.

1.5 제4차 산업혁명(Fourth Industrial Revolution, 4IR)

최근 방송과 신문에서 '4차 산업혁명'이란 말을 자주 접하게 된다. 4차 산업혁명이 국가의 새로운 성장 동력이 된다고 하는데, 과연 4차 산업혁명이란 무엇인지 알아본다.

인류는 3번의 산업혁명을 통해 사회적 · 경제적 변화를 겪었다. 18세기 후반의 1차 산업혁명은 섬유공업의 거대 산업화를 가져왔고, 2차 산업혁명에 의해 전기에너지를 기반으로 한 대량생산이 본격화되었다. 이어 20세기 후반의 3차 산업혁명으로 컴퓨터와 인터넷 등 정보통신기술(ICT)이 발달하면서 생산 시스템이 전산화 · 자동화되기 시작했다. 이로써 컴퓨터로 데이터를 정확하게 관리할 수 있고, 생산성과 효율성도 극대화되었다.

제4차 산업혁명(Fourth Industrial Revolution, 4IR)은 인공지능, 로봇기술 등 정보통신기술(ICT)의 융합과 생명과학이 주도하는 차세대 산업혁명을 말한다.

4차 산업혁명이란 말은, 증기기관 발명(1차), 전기를 이용한 대량 생산과 자동화(2차), 인터넷이 이끈 정보기술(IT)과 자동화 생산시스템과 산업의 결합(3차)에 이어 네 번째로 산업에 혁명적 변화를 일으킬 것이라는 의미에서, 세계 경제 포럼 창립자인 클라우스 슈바프(Klaus Schwab)의 저서 『제4차 산업혁명(*The Fourth Industrial Revolution*)』에서 붙여진 말이다.

1.5.1 4차 산업혁명(The Fourth Industrial Revolution, 4IR)

이제, 4차 산업혁명 시대가 본격 열리고 있다.

"제4차 산업혁명 마스터하기"는 스위스 Davos에서 열린 세계 경제 포럼 연례회의 (World Economic Forum Annual Meeting 2016)의 주제였다.

세계 경제 포럼 창립자인 클라우스 슈바프(Klaus Schwab)의 저서 《제4차 산업혁명》 에서 4차 산업혁명을 모든 것이 연결되어지는, 보다 지능적인 사회로의 진화라고 정의했다.

○ 4차 산업혁명의 핵심 키워드는 '연결'과 '융합'

① 1차 산업혁명 : 증기기관을 기반으로 한 산업화(기계화)

1784년 영국에서 시작된 증기기관의 발명과 석탄이 산업에 응용

1차 산업혁명은 주로 섬유공업의 거대산업화

엘빈 토플러의 제 2의 물결(산업혁명)의 세분화

② 2차 산업혁명 : 전기에너지를 기반으로 한 산업화(기계화)

1870년대 전기에너지가 크고 작은 모터와 결합, 대량생산, 엘빈 토플러의 제 2의 물결(산업혁명)의 세분화

제1차 산업혁명

○ 1784년 영국에서 시작된 증기기관과 기계화로 대표되는 1차 산업혁명으로 동력 발생원으로 증기기관을 사용하여 생산성을 향상.

최초의 산업혁명은 유럽과 미국에서 18세기에서 19세기에 걸쳐 일어났다. 주로 농경 사회에서 농촌 사회로의 전환이 산업과 도시로 바뀌는 시기로, 철강 산업은 증기 엔진의 개발과

함께 산업혁명에서 핵심적인 역할을 수행했다.

제2차 산업혁명

○ 1870년 전기를 이용한 대량생산이 본격화된 2차 산업혁명은 동력 발생원을 모터를 사용하여 작게 만들 수 있고, 쉬운 제어가 가능해지면서 생산성 향상

제2차 산업혁명은 제1차 세계 대전 직전인 1870년에서 1914년 사이에 일어났다. 기존 산업의 성장과 함께, 철강, 석유 및 전기 분야와 같은 신규 산업의 확장으로 대량 생산을 위해 전력을 사용했다. 이 기간 동안 주요 기술 진보는 모터, 전화, 전구, 축음기 및 내연 기관을 포함했다.

③ 3차 산업혁명 : 정보기술(IT)과 단순 정보화 시스템

1980년대 기존의 인터넷이 이끈 단순 정보화 시스템
엘빈 토플러의 제 3의 물결(기존의 정보혁명)

④ 4차 산업혁명 : 정보기술(IT)과 인공지능(AI) 가상시스템

인공지능(AI)과 로봇, 사물인터넷(IoT)을 통해 실재(Real Space)와 가상(Cyber Space)이 통합되어 가상현실(VR ; Virtual Reality), 증강현실(AR), 혼합현실(MR) 사물을 자동적, 지능적으로 제어할 수 있는 가상 시스템이 만들어 내는 산업의 변화.
엘빈 토플러의 제 3의 물결이 발전적으로 세분화된 제 4의 물결(새로운 정보혁명)

제3차 산업혁명

○ 1969년 인터넷이 이끈 컴퓨터 정보화 및 자동화 생산시스템이 주도한 3차 산업혁명으로 전자회로/정밀제어에 의한 생산성 향상

제3차 산업혁명, 또는 디지털 혁명은 아날로그 전자 및 기계 장치에서 현재 이용 가능한 디지털 기술에 이르는 기술의 발전을 가리킨다. 1980년대에 시작된 이 시대는 계속되고 있다. 제3차 산업혁명의 발전에는 개인용 컴퓨터, 인터넷 및 정보 통신 기술(ICT)이 포함된다.

제4차 산업혁명

○ 로봇이나 인공지능(AI)을 통해 실재와 가상이 통합돼 사물을 자동적, 지능적으로 제어할

수 있는 가상 물리 시스템의 구축이 기대되는 산업상의 변화를 일컫는다.

'인더스트리 4.0'으로 불리는 4차 산업혁명은 빅데이터 기반의 '인공지능(AI)'과, 인간, 사물, 공간이 하나의 네트워크로, 모든 사물이 인터넷과 연결되는 '사물인터넷(IoT)' 등이 다양한 분야에 융합되면서 나타나는 여러 가지 변화를 말한다.

○ 4차 산업혁명과 인공지능(AI)

인공지능(AI ; Artificial Intelligence) : 사람의 특성인 생각하고 배우고 느끼는 등 문제를 해결하고 추론하는 기능, 가지고 있는 지식을 바탕으로 새로운 지식을 창조하는 능력 등

인간의 지능적인 행동을 컴퓨터가 모방할 수 있도록 하는 것을 인공지능이라고 한다. 특히, Computer 보다 더 뛰어난 사람의 능력들, 풍부한 감성과 뛰어난 창의성, 종합적인 문제해결 능력, 사람의 지각능력, 자연언어의 이해능력, 추론능력과 학습능력 등을 Program으로 실현하는 기술

○ **인공지능 : Program을 통한 지능화(Intelligent)**

(자세한 내용은 교재 6장을 참조)

Ex) 간단한 인공지능(AI) 에어컨의 예

주인을 찾아서 인식하고, 주인의 퇴근시간, 거실 내 주인이 좋아하는 공간위치, 희망하는 온도와 습도 등을 매일 매일, 주변현상의 정보를 스스로 지각 인지하여 입력하고 주인이 선호하는 에어컨 작동 조건(방향, 바람의 세기, 온도, 습도를 축적된 빅 데이터를 통해 추론하고 학습하여 주인이 선호하는 에어컨 작동 조건을 미리 설정하고 이에 맞추어 가면서 스스로를 자동 작동한다.

이러한 스마트 인공지능 에어컨은 매일매일 각종 센서(물체 인식, 동작 감지,현재 온도와 습도 감지 등)를 통해서 지각하는 능력으로 축적되는 빅 데이터를 통해 추론하고 학습하는 Program으로 구성된다.

필요하다면 외부의 빅 데이터를 연결하는 Program을 통해 여러 가지 조건과 작동 방법을 스스로 변화 시켜 나가는 학습을 통해 스스로를 지능을 가진 인공지능(AI) 에어컨으로 발전 진화 시켜 나간다.

지식 · 정보 중심의 정보통신기술이 변화의 원동력이 됐다는 점에서는 3차 산업혁명과 비슷해 보이지만, 4차 산업혁명의 핵심은 '지능형 사물'과 '초연결성'이라고 할 수 있다.

4차 산업혁명의 핵심 주제는 정보기술(IT) 중에서도 SW 즉 3차원 인쇄(3D printing)와
1) 빅 데이터(Big Data), 클라우드(Cloud),
2) 인공지능(AI),
3) 로봇(Robot),
4) 사물인터넷(IoT)이 발전하면서
5) 무인 자율주행 운송 수단 : 무인 자동차, 무인 항공기,
6) 나노기술(NT) 같은 6대 분야에서의 새로운 기술혁신.

4차 산업혁명은 지식 · 정보 중심의 정보통신기술이 변화의 원동력이 됐다는 점에서는 3차 산업혁명과 비슷해 보이지만, 3차 산업의 결과가 사람이 입력한 Program을 따르는 기계의 단순 자동화에 머물렀다면, 광대한 양의 정보 빅 데이터를 분석하고 해석하는 인공지능(AI) Program 기반의 지능형 시스템이 사람과 공간(현실공간, 가상공간, 혼합공간) 그리고 모든 지능형 사물을 하나의 네트워크로 연결(사물인터넷 : IoT)하여 다양한 산업분야에 융합되면서 나타나는 복합적이고 폭발적인 변화

▸ Digital혁명(Convergence) → 4차 산업혁명

사회 변화를 주도해나가는 중심 축

Computer와 IT환경을 중심 축으로 모든 분야의 New media 기능이 흡수되어 통합

1. Audio기기(음악 ; mp3 플레이어)
2. Video기기(사진 ; 디지털 카메라)
3. Multimedia기기(동영상 ; 캠코드)
4. Telephone(Smart Phone)
5. Facsimile(Smart 안경 렌즈)
6. TV(Smart TV)
7. Watch(Smart Watch)
8. SNS

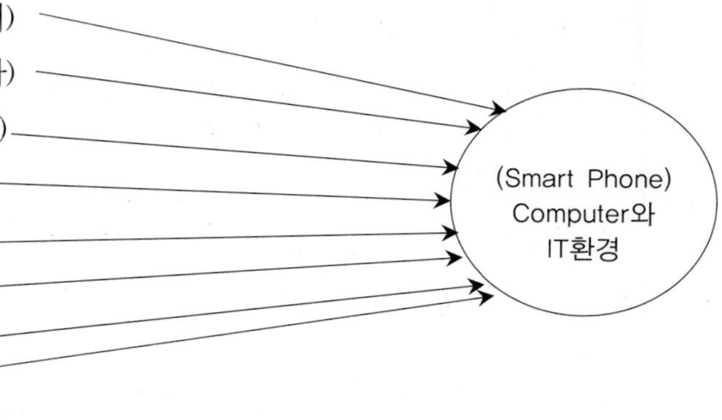

→ (Smart Phone) Computer와 IT환경

Digital (Big) Data + Global Network (IOT)

Program (AI) + Communication의 최적화

3차 산업혁명의 결과가 사람이 입력한 명령을 따르는 기계의 단순 자동화에 머물렀다면,

4차 산업혁명은 인공지능 기반의 지능형 시스템이 광대한 양의 정보를 분석하고 해석해 인간과 소통하는 단계에 이르는 것을 의미한다. 사람과 사물, 공간이 하나의 네트워크로 연결되는 것이다. 특히 초연결성, 초지능성에 의한 생산성 향상이 특징으로, 사물인터넷(internet of things)을 통해 생산기기와 생산품 간 상호 소통 체계를 구축하는 초연결성과, 로봇이나 인공지능(AI)을 통한 초지능성으로 전체 생산과정의 최적화를 구축하는 산업혁명을 말한다. 미국에서는 AMI(Advanced Manufacturing Initiative), 독일과 중국에서는 '인더스트리 4.0'이라고도 한다.

이전까지의 공장자동화는 미리 입력된 Program에 따라 생산시설이 수동적으로 움직이는 것을 의미했다. 하지만 4차 산업혁명에서 생산설비는 제품과 상황에 따라 능동적으로 작업 방식을 결정하게 된다. 지금까지는 생산설비가 중앙집중화된 시스템의 통제를 받았지만 4차 산업혁명에서는 각 기기가 개별 공정에 알맞은 것을 판단해 실행하게 된다.

스마트폰과 태블릿 PC를 이용한 기기 간 인터넷의 발달과 개별 기기를 자율적으로 제어할 수 있는 사이버물리시스템(CPS)의 도입이 이를 가능하게 하고 있다. 모든 산업설비가 각각의 인터넷주소(IP)를 갖고 무선인터넷을 통해 서로 대화한다.

○ 4차 산업혁명의 핵심은 '지능형 사물'과 '초연결성', '지능형 사물'

광대한 양의 정보(Big Data)를 분석하고 해석하는 인공지능(AI) Program 기반의 지능형 시스템이 모든 사물들을 지능형 사물로 변화시키고 '초연결성' 사람과 공간(현실공간, 가상공간, 혼합공간) 그리고 지능형 사물이 5G 등을 기반으로 하는 하나의 네트워크로 연결(사물인터넷 : IoT)되어 상호 소통(Communication)하는 단계를 의미.

빅 데이터 기반의 인공지능(AI)과 사물인터넷(Internet of Things)을 통해 지능화된 생산기기와 생산품 간의 상호 소통(Communication) 체계를 구축하고 3차원 인쇄(3D printing)등 새로운 생산방법으로 전체 생산과정의 최적화를 구축하는 산업혁명

이전까지의 공장자동화 생산설비가 중앙 집중화된 시스템의 통제를 받으면서 미리 입력된 Program에 따라 생산시설이 수동적으로 움직이는 것을 의미했다.

하지만 4차 산업혁명에서의 생산설비는 각 기기가 개별 공정에 알맞은 것을 판단해 실행하면서 제품과 상황에 따라 능동적으로 작업 방식을 결정하게 된다.

따라서 4차 산업혁명을 구현하기 위해선 스마트센서 공장자동화 로봇 빅데이터 처리 스마트 물류 보안 등 수많은 요소가 필요하다. 또한 4차 산업혁명의 효율적인 추진을 위해선 표준화

가 관건인데 독일과 미국은 표준통신에 잠정 합의해 이 분야를 선도할 채비를 갖추고 있다.

제4차 산업혁명(4th Industrial Revolution, 4IR)의 핵심은 인공지능, 로봇공학, 사물인터넷, 무인 운송 수단(무인 자동차, 무인 항공기), 3차원 인쇄, 나노 기술과 같은 6대 분야에서의 새로운 기술 혁신이다.

제4차 산업혁명은 물리적, 생물학적, 디지털적 세계를 빅데이터에 입각해서 통합시키고 경제 및 산업 등 모든 분야에 영향을 미치는 다양한 신기술로 설명될 수 있다. 물리적인 세계와 디지털적인 세계의 통합은 Offline의 모든 정보를 Online으로 넘기는 이른바 O2O (Online to Offline)를 통해 수행되고, 생물학적 세계에서는 인체의 정보를 디지털 세계에 접목하는 기술인 스마트 워치나 스마트 밴드를 이용하여 모바일 헬스케어를 구현할 수 있다. 가상현실, 증강현실도 물리적 세계와 디지털 세계의 접목에 해당될 수 있다.

제4차 산업혁명은 기술이 사회와 심지어 인간의 신체에도 내장되는 새로운 방식을 대표하는 디지털 혁명 위에 구축되었다. 제4차 산업혁명은 로봇 공학, 인공지능, 나노 기술, 생명 공학, 사물들 간의 인터넷, 3D 인쇄 및 자율 차량을 포함한 여러 분야에서 새로운 기술 혁신이 나타나고 있다.

세계 경제 포럼 창립자인 클라우스 슈바프(Klaus Schwab)의 저서 『제4차 산업혁명(The Fourth Industrial Revolution)』에서 이 네 번째 혁명이, 이전의 세 가지 혁명과 근본적으로 다른 점을 설명하고 있다. 이러한 기술은 수십억 명의 사람들을 계속해서 웹에 연결하고 비즈니스 및 조직의 효율성을 획기적으로 향상시키며 더 나은 자산 관리를 통해 자연 환경을 재생산 할 수 있는 커다란 잠재력을 가지고 있다.

“제4차 산업혁명 마스터 하기”는 스위스 Davos-Klosters에서 열린 세계 경제 포럼 연례회의 (World Economic Forum Annual Meeting 2016)의 중심 주제였다.

4차 산업혁명을 Consumer Electronics Show에서 다루어진 기술을 중심으로 언급하면 다음과 같다.

인공지능

작게는 인공지능장치가 더 똑똑해져서 나의 생활 패턴을 이해하고, 스스로 알아서 동작하는 약한 인공지능부터, 생태계 전체의 생활 및 환경으로부터 최적의 해법을 제시하는 강한 인공지능을 이용하여 인간의 생산성을 최대한 올려주는 도구이다.

로봇공학

사람을 도와주는 로봇(예 청소 로봇 : 노인 보조 로봇 등)에 의해 사회 전체의 생산성이

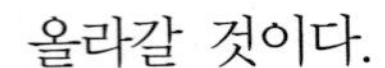

올라갈 것이다.

양자암호

기존에 있던 대부분의 암호체계가 대부분 수학적 복잡성에 기반하는 데 비해, 양자암호는 자연현상에 기반하고 있는 특징을 띄며, 암호에 사용되는 원타임 패드를 생성하는 이상적인 방법 중 하나다. 중간에 도청자가 난입할 경우 그 존재가 드러나며, 신호가 왜곡되어 도청자도 정확한 정보를 얻을 수 없는 보안성을 띠고 있다. 다른 말로 양자 키 분배(Quantum Key Distribution)체계라고도 한다. 보안업계도 양자난수를 모든 IT 기기에 적용할 수 있다면 해킹 불가능한 암호 체계를 구현할 수 있을 것으로 내다보고 있다.

사물인터넷(IoT)

실생활에 해당하는 Offline의 모든 정보를 Online으로 넘기는 O2O(Online to Offline)를 통해, 인공지능을 이용한 최적의 해법을 제시하고, 시행하게 하여 생산성을 최대한으로 올리는 도구이다. 예로 병원의 모든 행동이나 사물들을 인터넷에 연결한 뒤, 최적화를 한다면 정보가 늦거나 없어 서로 기다리는 손실을 줄인다면, 환자도 빠른 조치를 받아서 좋고, 병원도 생산성이 올라서 좋을 것이다.

○ 4차 산업혁명과 사물인터넷(IoT)

사물인터넷기술(IoT : Internet of Things) 혹은 만물인터넷기술(IoE : Internet of Everythings) 홀로 떨어져 존재하는(Stand Alone) 일상적인 사물들에게 각각 제 역할에 적합한 Computer를 넣어서 (혹은 IC Chip 혹은 Sensor) Network으로 연결하여 사물들끼리 서로 통신이 가능하도록 하여 지능적으로 융합시키는 기술

모든 사물들이 혼연일체로 합체되어 상호 소통(Communication)할 수 있도록 연결하는 기술

○ Everything is alive.

○ 사물인터넷(IoT)과 인터넷주소(IP주소)

Smart Phone과 Tablet PC를 이용해서 개별 기기(혹은 사물)를 자율적으로 제어할 수 있는 상호 소통(Communication) 시스템의 도입이 4차 산업혁명을 가능하게 하는데 무선인터넷을 통해 서로 대화, 소통하기 위해서는 모든 산업설비와 개별 기기가 각각의 인터넷주소(IP주소)를 가져야 하므로 대폭적으로 확장된 새로운 인터넷주소가 필요하다. 처리의 고속화, 가격의 저렴화, 크기의 최소화를 지향하는 HW 기술과, 사물인터넷기

술(IoT : Internet of Things)등의 SW 기술은 더욱 발전해 나갈 것이다.

초고속 통신기술 등과 결합된 미래의 멀티미디어 장치들은 TV와 화상전화의 기능을 포함하고 시간과 공간의 벽을 뛰어넘어 사이버 공간(Cyber space)의 구현이 가능한 3차원 영상기술(3D), 초 고품위 영상 기술(UHD : Ultra High Definition) 등 여러 가지 멀티미디어 기술들이 함께 발전하여 무선연결이 가능한 소형 장치로 변해 손목시계(Smart Watch : Apple Watch, Google Watch, Galaxy Gear 등) 같이 이동이 간편한 초소형 다기능 컴퓨터로 발전.

Ex) 간단한 사물인터넷(IoT)과 스마트 화분의 예

시들어가는 식물들! 평범한 화분의 변신, 만약 식물과 화분과 사람이 함께 상호소통(Communication)할 수 있다면?

예) 스마트 화분, 플랜티

와이파이와 센서를 이용해 화분에 생명을 불어넣어(Everything is alive) 마치 화분이 살아 있는 것처럼 반려식물과 실시간으로 상호소통(Communication)하자는 창의적인 생각

○ 4차 산업혁명과 사물인터넷(IoT)

네이버쇼핑 검색창에 '스마트 화분' 입력하면 이미 상품화되어 시중에서 판매되고 있는 수많은 스마트 화분 을 검색 가능하다.

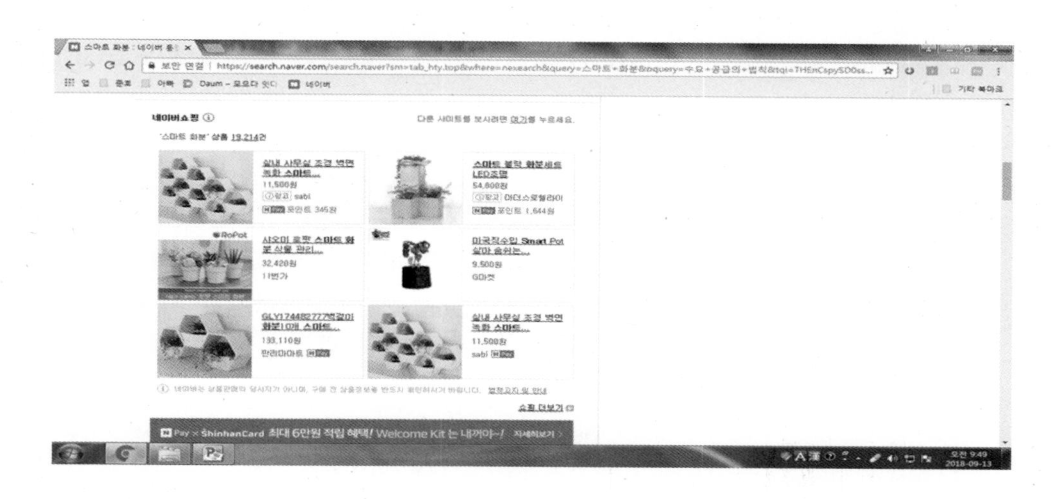

Ex) 간단한 사물인터넷(IoT)과 스마트 화분의 예

예) 스마트 화분

반려식물과 실시간으로 소통하는 스마트 화분, 플랜티

평범한 화분의 변신, 시들어가는 식물들! 만약 식물과 소통 할 수 있다면?

와이파이와 센서를 이용한 스마트 화분, 플랜티

여러분들의 전공분야가 이 화분이라고 생각하고 이 화분에 생명을 불어넣자는 창의적인 생각 그 자체가 바로 디지털 혁명, Digital Convergence 가 더욱 심화 발전된 IT 융합 기술(IT Convergence Technology)로 인한 산업구조상의 변화 : 제 4차 산업혁명(4IR)

예) 세계 최초 개발,

예) 습기를 물로 만들어 흡수하는 '스마트 화분'

http://news.tvchosun.com/site/data/html_dir/2018/05/31/2018053190048.html

스마트 화분은 다시 스마트 농업(Smart Farm)으로 발전

농업과 IoT의 접목으로 사람과 식물이 소통하는 사회 재생시간1분 54초 동영상 바로보기엘리트 공대생들의 '스마트 농업'…수백억대 수익 / MBC스마트팜, 농사, 농업, 청년, 카이스트MBCNEWS 2018.04.14. Youtube 재생수2,484

디지털 혁명, Digital Convergence가 더욱 심화 발전된 IT 융합 기술(IT Convergence Technology)로 인한 산업구조상의 변화 : 제 4차 산업혁명(4IR)

예) 세계 최초 개발(Smart Fish Farm)

재생시간1분 54초동영상 https://www.youtube.com/watch?v=8BpwcuNZpgk

스마트 농업(Smart Farm)은 다시 스마트 수산업(Smart Fish Farm)으로 발전

농업과 수산업 그리고 IoT의 접목으로 사람과 사물이 소통하여 모든 산업에 응용되는 사회

○ 여러 가지 센서를 통해 (공기의 품질, 온도와 습도 등) 필요한 데이터도 자동 측정하고 축적된 데이터(Big Data)를 통해 신뢰를 쌓아가면서 디지털 혁명, Digital Convergence 가 더욱 심화 발전된 IT 융합 기술(IT Convergence Technology)로 인한 산업구조상의 변화 : 제 4차 산업혁명(4IR)

○ IT 융합 기술과 4차 산업혁명

Digital Convergence → IT 융합 기술

사회 변화의 중심 축으로 기능 통합

1. Telephone(Smart Phone)
2. TV(Smart TV)
3. Watch(Smart Watch)
4. 화분(Smart Flowerpot)
5. Smart A⋯..
6. Smart B⋯..
7. Smart C⋯..
8. Smart Everythings

Computer
IT

Digital (Big) Data + Global Network (IOT)

Program (AI) + Communication의 최적화

사물들(Things)의 기능이 IT Network로 연결되어 Communication 기능 통합 시너지효과를 가짐

1. Smart TV
2. Smart Phone
3. Smart Watch
4. Smart 생활 기기(냉장고, 세탁기, 에어컨)
5. Smart 자동차(자동차 IT 융합)
6. Smart 선박(조선 IT 융합)
7. Smart 의료기기(의료 IT 융합)
8. Smart 무기체계(국방 IT 융합)
9. Smart 건설 장비 재료(건설 IT 융합)

Computer와
IT 환경

Digital (Big) Data + Global Network (IOT)

Program (AI) + Communication의 최적화

○ IT 융합(融合) 기술(IT Convergence Technology)

2가지 이상의 학문이나 과학기술이 하나로 합쳐지면서 지금까지 없었던 새로운 창의적인 기술이 탄생한다.

○ IT 융합 기술은 응용분야(Application)에 의존적

IT(SW) 전문가들이 다른 모든 분야의 전문지식까지 알고 있지 못하기 때문에 개발하고자 하는 분야의 전문가와의 협업, 도움이 필요하다.

각자의 전공분야(Application) + IT기술

Ex) 블루 오션 IT 융합 기술

자동차 IT 융합, 조선 IT 융합, 의료 IT 융합, 국방 IT 융합, 건설 IT 융합 기술 등 IT융합 기술개발사업 추진 중

무인 운송 수단(무인 자동차, 무인 항공기)

인간이 운전을 직접 하지 않음에 의해 그 사이에 다른 일을 더 할 수 있고, 안전하게 이동할 수 있기에 생산성이 향상될 것이다.

나노 기술

나노 기술은 의학, 전자 공학, 생체재료학 에너지 생산 및 소비자 제품처럼 광대한 적용범위를 가진 새로운 물질과 기계를 만들 수 있어, 생산성 향상에 지대한 공헌을 할 수 있다.

3차원 인쇄(3D printing)

3D 프린팅은 재료를 자르거나 깎는 전통적인 절삭가공 생산방식과 달리 3D 캐드(CAD)와 같은 Program을 사용하여 디지털화된 3차원 제품 디자인 데이터를 활용해 액체 또는 분말 형태의 재료를 한 층씩 쌓아가면서 인쇄를 하듯 분사한 후 경화 및 본딩 과정을 거쳐 입체형 물체를 만들어 내는 방식으로 물건을 생산한다. 디지털화된 디자인 데이터와 디지털 설계도만 있으면 제품 생산이 가능해 제조 공정을 대폭 감축할 수 있다.

대부분 자기에게 맞지 않는 기성품을 구입하여 그 기성품에 맞추어 제작/생활해왔다. 이제는 개인 맞춤형 시대이므로, 3차원 프린터를 이용하여 가격은 저렴하고, 빠르게, 본인에게 맞는, 본인만의 장치를 만들 수 있다. 예로 본인만의 음식, 본인만의 집, 본인에게 맞는 인체조직 등이 있다. 이런 것들을 통해 생산성이 향상될 수 있다.

3D printing 내 얼굴을 입체로 복사

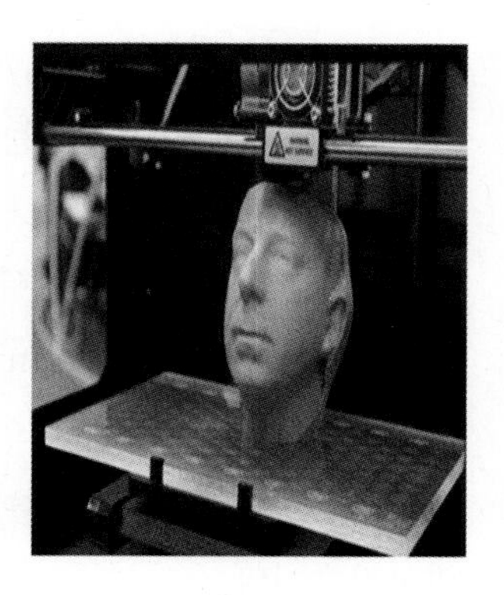

3D모델링 데이터를 만든다.

수술전과 수술후에 스캔촬영을 하고 3D프린팅을 한다.

스캔한 모델링 데이터로 고객의 몸을 만든다.

고객들은 수술전 모습과 후의 모습을 비교하면서 자신의 몸을 좀더 객관적으로 바라보면서, 관리할 수도 있다.

3D 프린팅 (훤히 보이는 3D 기술, 한국전자통신연구원(ETRI), 전자신문사)

연결 및 표시 기술(HD/UHD-TV, 가상현실. 증강현실, Mobile)

연결 기술은 좀 더 빠르게 연결/수행하는 기술로 대표적인 것으로 5G(세대) LTE가 있다. 그리고 눈으로 보는 표시 기술은 고정형으로 보는 UHD-TV와 이동형으로 보는 VR, AR등을 통해 좀 더 빠르게, 좀 더 편리하게, 좀 더 다양한 환경을 접속(access)할 수 있게 하여 생산성을 향상시킬 수 있다.

5G(5th Generation Networks ; 5세대 이동통신)

국제 모바일 통신 시스템(IMT : International Mobile Telecommunication System)

3G(IMT-2000), LTE와 5G(IMT-2020) 비교

구분	LTE(4G) IMT-Advanced	5G IMT-2020
최대속도	1Gbps	20Gbps (20배)
용량	0.1Mbps/m^2	10Mbps/m^2 (100배)
이동성	350km/h	500km/h
지연시간	10ms	1ms

국내에서 1세대 이동통신 서비스가 시작된 건 1984년, 차량전화 서비스를 시작하면서부터이며 음성통화만 할 수 있었다. 아날로그에서 디지털로 전환되는 2세대 이동통신이 도입되면서 1996년 휴대전화로 문자를 보낼 수 있게 되었다. 휴대전화로 자유롭게 사진을 보내고 동영상과 같은 멀티미디어 통신을 주고받을 수 있게 된 건 2002년, 3세대 이동통신 서비스가 시작되면서다. 이때부터 휴대전화에 유심(USIM)을 사용하기 시작했다.

2011년 4G가 시작되고, 그리고 2019년 4월 3일 세계최초로 5G 상용화 시대가 열렸다. 5G 기술은 사람이 많이 모이는 장소에서도 끊김 없이 문자메시지나 데이터가 잘 전송되고, UHD 화질보다 4배 높은 8K급 UHD 영상도 쉽게 즐길 수 있으며, 따라서 가상현실(VR) 콘텐츠를 내려받지 않고 인터넷에서 바로 즐길 수 있게 만들어 줄 것으로 보인다.

초저지연성(지연시간 1ms)과 초연결성이 강점으로 이 덕분에 많은 양의 데이터를 중앙 서버와 끊김 없이 주고받아야 하는 가상현실(VR), 자율주행차, 사물인터넷(IoT) 기술 등을 구현할 수 있고, 이들 분야에서 5G가 활발하게 도입될 것이며 4차 산업혁명을 가능케 하는 핵심기술이다.

1.6 새로운 패러다임(Paradigm)으로의 변화

정보기술(IT : Information Technology)을 기반으로 성장한 인터넷의 무한팽창은 디지털 문화의 원동력이다. 인터넷은 하나의 미디어이자 하나의 메시지이다.

인터넷은 실시간성(On-line real time), 쌍방향성(Interactive)으로 된 메시지이며, 멀티미디어(Multi-media)화, 하이퍼미디어(Hyper-media)화된 미디어이다.

이러한 인터넷의 특성은 정치, 경제, 문화, 사회 등 인간의 삶과 생활 모든 부문에서 많은 영향을 주고 있을 뿐만 아니라 구조 자체를 근간에서부터 흔들고 있다.

인류 역사상 이렇게 급속도로 기존의 질서를 흔들며 새로운 체제를 요구한 적은 없었다. 그것은 세상을 바라보고 이해하는 새로운 사고방식과 새로운 가치관을 요구한다. 새로운 패러다임은 Atom(물질, 원자)에서 Bit(정보)로의 전환에서 볼 수 있듯이 문명 자체의 근간을 뒤흔드는 커다란 변혁이다.

인터넷은 사용자 수와 상거래 규모에서 급성장을 계속하고 있으며 인터넷에서 발생하고 있는 데이터 유통량은 최근 3년 간 연평균 1000% 증가하고 있다. 이것은 인류 지식의 양이 100일마다 2배씩 증가하고 있다는 것을 말해 준다.

인터넷상에서 가격정보를 비교해 주는 검색에이전트의 출현으로 소비자는 질 좋은 상품을 저가에 살 수 있게 되었으며 네이버 지식 쇼핑 같은 가격 비교 검색엔진들은 그동안 공급자 위주의 가격결정구조를 한 순간에 무너뜨리면서 소비자자 위주의 가격결정구조로 나아가고 있다.

다수의 공급자와 다수의 소비자가 서로의 정보를 완벽하게 공유한다는 전제에서 출발 가능한 완전 경쟁 시장은 거품 가득한 중간 마진을 제거해 가는 소비자 위주의 시장으로 이미 인터넷에서 성장하고 있다. 이러한 완전 경쟁 시장을 지향하는 온라인 전자 상거래는 이제 누구도 피할 수 없는 시대적 흐름이자 새로운 경제 질서로 자리 잡아 가고 있다.

비즈니스 모델(Business Model)은 기업 조직이 수익 가치를 창출, 전달, 획득하는 방법에 대한 근거를 설명한다. 기업의 가치흐름을 확인하는 청사진이라 할 수 있는 비즈니스 모델은 기업이 수익을 어떻게 창출하고 획득하는지의 방법에 대한 답변이다.

피터 드러커 교수는 비즈니스 모델이란 다음과 같은 3가지 질문에 대한 답이라고 했다.

* 고객이 누구인가?
* 고객은 어떠한 가치를 원하는가?
* 고객에게 적절한 가격으로 가치를 창출하고 전달하려면 어떻게 해야 하는가?

새로운 Paradigm과 비지니스 모델

○ Business Model : 새로운 Paradigm의 시대에, 기업이 새로운 사업으로 수익을 창출하고 획득하는 방식

지금까지 세상에 없었던 새롭고 다양한 방법의 비지니스 모델이 계속해서 나타나고 있다.

새로운 비지니스 모델이 제공해야 하는 것은 지금까지 기존에 없었던 새로운 방식의 대 고객 서비스

온라인 네트워크시대의 인터넷 환경을 통해

Ex) 게임 내에서의 신무기와 여러 가지 도구들

Ex) 새로운 캐릭터, 아바타, 스티커 들이 새로운 방식으로 경제적 가치를 창조

○ Smart Phone과 비밀번호를 이용해 손쉽게 돈을 지불하는 '간편 결제' 서비스 가 현금과 신용카드에 이은 '제3의 결제 수단'으로 자리를 잡았다.

삼성전자의 '삼성페이'와 네이버의 '네이버페이(Naver Pay)' 등, '2강(强)'을 선두로 NHN 엔터테인먼트의 '페이코(PAYCO)'와 카카오의 '카카오페이(kakao pay)' 등, '2중(中)'이 뒤를 바짝 쫓는 구도

20개 이상 난립했던 서비스도 시장이 성숙하면서 점차 정리되는 단계다.

올해 시장 규모가 10조원을 넘어서고, 가입자 규모 역시 4000만 명에 육박할 것이라는

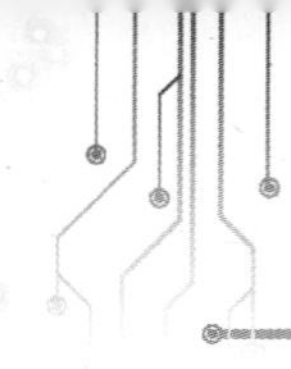

낙관적 전망도 있다.

○ 지금까지 없었던 전혀 새로운 형태의 여러 가지 새롭고 다양한 비즈니스 모델(Business Model)이 인터넷의 특성에 맞게 계속해서 변화 발전되어질 것.
인터넷, 웹(Web)과 관련된 새로운 방식의 비즈니스 모델도 수없이 생겨나고 있다.
Ex) 우버나 카카오택시, 카카오 카풀 서비스
Ex) 삼성페이 등 모바일 전자결제 업체의 수익은 업황 호조에 비례해 증가
Ex) Smart Phone과 통신상품판매 방법의 변화

온라인 오프라인을 연결하는 O2O를 통해서 구매자, 배송지, 상품, 결제 방식을 결합하는 방법에 따라 지금까지 전혀 상상하지 못했던 새로운 수익을 창출하는, 비즈니스 모델이 만들어질 것이다.

○ 새로운 마케팅 기법과 비즈니스 모델의 예
바이럴 마케팅(Viral marketing) : 기업은 유행이나 사회풍조 등 현실의 흐름을 따라가면서 누리꾼 입맛에 맞는 재미있고 신선한 내용의 디지털컨텐츠(웹 애니메이션 등)를 제작,인터넷 사이트에 무료로 게재하면서 그 사이에 기업의 이름이나 제품을 슬쩍 끼워 넣는 방식으로 간접광고를 하고 누리꾼은 그 내용이 재미있으면, 이메일이나 카톡을 통해 다른 누리꾼에게 전달하고, 이러한 과정이 반복되다 보면 어느새 SNS에서 화제가 됨으로써 자연스럽게 마케팅효과가 발생한다.
누리꾼이 어떤 업체의 상품을 홍보하기 위해 이메일이나 다른 SNS매체를 통해 자발적으로 널리 퍼뜨리는 바이럴 마케팅 기법
바이러스처럼 확산된다고 해서 이러한 이름이 붙음
생산자 기업이 직접 홍보를 하는 기존 광고와 다르게 소비자의 메일과 SNS를 통해 광범위하게 빠르게 전해지는 광고라는 점에서 입소문 마케팅과 바이럴 마케팅은 정보 수용자, 소비자를 중심으로 퍼져 나간다.
Ex) 요식업체,관광업체의 상품구매 후기 경험적 댓글

기업이 사업을 통해 새로운 수익을 창출하고 획득하는 방식이 비즈니스 모델인데 지금까지 세상에 없었던 새롭고 다양한 방법의 비즈니스 모델이 계속해서 나타나고 있다. 새로운 비즈니스 모델이 제공해야 하는 것은 지금까지 기존에 없었던 새로운 방식의 고객 서비스이다.

이를 테면 스마트폰으로 사진을 찍는 시대에 많은 사람들이 셀카봉 하나씩을 이미 가지고 있을 것이다. 셀카봉은 스마트폰 셀카 문화가 만들어낸 새로운 방식의 대 고객 서비스라 할 수 있다.

스마트폰 셀카 문화 이외에도 눈부시게 발전하고 있는 인터넷, 웹(Web)과 관련된 새로운 방식의 비즈니스 모델도 수없이 생겨나고 있다.

대다수 제조업체나 서비스업체들이 이미 인터넷을 통한 광고와 마케팅활동을 하고 있으며 인터넷 쇼핑몰을 통해 재화와 용역을 판매하고 있다. 기존 시장에서는 볼 수 없었던 새로운 캐릭터들이 인터넷을 통해 그 가치를 만들어 가고 있다.

기존의 1, 2, 3차 산업들과 기존의 상품시장은 새롭게 떠오르는 디지털 경제에 맞추어 새로운 서비스 영역을 구축하고 사업을 재편하지 않으면 도태될지도 모른다. 무엇보다 한정된 상품 및 서비스, 제한된 자원을 네트워크상에서 신속하게 거래하고 유통시켜 최대의 성과를 얻어 나가는 새로운 경제 질서인 디지털 경제로 사업 구조를 변화시켜 나가야 한다. 여러 가지 형태의 비즈니스 모델이 개발되고 있으며 계속해서 새롭고 다양한 비즈니스 모델이 인터넷의 특성에 맞게 만들어질 것이다.

4차 산업혁명과 일자리

무인(無人) 공장의 등장으로 4차 산업혁명이 몰고 올 미래에 대한 논란도 뜨거워지고 있다. 생산성 혁신은 이론의 여지가 없다. 더 많은 물건을, 더 적은 인력으로, 더 빨리 만들어낼 수 있다. 소비자는 큰 혜택을 볼 수 있다. 하지만 이걸 단순히 축복이라고 보기만은 힘들다. 일자리 감소 우려 때문이다.

4차 산업혁명과 새로운 Paradigm으로의 변화

세상을 바라보고 이해하는 새로운 사고방식과 새로운 가치관을 요구한다.

문명 자체의 근간을 뒤흔드는 커다란 변혁이다.

사라지고 없어지는 일자리와 새롭게 만들어지는 일자리

Ex) 화폐의 발전과 Paradigm의 변화

화폐란 상품 교환의 매개물로서 가치의 척도, 지불의 방편인데

○ 현물(물물 교환), 금속화폐, 지폐

○ 신용화폐(신용 카드, 모바일 전자결제)

○ 가상화폐, 암호화폐 BitCoin, 대체코인 : 원코인, 데쉬코인, 이더륨(ethereum), 리플, etc

가상화폐 (Virtual currency 또는 Virtual money)

지폐나 동전과 같은 실물이 없이 가상공간에서 전자적 형태로 사용되는 디지털 화폐 또는 전자화폐로 가상 화폐는 카카오페이(kakaopay)나 네이버 페이(Naver Pay) 등 가상공간에서 결제할 수 있는 온라인 지급 결제 수단은 모두 포함하기 때문에 비트코인 등을 가상화폐라고 부르는 것은 용어의 범위가 잘못되었다는 문제가 있다.

범위를 좁혀 암호화폐라고 부르는 게 정확하다.

암호화폐(Crypto Currency)도 가상 화폐의 일종으로 BitCoin, 원코인, 데쉬코인, 이더륨(ethereum), 리플 등은 암호화폐에 속한다.

과학기술, 특히 IT가 발전하면서 일자리에는 매우 많은 변화가 생긴다.

○ 사라지고 없어지는 일자리와 새롭게 만들어지는 일자리

Ex) 운송수단의 발전과 Paradigm의 변화

도보, 가마에서, 말이 마차를 끌고, 마차는 자동차로 변화.

마차를 수리하고 운전하는 일자리는 사라지고 자동차를 수리하고 운전하는 일자리가 새로 생겼다.

새로 생긴, 이런 일자리도 무인 자율 자동차가 발달하면 모두 사라지고 변화하는 세상에 맞추어, 또다시 새로운 일자리가 생겨날 전망이다.

국제노동기구(ILO)는 2016년 7월 수작업을 대신하는 로봇의 확산으로 앞으로 20년 간 아시아 근로자 1억 3700만 명이 일자리를 잃을 수 있다고 경고했다. 태국, 캄보디아, 인도네시아, 필리핀, 베트남 등 5개국 임금근로자의 56%에 이르는 규모다. 그동안 개발도상국은 저임금을 바탕으로 공장을 유치해 돈을 벌었다. 이렇게 쌓인 자본을 투자해 경제 규모를 키웠다. 뒤늦게 산업화에 뛰어든 한국, 대만, 중국 등이 그렇게 성장했다. 무인 공장이 확산되면 이런 성장 공식이 작동하기 힘들다. 선진국도 일자리 안전지대가 아니다. 지난 1월 스위스 다보스 포럼에선 4차 산업혁명으로 2020년까지 선진국에서 일자리 710만개가 사라질 것이란 예측이 나왔다. 저임금 근로자들이 타격을 받는다는 의미다.

클라우스 슈바프 다보스포럼 회장도 저서 『4차 산업혁명』에서 “4차 산업혁명의 수혜자는 이노베이터(혁신가), 투자자, 주주와 같은 지적 · 물적 자본을 제공하는 사람들”이라며 “노동자와 자본가 사이 부의 격차는 갈수록 커지고 있다”고 지적했다.

물론 속단은 금물이다. 과거 1 · 2 · 3차 산업혁명 때도 ‘기계가 일자리를 없앤다’는 경고는

항상 나왔다. 하지만 사라진 일자리보다 많은 새로운 일자리가 생기면서 논란은 불식됐다. 4차 산업혁명도 그럴 수 있다.

고대 사람들이 무거운 물건을 옮기기 위해 바퀴를 만들지 않았다면 현재의 자동차는 존재하지 않았을 것이고 벨이 전화기를 발명하기 않았다면 현재의 스마트폰은 존재하지 않았을 것이다. 현물의 물물 교환으로 시작된 화폐는 곡물, 귀금속을 거쳐, 금속화폐, 지폐, 신용카드와 모바일 전자 결제로 이어지는 신용화폐 등으로 변화하면서 발전하고 있다. 도보, 가마, 바퀴를 이용한 수레, 말, 마차, 자동차, 자율 자동차 등으로 운송수단이 발전하고 있다. 통신수단은 벨이 발명한 전화를 시작으로 이동 전화(휴대 전화), 스마트 폰 등으로 변화 발전하고 있다. 이처럼 기술적 혁신과 새로운 기술의 등장으로 인해, 사라지는 직업과 새롭게 생겨나는 직업 등 사회적 경제적으로 커다란 변화가 일어나고 있으며 이러한 변화의 중심에는 세상을 이해하는 새로운 사고방식과 가치관이 시대적 패러다임으로 뒤따르게 된다. 다포스 포럼에서는 제4차 산업혁명은 디지털 혁명에 기반하여 사물의 물리적, 생물학적 경계가 없어지고 서로 섞이는 기술 융합 시대라고 정의하여 전 세계의 산업구조 및 시장경제 모델에 커다란 영향을 미칠 것으로 전망하였다. 또한 삶의 양식에 커다란 변화를 가져올 4차 혁명시대에 정보기술(IT)과 IT융합기술은 사회 전반적인 패러다임의 변화를 주도해 나가면서, 생산성, 효율성, 편의성 등을 증진시켜 나간다. 미래의 사회에 IT기술이 미칠 변화의 파장과 영향을 정확하게 인식하고 우리의 생활에 활용하고 반영할 수 있는 기술적, 정신적, 철학적 바탕으로서의 시대적 패러다임이 새롭게 절실하게 요구된다.

러다이트 운동(Luddite Movement)

1811~1817년 영국의 직물공업지대에서 일어났던 기계 파괴운동으로, 가공의 인물인 N. 러드 라는 인물이 조직적으로 개입하였기 때문에 러다이트 운동이라 하였다.

산업혁명으로 인하여 기계가 경쟁에서 우위를 점하고, 패배한 수공업자들은 몰락하였다. 더욱이 나폴레옹 전쟁에 의한 식량부족이 노동자의 생활을 더욱 곤란하게 하였다.

노동자들은 실업과 생활고의 원인을 기계의 탓으로 돌리고 기계 파괴운동을 일으켰다.

이 운동은 임금을 저하시키는 원인인, 기계를 파괴만 하면 종래의 좋은 노동조건이 회복될 것이라는 자본주의의 경제제도에 대한 무지에서 비롯되었다.

기술혁신과 사회적 Paradigm의 변화라는 큰 흐름을 어떤 개인이나 단체가 거부하는 것은 매우 어렵다.

○ 문명 자체의 근간을 뒤흔드는 커다란 변혁의 물결.
현물, 금속화폐에서 신용, 가상, 암호화폐로의 변화
마차에서 자동차로의 변화와 혁신(Innovation)
직접 운전하는 소유 자동차에서 모두가 공유하는 무인 자동차(카풀)로의 변화와 혁신 등
기술혁신과 사회적 Paradigm의 변화라는 큰 흐름을 어떤 개인이나 단체가 거부하는 것은 매우 어렵다. 세상의 변화를 읽고 순응하면서 사라지고 없어지는 일자리를 파악하고 새롭게 만들어지는 일자리에 적응하려는 노력

4차 산업혁명은 경제 Paradigm에도 큰 변화를 초래

○ 자산기반경제(Asset-based Economy, or Old Economy) : 산업화 시대의 자본, 노동, 자원 등 유형의 재화가 중요
○ 지식기반 경제(Knowledge-based Economy)
창의성이 강조되는 창조경제(Creative Economy) 사회 : 창의성의 주춧돌, IT융합기술을 통한 기업의 차별적 기술력이 경제발전의 중요한 원동력
원천기술, 특허, 상표권, 지적 재산권, 지식 및 정보 자산을 통한 프리미엄 브랜드 등의 지식정보 무형자산
Ex) Windows(빌게이츠), Apple과 Smart Phone(스티브잡스)
Google과 Android(Phone), Amazon, Kakao와 KakaoTalk

CHAPTER 02

Computer의 특성과 기본적 기능

창의적 소프트웨어 파워배양과 미래 IT융합기술
컴퓨팅 기술(IT)과 컴퓨팅 사고(CT)력
Computing Technology (IT) & Computational Thinking (CT)

02 CHAPTER

Computer의 특성과 기본적 기능

오늘날 컴퓨터에 대해서 전혀 들어보지 못했거나 컴퓨터에 의해 약간이라도 영향 받지 않은 사람은 거의 없다. 그럼에도 불구하고 컴퓨터 자체와 컴퓨터가 사회에 미치는 영향을 제대로 이해하고 있는 사람은 드문 편이다. 제4차 산업혁명(4IR) 시대를 만들어 나가는 중심에는 컴퓨터와 정보기술(IT : Information Technology)이 있다. 제4차 산업혁명(4IR) 시대가 발전해 나가는 모습을 깊이 있게 이해하기 위해서는, 그 중심에 있는 컴퓨터가 무엇이며, 그것이 어떻게 발전해 왔으며, 어떤 특성을 가지고, 어떤 원리로 작동하며, 미래 컴퓨터의 발전 방향에 따라, 사회의 변화에 어떻게 영향을 주는지를 올바르게 이해하는 것은 우리의 미래를 위해서 매우 중요하다 할 것이다.

2.1 Computer의 초기 발전 과정

인류의 역사와 더불어 생활에서 수와 양을 표시하기 위한 계산 방법은 꾸준히 발전해왔다. 고대의 계산기로는 서양의 원시적 수준의 주판이 기원전 3000~4000년에 고안되었고 중국에서는 기원전 26세기경 개발되었다. 자연대수의 창시자인 네이피어가 만든 봉은 곱셈의 계산에 매우 효율적이며 개발 후 300년 간 이용되었다. 17세기 프랑스의 수학자이자 철학자인 파스칼이 고안한 톱니바퀴 계산기는 톱니바퀴의 회전의 원리를 이용하여 가감산을 할 수 있는 최초의 기계식 계산기의 원형이었다. 영국의 수학자인 배비지는 차분엔진이라고 불리는 계산기를 연구하였는데 이는 대수표를 계산하는데 사용하고 나중에 기억, 연산, 입출력 장치

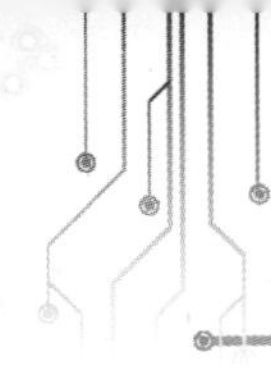

등을 갖춘 분석 엔진이라는 이름으로 더욱 포괄적인 기능을 가진 기계가 1834년에 고안되었다. 일괄처리의 효시인 홀러리스의 천공카드는 1890년 미국 국세 조사 업무의 자료 처리에 사용된 후 1960년대 말까지 통계와 사무 처리를 비롯한 분야에 이용되었다.

초기 컴퓨터의 발전과정과 특징 중에서 중요한 발전만을 간략하게 살펴보면, 다음과 같다.

· 1890년의 홀러리스(Hollerith)의 천공기(punched card system).
· 1946년에 머클리(Mauchly)와 에커트(Eckert)가 만든 최초의 전자계산기 ENIAC
· 본 노이만(J. von Neumann)의 Program 내장방식을 최초로 실현한 EDVAC

컴퓨터의 발달 과정을 세대별로 구분할 때 특정한 기준이 있는 것이 아니다. 초기에는 하드웨어의 발전에 그 기초를 두었으나, 소프트웨어의 급속한 발전에 따라 이들을 병행해서 다음과 같이 세대별로 구분하는 것이 더 합리적인 견해라고 할 수 있다.

2.1.1 제1세대 컴퓨터(1950~1958) : 진공관 시대

컴퓨터의 상품화, 실용화가 시작된 시기로서 1951년 발표된 UNIVAC-I는 최초의 상업용 컴퓨터이며, 이 컴퓨터들은 수만 개의 진공관을 기본 소자로 사용함으로써 기계가 매우 크고 전력 소모가 많고 이에 따른 많은 발열로 큰 냉각 장치도 필요하였다. 따라서 크기에 비해 효율이 떨어지므로 신뢰도가 낮았고 또한 데이터의 처리 속도가 느린 단점을 가지고 있었다.

이 시기에 저장 매체로는 자기 드럼(magnetic drum)이 사용되었으며, 연산 처리 속도는 밀리 초(MS ; Milli Sec. ; 10^{-3}) 정도였으며, 프로그래밍 언어로는 기계어(machine language)가 사용되다가 후반에는 어셈블리 언어(assembler language)도 사용되었다.

2.1.2 제2세대 컴퓨터(1959~1964) : 트랜지스터 시대

1950년대 후반부터 진공관 대신 트랜지스터가 사용되었으므로 소비 전력도 적고 소형화되었다. 또한 신뢰도가 향상되어 기억 용량이 증대되었고 연산 처리 속도도 마이크로초(μ S ; Micro Sec. : 10^{-6})로 증가되었다.

주기억장치로는 1세대보다 향상된 자기 코어(magnetic core)를 사용함으로써 액세스 타임(access time)이 짧아지고 보조 기억 장치로는 자기 디스크(magnetic disk) 등이 사용되어 직접 접근(Direct Access)에 의한 비순서적 처리, 임의처리가 가능하게 되었다.

이 시기의 대표적인 특징으로 프로그래밍 언어가 기계 의존도가 높은 기계어(machine language)와 어셈블리 언어(assembler language)의 사용에서 벗어나 FORTRAN(FORmula TRANs-lator ; 1954~1957), COBOL(COmmon Business Oriented Language : 1961), ALGOL 등의 고급 언어(High-level Language)가 개발되었다.

2.1.3 제3세대 컴퓨터(1965~1970) : 집적회로(IC : Integrated Circuit) 시대

제3세대 컴퓨터의 특징은 2세대의 트랜지스터, 다이오드 등이 더 축소되어 IC(Integrated Circuit)를 사용했다는 점이다. 칩(chip)이라 불리는 집적 회로의 사용으로 처리 속도는 나노초(NS ; Nano Sec. ; 10^{-9})로 빨라지고, 소형화와 신뢰도 향상, 소비 전력 감소로 인하여 컴퓨터의 가격이 계속 떨어져 컴퓨터의 보급을 촉진시키는 계기가 되었으며 크기별로 분류했을 때 미니(mini)급에 해당하는 컴퓨터들이 많이 생산되었다.

주기억장치로는 자기 코어(magnetic core)와 함께 반도체 기억 소자가 널리 사용되었고 보조기억장치로는 자기 테이프(magnetic tape), 자기 드럼(magnetic drum), 자기 디스크(magnetic disk) 등을 사용하였다.

입 · 출력 장치도 자기잉크문자 판독장치(MICR : Magnetic Ink Character Reader)를 이용한 은행 수표 처리업무, 광학문자 판독장치(OCR : Optical Character Reader)를 이용한 판매시점 거래자료 등록시스템(Point Of Sale), 숫자뿐만 아니라 영상표시장치(CRT : Cathode Ray Tube)등을 실용화하는 데 성공하였다.

컴퓨터의 운영 방법도 여러 명의 사용자가 한 대의 컴퓨터를 동시에 사용하면서 개개인은 마치 자기 혼자서 컴퓨터를 사용하는 것처럼 운용할 수 있는 시분할 시스템(Time-sharing system)이 실현되었으며, 원격 터미널(remote terminal)의 등장으로 데이터 통신(data communi - cation)이 가능해져 온라인 실시간 처리(on-line real time processing)가 실용화되기 시작하였으며 또한 시스템을 효율적으로 관리하기 위한 다중 프로그래밍(multiprogramming) 방식이 실현되고 운영체제(OS : Operating System)와 컴파일러(compiler)등이 출현하기 시작했다. 특히, 소프트웨어 의존도가 높아짐에 따라 PL/I, ALGOL68, APL, BASIC, SNOBOL 4, LISP언어 등, 사용목적에 따라 사용하기 쉬운 각종 언어가 개발되었으며, 소프트웨어 산업이 새로운 산업으로 등장하게 되었다.

2.1.4 제4세대 컴퓨터(1971~1980년대 말 혹은 1971~?) : LSI, VLSI 시대

1970년대 중반에 반도체 산업이 눈부시게 발달하면서 사방 5mm 정도의 작은 실리콘 칩에 수천 개의 집적회로를 넣은 고밀도 집적 회로(LSI : Large Scale IC)를 생산하였고 더 나아가 초고밀도 집적 회로(VLSI : Very Large Scale IC)를 만들어낼 수 있는 기술로까지 발전하게 되었으며, 연산 속도는 피코초(PS ; Pico Sec. ; 10^{-12}) 단위로 향상되었다.

1981년 생산된 개인용 컴퓨터(Micro Computer) IBM PC는 마이크로소프트(Microsoft) 사에서 개발한 MS-DOS, PC-DOS, BASIC 등과 함께 보급되었으며, 지금은 윈도우즈 환경과 함께 현재까지도 널리 사용되고 있다. IBM PC는 Computer 설계에 대한 모든 사항을 공개하는 개방화 정책으로 IBM PC의 호환(Data or Program의 상호교환) 기종업체들이 많이 생기게 되어 사실상 개인용 컴퓨터의 표준으로 자리 매김하고 있다.

1984년 애플(Apple)사에서 개발한 매킨토시(Macintosh)는 아이콘(Icons), 메뉴(Menu) 방식, 전자식 마우스(Mouse) 기능을 사용한 뛰어난 그래픽(Graphic) 기능을 가지고 있었다.

이러한 개인용 컴퓨터는 초기에는 8비트에서 출발하여 16비트, 32비트, 64비트 개인용 컴퓨터로 발전하고 있으며, 사무 자동화(Office Automation), 공장 자동화(Factory Automation) 등에 크게 기여하고, 대형 컴퓨터를 사용해서 수행할 수밖에 없었던 많은 작업들이 PC에서 수행되고 있으며, 그 활용영역은 점점 확대되고 있다.

컴퓨터 기술이 진보함에 따라, 하드웨어의 가격은 계속해서 저렴해지고 컴퓨터 시스템의 비용이 상대적으로 소프트웨어를 지원하는 방향으로 전환되고 있으며, 구조적 언어(Structed Language)인 PASCAL, C, MODULA 등의 시스템 프로그래밍언어와 사용하기가 보다 쉬운 초고급 언어(Very High-level Language)인 4세대 언어(Fourth Generation Language)들이 개발되고, 편리하고 성능이 좋은 소프트웨어 패키지(software package)가 아주 많이 나타나고 있다.

2.2 Computer의 분류

2.2.1 취급하는 데이터 형태에 따른 분류

컴퓨터가 취급하는 데이터의 형태나 처리하는 방법에 따라 분류할 때 디지털 컴퓨터, 아날로그 컴퓨터, 하이브리드 컴퓨터로 구분할 수 있다.

(1) 아날로그 컴퓨터(analog computer)

전류, 전압, 속도, 온도, 습도와 같이 연속적인 물리량(즉 데이터의 값이 시간의 흐름에 따라 연속적으로 변하는 양)을 아날로그(analog) 데이터라고 하며 이러한 데이터를 수치화하지 않고 직접 받아들여 처리하는 컴퓨터를 말한다.

이것을 디지털(digital) 데이터 신호로 변환시켜 입력시킬 필요 없이 필요한 데이터를 직접 계측기로부터 입력하여 신속한 입력과 즉각적인 반응을 얻을 수 있다. 그러나 디지털 방식에 비하여 정밀도가 떨어지며 Program이 필요 없기 때문에 다 목적으로 사용하기에는 불편할 뿐만 아니라 입·출력에서는 숫자가 아닌 연속적인 곡선이나 그래프를 나타내기 때문에 사람이 읽기에 불편하다. 이러한 특징들 때문에 특수 목적에만 쓸 수 있어 오늘날에는 아날로그 컴퓨터를 단독으로 사용하는 경우는 거의 없다.

(2) 디지털 컴퓨터(digital computer)

물건의 수량, 서울의 인구, 지금 현재 이 강의실 안에 있는 학생의 수 등과 같이, 양을 나타낼 때 정확한 숫자로 표현할 수 있는 데이터를 디지털(digital) 데이터 혹은 이산 자료(discrete data)라고 하며, 이러한 자료의 크기는 일반적으로 분명히 구분되는 상태를 갖기 때문에 수치로 부호화 하여 정확하게 표현하기가 용이하다. 숫자나 문자를 이러한 이산적인 코드로서 사칙 연산, 분해, 조합을 하여 필요한 처리를 한 뒤 그 결과를 부호, 문자, 숫자로 얻을 수 있는 컴퓨터를 보통 디지털 컴퓨터라고 한다. 오늘날 우리가 사용하고 있는 대부분의 컴퓨터는 디지털 컴퓨터이다.

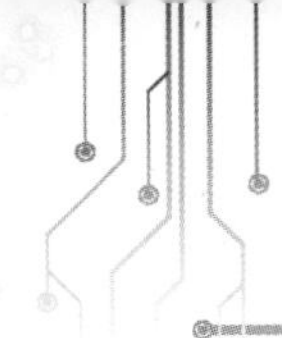

(3) 하이브리드 컴퓨터(hybrid computer)

아날로그 컴퓨터와 디지털 컴퓨터의 장점만을 이용하여 제작된 것으로 어떤 형태의 자료도 취급하여 처리할 수 있다. 이 형태의 컴퓨터에서 처리된 결과는 필요에 따라 A/D 변환기에 의해 아날로그 형태나 디지털 형태로 얻을 수 있다.

의료기와 같이 측정된 결과가 직접 디지털화되는 경우에 적용되고 있다.

2.2.2 사용 목적에 따른 분류

(1) 전용 컴퓨터(특수 목적 컴퓨터 : Special Purpose Computer)

특정 분야의 문제만을 해결하기 위해 설계된 컴퓨터를 말한다. 간단한 예로는 냉장고나 세탁기 등의 가전용품과, 생활용품, 공작기계, 로봇에서부터 군사용이나 혹은 항공기의 추적 등을 제어하기 위한 컴퓨터나 공정 제어(화학 공정, 석유 화학, 금속, 제철 공정)만을 할 수 있도록 처음부터 특수하게 설계 제작된 컴퓨터를 들 수 있다.

전용 컴퓨터는 특별한 목적을 위해 만들어졌기 때문에 꼭 필요한 기능의 장치만 조립되어 있고, Program이 고정되어 있어, 기능은 제한되지만 원하는 작업은 효율적으로 빨리 처리할 수 있기 때문에 많이 사용되고 있으며, 마이크로프로세서의 개발과 자동화된 기술의 진보로 앞으로 그 이용이 더욱 늘어날 전망이다.

(2) 범용 컴퓨터(일반 목적 컴퓨터 : General Purpose Computer)

범용 컴퓨터는 사용하는 소프트웨어에 따라 여러 분야의 다양한 업무 처리를 할 수 있도록 설계된 컴퓨터를 의미한다. 다양한 목적을 위해 만들어졌기 때문에 특수용보다는 규모가 크고, 여러 가지 주변장치와 함께 사용할 수 있도록 만들어져 있다. 따라서 어떤 목적의 일을 하고자 할 때는 그 일을 수행할 수 있는 Program을 입력해 주어야 한다. 그 이용 범위는 매우 넓어 다양하게 활용될 수 있다. 즉, 과학 계산, 통계 처리, 급여 업무, 재고 관리 등 모든 분야에서 폭 넓게 사용될 수 있다.

2.2.3 처리 능력, 기억용량에 따른 분류

컴퓨터는 일반적으로 주기억장치의 기억용량, 처리능력, 가격 등에 따라 초대형, 대형, 중형, 소형 컴퓨터로 분류된다.

그러나 최근에는 모든 컴퓨터의 성능이 급속히 향상되고 있기 때문에 이러한 구분은 상대적이다. 따라서 이러한 구분이 확정적이고 영속적이 될 수는 없다.

즉, 오늘의 PC는 20년 전의 메인프레임이 수행하던 작업을 수행할 수 있고, 오늘날의 슈퍼컴퓨터의 역할을 내일의 PC가 수행할지도 모른다.

(1) 슈퍼컴퓨터(Super Computer)

슈퍼컴퓨터란 용어는 초대형 컴퓨터로 병렬 처리가 가능한 구조로 설계되어 있으며 복잡한 대량의 자료를 신속하게 처리해야 하는 분야에서 사용할 목적으로 특별히 설계되어, 속도, 처리능력, 가격 면에서 현재 가장 빠르고, 가장 크고, 가장 비싼 컴퓨터라 할 수 있다. 정부 기관, 연구 기관, 국방부 등에서 특수한 문제를 해결하기 위해 천문학, 핵물리학, 기상학 등에서의 복잡한 방정식, 다차원 공간 문제 등을 처리하는 데 사용되고 있다.

(2) 대형 컴퓨터(Large Scale Computer : Mainframe Computer)

대형 컴퓨터는 일반적인 사무처리 분야에서 이용되는 전통적인 대규모 컴퓨터 시스템을 말한다. 공공 기관, 기업체 등에서 메인 프레임(main frame)으로 활용되고 있으며 업무 전반에 걸친 정보 처리를 담당한다.

일반적인 메인 프레임의 특성은 다음과 같다.

- ○ 컴퓨터의 처리능력(단위 시간당 처리되는 작업의 수)이 매우 크다.
- ○ 데이터의 저장능력이 매우 크다.
- ○ 따라서 많은 사람이 단말기를 통하여 한 대의 컴퓨터를 동시에 사용한다.
- ○ 그 결과로 시스템조직과 소프트웨어의 규모가 크고 복잡하게 된다.
- ○ 따라서 프로그래머(programmer), 오퍼레이터(operator)와 같은 별도의 전문 운영요원이 필요하다.
- ○ 온도, 습도 먼지 등에 대비한 설치환경이 필요하다.

(3) 중형 컴퓨터(Mini Computer)

중형 컴퓨터는 메인프레임을 사용하기에는 규모가 작은 응용분야의 요구에 의해서 설치되는 경우가 많다.

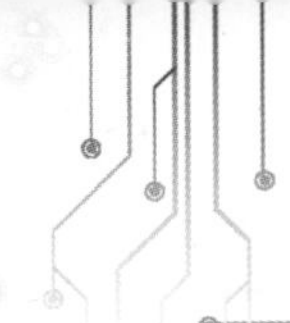

(4) 소형 컴퓨터(Micro Computer)

최근 마이크로프로세서(Microprocessor : 연산 장치와 제어 장치를 포함한 중앙처리장치를 한 개의 반도체 칩에 넣어 만든 장치)는 여러 가지 분야로 응용되고 있다. 중앙처리장치를 하나의 소자에 집적한 마이크로프로세서(Microprocessor)를 중앙 처리 장치로 사용한 것을 마이크로컴퓨터라고 한다. 마이크로컴퓨터는 크게 워크스테이션(Workstation)과 개인용 컴퓨터(Personal Computer : PC)로 분류할 수 있다. 워크스테이션(Workstation)은 미니컴퓨터의 처리능력에 버금가는 강력한 슈퍼 마이크로컴퓨터라고 할 수 있으며, 다양한 목적의 서버(server) 등으로 사용되면서 다수의 사용자를 위해 소규모의 네트워크를 제어 할 수 있다.

개인용 컴퓨터(Personal Computer : PC)는 다시 두 가지 관점에서 분류될 수 있다. 먼저 외형상으로 구분하면 데스크 탑(Desk-top), 랩 탑(Lap-top), 노트북(Notebook), 팜 탑(Palm-top) 등으로 분류할 수 있고, 구조상으로는 IBM 호환 기종의 PC와 매킨토시(Macintosh) 등으로 분류할 수 있다.

현재에는 노트북 컴퓨터들이 보편화되고 있으며 더 나아가 크기가 작아 갖고 다니기 쉬운 핸드 헬드(Hand-held) PC, 팜 탑(palm-top) PC, 그리고 PDA(Personal Digital Assistant)로 총칭되어지는 모바일 컴퓨터(mobile computer)와 핸드폰과 PC가 하나로 결합된 스마트폰(Smart phone) 등의 사용이 무선 인터넷의 광범위한 보급과 더불어 보편화되고 있다. 노트북(Notebook) 등의 이동형 컴퓨터들은 사무실 내에서는 도킹 스테이션(Docking station)에 끼워 넣어서 보다 강력한 기능을 지닌 다양한 주변기기들을 사용할 수 있게 확장될 수 있다.

(5) 서버 시스템(server system)

서버 시스템(server system)은 강력한 성능과 기능을 갖는 마이크로프로세서들을 탑재하여 적은 비용으로도 범용 컴퓨터의 성능을 능가하도록 만든 시스템이라고 할 수 있다. 이러한 서버시스템은 정보 이용자로 하여금 신속한 의사결정, 정확하고 효율적인 의사결정, 유연한 의사결정 등을 할 수 있도록 네트워크를 기반으로 클라이언트 서버 컴퓨팅 환경을 제공해주고 있으며 사용하는 목적이나 기능에 따라 웹 서버, 네트워크 서버, 메일 서버, 데이터베이스 서버 등 다양한 종류의 이름을 갖고 있다.

2.3 Computer의 특성

컴퓨터는 전자회로로 구성되어 있다는 점 때문에 인간과 비교해 볼 때 신속성, 정확성(동일한 전자회로를 통과하는 전류는 항상 동일한 결과를 출력한다), 자동성, 신뢰성 등에 있어서 훨씬 뛰어나며 다음과 같은 여러 가지 특성을 가지고 있다.

2.3.1 신속성(Speed)

컴퓨터의 최대 장점은 데이터 처리 속도가 대단히 빠르다는 사실이다. 처리속도의 단위는 보통 밉스(MIPS : Million Instruction Per Second)로 나타내는데 이것은 1초에 백만 개의 명령을 처리한다는 것을 말한다.

하나의 명령을 처리하는 데 필요한 시간의 관점에서 보면, 사람으로서는 상상하기조차 어려운 나노초(nano second), 피코초(pico second) 단위로 처리한다.

예를 들어, 보조 기억 장치의 하나인 하드디스크의 경우, 디스크에 수록된 10억자 이상의 글자를 1초 이내에 읽어 낼 수 있으며, 마이크로컴퓨터의 경우 두 자리 숫자를 초당 10억 번 이상 더할 수 있다.

[표 2-1] 컴퓨터의 속도를 측정하기 위한 시간의 단위

단위	시간	
밀리초(Milli Second ; MS)	1/1000Second	10^{-3}
마이크로초(micro Second ; μS)	1/1000 MS	10^{-6}
나노초(Nano Second ; NS)	1/1000 μS	10^{-9}
피코초(Pico Second ; PS)	1/1000 NS	10^{-12}
펨토초(Femto Second ; FS)	1/1000 PS	10^{-15}
아토초(Atto Second ; AS)	1/1000 FS	10^{-18}

2.3.3 자동성(Automation)

컴퓨터는 사람에 의해 주어진 문제 해결 절차인 Program이라고 하는 명령어 군(Instruction groups)의 순서에 따라 일단 처리가 시작되면 사람의 간섭 없이 스스로 주어진 업무를 순서

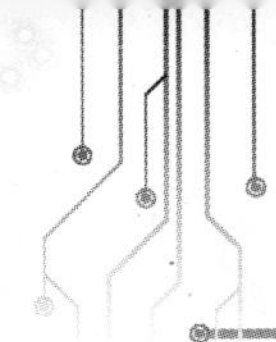

적으로 수행하여 결과를 얻는 기기로서, Program 내장 방식에 의한 순서적 처리 (Sequential processing)를 행하기 때문에 사람이 지시한 명령에 따라서 임무를 자동적으로 수행한다.

2.3.4 뛰어난 기억 능력

컴퓨터의 기억 기능은 인간의 기억 능력의 한계를 보완해 줄 수 있다. 즉, 인간과 달리 컴퓨터는 한번 입력된 데이터나 정보를 100% 완전하게 기억하며, 시간의 흐름에 무관하게 영구히 기억하며, 기억 용량의 측면에서도 기억 장치만 확장한다면 대량의 자료를 거의 무한대로 기억할 수 있고, 필요하면 언제든지 재생하여 사용할 수 있다. 이러한 능력을 가진 사람은 없기 때문에 컴퓨터를 친구로 맞이한다면 인간의 기억 능력의 한계를 보완해 줄 수 있을 것이다.

문자(정확하게는 영문자) 1자를 기억할 수 있는 단위를 바이트(byte)라고 하는데, 1메가바이트는 200자 원고지로 5,120장에 해당하는 분량이며, 1기가바이트는 그 1000배에 해당하는 분량이며 1테라바이트는 다시 그 1000배에 해당하는 분량이다. 최근의 개인용 컴퓨터의 경우, 주기억장치는 수 기가바이트(ex : 8, 16, 32, 64, 128, 256, 512 GB)에 이르며, 보조기억장치는 수백 기가바이트 내지 수 테라바이트(ex : 128, 256, 512GB, 1, 2, 4, 8, 16, 32, 64, 128, 256, 512 TB)가 되는데, 하드디스크를 교환하여 끼우거나 외장형 하드디스크만 간단히 부착하면 되므로 그 기억 용량은 거의 무한대라고 할 수 있다.

[표 2-2] 컴퓨터의 기억용량을 측정하기 위한 단위

단위	용량	
킬로바이트(Kilo byte ; KB)	1,024 Byte	10^3
메가바이트(Mega byte ; MB)	1,024 KB	10^6
기가바이트(Giga byte ; GB)	1,024 MB	10^9
테라바이트(Tera byte ; TB)	1,024 GB	10^{12}
페타바이트(Peta byte ; PB)	1,024 TB	10^{15}

이와 같이 컴퓨터는 대용량의 기억 장치를 이용한 대량의 데이터 처리 능력이 뛰어나, 이로 인해 사무 처리 능률을 향상시키고 시간을 절약할 수 있으며, 불필요한 인력을 감축할

수 있으며 인간의 능력을 확장해 줄 수 있다.

2.3.5 응용성(Applicability)과 범용성(General Purpose)

(1) 다양한 자료의 처리

최근의 컴퓨터는 기존의 단순한 수치계산 외에 문자(text), 도형(graphic), 음성(audio), 화상(video) 등 이른바 다중매체(multimedia)를 지원하기 때문에 다양한 자료를 처리할 수 있고, 그 처리 내용도 계산 외에 비교, 분류, 판단 등 매우 다양하다.

(2) 다양한 분야에의 응용

컴퓨터는 인간이 필요로 하는 거의 모든 분야에서 응용이 가능하다. 예를 들면 정부의 각 부처를 비롯한 행정기관, 국영기관, 대학, 연구소, 외국 상사와 국내 기업은 물론 국방, 금융, 행정, 언론, 방송, 통신, 교육, 의료, 연구, 기업경영에서부터 가정생활에 이르기까지 많은 기관과 조직단체, 그리고 많은 응용분야에서 컴퓨터는 광범위하게 사용되고 있다.

(3) 다양한 이용 형태

이러한 다양한 응용분야의 특성에 따라 한 사람이 한 대의 컴퓨터를 사용할 수도 있고, 여러 사람이 한 대의 컴퓨터를 동시에 사용하기도 하고, 또 통신 회선을 통해 연결된 컴퓨터는 서로 자료를 주고받으며 동시에 여러 대가 작업할 수도 있다.

2.3.6 경제성(Economy)

따라서 결과적으로는 이러한 컴퓨터의 특성을 이용하여 필요한 데이터나 정보를 분석 처리하여 여러 가지 원하는 경제적 효과를 얻을 수 있다. 경제적인 효과면에서 볼 때 더 빠른 속도, 더 적은 비용 등 눈에 보이는(Visible) 직접적인 효과 외에도, 신뢰성의 제고, 정보 시스템에 대한 적절한 제어와 보안의 제공, 대 고객 서비스의 개선, 정보흐름의 신속화, 생산성의 향상, 삶의 질의 향상 등 눈에 보이지 않는(invisible) 간접적인 효과가 있다.

그러나 컴퓨터는 이와 같은 특성들을 가지는 기계에 불과한 것으로, 모든 것은 컴퓨터 자체가 스스로 행하는 것이 아니라, 주어진 Program에 따라 처리한다. 즉, 컴퓨터 자체는 현재로서는 스스로 이론을 정립하거나, 종합적인 문제해결능력으로 독자적인 판단을 내리거나,

직관적인 결론을 내릴 수 있는 기능이 아직은 부족하기 때문에 컴퓨터의 성능은 사용하는 사람의 사용 능력에 의해 크게 좌우된다.

2.4 Computer의 기본적 기능

현재의 사회를 제4차 산업혁명(4IR)의 시대라고 한다. 이는 컴퓨터라고 하는 도구(Tools)를 잘 이용하여 필요한 각종 데이터를 유효하고 적절하게 분석하여, 새롭고 가치 있는 정보를 생성하고, 이 정보를 의사결정 수단으로 이용함으로써, 여러 분야의 일을 보다 더 효율적으로 수행하는 시대에 접어들었음을 의미한다.

그러나 컴퓨터를 전자계산기(Electronic Calculator)나 주판처럼 단순히 계산만을 수행하는 계산도구로 생각한다거나, 사람의 힘으로는 도저히 해결 불가능한 일들을 무엇이든지 척척 해결해 줄 수 있는 만능 기계로 생각해서는 곤란하다.

왜냐하면, GIGO(Garbage In Garbage Out : "잘못된 입력 데이터를 넣으면 잘못된 출력 결과가 나온다.")라는 말과 같이 컴퓨터가 아무리 좋은 도구라고 할지라도 잘못된 데이터를 입력시켜 처리하면, 그 결과 역시 잘못된 것이 나오기 때문이다.

동력 기관과 기계의 발달로 인간의 노동력을 대체해주는 산업혁명과 달리, 정보 혁명은 컴퓨터를 통하여 인간의 정신력을 대체하고 지원하고 향상시켜온 과정이라 볼 수 있다. 그러므로 컴퓨터가 인간의 정신적인 능력을 지원하고 향상시켜 나가기 위해서는 인간의 정보처리 메커니즘을 모방하여 인간이 가진 여러 가지 정보처리 기능을 가지도록 만들어져서 발전을 계속해 오고 있다.

사람은 기본적으로 눈(시각)과 귀(청각), 손(촉각), 코(후각)등을 통하여 외부의 현상으로부터 정보를 받아들이는 입력기능을 가지고 있다. 이러한 입력기능은 눈(Cam, CCD, Scanner), 귀(Mike), 손(Keyboard, Mouse, Touch Screen) 등으로 컴퓨터의 입력장치로 구현 되었다. 사람은 주로 입과 손을 통하여 알고 있는 정보를 말하고, 쓰고 하는 정보의 출력기능을 행하는데 이러한 기능은 입(Speaker),손(Monitor, Printer, Plotter) 등으로 컴퓨터에서 출력장치로 구현 되었다.

사람의 기억기능도 컴퓨터에서 기억 장치로 만들어졌는데 오히려 사람의 기억능력보다 훨씬 뛰어난 일반적인 능력을 가지고 있다. 그러나 사람에 비해 냄새, 소리, 느낌, 형태 등의 정보를 기억하는 데는 아직 부족하기 때문에 이러한 능력을 보완해주는 방향으로 발전하고 있다. 입력, 기억, 연산, 출력, 제어의 인간의 기본적인 5대의 정보처리 기능을 중심으로 그것을 모방한 컴퓨터의 정보처리 기능을 대비시켜 살펴보면 다음과 같다.

<table>
<tr><th colspan="6">사람과 컴퓨터의 기본적인 정보처리기능 비교표</th></tr>
<tr><th colspan="2">5대 정보처리 기능</th><th>사람</th><th>컴퓨터</th><th colspan="2">컴퓨터 하드웨어의 5대 장치 예</th></tr>
<tr><td colspan="2">입력(외부의 자료입력)</td><td>감각기관
(눈, 귀, 손, 코)
시각, 청각,
촉각, 후각</td><td>입력장치</td><td colspan="2">눈(Cam. CCD, Scanner), 귀(Mike),
손(Keyboard, Mouse, Touch Screen)</td></tr>
<tr><td rowspan="2">기억</td><td>주 기억
(실행하는 정보기억)</td><td>두뇌</td><td>주
기억장치</td><td colspan="2">RAM(Random Access Memory)
ROM(Read Only Memory)</td></tr>
<tr><td>보조 기억
(대량의 정보기억)</td><td>노트</td><td>보조
기억장치</td><td colspan="2">HDD(Hard Disk Drive)
USB Memory</td></tr>
<tr><td colspan="2">연산
(정보 처리)</td><td>두뇌</td><td>연산장치</td><td rowspan="2">Program을
C.P.U.가 실행
(Central
Processing Unit)</td><td>A.L.U.
(Arithmetic Logical Unit)</td></tr>
<tr><td colspan="2">제어
(동작의 지시제어)</td><td>두뇌</td><td>제어장치</td><td>C.U.
(Control Unit)</td></tr>
<tr><td colspan="2">출력
(외부로 자료출력)</td><td>반응기관
(입, 손, 발)</td><td>출력장치</td><td colspan="2">입(Speaker), 손(Monitor, Printer, Plotter)</td></tr>
</table>

미래의 컴퓨터는 사용자가(User)가 Computer를 보다 더 쉽고 편리하게 사용할 수 있게 지적인 인터페이스(Interface) 기능을 제공하는 방향으로 발전하고 있다.

인간화된 Interface(지적 Interface화)란 사람의 눈과 귀, 코, 손, 입과 같은 역할을 하는 기능, 즉 시각, 청각, 후각, 촉각, 소리 등 여러 가지 기능의 결합을 통한 다 매체(Multimedia)화와 감지기(Sensor) 또는 다른 방법 등을 통해 인간의 언어로 된 명령을 이해하고 활자, 문자, 도형, 물체, 색 등의 패턴(Pattern) 정보를 이해할 수 있도록 하여 컴퓨터와 인간의 대화를 실현하는 기능이다.

2.3 컴퓨터의 특성에서 살펴본 바와 같이 컴퓨터의 연산 기능은 사람과 비교하여 정확성과 신속성 측면에서 추종을 불허할 정도이다. 한편 제어 기능은 컴퓨터의 전반적인 작업 명령을 효율적으로 제어하는 일이며 구체적으로는 동기화 신호(Synchronize signal)을 통하여 입, 출력 장치와 기억, 연산 장치가 동시에 협업이 일어날 수 있도록 제어한다.

기계적인 측면에서 컴퓨터는 중앙 처리 장치와 기억 장치, 그리고 입·출력 장치로 구성되어 있다.

컴퓨터의 심장부 역할을 하는 중앙 처리 장치는 기억 장치 내에 기억되어 있는 정보를 처리하는 장치다. 따라서 중앙 처리 장치는 원시 데이터를 유용한 정보로 가공시키는 장치라 할 수 있다. 기억 장치는 가공되어야 할 원시 데이터뿐만 아니라 Program으로 구현시킨 가공 방법과 가공된 정보도 기억시켜 놓을 수 있는 장치다.

한편, 입·출력 장치는 컴퓨터와 사람의 연결 방법(통신 방법)을 제공하는 장치다. 따라서 사람이 알아볼 수 있는 형태(10진법 형태의 숫자와 아날로그 형태의 데이터)의 원시 데이터는 입력 장치를 통하여 컴퓨터가 알아볼 수 있는 형태(2진법 형태의 숫자와 디지털 형태의 데이터)로 변환되어 기억 장치 내에 입력되고 기억 장치에 저장된 데이터는 중앙 처리 장치에 의하여 가공, 처리되어 컴퓨터가 알아볼 수 있는 형태(2진법 형태의 숫자와 디지털 형태의 데이터)로 기억 장치에 다시 저장되고 가공된 정보는 출력 장치에 의해 사람이 알아볼 수 있는 형태(10진법 형태의 숫자와 아날로그 형태의 데이터)로 변환되어 다시 사람에게 제공된다.

컴퓨터를 한 마디로 정의하기는 어려우나 컴퓨터가 무엇이고, 그것이 어떻게 작동하는지를 보다 잘 이해하기 위하여, 앞에서 생각해 본 사람의 기본적인 5대 정보처리기능과 컴퓨터의 특성을 중심으로 다음과 같이 정의해 볼 수 있다.

〈**정의 1** : 컴퓨터의 특성과 기능을 중심으로〉

컴퓨터란 사람처럼 보고, 듣고(입력기능 : 눈(Cam. CCD, Scanner), 귀(Mike), 손(Keyboard, Mouse, Touch Screen 등), 기억하고(기억기능 : RAM, R0M, HDD, USB 등), 생각하고, 판단하고(연산기능 : C.P.U. A.R.U. C.U. 등), 소리, 그림, 멀티미디어로 표현하는(출력기능 : 입(Speaker), 손(Monitor, Printer, Plotter) 등), 사람의 정보처리 매카니즘을 응용하여 만든 기계로서, 대량의 데이터를 기억하면서(뛰어난 기억능력), 신속 정확한 계산은 물론(신속성, 정확성), 논리적 사고과정을 Program에 따라 자동으로 실행하는, 복합적인 정보처리 시스템이다(제어기능).

〈**정의 2** : 전문적인 컴퓨터 용어를 중심으로〉

어떠한 작업을 수행하는 데 필요한 단계적인 명령들의 집합인 Program에 의해서 데이터를 입력(input)하여 처리(process), 저장(store), 검색(retrieve)하여 의미 있는 정보를 출력(output)할 수 있는 장치이다.

2.5 Computer와 Program

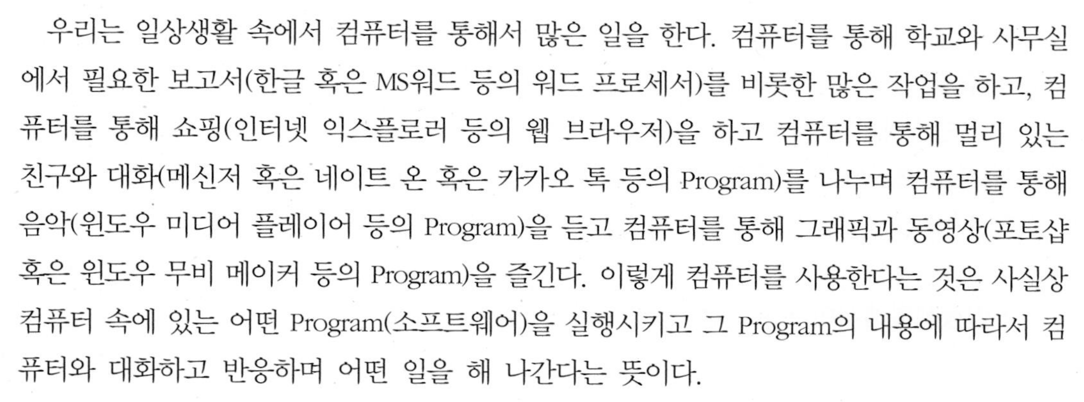
우리는 일상생활 속에서 컴퓨터를 통해서 많은 일을 한다. 컴퓨터를 통해 학교와 사무실에서 필요한 보고서(한글 혹은 MS워드 등의 워드 프로세서)를 비롯한 많은 작업을 하고, 컴퓨터를 통해 쇼핑(인터넷 익스플로러 등의 웹 브라우저)을 하고 컴퓨터를 통해 멀리 있는 친구와 대화(메신저 혹은 네이트 온 혹은 카카오 톡 등의 Program)를 나누며 컴퓨터를 통해 음악(윈도우 미디어 플레이어 등의 Program)을 듣고 컴퓨터를 통해 그래픽과 동영상(포토샵 혹은 윈도우 무비 메이커 등의 Program)을 즐긴다. 이렇게 컴퓨터를 사용한다는 것은 사실상 컴퓨터 속에 있는 어떤 Program(소프트웨어)을 실행시키고 그 Program의 내용에 따라서 컴퓨터와 대화하고 반응하며 어떤 일을 해 나간다는 뜻이다.

그렇다면 Program이란 무엇인가?

▸ 일상생활과 Program : 절차, 계획서

원래의 프로그램 (Program)의 의미

연극이나 방송 따위의 진행 차례나 진행 목록

'차례1', '차례2', '차례3' 등

'차례표'가 미리 준비되어야

점차 일상 생활에서 해야 할 일을 미리 계획하고 작성해 놓은 시간표나 계획서로 발전

Ex) 초등학교의 운동회부터 세계적인 국제회의나 각종행사 등의 진행계획, '계획1', '계획2', '계획3' 등 '계획표'가 미리 준비되어야

▸ 일상생활과 Program : Event, Job

일상생활 속에서의 프로그램 (Program), 어떤 행사(Event)를 진행하고, 어떤 일(Job)을 처리하고자 할 때, 그 일과 행사를 더 잘 처리하기 위해서는 처리과정과 순서를 미리, 잘 계획하여 작성해야 한다.

연주회의 Program, 공연, 행사 Program은 물론 세계적인 국제회의나 각종행사의 진행계획까지 어떤 행사나 일을 효율적으로 추진하기 위한 진행 계획(Planning;기획)이나 순서, 절차가 필요 모든 행사는 잘 기획되고 잘 작성된 프로그램(Program)이 그 행사의 성패를 결정.

▸ **일상생활과 Program : Manual**

업무매뉴얼은 일종의 직무 명세서(Job Statement), 직무 기술서(Job Descriotion)에 해당

이런 업무매뉴얼이 만들어지면

장점 :

1) 복잡한 업무 절차를 효율적으로 수행하게 한다.
2) 업무담당자의 부재시에도 수행 가능하게 한다.
3) 업무상 복잡하고 비효율적인 부분을 찾아서 개선 가능하게 한다.

업무를 더욱 효율적으로 하면서도 편리하게 처리할 수 있도록

▸ **일상생활에서의 프로그램(Program)**

1) 연주회, 공연, 행사의 프로그램
2) 세계적인 국제회의나 각종행사의 진행계획부터
3) 제품사용 설명서(제품별 매뉴얼)
   예) 자동차 사용 설명서, 전자제품 사용 설명서 등
4) 재난발생대비 안전매뉴얼(생활분야별 매뉴얼)
5) 기관, 단체, 회사에서 사용하는(업무별 매뉴얼)
   직무명세서(Job Statement)와 직무기술서(Job Description)에 해당
6) 기타매뉴얼 : 설명서, 안내서, 지침서, 솔루션(Solution)

하고자 하는 일을 더 효율적으로 수행할 수 있도록 문제해결방법에 대한 우리의 생각을 정리한 것

▸ **일상생활과 컴퓨팅사고방식(Computational Thinking)**

프로그램(Program)이 설명서, 안내서, 지침서라면 알고리즘(Algorithm)은 프로그램(Program)의 핵심논리 어떤 일의 문제해결 과정과 방법, 즉 솔루션 (Solution) 이 세상 모든 분야의 일 (특히 내가 하고자 하는 일)을 더욱 효율적으로 수행할 수 있도록 문제해결방법에 대한 생각을 정리한 것이다.

그래서 모든(직종의) 사람들이 Program을 이해하고 프로그래밍적 사고방식(컴퓨팅 사고)을 가져야 한다.

Program의 핵심논리인 문제해결방법(알고리즘)은 의사코드와 흐름도, 매뉴얼 등으로 미리 준비하여 작성해두고 발전적으로 계속해서 수정할 수 있다

컴퓨터는 어떤 일을 처리하기 위한 일의 순서와 방법을 지시하는 Program이 주어지면, 그 Program이 지시하는 대로 그 일을 정확히 수행하기 때문에 컴퓨터를 잘 이해하기 위해서는 Program을 잘 이해해야 한다는 것을 의미한다.

그러므로 컴퓨터를 잘 활용한다는 것은 이러한 여러 가지 기존의 Program(소프트웨어) 사용법에 익숙해져야하고 경우에 따라서는 새로운 Program의 논리를 만들고 그것에 따라 새로운 용도의 Program을 작성하고 수정하여 더욱 발전시킬 수도 있어야 한다는 것을 의미한다.

CHAPTER

03

Computer 하드웨어

창의적 소프트웨어 파워배양과 미래 IT융합기술
컴퓨팅 기술(IT)과 컴퓨팅 사고(CT)력
Computing Technology (IT) & Computational Thinking (CT)

Computer 하드웨어

3.1 기억 장치

3.1.1 기억장치(Storage device)

기억장치는 컴퓨터의 입력장치를 통하여 읽어 들인 데이터나 Program 또는 처리된 결과 등을 컴퓨터 내부에 기억시켜 필요할 때 계산에 사용하기도 하고 외부로 출력시킬 수 있도록 해 준다. 기억장치는 주기억장치와 보조기억장치로 구분한다.

(1) 주기억장치(Main Memory)

주기억장치는 실행되고 있는 Program과 그 실행에 필요한 데이터를 기억하고 있는 장치이다. 따라서 주기억장치는 중앙처리장치와 직접 자료를 교환할 수 있는 기억장치이다.

주기억장치의 구성 소자에는 크게 두 가지가 있는데 자기 코아(magnetic core) 기억장치와 반도체(semiconductor) 기억장치가 있다.

① 자기 코아(magnetic core) 기억장치

자기 코아(magnetic core) 기억장치는 전기흐름을 이용해서 작은 금속 링에 0 혹은 1의 1 Bit 정보를 저장할 수 있으나 속도가 느려서 오늘날은 거의 사용되지 않는다.

② 반도체(semiconductor) 기억장치

반도체(semiconductor) 기억장치는 그 성질에 따라 롬(ROM ; Read Only Memory)과 램(RAM : Random Access Memory)으로 나누어 볼 수 있다.

▸ 롬(ROM ; Read Only Memory)

ROM(Read Only Memory)은 메모리가 제작될 때 데이터를 이 안에 기록한다. ROM에 기록된 데이터는 읽어서 사용할 수 있으나 그 내용을 다른 데이터로 변경할 수는 없다.

롬은 새로운 내용을 저장할 수 없고, 미리 기억된 내용을 읽기만 하는 기억 소자이고, 램은 필요에 따라 새로운 자료를 저장할 수도 있는 소자이다. 그러나 램에 기록된 내용들은 전원이 꺼지면 소멸되어 버리지만(휘발성 : volatile), 롬에 기억된 내용은 컴퓨터의 스위치를 끄더라도 기록된 내용이 지워지지 않기 때문에(비휘발성 : nonvolatile) 변경이 필요 없는 기본적인 자료와, 전원을 처음 켤 때 수행해야 할 명령어들을 저장하는데 필수적이다. 즉, 컴퓨터를 작동시키기 위해 필요한 최소한의 Program을 롬에 저장시킨 것을 롬 바이오스(BIOS : Basic Input Output System)라고 하며 전원을 켜면 먼저 롬바이오스가 동작하여 컴퓨터를 작동할 수 있는 상태로 만들어 준다(booting).

롬의 종류로는 원래의 롬이 변형되어, 단 한 번만 쓰기가 가능한 PROM(Programmable ROM), 자외선을 이용해서 한 번 이상 쓸 수 있는 EPROM(Erasable and Programmable ROM), 전기파를 이용해서 한 번 이상 쓸 수 있는 EEPROM(Electrically Erasable and Programmable ROM) 등이 나와 있다.

그래서 PROM은 제작하는 과정에서 데이터를 그 안에 기록하지 않고 대신 PROM을 사용하는 이용자가 컴퓨터시스템 내에 PROM을 조립해 넣기 전 메모리 안에 Program이나 데이터를 기록할 수 있다. 그밖에 메모리 안에 있는 내용을 자외선을 통해 지우며 롬라이터(ROM writer)를 통해 Program을 입력하는 EPROM(Erasable PROM), 그리고 전기적으로 쉽게 지울 수 있고 롬라이터(ROM writer)를 통해 자료를 입력할 수 있는 EEPROM(Electrically Erasable PROM) 등도 있다.

▸ 램(RAM ; Random Access Memory or RWM ; Read Write Memory)

램은 읽을(read) 수도 있고, 필요에 따라 새로운 자료를 기록(write)할 수도 있는 소자이다. 그러나 램에 기록된 내용들은 전원이 꺼지면 소멸되어 버리기 때문에 보조 기억장치에 저장하지 않은 자료는 다시 회복할 수 없으므로 주의를 요한다. 그러므로 컴퓨터에는 주기억장치에 램과 롬이 모두 필요하다.

80년대 초에는 64 KB RAM이 주로 사용되다가 128 KB, 256 KB, 512 KB…로 점점 발전하다가 128 MB, 256 MB, 512 MB를 거쳐, 지금은 4 GB, 8 GB, 16 GB, 32 GB, 64 GB, 128 GB, 256 GB의 RAM이 주로 사용되고 있다. 이러한 대용량의 램(RAM)은 보다 더 큰 Program

과 자료, 여러 가지 Program을 동시에 수행시킬 수 있으므로 아주 빠른 속도를 위해서 필수적이다. RAM의 확장은 가장 간편하게 성능을 확장시킬 수 있는 방법이다.

메모리가 많으면 Program 실행 속도뿐만 아니라 디스크 캐시를 사용해서 하드디스크 입출력 속도를 높일 수 있다.

이러한 RAM은 크게 전원이 공급되는 한 내용이 그대로 유지되는 SRAM(Static RAM)과 전원이 공급되더라도 내용의 소멸을 방지하기 위해 계속적으로 리프레싱(refreshing : 중앙처리장치에 의해 지속적으로 재충전된다. 따라서 동적이라고 말한다)이 요구되는 DRAM(Dynamic RAM)으로 구분되는데 전자는 주로 캐시 메모리로 이용되고 후자는 우리가 흔히 말하는 주기억장치로 많이 이용되고 있다. 최근에 들어와 컴퓨터의 성능을 향상시키기 위해 캐시 메모리(cache memory)의 사용이 증가되고 있는데 이 메모리는 RAM보다 빠르나 값이 비싸다는 단점이 있다. 그러나 대부분의 컴퓨터시스템들은 아주 빈번하게 사용되는 명령어나 데이터를 캐시 메모리에 저장하여 처리속도를 향상시키고 있다.

한편 반도체방식 저장장치는 한 가지 중요한 문제점을 안고 있다. 이것을 소위 '파괴 메모리'라고도 한다. 즉 현재의 전원이 공급 중단되는 경우 데이터를 잃어버린다는 것이다. 최근에 많이 사용되고 있는 플래시 메모리(flash memory)는 최종 사용자가 쉽게 내용을 변경할 수 있게 만든, 비파괴 메모리 기술을 적용한 메모리의 한 형태로 비휘발성 램이라고 할 수 있다. 이러한 플래시 메모리가 팜톱 PC, 스마트폰 등과 같은 모바일 컴퓨터의 하드디스크를 대체하면서, PC는 더욱더 소형화되고 경량화 될 것으로 보인다.

[그림 3-1] 롬(ROM)과 램(RAM)

▸ 부팅(Booting)

전원이 켜지면 BIOS(Basic Input Output System)는 RAM부터 시작하여 하드디스크 드라이브, USB드라이브 등의 순서로 시스템의 구석구석을 차례대로 점검하고, 곧 바로 CMOS 셋업에 설정된 값으로 시스템 환경을 구성한다. BIOS는 하나의 칩으로 구성되는데 Program이

내장되어 있으며, 전원이 꺼진 동안에도 Program이 지워지지 않도록 ROM에 기록된다.

BIOS Program의 기능의 첫 번째 역할은 시스템에 설치된 하드웨어의 이상 유무를 검사하고 하드웨어에 관한 정보를 기록해 두고 안정적으로 이들 하드웨어를 사용할 수 있도록 환경을 구축하는 기능을 갖는다.

두 번째 역할은 보조기억장치에 있는 운영체제(OS : 윈도우즈 운영체제 등)를 찾아서 주기억장치(RAM)에 적재(Load)해 주는 기능이다. 이러한 과정을 부팅이라고 한다.

부팅이 되면 컴퓨터는 운영체제의 제어 하에 들어가기 때문에 사용자는 운영체제를 통하여 컴퓨터를 사용할 수 있게 된다.

3.1.2 보조기억장치(secondary storage device or auxiliary storage device)

앞에서 설명한 주 기억 장치는 휘발성이기 때문에 램에 기록된 내용들은 전원이 꺼지면 소멸되어 버린다. 또, 사용자가 필요로 하는 많은 Program과 데이터를 장기간 보존할 필요가 있지만 주기억장치의 용량은 한계가 있다. 그러므로 주기억장치보다 용량이 훨씬 크고, 값이 싸며, 전원이 꺼진 후에도 계속 자료를 기억할 수 있는 별도의 보조기억장치(secondary storage device or auxiliary storage device)가 필요하다.

그러나 보조기억장치 내에 기록된 Program을 실행시키기 위해서는 반드시 주기억장치로 적재(load)시켜야만 가능하기 때문에 Program과 데이터 등을 보조기억장치에 파일 형태로 기록해 두었다가 필요할 때 주기억장치로 옮겨서 작업을 실행한다.

이러한 보조 기억장치의 평가 기준은 저장용량, 접근시간, 비용, 크기 그리고 주기억장치로 데이터를 전송시키는 시간인 전송률 등이다.

3.2 입 · 출력 장치

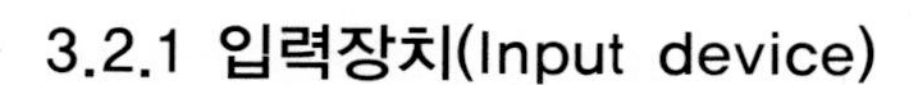

3.2.1 입력장치(Input device)

인간과 컴퓨터 사이에서 자료를 전달해 주는 구성 요소로서 사람의 눈, 코, 귀, 손등에 해당될 수 있다. 그러므로 입력장치는 그 기능면에서 볼 때 인간의 지식 정보 체계(10진법의 수치와 문자, 음성, 소리, 그림, 도표, 화상 등 여러 가지 형식의 자료)를 제2장에서 전술한 바 있는, 컴퓨터에서 사용하는 정보의 표현 체계(2 진법), 컴퓨터가 이해할 수 있는 형태로 변환시켜주는 기능을 가진다. 각 입력장치들의 특성에 따라서 분류해보면 다음과 같다.

(1) 오프라인(Off-line) 입력장치

오프라인(Off-line) 입력장치로는 종이 카드(paper card)와 카드 판독기(card reader), 종이테이프(paper tape)와 종이테이프 판독기(paper tape reader)등이 있다. 이러한 입력장치는 컴퓨터의 사용 초기에 많이 사용되었으나 입력과정에서 종이 카드, 종이테이프 상에 별도로 분리된 입력파일이 만들어져야 하기 때문에 속도가 느리고 비효율적이어서 오늘날은 거의 사용되지 않는다. 그러나 오프라인 데이터 입력은 입력중인 데이터가 CPU의 직접적인 제어 상태에 있는 온라인 데이터가 입력 장치보다 경비가 적게 드는 경향이 있다.

(2) 온라인(On-line) 입력장치

온라인(On-line) 입력장치는 입력장치가 컴퓨터와 항상 연결된 상태에 있어 CPU의 제어 상태에 있다. 그러므로 별도의 중간 입력 상태가 필요 없기 때문에 효율적이다. 대표적인 예는 터미널(terminal)로서, 키보드(Key board)와 스크린 디스플레이(screen display)를 이용하여 입력된 정보를 즉시 눈으로 확인, 수정할 수 있는 장점이 있다.

터미널(terminal)은 입력 자료에 아무런 가공을 하지 않고 즉시 중앙처리장치로 전송하는 단순 터미널(dumb terminal)과 터미널 자체에 자료의 편집, 저장, 처리 등 사전처리 기능을 가진 지능 터미널(intelligent terminal)로 구분해 볼 수 있다.

이러한 비지능적 터미널은 어떤 방법으로든지 데이터를 처리하지 못하고 단지 입출력의 방식으로만 이용되기 때문에 가끔 더미 터미널(dummy terminal)이라고 말하기도 한다.

(3) 원시 자료(source data)에서의 직접 입력장치

자료의 발생 즉시 컴퓨터에 직접 입력되거나 입력 가능한 상태로 만드는 것을 원시 자료 입력(SDE : Source Data Entry) 혹은 원시 자료 자동화(SDA : Source Data Automation)라고 한다. 이러한 입력장치로서는 객관식 시험지 등에 표시된 특정한 마크의 유무를 파악하는 광학마크 감지기(OMR : Optical Mark Reader), 특수 자기 잉크로 인쇄된 문자를 읽을 수 있는 자기 잉크문자 인식기(MICR : Magnetic Ink Character Reader), 일정한 모양을 가진 광학문자를 인식하는 광학문자 인식기(OCR ; Optical Character Reader) 등이 있다.

또, 슈퍼마켓, 호텔, 식당 등에서 판매된 물품의 종류, 가격 등을 즉시 파악하여, 매출액 계산, 재고관리, 이익관리, 세금계산, 나아가 고객의 기호와 제품 선호도 등을 파악하여 마케팅 관리와 신제품 개발 계획 등, 종합적 경영 전략 등을 도와주는 판매 시점 관리시스템(POS : Point Of Sale)에 응용되고 있는 바코드 인식기(Bar Code Reader) 등이 있다.

이 방법은 자료 발생과 동시에 직접 정보의 입력이 가능하기 때문에, 별도의 자료 입력 작업이 필요 없으며, 별도의 자료 입력 작업에서 발생할 수 있는 오류와 부정을 방지하고 노동 집약적 작업을 최소화하여 주므로 정확성, 신속성을 유지할 수 있다.

또, 이 방법은 문자, 숫자, 기호등 기본적인 정보 표현 단위를 컴퓨터가 직접 읽어 입력할 수 있기 때문에 다양한 분야에 응용될 수 있다. 물품 판매뿐만 아니라, 병원, 도서관, 공장, 금융기관, 그리고 출판 사업에서는 스캔된 정보를 통해 상당한 시간과 경비, 노력, 그리고 오류를 감소시킬 수 있다.

음성 응답 시스템(ARS : Audio Response System)은 전화기를 통해 데이터를 직접 입력 받을 수 있다. 예를 들면 어떤 은행 고객들은 전화를 통해 계좌번호, 지불금액, 계좌이체 당사자의 계좌번호 등을 입력하여 조회거래, 지불거래를 실행할 수 있다.

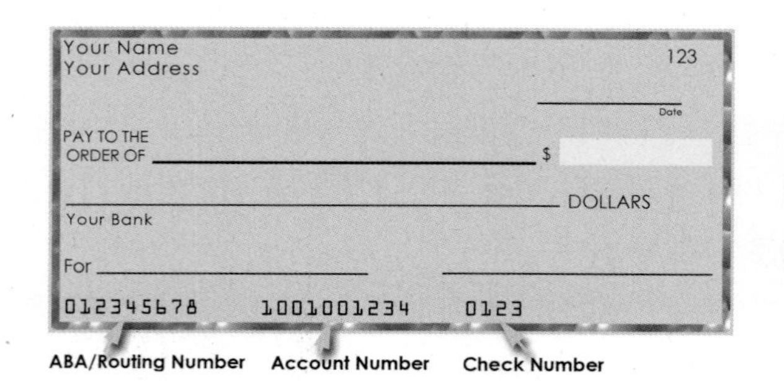

[그림 3-2] MICR과 OCR 문자체

[그림 3-3] 바코드(Bar Code)

(4) 소리와 그림 자료의 입력장치

컴퓨터기술과 통신기술의 발전과 더불어 컴퓨터에 데이터를 입력하는 방법도 입력매체를 이용하는 방법에서 직접 입력하는 방법으로, 문자나 숫자 위주의 입력에서 이미지나 음성을 바로 입력하는 방법으로 변화하는 등 보다 사용자 위주로 바뀌어 가고 있다.

소리와 그림 자료의 입력장치로는 피아노 건반과 비슷하게 만들어져 음악의 입력이 가능한 키보드(Key board), 소리의 입력을 가능하게 해주는 마이크(Microphone), 그림과 이미지를 바로 입력할 수 있는 스캐너(Scanner)가 있다.

이미지 리더(image reader)는 사진 · 지도 · 그래프 · 삽화 등의 영상데이터를 있는 모양 그대로 섬세한 부분까지 입력시킬 수 있으며, 농도조절은 물론 확대 · 축소 · 경사 · 회전 등의 기능을 이용하여 데이터를 자유롭게 배치할 수 있는 입력장치이다. 이는 흑백이나 칼라 이미지뿐만 아니라 사진, 슬라이드, 네거티브 필름까지도 스캐닝할 수 있어 인쇄, 문서처리, 디자인분야 등에서 이용이 점점 확대되고 있다. 오늘날 보편적으로 이용되는 이미지 리더는 스캐너이다.

이 밖에도 특수한 용도로 쓰이는 입력장치로 그림, 차트, 도면, 지도와 같은 아날로그 신호를 읽어 디지털 신호로 바꾸어 주는, 즉 어떤 현상을 숫자로 바꾸어 입력하는 장치인 디지타이저(digitizer)가 있다. 디지타이저(digitizer)는 사물의 그래픽 표현 혹은 그림의 표면 위를 지나면서 상(image)을 숫자로 바꿀 수 있는 입력장치이다. 컴퓨터 기술이 보다 발전하여 정교화 됨에 따라 터미널의 키보드를 이용하여 데이터를 쳐서 입력하는 수동적 장치들은 다양한 분야에서 입력처리에 적절히 대처할 수 없게 되었다. 이와 같은 응용을 위해 디지타이저(digitizer)가 개발되었는데, 이 장치는 의학이나 공학 등의 특수한 분야에서 아주 효과적인 입력장치로 이용되고 있다.

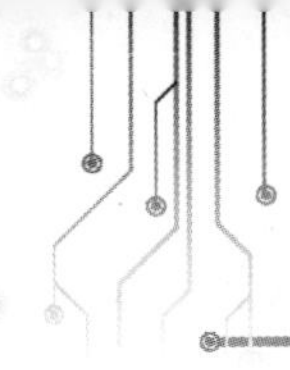

그리고 평판(tablet)과 탐침(stylus pen)으로 구성되어 평판위의 탐침의 좌표를 입력하는 그래픽 입력장치인 스타일러스(stylus) 등이 소리와 그림 등 다양한 형태의 자료를 입력할 수 있게 해 주는 입력장치들이다.

(5) 대화형 입력장치(Interactive Input Device)

CRT에서 나온 빛을 탐지해서 스크린상의 펜의 움직임에 따라 메뉴를 선택하는 라이트 펜(light pen), 화면에 나타난 메뉴를 손가락으로 건드리면 메뉴가 선택되는 터치 판넬(touch pannel : touch screen), 막대의 움직임을 통해 커서(curser)가 움직이고 게임에 많이 사용되는 조이스틱(joystick), 커서(curser)를 움직이고 메뉴를 선택할 수 있는 마우스(Mouse), 트랙볼(Track Ball)등이 있다.

때때로 이러한 입력장치가 키보드 대신에 사용되어 데이터 입력 경비와 시간 그리고 오류를 최소화할 수 있다.

터치스크린은 손가락 끝이 표면에 닿을 때 좌표 값이 입력되어 메뉴를 선택할 수 있게 해주는데 키보드 대신에 손가락을 직접 사용하므로 초보자가 사용하기에 적합하다. 터치스크린의 이런 특징은 대중적인 정보 서비스에 매우 뛰어난 효과를 발휘할 수 있다. 그러나 해상도가 낮고 반응속도가 느린 점과 문자입력에는 부적합하다는 점이 문제점으로 남아 있다.

윈도우즈 환경에서 중요성이 인식된 마우스는 동작원리에 따라 볼을 이용하는 볼(Ball) 마우스 방식, 빛의 반사광을 이용하는 광(Optical) 마우스 방식, 그리고 이들 두 가지 방식을 혼합한 광 기계식 마우스 방식으로 분류된다.

볼 마우스는 흔히 기계식 마우스라고 하며 볼의 움직임을 통해 화면의 위치를 지정한다. 볼의 움직임은 신호를 발생시키고, 이 신호가 시스템에 전달되어 화면 상의 커서가 움직이게 된다.

광 마우스는 마우스 하단에 부착된 광 센서가 패드의 반사광을 감지하여 동작된다. 이는 반드시 광반사를 위한 패드가 필요하며 패드 영역 내에서만 마우스를 사용해야 한다는 단점이 있다. 광 기계식 마우스는 기계식 마우스와 광 마우스의 특징을 절충한 방식이다. 형태상으로는 기계식 마우스와 동일하지만 원리는 광 마우스와 유사하다.

단지 반사광을 받기 위해 접점 대신에 작은 구멍을 통해 발사되는 빛을 감지하므로 마모율이 적고 반사판이 필요 없어 반영구적으로 사용된다. 최근 들어 모니터에 직접 클릭하는 전자펜이나 무선 마우스 등도 나와 있다.

마우스는 작은 베어링 위에서 움직이며 위에는 두 개나 세 개의 버튼이 있는 일반 마우스와 보드 위에서 글을 쓰듯이 이용할 수 있는 펜 마우스(pen mouse)가 있으며, 평평한 표면 위에서 움직이면서 모니터 상의 원하는 장소로 커서(cursor)를 움직여 필요한 항목을 선택하도록 한다. 따라서 복잡한 용어나 명령어의 조작 없이 누르고 떼는 동작만으로 화면의 메뉴 상에 원하는 기능을 찾아 원터치(one touch)로 사용자의 의사와 명령이 자동적으로 컴퓨터에 입력된다. 최근에는 거의 모든 컴퓨터시스템에 마우스가 기본적으로 부착되는데 요즘은 이러한 마우스가 전화기의 기능까지 갖는 쪽으로 발전되고 있다.

3.3 연산, 제어 장치의 원리

3.3.1 연산(Operation)의 원리

연산 장치(ALU : Arithmetic/Logical Unit)는 제어 장치의 명령에 따라 입력되는 데이터에 덧셈, 뺄셈, 곱셈, 나눗셈과 같은 산술 연산이나 수의 대소 비교나 논리적 판단 등의 논리 연산을 수행한다. 연산 장치는 누산기(Accumulator), 산술 논리 연산 장치(ALU : Arithmetic Logical Unit), 자료를 일시적으로 보관하는 레지스터(Register)등으로 구성된다.

누산기(Accumulator)는 연산의 대상이 되는 피연산수와 연산의 결과를 저장하는 특수한 레지스터이며 산술 논리 연산 장치(Arithmetic Logical Unit)는 누산기의 내용을 대상으로 연산을 실제로 수행하여 그 결과를 다시 누산기에 저장하는 장치이다.

연산장치를 이해하기 위하여 논리 연산과 산술 연산의 기본 원리를 알아보기로 한다.

(1) 논리 연산(Logical Operation)

논리 연산이란 참(true)과 거짓(false)을 구분하는 연산을 말한다. 참(true)과 거짓(false)은 각각 1과 0으로 대응되며, 이러한 2진 연산을 처리하는 수단으로, 0과 1을 나타내는 전기적 신호를 처리하는 논리 회로(logic circuit : 일종의 전자회로)가 사용되어진다.

논리회로는 게이트(gate)라고도 하며, 전압 차이(0볼트이면 0, 5볼트이면 1 등으로)를 이용해 2진수를 전기적으로 표현하고 처리하는 전자회로이다.

이 게이트에는 여러 가지의 종류가 있는데, 여기에서 우리는 대표적인 게이트의 기호와 기능만을 알아보기로 한다. 입출력 관계의 진리표로 그 기능을 설명한다.

① 논리곱(AND 연산 : AND gate)

두 개의 입력이 모두 1일 때만 그 출력이 1이 되는 논리적 결과를 나타낸다.

〈표 3.1〉 논리곱의 게이트

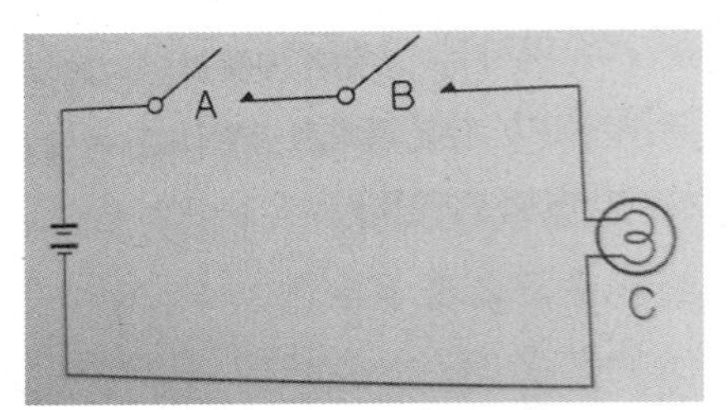

연산기호(gate symbol)
Z = X * Y
혹은 Z = X · Y

입력	입력	입력
X	Y	Z
0	0	0
0	1	0
1	0	0
1	1	1

진리표(Truth table)

② 논리합(OR 연산 : OR gate)

두 개의 입력 중 어느 하나라도 1이면, 그 출력이 1이 되는 논리적 결과를 나타낸다.

〈표 3.2〉 논리합의 게이트

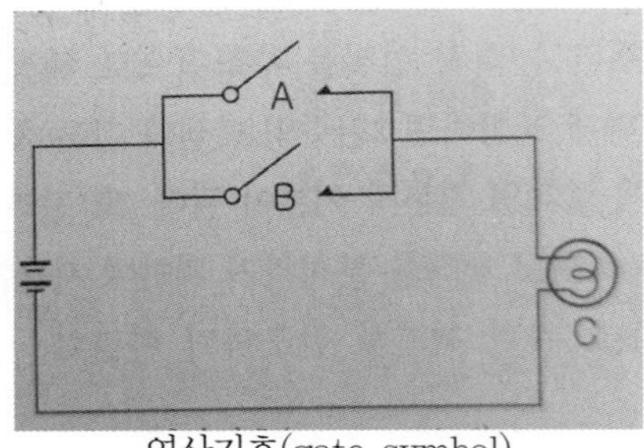

연산기호(gate symbol)
Z = X + Y

입력	입력	입력
X	Y	Z
0	0	0
0	1	1
1	0	1
1	1	1

진리표(Truth table)

③ 논리 부정(NOT 연산 : NOT gate(Inverter))

하나의 입력과 하나의 출력을 가진다. 입력이 0이면 1을, 1이면 0을 나타낸다.

〈표 3.3〉 논리 부정의 진리표(Truth table)

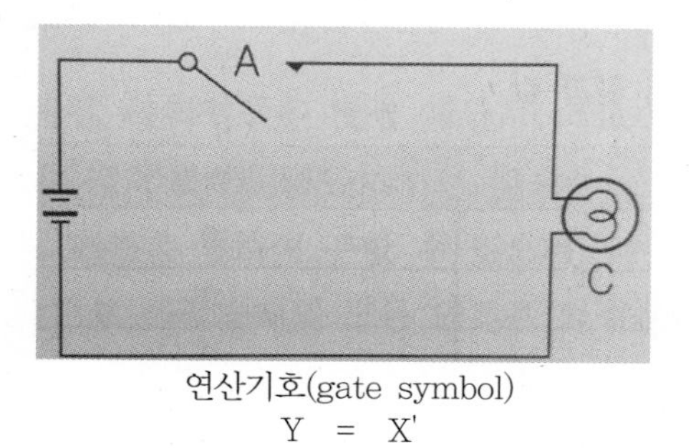

연산기호(gate symbol)
Y = X'

입력	입력
X	Y
0	1
1	0

진리표(Truth table)

④ 배타적 논리합(X-OR : eXclusive-OR(X-OR gate)

두 개의 입력 값이 서로 다른 경우에만, 그 결과는 1의 논리 값을 가진다.

〈표 3.4〉 배타적 논리합의 진리표(Truth table)

연산기호(gate symbol)
Z = X ⊕ Y

입력	입력	입력
X	Y	Z
0	0	0
0	1	1
1	0	1
1	1	0

진리표(Truth table)

이러한 게이트는 서로 조합되어 복잡한 연산을 처리하는 전자회로로 사용된다. 불 대수(Boolean algebra)는 참과 거짓으로 표현되는 명제의 논리적 성질을 수학적으로 해석하기 위한 수단이며 이러한 불 대수의 기본연산을 적절하게 조합하면 2진수의 덧셈과 같은 처리과정이 간단히 표현가능하기 때문에 컴퓨터 하드웨어 설계의 기본적 이론이 된다. 또 진리표는 입력에 따른 출력의 변화 상태를 나타낸 것으로 논리회로 동작을 분석하기 위하여 사용된다. 여기에 대한 더 이상의 자세한 설명은 컴퓨터구조 관련 책자를 참조하기 바란다.

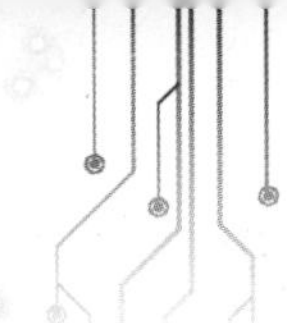

(2) 산술 연산(Arithmetic Operation)

① 덧셈 연산

컴퓨터 내부에서 이루어지는 연산의 가장 기본적 방식으로 모든 사칙 연산의 기본이 되는 과정이 바로 덧셈이다. 그 간단한 원리를 알아보자. 먼저 2진수 덧셈이 가능한 모든 경우와 그때의 결과 값을 생각해 보면 다음과 같다.

〈표 3.5〉 2진수 덧셈이 가능한 모든 경우와 그때의 결과 값

과정	결과(S)	자리올림발생(C)
0 + 0	0	0
0 + 1	1	0
1 + 0	1	0
1 + 1	0	1

② 뺄셈 연산

어떤 수를 뺀다는 것은 그 수의 보수를 취하여 더하고 최상위의 자리 올림, 즉 최종 자리 올림(end around carry)은 무시하는 계산과 그 결과가 같기 때문에, 컴퓨터 내부에서의 뺄셈에서는 보수를 이용한 덧셈을 이용하고 있다.

③ 곱셈 연산과 나눗셈 연산

오늘날의 컴퓨터의 연산장치는 대부분 곱셈과 나눗셈을 직접 수행하지만 과거의 컴퓨터는 덧셈기만으로 가감승제의 모든 연산을 수행했다.

즉, 곱셈은 덧셈의 반복을 통하여 구할 수 있으며, 나눗셈은 뺄셈의 반복으로 구할 수 있다.

우선 곱셈의 경우를 보면, 두 수를 서로 곱한다는 것은 첫 번째 수를 두 번째 수의 횟수만큼 반복해서 더한다는 것과 같다.

덧셈에 의한 곱셈

2 * 5 = 2 + 2 + 2 + 2 + 2

나눗셈의 경우도 비슷한데, 두 수를 나눈다는 것은 첫 번째 수에 두 번째 수가 몇 번 들어 있는지를 알아보는 것이므로 첫 번째 수에서 두 번째 수를 더 이상 뺄 수 없을 때까지 반복

해서 빼면, 뺀 횟수가 그 몫이 되고 더 이상 뺄 수 없는 수가 나머지가 된다.

뺄셈에 의한 나눗셈

7 / 3 → 7 - 3 - 3 = 1
몫 → 2
나머지 → 1

④ 모든 사칙연산은 덧셈 계산기(adder)

지금까지의 이야기를 요약하면, 뺄셈은 보수를 이용한 덧셈으로 변환이 가능하고, 곱셈은 덧셈의 반복을 통하여 구할 수 있으며, 나눗셈은 뺄셈의 반복으로 구할 수 있다.

그러므로 가감승제의 모든 연산은 덧셈을 통하여 수행될 수 있다.

그런데 2진수 덧셈이 가능한 모든 경우는 [표 3-5]와 같은데, [표 3-5]의 결과(S)는 [표 3-4]의 배타적 논리합 게이트로, [표 3-5]의 자리올림(C)는 [표 3-1]의 논리곱 게이트로 구하는 것이 가능하다. 그러므로 이러한 게이트로 만들어진 전자회로인 덧셈 계산기(adder)만으로도 가감승제의 모든 연산이 가능하다.

3.3.2 명령 실행의 원리

제어 장치(control unit)는 중앙처리장치의 전체적인 동작을 지휘하고 중앙처리장치의 내부(연산장치, 제어장치, 주기억장치)와 외부(입력장치, 출력장치)의 자료 전송을 담당한다. 연산장치, 제어장치와 주기억장치 사이의 데이터 전송은 버스(Bus)라고 하는 전자적인 경로를 통해 일어난다. 컴퓨터의 처리 능력은 처리주기(동기신호와 동기신호의 간격)동안에 한 번에 다룰 수 있는 문자의 수(워드)와 버스의 속도에 달려 있다.

제어 장치(control unit)는 주기억장치에 기억된 Program의 명령어들의 의미를 해석하고 그 의미에 따라, 필요한 장치에 신호를 보내어 작동하게 하며 그 과정을 감독하고 통제하는 장치이다. 따라서 주기억장치와 연산 장치를 포함한 컴퓨터의 여러 가지 구성요소들이 질서 있게 동작하도록 동기화 시키는 클럭 펄스인 동기 신호(synchronization signal)라고 하는 제어 신호를 만들어 통제하는데, 이 신호에 따라 각 장치들은 컴퓨터에 기록된 명령을 순서대로 하나씩 꺼내어 실행시키며, 입·출력, 기억, 연산 장치로 보내는 기능을 담당한다.

이러한 절차를 명령어 가져오기(instruction fetch), 명령어 해독하기(instruction decode), 명령어 실행하기(instruction execution)의 세 단계로 크게 나누어 생각할 수 있는데 이러한 명령어의 처리는 하나의 처리주기(동기신호와 동기신호의 간격) 동안에 일어난다.

즉, 이 동기신호(synchronization signal)가 빠르면 빠를수록 보다 빠르게 명령을 처리한다는 얘기가 된다. 여기에 대한 더 이상의 자세한 설명은 컴퓨터구조 관련책자를 참조하기 바란다.

CHAPTER 04

Digital Data의 개념과 표현원리

창의적 소프트웨어 파워배양과 미래 IT융합기술
컴퓨팅 기술(IT)과 컴퓨팅 사고(CT)력
Computing Technology (IT) & Computational Thinking (CT)

04 CHAPTER

Digital Data의 개념과 표현원리

현실에서 만날 수 있는 그래픽, 사운드, 음성과 같이 연속적으로 이어지는 Data가 Analog Data라면 Digital Data는 특정 시점에 정확한 수치의 형태로 표현될 수 있는 이산적인 Data를 말한다.

Digital Data는 Analog Data에 비해 정밀도가 높을 뿐만 아니라 컴퓨터가 Digital Data를 다루면서 많은 매체들이 Digital화 하게 되었고, 특히 New media가 Digital Data를 다루기 시작하면서 Computer를 중심축으로 기능적 통합이 일어나는 이러한 현상은 Digital혁명이 되어 인류의 생활을 변화시키며 디지털 융합(Digital Convergence)과 함께 IT 융합 기술(IT Convergence Technology)로 발전하고 있다.

Analog Data를 Digital Data로 변화시키기 위해서는 Digital Data와 수에 대한 이해가 필요하다.

4.1 Digital Data의 표현과 2진법

4.1.1 컴퓨터와 진법

컴퓨터의 가장 기본적인 정보 표현 형식은 두 가지 상태인데, 전원 스위치의 OFF(스위치가 닫힌 상태)와 ON(스위치가 열린 상태)로서 이것을 각각 0과 1로 대응시킬 수 있다. 즉, 컴퓨터는 0과 1로 상징되는 두 종류의 전기적인 디지털 상태를 이용하여 동작하고, 0과 1로 상징되는 두 가지 상태의 조합으로 문자, 그림, 소리, 영상, 동영상 등 많은 정보를 표현할 수 있다. 따라서 컴퓨터의 내부에서는 2진법(binary)으로 표현된 디지털 상태로 모든 정보를 다룬다.

그러므로 컴퓨터는 사람이 사용하는 정보(10진법)를 컴퓨터가 이해할 수 있는 형태(2진법)로 바꾸어 입력하고(입력장치) 기억하고(기억장치), 어떤 처리를 행하고(연산, 제어장치), 그 결과를 다시 사람이 이해할 수 있는 형태(10진법)로 변환하여 출력해야(출력장치) 한다.

이러한 과정에서 정보가 컴퓨터 내부에서 어떻게 표현, 처리되는지를 이해하기 위하여 우리는 10진수(decimal digit)와 2진수(binary digit)와의 관계를 이해할 필요가 있다.

(1) 10진법

우리들이 일상적으로 사용하고 있는 수는 0부터 9까지인 10진법수이다. 10진법은 10이 되면 상위 자리로의 자리올림(Carry)이 일어나는 수의 체계이다. 그러므로 10진법은 사용되는 숫자의 위치에 따라 1, 10, 100, 1000, 10000 등 각각 다른 가중치(위치 값)를 가지게 된다.

예를 들어, 10진수 123은 1의 자리가 3개, 그리고 1의 자리가 10개가 모인 자리, 즉 10의 자리가 2개, 다시 10의 자리가 10개 모인 100의 자리 1개가 합하여 이루어진 것이다.

즉, $123 = 1 * 100 + 2 * 10 + 3 * 1$ 이다.

따라서 $123 = 1 * 10^2 + 2 * 10^1 + 3 * 10^0$ 이며

그러므로 10진수 오른쪽의 한자리는 10의 0승 값을, 오른쪽으로부터 2번째 자리는 10의 1승 값을, 이렇게 하여 n 자리까지 10의 n승 값을 갖는다.

10진수를 다른 진법과 구분해서 나타낼 때는 밑수(base)를 10으로 나타낸다.

즉, $(123)_{10}$로 나타낸다.

[표 4-1] 10진법의 위치값

←	3	4	6	4	3
위치값	만	천	백	십	일
	10^4	10^3	10^2	10^1	10^0

여기서 10을 기저(base)라고도 한다. 따라서 10진법은 기저가 10인 수치체계이고, 기저가 2, 8, 16이면 각각 2진법, 8진법, 16진법이라고 한다.

(2) 2진법

2진법은 2가 되면 상위 자리로의 자리올림(Carry)이 일어나는 수의 체계이다. 그러므로 2진법은 2라는 수를 사용할 필요가 없기 때문에 0과 1만을 가지고 우리가 사용하는 수의 체계를 나타내며, 사용되는 숫자의 위치에 따라 1, 2, 4, 8, 16 등 각각 다른 가중치(위치 값)를 가지게 된다.

예를 들면, 2 진수 101은 1의 자리가 1개, 그리고 1의 자리가 2개 모인 자리, 즉 2의 자리가 0개, 다시 2의 자리가 2개 모인 4의 자리가 1개가 합하여 이루어진 것이다.

즉, $101 = 1 * 2 * 2 + 0 * 2 + 1 * 1$ 이며

따라서 $101 = 1 * 2^2 + 0 * 2^1 + 1 * 2^0$ 가 된다.

그러므로 2진수 오른쪽의 한자리는 2의 0승 값을, 오른쪽으로부터 2번째 자리는 2의 1승 값을, 이렇게 하여 n 자리까지 2의 n승 값을 갖는다.

2진수를 다른 진법과 구분해서 나타낼 때는 밑수(base)를 2로 나타낸다.

즉 $(101)_2$로 나타낸다.

[표 4-2] 2진법의 위치 값

256	128	64	32	16	8	4	2	1
2^8	2^7	2^6	2^5	2^4	2^3	2^2	2^1	2^0

2진수는 자리에 해당하는 위치값이 있으면 1, 없으면 0으로 표기한다.

예를 들어, 2진수 1001은 10진수 표기로 얼마인가 하면 오른쪽 1의 값은 1이고 오른쪽으로부터 4번째 위치 값은 8이다. 그러므로 합은 9인 것이다.

다시 한 번 10진수와 2진수와의 관계를 위의 방법으로 설명하여 보자.

예를 들어, 10진수 15는 8 + 4 + 2 + 1 과 같으므로 2진수로는 각각의 위치 값에 1을 대응시키면 된다. 그러므로 1111이 2진법의 표기 값이다.

또, 2진수 1100은 10진법으로 얼마의 값인가를 알아보면 첫 번째 1과 두 번째 1은 각각 수의 위치값 8과 4에 해당되므로 10진수는 12가 된다.

그런데 16진법의 수는 10, 11, 12, 13, 14, 15가 두 자리씩을 차지하므로 사용상의 편의를 위해 이를 각각 A, B, C, D, E, F 등 한 자리 영문자로 대치하여 나타내는데 10진수, 16진수, 2진수의 관계는 [표 4-3]과 같다.

[표 4-3] 10진수, 16진수, 2진수의 관계

10진수	16진수	2진수		10진수	16진수	2진수	
Decimal	Hexa D.	Binary Digit		Decimal	Hexa D.	Binary Digit	
0	0	0000	0000	10	A	0000	1010
1	1	0000	0001	11	B	0000	1011
2	2	0000	0010	12	C	0000	1100
3	3	0000	0011	13	D	0000	1101
4	4	0000	0100	14	E	0000	1110
5	5	0000	0101	15	F	0000	1111
6	6	0000	0110	16	10	0001	0000
7	7	0000	0111	17	11	0001	0001
8	8	0000	1000	18	12	0001	0010
9	9	0000	1001	19	13	0001	0011

4.1.2 진법 변환

이들 진법은 상호 간에 간단한 방법으로 변환이 가능하다.

(1) 10진법의 정수를 다른 진법의 수로 변환하는 법

① 정수 10진수를 2진수로 변환

10진수를 2진수로 변환하려면 10진수를 몫이 2보다 작을 때까지 계속 2로 나눈다.

```
2 | 43 … 1
2 | 21 … 1
2 | 10 … 0
2 |  5 … 1
2 |  2 … 0
     10
```

$(43)_{10} \longrightarrow (101011)_2$

나머지를 아래에서부터 위로 기록한다.
(이하 모두 같음)

② 정수 10진수를 8진수로 변환

10진수를 8진수로 변환하려면 10진수를 몫이 8보다 작을 때까지 계속 8로 나눈다.

```
8 | 66 ··· 2    (66)10 ──→ (102)8
2 |  8 ··· 0
     1
```

$(66)_{10} \longrightarrow (102)_8$

③ 정수 10진수를 16진수로 변환

10진수를 16진수로 변환하려면 10진수를 몫이 16보다 작을 때까지 계속 16으로 나눈다.

```
16 | 99 ··· 3   (99)10 ──→ (63)16
      6
```

$(99)_{10} \longrightarrow (63)_{16}$

(2) 다른 진법의 수를 10진법의 수로 변환하는 법

각 진수의 오른쪽으로부터 왼쪽으로 각 진법의 해당 진수를 밑수로 누승의 가중치(위치값)를 곱하여 모두 더한다.

① 정수 2진수를 10진수로 변환

$$(1111)_2 = (1*2^3)+(1*2^2)+(1*2^1)+(1*2^0)$$
$$= 8+4+2+1$$
$$= 15$$

그러므로

$(1111)_2 \longrightarrow (15)_{10}$

② 정수 8진수를 10진수로 변환

$$(164)_8 = (1*8^2)+(6*8^1)+(4*8^0)$$
$$= 64+48+4$$
$$= 116$$

그러므로

$(164)_8 \longrightarrow (116)_{10}$

③ 정수 16진수를 10진수로 변환

$$(4F34)_{16} = (4*16^3)+(15*16^2)+(3*16^1)+(4*16^0)$$
$$= 16384+3840+48+4$$
$$= 20276$$

그러므로

$(4F34)_{16} \longrightarrow (20276)_{10}$

(3) 2진수, 8진수 16진수의 관계

2진법의 수는 일상적으로 읽고 쓰는데 어려운 점이 많아, 8진법 수 또는 16진법 수로 나타내기도 한다. 2진수, 8진수, 16진수 상호간의 변환은 특별한 연산 없이 간단하게 이루어진다. 즉, 변환을 위한 계산 관계를 이용하지 않고도 단지 일정한 형태로 자리 수를 자르거나, 붙이면 된다. 예를 들면 8진수 한 자리 수는 2진수의 3 bit에 해당되고, 16진수 한 자리 수는 2진수의 4 bit에 해당된다.

8진법은 2진수 세 자리를 하나로 묶어 0에서 7까지 나타내도록 하고, 16진법은 2진수 네 자리를 하나로 묶어 0에서 15(F)까지 표현하도록 하고 있다.

① 정수 2진수를 8진수로 변환

오른쪽에서 왼쪽으로 진행하여 가면서 3 bit씩 자르면 된다.

즉, 2진수 001010을 8진수로 변환하기 위해 3 bit씩 자르면

001 010이며 이것은 각각 1과 2에 해당하므로 $(12)_8$이 된다.

② 정수 2진수를 16진수로 변환

마찬가지 방법으로 4 bit씩 자르면 된다.

2진수 101010001111을 16진수로 변환하기 위해 4 bit씩 자르면

1010 1000 1111이므로

앞의 4 bit값은 10진수로 10이고 16진수로는 A,

두 번째 값은 10진수로 8이고 16진수로도 8,

세 번째 값은 10진수로 15이고 16진수로는 F이다.

따라서 결과는 $(A8F)_{16}$이 된다.

③ 8진수 및 16진수를 2진수로 변환

8진수 및 16진수를 2진수로 변환할 때는 위와 반대로 8진수의 한 자리는 세 자리의 2진수로, 16진수의 한 자리는 네 자리의 2진수로 직접 바꾸면 된다.

따라서 $(12)_8$은 001, 010, 즉 $(001010)_2$가 되고

$(A8F)_{16}$은 1010, 1000, 1111, 즉 $(101010001111)_2$가 된다.

4.2 문자 Data의 표현 원리

4.2.1 문자(Character)표현 방식과 코드(Code)

사람과 사람, 사람과 기계 사이에 주고받을 수 있는 의사 표시와 정보를 표현하는 방법은 음성, 문자, 수치, 기호 등 여러 형태가 있을 수 있다. 그러나 공통된 점은 서로 간에 그것의 의미가 미리 약속되어 그 약속된 의미를 해석하여 의사전달을 한다는 점이다. 그래서 컴퓨터에서도 내부적으로 정보를 처리하기 위해서는 미리 정의된 약속이 필요하다.

가령, 어떤 문자를 컴퓨터에 입력하면, 그것은 컴퓨터의 입력장치에 의해서, 미리 약속된 2진수로 변환되어 입력된다. 이렇게 미리 정해진 약속에 의해 각각의 문자마다 부여되어 있는 2진수를 코드(Code)라고 한다.

즉, 코드란 컴퓨터에서 문자를 표현하기 위해서, 특정 문자와 어떤 2진수를 1대 1로 대응시킨 일종의 약속이다. 예를 들면, 우리가 'A'라는 문자를 컴퓨터에 입력하면, 그것은 컴퓨터 내부에서 '1010 0001'로 변환되어 입력된다.

그러므로 문자 코드는 문자를 처리하기 위한 하나의 약속이며, 이러한 코드 체계란 정의해서 쓰기 나름이므로 이의 실제 구현에 있어서는 얼마든지 다른 많은 약속이 만들어질 수 있다. 우리가 사용하는 언어에도 여러 가지 종류가 있듯이 코드에도 여러 가지 종류가 있다. 그러므로 같은 'A'라고 하는 문자를 입력해도 컴퓨터가 어떤 코드 체계를 사용하는가에 따라서 그것은 다음과 같이 각각 다르게 미리 약속된 2진수로 변환되어 취급된다.

ASCII　　코드로는 '100 0001'로

ASCII-8　코드로는 '1010 0001'로

EBCDIC　코드로는 '1100 0001'로

그러므로 코드가 다르면 같은 문자라도 각각 다르게 표현되고 인식하게 되므로 사용하는 코드 체계가 다른 컴퓨터에서는 정보를 서로 주고받을 수 없게 된다. 즉 정보의 호환성에 문제가 생긴다. 이러한 혼란을 피하기 위해서는 표준화된 코드 체계로 사용되어야 한다.

컴퓨터에서 주로 사용하는 정보의 형태는 문자와 숫자라고 볼 수 있다. 이 절에서는 문자와 숫자를 표현하기 위하여 사용되는 각종 코드를 살펴보기로 한다.

4.2.2 영문자 표현 방식과 코드(Code)

N개의 Bit로 나타낼 수 있는 경우의 수(정보의 수)는 2^n이므로 6비트의 경우는 표현의 개수가 2^6 즉 64개까지인 반면, 8비트는 2^8 즉 256개까지의 문자 표현이 가능하게 된다. 이러한 코드의 종류로는 BCD(Binary Coded Decimal), ASCII(American Standard Code for Information Interchange), EBCDIC(Extended Binary Coded Decimal Interchange Code), ANSI(American National Standards Institute), UNICODE 등이 있으며 개인용 컴퓨터에서는 주로 ASCII 코드가 사용되고 있다.

(1) 7-bit ASCII(American Standard Code for Information Interchange) 코드

개인용 컴퓨터에서 문자를 표현하는 데 채택되어 정보의 처리나 통신 장치의 표준으로 사용되ASCII는 미국 정보교환 표준코드로서 대부분의 컴퓨터 제조회사들이 사용하는 코드로서 오늘날 대부분의 고 있다.

[표 4-4]에서 보듯이 원칙적으로 7비트로 구성되어 있어서 총 128가지 코드 세트를 만들 수 있다. 이는 문자의 영역을 크게 분류해 주는 상위 3비트의 zone과 하위 4 비트의 digit자리로 구별되어 있다([그림 4.1]).

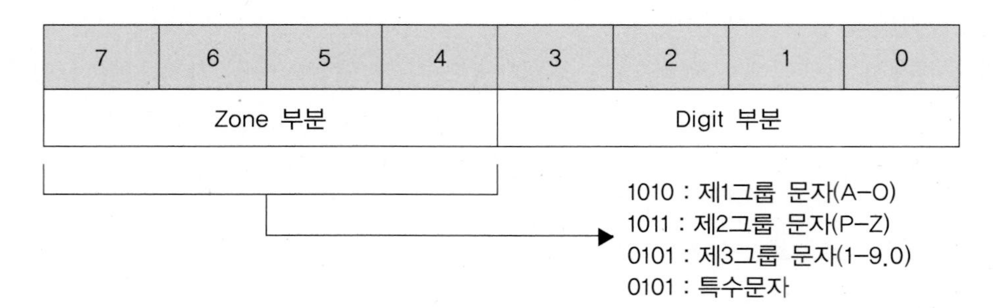

[그림 4-1] Zone 부분(7564)과 digit 부분(3210)

구체적으로 32개의 숫자 및 기호들, 32개의 영어 대문자와 기호들, 32개의 영어 소문자와 특수한 기호들, 32개의 프린트 제어를 위한 코드들로 구성되어 있다.

예를 들어 영어 알파벳의 대문자 A는 2진 코드로는 '100 0001'로 표현되며 16진법으로는 '41'로 나타낼 수 있다. 또한 문자로 나타낸 숫자 1의 경우 2진 코드로는 '011 0001'이고 16진법으로는 '31'임을 알 수 있다.

[표 4-4] 7-bit ASCII 코드의 일부

제1그룹 (100)			제2그룹 (101)			제3그룹 (011)			제4그룹 (010)		
문자	Zone	Digit	문자	Zone	Digit	문자	Zone	Digit	문자	Zone	Digit
A	100	0001	P	101	0000	0	011	0000	blank	010	0000
B	100	0010	Q	101	0001	1	011	0001	.	010	1110
C	100	0011	R	101	0010	2	011	0010	(	010	1000
D	100	0100	S	101	0011	3	011	0011	+	010	1011
E	100	0101	T	101	0100	4	011	0100	$	010	0100
F	100	0110	U	101	0101	5	011	0101	*	010	1010
G	100	0111	V	101	0110	6	011	0110	)	010	1001
H	100	1000	W	101	0111	7	011	0111	–	010	1101
I	100	1001	X	101	1000	8	011	1000	/	010	1111
J	100	1010	Y	101	1001	9	011	1001	,	010	1100
K	100	1011	Z	101	1010					010	1101
L	100	1100									
M	100	1101									
N	100	1110									
O	100	1111									

한 가지 주의할 점은 여기서 각종 코드의 형태로 된 숫자, 즉 0~9는 수가 아니라 문자라는 점이다. 그러므로 연산을 할 수 있는 양을 나타내는 숫자가 아니라 단지 출력해서 보여주기 위한 0에서 9사이의 숫자를 표현하는 문자이다. 즉, 순수한 연산을 위한 숫자 1을 2진법의 7비트로 표시하면 '000 0001'인데 비하여, 1을 문자로서 ASCII코드로 표시한 것은 '011 0001'로 서로 다르다는 것이다. 따라서 ASCII 코드로 표현된 2진 숫자는 바로 연산에 쓸 수 없고, 다만 하나의 문자(character)로서 숫자 1이라는 것을 표시할 뿐이다. 따라서 하나의 문자 코드를 통해 나타낸다.

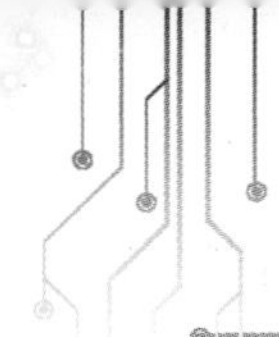

(2) 8-bit ASCII(American Standard Code for Information Interchange) 코드

7비트 ASCII 코드는 2^7 즉 128개의 문자까지 표현할 수 있다. 일반적으로 영어 문자가 128개를 넘지 않는다고 하지만, 특수한 문자들(예를 들면, ~(Hyphen), @(at), ~(Tilde) 등)을 표현하기 위해서는 특별하게 구성된 비트를 필요로 한다. ASCII는 7비트 코드이다. 하지만 1 바이트는 8 비트이므로 8 비트 체제에서는 2^8 즉 256개까지 문자를 표현할 수 있도록 비트를 구성하는 것이 가능하다. 하드웨어와 소프트웨어 개발업체들은 128개의 표준코드를 이용하는 동시에 다른 128개의 코드를 특별하게 구성함으로써 문자나 비문자 이미지를 표현할 수 있다는 사항을 자사 개발 하드웨어나 소프트웨어에 표기해 놓는다. 예를 들어 확장 ASCII 코드를 갖춘 IBM-PC 버전은 외국어를 다양하게 담고 있으며, 동시에 큰 그림을 만들 수 있도록 텍스트 화면상으로 다양한 종류의 그래픽 이미지를 조합할 수 있도록 지원한다.

원래 7-bit ASCII코드는 7 비트로 구성되어 있으나, 여기에 1 비트를 추가하여 8 비트로 구성된 것이 8-bit ASCII 코드이다. 따라서 8-bit ASCII 코드는 7-bit ASCII 코드 MSB에서부터 3번째 자리 위치에 추가된 비트(숫자의 경우 0, 문자의 경우 1을 추가)만 제외하고는 기본적으로 7-bit ASCII코드와 체계가 동일하다.

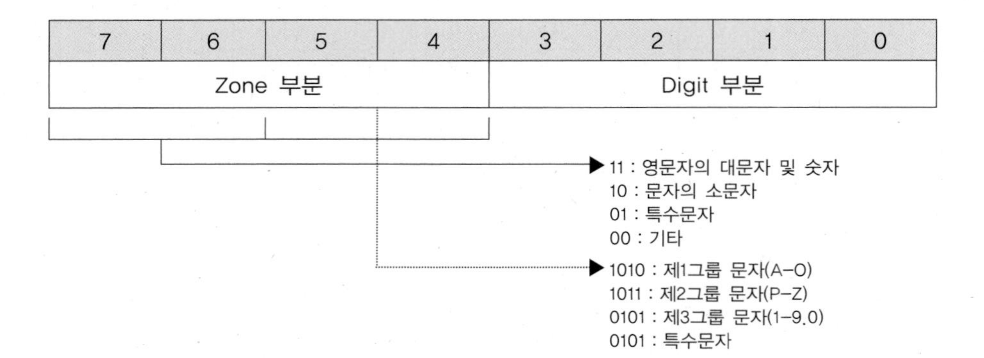

[그림 4-2] Zone 부분(7564)과 digit 부분(3210)

[표 4-5] 8-bit ASCII 코드의 일부

제1그룹 (1010)			제2그룹 (1011)			제3그룹 (0101)			제4그룹 (0110)		
문자	Zone	Digit	문자	Zone	Digit	문자	Zone	Digit	문자	Zone	Digit
A	1010	0001	P	1011	0000	0	0101	0000	blank	0110	0000
B	1010	0010	Q	1011	0001	1	0101	0001	.	0110	1110

제1그룹 (1010)			제2그룹 (1011)			제3그룹 (0101)			제4그룹 (0110)		
문자	Zone	Digit	문자	Zone	Digit	문자	Zone	Digit	문자	Zone	Digit
C	1010	0011	R	1011	0010	2	0101	0010	(	0110	1000
D	1010	0100	S	1011	0011	3	0101	0011	+	0110	1011
E	1010	0101	T	1011	0100	4	0101	0100	$	0110	0100
F	1010	0110	U	1011	0101	5	0101	0101	*	0110	1010
G	1010	0111	V	1011	0110	6	0101	0110	)	0110	1001
H	1010	1000	W	1011	0111	7	0101	0111	–	0110	1101
I	1010	1001	X	1011	1000	8	0101	1000	/	0110	1111
J	1010	1010	Y	1011	1001	9	0101	1001	,	0110	1100
K	1010	1011	Z	1011	1010					0110	1101
L	1010	1100									
M	1010	1101									
N	1010	1110									
O	1010	1111									

(3) BCDIC(Binary Coded Decimal Interchange Code : 2진화 10진 코드)

이는 6 비트로 이루어져 있으며, 2^6 즉 서로 다른 64개(26)의 문자를 코드화하여 표시할 수 있다. 6비트 중에서 상위 2비트는 zone으로, 나머지 하위 4비트는 digit 자리로 할당된다. 이 코드 체계는 총 64개 밖에 표현할 수 없으므로 영문자의 경우도 대문자만 표현가능하고 소문자는 불가능하다. 따라서 우리가 사용하는 문자들을 모두 표현하는 데 부족하여 여러 가지로 불편하므로 초기에 CDC 컴퓨터 기종과 탁상용 계산기 등에 사용되었으나 오늘날은 잘 사용되지 않는다.

(4) EBCDIC(Extended BCDIC : 확장 2진화 10진 코드)

(3)의 2진화 10진 코드를 확장하였으며, 이는 8 비트로 구성되어 총 256개(2^8)의 서로 다른 문자를 표시할 수 있으며, 주로 대형 IBM 대형 컴퓨터 기종에서 사용되고 있다. 1 byte는 상위 부분의 4 비트인 영역(Zone) 부분(7654)과 하위 부분의 4비트로 된 숫자(digit) 부분(3210)의 조합으로 이루어져 있다([그림 4-3]).

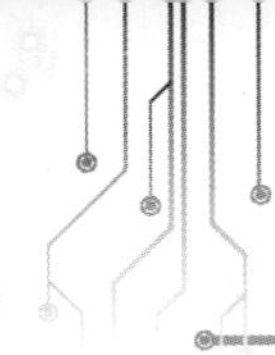

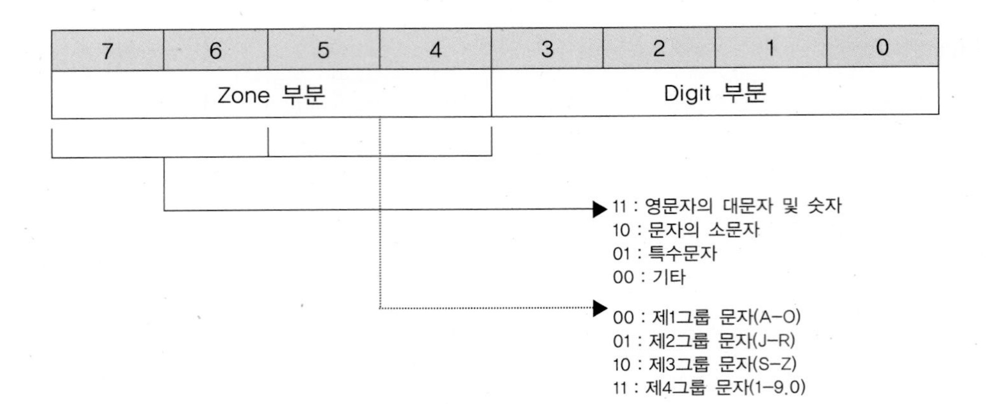

[그림 4–3] Zone 부분(7564)과 digit 부분(3210)

[표 4–6] EBCDIC 코드의 일부

제1그룹 (00)			제2그룹 (01)			제3그룹 (10)			제4그룹 (11)		
문자	Zone	Digit	문자	Zone	Digit	문자	Zone	Digit	문자	Zone	Digit
A	1100	0001	J	1101	0001	S	1110	0010	1	1111	0001
B	1100	0010	K	1101	0010	T	1110	0011	2	1111	0010
C	1100	0011	L	1101	0011	U	1110	0100	3	1111	0011
D	1100	0100	M	1101	0100	V	1110	0101	4	1111	0100
E	1100	0101	N	1101	0101	W	1110	0110	5	1111	0101
F	1100	0110	O	1101	0110	X	1110	0111	6	1111	0110
G	1100	0111	P	1101	0111	Y	1110	1000	7	1111	0111
H	1100	1000	Q	1101	1000	Z	1110	1001	8	1111	1000
I	1100	1001	R	1101	1001				9	1111	1001

EBCDIC 코드는 초기에 IBM에서 채택한 후 기본적인 내부 코드로 사용되었으나, 오늘날 대부분 7 비트 ASCII 혹은 8 비트 ASCII-8 코드가 압도적으로 많이 사용되어 표준화되어 가는 경향이 있다.

[표 4–7] 7–bit ASCII, 8–bit ASCII, EBCDIC 코드의 일부 비교

7–bit ASCII CODE			8–bit ASCII CODE			EBCDIC CODE		
문자	Zone	Digit	문자	Zone	Digit	문자	Zone	Digit
0	011	0000	0	0101	0000	0	1111	0000
1	011	0001	1	0101	0001	1	1111	0001
2	011	0010	2	0101	0010	2	1111	0010

7-bit ASCII CODE			8-bit ASCII CODE			EBCDIC CODE		
문자	Zone	Digit	문자	Zone	Digit	문자	Zone	Digit
3	011	0011	3	0101	0011	3	1111	0011
4	011	0100	4	0101	0100	4	1111	0100
5	011	0101	5	0101	0101	5	1111	0101
6	011	0110	6	0101	0110	6	1111	0110
7	011	0111	7	0101	0111	7	1111	0111
8	011	1000	8	0101	1000	8	1111	1000
9	100	1001	9	0101	1001	9	1111	1001
A	100	0001	A	1010	0001	A	1101	0001
B	100	0010	B	1010	0010	B	1101	0010
C	100	0011	C	1010	0011	C	1101	0011
D	100	0100	D	1010	0100	D	1101	0100
E	100	0101	E	1010	0101	E	1101	0101
F	100	0110	F	1010	0110	F	1101	0110
G	100	0111	G	1010	0111	G	1101	0111
H	100	1000	H	1010	1000	H	1101	1000
I	100	1001	I	1010	1001	I	1101	1001
J	100	1010	J	1010	1010	J	1101	0001
K	100	1011	K	1010	1011	K	1101	0010
L	100	1100	L	1010	1100	L	1101	0011
M	100	1101	M	1010	1101	M	1101	0100
N	100	1110	N	1010	1110	N	1101	0101
O	101	1111	O	1010	1111	O	1101	0110
P	101	0000	P	1011	0000	P	1101	0111
Q	101	0001	Q	1011	0001	Q	1101	1000
R	101	0010	R	1011	0010	R	1101	1001
S	101	0011	S	1011	0011	C	1110	0010
T	101	0100	T	1011	0100	D	1110	0011
U	101	0101	U	1011	0101	E	1110	0100
V	101	0110	V	1011	0110	F	1110	0101
W	101	0111	W	1011	0111	G	1110	0110
X	101	1000	X	1011	1000	H	1110	0111
Y	101	1001	Y	1011	1001	I	1110	1000
Z	101	1010	Z	1011	1010	J	1111	1001

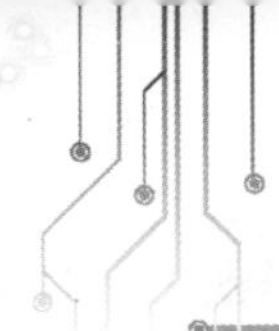

4.2.3 한글 문자 표현 방식과 코드(Code)

전술한 바와 같이, 코드란 컴퓨터에서 문자를 표현하기 위해 2진수와 문자를 1 대 1로 대응시킨 일종의 약속이다. 그러므로 각 문자 하나하나에 2 진수를 대응시키기 위해서는 문자 수 만큼의 2진수의 조합이 필요하다. 그런데 영어는 알파벳이 많지 않아 1 바이트, 즉 8 비트의 조합을 이용하면 된다.(예를 들면 "A" 문자는 ASCII-8 코드로는 '1010 0001'로, EBCDIC 코드로는 '1100 0001' 로 처리된다). 이렇게 하면 2의 8승, 즉 256개의 조합이 가능하며, 이는 256자의 글자를 각각의 조합에 대응시켜 표현할 수 있어 8 비트만을 가지고도 모든 글자의 표현이 가능하다.

그러나 한글은 조합 가능한 글자가 워낙 많아서 (초성 19자, 중성 21자, 종성 28자, 종성은 없는 경우도 있음) 이론적으로 조합 가능한 전체 글자 수 11,172(19 * 21 * 28)자를 표현하기 위해서는 1 개의 바이트만으로는 표현이 불가능하므로 2바이트, 즉 16 비트를 사용해서 표현하는 코드 체계를 사용하고 있다. 그러므로 표현 가능한 문자의 조합은 2의 16승, 즉 65,536개가 되기 때문에 한글 문자 전체를 표현하는 것이 가능하게 된다.

(1) 완성형 한글 코드

한글 문자 코드는 현재 크게 나누어 완성형 코드 체계와 조합형 코드 체계가 사용되고 있는데, 전자는 완성된 한글 문자마다 1개의 코드를 부여하는 방식인 반면, 후자는 한글의 초성, 중성, 종성에 대해 코드를 부여하고 이를 조합하여 사용하는 방식이다.

즉, 완성형 한글 코드는 가장 많이 사용되는 한글을 가려 뽑은 다음에 각 한글 문자 하나마다 2바이트 2진수를 1대1로 대응하여 표현하는 방법이다.

예를 들면 "가" 문자는 완성형 한글 코드로는 1011 0000 1010 0001로 "각" 문자는 1011 0000 1010 0010 등, 문자별로 각각 한글 코드로 표현하여 처리된다.

이 코드에서는 한글을 초성, 중성, 종성으로 나누지 않고 완성된 글자 단위로 처리하는데 (필요한 코드의 수는 19 * 21 * 28 = 11172개), 모든 한글 문자(11172자)를 모두 다 코드로 정하지 않았기 때문에 경우에 따라서는 사용이 불가능한 글자가 있다는 점이다.

예를 들면 '똠', '쌃', '붥', '휏', '똘' 자 같은 글자는 미리 정의되어 있지 않아 사용이 불가능하다.

한편, 이 코드에서는 첫 번째와 두 번째 바이트는 최상위 바이트(MSB)가 한글임을 표시하기 위해 모두 1로 만들어져 있다. 따라서 ASCII 코드의 영문자는 7 비트 코드이므로, MSB를 0으로 만들면 한글과 영문 ASCII 코드의 중복 코드가 없어서 처리가 편리하다.

[표 4-8] KS 표준 완성형 한글 코드의 일부(KSC 5601-1987)

문자	Code				문자	Code			
가	1011	0000	1010	0001	괌	1011	0001	1010	0001
각	1011	0000	1010	0010	괍	1011	0001	1010	0010
간	1011	0000	1010	0011	괏	1011	0001	1010	0011
갇	1011	0000	1010	0100	광	1011	0001	1010	0100
갈	1011	0000	1010	0101	괘	1011	0001	1010	0101
갉	1011	0000	1010	0110	괜	1011	0001	1010	0110
갊	1011	0000	1010	0111	괠	1011	0001	1010	0111
감	1011	0000	1010	1000	괩	1011	0001	1010	1000
갑	1011	0000	1010	1001	괬	1011	0001	1010	1001

(2) 조합형 한글 코드

한글 구성 원리상의 특징이자 기본 구조는 24개의 자모(자음 14, 모음 10자)가 모여 모든 음절을 나타낸다는 것이다.

조합형 한글 코드는 초성, 중성, 종성에 각각 코드를 부여하고(필요한 코드의 수는 19 + 21 + 28 = 68개), 이를 조합해서 그 글자에 대한 코드 값으로 한글을 표현하자는 것이다.

즉, 조합형 한글 코드는 한글을 초성, 중성, 종성으로 나누고 각 자모마다 5비트씩 할당하여 도합 15 비트에다, 한글 코드임을 표시하기 위해 MSB를 1로 하여 16 비트, 즉 2 바이트로 구성한 한글 코드이다.

<table>
<tr><th colspan="8">제 1 바이트</th><th colspan="8">제 2 바이트</th></tr>
<tr><th>1</th><th>2</th><th>3</th><th>4</th><th>5</th><th>6</th><th>7</th><th>8</th><th>1</th><th>2</th><th>3</th><th>4</th><th>5</th><th>6</th><th>7</th><th>8</th></tr>
<tr><td>1</td><td colspan="5">초성 Code</td><td colspan="5">중성 Code</td><td colspan="5">종성 Code</td></tr>
<tr><td>MSB</td><td>1</td><td>2</td><td>3</td><td>4</td><td>5</td><td>1</td><td>2</td><td>3</td><td>4</td><td>5</td><td>1</td><td>2</td><td>3</td><td>4</td><td>5</td></tr>
</table>

[그림 4-4] 조합형 한글 코드의 형식

이 코드는 한글을 초성, 중성, 종성으로 나누어 표현하기 때문에 조합 가능한 모든 한글을 사용할 수 있다.

조합형 한글 코드는 초성, 중성, 종성의 각각에 코드를 부여하여 3벌의 코드를 가지고 한

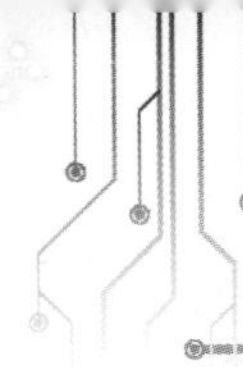

글을 조합하는 3벌식과, 자음과 모음, 두 가지 종류로 코드를 부여하여 2벌의 코드를 가지고 한글을 조합하는 2벌식으로 다시 분류할 수 있다.

조합형 코드에서 한글의 맨 앞 비트를 1로 만든 것은 영문자를 나타내는 ASCII 코드와 구분하기 위해서이지만, 두 번째 바이트는 이에 대한 준비가 없어 ASCII 코드와 중복되는 것이 있을 수 있다. 따라서 조합형 한글을 처리할 때는 항상 2 바이트씩 검사하여 첫 번째 바이트의 MSB가 1이면, 그 다음 바이트는 한글의 두 번째 바이트로 처리하여야 한다.

조합형 한글 코드를 보다 잘 이해하기 위하여 〈표 4.9〉를 보고 '가' 문자의 조합형 코드를 만들어 보자. 초성은 'ㄱ'이므로 00010이며, 중성은 'ㅏ'이므로 00011이며, 종성은 없으므로 채움 코드(fill code)인 00000을 선택하고, MSB에다 1을 붙여 1,00010,00011,00000이 된다.

[표 4-9] 조합형 한글 코드

BIT 43210	초성	중성	종성
00000	Fill Code	Fill Code	Fill Code
00001	Fill Code	Fill Code	Fill Code
00010	ㄱ	Fill Code	ㄱ
00011	ㄲ	ㅏ	ㄲ
00100	ㄴ	ㅐ	ㄱㅅ
00101	ㄷ	ㅑ	ㄴ
00110	ㄸ	ㅒ	ㄴㅈ
00111	ㄹ	ㅓ	ㄴㅎ
01000	ㅁ	Fill Code	ㄷ
01001	ㅂ	Fill Code	ㄹ
01010	ㅃ	ㅔ	ㄹㄱ
01011	ㅅ	ㅕ	ㄹㅁ
01100	ㅆ	ㅖ	ㄹㅂ
01101	ㅇ	ㅗ	ㄹㅅ
01110	ㅈ	ㅘ	ㄹㅌ
01111	ㅉ	ㅙ	ㄹㅍ
10000	ㅊ	Fill Code	ㄹㅎ
10001	ㅋ	Fill Code	ㅁ
10010	ㅌ	ㅚ	Fill Code
10011	ㅍ	ㅛ	ㅂ

BIT 43210	초성	중성	종성
10100	ㅎ	ㅜ	ㅂㅅ
10101	Fill Code	ㅝ	ㅅ
10110	Fill Code	ㅞ	ㅆ
10111	Fill Code	ㅟ	ㅇ
11000	Fill Code	Fill Code	ㅈ
11001	Fill Code	Fill Code	ㅊ
11010	Fill Code	ㅠ	ㅋ
11011	Fill Code	ㅡ	ㅌ
11100	Fill Code	ㅢ	ㅍ
11101	Fill Code	ㅣ	ㅎ
11110	Fill Code	Fill Code	Fill Code
11111	Fill Code	Fill Code	Fill Code

(3) 한글코드 표준화 논쟁과 한국 공업 규격(KSC 5601-1987, KSC 5601-1992)

컴퓨터를 사용하다 보면 한글이 제대로 나오지 않아 당황할 때가 많다. 화면에서는 잘 나오던 글자가 프린터로 출력하면 괴상한 그림으로 나오거나 인터넷 등에서 글자가 깨지는 것이 그런 경우인데, 이것은 컴퓨터의 코드 체계가 맞지 않아 서로 충돌하는 데서 비롯되는 문제다.

지금까지 한글을 처리하는 데 여러 가지 코드부여 방법이 사용되었다. N바이트, 3 바이트, 7 비트 완성형, 8 비트 조합형, 8 비트 완성형 체계 등이 커다란 줄기였으며, 이 각각의 체계들은 다시 업체별로 조금씩 변형되어졌기 때문에 각 회사의 한글은 호환성이 없어지게 되어 국가 차원에서 정보 교환용 부호에 대한 표준을 발표하였다.

즉, 1987년 한국 표준화기구인 공진청은 KSC 5601(정보교환용 부호)라는 문서로 완성형 2,350자 및 한글 낱자 94자를 제정하였고, 87년 2차 개정 시에 한자 4,888자를 추가로 반영하여 한글코드로 제출하였다. 이외에 기타 문자(도형문자, 영문자, 일본문자 등) 892자가 추가로 삽입되었다.

91년 KSC 5657(정보교환용 부호 확장세트)라는 문서로 한글 4,280자, 옛한글 1,667자, 한글 낱자 94자, 한자 7,744자, 기타문자 2,082자 등 합계 15,887자에 대한 코드가 부여되었다. 92년 개정 시에는 따로 한글 초성, 중성, 종성 자모 240자를 두어 조합형의 한글처리방식을 추가하였다. 따라서 국제표준에서 한글을 표현하는 데는 완성형으로 표현하거나 초성, 중성,

종성의 자소를 이용하여 조합하는 방식이 사용되었다. 이것이 바로 한국 공업 규격 KSC 5601-1992이다.

따라서 현재 존재하는 표준 한글코드는 완성형 코드인 KSC 5601-1987과 조합형 코드를 포함한 KSC 5601-1992 두 가지가 존재한다.

(4) 국제 표준 유니코드 2.0(ISO 10646)

일본이나 중국 등도 우리와 비슷한 문제를 안고 있어 국제 표준 협회에서는 각 나라마다 컴퓨터에서 다른 언어를 모두 표현할 수 있도록 국제 표준을 만들었는데 이를 유니코드라고 한다. 이 코드 체계를 보면 각 언어별로 할당된 코드 영역이 있어서 이 코드 영역 안에 자국의 코드를 할당시켜 놓으면 된다. ISO는 국제규격 ISO/IEC 10646-1이라는 국제 문자코드 표준을 공식 발표했다. 일명 UCS(Universal multiple-octet Coded character Set)라 불리는 이 표준은 한글을 비롯한 각국의 다양한 문자를 소프트웨어 상에서 완벽하게 처리할 수 있도록 하기 위한 통일 문자코드이다.

컴퓨터에서 이 코드를 사용하기 위해서는 운영체제 차원에서 유니코드를 지원해야 한다. 물론 현재의 윈도우즈 운영체제도 이 유니코드를 지원하고 있다.

유니코드는 완성형과 조합형의 장점을 동시에 수용하면서 국제코드 체계와도 충돌이 일어나지 않는 진정한 의미의 통합형 코드체계로 평가받고 있다.

4.3 그래픽 Data의 표현 원리

4.3.1 그림과 그래픽 데이터 표현 방식

인간이 정보를 효과적으로 표현하기 위해서 일정한 표현 형식을 사용하듯이 컴퓨터도 나름대로의 정보 표현 형식이 있다. 생각이나 개념을 나타내기 위해서는 말과 글을 사용하며 그것은 문자와 숫자의 형식을 가지고 있고, 문자와 숫자로 표현하기 어려운 것은 그림과 여러 가지 기호 등의 형태로 효과적으로 표현될 수 있다.

즉, 인간이 정보를 표현하기 위해서 사용하는 형식은 다양하지만 기본적으로는 그림, 문자, 숫자, 기호 등의 몇 가지 형태를 토대로 하고 있다.

수치 정보를 표현할 때는 10진법(decimal)의 정보를 사용하고 있다. 10진법은 수를 표현할 때 10가지 서로 다른 형태의 수를 이용한다는 의미이다. 이것은 사람이 이용할 수 있는 10개의 손가락을 보고 만들어 낸 것이라 한다.

그런데 전술한 바와 같이 컴퓨터의 가장 기본적인 정보 표현 형식은 두 가지 상태인데, 즉, 컴퓨터는 0과 1로 상징되는 두 종류의 전기적인 상태를 이용하여 동작하고, 0과 1로 상징되는 두 가지 상태의 조합으로 모든 정보를 표현한다. 따라서 컴퓨터의 내부에서는 2진법(binary)으로 표현된 정보만을 다룬다. 이렇게 0과 1의 두 숫자로만 이루어진 수를 2진수(binary number)라 하며, 이러한 0과 1의 조합은 인간이 사용하는 거의 모든 정보를 표현할 수 있다.

즉, 그림, 문자, 숫자, 기호 등에 관한 정보는 모두 0과 1의 나열로 쉽게 표현할 수 있다. 문자, 숫자, 기호 등이 어떻게 0과 1의 나열로 표현될 수 있는가?

연산에 직접 사용될 수 있는 숫자의 경우는 4.1. 숫자(Numeric)정보의 표현 원리에서 알아보았으며, 연산에 직접 사용될 수 없는 숫자와 문자, 기호는 4.2. 문자(Character)정보의 표현 원리에서 살펴보기로 하고, 여기서는 그림을 0과 1로 표현하는 방법을 한번 생각해 보자.

그림과 그래픽이라는 것은 사실 미세한 점들이 모여 이루어진 것이므로, 우리는 그림 전체를 점들의 집합으로 표현할 수 있다. 실제로 이것을 0과 1로 나타내려면 모눈종이 위에 그려진 그림을 생각하면 된다.

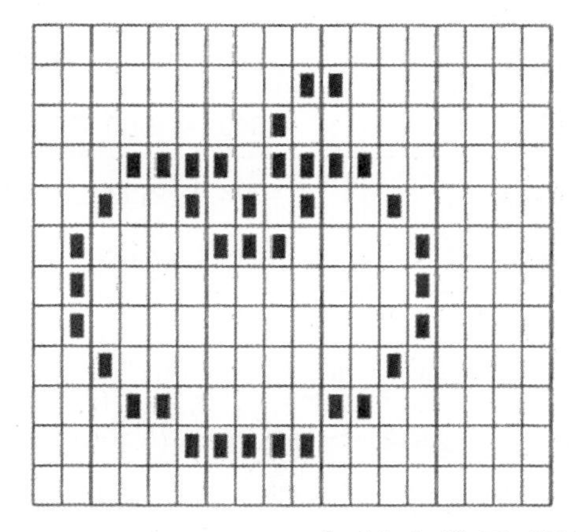

0	0	0	0	0	0	0	0	0	0	0	0	0	0	0	0	0	0
0	0	0	0	0	0	0	0	0	1	1	0	0	0	0	0	0	0
0	0	0	0	0	0	0	0	1	0	0	0	0	0	0	0	0	0
0	0	0	1	1	1	1	0	1	1	1	1	0	0	0	0	0	0
0	0	1	0	0	1	0	1	0	1	0	0	1	0	0	0	0	0
0	1	0	0	0	0	1	1	1	0	0	0	0	1	0	0	0	0
0	1	0	0	0	0	0	0	0	0	0	0	0	1	0	0	0	0
0	1	0	0	0	0	0	0	0	0	0	0	0	1	0	0	0	0
0	0	1	0	0	0	0	0	0	0	0	0	1	0	0	0	0	0
0	0	0	1	1	0	0	0	0	0	1	1	0	0	0	0	0	0
0	0	0	0	0	1	1	1	1	1	0	0	0	0	0	0	0	0
0	0	0	0	0	0	0	0	0	0	0	0	0	0	0	0	0	0

[그림 4-5] 모눈종이 위에 그린 사과 그림

각 모눈 칸에 대해 검은 점이 찍혀 있으면 1로, 흰 점이 찍혀 있으면 0으로 대응시킨다. 그러면 모눈 개수만큼의 0 또는 1의 나열로 그림에 대한 정보를 표현할 수 있다. 동일한 그림을 좀 더 조밀한 모눈종이 위에 그린다면 보다 높은 해상도의 그림을 얻을 수 있다. 대신 더 많은 0과 1이 필요하게 될 것이다.

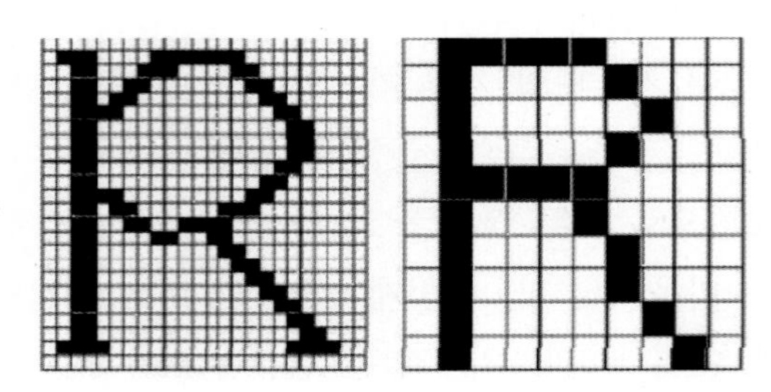

[그림 4-6] 24×24, 10×10 Dot Matrix 표현 비교(해상도)

해상도(정밀도)는 한 화면에 표현되는 가로×세로 점(Pixel : 화소)의 수를 말하는데 예를 들면 1280×1024, 1600×1200 등이 Computer의 해상도를 나타내는 방식이며 1600×1200해상도를 표현하기 위해서는 1600×1200=1,920,000 Bit=약 24만 KB가 필요하다.

Digital TV의 해상도(화면비율 16:9)		
SD급 해상도	약30만 화소	720 × 480
HD급 해상도	약100만 화소	1280 × 720 = 921,600
Full HD급 해상도	약200만 화소	1920 × 1080 = 2,073,600
Full HDTV	HDTV해상도	1920 × 1080 → 2K
Quad Full HD	UHD TV해상도	3840 × 2160 → 4K
Digital Cinema	UHD TV해상도	4096 × 2160 → 4K
Super Hivision	UHD TV해상도	7680 × 4320 → 8K

한편 각 픽셀(Pixel)이 표현 가능한 컬러의 종류는 픽셀 당 색상을 표현하기 위해 가질 수 있는 비트수에 달려있다. N개의 Bit로 나타낼 수 있는 경우의 수(정보의 수)는 2^n이므로 흑백 화면은 한 개의 화소를 1 Bit를 사용해서 2^1가지의 색상으로 표현하며, 하이 컬러(high color)는 한 개의 화소를 16 Bit를 사용해서 2^{16} =65536가지의 색상으로 표현하고, 트루 컬러(true color)는 한 개의 화소를 24 Bit를 사용해서 표현하기 때문에 2^{24} =약 1677만 가지의 색상으로 표현할 수 있다.

1600×1200 해상도에서 24Bit 트루 컬러를 사용해서 자료를 표현하면 약 576만 KB가 필요하다.

1600 × 1200 = 1,920,000Bit = 24만 KB

24만 KB × 24 Bit = 576만 KB

[표 4-10] 각 픽셀(Pixel)이 가질 수 있는 컬러의 종류

비트 수	색상의 수	참고사항
1	2(2^1)	흑백
2	4(2^2)	팔레트
4	16(2^4)	팔레트
8	256(2^8)	팔레트
16	65,536(2^{16})	하이컬러(R:G:B=5:5:5)
24	16,777,216(2^{24})	트루컬러(R:G:B=8:8:8)
32	16,777,216+8 비트 알파 채널	트루컬러+알파 채널

Graphic은 Pixel 단위의 Data를 기억하는 Bitmap방식(Raster Graphic)과 XY좌표 Data를 기억하는 Vector Graphic으로 대별해 볼 수 있다.

Bitmap 방식은 그림을 화소라고 부르는 작은 점들의 집합으로 표현하며 그림 크기가 커지고 색상 수가 많아질수록 Data의 용량도 매우 커지며 그림을 확대하면 계단 현상이 나타난다.

Raster Font도 글자 표현을 위한 Pixel의 위치를 기억하므로 확대하면 계단 현상이 나타나게 된다.

I am RASTER Font

Vector 방식은 그림 Data를 화소들의 집합이 아니라 하나의 도형으로 표현한다. 예를 들어, 중심점의 (x, y)좌표와 반지름의 크기 100, 그리고 색상의 종류(예 검은색)인 원 하나를 표현하려면 '중심점의 (x, y)좌표와 반지름의 크기 100인 검은 색 원'이라는 정보만 저장하게 된다.

Vector 방식의 장 · 단점은 Data의 크기가 작고, 확대하여도 계단 현상이 나타나지 않지만, Data를 처리하기 위해서 복잡한 계산이 많이 필요하므로 Bitmap 방식에 비해서 속도가 느리게 된다.

Vector Font는 선과 선의 연결좌표 및 선의 종류와 선을 그리기 위한 여러 가지 인수들을 저장하기 때문에 확대해도 깨끗한 글자를 유지할 수 있다.

I am VECTOR Font

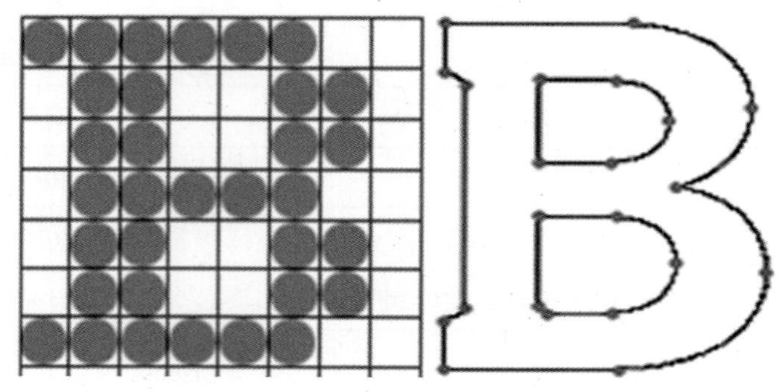

[그림 4-7] Raster Graphic Image(Bitmap방식)와 Vector Graphic Image

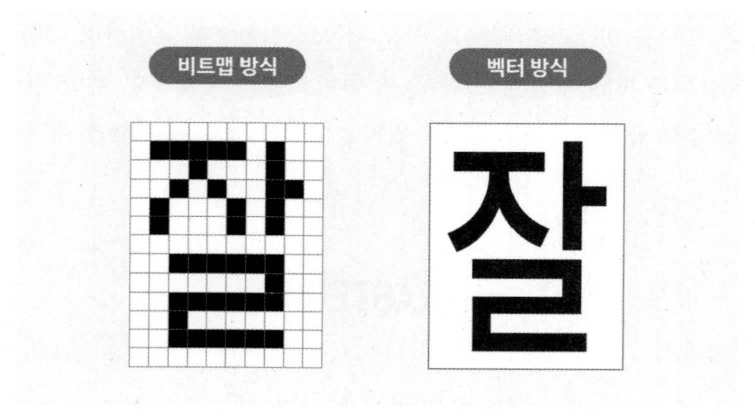

[그림 4-8] 비트맵과 벡터 표현의 비교

4.4 사운드 Data의 표현 원리

4.4.1 소리와 사운드 데이터 표현 방식

우리 주변의 사물에 대한 정보는 대부분 0과 1로 바꾸어 표현할 수 있기 때문에 컴퓨터가 다룰 수 있는 정보 표현 범위는 넓다. 그러므로 비트의 조합은 문자, 그림, 음성 데이터를 나타낼 수 있다. 소리나 온도 등에 관한 정보도 비슷한 방법으로 0과 1에 의해 표현할 수 있다. 스캐너는 그림의 위치와 색상을 2진 코드로 표현된 픽셀(Pixcel)로 변환하며, MIDI는 음표의 높낮이와 길이를 비트의 조합으로 표현한다. 자연세계의 소리는 일종의 파동으로 시간에 따라 변화하는 모습이 연속적인 곡선으로 나타나는 Analog Data이다. Computer에서는 Digital Data만을 사용하기 때문에 소리 Data를 저장하고 처리하기 위해서는 Analog Data를 Digital Data로 변환해야 한다. Computer에서 처리된 소리를 듣기 위해서는 Digital Data를 다시 Analog Data로 변환하는 과정이 필요하다.

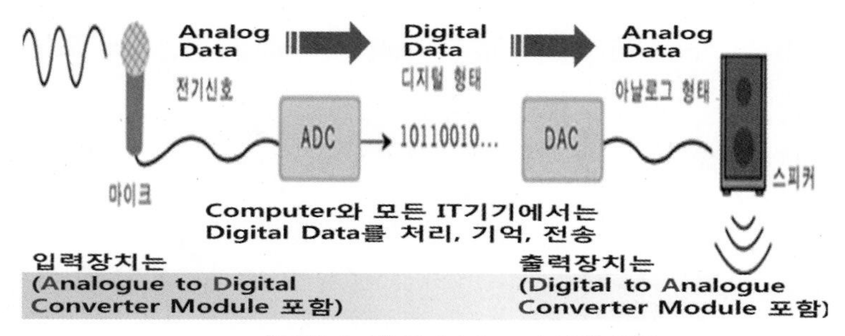

[그림 4-9] Digital Sound 변환 절차

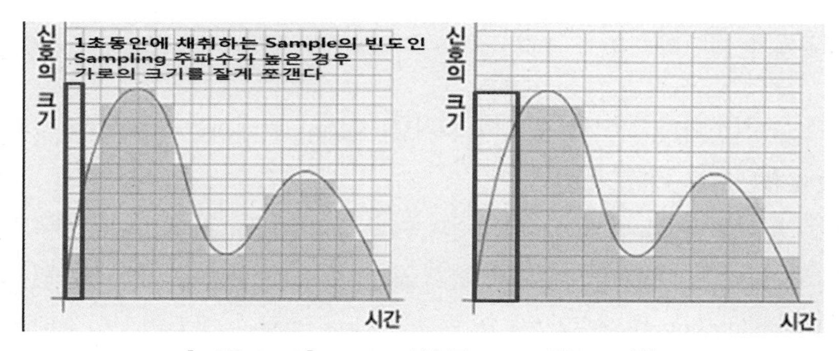

[그림 4-10] Analog 신호를 Digital 신호로 변환

아날로그파형을 디지털 데이터로 변환하는 과정에서 소리를 잘게 추출하는 표본화(Sampling) 과정은 모집단에서 대표성 있는 표본 집단을 추출하는 여론조사 과정과 매우 유사하게 표본을 추출해낸다.

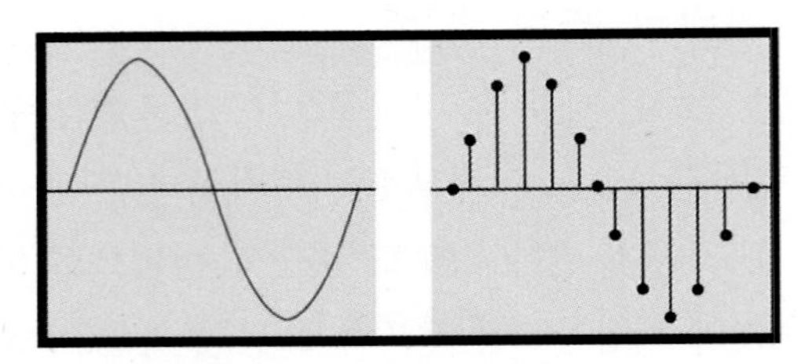

[그림 4-11] 표본화(Sampling) 과정

Sampling의 정밀도는 Sampling 주파수와 Sampling Bit 수에 따라 결정되는데 Sampling 주파수는 1초 동안에 채취하는 Sample의 빈도를 의미하며 보통 KHz의 Sampling 주파수로 나타낸다.

Sampling Bit 수는 Data를 Digital 형태로 변환하는데 사용되는 Bit 수를 의미하며 보통 8 Bit, 16 Bit, 32 Bit 등으로 사용하는데, Sampling Bit 수에 따라 정밀도가 다르게 표현된다. 8 Bit를 사용하면 (2^8 = 256)까지 Data를 표현할 수 있고, 16 Bit를 사용하면 (2^{16} = 65,536)까지 Data를 표현할 수 있고, 24 Bit를 사용하면 (2^{24} = 16,777,216)까지 Data를 정밀하게 표현할 수 있다.

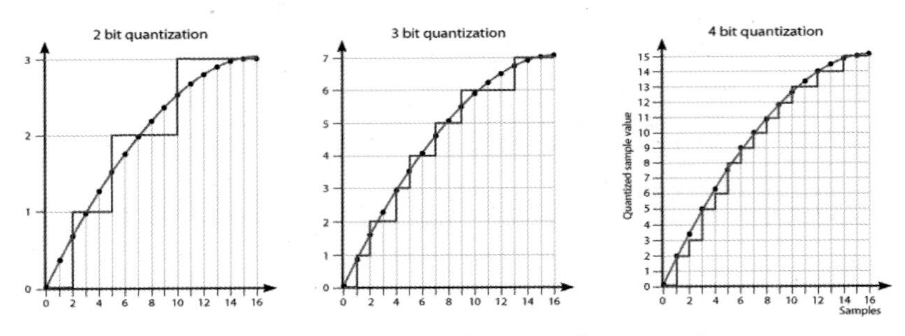

[그림 4-12] Sampling Bit 수가 2 Bit=(2^2), 3 Bit=(2^3), 4 Bit=(2^4)인 경우의 정밀도

정보의 손실을 최소화하고 고급 음질의 소리를 만들기 위해서는 Sampling 주파수를 높게 하고 Sampling Bit 수를 많게 해야 한다.

음악 CD는 보통 44.1KHz의 Sampling 주파수와 16Bit의 Sampling Bit로 저장되어진다.

1분간의 소리 Data를 Digital Data로 변환했을 때 Data의 용량을 계산해보면 음악 CD는 보통 44.1KHz의 Sampling 주파수와 16 Bit의 Sampling Bit로 저장되며, 또 스테레오로 저장되기 때문에 다시 2배의 용량을 필요로 한다. 따라서 다음과 같이 된다.

44,100 × 16비트 × 2(스테레오) × 60초
= 84,672,000비트 =10,584,000 바이트는 약 10MB가 된다.

한편 소리 Data를 처리하여 저장하는 방법은 Computer에서의 처리방법에 따라 Digital Audio 방식과 MIDI 방식으로 구분된다.

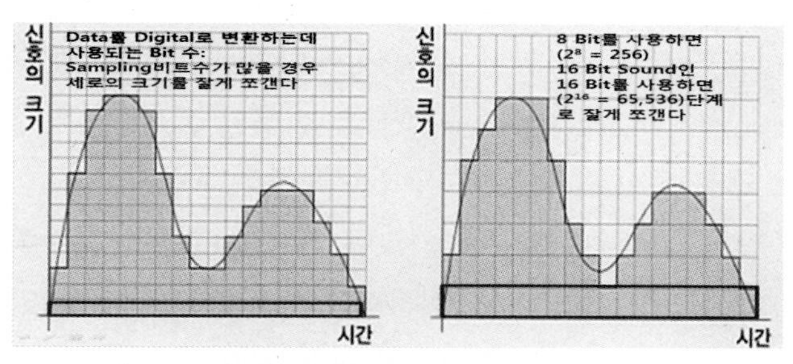

[그림 4-13] 샘플링 주파수가 높고 낮은 경우

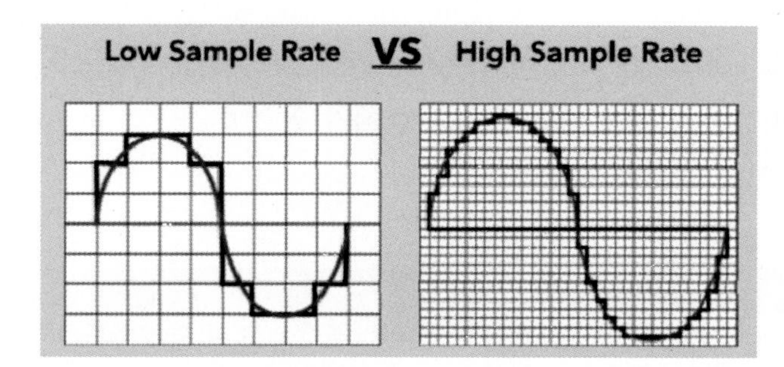

[그림 4-14] 샘플링 주파수와 비트수를 함께 고려한 Sample Rate

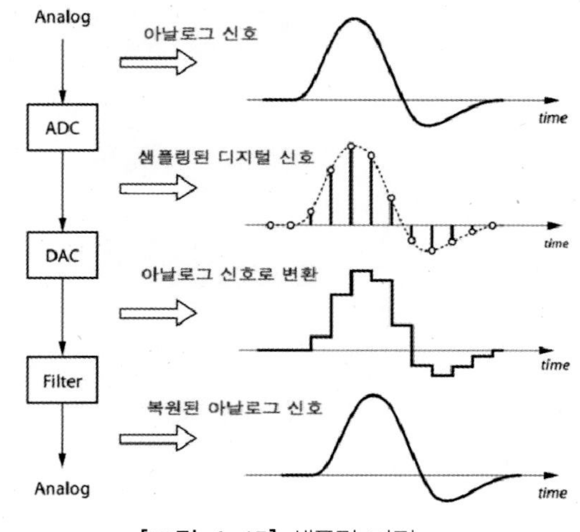

[그림 4-15] 샘플링 과정

Digital Audio 방식은 소리 Data를 Sampling하여 Digital 형태로 직접 변환하는 방식이며 File 확장자는 mp3, wav, ra 등으로 표현된다.

이 방식은 원음에 가깝게 Sampling 하기 위해 많은 정보가 필요하며, 이 중에서 mp3 파일은 압축된 파일형식임에도 보통 3000~4000 KB 정도의 크기가 된다. 일반적으로 사용되는 방법이며 특히 연주 악기에 대한 제어를 할 수 없는 경우에 사용가능하며, 사람의 음성이 존재하거나, 소리를 Digital화할 수 있는 Computer 환경이 지원될 때, 주로 사용된다.

MIDI(Musical Instrument Digital Interface)방식은 합성된 음성, 음악, 소리를 전자 악기와 Computer 간에 정보 전송 통신 Protocol로 음악을 표현하는 방식이다. 이 방식은 음악을 연주하기 위해 필요한 악기, 음표, 템포 등의 자료를 일정한 Code로 표현한 것(ex : 노래방 기기 음악)이며 악기들의 소리를 미리 Digital화하여 모아 놓은 음원을 사용한다. 이 방식은 음 자체에 대한 Digital 정보가 없어 Data의 크기가 매우 작으며 3분 정도의 음악을 위해 2~20 KB 정도의 크기가 필요하다. File 확장자는 mid, wrk 등으로 표현된다.

이 방식은 Digital audio 방식에 비하여 매우 적은 용량의 Data로 소리 Data를 표현할 수 있지만, 음원에 저장된 음질에 따라 표현의 한계가 있으며 사람의 음성이 존재하지 않고 좋은 음원 모듈이 있는 경우에 유용하다.

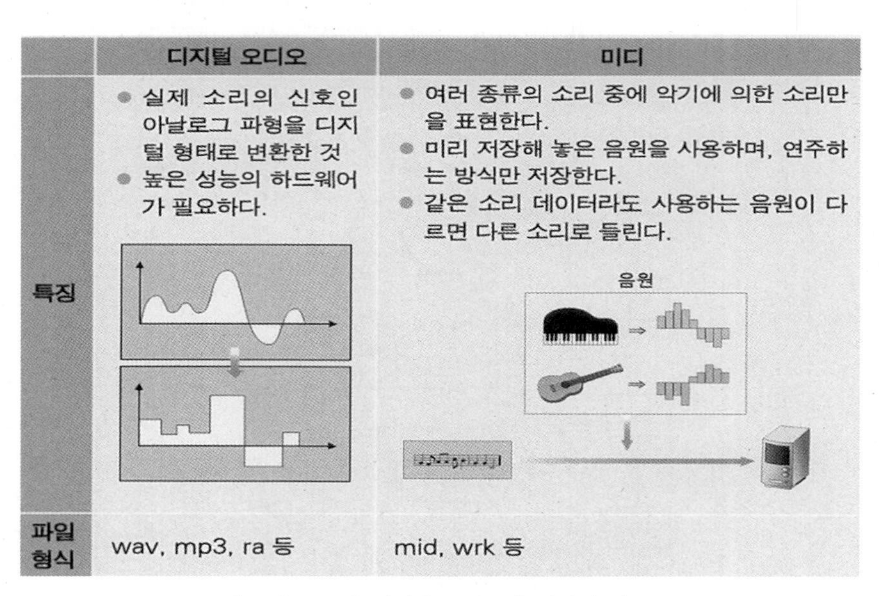

	디지털 오디오	미디
특징	● 실제 소리의 신호인 아날로그 파형을 디지털 형태로 변환한 것 ● 높은 성능의 하드웨어가 필요하다.	● 여러 종류의 소리 중에 악기에 의한 소리만을 표현한다. ● 미리 저장해 놓은 음원을 사용하며, 연주하는 방식만 저장한다. ● 같은 소리 데이터라도 사용하는 음원이 다르면 다른 소리로 들린다.
파일 형식	wav, mp3, ra 등	mid, wrk 등

[그림 4-16] 디지털 오디오와 미디의 비교

4.5 동영상 Data의 표현 원리

Multimedia Digital Contents의 꽃이라 불리는 동영상 데이터는 영상 데이터 + 소리 데이터로 이루어지는데 1초당 보이는 영상화면의 개수에 따라 동영상의 품질이 달라진다. 1초당 갱신되는 프레임의 수를 FPS(Frames Per Second)라고 하며, 커질수록 더욱 정밀한 동영상을 제공하는데 주로 24, 30, 60, 120 FPS 단위를 많이 사용한다.

전술한 바와 같이 영상 데이터와 소리 데이터는 그 자체로도 매우 큰 용량을 가진다. 그러므로 영상 데이터 + 소리 데이터로 이루어지는 동영상의 경우 용량이 매우 크기 때문에 실제로는 다양한 압축 기술을 사용하며, MPEG등의 동영상 압축 표준기술이 많이 사용된다(참고 : 정지영상 압축 표준기술 JPEG).

동영상 데이터는 각종 전시회, 개인 작품전, 각종 이벤트 행사 등과 같이 시간과 공간을 초월하는 자료로서의 기능뿐만 아니라, 생활공간(Real Space)과 전자공간(Cyber Space)을 자연스럽게 결합시키는 기능을 통해, 우리의 생활 속에서 마치 실제의 상품과, 환경을 보는듯한 효과를 주면서 광범위하게 사용되고 있다.

CHAPTER

05

Multimedia와 Digital Contents의 제작기법

5.1 그래픽 편집 소프트웨어 : 포토샵(Adobe Photoshop)
5.2 사운드 편집 소프트웨어 : 골드웨이브(Goldwave)
5.3 동영상 편집 소프트웨어

창의적 소프트웨어 파워배양과 미래 IT융합기술
컴퓨팅 기술(IT)과 컴퓨팅 사고(CT)력
Computing Technology (IT) & Computational Thinking (CT)

05 CHAPTER

Multimedia와 Digital Contents의 제작기법

문자, 소리, 영상 등의 미디어를 통합한 것을 멀티미디어라고 한다. 어떤 의미에서는 지금까지의 영화, 비디오, TV 등도 역시 멀티미디어라고 할 수 있지만 컴퓨터에서는 사용자들이 정보를 일방적으로 받아들이는 것뿐만 아니라 자신의 의사를 전달할 수 있는 상호작용적(Interactive)인 방법을 선택할 수 있다는 점에서 기존의 멀티미디어와 구별된다.

멀티미디어(Multimedia)란 여러 가지 정보형태, 즉 문자, 영상, 음성 등 개별적으로 처리하던 각각의 정보를 통합적으로 처리할 수 있으며 정보 내용을 통합적으로 활용할 수 있는 매체를 말한다. 따라서 멀티미디어는 다양한 정보를 서로 접목하여, 인간의 정보 표현방법과 보다 근접한 형태에 도달하거나, 혹은 이러한 인간의 정보 표현방법의 한계를 극복하려는 의지가 담겨 있다.

멀티미디어는 기존의 PC에서 문자 혹은 그래픽, 사진과 같은 부가적인 정보를 다루기 위해 탄생했으나, 이에 그치지 않고, 현실의 세계에서는 표현하기 어려운 가상현실(Virtual Reality)의 세계를 자유롭게 표현하기 위한 기반이 되고 있다. 이러한 멀티미디어는 컴퓨터 네트워크(Computer Network)와의 결합을 통해 새로운 가상공간(Cyber Space)과 가상 문화(Cyber Culture)를 창조해 가고 있다.

5.1 그래픽 편집 소프트웨어 : 포토샵(Adobe Photoshop)

그래픽 소프트웨어는 컴퓨터 그래픽스를 편집할 수 있는 소프트웨어로 3차원과 2차원으로 나뉘며 좌표 설정 방식에 따라 벡터방식과 레스터(픽셀) 방식으로 나뉜다. 그래픽 소프트웨어의 예로는 2차원 레스트 방식의 포토샵, 페인트샵, 코렐 페인터 등이 있고 2차원 벡터 방식의 일러스트레이터, 플래시, 코렐 드로우 등이 있으며 3차원 방식의 오토캐드, 3D MAX, 스케치업 등이 있다. 본 장에서는 이중에서 가장 대표적인 포토샵의 화면구성 및 도구에 대해 알아본다.

5.1.1 포토샵의 화면 구성

① 메뉴바 : 주메뉴, 탑메뉴라고도 불리는 메뉴 바는 포토샵의 모든 명령들이 모여 있는 것으로 메뉴의 파일, 편집, 이미지, 레이어 등을 클릭하면 하위메뉴가 나타난다.

[그림 5-1] 포토샵 화면 구성

② 옵션 바 : 옵션은 말 그대로 도구상자에서 사용하는 툴의 옵션으로 도구상자의 툴을 선택하면 해당하는 옵션이 나타난다.

③ 도구상자 : 툴박스라고도 불리는 도구상자는 포토샵의 모든 도구들이 모여 있는 곳으로 툴을 한번 선택하면 다른 툴을 사용하기 전에는 변화지 않는다. 또한 툴 하단의 삼각형 모양은 그 안에 다른 툴이 있음을 표시하고 그것을 길게 클릭하면 다른 툴이 나온다.

④ 이미지작업창 : 실제 작업을 위한 창으로 이미지가 보이는 곳이다. 창 위에 파일의 이름이 표시되고 하단에는 이미지 비율, 이미지모드, 비트수 등이 표시된다.

⑤ 패널 : 이전까지 팔레트라고 불렸던 패널은 작업에 필요한, 도움을 주는 기능과 옵션을 제공하는 것으로 작업 공간 활용을 위해 접었다 폈다 할 수 있는 기능을 가지고 있으며 색상, 조정, 레이어 등이 필수 패널이다.

5.1.2 포토샵의 도구상자

① 이동툴	② 선택툴	③ 올가미툴
④ 마술봉툴	⑤ 자르기툴	⑥ 스포이드툴
⑦ 스팟힐링브러시툴	⑧ 브러시툴	⑨ 도장툴
⑩ 히스토리브러시툴	⑪ 지우개툴	⑫ 그라이언트툴
⑬ 블러툴	⑭ 닷지툴	⑮ 펜툴
⑯ 텍스트툴	⑰ 패스선택툴	⑱ 셰이프툴
⑲ 손툴	⑳ 돋보기툴	㉑ 전경색/배경색
㉒ 퀵마스크 모드	㉓ 화면전환 모드	

[그림 5-2] 포토샵 도구상자

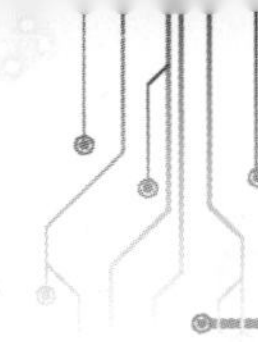

① 이동 툴(Move Tool) : 자유롭게 이미지나 레이어를 이동할 때 사용하고 현재 이미지작업창에서 다른 이미지작업창으로 이동도 가능하다.

② 선택 툴(Marquee Tool) : 이미지를 사각, 원, 가로 1픽셀, 세로 1픽셀의 크기로 선택한다.

③ 올가미 툴(Lasso Tool) : 자유롭게 선택이 가능한 올가미 툴, 경계선이 분명한 것을 선택할 때 사용하는 자석 올가미 툴, 다각형 모양을 쉽게 선택할 수 있는 다각형 툴 등으로 이미지를 쉽게 선택한다.

④ 마술봉 툴(Quick Selection Tool) : 클릭 한번으로 연속하는 같은 농도, 색상 등을 빠르게 선택할 수 있는 마술봉 툴과 선택하는 이미지를 붓으로 그리듯 선택하는 브러시 툴 등으로 이미지를 선택한다.

⑤ 자르기 툴(Crop Tool) : 이미지를 자르는 툴로 원근법을 교정하여 자르기를 하는 원근 자르기 툴, 홈페이지에서 사용하기 위해 이미지를 분할하는 슬라이스 툴 등이 있다.

⑥ 스포이드 툴(Eyedropper Tool) : 이미지 색상을 추출하여 전경색으로 나타내는 툴로 3D오브젝트의 재질을 추출하는 3D 재질 스포이트 툴, 색상정보를 보여주는 색상 샘플러 툴, 위치나 각도 등을 측정하는 눈금자 툴 등이 있다.

⑦ 스팟 힐링브러시 툴(Spot Healing Brush Tool) : 브러시를 이용하여 이미지의 잡티나 점들을 보정하는 툴로 힐링브러시 툴, 패치 툴, 내용인식이동 툴, 접목제거 툴 등이 있다.

⑧ 브러시 툴(Brush Tool) : 붓의 효과를 내는 툴로 연필처럼 경계선을 강하게 하는 연필 툴, 지정된 색상과 이미지 색상을 바꾸는 색상교체 툴, 클릭하는 지점의 이미지를 섞어 칠해주는 혼합 브러시 툴이 있다.

⑨ 도장 툴(Clone Stamp Tool) : 도장을 찍듯이 원하는 이미지를 복제하는 툴로 패턴도 복제가 가능하다.

⑩ 히스토리 브러시 툴(History Brush Tool) : 이전에 브러시로 작업한 것을 기억해서 효과를 내는 툴이다.

⑪ 지우개 툴(Eraser Tool) : 배경색의 색으로 지우개 역할을 하는 툴로 배경을 투명하게 만드는 배경지우개 툴과 마술봉 툴처럼 같은 원리로 이미지를 지우는 마술 지우개 툴이 있다.

⑫ 그라이언트 툴(Gradient Tool) : 단색이 아니라 물이 흐르듯이 여러 톤의 변화를 주어 색상을 채우는 툴로 단색을 위한 페인트통 툴과 재질을 입히는 3D재질 드롭 툴이 있다.

⑬ 블러 툴(Blur Tool) : 이미지를 드래그하여 드래그 한 부분을 변화시키는 샤픈 툴과 스

머지 툴이 있다. 샤픈 툴은 선명하게 하는 것이고 스머지 툴은 경계선을 뭉게서 흐림 효과를 낸다.

⑭ 닷지 툴(Dodge Tool) : 이미지를 드래그하여 이미지의 명도와 채도를 변화시키는 것으로 닷지 툴은 이미지가 밝게 되고 번 툴은 반대로 어둡게 되며 스펀지 툴은 채도를 변화한다.

⑮ 펜 툴(Pen Tool) : 일러스트레이터에서 유용한 기능인 펜 툴은 직선, 곡선 등의 패스를 만들어 자유롭게 그림을 그리는 것이다. 자유펜 툴, 앵커포인트 추가 툴, 앵커포인트 삭제 툴, 앵커포인트 변환 툴 등이 있다.

⑯ 텍스트 툴(Type Tool) : 포토샵에서 문자를 입력하는 것으로 가로방향의 문자를 입력하는 가로문자 툴, 세로방향의 문자를 입력하는 세로문자 툴, 문자모양으로 선택 영역을 주는 가로문자마스크 툴과 세로문자마스크 툴이 있다.

⑰ 패스 선택 툴(Path Selection Tool) : 펜 툴로 그린 패스를 이동하여 일부선택 및 수정이 가능한 툴이다.

⑱ 셰이프 툴(Shape Tool) : 셰이프 툴은 도형을 그리는 것으로 사각형 툴, 둥근 사각형 툴, 원형 툴, 다각형 툴, 선 툴, 사용자모양 툴 등이 있다.

⑲ 손 툴(Hand Tool) : 이미지작업창보다 이미지가 클 때 이미지를 움직일 수 있는 것으로 회전도 가능하다.

⑳ 돋보기 툴(Zoom Tool) : 화면을 확대하거나 축소할 수 있다.

㉑ 전경색/배경색(Default Foreground and Background Colors) : 전경색과 배경색을 전환하고 색상을 각각 설정할 수 있다.

㉒ 퀵마스크 모드(Edit in Quick Mask Mode) : 표준모드에서 아이콘을 클릭하면 퀵마스크 모드로 전환된다.

㉓ 화면전환 모드(Change Screen Mode) : 클릭할 때마다 모드가 변경되는 것으로 일반화면 모드, 전체화면 모드와 메뉴, 전체화면모드로 변경됩니다. 이때 아이콘을 길게 누르면 세 가지 모드가 모두 나와 원하는 화면 모드로 선택할 수 있다.

5.2 사운드 편집 소프트웨어 : 골드웨이브(Goldwave)

골드웨이브는 사운드 편집 Program 중의 하나로 정교한 오디오 프로세싱, 복원, 개선 및 전환은 물론이고 간단한 녹음 및 편집을 통해 다양한 사운드를 제작하는 전문 디지털 오디오 편집기이다.

5.2.1 골드웨이브의 화면 구성

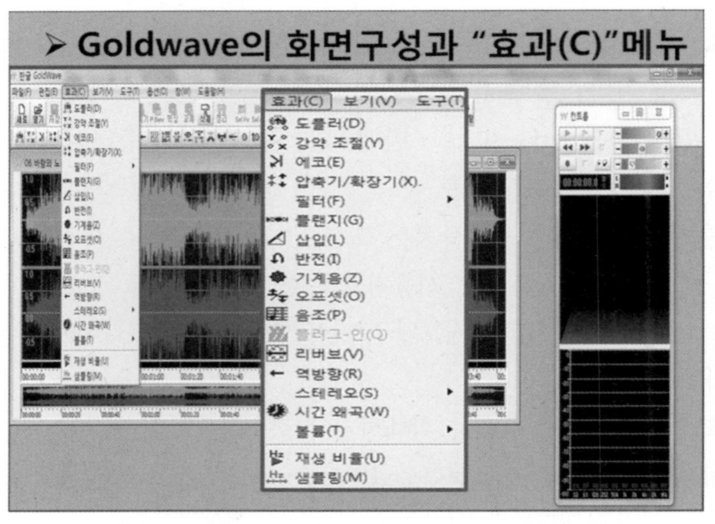

[그림 5-3] 골드웨이브 화면 구성과 효과(C) 메뉴

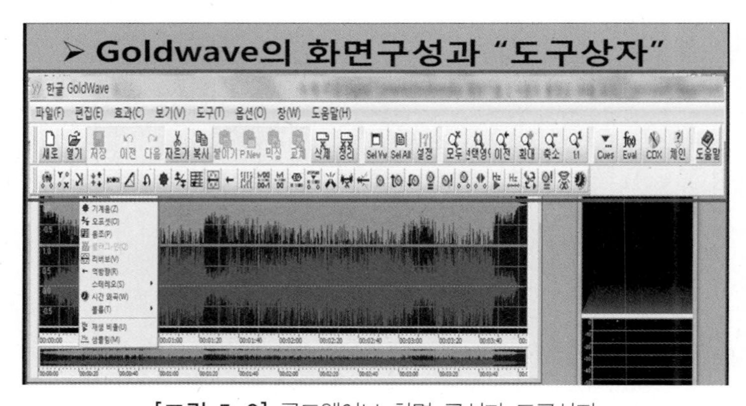

[그림 5-3] 골드웨이브 화면 구성과 도구상자

① 메뉴바 : 사운드를 편집할 수 있는 모든 기능이 있는 것으로 메뉴를 클릭하면 하위 메뉴가 나타난다.

② 메인툴바 : 메뉴 중에서 자주 사용하는 것을 아이콘 형태로 모아 놓은 것으로 새로 만들기, 열기, 저장 등과 같은 메뉴들이 있다.

③ 이펙트툴바 : 사운드를 만들 때 다양한 효과를 낼 수 있는 것으로 배속을 빠르게 하거나 기계음, 잡음 등을 삽입하거나 삭제할 수 있다. 사운드를 편집할 때 변조하는 기능을 담고 있다.

④ 사운드 편집창 : 사운드를 자유롭게 편집할 수 있는 창으로 모든 사운드의 변화를 확인할 수 있고 타임라인형태로 되어 있어 용이하게 편집이 가능하다.

⑤ 파일 정보창 : 사운드는 종류별로 약간의 차이를 가지고 있는데 지금 현재 사운드의 정보인 파일확장자, 파일형태, 시간 등을 모두 보여주는 곳이다.

5.2.2 Control window

컨트롤 창은 빨리감기, 되감기, 일시 정지, 재생 중지 등의 컨트롤이 포함되어 있다. 3개의 faders는 재생볼륨, 밸런스, 속도 등을 조정합니다. 이것은 실시간으로 표시됨으로써 골드웨이브를 이용하여 새로운 사운드를 만들 수 있다.

[그림 5-4] Control window

5.3 동영상 편집 소프트웨어

동영상을 편집하기 위해서는 복합적인 기술이 필요하다. 맛있는 요리를 만들기 위해서는 재료가 신선해야 하듯이 멋진 영상을 만들기 위해서는 좋은 영상이 있어야 하며 그것이 준비되었다면 앞서 배운 사운드나 사진편집기술을 활용하여 동영상 편집을 통해 사운드, 자막 등을 넣어 동영상을 제작할 수 있다. 이러한 동영상을 제작할 수 있는 Program으로는 윈도우 라이브 무비 메이커, 베가스, 프리미어 등이 있고 각종 포털사이트에서 제공하는 유틸리티 Program도 많이 있다. 본 장에서는 윈도우환경에서 기본적으로 제공되면서 쉽게 다룰 수 있는 윈도우 무비 메이커와 다음에서 제공하는 다음팟 인코더를 알아보기로 하자.

5.3.1 윈도우 라이브 무비 메이커

윈도우 무비 메이커는 동영상 편집 제작 툴로 디지털 사진이나 비디오 형태의 영상물에 특수효과, 전환, 음악 및 자막을 추가하여 동영상을 만들고 편집하는 윈도우에서 기본적으로 제공하는 Program이다.

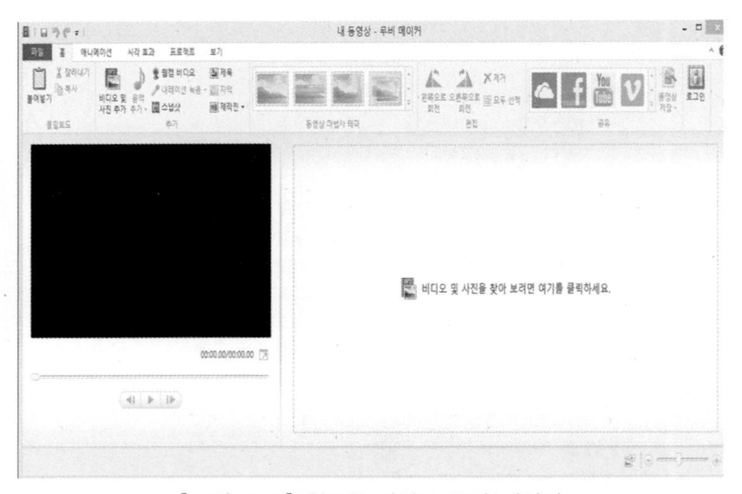

[그림 5-5] 윈도우 라이브 무비 메이커

주요 기능으로는 사진 및 비디오 가져오기, 오디오 편집, 동영상 편집, 테마 선택, 웹에서 공유 등의 기능이 있다.

먼저 동영상을 제작하기 위해서는 사진, 음악, 비디오를 추가한다. 이것은 [홈]탭 - [추가]그룹에서 비디오 및 사진 추가를 클릭하고 [비디오 및 사진추가] 창이 뜨면 찍은 사진이나 동영상을 선택하여 열기 버튼을 클릭한다. 이때, 같은 방법으로 음악을 추가할 때에는 [홈]탭 - [추가]그룹 - 음악추가를 클릭하면 된다.

다음으로 추가한 사진, 음악, 비디오를 편집한다. 동영상을 편집하기 위해서는 타임라인에 맞춰 비디오도구와 음악도구를 이용한다. 이때, 자르고 싶은 곳의 위치에 비디오클립을 두고 분할, 자르기 도구를 사용하여 비디오의 순서를 바꾸기, 배속 빠르게 하기, 음악 편집 등을 한다.

마지막으로 동영상 편집이 되었다면 멋진 동영상을 위해 적절한 자막과 효과를 더한다. 자막은 자막을 넣고 싶은 위치에 비디오클립을 두고 [홈]탭 - [추가]그룹 - [자막]을 클릭하여 넣는다. 자막은 제목, 자막, 제작진 등 다양한 형태로 집어넣을 수 있고 테마를 이용하여 쉽게 가능하다. 그리고 사진이나 동영상의 효과는 [애니메이션]탭이나 [시각효과]탭에 있는 기능을 이용하고 자막에는 텍스트 도구를 이용하여 효과를 더한다.

5.3.2 다음팟 인코더

다음팟 인코더는 컴퓨터는 물론이고 휴대전화 및 게임기에서도 영상을 재생할 수 있도록 동영상을 변환해주고 간단한 편집도 가능한 Program이다. 또한 이것은 편집한 동영상을 tv팟, 카페, 블로그에 바로 올릴 수 있어서 편리하다. 즉, 다음팟 인코더는 편리한 동영상 인코딩, 간단한 동영상 편집, Daum 서비스와의 연동이 가능하다.

[그림 5-6] 다음팟 인코더의 인코딩 화면

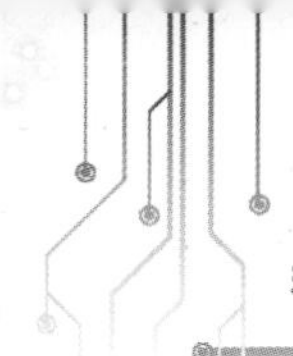

인코딩은 정보의 형태나 형식을 변환하는 처리나 처리 방식을 의미하는 것으로 확장자를 변환을 의미한다. 이미지의 확장자에는 jpg, bmp, png 등을 예를 들 수 있는데 이것은 각 확장자마다 특성이 다르다. 그리고 동영상도 웹에서 올릴 수 있는 용량이나 확장자가 다르다. 이러한 것을 다음팟 인코더에서는 변환할 파일을 불러오기로 추가하고 인코딩 시작 버튼을 클릭함으로 쉽게 변환할 수 있도록 한다.

[그림 5-7] 다음팟 인코더의 동영상 편집 화면

앞에서 설명한 윈도우 라이브 무비 메이커처럼 효과를 더할 수는 없지만 간단하게 긴 영상의 필요한 부분만을 자르거나 앞뒤에 오프닝과 엔딩을 삽입하여 동영상, 음악, 자막을 추가할 수 있다. 이것은 파일을 불러와서 타임라인에 맞추어 분할하고 위치를 바꿈으로 가능하다. 이러한 것은 간편한 편집은 다음뿐만 아니라 네이버에서 제공하는 네이버동영상편집기도 있다.

CHAPTER

06

제4차 산업혁명(4IR)과 미래 IT융합기술

창의적 소프트웨어 파워배양과 미래 IT융합기술
컴퓨팅 기술(IT)과 컴퓨팅 사고(CT)력
Computing Technology (IT) & Computational Thinking (CT)

06 CHAPTER

제4차 산업혁명(4IR)과 미래 IT융합기술

6.1 미래 IT기술의 발전방향

4차 산업혁명 시대가 본격 열리고 있다. '제4차 산업혁명'의 저자인 세계경제포럼(다보스포럼) 회장 클라우드 슈밥(Klaus Schwab)은 4차 산업혁명을 모든 것이 연결되어지는, 보다 지능적인 사회로의 진화라고 정의하였다. 이를 통해 보았을 때 4차 산업혁명의 핵심 키워드는 '연결'과 '융합'이 될 것이다.

그리고 4차 산업혁명의 핵심 주제는 정보기술(IT) 중에서도 소프트웨어다. 즉 ▲인공지능(AI) ▲사물인터넷(IoT) ▲빅데이터(Bigdata) ▲클라우드(Cloud) ▲로봇(Robot) ▲3D프린팅 ▲자율주행자동차 등 IT 소프트웨어를 기반으로 한 핵심 기술들과 응용 기술들이 산업과 사회의 경계를 허물게 된다. 다시 말해 IT 소프트웨어를 바탕으로 한 융합의 산물들이 우리사회를 크게 변화시켜 나간다는 것이다.

미래의 정보기술(IT)이 지원해야 할 기능들과 발전해 나갈 방향은 크게 보면 인간에 비해 부족한 컴퓨터의 능력을 IT 소프트웨어를 중심으로 향상시켜 나가는 것인데 크게 5가지로 대별해보면 다음과 같다.

1) 문제해결 및 추론기능을 가진 지능화 시스템(Intelligent System)

2) 지적 인터페이스 시스템(Intelligent Interface System)

3) 웹 3.0 : 차세대 지능형 시멘틱 웹(Semantic web)의 발전으로

4) 네트워크의 고도화와 유비쿼터스 환경 속에서 컴퓨터와 사람이 여러 가지 사물들과 함

께 어울려 나가는 네트워크인 사물인터넷(IoT : Internet of Things)으로 발전해 나간다.

5) 그리고 마지막으로 이 모든 정보기술(IT)들이 다른 전공분야 혹은 여러 가지 학문이나 과학기술(BT, NT 등), 그리고 다른 산업분야와 함께 어울려 융합해 나가는 IT융합기술(IT Convergence Technology)로 발전해 나가는 것이라 할 수 있겠다.

그러므로 IT융합기술(IT Convergence Technology)은 다음과 같이 정의할 수 있다.

① 여러 가지 학문이나 과학기술이 ▲인공지능(AI) ▲사물인터넷(IoT) ▲빅데이터(Bigdata) ▲클라우드(Cloud) ▲로봇(Robot) ▲3D프린팅 ▲자율주행자동차 등 IT 소프트웨어 기술과 하나로 합쳐지면서, 지금까지 없었던 새로운 창의적인 기술과 상품(Goods)으로 만들어 나가는 것이 IT 융합 기술이라고 할 수 있다.

② BT, NT, IT 등 독립적인 기술들 중에서 특히 IT기술을 중심으로 자동차, 조선, 기계, 국방과 항공 등 방위산업, 건설, 섬유, 안전, 보건 · 의료 · 건강, 에너지 · 환경문제 등 여러 가지 다양한 산업 분야에 융합하여 미래 사회에서 요구되는 산업의 고부가치화, 글로벌 경쟁력 확보 및 신산업을 창출해서, 미래 인간의 삶의 질을 향상시킬 수 있는 창의적인 신기술로서 산업원천핵심기술이라 할 수 있다.

IT융합기술은 본 교재 6.6 **IT융합기술**(IT Convergence Technology)에서 자세히 다룬다.

6.1.1 문제해결 및 추론기능을 가진 지능화 시스템(Intelligent System).

여기에서의 지능화(Intellectualization)는 정보기술(IT) 시스템 속에서 동작하는 Program을 통한 지능화를 의미한다.

이것은 가지고 있는 지식을 바탕으로 새로운 지식을 창조하는 능력과 문제를 해결하고 추론하는 기능으로 정보기술(IT) 시스템 속에 사람이 가진 지능을 인공적으로 부여하는 뜻을 가진 인공지능(AI : Artificial Intelligence)의 개념을 포함한다.

지능화 시스템(Intelligent System)의 예로는 질병을 진단하고 예방하는 맞춤형 질병진단 System, 자동 번역 System 등의 전문가 System(Expert System) 등이 있으며 법률, 판례정보 검색System 등 학습, 추론, 판단 기능을 가진 지식기반 시스템(Knowledge-Base System)으로 발전하고 있다. 이러한 기능은 기억하고 있는 정보를 단순히 정보 검색하는 기능이 아니라 종합적인 판단 능력과 의사결정 기능으로 인간을 지원할 수 있는 기능, 주어진 정보에 대하여 컴퓨터 자신이 문제 해결 방법을 추론하면서 결론을 낼 수 있는 기능이다.

이러한 지식기반 시스템 관리 기능(Knowledge-Base Management Function)은 기존의 정보를 지식으로 활용할 수 있도록 새로운 방법으로 정리 기억시키고, 쉽게 검색이 가능하도록 한다. 그러므로 프로그래밍언어는 명령형 언어(Imperative language)보다는 지식을 표현하기 쉬운 논리형 언어(Logic language)를 사용한다.

특징은 다음과 같다.

○ 자연어(Natural Language)이해와 관련된 지식을 갖는 일반적 지식베이스이다.
○ System 자체에 관한 지식을 갖는 System 지식베이스이다.
○ 각종 응용분야에 관한 전문적 지식을 갖는 응용지식베이스이다.

지능화(Intellectualization)의 관점에서 보면 정보기술(IT) 시스템 속에서 동작하는 Program을 통한 지능화를 의미한다.

산업 현장에서 용접, 조립 등 비교적 단순한 반복 작업에 많이 활용되고 있는 로봇인 제1시대 로봇은 이제 인간의 음성을 이해하고 사람에 가까운 인식과 판단의 기능을 가진 인공지능형 로봇(Intelligent Robot)으로 변화하고 있다. 이러한 지능형 로봇에는 매우 정교한 지능화 Program이 내장되어 있음을 의미한다.

기존의 인공지능 세탁기와 전자레인지, 스스로 움직이는 로봇 청소기. 인공지능 제품들은 이미 입력된 사고 체계(Program)를 그대로 반복하는 수준이다.

하지만 알파고에는 이른바 '기계학습'이 적용됐다. 방대한 양의 정보, 즉 빅데이터를 분석해 스스로 학습하며 계속해서 더 똑똑해진다. 수준이 고정된 이전의 인공지능과 달리 진화하는 인공지능이다.

문제를 해결하고 추론하는 기능, 가지고 있는 지식을 바탕으로 새로운 지식을 창조하는 능력, 기억하고 있는 지식을 관리하는 능력 등, 이른바 인공지능(AI : Artificial Intelligence)이 주축을 이루는 차세대 컴퓨터는 제2의 인간화를 실현하고자 추론, 학습, 판단 기능을 가진 지식 기반 시스템(Knowledge Based System)으로 발전하고 있다. 현재, AI 기술은 전문가 시스템(Expert System), 자동 번역 시스템, 질병 진단 시스템 등에 활용되어 실용화되어 가고 있으며, 최근에는 신경망(Neural Network)을 이용한 시스템과 병렬 처리 시스템(Parallel Processing System), 데이터 플로우 머신(Data Flow Machine), 객체지향 시스템(Object Oriented System) 분야도 연구가 진행 중이며, 이러한 기능이 더욱 고도화되는 방향으로 발전하게 될 것이다.

지능화 시스템(Intelligent System)은 본 교재 6.3 **인공지능**(AI), **로봇**(Robot), **미래의 일자리**에서 자세히 다룬다.

6.1.2 지적 인터페이스 시스템(Intelligent Interface System)

미래의 정보기술(IT)은 사용자가(User)가 컴퓨터를 보다 더 쉽고 편리하게 사용할 수 있게 지적인 인터페이스(Interface) 기능을 제공하는 방향으로 발전하고 있다.

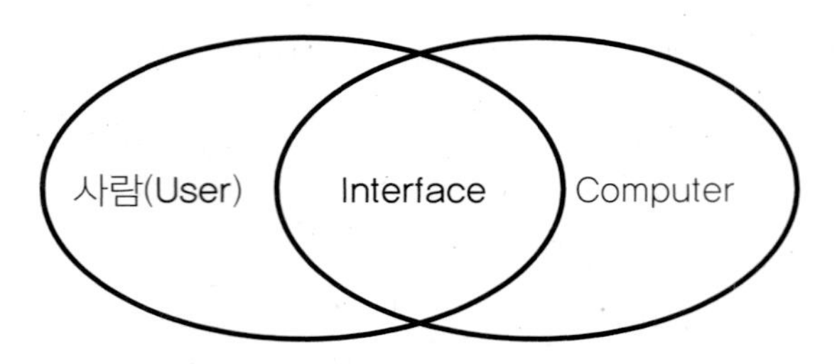

[그림 6-1] 정보기술(IT) 시스템에서 Interface의 역할

여기에서 사용자 환경(UI : User Interface)은 사람과 컴퓨터의 상호작용 환경이다. 그 중에서 그래픽 중심의 사용자 환경(GUI : Graphics User Interface)은 윈도우 메뉴(Windows Menu)와 아이콘(Icon)등을 Mouse Click 만으로도 쉽고 편리하게 컴퓨터를 사용할 수 있도록 하는 컴퓨터와 인간의 상호작용 환경(User Interface)이다.

[표 6-1] User Interface(UI : 사용자 환경)의 발전 방향

CUI	명령어(Command) 중심의 사용자 환경 (Command User Interface)	예) DOS 환경
GUI	그래픽(Graphic) 중심의 사용자 환경 (Graphics User Interface)	예) Windows 환경 (Windows 8) 최근에는 터치스크린기능 중심으로
NLUI	자연언어 중심의 사용자 환경 (Natural Language User Interface)	미래의 OS 환경

사람은 기본적으로 눈(시각)과 귀(청각), 손(촉각), 코(후각) 등을 통하여 외부의 현상으로부터 정보를 받아들이는 입력기능을 가지고 있다.

이러한 입력기능은 눈(Cam, CCD, Scanner), 귀(Mike), 손(Keyboard, Mouse, Touch Screen) 등으로 컴퓨터의 입력장치로 구현 되었다.

사람은 주로 입과 손을 통하여 알고 있는 정보를 말하고, 쓰고 하는 정보의 출력기능을 행하는데 이러한 기능은 입(Speaker), 손(Monitor, Printer, Plotter) 등으로 컴퓨터에서 출력장치로 구현 되었다.

사람의 기억기능도 컴퓨터에서 기억 장치로 만들어졌는데 오히려 사람의 기억능력보다 훨씬 뛰어난 일반적인 능력을 가지고 있다. 그러나 사람에 비해 형태, 소리, 느낌, 냄새 등의 정보를 기억하는 데는 아직 부족하기 때문에 이러한 능력을 보완해주는 방향으로 발전하고 있다.

인간화된 Interface(지적 Interface 화)란 바로 이러한 사람의 눈과 귀, 코, 손, 입과 같은 역할을 하는 기능, 즉 시각, 청각, 후각, 촉각, 소리 등 여러 가지 기능의 결합을 통한 다 매체(Multimedia)화와 감지기(Sensor) 또는 다른 방법 등을 통해 인간의 언어로 된 명령을 이해하고 활자, 문자, 도형, 물체, 색 등의 패턴(Pattern) 정보를 이해할 수 있도록 하여 컴퓨터와 사람간의 대화를 효율적으로 실현하는 기능이다.

인간의 언어와 문자와 물체를 인식하는 기술은 사람의 귀의 청각기능인 음성인식기능과 사람의 입으로 발음하는 기능인 음성합성 기능으로 발전하고 있으며 사람의 눈에 해당하는 시각기능의 구현에는 문자(활자체, 필기체)를 인식하고, 사물의 형태와 색상 등의 패턴(Pattern) 정보를 이해하여 물체를 정확하게 인식하고 물체의 동작까지를 인식하는 등으로 발전하여 왔으며 자동차, 선박, 비행기 등의 안전을 위한 시스템에 높은 부가가치를 창조하며 구현되고 있다.

멀티미디어(Multimedia)화는 그림, 소리, 음악, 향기, 맛, 감촉 등을 다양하게 표현하면서 컴퓨터와 인간의 대화를 자연스럽게 실현시켜 나가고 있다. 오감 인터페이스 기반의 지능정보단말기(Intelligent Information Terminal : IIT)는 인간이 오감을 통하여 느끼는 색상, 빛의 밝기, 소리, 향기, 맛, 감촉 등의 의사소통을 위한 멀티미디어를 Digital 무선 통신망을 통해 정보제공자로부터 인식하고 정보수용자에게 표현하여 현실감 있는 다양한 정보교류를 가능하게 하는 지능적인 정보 단말기이다.

예를 들어 갤럭시 S8은 얼굴, 눈, 음성, 동작 등 인간의 신체적 특징을 인식해 자동으로 동작하는 '인간중심 사용자환경'을 적용하고 '스마트 화면유지(Smart Stay)'는 사용자의 얼굴과 눈을 인식해 사용자가 화면을 보고 있으면 화면 꺼짐을 방지해주는 기능을 가지고 있다.

음성인식 기능 'S보이스'는 통화, 알람, 사진촬영 등 다양한 스마트폰 기능을 편리하게 동작시킬 수 있을 뿐만 아니라, 음악 감상 중에도 목소리로 이전곡 · 다음곡 재생, 소리조절이 가능하다. 책상 등에 놓아두었던 갤럭시 S8을 손에 들면 부재중 전화나 메시지가 있음을 진동으로 알려주는 '스마트 알림', 잠금 화면에서 화면을 누르고 갤럭시 S8을 가로로 돌리면 카메라가 실행되는 '카메라 신속 실행' 등 동작인식 기능도 지원하고 있다.

인간 중심, 감성중심의 사용자환경을 구현하는 인간화된 Interface(혹은 지적 Interface)화는 사람의 눈과 귀, 코, 손, 입과 같은 역할을 하는 시각, 청각, 후각, 촉각, 미각 등 여러 가지 기능을 스마트폰을 중심으로 한 다양한 정보 기기들 속에 감성적으로 구현해 나가고 있다.

이러한 정보 처리기술의 패러다임은 과거의 텍스트데이터에서 멀티미디어 중심으로 변화해 왔으며, 미래의 지식기반 창조사회에서는 인간 중심의 실감 감성 컨텐츠로 발전해 나가고 있으며 가상공간(Cyber space)을 실제공간(Real space)으로 느낄 수 있도록 두 공간의 자연스러운 결합을 이루어 나간다.

지적 인터페이스 시스템(Intelligent Interface System)은 본 교재 6.2 모바일 컴퓨팅과 가상현실(VR), 증강 현실(AR)에서 자세히 다룬다.

6.1.3 웹 3.0 : 차세대 지능형 시멘틱 웹(Semantic web)

펨토 초(FS: ; Femto Sec. ; 10^{-15})에서 아토 초(AS ; Atto Sec. ; 10^{-18}) 범위까지의 초고속 연산처리 속도 환경에서, 컴퓨터 네트워크(Computer Network)의 발전이 가속화되고 있으며 초창기 중앙집중식 시스템(Centralized Processing System)에서 벗어나 분산처리 시스템(Distributed System), 클라이언트-서버 시스템(Client-Server System)으로 발전이 더욱 고도화되고 있다.

디지털(Digital)기술과 정보 통신(Network)기술의 발전은 정보기술(IT)과 결합하여 지식정보화사회의 도래에 큰 역할을 하고 있으며 장소와 시간의 한계를 뛰어넘어 정보를 즉시 생산, 전송, 공유하게 해줌으로써 지구촌 글로벌 사회를 촉진하고 있다. 미국의 경우 전화와 텔레비전이 전 인구의 30% 이용자를 확보하는데 각각 37년, 17년 걸린 데 비해 인터넷과 초고속 인터넷은 각각 7년, 4년에 불과하다.

실시간 광역 통신망은 Digital 기기와 New media가 컴퓨터에 기능 통합되고 또한 Mobile Phone과의 통합으로 Mobile Computing 환경을 만들어 가고 있다.

웹의 발전 : web 1.0과 web 2.0

web 1.0은 읽기만 가능하지만 web 2.0은 읽고 쓰는 것이 가능하다.

발전하는 웹 : 웹 2.0

웹 2.0은 누구나 손쉽게 정보를 생산하고 인터넷에서 공유할 수 있도록 한 사용자 참여 중심의 인터넷 환경을 말한다. 인터넷 상에서 정보를 모아 보여주기만 하던 웹 1.0에 비해 웹 2.0은 정보를 제공하는 플랫폼이 정보를 더 쉽게 공유하고 서비스 받을 수 있도록 만들어져 있다. 즉, 사용자가 정보를 직접 다루고 소비자가 직접 만드는 것이다. 블로그나 개인 인터넷 방송 등이 대표적인 웹 2.0이다.

차세대 지능형 웹 3.0 : 시멘틱 웹(Semantic web)

하지만 이제는 자동화된 컴퓨터가 스스로 정보를 처리하는 것에 더해서 인공지능을 가능하게 하려는 web 3.0의 시대로 가려고 한다.

차세대의 웹은 현재의 컴퓨터처럼 사람이 마우스나 키보드를 이용해 원하는 정보를 찾아 눈으로 보고 이해하는 웹이 아니라, 컴퓨터가 이해할 수 있는 형태의 새로운 언어로 표현해 기계들끼리 서로 의사소통을 할 수 있는 지능형 웹으로 발전한다.

이것을 시멘틱 웹(Semantic web)이라고도 하는데, 사물이 가지고 있는 정보를 서비스 내용이나 형태에 맞게 바꾸는 등 사물인터넷이 효율적으로 작동하도록 만드는 기술이다. 빅데이터 기술이라든가 보안 및 인증 등 다양한 기술이 사용된다. 시맨틱 웹이란 우리가 사용하는 일반적인 웹이 아니라, 컴퓨터를 위한 웹을 말한다. 사물인터넷과 IT융합기술에서는 사물끼리 서로 정보를 주고받아야 하므로, 이런 웹을 만드는 기술이 필수이다.

컴퓨터가 정보자원의 뜻을 이해하고, 논리적 추론까지 할 수 있는 차세대 지능형 웹은 현재의 컴퓨터처럼 사람이 마우스나 키보드를 이용해 원하는 정보를 찾아 눈으로 보고 이해하는 웹이 아니라, 컴퓨터가 이해할 수 있는 웹을 말한다. 즉 사람이 읽고 해석하기에 편리하게 설계되어 있는 현재의 웹 대신에 컴퓨터가 이해할 수 있는 형태의 새로운 언어로 표현해 기계들끼리 서로 의사소통을 할 수 있는 지능형 웹이다.

원리는 사람들이 이해할 수 있도록 자연어 위주로 되어 있는 현재의 웹 문서와 달리, 정보자원들 사이에 연결되어 있는 의미를 컴퓨터가 이해할 수 있는 형태의 언어로 바꾸는 것이다. 이렇게 되면 컴퓨터가 정보자원의 뜻을 해석하고, 기계들끼리 서로 정보를 주고받으면서 자체적으로 필요한 일을 처리하는 것이 가능해진다.

2004년 현재 시멘틱 웹과 관련된 연구는 RDF(Resource Description Framework)를 기반으로 한 온톨로지(Ontology) 기술과 국제표준화기구(ISO) 중심의 토픽 맵(Topic Map) 기술이 주류를 이루고 있다.

전자는 현재의 웹에 자원(주어) · 속성(술어) · 속성값(목적어) 등 자원을 기술하는 언어인 메타데이터를 부여해 정보의 의미를 이해하고 처리할 수 있게 하는 기술이다. 후자는 ISO의 XML 기반 표준 기술언어인 XTM 언어를 이용해 정보와 지식의 분산 관리를 지원하는 기술로, 지식층과 정보층의 이중 구조를 띤다.

온톨로지(Ontology)란 사람들이 세상에 대하여 보고 듣고 느끼고 생각하는 것에 대하여 서로 간의 토론을 통하여 합의를 이룬 바를, 개념적이고 컴퓨터에서 다룰 수 있는 형태로 표현한 모델로, 개념의 타입이나 사용상의 제약조건들을 명시적으로 정의한 기술이다. 온톨로지는 일종의 지식표현(knowledge representation)으로, 컴퓨터는 온톨로지로 표현된 개념을 이해하고 지식처리를 할 수 있게 된다. Program과 인간이 지식을 공유하는데 도움을 주기 위한 온톨로지는, 정보시스템의 대상이 되는 자원의 개념을 명확하게 정의하고 상세하게 기술하여 보다 정확한 정보를 찾을 수 있도록 하는데 목적이 있다. 온톨로지는 시맨틱 웹을 구현할 수 있는 도구로서, 지식개념을 의미적으로 연결할 수 있는 도구로서 RDF, OWL, SWRL 등의 언어를 이용해 표현한다.

온톨로지는 일단 합의된 지식을 나타내므로 어느 개인에게 국한되는 것이 아니라 그룹 구성원이 모두 동의하는 개념이다. 그리고 Program이 이해할 수 있어야 하므로 여러 가지 정형화가 존재한다.

시멘틱 웹이 실현되면 컴퓨터가 자동으로 정보를 처리할 수 있어 정보시스템의 생산성과 효율성이 극대화된다. 컴퓨터 혼자 전자상거래를 할 수 있고, 기업의 시스템 통합(SI), 지능형 로봇 시스템, 의료 정보화 등 다양한 분야에 응용할 수 있다.[1]

이러한 시멘틱 웹이 실현되면 컴퓨터가 자동으로 정보를 처리할 수 있기 때문에 정보시스템의 생산성과 효율성이 엄청나게 증가한다. 예를 들어 컴퓨터 혼자 전자상거래를 할 수 있고, 기업의 시스템 통합(SI), 지능형 로봇 시스템, 의료 정보화 등 다양한 분야에 응용할 수 있는 바탕이 되며 네트워크의 고도화가 더욱 이루어져 사물인터넷과 IT융합기술의 기반이 된다.

1) 〈참고자료〉 : [네이버 지식백과 '시멘틱 웹(semantic web)', 두산백과]

6.1.4 유비쿼터스 컴퓨팅과 사물인터넷(IoT : Internet of Things) : 사람, 컴퓨터 그리고 사물의 네트워크

유비쿼터스 컴퓨팅 환경은 이러한 물리적 공간을 극복하는 Paradigm으로 홀로 떨어져 존재하는(Stand Alone) 물리적 사물들을 Network으로 연결하여 지능적으로 융합해 나간다. 일상적인 사물에 각각 제 역할에 적합한 컴퓨터와 센서 등을 넣어 사물끼리 서로 통신이 가능하도록 하여 생명력이 없던 기존의 사물들이 혼연일체로 합체되어 살아 움직이면서 물리적 공간의 한계를 극복해나가는 것이 바로 사물인터넷(IoT : Internet of Things)의 개념이다. 이러한 유비쿼터스 컴퓨팅과 사물인터넷(IoT : Internet of Things)의 개념은 서로 다른 관점으로 바라보면서 강조점을 달리하는 개념으로 보인다. 7장에서 자세히 다룬다.

6.1.4.1 클라우드 컴퓨팅(Cloud Computing)

4차 산업혁명 시대가 본격 열리고 있다. 4차 산업혁명의 핵심 주제는 소프트웨어다. 즉 ▲인공지능(AI) ▲사물인터넷(IoT) ▲빅데이터(Bigdata) ▲클라우드(Cloud) ▲로봇(Robot) ▲3D프린팅 ▲자율주행자동차 등 소프트웨어를 기반으로 한 핵심 기술들과 응용 기술들이 산업과 사회의 경계를 허물게 된다. 다시 말해 소프트웨어를 바탕으로 한 융합의 산물들이 우리사회를 크게 변화시켜 나간다는 것이다.

클라우드 컴퓨팅(Cloud Computing)은 데이터에 대한 처리를 네트워크로 연결된 다수의 컴퓨팅 자원을 이용해 저장 및 처리하는 기술이다. 다양한 컴퓨팅 디바이스(Device)들이 서로 유동적으로 연결되며 이 기기들 간의 업무 분산을 통해 다양한 형태의 서비스를 제공할 수 있다.

클라우드는 직역하면 '구름'이다. 구름과 같이 수증기가 응집되어 하나의 커다란 집합체를 이루는 것처럼, 컴퓨터 과학에서 세세한 개별 장치들의 연결된 모임을 추상화한 개념이 바로 클라우드 컴퓨팅이다. 이를 도식화할 때도 주로 아래 [그림 6.2]와 같은 구름 모양의 이미지가 등장한다.

클라우드 또는 클라우드 컴퓨팅의 처음 목적은 서버 자원의 효율적인 사용이었다. 클라우드는 서비스 사업자들이 보유한 서버가 지역, 시간 등의 특성에 따라 특정 서버에 부하가 몰리는 반면 다른 서버는 유휴(Idle)한 상태에 있는 문제를 해결하기 위한 분산컴퓨팅(Distributed computing) 환경의 구축에서 시작되었다.

이는 서로 다른 서버들을 네트워크로 연결하고, 서버의 용량을 초과하는 방대한 양의 데이터를 나눠서 저장하거나, 많은 계산을 필요로 하는 작업들을 분산시켜서 병렬적으로 보다 빠르게 정보를 처리하도록 하는 것이 목적이다. 즉, 컴퓨팅 파워와 저장능력을 여러 다른

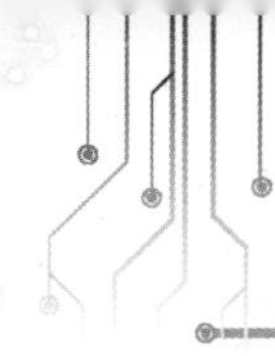

컴퓨터들과의 연결을 통해 향상시킨 개념이다.

클라우드 컴퓨팅(Cloud Computing) 개념은 구름(Cloud)로 표현되는 인터넷상의 Server에서 IT 관련서비스를 한 번에 제공하는 혁신적인 Computing 기술로 모든 정보를 인터넷 상의 Server에 저장하고, 각종 IT 기기를 통하여 언제 어디에서나 이 정보를 이용할 수 있다는 개념의 기술이다.

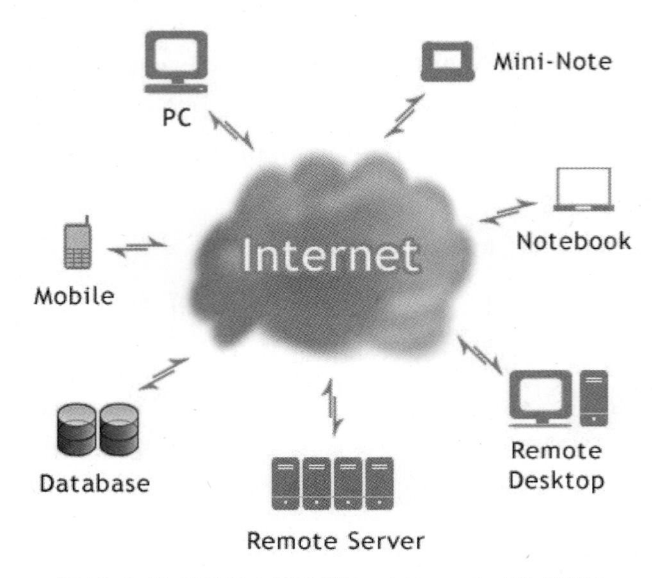

[그림 6-2] 클라우드 컴퓨팅(Cloud Computing)의 개념도

클라우드 컴퓨팅의 기본적인 개요는 언제 어디서나 접근할 수 있는 구름처럼(인터넷 상의 Server에서) 언제 어디서나 필요한 자료에 접근하고 사용 할 수 있게 한다는 의미이다. 여기서 일반적인 인터넷과 다른 점은 클라우드 컴퓨팅 같은 경우는 사용자가 작업하는 환경을 그대로 유지해준다는 점이다. 예를 들어, 내가 주로 사용하는 컴퓨터에 들어가 있는 즐겨찾기가 내가 사용하는 핸드폰에서도 동일하게 적용된다면 분명 사용하기가 편리할 것이다.

즉 복잡한 일을 지상(PC)에서 하지 않고 구름 위(Server)로 올려 보낸다는 의미로 구름(cloud)과 같이 눈에 보이지 않고 무형의 형태로 존재하는 외부 Server에서 H/W, S/W 등의 Computing 자원을 공유하고, 자신이 필요한 만큼 빌려 쓰는(유상 or 무상)방식의 서비스로, Computer System을 유지 · 보수 · 관리하기 위하여 들어가는 비용과 Server의 구매 및 설치, 업데이트 비용, S/W 구매비용과 시간, 인력을 절감할 수 있다.

서로 다른 물리적인 위치에 존재하는 Computing 자원을 가상화 기술로 통합해 제공하는 '인터넷을 이용한 IT 자원의 주문형 아웃소싱 서비스'라고 정의되기도 한다. 다소 쉽고 직관적인 비유를 들자면, 컴퓨터 세상의 크라우드 소싱(Crowd sourcing)이라 할 수 있다.

클라우드 컴퓨팅 서비스를 가능하게 하기 위해서는 먼저 가상화(Virtualization) 기술이 요구된다. 가상화 기술은 여러 하드웨어를 하나의 하드웨어처럼 동작하게 하거나, 반대로 하나의 하드웨어를 여러 개의 하드웨어인 것처럼 동작하게 할 수 있는 기술이다. 클라우드 컴퓨팅에서 가상화 기술은 분산되어 있는 서로 다른 컴퓨팅 디바이스들을 사용자 입장에서는 마치 하나의 기기처럼 동작하는 것과 같이 보이게 하는 기술로, 기기들 간의 통신 및 로드 밸런싱(Load balancing)을 갖춰야 한다.

사용자는 일반적으로 사용자가 보고, 듣고, 조작할 수 있는 친숙한 UI(User Interface) 외에 그 기반에서 일어나고 있는 복잡한 매커니즘에 대해서는 알 필요가 없다. 복잡한 기반 매커니즘을 숨기고 사용자에게는 꼭 필요한 UI만을 제공하는 것을 컴퓨터 과학에서는 추상화(Abstraction)라고 하는데, 클라우드 컴퓨팅에도 각각의 하드웨어를 추상화시키는 작업이 필요하며 이를 구현하기 위해서는 가상화 기술이 수반되어야 한다.

가상화를 통한 클라우드 환경은 근래 들어 하드웨어의 발달과 대중화로 인해 규모의 확장성 측면에서 괄목할 만한 성과를 보이고 있다. 최근에는 고성능 인공지능의 등장과 빅데이터의 활성화에 따라 클라우드 컴퓨팅은 이 기술들을 보다 발전시킬 수 있는 인프라적인 요소로 각광을 받고 있다. 인공지능과 빅데이터는 클라우드 컴퓨팅을 발전시키기 위한 핵심기술이자 요소이다.

6.1.4.2 빅 데이터(Big Data)

기존의 관리 방법이나 분석 체계로는 처리하기 어려운 막대한 양의 정형 또는 비정형 데이터 집합, 스마트폰과 같은 스마트 기기의 빠른 확산, 소셜 네트워킹 서비스(SNS)의 활성화, 사물인터넷(IoT)의 확대로 데이터 폭발이 더욱 가속화되고 있다. 기업, 정부, 포털 등에서 빅 데이터를 효과적으로 분석 · 처리하여 미래를 예측해 최적의 대응 방안을 찾고, 이를 수익으로 연결하여 새로운 가치를 창출할 수 있다.[2)]

클라우드 컴퓨팅은 성능과 확장성이라는 측면에서도 많은 장점을 갖지만, 비용의 절감 측면에서도 장점이 있다. 이를테면, 수백 대로 이루어진 클라우드 컴퓨팅 환경을 구축했을 경

2) *〈참고자료〉 : [네이버 지식백과, 'IT 용어사전', 한국정보통신기술협회]

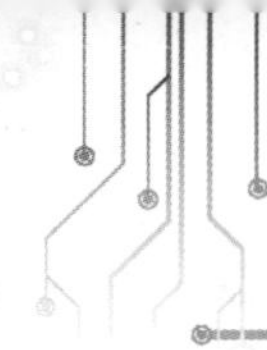

우, 필요할 때는 슈퍼컴퓨터와 동일한 수준의 계산 성능을 보이면서 자원의 일부는 서비스 제공에, 또 다른 일부는 내부 연구를 위한 실험환경으로, 남는 자원은 다른 사용자에게 유료로 빌려주는 등 컴퓨팅 자원을 효과적으로 사용할 수 있다. 이러한 유연함은 주로 특정 용도로만 사용되는 값비싼 슈퍼컴퓨터보다 더 경제적이다.

차세대 인터넷 서비스로 주목받는 클라우드 컴퓨팅은 편리하고 산업적 파급효과가 커서 새로운 IT 통합관리모델로 등장하고 있다.

장점은 내 컴퓨터 에서 부족한 H/W, S/W 자원을 구름 같이 무형의 형태로 존재하는 외부 Server에서 컴퓨팅 자원을 공유하고, 자신이 필요한 만큼 빌려 쓰는(유상 or 무상) 서비스를 통해, 언제 어디서든 자신이 원하는 작업을 H/W, S/W 등의 제약조건 없이 수행가능하다. 단점으로는 Server가 해킹당할 경우 개인정보가 유출되며 Server 장애가 발생하면 자원 공유가 불가능하다.

구글 · 다음 · 네이버 등의 포털사이트에서 구축한 인터넷상의 Server에 정보가 저장되고, Desk-Top, Tablet PC, Note Book, Net Book, Smart Phone 등의 IT 기기 등과 같은 Client에는 사용 시에 일시적으로 보관되는 환경으로 예를 들면 Naver의 Naver Cloud, Daum의 Daum Cloud, KT의 U Cloud 등이 있다.

6.1.4.3 클라우드 컴퓨팅 Program들(Cloud Computing S/W)

(1) VNC 원격접속 Program

자신이 가장 작업하기 편한 컴퓨터는 어떤 컴퓨터일까? 그건 바로 자기 컴퓨터다. 언제 어디서나 자신의 컴퓨터를 원격지에서 사용할 수 있게 해주는 원격Program이다. 인터넷만 연결된다면 당신은 당신 컴퓨터에서 작업을 할 수 있다(주로 사용하는 컴퓨터는 켜져 있어야 한다).

(2) 네이버 클라우드(Naver Cloud)

인터넷만 된다면 공간은 나의 것! 네이버에서 제공하는 서비스로 웹상에 하드처럼 사용할 수 있는 30기가의 공간을 만들어 준다. 추가적으로 컴퓨터에 Program을 설치하면 별도의 Naver Cloud가 생성되어 정말 하드와 동일한 작업 환경을 제공해 준다. 추가적으로 다른 컴퓨터들에서도 동시작업이 가능하여 공유 폴더의 개념을 갖게 된다.

(3) 다음 클라우드(Daum Cloud)

Daum Cloud의 경우는 네이버의 Naver Cloud와 거의 동일한 서비스를 제공하지만 사용함에 있어서 조금 다른 점이 있다. 그것은 바로 데이터의 공유 방식이다. 일반적인 웹을 이용한 데이터 공유 방식은 동일하나 Program을 사용한 공유 방식은 각기 다르게 지향하고 있다. Naver Cloud의 경우 완전 새로운 드라이브를 생성하지만 Daum Cloud의 경우는 지정한 폴더를 웹에 있는 데이터와 싱크를 통하여 주기적으로 갱신을 시킨다. 얼른 보면 동일한 것처럼 보이지만 용량적인 부분에서는 상당한 차이를 보인다. 만약 Naver Cloud에서 100메가 파일을 10명에게 공유하면 그 파일은 컴퓨터의 어느 하드공간을 차지하지 않는다. 웹상에 있는 데이터를 즉시 엑세스 하고 업데이트한다. 반면 Daum Cloud는 동기화를 통하여 진행하기 때문에 만약 100메가 파일을 10명에게 공유하면 총 1000메가의 하드를 차지한다. 다음이 왜 이런 방식을 사용했는가는 데이터를 엑세스하는 속도 때문으로 생각된다. 웹의 데이터를 사용하는 Naver Cloud보다는 자신의 하드에 동기화 되어있는 데이터를 사용하는 Daum Cloud가 엑세스 속도가 빠를 수밖에 없기 때문이다.

(4) 알툴바

어느 컴퓨터에서나 자신의 즐겨찾기를 사용할 수 있게 해주는 강력한 Program이다. 뿐만 아니라 사용자의 아이디와 암호를 기억하여 자동으로 입력을 해주기 때문에 사용자는 키보드에 손댈 필요 없이 인터넷 서핑이 가능해진다.

클라우드의 기본 이념은 사용자에게 동일한 사용자 환경을 제공하여 좀 더 효율적으로 업무를 수행함에 있다.

최근 들어 클라우드의 개념은 점차 확장되고 있다. 단순한 데이터 관리를 뛰어넘어 다른 사람들과 공유하며 함께 작업할 수 있는 상황을 만들어 주고 있다. 예를 들어 무료로 50기가를 제공해주고 있는 Daum Cloud의 경우는 싱크 Program을 이용하여 단순한 데이터 공유가 아닌 최신본을 유지해주며 히스토리메모리까지 지원해주고 있다. 이는 업무를 수행하면서 최신본 파일을 관리해본 사람이라면 공감할 수 있는 부분으로 항상 최신 데이터를 유지해주고 확인할 수 있다는 장점을 제공한다.

유비쿼터스 컴퓨팅과 사물인터넷(IoT : Internet of Things)은 본 교재 6.4 유비쿼터스 컴퓨팅(Ubiquitous Computing)과 6.5 사물인터넷(IoT), 6.6 IT융합기술(IT Convergence Technology) 에서 자세히 다룬다.

6.2 모바일 컴퓨팅과 가상 현실(VR), 증강 현실(AR)

1990년대 말 인터넷이 본격적으로 보급되어 시작된 IT 붐과 닷컴열풍은 기존 기업의 업계 순위를 순식간에 갈아치웠다. 인터넷 환경에 제대로 대처한 기업들은 성장 기회를 잡을 수 있었으나 그렇지 못한 기업들은 그전까지는 상상도 못할 만큼 빠른 퇴보를 경험하게 되었다.

6.2.1 모바일 컴퓨팅(Mobile Computing)

모바일은 본래 '움직일 수 있는'이라는 뜻으로, 정보통신에서의 모바일은 스마트폰(smartphone)과 태블릿(tablet) PC 등과 같이 이동 중 사용이 가능한 컴퓨터 환경 혹은 정보통신에서 이동성을 가진 것의 총칭을 뜻한다. 일반적으로는 사람이 휴대하면서 사용할 수 있는 소형화 된 전자 기기, 즉 모바일 기기 혹은 단말을 나타낸다. 이러한 모바일 기기는 손으로 들고 다니므로 가볍고 작은 것이 특징이다. 무선 인터넷이나 멀티미디어 이용을 주목적으로 하는 모바일 인터넷 기기(MID : Mobile Internet Device)나 모바일 웹 사용에 초점을 둔 태블릿 컴퓨터, 휴대용 게임 기기, 스마트 워치(smartwatch)와 같은 웨이러블(wearable) 컴퓨터와 같은 다양한 모바일 기기들이 연구 및 개발되어 왔다. 기술 개발 초기에는 입력장치와 디스플레이 기능이 떨어지는 점과 확장성이 부족하고, 전력 공급이 원활하지 않다는 약점이 있었으나, 저장 및 배터리 기술, 휘어지거나 투명한 플렉서블(flexible) 디스플레이 기술이나 웨이러블(wearable) 컴퓨팅 기술의 발달로 이러한 한계를 극복해나가고 있다.

모바일 기기가 처음으로 개발되었던 1990년대 초반에는 모바일은 좁은 의미로 스마트폰의 전신인 휴대정보기기 PDA(Personal Digital Assistant)를 의미하는 경우가 많았다. 하지만 2000년대 이후 스마트폰의 사용이 활성화되면서 다양한 모바일 기술 및 모바일 비즈니스가 개발되고 있다.

휴대전화를 인터넷에 접속하여 입출금 등의 은행업무를 보는 모바일뱅킹, 온라인게임을 하는 모바일게임, 영화를 실시간으로 보는 모바일영화, 모바일 TV 및 모바일 잡지 등 다양한 서비스가 제공되고 있다. 또한 모바일 비즈니스와 모바일 마케팅 · 모바일 전자화폐 · 모바일 전자정부 등 새로운 모바일서비스가 생겨나고 있다.[3)]

닷컴열풍 이후 10여 년 간 모바일은 지속적인 진화를 시도해 왔으며, 2007년 아이폰 출시

3) 〈참고자료〉 : [네이버 지식백과, 두산백과]

로 사람들의 삶에 스마트폰이 빠른 속도로 자리 잡으며 기존 인터넷 환경이 완전히 바뀌게 되었다. 데스크톱과 노트북을 통해 하루 평균 3시간씩 인터넷을 이용하던 사람들이 이제 시간과 장소에 구애받지 않고 일주일 내내 24시간 온라인 상태가 된 것이다. 스마트폰의 예상치 못했던 빠른 확산과 본격적인 모바일 시대의 개막으로 경영환경, 기술환경에도 많은 변화가 예상된다.

6.2.1.1 모바일(Mobile)시대에 찾아오는 시장의 변화

모바일 시대에 대한 적절한 대응은 그 변화에 대한 선행적인 이해로부터 시작된다. T-Plus는 모바일 시대에 생길 시장의 변화를 크게 고객부문 · 경쟁부문 · 채널부문에서의 9가지 변화로 정리하였다.

(1) 고객의 니즈에 대한 이해 방식이 세분화되고 정교해지고 있다.

모바일 시대의 개막으로 개별 고객의 행동양상을 파악하는 것이 가능해지면서 과거보다 더 세분화된 고객의 구체적인 행동양상 파악을 통한 신뢰성 있고 실효성 있는 전략 도출이 가능하게 되었다.

따라서 새로운 비즈니스 모델을 담은 앱들의 출현으로 다양한 앱마켓 플레이스가 등장하게 된다. 전문가들은 앱 개발사들이 비즈니스 모델을 발굴하기 위해 '아이디어'라는 한 부분에 매몰되지 말고 비즈니스 모델 전개 과정에서 발생할 수 있는 '큰 숲'을 볼 것을 권했다.

그들은 "구글플레이와 애플 앱스토어에 각각 70만개가 넘는 앱이 등록되어 있는데, 이는 수많은 앱 속에서 단순히 새로운 앱에 대한 '아이디어' 만으로 승부를 보는 시대는 끝났다는 것을 의미한다"며 "새로운 비즈니스 모델을 발굴하는 것도 중요하지만, 하나의 앱이 성공하기 위해서는 마케팅, 팀워크, 자본 조달 등 다양한 요인들이 서로 유기적으로 시너지를 내는 것이 중요하다"고 강조했다.

(2) 온라인에서 소외됐던 중장년층도 흡수

PC와 친숙하지 않은 중장년층의 경우, 컴퓨터 사용 미숙 및 인터넷의 복잡한 인터페이스로 인해 온라인 콘텐츠 활용을 부담스러워하는 경향이 있었다. 이로 인해 인터넷 사용자는 젊은 층으로 집중되고, 온라인 사업모델도 이러한 젊은 층에 집중되는 현상을 보여 왔다. 그러나 모바일 시대엔 조작이 간편해진 핸드폰을 통해 상시 인터넷 접속이 가능해지고 인터페이스가 보다 간편해지면서 이러한 양상에 변화가 생길 것으로 예상된다. 과거 키보드 입력이나 명령 클릭 중심 입력 구조, 대량 텍스트 방식의 화면출력에서 음성인식, 모션 인식 등 직관적 입력구조를 보유하게 돼 중장년층이 보다 쉽게 인터넷에 접근할 수 있게 되었기 때문이다.

특히 화면이 작은 모바일 디바이스 특성 상 각 기업이 출력 결과를 손쉽게 알 수 있도록 텍스트를 줄이고 이미지와 메시지를 활용하려고 노력하고 있는 점 또한 중장년층 인터넷 접속자가 늘어나게 하는 요인이 될 것이다.

과거 중장년층이 주 고객층이기 때문에 잠재력에 비해 온라인에서 크게 성장하지 못한 증권이나 평생교육 콘텐츠 · 가정생활 관련 사업모델의 빠른 확장도 예상된다. 이는 각 개인의 정보기기(스마트폰)에 기반한 고객특화 서비스와 이해가 쉽고 빠른 직관적 인터페이스를 보유한 애플리케이션에 의해 실현될 것이다.

일례로, KT는 중장년층 주부 대상 스마트 홈패드를 출시하여 해당 중장년층 주부 시장을 공략하려고 한다. 스마트 홈티브이는 집안의 안전 이상을 체크해 주는 홈시큐리티 서비스, 가족 일정 및 가족게시판을 만들 수 있는 가족용 SNS 해피패밀리와 온라인 의료 상담 및 의료 Program 등을 소개하는 홈닥터 서비스 등을 포함하고 있다.

(3) 모바일이 국가 간 장벽까지 깬다.

모바일 기기로 24시간 인터넷에 접속할 수 있는 환경이 조성되면서, 이메일이나 각종 SNS 서비스를 통해 국가 간 커뮤니케이션이 보다 용이하게 되었고 언제 어느 곳에서나 화상통화로 업무를 진행할 수 있게 되었다. 또한 모바일 단말기를 통한 실시간 번역 및 실시간 통역 서비스를 통해 언어 제약을 극복하려는 시도가 계속되고 있으며, 구글 등 주요 IT 업체의 적극적 연구를 통해 머지않아 언어 제약도 극복될 것으로 판단되고 있다.

이러한 국가 간 장벽 감소로 인해 각 기업은 타깃 고객 군을 국내뿐만 아니라 해외로 손쉽게 확장할 수 있을 것이다. SNS의 발달은 전 세계적으로 국가별 고객 간 니즈(Needs)와 원츠(Wants) 차이를 감소시키고 있으며, 이는 고객군의 확장에 긍정적인 영향을 미치는 요소로 작용할 것으로 보인다.

또 모바일 결제의 발달은 고객이 상품을 쉽게 구매할 수 있도록 지원해 주어 별도의 오프라인에 대한 투자 없이 상품을 판매할 수 있다는 점, 국가 간 자유무역 정책 확대 및 물류기술의 발전 등은 모두 고객군의 해외 확장에 긍정적인 영향을 미치는 요소들이다.

모바일 커머스 시장의 급성장에 따라 전세계 금융기관과 IT업계는 모바일 결제 시스템에 적극적으로 뛰어들고 있다.

▸앱 결제 시스템 다각화 통해 수익창출 유도

유료 앱 자체의 다운로드는 급감하는 대신, 유료 중심의 무료 앱(인 앱 결제) 이용이 증가하는 현상이 두드러졌다.

모바일 게임 역시 인 앱 결제를 통해 수익을 창출했으며, '애니팡'이나 '드래곤 플라이트' 등은 카톡 플랫폼 후광을 입고 아이템 구매를 통해 억대에 달하는 매출을 내기도 했다. '어썸노트'나 우아한 형제들의 '배달의 민족' 같은 유틸리티 앱은 브랜드화를 통해 이용자들의 호응을 얻어냈다.

국내는 유료 서비스 마인드가 잘 갖춰지지 않았기 때문에 현 시점에서는 앱 내 결제 시스템을 다각화하는 방법을 통해 수익성을 제고하는 것이 좋은 방법이라는 것이다.

(4) 모바일 기술을 통한 2차 가격혁명 촉발

인터넷의 활성화 및 오픈마켓 업체 · 가격비교 사이트 등은 고객이 쉽게 상품 가격을 비교할 수 있게 지원해 원가 설정에서 제조업체와 유통업체를 압박할 수 있었다.

모바일 시대의 개막으로 소비자가 24시간 SNS에 접속할 수 있게 되면서 빠른 가격공유가 가능해지면서 기존 오픈마켓 업체 및 가격비교 사이트의 효과가 극대화될 가능성이 높다. 특히 증강현실과 위치기반서비스(LBS)를 통해 가격비교를 오프라인 매장까지 확대할 수 있게 되는 점은 모바일 시대의 가장 큰 변화점이라고 할 수 있다. 이런 원가 인하 압박은 모바일 시대에 들어서 더 거세질 것이며, 각 기업은 모바일을 활용한 밸류 체인 전반의 실시간 정보파악과 정교한 수요예측 및 생산관리를 통해 원가를 절감하려는 노력을 지속할 것이다.

일본 모바일 가격비교 업체 'Shopsavvy' 는 모바일 시대의 구매패턴 변화를 보여주는 대표적 업체로, 제품의 바코드를 찍으면 동일한 제품의 온 · 오프라인 가격을 모두 비교해 주고 최저가 상품의 판매 위치 정보를 제공해준다. 또 SNS와 연계해 구매에 필요한 고객 이용후기 등 정보를 동시에 제공하고 있다. 국내에서는 다나와 등 온라인 가격비교 업체가 모바일화를 진행하고 있다.

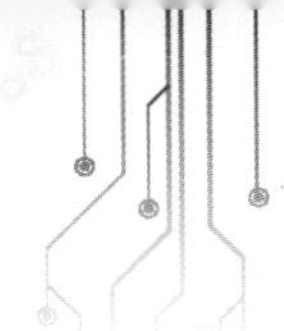

(5) 타 제품 · 서비스와 모바일 기기 컨버전스 확대

스포츠용품업체 나이키는 운동화 안에 센서를 부착해 고객의 운동기록을 수집하여 이를 모바일 기기에 축적하고, 이를 바탕으로 맞춤 건강정보를 제공하는 애플리케이션을 개발하였다. 또 BMW는 BMW 미니 라인업 신형 모델에 아이폰을 결합해 각종 서비스를 받을 수 있는 통합 시스템을 제공하고 있다.

차량에 아이폰을 결합하면 속도계 모니터를 통해 아이폰 기반 오디오 · 내비게이션 · 오피스 · 전화 등을 모두 사용할 수 있으며 추후 차량 화면에 다양한 정보를 띄울 수 있도록 하는 등의 특화 서비스를 제공할 예정이다.

각 기업은 고객 정보를 수집해 개인별로 특화한 상품 · 서비스를 제공하고자 하는 노력을 지속할 것으로 판단되며, 이러한 오퍼링은 시장 내에서 큰 위력을 발휘할 것으로 판단된다.

(6) 고객 니즈와 불만에 신속 대응 가능

고객 불만 접수 및 이에 대한 신속한 대응체계 구축의 중요성은 끊임없이 강조되어 왔다. 특히 인터넷이 급속히 보급되면서 온라인상에 고객 불만이 확산되는 것에 대해 각 기업은 민감하게 반응해왔다. 모바일 시대엔 모든 사람들이 SNS를 매순간 이용할 수 있어 정보의 확산 속도 또한 과거보다 훨씬 빨라졌다. 각 고객은 상품 및 서비스에 대한 만족, 불만족 여부를 SNS를 통해 유포하고 이는 빠르게 확산돼 경영성과에 직접 영향을 미친다.

기업이 제품 관련 공식 불만을 수집하고 분석하는 활동은 선택이 아니라 필수다. 이러한 환경 변화에 발맞춰 각 기업은 고객 정보 기반의 신속한 상품 개선을 보다 신속하게 처리할 수 있는 체계를 갖추고자 노력하고 있다.

그 사례로 나이키는 전용앱을 활용한 고객 정보를 획득하고 활용하는 체계를 갖추고자 노력하고 있다. Nike True City, Nike+GPS, Nike Training Club 같은 애플리케이션은 일상적인 라이프스타일 · 소비 트렌드 분석 · 운동 종류에 대한 정보 수집뿐 아니라 고객 의견을 받아들이는 창구로 활용하고 있다.

(7) 선점한 플레이어가 채널을 지배한다

인터넷 보급 이전에는 ATL 4대 채널(Above the Line ; TV · 라디오 · 신문 · 잡지)이 주요 광고 채널이었으며, 인터넷 혁명 이후 인터넷 포털이 주요 광고채널로 부상하였다. 모바일 시대가 열리면서 광고의 주요 채널로 애플리케이션이 떠오르고 있다.

모바일 광고채널은 기본적으로 애플리케이션 단위로 진행되며 활용 목적별로 고객이 집중적으로 방문하는 애플리케이션의 입지, 즉 카테고리별 Share of Screen을 조기에 확보하는 것이 핵심이다. 과거 온라인 확산 시기에 우후죽순처럼 난립했던 많은 포털들이 시간이 지남에 따라 상위 2~3개 업체에 트래픽 집중이 이뤄지고, 중소 포털이 피인수나 서비스 중단의 과정을 거쳤던 것과 유사한 상황이 재현될 것이라고 판단된다.

국내 오픈마켓 사이트인 11번가는 여기에 주목해 모바일 커머스를 선점하려고 공격적인 투자를 진행하고 있다. 전체 모바일 OS(Operating System ; 운영체제)에 11번가 전용앱을 개발하였고 앱 다운로드 및 이용활성화를 위한 공격적 프로모션과 TV 광고를 진행하였다. 이러한 결과로 누적 애플리케이션 다운로드 수는 130만 건을 기록하였고, 모바일 커머스 내 점유율을 온라인 커머스의 두 배 수준인 46%까지 끌어올릴 수 있었다.

(8) 주활용 시간대 및 Occasion(어떤 일이 일어나는 특정한 때, 기회, 경우)에 특화된 광고 커뮤니케이션

과거 주요 광고채널인 ATL 4대 채널 및 인터넷 포털은 고객 트래픽이 집중되는 골든타임에 고비용을 쓰며 광고를 집행해 노출을 극대화했다. 출퇴근시간이나 점심시간에 주로 이용하는 모바일 애플리케이션의 특성 상, 모바일엔 ATL 4대 채널 및 인터넷 포털의 특정 골든타임이 존재하지 않으며 출퇴근시간 · 점심시간 등 자투리 시간에도 기존 채널대비 비교적 저비용에 집중도 높은 커뮤니케이션을 실시할 수 있다는 장점이 있다. 또 모바일 광고는 게임이나 증강현실 내비게이션 등 다양한 콘텐츠의 조합이 가능하여 기업이 제작한 정보를 단방향으로 송출하는 영상 · 음성광고에서 탈피해 타깃 고객에게 가장 효과적인 형태의 광고를 제작할 수 있다.

폭스바겐의 경우 타깃 고객 대상 커뮤니케이션을 위해 아이폰용 게임 'Real Racing' 을 공동 개발하여 게임 속에서 신차의 사양과 디자인을 체험할 수 있도록 하였다. 또 게임 내에 광고물을 설치함으로써 이용자에게 노출해 이중으로 광고효과가 발생할 수 있도록 하였다. 해당 애플리케이션은 누적 다운로드 600만 건을 기록하여 36개국에서 앱스토어 다운로드 1위를 기록할 정도로 큰 인기를 끌었다.

(9) 활용 가치 높은 품목은 모바일로 빠르게 전환

모바일 채널의 활용가능성이 극대화될 수 있는 품목은 구매의 적시성이 중요하고, 판매물량이 한정되거나, 채널 신뢰성이 중요한 것 등으로 판단된다. 온라인 경매나 소셜 커머스, 각사 쇼핑몰의 한시 세일 코너 등 구매의 적시성이 필요한 품목은 모바일 기기로 해당 정보를 편리하게 상시 확인할 수 있는 환경이 제공되었을 때 집객효과가 크게 제고될 것이다.

명절 기차표나 영화티켓 등 판매 물량이 한정된 상품은 구매자 간 경쟁우위 확보를 위해 신속한 구매정보 획득 및 결정이 필요하므로 온라인 기기로 상시 정보 접근이 가능하도록 한다면 기존 채널에서 모바일 채널로 고객이 이동할 가능성이 높을 것이다.

은행거래나 주식거래 서비스와 같이 상시 서비스 접근이 필요한 경우 신뢰성의 이슈 상 공공 기기를 통한 온라인 채널 활용이 어려운 아이템은 개인별 기기로 해당 서비스를 상시 이용할 수 있다는 게 큰 장점이 될 것이다.

6.2.1.2 모바일(Mobile)시대의 정보 마케팅

(1) 고객 TPO(Time · Place · Occasion) 세분화로 고객 니즈(Needs)와 원츠(Wants)를 포착하라

모바일 보급률의 빠른 증가와 관련 기술의 발달로 고객별 위치와 동선, 접근 장소 및 이용 시간 등 미시적 정보를 추적할 수 있게 됐다. 이에 따라 보다 구체적으로 고객 니즈(Needs)와 원츠(Wants)를 파악할 수 있게 됐다. 기존의 성별, 연령, 지역별 고객 세분화 관점에서 벗어나 고객의 개별적 행동 패턴과 특성에 기반한 행동분석적 구분으로 자사에 적합한 고객군을 적극 포착해야 한다.

자사 제공 서비스를 이용하는 고객의 제품 탐색부터 구매 · 사용 · 업데이트 및 보수 · 폐기까지의 전 과정에 걸친 고객경험 사이클에 대한 구체적인 이해를 기반으로 각 사이클별 고객의 제품 이용 시간, 주기 · 장소 및 상황 · 고객이 원하는 주요 핵심 가치를 파악하여 이를 고객 세분화의 기준으로 고려해야 한다.

(2) 기존 정보 소외 계층에 대한 공략 기회를 포착하라

모바일 관련 기술의 발달로 중장년층이나 유아층 등 정보 소외계층이 새로운 모바일 시대의 유망 고객군으로 부상하고 있다. 기존 정보 소외 계층의 모바일 기기 사용 증가는 이들을 새로운 소비 고객으로 변화시킬 것이며, 기업은 그동안 시장에서 주목하지 않았던 이들의 니즈를 포착하고 소비를 적극 촉진함으로써 이들의 모바일 기기 활용도를 이용할 수 있게 될 것이다.

(3) 고객의 니즈(Needs)와 원츠(Wants)의 불만에 즉각적인 대응 체계를 구축하라

소비자들이 모바일 기기로 정보를 즉시 탐색하고 공유하는 게 일상화되면서 온라인 상의 소비자 피드백과 불만은 과거에 비해 훨씬 막강한 영향력을 발휘하고 있다. 소비자 한 명의 개인적 불만이 모바일을 통해 즉시 타인과 공유되면서 해당 제품에 대한 전체 소비자들의 인식에 부정적 영향을 미치거나 실제 불매와 환불로까지 이어지는 일이 다반사다. 고객 불만에 대한 기업의 안일한 대응이나 부진한 의견 수렴 속도는 비즈니스의 흥망을 좌우할 수 있는 커다란 결격 사유이다.

고객 니즈(Needs)와 원츠(Wants)의 불만을 실시간으로 수집하고 대응할 수 있는 전담 대응조직을 내부에 구축하고 요청이나 불만에 즉각적이고 효과적으로 대응하기 위한 전략과 프로세스를 마련해야 한다. 즉각적이고 활발한 대응은 모바일 시장에서 고객과의 접점을 넓히고 인식을 제고해 제품과 서비스 구매를 유발할 것이다.

(4) m-NPD(Mobile New Produce Development) 도입으로 속도와 정보 경쟁력을 확보하라

스마트폰이 대중화되기 시작한 이후 현재까지 기업들은 모바일 채널을 대부분 마케팅 목적에 한정하여 단편적이고 소극적인 수준으로 활용해 왔다. 기업은 이제 고객을 단순한 제품 소비자가 아닌 적극적인 시장 개척과 가치 창출의 파트너로 활용해야 한다.

모바일을 통한 고객의 적극적 참여를 유도하여 제품 및 서비스의 가치를 높일 수 있는 아이디어 소스를 수집하고, 이를 고객이 직접 개발 및 적용할 수 있도록 유도하는 활동이 상시 이루어질 수 있도록 m-NPD(Mobile New Produce Development) 체계를 구축해야 한다. 이는 물론 마케팅이나 R&D에 국한된 업무가 아닌 전사적인 프로세스로 운영되어야 할 것이다.

▸ 크라우드 소싱(Crowd-Sourcing)

지금까지의 기업은 기업 단위의 내부역량 극대화에 주력해왔으나, 글로벌 단위의 경쟁이 본격화된 현재, 기업 내 · 외부 다양한 집단과의 교류와 협력으로 현안 해결의 지혜를 끌어내는 집단지성의 도입 필요성이 높아지고 있다.

더불어 페이스북과 트위터 등 소셜 네트워크 서비스(SNS)시장이 최근 급격히 세를 불리며 글로벌 기업들의 마케팅 격전장으로 부상하고 있다. 세계 최대 SNS인 페이스북은 벌써 회원수가 6억 명에 도달했다. SNS시장에는 잠재고객만 넘쳐나는 것이 아니다. 특정 분야에 관한

한 전문가 빰치는 지식과 기술을 가진 네티즌도 부지기수다.

아마도 우리나라에서 가장 큰 지식 서비스 기업은 네이버일 것이다. 네이버의 지식인의 총 답변수는 5000만 개를 넘어섰다. 이렇듯 대중의 힘은 막강하다. 또한 네이버 지식인 내부의 수많은 전문가들이 활동한다. 이들의 답변은 빠르고 정확한 편이다. 많은 이들이 다음과 같은 농담을 한다.

Q : 우리나라에서 가장 똑똑한 사람은?
A : 네이버 지식인

이러한 대중의 힘을 이제 기업이 이용하고 싶어 한다. 기업은 이들로부터 혁신적인 아이디어를 아웃소싱할 수 있다. 이것이 이른바 '크라우드소싱(Crowd-Sourcing)'이다.

이미 글로벌 기업은 새로운 아이디어와 혁신 자원의 많은 부분을 기존 전문직 집단뿐 아니라 내 · 외부의 다양한 집단에서 획득하는 추세다. 내부 일반직원(43%), 외부 비즈니스 파트너(39%), 고객(36%)의 비중이 내부 R&D팀(17%), 외부 전문 컨설턴트 업체(22%)를 능가하고 있다. 집단지성을 잘 활용하는 기업과 그렇지 못한 기업의 명암이 교차되고 있다.

개방형 혁신(Open Innovation)이라는 이름으로 외부 전문가를 대상으로 필요한 기술을 획득하거나 고객의 관심을 유인하는 홍보 분야에서 기업 활동 전 영역으로 활용대상이 확대되고 있다. 이러한 집단지성의 활용은 기업 활동 전 영역에 크라우드 소싱 개념으로 출현하게 되었다.

(5) 모바일 채널을 통한 고객과의 접점 구축 현황을 즉시 점검하라

흔히 모바일 채널은 예측하기가 어렵고 성과를 내기 어렵다고 여긴다. 모바일 채널이 기존 타 채널과 완전히 다른 특성을 지니고 있기 때문이다. 모바일 채널은 철저한 개인 맞춤형이며, 24시간 상시 고객과의 접점이 될 수 있다. 모바일 채널의 확대는 기존에 수립했던 채널 대응 방식의 전면적인 개편을 요구한다. 기업은 현재 모바일을 통해 제공되는 서비스가 고객과 만나는 접점 현황을 즉시 모니터하여, 고객들의 채널 이용 과정 및 특성을 명확히 이해해야 하며, 이를 바탕으로 모바일 채널에서의 고객 대응 전략과 프로세스를 수립해야 한다.[4]

---

4) 〈참고자료〉 : [박정인, T-Plus 컨설팅 팀장, jipark@t-p.co.kr /
강민구, T-Plus 컨설팅 컨설턴트, mgkang@t-p.co.kr]

▸ 재미+보상+경쟁의 3요소를 갖춘 게임화(gamification) 마케팅

사람들은 재미를 느끼면 누가 시키지 않아도 스스로 몰입하곤 한다. 여기에 다른 사람과 경쟁이라도 붙으면 더 악착같이 달려든다. 스마트폰이 확산되고 디지털 세대들이 늘어나면서 이런 게임의 원리들을 마케팅에 적용하는 '게임화(gamification)'가 국내외 여러 기업들로부터 각광받고 있다. 인간의 본능을 게임화를 통해 브랜드와 제품에 대한 소비자들의 애착으로 발전시키는 것이다.

게임화 마케팅을 성공시키기 위해서는 어떤 요소들이 필요할까. 가장 중요한 것은 당연히 '재미'있어야 한다는 것이다. 다이어트를 결심한 당신은 오늘부터 매일 달리기를 하겠다고 결심한다. 하지만 그 결심을 지켜나가기는 쉽지 않다. 재미가 없기 때문이다.

그래서 나이키는 '나이키 플러스'라는 운동 지원 Program을 내놓았다. 달리기 기록을 저장해주는 센서를 구입해 운동화 밑창에 붙이고 달리기만 하면 달리기를 마친 뒤 나이키 웹사이트에서 자신의 기록을 확인할 수 있다. 센서로부터 입력된 결과를 바탕으로 시간이나 기록경신에 대한 정보까지도 알려준다. 미리 정해둔 훈련 목표를 달성하면 게임을 하듯이 웹사이트에서 가상의 트로피를 주고, 레벨도 올려준다. 페이스북이나 트위터를 이용해서 친구들에게 알려주기도 한다. 현재 200만 명이 넘는 사람들이 게임처럼 만든 이 Program을 통해 자신의 운동 기록을 공유하며 열광하고 있다.

게임화에 필요한 두 번째 요소는 '보상'이다. 게임이 다른 행동 유발 Program과 가장 다른 것은 특별한 보상이 있다는 점이다. 삼성전자는 런던 올림픽 기간에 '골드러시'라는 마케팅 이벤트를 대대적으로 진행했다. '골드러시'라는 이름에 걸맞게 휴대전화, 노트북 등 1000여 개의 푸짐한 경품을 걸고 진행한 이 행사는 가상의 메달을 찾는 게임 마케팅이다. 스마트폰을 이용해서 TV, 신문, 버스, 지하철, 매장 등 생활 속에 숨겨진 QR 코드를 찾은 사람에게 경품을 제공했다. 매장서 숨긴 제품 찾으면 할인되는 이벤트는 줄어든 오프라인 매출도 해결해낸다. 젊은 세대를 중심으로 큰 호응을 얻은 이 이벤트에 참여한 사람은 140만 명 이상이다.

최근 마음에 드는 상품의 바코드를 찍기만 하면 최저가 모바일 쇼핑몰로 연결시켜 주는 모바일 앱(애플리케이션)이 인기를 얻자 반대로 오프라인 매장의 매출은 눈에 띄게 줄었다. 고민을 거듭하던 오프라인 매장들은 결국 앱에는 앱으로 대응해야 한다고 판단했다. 숍킥(ShopKick)이라는 앱을 스마트폰에 설치한 소비자들은 매장을 방문할 때마다 포인트를 부여받는다. 숨겨져 있는 추천 제품을 찾아내면 추가 포인트도 제공받는다. 이렇게 쌓은 포인트로 가격을 할인받을 수 있다. 게임 포인트로 할인을 해주면 브랜드에 대한 애착을 높여줄 수도 있고 개인별 차별화된 할인도 가능해진다.

게임화에 빠질 수 없는 또 다른 요소는 '경쟁'이다. 게임이 재미있는 것은 겨루는 상대방이 있기 때문이다. 게임화 마케팅 역시 경쟁 상대를 포함해야 효과가 배가 된다. 2010년 BMW는 자사의 인기 브랜드인 'MINI(미니)'를 경품으로 걸고 신차 출시를 기념 이벤트를 벌였다. 2010년 스톡홀름에서 진행된 이 행사는 최근 인기 TV Program인 '런닝맨'을 연상시킨다. 스마트폰의 지도 Program을 이용해 가상의 미니 자동차 아이템이 있는 곳으로 가장 먼저 달려가는 사람에게 아이템이 주어진다. 하지만 다른 참가자가 아이템을 갖고 있는 사람을 따라 잡으면 아이템을 빼앗을 수 있다. 1주일 간의 행사가 끝나는 시점에 아이템을 갖고 있는 사람에게 실제 미니 자동차를 우승 상품으로 주는 이 행사는 스톡홀름 시민 1만여 명이 참여했다.

6.2.2 가상현실(Virtual Reality)과 증강현실(Augmented Reality)

6.2.2.1 가상현실(Virtual Reality)

어떤 특정한 환경이나 상황을 컴퓨터로 만들어서, 그것을 사용하는 사람이 마치 실제 주변 상황 · 환경과 상호작용을 하고 있는 것처럼 만들어 주는 인간-컴퓨터 사이의 인터페이스를 말한다.

사용 목적은 사람들이 일상적으로 경험하기 어려운 환경을 직접 체험하지 않고서도 그 환경에 들어와 있는 것처럼 보여주고 조작할 수 있게 해주는 것이다. 응용분야는 교육, 고급 프로그래밍, 원격조작, 원격위성 표면탐사, 탐사자료 분석, 과학적 시각화(scientific visualization) 등이다.

가상현실은 컴퓨터를 이용해 만든 가상공간 속에서 인간이 가진 오감으로 느끼는 감각과의 상호작용을 통해 현실감을 느낄 수 있도록 만든 것을 말한다.

대표적인 예로 항공조종용 시뮬레이터를 들 수 있는데 비행 조종에 필요한 일들을 가상현실 속에서 체험해봄으로써 작은 실수로 치명적인 결과를 일으킬 수 있는 실제 비행을 연습하고 훈련할 수 있게 해준다. 3D입체 가상체험도 교육 및 통신 영역에서 사용하고 있다.

구체적인 예로서, 탱크 · 항공기의 조종법 훈련, 가구의 배치 설계, 수술 실습 게임 등 다양하다. 가상현실 시스템에서는 인간 참여자와 실제 · 가상 작업공간이 하드웨어로 상호 연결된다. 또 가상적인 환경에서 일어나는 일을 참여자가 주로 시각으로 느끼도록 하며, 보조적으로 청각 · 촉각 등을 사용한다.

시스템은 사용자의 시점이나 동작의 변화를 감지하여 그에 대응하는 적절한 변화를 가상환경에 줄 수 있다. 또한 사용자의 현장감을 높여 주기 위해서 입체표시장치, 두부장착표시장치(Head-mounted display) 등의 효과 이펙터(effector)들을 사용하며, 사용자의 반응을 감지하기 위해서 데이터 장갑(data glove), 두부위치센서 등의 센서(sensor)를 사용한다.5)

6.2.2.2 증강현실(Augmented Reality)

사용자가 눈으로 보는 현실세계에 가상 물체를 겹쳐 보여주는 기술이다. 현실세계에 가상세계를 합쳐 하나의 영상으로 보여주므로 혼합현실(Mixed Reality, MR)이라고도 한다. 현실환경과 가상환경을 융합하는 복합형 가상현실 시스템(hybrid VR system)이 1990년대 후반부터 연구·개발이 진행되고 있다.

실세계에 3차원 가상물체를 겹쳐 보여주면서, 현실세계를 가상세계로 보완해주는 개념인 증강현실은 컴퓨터 그래픽으로 만들어진 가상환경을 사용하지만 주역은 현실환경이다. 컴퓨터 그래픽은 현실환경에 필요한 정보를 추가 제공하는 역할을 한다. 사용자가 보고 있는 실사 영상에 3차원 가상영상을 겹침(overlap)으로써 현실환경과 가상화면과의 구분이 모호해지도록 한다는 뜻이다.

가상현실기술은 가상환경에 사용자를 몰입하게 하여 실제환경을 볼 수 없다. 하지만 실제환경과 가상의 객체가 혼합된 증강현실기술은 사용자가 실제환경을 볼 수 있게 하여 보다 나은 현실감과 부가 정보를 제공한다. 예를 들어 스마트폰 카메라로 주변을 비추면 인근에 있는 상점의 위치, 전화번호 등의 정보가 입체영상으로 표기된다.

원격의료진단·방송·건축설계·제조공정관리 등에 활용된다. 최근 스마트폰이 널리 보급되면서 본격적인 상업화 단계에 들어섰으며, 게임 및 모바일 솔루션 업계·교육 분야 등에서도 다양한 제품을 개발하고 있다.

증강현실을 실외에서 실현하는 것이 착용식 컴퓨터(wearable computer)이다. 특히 머리에 쓰는 형태의 컴퓨터 화면장치는 사용자가 보는 실제 환경에 컴퓨터 그래픽·문자 등을 겹쳐 실시간으로 보여줌으로써 증강현실을 가능하게 한다.

따라서 증강현실에 대한 연구는 착용컴퓨터 개발이 주를 이룬다. 개발된 증강현실시스템으로 비디오방식과 광학방식 등의 HMD(head mounted display)가 있다.6)

---

5) 〈참고자료〉 : [네이버 지식백과, '가상현실', 두산백과]
6) 〈참고자료〉 : [네이버 지식백과, '증강현실', 두산백과]

현실을 모방하여 새로운 현실을 가상공간에 만든 것이 가상현실이고, 현실과 가상을 합쳐 현실을 강화한 것이 증강현실이다. 현실 속에서는 없는 물체가 증강현실 속에는 존재하게 된다.

현재의 유무선 인터넷과 증강현실 기술을 활용해 실감나는 정보를 현실 세계에 제공해줄 수 있다. 증강현실은 가상현실의 일종인데, 실제 환경에 가상 사물을 합성하여 원래의 환경에 존재하는 사물처럼 보이도록 하는 컴퓨터 그래픽 기법이다. 가상현실 기술은 말 그대로 가상의 환경이기 때문에 사용자는 실제 환경을 볼 수 없다. 하지만 증강현실 기술은 실제 환경 위에 가상의 세계가 덧씌워진 형태로 보게 되어 더욱 실감이 나게 된다. 원격의료진단, 건축설계, 제조공정관리 등에 유용하게 쓰이는 기술인데, 최근에는 사이버 애완동물 키우기나 길 찾기 등 그 활용도가 점점 커지고 있다.[7]

6.3 인공지능(AI), 로봇(Robot), 미래의 일자리

6.3.1 인공지능(人工知能 ; AI ; Artificial Intelligence)

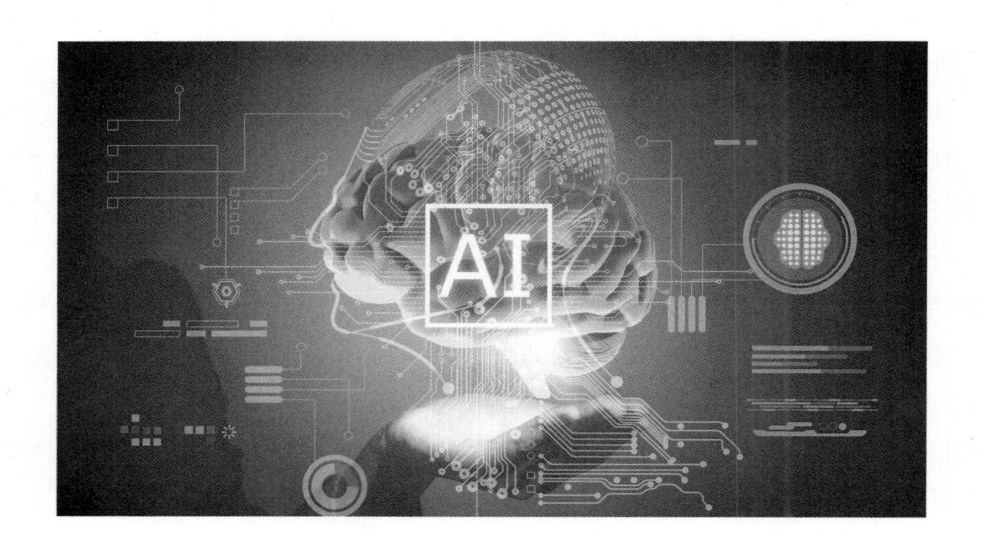

7) 〈참고자료〉 : 1) [T-Plus Knowledge], 2) [네이버 지식백과], 3) 조재승, 형설출판사, 학문명 백과 : 공학, 2012

인공지능(Artificial Intelligence)은 단어 뜻 그대로 '인공적으로 만든 지능'이라는 뜻이다. 사람의 특성인 생각하고 배우고 느끼는 등의 인간의 학습능력과 추론능력, 지각능력, 자연언어의 이해능력 등을 컴퓨터 Program으로 실현한 기술로 컴퓨터가 인간의 지능적인 행동을 모방할 수 있도록 하는 것을 인공지능이라고 한다.

요약하면 인간의 학습능력과 추론능력, 지각능력, 자연언어의 이해능력 등을 컴퓨터 Program으로 실현한 기술이다.

6.3.1.1 인공지능과 관련된 기술분야

인공지능은 그 자체로 존재하는 것이 아니라, 컴퓨터 과학의 다른 분야와 직간접으로 많은 관련을 맺고 있다. 특히 현대에는 정보기술의 여러 분야에서 인공지능적 요소를 도입하여 그 분야의 문제 풀이에 활용하려는 시도가 매우 활발하게 이루어지고 있다.

① **자연언어처리(natural language processing) 분야에서는 이미 자동번역과 같은 시스템을 실용화하며, 연구가 더 진행되면 사람이 컴퓨터와 대화하며 정보를 교환할 수 있게 되므로 컴퓨터 사용에 혁신적인 변화가 오게 될 것이다.**

② **전문가시스템(expert system) 분야에서는 컴퓨터가 현재 인간이 하고 있는 여러 가지 전문적인 작업들(의사의 진단, 광물의 매장량 평가, 화합물의 구조 추정, 손해 배상 보험료의 판정 등)을 대신할 수 있도록 하는 것이다. 여러 분야 가운데서도 가장 일찍 발전하였다.**

과학자들은 자의식을 가진 인공지능을 개발할 수 있을지는 회의적이지만 인류와 지능 수준이 비슷한 직관과 추리력 등을 갖춘 인공지능의 등장은 먼 미래의 일이 아니라고 말한다. 하지만 인간의 두뇌를 완전히 모방하는 인공지능은 오랜 시일이 걸릴 것 같다.

그러나 어떤 전문 분야의 일을 마치 인공지능처럼 문제를 제시하면 풀어주는 Program들은 수천, 수만 개가 넘는다. 예를 들면 수학문제를 풀어주는 Mathematica, Matlab, Maple, Axiom, Form 등 수학 한 분야만 해도 범용으로 알려진 것만 해도 수십 가지가 넘는다. 물리학에도, 나노문제를 푸는 Nanohub의 Program, 양자역학으로 물질구조를 계산하는 Program, 핵물리학을 풀어주는 시스템, 소립자들 간의 상호작용을 자동화하고 보여주는 Program 등이 있으며, 화학 반응을 시뮬레이션 하는 각종 Program, 유전자 구조를 보여주는 Program, 약품 개발을 위한 생화학 Program, 경제현상을 예측하는 Program, 주가예측 Program 및 인간의 자연언어를 이해하는 자연언어 처리시스템, 인간의 심리를 심리학적으로 과학적으로 모델링 하는 Program, 전쟁가능성이나 전쟁이 발생할 경우 예측시스템 등 모두 열거할 수 없을 정도로 많으며, 이러한 Program들 다 알파고 수준과 유사하다. 이러한 Program들은 완벽한 인공지능은 아니나 인공지능에 점점 다가가고 있다.

앞으로 이러한 전문가 시스템들은 점점 인간의 지능에 접근 할 것이며, 인간처럼 스스로 생각하고, 자기 자신이 생각하고 있다는 것을 아는 Program으로 성장해갈 것으로 보인다.

③ 컴퓨터가 TV 카메라를 통해 잡은 영상을 분석하여 그것이 무엇인지를 알아내거나, 사람의 목소리를 듣고 그것을 문장으로 변환하는 것 등의 일은 매우 복잡하며, 인공지능 이론의 도입 없이는 불가능하다. 이러한 영상 및 음성 인식은 문자 인식, 로봇 공학 등에 핵심적인 기술이다.

그렇다면 인공지능이 활용되는 다른 의학 분야는 어떤 게 있을까?

가장 가능성이 높은 게 바로 영상검사 판독 분야이다. 아주 작은 암 덩어리는 CT나 MRI 사진을 정말 유심히 들여다보지 않으면 놓치기가 쉽다. 그래서 의사의 눈을 대신해 인공지능이 암세포를 찾아주는 것이다. 그러니까 인공지능이 세계적으로 유명한 병원들의 CT, MRI 영상 검사 결과를 학습하고 '딥러닝'을 통해 자습까지 해서 사진에서 이상한 부분을 찾아 병인지 아닌지를 정확하게 판정하는 것이다. 한마디로 영상의학과 전문의들이 하는 일을 대신하는 것이다.

4차 산업혁명의 핵심인 AI와 결합한 음성인식 기술은 스마트폰 기반 대화형 개인비서에서 스피커형 홈 허브, 가전, 로봇, 의료, 헬스케어 등 전 산업에 확대 적용되면서 최고의 사용자 인터페이스(UI)로 각광받고 있다. 하지만 이는 시작에 불과할 뿐, 본격적으로 방대한 사물인터넷(IoT)과 스마트 홈에 융합되기 시작하면 가히 그 시장은 폭발적으로 증가 할 전망이다.

2000년 초에 간단한 검색 엔진 인터페이스로 시작된 음성인식 기술은 최근 AI 딥러닝 기술을 통합함으로써 음성 인식을 통해 수집된 데이터를 바탕으로 사용자의 상황을 분석하고 이용자의 욕구(needs)에 최적화된 서비스를 제공해주는 개인 비서로 빠르게 진화 중에 있다.

▸ **음성인식(Speech Recognition) AI 접목 로봇 출시 경쟁 치열**

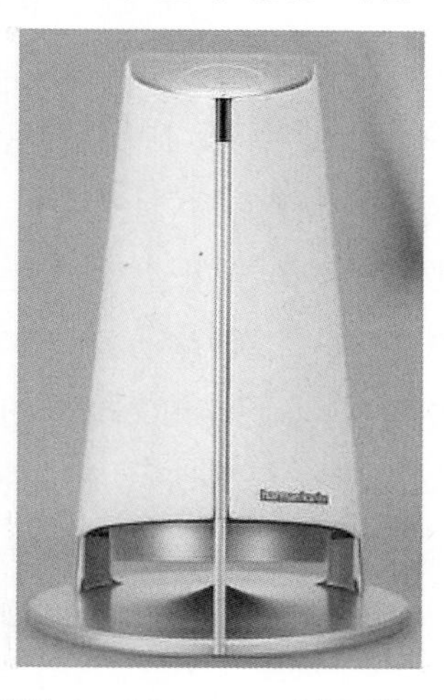

▲ SK텔레콤 누구(NUGU) 음성인식 디바이스(왼쪽), kt GiGA Genie 인공지능 스피커(오른쪽)

④ 이론증명(theorem proving)은 수학적인 정리를 이미 알려진 사실로부터 논리적으로 추론하여 증명하는 과정으로서 인공지능의 여러 분야에서 사용되는 필수적인 기술이며, 그 자체로도 많은 가치를 지니고 있다.

⑤ 신경망(neural net)은 비교적 근래에 등장한 것으로서 수학적 논리학이 아닌, 인간의 두뇌를 모방하여 수많은 간단한 처리기들의 네트워크로 구성된 신경망 구조를 상정하는 것이다.

6.3.1.2 인공지능(AI)의 발전

인공지능 연구는 1950년대부터 활발하게 진행됐다. 그전에도 인공지능에 관한 아이디어가 있었지만 학문으로서 연구가 시작된 것은 이때부터라고 할 수 있다.

▸ **튜링 테스트(Turing test)**

기계(컴퓨터)가 인공지능을 갖추었는지를 판별하는 실험으로, 1950년 영국의 수학자 앨런 튜링(Alan Turing)이 제안한 인공지능 판별법을 말한다. 1950년 튜링은 〈계산기계와 지성(Computing Machinery and Intelligence)〉 이라는 논문을 통하여 기계(컴퓨터)가 사람처럼 생각할 수 있다는 견해를 제시하였다. 그는 이 논문에서 컴퓨터와 대화를 나누어 컴퓨터의 반응을 인간의 반응과 구별할 수 없다면 해당 컴퓨터가 사고(思考)할 수 있는 것으로 간주하여야 한다고 주장하였으며, 50년 뒤에는 보통 사람으로 구성된 질문자들이 5분 동안 대화를 한 뒤 컴퓨터의 진짜 정체를 알아낼 수 있는 확률이 70%를 넘지 않도록 프로그래밍 하는 것이 가능해질 것이라고 예견하였다.

이러한 견해는 인공지능(AI ; Artificial Intelligence)의 개념적 기반을 제공하였으며, 그의 이름을 딴 '튜링 테스트'는 인공지능을 판별하는 기준이 되었다. 하지만 튜링은 포괄적 논리만 제시하였을 뿐 구체적인 실험 방법과 판별 기준을 제시한 것은 아니다. 현재 통용되는 테스트는 서로 보이지 않는 공간에서 질의자가 인간과 컴퓨터를 대상으로 정해진 시간 안에 대화를 나누는 방식으로 이루어지는데, 대화를 통하여 인간과 컴퓨터를 구별해내지 못하거나 컴퓨터를 인간으로 간주하게 된다면 해당 기계는 인간처럼 사고할 수 있는 것으로 본다.

한편, 1990년 미국의 발명가 휴 뢰브너(Hugh Loebner)가 케임브리지행동연구센터(Cambridge Center for Behavioral Studies)와 공동으로 제정한 뢰브너상은 튜링 테스트를 기반으로 한다. 이 상은 해마다 튜링 테스트 경진대회를 개최하여 심사위원들이 '채팅 로봇(ChatBot)'이라는 채팅 Program과 대화를 나누는 방식으로 진행된다. 이 상을 제정하면서 인간과 구별할 수 없는 최초의 컴퓨터에 10만 달러의 상금과 금메달을 수여하기로 하였는데 여기에 해당되는 수상자는 아직 나오지 않았다. 대신 현재까지 매년 대회에 참가한 컴퓨터 중에서 가장 높은 점수를 받은 컴퓨터를 우승자로 선정하여 동메달과 상금 3000달러를 수여하고 있다.[8)]

영국의 천재 수학자 앨런 튜링은 1950년에 컴퓨터가 사람처럼 생각할 수 있는지 판단할 수 있는 '튜링 테스트'를 제안했다. 사람이 컴퓨터로 채팅하는 동안, 채팅 상대가 사람인지

8) 〈참고자료〉 : [네이버 지식백과, '튜링 테스트(Turing test)', 두산백과]

컴퓨터인지 알아 맞혀 보는 것이다. 만약 채팅하는 사람이 상대가 컴퓨터인지 사람인지를 구분하기 힘들다고 한다면, 그 컴퓨터 Program은 튜링 테스트를 통과해서 진정한 인공지능으로 인정을 받는 것이다. 안타깝게도 아직까지 튜링 테스트를 통과한 컴퓨터는 없다고 한다. 튜링을 인공지능의 아버지라고 부르는 이유도 바로 이 때문이다. 한편, 인공지능의 아버지라 불리는 또 다른 사람이 있다. 미국의 컴퓨터 과학자이자 수학자인 존 매카시이다. 그는 1956년 미국 다트머스에서 열린 학회에서 '인공지능'이라는 용어를 처음 사용했고, 2년 후에는 수학을 토대로 인공지능의 기본 컴퓨터 언어인 '리스프'를 개발했다. 리스프는 인공지능뿐만 아니라 정보 검색, 게임 등 컴퓨터에 관련된 여러 분야에 영향을 끼쳤다. 존 매카시는 인공지능에 대한 연구로 1971년 컴퓨터계의 노벨상이라 불리는 튜링상을 수상했다.

초기 인공지능은 게임과 함께 발전했다. 체스 같은 보드게임에서 사람이 없는데도 마치 사람과 대결하는 것처럼 느끼게 하는 컴퓨터 Program을 만들면서 시작되었다. 지금 생각하면 "그게 무슨 인공지능이냐, 그냥 게임이지"라고 말하겠지만, 당시에는 그 정도로도 충분히 놀라운 인공지능이었다.

인공지능은 말 그대로 인간의 지능을 기계나 Program에서 흉내 내는 것이다. 인공지능이라는 말이 처음 등장한 1956년 이후로 연구가 본격화됐는데 점차 강한 인공지능과 약한 인공지능으로 개념이 구분되기 시작했다.

인간이 할 수 있는 모든 일을 인공지능 스스로 한다는 것이 강한 인공지능이고 단순히 명령만 수행하는 수동적인 것을 약한 인공지능이라고 한다. 알파고는 약한 인공지능인데 아직 강한 인공지능은 개발되지 못했다.

그리고 지능의 어떤 부분을 흉내 내느냐에 따라 구분되기도 한다.

인간의 능력은 학습능력과 추론능력, 지각능력, 자연언어의 이해능력 등으로 구분 된다. 인공지능 기술의 양대 축은 알고리즘(Algorithm)과 데이터(Data)이며, 이 중 알고리즘의 경우 다양한 문제 해결에 공통적으로 적용될 수 있는 범용 툴을 개발하여 구현하는 것이 효율적이라고 한다. 현재 인공지능 기술의 주류는 딥러닝(Deep Learning)과 강화학습 등의 머신러닝 기술로, 이는 매우 대량의 데이터로부터 통계적인 최적화 연산을 수행하여 문제에 대한 솔루션을 찾아내는 방식이다.

인공지능의 발전 속도는 점점 빨라지고 있다. 무섭게 성장하는 기계학습 인공지능 시장은 2025년 무려 2천조 원에 이를 것으로 전망된다.

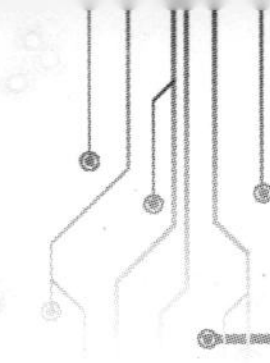

기존의 인공지능 세탁기와 전자렌지, 스스로 움직이는 로봇 청소기. 인공지능 제품들은 이미 입력된 Program(사고 체계)을 그대로 반복하는 수준이다.

하지만 알파고에는 이른바 '기계학습'이 적용됐다. 방대한 양의 정보, 즉 빅데이터를 분석해 스스로 학습하며 계속해서 더 똑똑해진다. 수준이 고정된 이전의 인공지능과 달리 진화하는 인공지능이다.

6.3.1.3 알파고(AlphaGo)

1997년 IBM이 개발한 체스 Program '딥블루'가 도전 1년 만에 세계 체스 챔피언 게리 카스파로프를 꺾었고, 그로부터 14년 뒤 2011년 역시 IBM의 인공지능 '왓슨'은 미국의 인기 퀴즈쇼 Program에서 24연승 가도를 달리던 역대 최강 출연자를 제치고 우승을 차지했다. 이후 무한에 가까운 경우의 수를 가지고 있는데다 직관의 승부여서 인간을 넘기 힘들다고 평가됐던 바둑에서까지 최고수의 수준으로 올라섰다.

인류가 만들어 낸 가장 복잡한 게임인 '바둑'을 인공지능이 완전히 이해했다는 점에서 알파고는 인공지능 개발의 획기적인 이정표로 받아들여지고 있다. 인공지능이 인류의 삶을 어떻게 바꿔놓을지, 인간은 앞으로 어떻게 기계와 차별화 될 수 있을지, 알파고는 인류에게 새롭고 근본적인 질문을 던졌다.

지구상에서 가장 똑똑한 컴퓨터로 불리는 '알파고'는 2010년 영국에서 설립된 '딥마인드'라는 벤처회사가 개발한 '인공지능' 컴퓨터로, 2년 전 구글이 4억 달러, 약 4,800억 원에 인수했다. 이후 구글은 바둑 기술과 전략을 알파고에게 집중적으로 학습시켰다.

알파고의 학습 방식은 크게 3단계로 나눈다.

먼저 자신에게 입력된 16만 건의 기보를 파악해 바둑돌의 다음 위치를 예측하도록 한다.

순간순간 16만 건의 기보를 분석해 스스로 규칙을 깨우치고 이기는 방법을 파악하는 것이다.

두 번째로 예측된 수에 대해 무작위로 수를 놓아보고 어떤 수를 놓았을 때 이기는 지를 추론한다.

마지막으로 스스로 무수한 대국을 벌여 예측과 판단 능력을 강화한다.

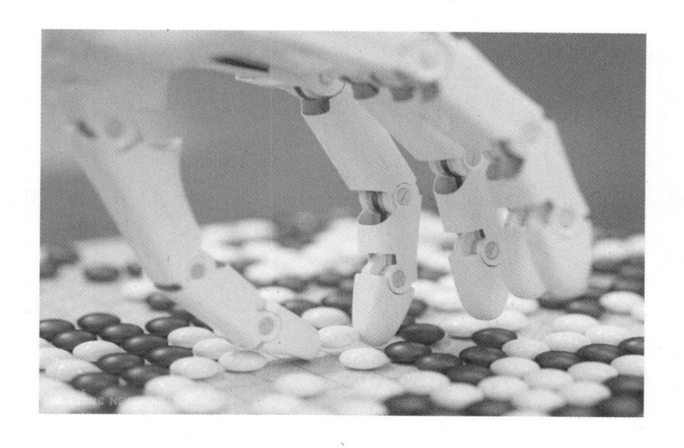

알파고는 이런 방식으로 유럽 챔피언 판후이 2단을 5대 0으로 꺾은 뒤 지난 5개월 간 스스로 매일 3만 번의 대국을 하면서 실력을 키웠다. 인간의 능력으로는 불가능한 엄청난 연산처리 속도로 인해 가능한 학습 방식이다. 알파고는 대규모 클라우드 컴퓨팅을 활용해 중앙처리장치(CPU) 1,200여 개로 연산을 한다. 스스로 규칙 깨우친 알파고의 뒤엔 클라우드 컴퓨팅이 있다.

▸ **보드게임의 경우의 수**

그럼 알파고는 어떤 과정으로 수를 결정하게 되나?

사람과 컴퓨터가 체스를 둘 때, 사람이 먼저 한 수를 두면, 컴퓨터는 그 수부터 게임이 끝날 때까지 이어질 모든 수를 따져본 다음, 이길 수 있는 곳에 체스 말을 옮긴다. 경우의 수가 많지만 슈퍼컴퓨터가 계산할 수 없는 정도는 아니다. 실제로 딥블루는 매초 2억 개가 넘는 말의 이동을 계산할 수 있었다. 인간이 도저히 따라갈 수 없는 수준이다. 그러나 바둑은 컴퓨터조차 계산할 수 없을 정도로 경우의 수가 많다. 상대방과 첫수를 주고받는 경우만 무려 12만 9960가지나 된다. 게다가 한참 전에 뒀던 수가 나중에 영향을 미치기도 하고, 죽은 돌을 들어낸 자리에 다시 둘 수도 있어 따져야 할 것이 너무나 많다.

바둑은 모두 361개의 교차점으로 이루어진 격자 모양 판에서 흑과 백, 단 두 가지 돌이 자신의 집을 넓혀가면서 대결하는 경기다. 이때 빈 바둑판에 흑이 첫 번째로 놓일 수 있는 자리는 361가지, 다음 차례인 백의 경우는 흑이 놓인 자리를 뺀 360가지가 된다. 따라서 흑과 백이 각각 첫 번째로 놓이는 조합의 수는 361×360=12만 9,960개가 된다. 여기에 두 번째 흑이 놓이는 경우까지 따지면 바둑돌 3개가 바둑판에 놓이는 경우의 수는 무려 4,600만 가지가 넘는다.

이렇게 바둑에서는 대국이 끝날 때까지 만들어질 수 있는 경우의 수가 상상을 초월할 정도로 많다. 그래서 컴퓨터가 아무리 계산을 빨리한다고 해도 모든 경우를 따져본 뒤 유리한 곳을 골라 바둑돌을 둘 수가 없다. 따라서 컴퓨터는 어느 자리에 바둑돌을 뒀을 때 이길 확률이 높은지를 계산해서 다음 수를 결정하는 것이 최선인데 이것이 바로 몬테카를로 트리 탐색의 핵심개념이다.

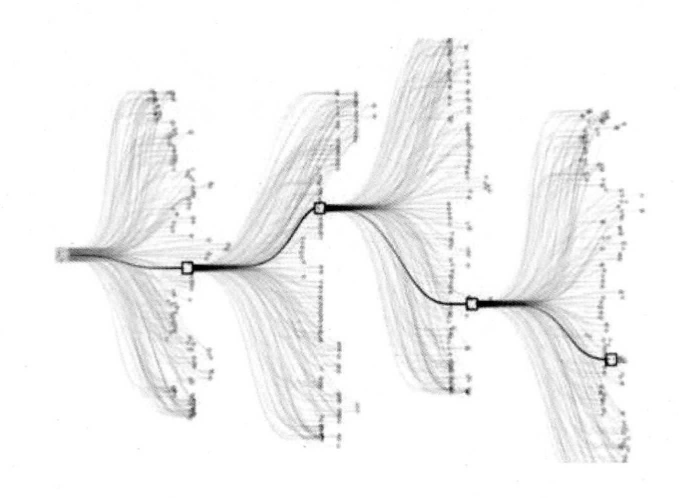

바둑을 둘 때 일어나는 경우의 수를 나타낸 개념도

▲ 바둑의 경우, 바둑돌을 놓는 경우의 수가 많이 나와 컴퓨터가 단순 계산해서 처리하는 것이 불가능하다. *〈참고자료〉 : [Ⓒ 구글]

6.3.1.4 알파고의 전략, 몬테카를로 트리 탐색

어떤 계산에 따르면 바둑의 경우의 수는 우주에 있는 원자만큼이나 많다고 한다. 컴퓨터 과학자들은 새로운 전략으로 알고리즘을 짰다.

여기서 알고리즘은 문제를 해결하기 위한 순서나 방법을 말하는데, 주로 컴퓨터가 어떤 일을 수행하기 위해 거치는 각 단계를 순서대로 적어놓은 것으로 생각하면 된다.

그 새로운 전략의 핵심이 바로 '몬테카를로 트리 탐색'이라는 것이다. 몬테카를로 트리 탐색은 간단히 말해 '경우의 수'를 줄이는 전략이다. 즉, 모든 경우의 수를 따져볼 수 없으니, 상대방이 바둑돌을 놓으면 내가 놓을 수 있는 무수한 경우의 수 중에서 아무렇게나 표본을 뽑아 경기를 치러 본다. 그리고 가지고 있는 수많은 대국 데이터를 바탕으로, 어디에 돌을 놓으면 승리할 확률이 높은지를 계산한다.

이런 식으로 매번 자기 차례가 되면 어떤 수가 최선인지를 알아보는 것이다. 확실하게 이기는 수를 알아내는 것이 아니라, 이길 확률이 높은 수를 골라낸다고 생각하면 된다.

바둑의 경우의 수는 우주의 원자보다도 많다. 모든 경우의 수를 따지고 결정하는 것은 기계도 무리가 있겠다. 그래서 확률적으로 둘 필요가 없는 곳은 배제해 이 숫자를 줄인다. 몬테카를로라는 탐색을 통해서, 그다음은 어디에 돌을 놓을 것인가라는 정책적 판단을 한다.

그리고 돌을 놓은 이후 판세가 어떻게 될 것인가 하는 가치를 분석한다. 그래서 정책망이라 부르고 가치망이라 부르는데 이 과정을 반복한다. 이 과정들이 모두 학습이다.

여기에 '몬테카를로 트리 탐색'이라는 비장의 무기를 도입하면 프로 기사도 꺾을 수 있는 실력을 갖출 수 있다. 몬테카를로 트리 탐색은 어디에 바둑돌을 둬야 이길 확률이 높은지 계산하는 기술이다.

바둑에서 컴퓨터가 인간을 이기려면 딥블루처럼 계산을 빨리하고, 왓슨처럼 많이 아는 것과는 다른 전략이 필요했다. 그것은 바로 '영리하게 빨리 계산'하는 것이다.

▸ 몬테카를로 트리 탐색의 활용

몬테카를로 트리 탐색은 바둑처럼 경우의 수가 너무 많아 모든 수를 계산할 수 없을 때 매우 요긴하게 쓰인다. 실제로 요즘 사용되는 바둑 Program의 대부분이 몬테카를로 트리 탐색을 사용하고 있다.

또 시시각각 분석해야 할 데이터가 방대한 주식시장에서 언제 주식을 사고팔지를 결정할 때나, 변수가 많은 기후변화를 예측하는 데에도 활용되고 있다.

모든 경우의 수를 계산하는 것이 아니라 비록 무작위로 선택해 최선책을 찾아내는 것이지만, 데이터가 충분히 쌓인 뒤, 즉 학습이 충분히 이뤄진 뒤에는 승률도, 정확도도 높아진다.

▸ **사람 vs. 인공지능**

인공지능은 데이터를 바탕으로 판단을 내리기 때문에, 어떤 데이터로 학습하느냐에 따라 결과가 확연하게 달라진다. 사람의 성격과 사고방식이 그 사람이 자라는 환경에 큰 영향을 받는 것과 마찬가지이다. 마이크로소프트에서 개발한 '테이(Tay)'는 사람과 대화를 나누는 챗봇이다. 그런데 서비스를 시작한 지 16시간 만에 운영을 중단할 수밖에 없었다. 수많은 사람과 대화를 하면서, 사람들이 하는 말을 '그대로' 학습한 것이 문제였다. 욕설이나 인종차별적인 말까지 배워 똑같이 사용했다. 이런 일이 벌어진 것은 테이가 학습하는 능력은 있었지만, 무엇이 옳고 그른지 판단하는 능력은 없었기 때문이었다. '테이'는 인공지능이 만능이 아니며, 흉내 낸다는 것을 깨닫게 해주는 좋은 예이다. 우리는 인공지능의 뛰어난 능력을 보고 놀라지만, 사실 그 능력은 이미 우리가 오래전부터 갖고 있던 것이다.

다만 인공지능은 그 능력들을 종합하고, 빠르게 처리할 수 있을 뿐이다.

▸ **기계가 스스로 공부하고 전략을 세울 수 있다는 사실을 증명한 알파고**

몇 가지 사례를 보면 알기 쉬울 것 같다. 1997년에 딥블루라는 인공지능이 세계 체스 챔피언을 이겼다. 여기서 테스트하고자 한 영역은 연산능력이다. 빠른 속도로 경우의 수 계산을 얼마나 할 수 있느냐를 본 것이다. 슈퍼컴퓨터를 하나 만들어서 테스트해본 경우다.

당시에는 매우 의미가 있었는데 이게 재밌는 점은, 지금 시점으로 보면 스마트폰 하나 정도의 능력이라는 것이다.

두 번째 사례를 본다. 이번엔 우리가 쓰는 언어를 제대로 처리할 수 있느냐를 본 사례이다. 왓슨이라는 인공지능이 TV 퀴즈쇼에 나가 우승한 것이다. 이 실험의 의미는 규칙성이 없는 문장이나 말을 잘 알아듣느냐는 것이었다. 사람과 대화를 하고자 하는 의미다. 우승을 차지하긴 했는데 사실 왓슨에겐 모든 문제은행이 입력돼 있었다.

그럼 알파고는 무엇을 테스트해 보고자 한 것인가?

그것은 학습능력이다. 과연 인공지능 스스로 뭔가 할 수 있느냐는 것이다. 알파고의 사례에서 보면 아주 기본적인 바둑의 규칙만 가르쳐주고 그 다음 어떻게 하면 이길 수 있다는 내용은 가르치지 않고 기보 데이터를 줬다. 엄청난 양의 데이터를 보면서 이기는 방법을 스스로 찾아내는 것이다. 스스로 이기는 방법을 찾아내는 것 이것이 바로 최근 인공지능 연구에서 주목받고 있는 머신러닝(기계학습), 딥러닝이다.

6.3.1.5 스스로 공부하는 딥러닝(Deep Learning)

알파고가 이세돌 9단을 이길 수 있었던 것은 스스로 공부하는 '딥러닝' 덕분이다. 체스를 정복한 딥 블루는 체스만 할 줄 아는 인공지능이지만, 알파고는 데이터만 주면 어느 분야든 혼자 배울 수 있다.

새로운 인공지능의 핵심 기술 중 하나는 '딥러닝'이다. 딥러닝은 사람이 보고 듣고 체험하면서 새로운 것을 배우는 것처럼, 컴퓨터가 수많은 데이터를 바탕으로 실패와 성공을 반복하면서 배우는 학습 방법이다.

기존의 인공지능이 원리를 가르쳐주고 문제를 해결하게 하는 것이었다면 딥러닝은 수많은 문제를 풀게 해서 스스로 패턴이나 구조를 파악할 수 있게 하는 방식이다. 딥러닝은 실패와 성공을 반복하면서 스스로 무언가를 터득하는 기계학습 방법인데, 컴퓨터에게 데이터를 많이 주고, 데이터 사이의 일반적인 규칙을 찾아내 새로운 것을 알게 하는 것이다.

이 때문에 알파고 같은 딥러닝 인공지능은 오래 학습할수록 그리고 데이터가 많을수록 점점 똑똑해진다.

여기서 말하는 학습이란, 특성을 추출해서 분류하는 시스템이다. 패턴을 인식하면서 오류값을 줄여나가는 것이 중요한 포인트인데, 패턴을 반복적으로 관찰하면서 차이점을 알아내는 개념이다.

딥러닝이 가장 많이 쓰이는 분야는 이미지 분석이다. 이미지 분석은 사진을 보고 사물을 구별하는 것인데, 딥러닝을 통한 이미지 분석은 사진 속 여러 물체 중에서 사람의 얼굴을 구분해낼 뿐만 아니라, 누구인지도 알아내는 수준에 와 있다.

예를 들어보면, 고양이와 개의 이미지를 구분해 인공지능에 학습을 시킬 때는 개의 다양한 집단 이미지와 고양이의 다양한 집단 이미지를 보여준다. 그리고 이렇게 생긴 것은 개고 저렇게 생긴 것은 고양이라고 학습시키면 다양한 이미지들 가운데 공통요소를 찾아내고 그 다음부터는 알아맞힌다.

여기에 딥러닝은 한 단계 더 나가는 것이다. 단순히 사진 한 장을 놓고 개나 고양이냐를 구분하는 데서 더 나아가 개와 고양이, 호랑이 사진 등이 뒤섞여 있는 상태에서 특정한 동물을 찾아내는 능력이라고 보면 된다. 주어진 환경을 벗어나 새로운 환경에서도 명령을 수행하느냐를 보는 것이다.

▸ **스스로 공부하는 딥러닝(Deep Learning)**

2012년 구글은 딥러닝 방식을 적용해 인공지능에게 고양이를 구분할 수 있도록 가르쳤다. 연구팀은 인공지능에게 1,000만 개의 유튜브 영상을 보여 주었다. 그러자 인공지능은 영상과 함께 영상 제목, 그 아래 달린 태그를 보고 규칙을 찾기 시작했다. 그 결과 고양이는 몸이 털로 덮여 있고, 귀가 뾰족하며 입 옆에 수염이 있는 동물이라는 기준을 세우게 되었다. 그리고 이 기준을 활용해 수많은 동물 사진 중에서 고양이를 구분해내는 정확도는 무려 75%나 되었다.

구글은 매년 인공지능 이미지 분석 대회를 열고 있다. 이 대회는 인공지능 컴퓨터가 사진 100만개를 카테고리 1,000개로 얼마나 빨리 분류하는지 겨루는 것으로, 사람은 약 95% 정확도로 사진을 분류해낸다. 그런데 2016년 우승팀의 정확도가 97%나 된다고 하니, 오늘날 인공지능의 수준이 어디까지 올라와 있는지 짐작할 수 있다.

딥러닝이 가장 많이 쓰이는 분야는 이미지 분석이다. 이미지 분석은 사진을 보고 사물을 구별하는 것인데, 딥러닝을 통한 이미지 분석은 사진 속 여러 물체 중에서 사람의 얼굴을 구분해낼 뿐만 아니라, 누구인지도 알아내는 수준에 와 있다.

포털 사이트에 '사과'라고 검색해서 사진을 찾아보자. 어떤 사과는 빨갛고, 어떤 사과는 푸르며, 꼭지에 잎사귀가 달려 있기도 하는 등 모습이 조금씩 다르다. 그런데도 우리는 그 사진을 보고 한눈에 '사과'라는 것을 안다.

사과의 모양이나 색깔 등 여러 가지 특징이 종합적으로 머릿속에 기억되어 있기 때문이다.

그런데 만약 사과를 한 번도 본 적이 없는 사람에게 사과의 모습을 설명하려면 어떻게 해야 할까? 상대방이 오직 글씨만 읽을 수 있다고 가정하고, 아래 빈칸에 그림 없이 오직 글로만 표현해 보자. 이때 맛이나 향은 설명하지 말고, 사과의 모습만 자세하게 설명해 보자.

그런데 이번엔 사과를 설명할 상대방이 컴퓨터라면 어떻게 해야 할까? 그러려면 먼저 컴퓨터처럼 생각해야, 즉 컴퓨터가 어떻게 데이터를 처리해서 저장하는지 이해해야 한다.

▸ 데이터 사이의 관계를 캐내는 데이터 마이닝

데이터로부터 컴퓨터가 스스로 학습하는 것을 **'기계학습(machine learning, 머신 러닝)'**이라고 한다. 컴퓨터는 데이터를 많이 가지고 있을수록 판단을 정확하고 빨리 할 수 있다. 이때 데이터를 그저 모아두기만 하는 것이 아니라, 각 데이터에 '성공' 또는 '실패' 같은 꼬리표를 달아 놓으면 앞으로 컴퓨터가 어떤 판단을 하는 데 중요한 역할을 하게 된다.

예를 들어, 수많은 사진 중에 '사과'를 가려내는 일을 할 때 '이 사진은 사과인가?' 라는 질문에 '예'라고 답해 '성공'이라는 꼬리표를 단 데이터가 많다면, 컴퓨터는 쉽게 사과를 가려낼 수 있을 것이다. 또 데이터 사이에서 '사과-빨간색', '사과-둥글다'처럼 깊은 관련이 있는 내용도 찾아 놓으면, 이 역시 사과를 가려낼 때 도움이 된다.

이렇게 데이터 속에서 성공이나 실패 같은 의미를 찾고, 데이터 사이의 관계를 찾아내는 것을 **'데이터 마이닝(data mining)'**이라고 한다. 마이닝(mining)이란 영어로 '캐내다'라는 뜻이다. 사람은 장소와 시간, 환경에 따라, 다양한 주제를 여러 가지 방식으로 학습할 수 있다. 하지만 컴퓨터는 사람이 애초에 설계한 Program대로만 학습할 수밖에 없다. 그래도 컴퓨터는 밤낮 쉬지 않고 초고속으로 학습할 수 있어서, 학습한 분야에서는 사람을 뛰어넘는 결과를 낼 수 있다.

사람들이 알파고의 경기 결과를 보고 놀란 이유는 바둑이 다른 게임과는 달리 매우 통합적인 학습을 필요로 하기 때문이다. 인공지능이 지금까지 알려진 제한된 분야에만 쓰이는 것이 아니라, 종합적인 사고를 필요로 하는 곳에서도 제대로 작동한다는 것을 증명해 보였다.

▸ 딥러닝과 머신러닝의 차이점

딥러닝은 머신러닝의 한 분야이다. 컴퓨터가 스스로 학습한다는 점에서 동일하지만 과정에 차이가 있다. 머신러닝은 데이터 특징에 대한 정보를 사람이 직접 제공해주지만 딥러닝은 특징을 스스로 파악해 분류한다. 예를 들어 고양이와 개 사진을 구분해야할 때 머신러닝은 고양이와 개를 각각 표시해 사진 또는 영상 데이터를 제공한다. 딥러닝은 전혀 표시가 없는 사진 또는 영상을 분석해 무엇이 고양이 또는 개인지 스스로 판단한다. 이 과정에서 앞서 언급한 인공신경망 기술이 활용된다.

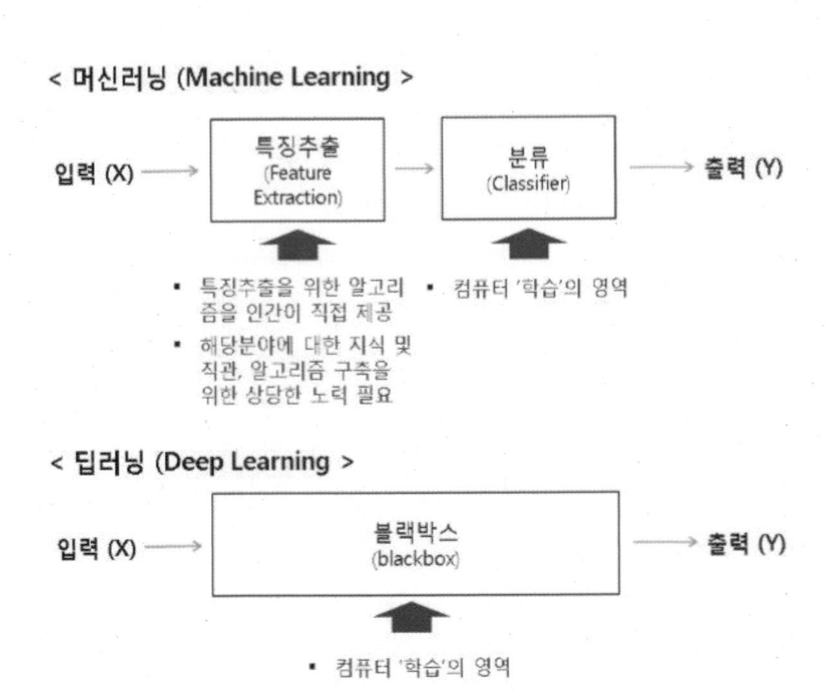

▸ **딥러닝은 주로 적용되는 분야**

딥러닝 기술은 다양한 산업 분야에 적용, 활용된다. 특히 이미지 인식 분야에서 두각을 나타낸다. 페이스북은 2014년부터 딥러닝 기술을 적용한 딥페이스 서비스를 선보였다. 페이스북 사용자가 과거에 올린 사진과 태그를 학습해 새로운 사진을 올리면 유사한 얼굴을 인식, 이를 알려주는 서비스를 제공한다. 딥러닝을 이용한 이미지 인식률(97.35%)은 사람의 평균 인식률(97.5%)과 비슷한 수준까지 발전했다.

다양한 서비스 추천 기능에도 사용된다. 인터넷 쇼핑몰 사이트에 딥러닝을 적용해 상품 추천 서비스를 만든다. 애플뮤직, 스포티파이 등 음악서비스도 마찬가지이다. 개인화된 음악 추천 서비스, 라디오 서비스가 딥러닝 기술을 활용해 탄생했다.

금융 분야에서도 딥러닝은 유용한 기술이다. 미국 온라인 결제 서비스 페이팔은 이상 금융거래 탐지시스템(FDS)에 딥러닝을 적용해 온라인 결제 패턴을 분석한 후 범죄 여부까지 분류한다. 대량의 데이터를 분석해 주가나 기업 부도까지 예측 가능하다.

인간 고유의 영역으로 생각되는 창작 분야에도 딥러닝이 적용된다. 구글 딥드림은 딥러닝을 이용해 추상적 그림을 그려내는 생성기 서비스를 만들었다. 작곡이나 음악 창작 분야에도 딥러닝 기반 알고리즘을 이용해 코드 진행이나 리듬 패턴 등을 만들 수 있다.

▸ 딥러닝기반 알고리즘을 이용한 딥드림

독일 튀빙겐대 연구팀은 딥러닝 알고리즘을 이용한 인공지능으로, 튀빙겐의 풍경사진(A)을 터너(B), 고흐(C), 뭉크(D), 피카소(E), 칸딘스키(F)의 화풍에 따라 그리도록 했다. 그 결과 아래의 그림처럼 화가의 화풍을 실제로 잘 표현했다는 평가를 받았다.

▲구글 딥드림으로 그린 그림(출처 : University of Tubingen)

6.3.1.6 4차 산업혁명의 기폭제 '인공지능(AI)'

▸ 다양한 분야에서 딥러닝을 기반으로 한 AI기술의 활용

현재 딥러닝을 통한 연구 가운데 가장 기술 수준이 높은 분야는 이미지 인식 분야이다. 전문가들은 수 년 내 이미지나 숫자가 아닌 음성과 촉감 등 다양한 인식 기술이 발달하면서 인간과 커뮤니케이션하거나 손님 접대 임무까지 수행하는 로봇이 등장한다고 예상한다. 가사, 간병, 감정노동 서비스 분야에서도 딥러닝 기술을 적용한 로봇 등장 가능성이 높다.

2025년 이후에는 대화의 상황판단과 문화적 맥락 등에 대한 이해가 넓어지면서 통번역 서비스가 지금보다 월등히 좋아질 것으로 예상된다. 언어 장벽이 무너지면서 글로벌 비즈니스가 지금보다 더 가속화될 전망이다. 2030년 이후에는 인간 지식에 대한 이해와 판단 능력이 보다 향상되면서 교육, 화이트칼라 직업 등 인간 고유 업무 영역까지도 딥러닝과 AI기술이 확산될 것으로 예상된다.[9]

이제 페이스북이라든가 사물인터넷 등을 통해서 인간의 행동패턴을 기록으로 남기고 그걸 통해서 분석할 수 있는 상황이 되었다.

---

9) 〈참고자료〉 : [교육부 한국교육학술정보원]

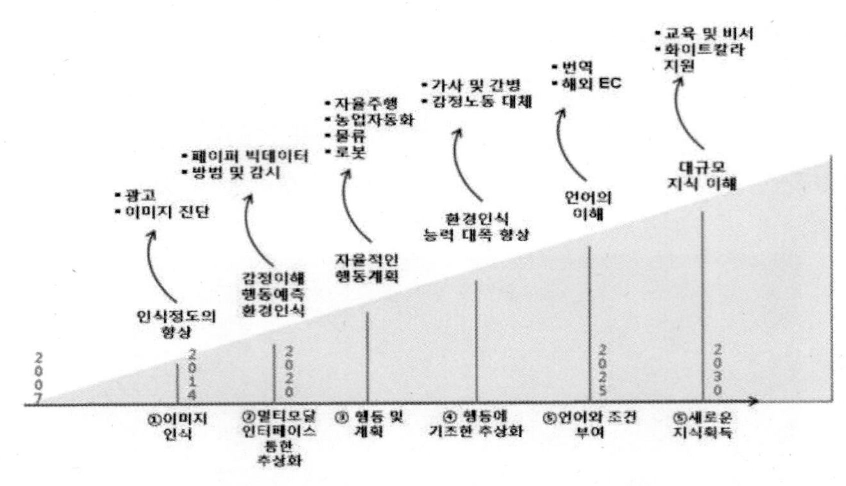

인공지능 발달에 따른 파급효과 예상(출처 : 한국과학기술기획평가원, 마쓰오 유타카)

실제로 인공지능은 우리 삶에 많이 다가와 있다. 페이스북의 얼굴 인식과 스마트폰의 음성 인식, 구글의 검색 엔진, 스팸 메일 걸러내기, 실시간 통번역, 개인 맞춤형 영화 추천 등이 모두 우리가 실생활에서 활용하고 있는 사례이다.

인공지능 서비스는 4차 산업혁명을 통해 주변의 모든 단말이 인터넷에 연결되어 상호 소통하고 작용하며 정보를 생성/활용하면서 보다 높은 수준으로 지능화됨에 따라 보다 진화된 STB, 무인 자율주행자동차, 현실과 가상의 경계를 넘어선 홀로그램 서비스, 드론을 통한 배달서비스 등 지금까지와는 전혀 다른 새로운 유형의 서비스가 등장할 것으로 기대된다. 이처럼 엄청난 수의 사물, 사람, 데이터와 지능이 모두 연결되기 위해서는 초 연결성(Hyper-connectivity), 초 저지연(Low-latency) 등이 반드시 보장되어야 한다.

공장의 기계들이 소통하며 생산성이 높아지고, 무인차와 의료, 금융 등 모든 산업 영역에서 맞춤형 서비스가 가능해진다.

▸[이슈&뉴스] 인공지능"이미 손 안에"…유망 분야는?[10)]

기존의 인공지능 세탁기와 전자레인지, 스스로 움직이는 로봇 청소기. 인공지능 제품들은 이미 입력된 사고 체계(Program)를 그대로 반복하는 수준이다.

하지만 알파고에는 이른바 '기계학습'이 적용됐다. 방대한 양의 정보, 즉 빅데이터를 분석해 스스로 학습하며 계속해서 더 똑똑해진다. 수준이 고정된 이전의 인공지능과 달리 진화하

---

10) 〈참고자료〉 : 출처 : KBS 뉴스 : http://news.kbs.co.kr/news/view.do?ncd=3246954&dable=10.1.2

는 인공지능이다.

무섭게 성장하는 기계학습 인공지능 시장은 2025년 무려 2천조 원에 이를 것으로 전망된다. 과거 산업혁명 때마다 상승한 1인당 GDP 성장률은 4차 혁명에서 최고조에 이를 것으로 보인다.

인공지능은, 이미 우리 곁으로 성큼 다가와 우리의 삶을 바꾸고 있다.

6.3.2 인공지능(AI)과 미래의 일자리

과학기술이 발전하면서 일자리에는 변화가 생긴다. 예를 들어 바퀴를 보면 5000년 전부터 운송수단으로 이용했다. 그러다 말이 마차를 끌고 마차는 자동차로 바뀌었다. 마차를 수리하고 끌던 운전사는 사라지고 자동차 수리와 운전하는 일자리가 생겼다. 이마저도 무인자동차가 발달하면 모두 사라질 전망이다.

인공지능 AI가 진화를 거듭하면서 촉발한 4차 산업혁명을 살펴보면서 AI가 사람들의 직업에 미치게 될 일자리 변화 전망을 살펴본다.

6.3.2.1 전문 영역까지 대체하는 전문가시스템[11)]

인공지능으로 무장한 로봇은 단순한 기계를 넘어서 인간의 노동을 대체하고 있다. 의사나 변호사 같은 전문 직종도 안심할 수 없을 것으로 보인다.

로봇이 호텔에서 룸서비스를 하고, 환자 간호도 담당한다. 영국의 공영방송 BBC가 최근 흥미로운 사이트를 열었다. 영국 내 직업 35%는 20년 안에 사라질 수 있다는 설명과 함께, "로봇이 당신의 직업을 대체할까요?"라는 질문이 등장한다. '재무 · 회계관리사'를 입력해 보니 로봇으로 대체될 가능성이 98%나 된다. 366개 직업군 중 4번째로 위험하다. 현재 영국 내 13만 2천 명이 곧 직업을 잃을 수 있다는 얘기이다.

인공지능으로 무장한 로봇은 텔레마케터 같은 단순한 직업뿐만 아니라 의사와 변호사 등 전문영역까지 넘보고 있다.

▸ 인간 일자리 위협하는 인공지능의 명과 암(왓슨)

구글에 알파고가 있다면 IBM엔 인공지능 왓슨이 있다. 바둑계에 '알파고'가 있다면, 의료계엔 '왓슨'이 있다.

---

11) 〈참고자료〉 : 출처 : KBS 뉴스 : http://news.kbs.co.kr/news/view.do?ncd=3245859&dable=10.1.2

왓슨은 IBM이 개발한 인공지능이다. 2012년 미국 뉴욕에 메모리얼슬론 케터링 암센터에서 폐암 환자 진단을 처음 시작한 이후로 MD앤더슨 등 여러 대학병원에서 암 환자 진단에 활용되고 있다.

의료 분야는 어떤 질환에 대해 수많은 치료법이 있고 치료결과에 대한 빅데이터가 있기 때문에 인공지능의 활용 가능성이 매우 높은 분야이다. 방대한 분량의 의학 저널들, 수천만 건에 이르는 환자 정보를 숙지해 미국 암센터에서 일하고 있다. 병원에 실려 온 남성을 IBM의 인공지능 왓슨이 진찰한다. 축적된 수많은 의료정보를 토대로 2시간 만에 병명을 찾아내고 처방을 한다. 미국의 한 병원에서 실제 일어나고 있는 일이다. 미국 앤더슨 암센터는 왓슨의 암 진단 정확도가 96%로 일반 암 전문의 사람보다 월등히 높다고 밝혔다.

왓슨도 암 환자 수백만 명의 치료기록과 치료성적 빅데이터를 분석해 생존율을 높이는 최적의 치료법을 찾는다. 실제로 미국임상종양학회에서 백혈병 환자 200명을 대상으로 왓슨이 낸 치료 제안과 미국 최고의 암 병원 MD앤더슨 의사의 판단을 비교해 봤을 때, 일치율은 82.6%라고 밝힌 바 있다.

또, 동일환자를 두고 여러번 반복학습을 시켰을 경우 왓슨의 치료제안 능력이 대장암이 98%, 췌장암 94%, 방광암 91%였고 자궁경부암은 100%까지 올라가는 것으로 알려져 있다.

시간이 갈수록 인공지능 '왓슨'이 적용되는 의료분야는 더 광범위해질 거라는 전망이다.

▸ **인공지능, 의사를 대신할까?**[12)]

또 생각해볼 수 있는 게, 바로 수술분야이다. 요즘 전립선암, 대장암 등 로봇수술을 많이 한다. 지금은 수술실 한쪽 구석에서 의사가 게임기 같은 로봇 조종석에 앉아서 환자의 몸속 화면을 보면서 손으로 조종한다.

의사가 움직인 대로 로봇 팔이 그대로 움직여서 암 조직을 정교하게 제거하는 것이다. 그런데, 인공지능이 수술 잘하는 세계적인 의사들의 수술법을 대량 학습해서 스스로 훈련한다면, 앞으로 의사 없이도 수술로봇과 인공지능이 바로 연결돼 수술까지도 가능하게 될 것이다.

인공지능이 의사를 도와 실제 진료에서 오진율을 크게 줄일 수 있다는 시각도 있다. 의사들이 환자를 보다가 단순감기로 여긴 것이 나중에 역류성 식도염이나 폐결핵으로 발견되는 경우도 심심찮게 발생한다.

12) 〈참고자료〉 : 출처 : KBS 뉴스 : http://news.kbs.co.kr/news/view.do?ncd=3248333&dable=10.1.2

예를 들어 인공지능 컴퓨터가 '이 환자에게 가장 확률 높은 진단은 감기 70%이다. 하지만, 역류성 식도염, 폐결핵 순으로 가능하니 염두에 두세요' 하는 것이다. 짧은 진료시간에 감기만 떠올리는 의사 입장에선 다른 질환도 함께 고려해 볼 수 있기 때문에 환자 입장에선 보다 정확한 진료를 받을 수 있다.

최근 병원에 가면 의사는 5분 진료하고 무조건 검사부터 하고, 첨단장비에만 의존하는 경향이 있는데, 이런 부분은 인공지능도 쉽게 따라올 수 있다. 사람이 아프면 의사를 찾는 이유. 인공지능이 도저히 따라올 수 없는 것, 진심 어린 소통과 치유가 아닐까 싶다.

▸ 인공지능 수술 능력은?…'로봇 의사'멀지 않았다

의사 훈련을 받은 로봇이 미국 병원에서 암 환자를 진료하고 있다. 국내에서도 환자의 의료 정보를 입력하면 적절한 약을 처방하는 인공지능 전자 차트가 개발 중이다. 사람이 기계에 들어가 컴퓨터 게임을 하듯 버튼을 조작한다. 로봇 손가락이 정교하게 혈관 수술을 하고 있다. 로봇은 수술 단계마다 조종하는 사람에게 주의할 사항을 알려준다.

인공지능은 정상 부위와 병이 있는 부위를 구분할 뿐만 아니라 혈관과 신경처럼 정교한 부위를 꿰맬 수 있을 만큼 발달했다. 확대경을 사용해 수술 부위를 자세히 들여다볼 수도 있고 반대로 전체 구조를 파악하는 것도 자유자재로 할 수 있다. 스마트폰 화면을 확대하거나 축소하는 것과 비슷하다.

지금은 사람이 조정해야 하지만 수술 동영상이 인공지능에 축적되면 로봇 혼자서 수술할 날이 올 수도 있다. 최근에는 몸속으로 들어가 수술하는 세균 로봇과 우울증 등 정신 질환 치료용 로봇까지 개발되고 있다.[13)]

▸ 인공지능이 판독 · 진단하는 의사 로봇'눈앞에'

인공지능은 이미 다양한 분야에서 시도되고 있다. 의료계가 대표적인데, 특히 CT나 MRI를 비롯한 판독 분야에서 급속히 적용될 것으로 예측된다. 바둑의 기보가 알파고에 입력된 것처럼 수많은 의사의 판독결과가 인공지능에 입력된다면 진단을 척척 잘해내는 의사 로봇이 탄생할 수도 있다.

---

13) 〈참고자료〉 : 출처 : SBS 뉴스, 원본 링크 : http://news.sbs.co.kr/news/endPage.do?news_id=N1003463870&oaid=N1003465401&plink=REL&cooper=SBSNEWSEND&plink=COPYPASTE&cooper=SBSNEWSEND

새로운 질병이 나왔을 때 이게 무엇을 뜻하는가를 판단하는 건 인간이고 그 데이터를 논문을 쓰거나 인공지능에 넣어줘야 한다. 결국 인공지능 수준은 의료 수준에 비례해 발달할 것이라는 얘기이다.[14)]

인공지능 기술은 전문적 지식이 필요한 의료 현장에도 활용되고 있다. IBM의 인공지능 '왓슨'은 피부암 진단 프로젝트를 진행 중이다. 과거의 치료 사례가 담긴 빅데이터를 토대로 환자의 임상 데이터에 적합한 치료법을 의사에게 추천하는 것이다. 이는 의사가 정확한 진단을 할 수 있도록 돕는다.

앞으로는 환자 맞춤형 정밀 의료가 보편화될 전망이다. 손상된 환자의 조직을 컴퓨터 모델로 완성한 뒤, 이를 3D 프린팅해 이식하는 방식이다. 최근에는 화상을 입은 피부의 면적과 깊이 등을 3D 스캐너로 측정하고, 피부를 구성하는 여러 세포를 상처 부위에 직접 프린팅하는 세포 프린팅 시술법도 공개되었다.

▸ 판결 예측'인공지능 판사' 출현할까?[15)]

'인공지능'이 법조계에도 도전장을 내밀고 있다. 인공지능을 활용해 더 쉽게 법률 정보를 제공하는 시스템이 국내에서 개발됐다. 판결을 예측하는 이른바 '인공지능 판사' 개발이 최종 목표이다.

단어를 검색하자, 관련 법령과 판례가 지도로 나타난다. 국내에서 개발된 '지능형 법률 정보 시스템'이다. 어려운 법률 용어로 바꿔 검색해야 했던 단계를 줄여 효율성을 높였다. 이르면 올해 안에 시범 운영되고, 판결까지 예측하는 '인공지능 판사' 개발이 최종 목표이다.

키워드를 맞춰 나열하던 기존 시스템과 달리 연관어, 연상어까지 모두 직관적으로 인지해 관련 법령과 판례들을 보여준다.

▸ 지능형 법률정보 시스템 '아이리스'

아이리스를 개발한 임영익 변호사는 변호사 업무에 큰 변화가 올 것이라고 말한다.

법조계에서는 인공지능 변호사가 수많은 판례 분석 등에서 인간 변호사에게 우위를 보이고 있다.

---

14) 〈참고자료〉 : 출처 : SBS 뉴스, 원본 링크:http://news.sbs.co.kr/news/endPage.do?news_id=N1003463066&oaid=N1003463870&plink=REL&cooper=SBSNEWSEND&plink=COPYPASTE&cooper=SBSNEWSEND

15) 〈참고자료〉 : 출처 : KBS 뉴스, 원본 링크:http://news.kbs.co.kr/news/view.do?ncd=3248806&dable=10.1.2

변호사들의 업무 중에 큰 것이 판례에 대한 연구인데, 그러니까 지금은 어떤 케이스에, 어떤 판결을 내렸느냐 하는 이런 것들에 대한 것을 많이 찾는 데 시간을 많이 보내고 있지만 데이터베이스가 많이 쌓이고 빅데이터가 있는 그 상태에서는 아마 변호사의 직업 중에 많은 부분이 대체가 가능할 것이라고 생각할 수 있다.

시민들은 인공지능 도입이 오히려 사법부에 대한 신뢰를 높이는 계기가 될 수 있을 것으로 기대한다. 하지만 법조계는 인공지능 도입을 경계하는 분위기이다. 영화 속 상상으로 그려져 왔던 인공지능이 이제 국내 법률시장에도 도전하고 있다.

진화하고 있는 인공지능이 인간의 영역을 빠르게 대체하고 있다. 사무직과 행정직은 사라질 직업으로 전망되고 있고, 반면 인공지능이 진화해도 쉽게 넘볼 수 없는 분야로는 감성과 창의성이 중시되는 직업이 꼽힌다.

▸'왓슨'은 의료분야 뿐만 아니라 금융, 교육 분야에서도 활약 중이다.

또 금융 부문에서도 같은 조건에서 실적을 분석한 결과, 인간 펀드매니저들이 평균 3% 손실을 낸 데 비해 AI는 5% 수익을 거뒀다. 이러다 보니 최근 영국 최대은행 RBS는 AI를 상담에 활용하면서 기존 인력 550명을 해고했다. 또 최근 시중 은행들은 투자 자문 서비스에 인공지능을 투입해 수익률 높이기에 나섰다.

뿐만 아니라 AI는 새로운 요리를 만드는 일, 음식을 주문받고 서빙 하는 일, 택배에서도 이미 인간의 일자리를 위협하고 있다. 통번역 서비스나 주식 매매, 자율 주행자동차 등에도 다양한 인공지능이 적용되고 있다. 특히 운전은 가장 가까운 미래에 사람이 필요 없어질 분야로 꼽힌다.

은행원이나 보험설계사, 운전기사, 공장 관리자 등의 직종은 빠르게 사라질 전망이다. 반면, 운동선수나 심리상담사, 예술인, 장의사 같은 직종은 살아남을 수 있고 인공지능이나 정보보안 분야 등에선 새 직종이 창출될 것으로 보인다.

이미 인공지능 로봇이 사람의 일자리를 대체하고 있는 곳도 빠르게 늘어나고 있다. 일본의 대표적인 관광지 하우스텐보스 호텔에서 숙소 안내와 룸서비스를 하고 짐을 운반하거나 보관하는 건 사람이 아닌 70개가 넘는 로봇이다.

우리나라에서도 무인택시가 도로를 차지할 날이 그렇게 멀지 않았다. 운전자가 개입하지 않아도 알아서 운행하는 자율주행차가 지난 7일 처음으로 도로주행 허가를 받았다.

〈인터뷰〉 최서호(현대자동차 연구소) : "차량 기술 부분에서 50%를 더 개발하고 인프라 측면에서 한 30%정도 되어있다고 보고 70%를 더 채워주면 2030년이면 목적지만 입력해서 원하는 곳까지 갈 수 있는 기술이 완료될 것으로 생각한다."

▸ 인공지능시대의 도래와 미래의 일자리

최근 세계경제포럼(다보스포럼)에서는 2020년까지 500만 개 넘는 일자리가 로봇, 인공지능, 유전공학의 발전으로 없어질 것으로 예측했다. 향후 30년 내에 일자리의 절반을 인공지능 로봇이 차지할 것이라는 전망을 내놨다. 선진국과 신흥시장을 포함한 15개국에서 기술의 변화로 700만 개의 일자리는 사라지고, 200만 개가 새로 생겨 결과적으로 500만 개의 일자리가 사라지게 된다는 것이다.

또 영국 옥스퍼드대 연구팀도 702개 직업을 대상으로 '이 직업의 모든 작업이 컴퓨터에 의해 수행 가능한가'를 분석한 결과 미국에 있는 직업 중 47%가 10～20년 안에 컴퓨터에 의해 대체되거나 직업의 형태가 크게 변화할 가능성이 큰 것으로 조사됐다.

연구팀은 특히 은행의 창구 담당자, 부동산 등기 대행, 보험 대리점, 증권회사의 일반 사무, 세무신고서 대행자, 스포츠 심판, 공장 오퍼레이터 등이 사라질 확률이 높다고 전망했다.

□ 일반인, 전문직 모두 '대량실업' 공포

바퀴 6개 달린 무인로봇이 쇼핑백 2개 분량의 택배를 싣고 거리를 누빈다. 도로는 장애물로 가득하지만 내비게이션 시스템과 특수 소프트웨어 덕분에 보행자와 부딪칠 걱정이 없다. 시속 3km 속도로 5~30분 거리면 어디든 배달에 나선다.

상상 속에만 존재하던 '로봇 택배기사'가 다음 달 영국 런던에서 시범운행에 나선다. 영국 일간지 데일리메일은 최근 이를 두고 "로봇 택배기사가 인간 택배기사를 거리에서 쫓아내게 될 것"이라고 예상했다. 인공지능(AI)으로 움직이는 로봇이 인간의 일자리를 넘보는 순간이다.

문제는 이것이 겨우 시작에 불과하다는 점이다. AI가 인간의 일자리를 위협하는 상황은 바둑뿐만 아니라 거의 전 영역에서 빠르게 진행될 전망이다.

미국 여론조사기관 퓨리서치센터가 최근 발표한 여론조사 결과에 의하면 미국 성인 2000명 가운데 65%는 앞으로 50년 내 로봇이 인간의 일자리 대부분을 대체한다고 예상했다.

응답자들은 비록 인간의 자리가 좁아진다는 대세는 인정하고 있었지만 80%의 설문 참여자들이 앞으로 50년 동안은 자기 직업이 남아 있을 것이라고 기대했다.

그러나 전문가들의 전망은 훨씬 더 비관적이다. 세계경제포럼(WEF)은 지난 1월 펴낸 보고서에서 2020년까지 로봇과 AI 등의 발달로 510만개의 일자리가 지구상에서 사라진다고 내다봤다.

세계은행은 같은 달 발표한 '2016 세계개발보고서'에서 경제협력개발기구(OECD) 국가들의 직업 가운데 평균 57%가 자동화 등으로 사라질 위기에 처했다고 진단했다. 조사대상 중 위험에 처한 직업이 가장 많은 나라는 에티오피아(85%)였으며 미국(47%)과 중국(77%)에서도 대량실업이 우려되는 상황이었다.

사실 언제나 기술의 발전은 관련 일자리를 없애는 역할을 했다. 물론 기술로 인해 새로운 일자리가 생기기도 했다. 그렇다면 인공지능 컴퓨터로 인해 없어질 직업은 어떤 것이 있고, 안전한 직업은 어떤 것이 있을까? 지난 해 말 일본의 노무라증권연구소는 영국 옥스포드 대학의 교수와 함께 인공지능 로봇이 대체하기 쉬운 직업과 상대적으로 안전한 직업 100개를 선정한 적이 있다.

일단 위험한 직군을 살펴보면, 예상 가능하지만 반복되는 업무를 하는 직업은 로봇이 쉽게 대체할 수 있다.

▸ 인공지능으로 대체될 수 있는 직업 100

1차적으로 교통 관련 직업이 사라진다는 것이 눈에 띈다. 버스 운전사, 택시 운전사, 철도 운전사 등이다. 이들은 자율주행 자동차의 등장 등으로 위협을 받는 직업이다.

물론 기술이 발전한다고 이런 직업이 그냥 사라지는 것은 아닐 것이다. 지금도 전철은 운전사 없이 컴퓨터가 제어해서 운행할 수 있다고 한다. 실제로 서울 강남과 성남 판교를 잇는 신분당선은 승무원 없이 무인운행 중이다.

하지만 다른 전철들은 사고가 났을 때 누가 어떻게 대처하고, 어떤 방식으로 책임질 것이냐는 등의 문제가 있기 때문에 기술적으로는 무인운행이 가능하더라도 현재는 승무원이 탑승한다.

지금은 전문직에 속하는 직업군도 사라질 수 있다. 특히 금융권 종사자도 위험해진다. 은행의 창구직원이나 보험사무원은 대체될 수 있는 직업에 꼽혔다.

퀵서비스 배달원, 택배 배달원, 신문배달원 등 배달업계도 대표적으로 위험한 직군으로 선정됐다. 아마존이 드론 배달을 이미 시도하고 있다는 점을 보면, 설득력이 있다.

▸ 인공지능 로봇이 대체하기 힘든 직업 100

대체하기 어려운 직업에는 몇 가지 공통점이 있다. 일단 예술가는 안전하다. 작곡가, 작사가, 만화가, 클래식 연주자, 뮤지션, 평론가, 탤런트, 디스크자키, 디자이너 등은 인공지능 컴퓨터가 대체하기 어렵다고 한다.

여기에 카피라이터, 잡지 편집자, 스타일리스트, 소믈리에, 큐레이터 등 창의성이 중요한 직업은 아무리 인공지능 컴퓨터라 해도 대체하기는 어렵다고 한다.

인공지능 컴퓨터가 하지 못하는 일의 또 다른 영역은 '커뮤니케이션'을 담당하는 직업이다. 상담사, 선생님, 도서편집자, 레스토랑 지배인 등이 이런 직업이다. 의사들도 환자와의 커뮤니케이션이 중요하기 때문에 쉽게 대체되기는 어렵게 보인다.

비슷한 직업이라도 운명이 엇갈릴 수도 있다. 요리연구가와 급식조리사는 음식과 관련된 일을 하지만, 요리연구가는 새로운 것을 만들고 급식 조리사는 정해진 레시피대로 음식을 만든다는 점에서 완전히 다른 결과로 이어졌다.

은행의 창구직원과 여행사의 창구직원은 카운터에서 손님을 상대한다는 점에서 같아 보이지만, 은행 창구직원은 사라질 직업에, 여행사 창구직원은 생존할 직업에 꼽혔다. 은행 창구직원은 입출금 등 정해진 업무를 하지만, 여행사 카운터 직원은 여행지를 상담하는 커뮤니케이션형 직업이기 때문이다.

이런 점에서 새로운 교훈을 얻을 수 있다. 인공지능 컴퓨터나 로봇에 대체되지 않기 위해서는 직업에 창의성이나 커뮤니케이션을 더해야 한다는 것이다. 예를 들어 마트나 슈퍼마켓의 계산원은 현재로서는 분명히 인공지능 컴퓨터에 의해 대체될 수 있다. 하지만 단순 계산원 역할을 넘어 손님의 쇼핑 컨설턴트 역할까지 한다면 인공지능 로봇이 함부로 역할을 침범하지 못할 것이다. 인공지능에 의해 사라질 직업과 인공지능이 있어도 유지될 직업과 그리고 인공지능시대에 새롭게 발생할 직업은 무엇인가?

로봇 하나가 때로는 1000명의 사람을 실업자로 만들 수 있고 모든 노동자에게 나누어질 이익을 한사람에게 넘길 수도 있는 시대가 도래하고 있다. 기술의 발전으로 말미암아 의사, 변호사, 교수 등 현재 유망직업으로 손꼽히는 직업들이 어떻게 변화하게 될지 함께 생각해 본다.

▸ 인공지능의 도전 힘겨워 할 10년 뒤

2013년 기준 국내 의사 수는 한의사, 치과의사 포함 13만 명에 육박한다. 인구 고령화, 건강에 대한 관심 증가에 따라 의료 서비스 수요는 더욱 커질 수 있다.

전문가들은 "노령인구 증가에 따른 관련 의료 서비스는 발전하지만 전통적인 진료에 의한 수익 증가나 시장 확대는 제한적"이라고 말한다.

게다가 최근 주목받고 있는 스마트 헬스케어의 확대는 의사 수 감소로 이어질 것이라는 전망도 있다. 인공지능의 발전도 의사 역할을 일부 대체하게 된다고 한다. 이미 IBM 왓슨으로 대표되는 인공지능의 정확도가 높아지고 있다. 미래에는 CT나 MRI판독과 같은 분야는 이미지 인식과 같은 기술에 의해 대체될 가능성이 높다.

▸ **분화 · 전문화 속 부익부 빈익빈 심화**

의사에 이어 두번째 '사'자 직업 변호사는 어떨까? 변호사는 매년 늘어나고 있다. 2013년 기준 개업 변호사는 1만 4242명으로 2008년에 비해 60% 가량 증가했다. 변호사 수가 늘어나면서 부익부 빈익빈 현상이 확대될 수밖에 없다. 일반적인 법률 지식만으로는 경쟁력을 갖기 어려워질 수밖에 없는 것이다. 로펌을 중심으로 법률 지식과 다른 분야 지식과 경험을 결합한 융합 서비스가 일반화 될 것이라는 전망이다.

게다가 빅데이터 분석을 통해 양형과 관련된 예측이 가능해지게 되면 변호사 업계엔 변화의 바람이 불 것으로 보인다. 법조인만 제한적으로 접근할 수 있었던 양형 관련 데이터에 일반인이 접근할 수 있게 되면 '나홀로 소송'이 늘어날 수 있다는 것이다. 결국 로펌 등에 소속되지 못한 변호사는 수익을 내기 어려워져 소득 양극화 현상이 빚어질 것이라는 전망이다.

▸ **교사 · 교수, 가르치는 직업 → 이해하는 직업**

이미 초 · 중 · 고 교실에서는 인터넷 강의를 활용한 변화가 나타나고 있다. 인터넷으로 기본 내용을 배우고 교실에서는 심화내용을 배우는 것이다. 학생들은 스스로 학습할 내용을 만들어 인터넷을 공유할 수도 있다.

하지만 전문가들은 여전히 교사와 교수의 역할은 중요하다고 말한다. 인터넷 강의와 같은 '기계교사'와 함께 공부를 할 수도 있지만 동기가 부족하거나 공부법을 터득하지 못한 경우에는 한계가 있기 때문이다. 기계교사와 인간 교사가 서로 보완재 역할을 하게 될 것이라는 전망도 나온다.

▸ **광고기획자 '애드테크'가 뜬다**

영국의 저널리스트이자 마케팅 · 커뮤니케이션 전문가 마크 턴게이트는 저서 『애드랜드』를 통해 "팔 것이 있는 한, 광고는 사라지지 않는다"고 말했다.

사라지지 않는 광고, 하지만 광고기획자의 인기는 예전만 못한 게 사실이다. 우리나라 경제가 어렵다보니 광고주들도 적극적인 광고를 피하고, 광고기획자 입지 역시 흔들릴 수밖에 없는 것이다.

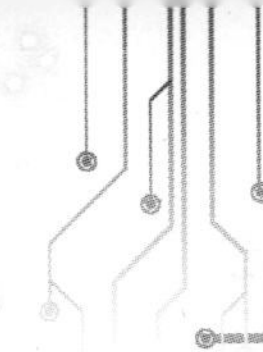

그래도 인터넷이나 모바일 매체가 부각되면서 광고 기획자의 역할이 넓어지고 있다는 점은 긍정적이다.

요즘 주목받고 있는 것은 광고와 테크놀로지가 결합하는 애드테크(Ad Tech)이다. 좀 전에 쇼핑몰 사이트에서 검색해본 내용이 자꾸 따라다니는 경험이 있을 것이다. 의뢰받은 광고 효과를 측정하고, 이용자가 여러 사이트에 남긴 방문기록을 기반으로 구매행태를 예측해 사용자에게 정확하고 유효한 광고를 제공하는 모든 기술이 바로 애드테크이다.

앞으로 이런 기술은 보다 고도화될 것으로 보인다. 광고기획자에게 첨단 기술을 이해하고 적용할 수 있는 능력이 요구되는 것은 당연한 일이 될 것 같다.

▸ 콘텐츠창작자 '고소득 창작자' 쏟아진다?

디지털 기기가 활성화되면서 '스토리'를 파는 일이 매우 중요해졌다. 여가 문화 산업이 성장하면서 방송, 영화, 공연, 애니메이션, 게임 등에 스토리를 제공하는 방송작가나 시나리오 작가, 만화가, 애니메이터의 직업 전망이 밝아지고 있다.

모바일의 대중화 덕분에 1인 미디어 창작자가 각광받고 있다. 게임, 스포츠, 뷰티, 음악 등 다양한 분야의 동영상 콘텐츠를 올리는 이른바 '네임드' 블로거나, 유투버 등이 올리는 수익은 일반 회사원의 연봉을 훌쩍 넘는다고 한다.

중국에서는 수백만 구독자를 거느린 개인 제작자가 기존 케이블TV, 인터넷 업체와 제휴를 하는 MCN(멀티 채널 네트워크)사업을 통해 연평균 20억 원의 수익을 올리고 있다고 한다.

1인 콘텐츠가 플랫폼으로 진화하면서 새로운 시장을 만들고 있는 것은 분명해 보인다.

▸ 정보를 쥐어야 성공 잡는다

하얀 종이 위에 설계도면을 그리는 건축설계사, 구슬땀을 흘리며 벽돌을 나르는 건설 노동자 등, 흔히 생각하는 건축 · 건설업 종사자의 모습이다.

하지만 이들의 모습도 조금씩 변화하고 있다. 힘쓰는 일은 로봇의 몫이 되어가고, 블루컬러 노동자들 손에는 태블릿PC가 쥐어진다. 건축설계사 역시 더 효율적인 공정을 위해 새로운 기술을 응용하는 방법을 고민하고 있다.

건축 · 건설업계에서도 데이터 사이언티스트이 활약에 대한 기대가 크다. 건물에 대한 더 많은 정보가 '스케치'에 담기게 되기 때문에 데이터를 수집하고 분석하고 의미를 찾은 다음 산업에 어떻게 적용하고 수익을 낼 지에 대한 고민이 필수이다.

▸ **공무원, 작은 정부 추세속 위상도 변화**

요즘 같은 불경기에 최고 인기 직업은 단연 '공무원'이다. 그러나 앞으로는 공무원의 위상과 인기가 낮아질 것이라는 전망이다. 인구수가 감소하는 추세인데다가 정보통신기술의 발달로 업무 자동화가 이뤄지면서 공무원의 입지가 약해지고 있기 때문이다. 또한 직접 민주주의의 확대, 공무원에 대한 처우 변화도 공무원의 인기하락의 요인으로 작용할 것으로 보인다.

이미 상당수 민원서류 업무가 관공서를 찾지 않아도 온라인으로 처리할 수 있고 앞으로 이러한 추세는 확대될 것으로 보인다. 정부가 개방과 공유의 플랫폼으로 전환되고 직접 민주주의가 확대되면 공무원이 감소할 수 있다는 전망도 나오고 있다. 다만, 영역별로 증감 양상은 다를 것으로 보인다. 일반 사무직 공무원의 수는 줄어들어도 경찰, 소방 등의 분야는 늘어날 가능성이 높다.

▸ **자산관리사, 데이터전문가로 변신 필요**

금융과 테크놀로지의 결합 '핀테크' 열풍과 함께 자산관리사의 역할도 바뀔 것으로 보인다. 은행 적금 계좌를 만들기 위해 번호표를 뽑고 기다리는 풍경은 몇 년 후 '응답하라 2015'와 같은 과거 시점 드라마에서나 보게 될지도 모른다.

앞으로의 자산관리는 빅데이터와 알고리즘이 맡게 될 것 같다. 은행의 PB(프라이빗뱅커)를 찾지 않아도 내 자산을 한눈에 확인하고 내게 유리한 상품을 추천받을 수 있게 되는 것이다. 이미 개인맞춤형 신용카드 추천, 개인 금융계좌 관리 서비스 등이 나오면서 카드 설계사 등이 설 자리가 무척 좁아졌다. 이렇게 되면 자산관리사들은 데이터 사이언티스트로서 금융 관련 데이터를 분석하고 의미를 찾아내는 능력을 요구받게 될 수밖에 없다. 금융업계에 불어닥친 변화의 바람에 따라 자산관리사의 미래 모습도 변신이 필요해 보인다.

❑ **10년 후 일자리 수요가 많아질 것으로 예상되는 직업 1위!**
종합적으로 전망이 좋은 상위 20개 직업 5위!

일자리 수요가 증가할 직업군을 조사하면 언제나 상위권에 포함되는 직업 중 하나가 사회복지사이다. 고령화 사회에서 복지 서비스에 대한 수요 증가는 너무나 당연한 현상이다. 요즘 관련 자격증 발급 건수도 부쩍 늘어났다. 앞으로는 전문 사회복지사 양성을 위해 자격증 발급 건수를 제한한다고 한다. 자격 발급 시스템이 개정되면 사회복지사의 처우와 근무환경 개선도 자연스럽게 따라오게 된다. 사회복지사들의 전문성이 강화되면 활동 영역도 확대될 것으로 보인다. 아직 직무 표준화는 이뤄지지 않았지만 SNS기반으로 사회서비스 활동을 하는 사회복지사도 생겨나고 있다고 한다.

▸ 디자이너, 1인 多역 시대!

같은 값이면 다홍치마라고 디자인의 중요성은 아무리 말해도 지나치지 않다. 전문가들은 10년 뒤 디자이너 간 경계가 허물어지며 지금과 다른 모습을 보일 것이라고 전망한다.

현재 디자인 분야는 시각 디자인, 제품 디자인, 사용자 인터페이스(UI), 사용자경험(UX) 디자인, 웹디자인 등 굉장히 세분화 되어 있다.

하지만 앞으로 디자이너는 제너럴리스트형, 모더레이터형, 스페셜리스트형 등으로 나뉠 수 있다는 의견도 나온다.

제너럴리스트형은 최근 대기업과 스타트업에서 주목받는 최고디자인책임자(CDO) 역할을 한다. 제품 제작, 포장, 마케팅 방식은 물론 제품에서 파생되는 모든 가치를 만드는 역할이다.

스페셜리스트형은 기존 전통적인 디자이너의 역할이다. 모더레이터형은 조정자 역할을 하는 디자이너이다. 모든 기술과 플랫폼이 하나의 기기로 연결되는 세상에서 유형의 제품에서 파생된 무형의 서비스를 디자인할 수 있으려면 이들 사이의 연결고리가 필요하다.

국내 각 분야에 종사하고 있는 전문가들은 10년 뒤 유망한 직업 1순위로 데이터 사이언티스트, 빅데이터 디자이너 등 데이터 관련 직종을 꼽고 있는 것으로 나타났다. 또 10년 후 자신의 직업에 가장 영향을 줄 요인으로 인공지능과 빅데이터를 꼽았다.[16)]

T Times

직업 자동화 확률을 알려주는 이 프로그램은

영국 BBC가 칼 프레이 옥스포드대 교수의 논문
'고용의 미래'(2013)와
영국 통계청 자료를 활용해 만들었다.

대상 직업은 총 366가지.

---

16) 〈참고자료〉 : [출처 : www.techm.kr 참고]

인공지능이 빠르게 진화하면서 기술 발전에 대한 기대와 우려가 교차하고 있다.

앞으로 의사, 변호사, 회계사 같은 전문직부터 인공지능이 대체하게 될 것이다. 유일한 장애물은 다름 아닌 이익단체뿐이다. 즉 의사협회와 같은 이익집단이 인간 의사 외에는 의료정보를 다루지 못하게 방해하는 정도이다. 하지만 사람 손으로 하는 처치나 시술 외는 컴퓨터를 더 신뢰하는 시기가 곧 올 것이다. 공부하는 건 인간보다 컴퓨터가 훨씬 잘하는 시대가 되었으니 자녀들에게 전문직 공부시키는 것이 가장 가치 없는 투자가 될 때가 올 것이다.

➤ [과학 핫이슈] 인공지능 발달과 일자리의 미래

"10년 뒤에는 미국 근로자 34%가 프리랜서로 일할 것이다."(시스코)
"2030년에는 현재 있는 직업 47%가 사라질 것이다."(토니 세바 미국 스탠포드대 교수)
"2025년에는 전 세계 제조와 서비스 직공에서 로봇이 4000만~7600만명분의 일을 하고 알고리즘도 1억 4000만 명분의 일을 담당할 것이다."(맥킨지 글로벌 인스티튜트)

로봇과 인공지능이 발전하면서 인간 일자리를 빼앗아 갈 것이란 우려와 양질 일자리를 만들어 낼 것이라는 기대감이 공존한다.

과거를 살펴보면 변화 흐름을 알 수 있다. 19세기 산업혁명기 대량생산 기계 도입으로 러다이트 운동이 일어나고 이후 1930년대 대공황, 1960년대 공장 자동화, 1990년대 사무 자동화 과정에서 많은 일자리가 기계로 대체됐다. 실직자가 대량 발생한 것도 이 때다.

미국 캘리포니아주 LA타임스는 지진 속보 기사를 로봇이 작성하고 있다. 2013년 LA타임스는 알고리즘이 쓴 지진 발생 기사를 온라인에 가장 먼저 게재했다. 내러티브 사이언스와 포브스에서도 인공지능이 기사를 작성한다. 한 달 동안 1만 5000건에 달하는 기사를 알고리즘이 작성하는데 걸리는 시간은 기사 한 건당 1초 미만이다. 현재는 금융, 날씨 등 데이터 분석 기사에 한정돼 있지만 크리스티안 하몬드 내러티브 사이언스 최고기술책임자는 2017년에는 컴퓨터가 퓰리처상을 받게 될 것이라는 분석도 내놨다. 그는 2030년에 기사 90%를 인공지능이 쓸 것이라고 전망했다.

급속한 변화를 가져오는 파괴적 기술로 사라지는 직업군이 생긴다. 무인자동차 개발로 택시 기사, 버스 기사, 교통경찰, 대리 운전기사 등이 사라질 것으로 보인다.

무인기(드론)가 발전하면 택배 서비스, 음식 · 우편배달, 소방관, 건설현장 모니터 요원, 경비원 등이 사라질 것으로 보이고, 3D프린터가 발전하면 다양한 제조업 기술자, 배송, 물류창고 노동자, 목수, 부동산 전문가 등이 사라질 것으로 보인다.

인공지능이 더욱 고도화되어 발전하면 기자, 내과 의사, 변호사, 통 · 번역가, 세무사, 회계사, 감사, 재무설계사, 금융 컨설턴트, 법률사무소 직원과 조사원, 경리 등이 사라질 것으로 예측했다.

에너지 저장 기술 발달로는 에너지 감사, 발전소 직원, 광부, 지질학자, 가스 배달업자, 에너지 기획자 등이다. 로봇 기술은 재고 담당자, 소매 점원, 외과의사, 약사, 수의사, 페인터, 수위, 조경사, 환경미화원, 산림 관리자 등을 소멸시킬 것으로 예측된다. 이는 유엔 미래보고서 2045에 나온 내용이다. 이처럼 기술 개발은 고용 전반에 막대한 영향을 끼칠 것으로 보인다.

업무 성격이 정형적이고 반복적일수록 기계에 대체될 가능성이 크다. 특히 숙련직은 로봇과 인공지능으로 대체될 것이다. 현대 사회는 숙련직 부문은 고용 비중도 크고 임금 수준도 높아져 있어 인공지능을 도입하면 경제적 효과가 높아져 기업에서 인공지능과 로봇을 도입할 가능성이 높다.

그러나 사람들과 직접 대면해야 하고 관계 형성이 필요한 직업은 기계로 대체되기 어렵다는 전망이다. 요리사, 이발사, 승무원, 코디네이터는 고객과 대면해야 한다. 손재주, 감성이 필요한 대표적인 서비스직이다. 이는 로봇으로 개발하기 쉽지 않다.

사람이 다양한 기능을 수행하는 목수, 미장이, 기계 정비사, A/S 기사, 제빵사 등도 로봇 개발이 쉽지 않고 도입해도 경제 효과를 보장하기 어렵다. 노인을 돌보는 요양보호사, 벽돌공도 마찬가지다.

정형적이고 반복적인 일이면 기계로 대체될 것이다. 창의성이나 판단력 등 인간 고유 역량이 중요한 업무일수록 기계와 협업할 가능성이 높다.

결국 로봇이 대체할 수 없는 일자리는 '창의적 사고와 지식'이 필요한 직업이다. 결국 지식을 바탕으로 문제를 인식하고 창의적으로 해결하는 인재라는 뜻이다. 인간만이 가진 고유 역량을 강화시키고 발전시키는 방향으로 교육이 추진돼야 하는 이유다.

그러면 앞으로 살아갈 미래의 청소년들에게 요구되는 능력은 무엇인가? 창의성을 키우고, 판단 능력을 키우고, 인간의 감성적 분야를 계발하고, 융합적 능력을 가져야 한다고 한다.

첫째, 인공지능사회의 도래를 받아들이고 앞으로 살아가야할 미래에 더 많은 관심을 두어야 하겠다.

다보스포럼에서 발표된 보고서에는 올해 초등학교에 입학한 아이들의 65%는 현재 존재하지 않는 직업에 종사할 것이다."라는 내용도 포함되어 있기 때문이다.

둘째, 창의력 증대에 노력하여야 하겠다.

6.3.2.2 제4차 산업혁명의 제도적 안전망

**▸ 소득불균형과 사회 양극화 시대에 대비해야 줄어드는 일자리,
4차 산업혁명의 제도적 안전망 중요**

물론 4차 산업이 가져올 미래가 모두 핑크빛은 아니다. 다보스포럼(WEF)이 지난해 1월 발표 한 '일자리의 미래'라는 제목의 연구보고서는 4차 산업으로 2020년까지 700만 개의 일자리가 사라지지만, 새로 생겨나는 일자리는 210만 개에 불과할 것이라고 예측했다. 클라우스 슈밥 다보스포럼 회장은 "4차 산업이 쓰나미처럼 밀려와 기존의 모든 시스템을 바꿀 것"이라고 경고한다.

새로운 기술에 숙련된 노동자에 대한 수요는 높아지는 반면, 이를 접하지 못한 노동자에 대한 수요는 급격히 감소해 노동 수요의 양극화 현상이 발생할 우려도 있다. 이에 따라 노동자 재 교육, 사회복지제도 강화 등 4차 산업으로 인한 위기와 혼란을 완화할 수 있는 '제도적 안전망'을 마련해야 한다는 목소리가 높다.

또한 전문가들이 AI 사회를 걱정하는 가장 큰 이유는 AI가 인간의 일자리를 대체할 경우 발생할 사회양극화다. 영국 옥스퍼드대 정책연구소인 마틴스쿨과 미국 씨티그룹은 올해 1월 공개한 연구보고서에서 이 같은 점을 우려했다. 연구에 참여한 전문가들은 자동화로 노동자들의 자리가 줄어들면 노동자 상위 1%와 나머지 99%의 소득불균형이 확대될 수밖에 없다고 주장했다.

그리고 경제학자나 대중은 기술 발달이 노동력을 대체하면서 경제적 불평등을 심화시키는 것을 우려한다. 현대 사회에서 중산층은 대부분 숙련직, 전문직, 관리직에 종사하는데 이들은 기계로 대체나 보완이 가능해지고 있기 때문이다.

인터넷과 정보기술 혁명으로 이를 활용한 계층은 소득이 늘어난 반면 디지털 문맹은 그렇지 못했던 '디지털 디바이드'와 비슷한 현상이 나타날 수 있다. 로봇 활용도에 따라 '로보틱스 디바이드'로 빈부 격차가 나뉠 수 있다.

□ 인공지능의 발전 속도와 윤리적인 문제에 대한 우려

인공지능이 인간의 삶 중심에 자리 잡는 것은 이제 시간문제가 됐다. 30여 년 후면 대부분 분야에서 인간을 뛰어넘을 것으로 예측된다.

이 같은 인공지능의 발전 속도에 대해 우려의 목소리도 높아지고 있다. 인공지능으로 인류는 많은 혜택을 받을 수 있다. 그러나 인류의 관리 능력을 넘어서는 수준으로 발전하면

인류가 오히려 위험해질 수 있다는 것이다.

또 인공지능 역할이 대두되면서 윤리적인 논란도 거세게 일고 있다. 인공지능 비서, 자율주행차 등은 생활 편의를 위한 것이지만 본연의 목적과 달리 인간을 지배하거나 오작동을 일으켜 사고로 이어질 수 있기 때문이다. 영국의 물리학자 스티븐 호킹 박사는 "인공지능이 사람의 힘으로 통제 불가능한 시점으로 빠르게 가고 있다"고 지적했다.

지난 2월 미국에서는 2,000여 명의 인공지능 전문가가 합의한 23개 조항의 '아실로마 인공지능 원칙'이 발표되기도 했다. 같은 달 일본 인공지능학회 이사회도 인공지능 윤리지침을 만들었다. 유럽의회도 인공지능 로봇의 법적 지위를 '전자 인간'으로 규정하는 결의안을 통과시켰다. 전문가들은 "인간 사회의 윤리를 인공지능도 준수해야 한다"고 강조한다.

▸ 뇌과학자 김대식, 인공지능 혁명을 말하다

우리가 알파고의 정체를 몰랐다면 매우 창의적인 사람인줄 알았을 것이다. 인류의 창의성을 빛나게 하는 바둑 천재, 그리고 인간의 또 다른 천재성을 발현하는 인공지능(AI)이 주인공이다.

Q : 알파고의 실력은?

A : 알파고의 진정한 실력은 아무도 모른다는 것이다. 인간은 통쾌하게 이기기를 원한다. 하지만 기계는 통쾌함을 모른다. 우사인 볼트가 초등학생과 달릴 때와 세계 챔피언과 겨룰 때 뛰는 속도가 다르다. 딱 이길 만큼만 이긴다. 중국의 바둑 황제가 이기겠다고 나서지만 알파고는 그보다 잘한다. 딱 이길 만큼만 이긴다. 알파고 개발자 데이비드 실버를 만나봤다. 그들도 알파고 실력이 이 정도일 줄 몰랐다. 알았다면 대국을 할 필요도 없었다. 그들은 시스템의 한계를 알아보고 싶었을 것이다.

Q : 기계가 인간의 직관력과 창의성을 뛰어넘었나?

A : 직관이라는 것도 결국은 경험으로 얻은 지식이다. 다만 기호로 표시하고 말로 설명하기 어려울 뿐이다. 이걸 표현하는 순간 기계가 그 데이터를 갖고 학습할 수 있다. 바둑의 창의적인 수도 마찬가지다. 사람들이 알파고의 정체를 몰랐다면 그가 매우 창의적인 사람이라고 생각했을 것이다.

Q : 구글은 이번에 뭘 얻었는가?

A : 이세돌이 크게 이겼다면 그는 인류의 창의성을 껌 값에 판 사람으로 역사에 남았을

것이다. 하지만 그가 더 많이 졌기 때문에 이번 대국은 인공지능이 인간을 뛰어넘는 능력이 있음을 확인시켜주었다. 2016년 3월 9일은 기계가 인간의 고유 영역인 지적 노동의 세계로 진입하기 시작한 날로 기억될 것이다.

Q : 구글은 전략적으로 뭘 노리는가?

A : 딥마인드는 영국 국민건강보험(NHS) 데이터를 분석하고 있다. 의료 분야 외에도 다양한 시도를 할 것이다. 인공지능은 제대로 학습만 시키면 뭐든 다 할 수 있다. 10년 후에는 알파변호사, 알파교수가 나올 것이다. 구글이 뭘 할 거냐가 아니라 뭘 하지 않을 거냐고 묻는 게 빠르다. 아직 범용인공지능(AGI)은 나오지 않았다. 그러나 딥러닝이 더 발전해 마스터 알고리즘이 나오면 차원이 달라진다. 세계의 모든 데이터를 얻은 인공지능이 스스로 과학을 하고 자연의 법칙을 탐구하기에 이를 것이다.

Q : 기계가 흉내낼 수 없는 것도 많을 텐데?

A : 인공지능의 역사를 보자. 처음 50년 동안 사람들이 시도한 건 기호로 표현할 수 있는 정보를 기계에 주입하는 것이었다. 하지만 정량화된 데이터는 전체 정보의 10%도 안 된다. 인간의 전문성이 필요한 건 대부분 표현이 불가능한 것들이다. '김연아 씨 피겨를 어떻게 그렇게 잘하세요.' 또는 '워런 버핏 씨 투자의 귀재가 되는 비법은 무엇인가요'라고 물어보면 어떻게 설명할 수 있을까. 기계는 그들의 행동을 관찰하며 이를 데이터화해 학습한다.

Q : 인공지능 과학자가 나올 수 있나?

A : 뇌의 정보처리 방식을 본뜬 인공지능의 추상 단계는 10~20개가 된다. 인간의 뇌가 그 정도 된다. 앞으로 컴퓨터는 추상 단계를 100만층으로 늘릴 수도 있을 것이다. 인간보다 훨씬 높은 수준의 추상화가 가능하다.

이 테이블에 개미 한 마리가 있다고 하자. 내가 개미를 테이블 아래로 떨어뜨렸다. 개미는 발밑이 부드러운 카펫으로 바뀐 걸 안다. 하지만 그 이상은 모른다. 아무리 똑똑한 개미라도 더 큰 진실은 알지 못한다. 언젠가 인공지능이 우주의 비밀을 이해하고 우리에게 설명해줘도 우리가 이해를 못하지 않을까.

Q : 인공지능이 모는 차가 현실이 됐다. 변화는?

A : 완성차업체들은 운이 나쁘다. 100년 만에 사업의 본질을 뒤바꿀 변화 두 가지가 한꺼번에 닥쳤다. 가솔린차가 전기차로, 유인차가 무인차로 바뀌는 것이다. 무인차가 되는 순간 자동차는 소유하는 것에서 이용하는 것으로 바뀐다. 부품업체는 미래가 좋다. 무인차시대에는 거리에 다니는 차가 지금의 10%만 있어도 된다고 한다. 하지만 같은 차를 더 많이 운행하면 부품은 더 많이 필요해진다. 콘텐츠 업체도 좋은 기회가 생긴다.

Q : 구글은 왜 자율주행차를 생각했을까?

A : 소유에서 이용으로 자동차 개념이 바뀌면 우버나 카카오택시처럼 모빌리티(이동성)를 제공하는 서비스가 뜨겠구나 생각할 수 있다. 하지만 그렇지 않을 것이다. 구글은 세상의 모든 정보를 구조화하겠다고 한다. 이는 인간의 모든 라이프스타일과 선호를 파악하겠다는 것이다. 거기서 사업 기회를 찾는다. 모빌리티는 결국 공짜가 될 것이다. 이는 윈윈이 될 수 있다. 내가 서울 가로수길에 있는 이탈리아 레스토랑에 가고 싶다고 하자. 구글이 나를 그곳에 무료로 데려다 준다. 구글은 그 비용 3000원을 부담하고 레스토랑에서 내가 쓴 돈 5만원의 10%(5,000원)를 받으면 남는 장사다.

Q : 인공지능시대에 살아남을 직업은?

A : 옥스퍼드대 연구팀은 기존 직업 중 47%가 사라진다고 했다. 인공지능회사들은 먼저 금융과 의료 분야를 공략할 것이다. 이 분야는 노동집약적이면서 전문가를 쓰는 비용이 어마어마하다. 금융은 가능할 것 같은데 의료는 인공지능으로 완전히 대체하기 어려울 것이다. 사람들은 목숨을 완전히 기계에 걸지 않을 것이다. 인공지능시대에는 편의점 직원이 더 안전하다. 서둘러 비싼 로봇으로 대체할 필요가 없다. 어떤 직업이 살아남을까보다 그 직업에서 어떻게 해야 살아남을 수 있는가를 물어야 한다. 나는 교수다. 인공지능은 내가 강연한 걸 갖고 학습해서 나보다 훨씬 더 잘할 것이다. 나는 늘 새로운 걸 하지 않으면 안 된다. 책임과 신뢰가 필요한 일은 마지막까지 인간 몫으로 남을 것이다.

Q : 지적 노동까지 자동화한 후 나타날 문제는 무엇인가?

A : 일자리와 불평등이 가장 큰 문제다. 거의 모두가 일하던 시대의 사회보장제도는 완전

히 바꿔야 한다. 민주주의가 위협받을 수도 있다. 기업에 법인격을 인정했듯이 기계에 인격을 인정하느냐가 문제가 될 것이다. 사람이 한 명도 없는 무인 회사도 생길 수 있다. 자율주행차가 10명을 치어 죽이더라도 차 안의 한 사람을 살려야 하는가 하는 도덕적 딜레마도 있다.

Q : 인공지능은 인류에 존재론적 위협인가?

A : 약한 인공지능'은 인간과 비슷한 지적 노동을 할 수 있는 기계다. 10년 후든 20년 후든 100% 현실화한다. 다양한 사회 문제를 만들어낸다. 산업혁명 때처럼 이런 문제들은 충분히 풀 수 있다. '강한 인공지능'은 자유의지와 독립성이 있는 존재다. 이들이 인류에 존재론적 위협이 된다는 데 동의한다. 지적 수준이 기하급수적으로 늘어나는 존재와 인류의 공존 가능성에 대한 옥스퍼드대 닉 보스트롬 교수의 시나리오는 항상 인류 멸망으로 끝난다. 강한 인공지능은 핵무기처럼 금지해야 한다. 인공지능이 모든 면에서 인간을 넘어서는 특이점(singularity · 싱귤래리티)이 언제 올지는 아무도 모른다. 칠면조가 추수감사절 하루 전까지 자신의 운명을 모르는 것처럼.

Q : 인공지능혁명에서 뒤떨어진 한국의 숙제는?

A : 무엇보다 데이터를 공유할 수 있게 정부가 풀어줘야 한다. 우리는 알고리즘을 만들 때 늘 외국 데이터만 쓴다. 신기한 건 사생활 보호가 안 되는 한국에서 데이터 공유는 법적으로 틀어막고 있다는 점이다. 기업들은 열린 자세를 가져야 한다. 도요타는 실리콘밸리에 1조원을 투자해 인공지능 연구소를 세우고 미국 국방고등연구계획국(DARPA)의 로봇 전문가를 영입했다. 국내 기업들은 협업이나 인수 · 합병(M&A)을 하지 않고 뭐든 혼자 다 할 수 있다고 고집한다. 우물 안 개구리가 되고 있다.

Q : 교육 개혁도 절실하다. 대책은?

A : 한국 사회는 질문을 못하는 사회다. 어린 학생들만 그런 게 아니다. 과학자들은 남들이 다 요리해 먹고 남은 설거지만 하고 있다. 교육체계를 바꾸는 건 의외로 쉽다. 청소년들에게 현실을 제대로 보여주는 거다. 초등학교 때부터 아침 일곱 시에 학교 가 공부하고 학원가고, 또 학원가고, 또 학원가고, 집에 와 공부하다 잠드는 게 현실이다. 모든 게 공부를 잘한다 못한다로 압축되고 만다.

Q : 건강한 뇌를 가지려면?

A : 부모님을 잘 만나야 된다. 유전이 큰 역할을 한다. 환경도 중요하다. 뇌도 몸의 일부이므로 몸에 좋은 게 뇌에도 좋다. 끊임없이 뇌를 자극하는 생각을 하는 게 도움이 된다. 잠을 충분히 자야 한다. 못 자면 뇌 안에 쓰레기가 쌓인다. 나는 적어도 7시간은 잔다.

▸ 김대식 교수는

KAIST 전기 · 전자공학부 교수(47). 독일 막스플랑크연구소 뇌과학 박사. 12세 때 독일로 이민 갔다. 미국 MIT에서 박사후 과정을 밟고 일본 이화학연구소에도 몸담았다. 미국 미네소타대와 보스턴대에서 가르쳤다. '1.5kg 고깃덩어리'에 불과한 인간 뇌는 들여다볼 수 없으므로 뇌과학은 결국 철학이라고 믿는다. 『김대식의 빅 퀘스천』, 『내 머릿속에선 무슨 일이 벌어지고 있을까』, 『이상한 나라의 뇌과학』을 썼다. 우리가 인공지능 혁명을 준비하지 못하면 다시 한 번 긴 비극의 역사가 시작될 수 있다고 본다. 한국이 강소국 네덜란드보다 선진국 문턱에서 추락한 아르헨티나와 같은 길을 걸을까 걱정이다.[17), 18)]

6.4 유비쿼터스 컴퓨팅(Ubiquitous Computing)

6.4.1 IT기술의 진화와 유비쿼터스 컴퓨팅 개념

6.4.1.1 IT기술의 진화의 3단계

정보혁명 이후 컴퓨팅 기술은 꾸준히 발전하고 있다. 또한 컴퓨팅 기술은 Notebook PC, Car Navigation, Smart TV 등의 일반화, Smart Phone의 지능화, 유·무선 Internet(3G, 4G(LTE), 5G, Wifi)의 간편한 접속으로 Media가 융합되고네트워크와 사람, 사물들이 실시간으로 연결되어 언제 어디서나 정보를 원활하게 주고받을 수 있는 환경이 만들어지는 유비쿼터스 환경으로 진화하고 있다.

1세대 중앙 컴퓨터(메인프레임) 시대는 다수의 사람들이 거대하고 고가인 메인프레임 컴퓨터 한 대를 수많은 단말기를 통해 공동으로 사용하는 형태로, 제한된 공간에서 컴퓨터 전

17) 〈참고자료〉 : [출처 : 매일경제 & mk.co.kr]
18) 〈참고자료〉 : 1) KBS 뉴스, 2) SBS 뉴스, 3) 매일경제 & mk.co.kr

문지식을 지닌 전문가들에 의해서만 수행되던 시대이다.

2세대 개인용 컴퓨터(PC) 시대는 PC가 널리 보급되어 1인 1대씩 컴퓨터를 사용할 수 있게 된 시대로, 자신의 컴퓨터에 자신의 자료를 저장하고 대부분의 모든 작업을 자신이 직접 처리하지만 도움이 필요한 경우에는 통신(Communication)을 통해서 외부의 서버(Server)에게 작업을 위임하고, 문제를 해결해 나가는 이른바 클라이언트-서버 시스템(Client-Server System)의 시대이다.

3세대 유비쿼터스 컴퓨팅 시대는 한 사람이 하나 이상의 컴퓨터를 사용하는 형태로 데스크 탑 PC 및 노트북 PC와 스마트폰 등의 각종 모바일 기기를 통해 인터넷에 접속하고 여러 장소에 숨어 있는 컴퓨터를, 보통 사람들이 컴퓨터를 사용하고 있다는 지각이 없는 상태로 이용한다. 즉 컴퓨터가 TV, 냉장고, 세탁기, 옷, 신발, 안경, 모자, 의자, 각종 스위치, 손목시계, 건물, 도로, 다리, 자동차 심지어는 각종 상품, 기계뿐만 아니라 동물, 식물 등에도 다양한 형태로 융합되어 보이지 않는 컴퓨터가 초고속 유무선 인터넷과 연결되고 작동되어 모든 사물들에게 살아 있는 생명력을 부여하고 지능화시켜 나가는 시대이다.

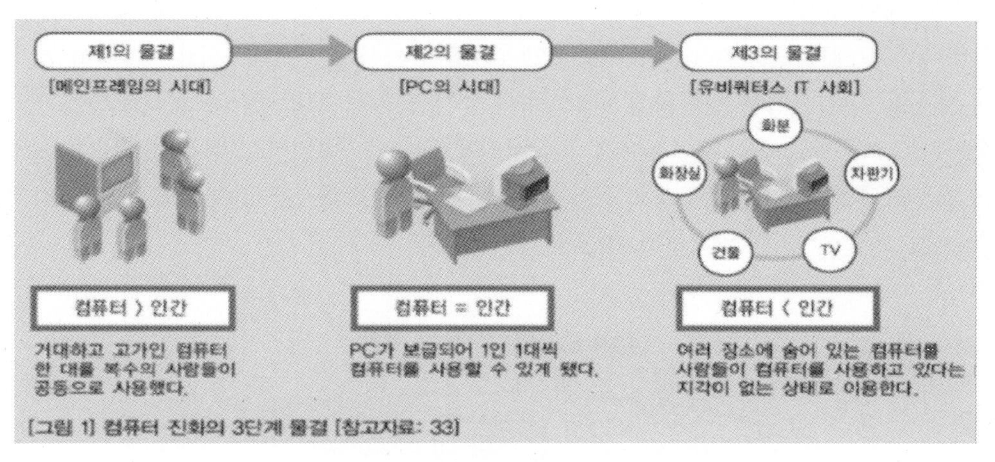

[그림 6.3] 컴퓨팅 기술 진화의 3단계 *〈참고자료1〉

6.4.1.2 IT기술과 공간혁명

유비쿼터스는 라틴어 'ubique'에서 유래한 것으로 '어디에서나 존재하는'이란 의미로 사용자가 장소에 상관없이 자유롭게 네트워크에 접속하여 컴퓨터를 사용할 수 있는 환경을 나타내며 사회적 기술적 배경으로 공간 혁명이란 말이 사용되기 시작했다. 인류 역사는 이러한 공간 혁명의 진화와 함께 발전되었다고 할 수 있으며 이러한 공간혁명에 따라 구분을 한다면 크게 4단계로 구분할 수 있다.

첫째는 자급자족의 농촌 마을에서 복잡하고 문명화된 대규모의 도시로의 변화로 시간과 거리의 제약과 한계를 극복하기 위하여 현실적 생활공간을 압축하여 도시에 모여서 생활하게 되는 도시혁명이다.

둘째는 철도와 전화 같은 연결 수단의 발달로 사람들의 활동 반경이 다시 확대되고 토지와 노동에만 의존하던 공간에 에너지와 물질을 도입하여 공간이 갖는 생산성을 확대한 산업혁명이다.

셋째는 인터넷혁명이다. 인터넷혁명은 정보기술의 발달로 공간개발 패러다임에 대전환을 이루어 사람과 사람, 조직과 조직이 만나 활동할 수 있는 또 하나의 새로운 공간으로 전자적 가상공간(Cyber Space)을 탄생시켰다. 전자적 가상공간은 사람들의 일상적 생활을 수용해 왔던 기존의 전통적 생활공간(Real Space)에 사회·경제적 활동을 수행할 수 있는 실체적 공간으로 나타나면서 급속하게 성장하고 발전하게 되었다.

넷째는 유비쿼터스 혁명이다. 20세기 정보통신 혁명이 인터넷을 통한 컴퓨터와 사람의 연결이었다면 21세기 Ubiquitous 환경을 통한 공간혁명은 사람 · 기계 · 사물 · System 등 모든 통신 대상을 연결시키는 무한확장개념으로 전통적 물리적 생활공간(Real Space)에 전자적 가상공간(Cyber Space)을 자연스럽게 융합시키게 된다. 유비쿼터스 컴퓨팅 기술은 보이지 않는 컴퓨터에 의한 모든 사물들의 지능화라는 융합의 폭발력으로 21세기의 미래 사회 전체의 변혁을 주도해 나갈 것으로 보인다.

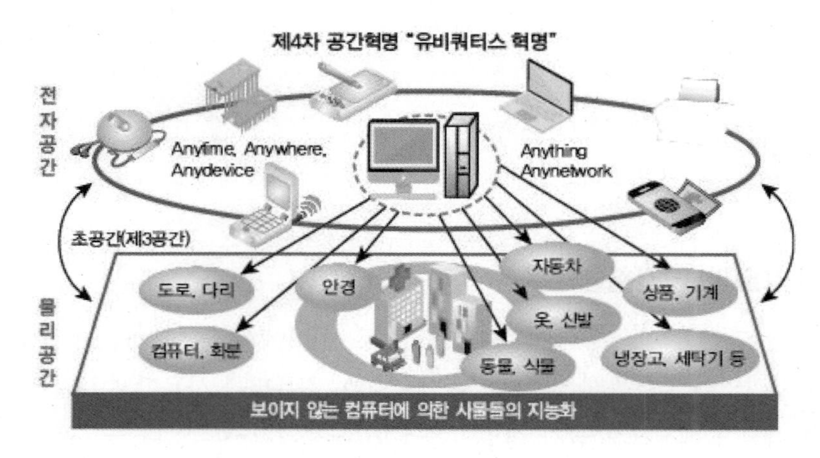

[그림 6-4] 생활공간과 가상공간이 융합된 유비쿼터스 컴퓨팅 환경 *〈참고자료1〉

유비쿼터스 컴퓨팅 기술은 물리적 생활공간과 전자적 가상공간 사이의 경계가 무의미해지는 지능적 결합으로 가상공간이 생활공간 속에 자연스럽게 융합되는 새로운 통합 공간을 창출한다. 즉, 생활공간에 컴퓨터를 집어넣어 생활공간과 전자적 가상공간의 한계를 동시에 극복하고 사람과 사물이 하나로 연결되어 기능적으로 가장 최적화된 현실적 생활공간을 지향한다. 이러한 유비쿼터스 컴퓨팅 환경은 Tablet PC, Smart Phone 등의 확산으로 생활공간에서 사람의 눈과 감각기관으로 보는 것보다 더욱 풍부한 정보를 전자적 가상공간과 연결하여 제공하는 증강현실(Augmented Reality) 서비스를 현실화시키고 있다.

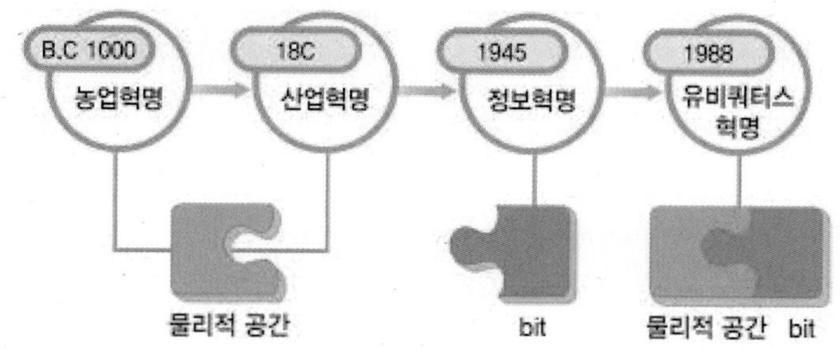

[그림 6-5] 생활공간과 가상공간이 자연스럽게 융합된 유비쿼터스 공간 *〈참고자료2〉

6.4.1.3 유비쿼터스 컴퓨팅 개념

1988년 미국의 Mark Weiser에 의해 등장한 Ubiquitous 컴퓨팅 개념은 "인간이 언제 어디서나 네트워크에 접속된 컴퓨터를 자신의 컴퓨터로 사용할 수 있는 환경"을 말하고 그는 "사람을 포함한 생활공간에 존재하는 모든 대상물들을 기능적 · 공간적으로 연결하여 사용자에게 필요한 정보나 서비스를 언제나 어느 곳에서나 즉시 제공할 수 있는 기반 기술"이라고 표현했다. 이는 정보화 Paradigm의 또 다른 대전환이고 서로 이질적인 물리적 생활공간(제1공간)과 전자적 가상공간(제2공간)이 유기적인 만남에 의해 하나의 통합된 공간, 즉 Ubiquitous 공간(제3공간)으로 진화하고 있다.

즉, 기존의 정보기술은 그 자체가 업무의 중심이 되어, 수행해야 할 작업보다 컴퓨터 활용능력을 배우기 위해 많은 시간과 노력이 소요되는 등 기존의 컴퓨터 중심적인 Computing System을 비판하면서 Ubiquitous 컴퓨팅 개념이 등장하게 되었다. 이것은 사람-사물-컴퓨터간의 효율적 연계를 주장하고 생활공간 전반에 컴퓨터와 각종 사물들을 효과적으로 삽입하여 여러 가지 사물과 컴퓨터, 사람 간의 정보흐름이 사용자들에게 보이지 않으면서도 효율적으로 이루어져야 한다고 주장하였다.

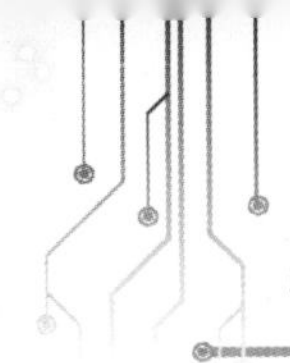

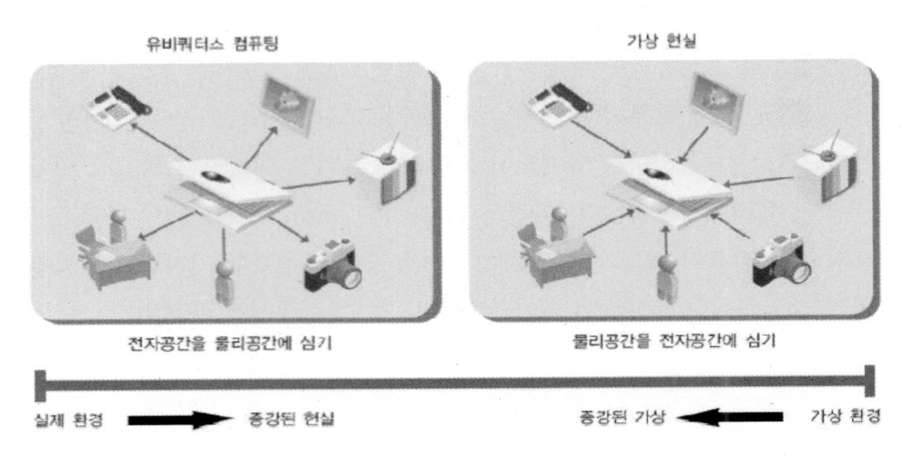

[그림 6-6] 유비쿼터스 컴퓨팅과 가상현실의 차이점 *〈참고자료1〉

Mark Weiser가 언급한 Ubiquitous 컴퓨팅의 특징은 4가지로 요약된다.

첫째, "Connected"이다. 모든 사물들은 모든 네트워크에 상호 연결되어 정보를 교환할 수 있어야 하고 네트워크에 연결되지 않은 컴퓨터는 Ubiquitous 컴퓨팅이 아니다. 즉, 항상 네트워크에 접근 가능해야 한다는 것이다.

둘째 "Calm Technology"이다. 컴퓨터는 지능화되어 사용자의 간섭이나 작동 없이 스스로 추론하고 행동하면서 사용자의 환경에 최적화된 개인별 서비스가 제공되어야 한다. 즉, 사용자의 상황, 즉 사용자 ID(Who), 시간(When), 장소(Where), 장치(What), 온도, 명암, 날씨 등에 따라 서비스가 변해야 한다는 것을 의미한다.

셋째 "Invisible, Pervasive"이다. 인간화된 Interface로서 눈에 보이지 않아야 하므로 내장형 또는 소형 마이크로컴퓨터 Chip 형식이 되어야 한다.

넷째 "Any Time, Any Where"이다. 시공간의 제약성을 극복하고, 현실공간과 가상공간 어디에서나 컴퓨터의 사용이 가능해야 한다. 현실세계의 구체화된 어떠한 장소에서도 컴퓨팅이 가능해야 한다.

위와 같은 4가지 특징을 가지고 있는 유비쿼터스 컴퓨팅은 물리적 생활공간 속에 수많은 작은 컴퓨터(Chip, Sensor, Tag, 작은 구동체 등)를 사물들 속에 심고, 이들을 네트워크로 연결하여 물리적 생활공간의 상황을 사물과 사물, 사물과 컴퓨터, 컴퓨터와 사물 간의 상호작용을 통해 인식하고 네트워크로 연결하여 소통하는 것이다. 즉 이것은 물리적 생활공간의 사물(Sensor/Chip/Tag), 전자적 가상공간의 컴퓨터 System, 사람이 사용하는 단말기 간의 제한 없는 네트워크를 기반으로, 물리적 생활공간에 존재하는 장소, 사물, 사람의 물리적 속성에 대한 상황인식을 할 수 있고, 이러한 물리적 속성과 전자적 가상공간상의 전자적 속성이 양방향으로 상호작용할 수 있는 기능 중심의 컴퓨팅 · 네트워크 체계인 것이다.

[표 6-2] 생활공간 · 전자공간 · 유비쿼터스 공간의 차이 *〈참고자료1〉

생활공간 · 전자공간 · 유비쿼터스 공간의 차이			
공간 구분	생활공간	전자공간	유비쿼터스 공간
컴퓨터 사용	메인프레임 컴퓨팅	PC 중심	사물인터넷 (IoT : Internet of Things)
사물의 위치	생활공간속의 사물	컴퓨터에 사물이 들어감	컴퓨터가 사물속으로 보이지 않게 들어감
정보화 사회 인프라	도로망, 철도망	PC와 PC를 연결하는 인터넷	지능화된 사물과 사물을 연결하는 인터넷

이러한 유비쿼터스 컴퓨팅은 물리적 생활공간과 전자적 가상공간의 한계를 극복할 뿐만 아니라 차세대 정보서비스와 응용 개발에 중요한 방향을 제시하고 있다. 이것은 기본적으로 물리적 생활공간과 전자적 가상공간의 속성들이 사용자가 요구하는 정보서비스나 응용을 제공할 수 있도록 시스템적으로 상호작용하는 것이 핵심이라고 할 수 있다.

6.4.2 유비쿼터스 컴퓨팅 기술

물리적 생활공간을 구성하는 3대 요소들의 속성을 Web 상에 표현한다는 발상에서 시작된 기술인 유비쿼터스 컴퓨팅 기술은 사용자의 상황(위치, ID, 디바이스 역량)에 기초하여 물리적 속성에 관한 Web 정보 내용을 자동 생성함과 동시에 상호 관계성을 유지할 수 있도록 하는 기술이다. 인터넷 주소 체계(URL : Uniform Resource Locator)에 대한 접속은 물리적인 속성들과 연계되어 있어서 특정한 장소에 들어가거나 사물에 접촉할 때, 사물 속에 내재된 Sensor를 통해 감지될 때 발생한다.

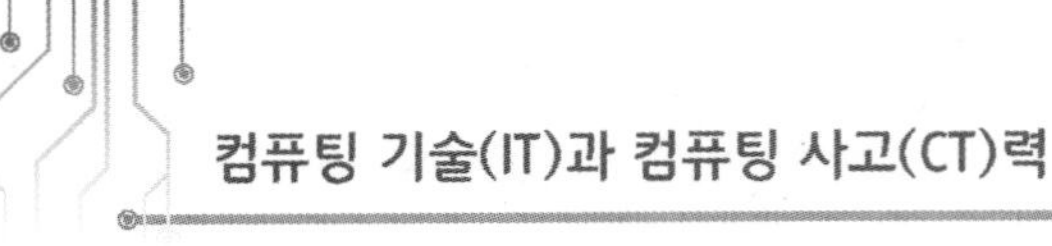

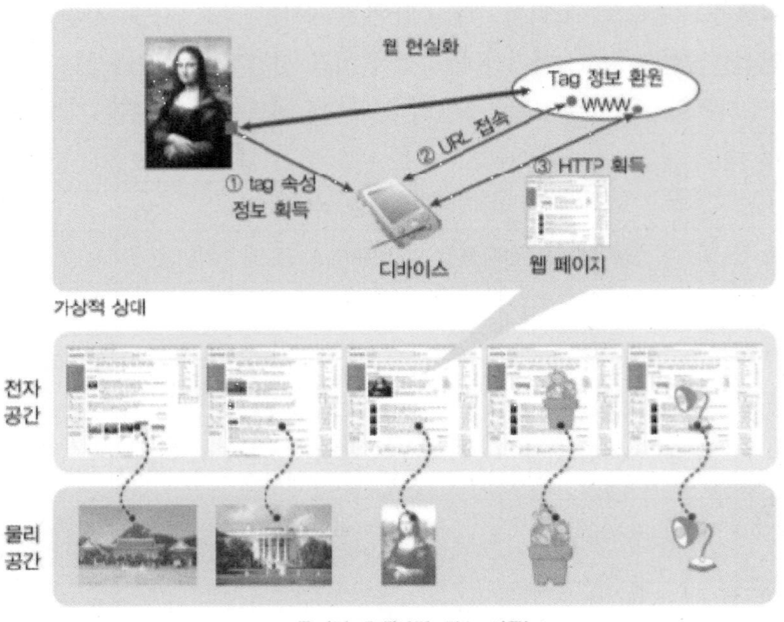

[※ 출처 : 팀 킨버그(Tim Kinberg) 외
"People, Places, Things: Web Presence for the Real World(2001)에서 재구성]

[그림 6-7] 웹 현실화를 이용한 생활공간과 가상공간의 연결 *〈참고자료1〉

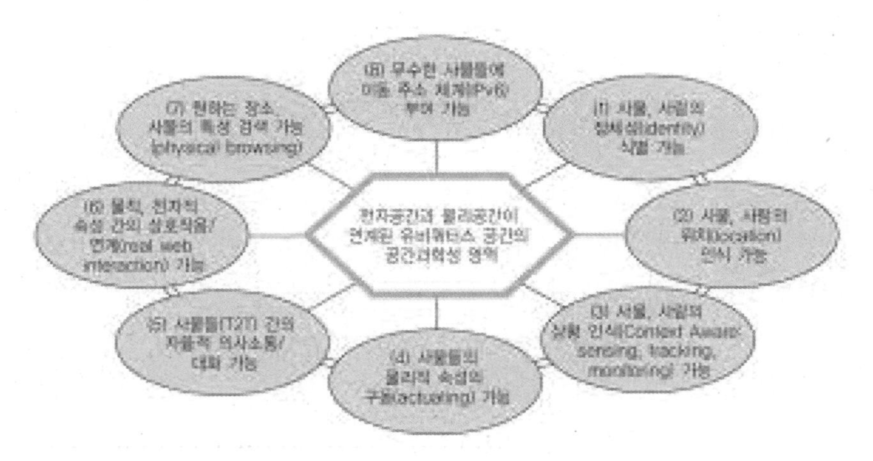

[그림 6-8] 생활공간과 가상공간의 연결방법 *〈참고자료1〉

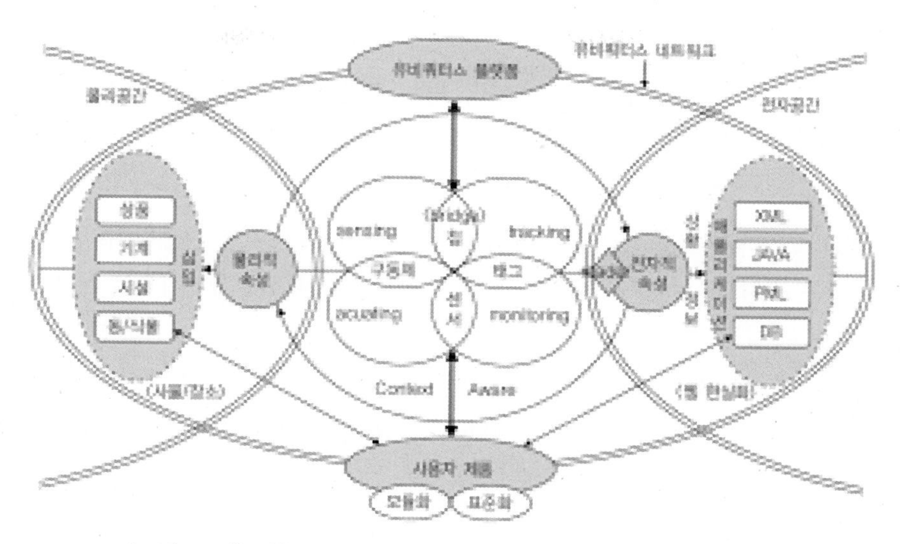

[그림 6-9] 생활공간과 가상공간 연결의 기본 메커니즘 *〈참고자료1〉

6.4.2.1 Chip(IC Chip)

집적회로(IC)의 기본단위를 이루는 작은 반도체 기판(Microprocessor)으로 컴퓨터의 중앙 처리 장치(CPU)를 말한다. 중앙 처리 장치(CPU)가 컴퓨터 전체 시스템의 위치와 입장에서 나온 말이라면, 마이크로프로세서는 동작 방식에서 나온 말로 서로 같은 것이다. 그래서 이를 흔히 MPU(Micro Processing Unit)라고 부르기도 한다. 마이크로프로세서 개발자는 기계어로 마이크로코드(Microcode)를 작성 한다. 기계어를 분류하여 공통점을 찾아내어 기계어 코드가 실행되는 과정을 단계별로 기능적 블록으로 나누어 마치 C언어의 함수처럼 기능별로 작성 한다. IC Chip (AMD_micro processer) 내부의 Program은 일반적으로 새 Program을 입력하면 원 Program은 지워지고 새것으로 채워지며, 반복사용 가능하다. Program 입력은 원 소스Program을 컴파일러를 통해서 번역되어 칩에 프로그래밍 된다.

[그림 6-10] Chip *〈참고자료 3〉

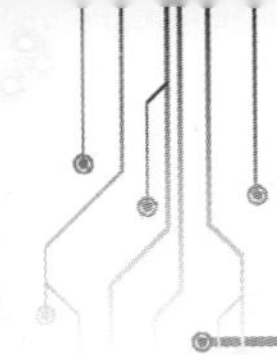

6.4.2.2 센서(Sensor)

센서(sensor) 또는 감지기(感知器)는 온도나 빛 등의 물리적인 양이나 그 변화를 감지하거나 구분 및 측정하여 그 측정량을 전기적 신호 또는 광학적인 신호로 변환하고 알려주는 부품이나 기구 또는 계측기라고 할 수 있다.

센서는 열, 빛, 소리, 온도, 습도 등 여러 종류의 물리량을 검지, 검출하거나 판별, 계측하는 기능을 갖는 소자로, 인간이 보고 듣고 하는 오감을 기계적 · 전자적으로 본떠 만든 것이라고 이해하면 쉽다.

센싱 대상은 열, 빛, 소리, 온도, 습도, 가스, 압력, 자기, 진동, 가속도 등 다양하며, 센서는 동작을 감지하거나 소리에 따라 반응하거나, 누르는 힘에 따라 반응할 수도 있어 그 활용 범위는 매우 넓다.

센서는 감지한 정보를 정보 처리부에 전달하여 판단을 내리게 한다. 센서의 정보 처리부는 인간의 뇌에 해당된다.

센서의 출력은 대부분 전기 신호가 많다. 이는 증폭, 축적, 원격 조작 등이 쉽고, 컴퓨터로 처리하기 쉽기 때문이다.

(1) 센서(Sensor)의 기능과 역할, 종류

센서의 기능은 인간의 오감에 비유할 수 있다. 인간이 눈으로 사물을 보는 것에 해당하는 센서가 광센서이다. 광센서는 빛을 측정하는 기능을 가진 센서들을 일컬으며, 빛의 성질 중 빛의 강도, 광파의 위상상태, 특별한 파장의 검출 등, 빛이 가지는 다양한 특성들을 검출하는 다양한 광센서들이 있다.

귀로 소리를 듣는 청각 기능에 해당하는 센서는 마이크 내에 설치되어 음파를 감지하는 센서인 마이크로폰과 자동차 등의 뒤 범퍼에 부착되어 장애물까지의 거리를 감지하는 초음파 센서 등이 있다. 인간의 촉각에 해당하는 센서로는 압력을 감지하는 압력센서와 온도를 감지하는 온도센서 등이 있다. 인간의 후각에 해당하는 센서로는 가스를 검출하는 가스센서 등이 있다.

인간이 아무런 감각기관이 없다고 상상하였을 때 무엇을 할 수 있을 것인가를 상상해 보면 센서의 필요성을 쉽게 이해할 수 있다.

[표 6-3] 사람의 감각기관과 센서의 역할 *〈참고자료 3〉

사람의 감각기관과 센서의 역할	
사람	자동화 설비, 로봇
다양한 주변 환경	제어하고자하는 제어량
↓	↓
감각기관(시각, 청각, 촉각, 후각)	센서(열, 빛, 음향, 온도, 습도, 압력감지센서)
↓	↓
두뇌	제어기(컴퓨터, 마이크로프로세서)
↓	↓
근육	엑츄에이터(모터, 유압설비, 동력장치)

(2) 센서(Sensor)의 종류

센서의 구체적 종류에는 열 감지 센서, 온도 센서, 습도 센서, 빛을 감지하는 광센서, 소리를 감지하는 음향 센서, 가스 센서, 압력 센서, 유량 센서, 자기 센서, 진동 센서, 움직임 감지 센서, 초음파 감지 센서, 미각 센서, 후각 센서 등이 있다. 고속도로에 차량이 진입하면 통행카드가 나오거나, 건물의 화재 감지기, 현관의 자동 점멸등, 어두워지면 자동으로 켜지고 밝아지면 끄지는 가로등 들이 간단한 센서의 예이다.

① 광센서 : 빛을 감지하여 전기적인 신호로 변환하는 센서를 말한다. 실생활에서 광센서의 응용을 찾아보면 자동문에 부착되어 들어오고 나가는 사람의 유무를 감지하는 용도의 센서를 예로 들 수 있다.

② 음파센서 : 사람의 가청주파수(~16Khz)를 넘어서는 주파수의 음파를 발생하여 음파가 반사되어 돌아오는 시간을 측정하여 거리를 계산하는 원리의 센서이다. 음파의 속도를 알면 시간을 측정하여 거리를 계산할 수 있는 메아리와 같은 원리를 이용한 센서이다.

③ CCD(Charge Coupled Device) 센서 : 전하결합소자라고도 하는 반도체 소자로, 신호를 축적(기억)하고 전송하는 2가지 기능을 동시에 갖추고 있다. 사람의 눈 역할을 하는 전

자 눈으로도 각광을 받고 있으며 대규모 용량의 메모리와 카메라에 사용된다. CCD 칩은 많은 광다이오드 들이 모여 있는 칩이다. 각각의 광다이오드에 빛이 비치면 빛의 알갱이 즉 광자의 양에 따라 전자가 생기고 해당 광다이오드의 전자량이 각각 빛의 밝기를 뜻하게 되어 이 정보를 재구성함으로써 화면을 이루는 이미지 정보가 만들어진다. CCD는 디지털 스틸 카메라, 광학 스캐너, 디지털 비디오카메라와 같은 장치의 주요 부품으로 사용된다.

④ 코인 센서(coin sensor) : 자동판매기에 사용되며, 코인(주화)의 종류를 판별하는 센서로 검지 수법에는 여러 가지가 있으며, 주화의 지름이나 무게, 가운데에 있는 구멍의 유무, 패턴 등을 계측하는 센서가 조합되어 사용되고 있다. 진짜와 가짜를 감정하는 데는 재료의 조성 분석 센서도 사용된다.

광센서

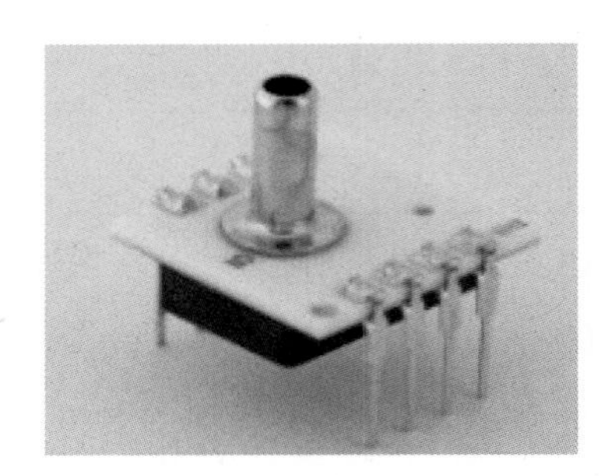

디지털 방식의 공기압 센서

디지털 카메라에 사용되는 CCD 소자

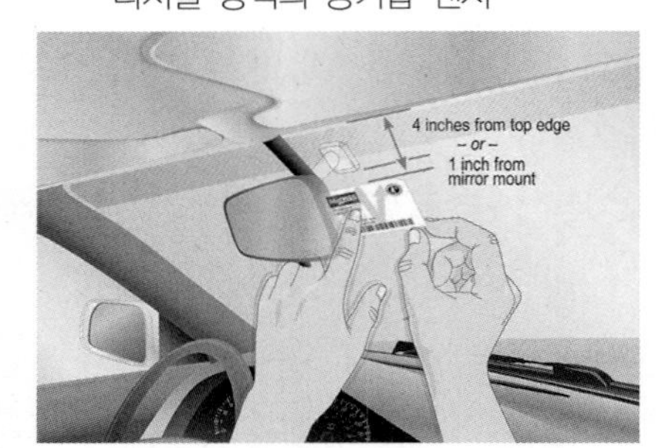

자동차에 설치된 RFID 카드

[그림 6-11] 센서의 종류 *〈참고자료 3〉

그리고 전자기파를 받아들이기만 하는 수동적 센서(Camera, MSS, TM, HRV)와 전자기파를 보내서 다시 받는 능동적 센서(Radar, Laser)로 분류해 볼 수도 있다.

이외에도 다양한 화학적, 물리적인 양을 검출하는 센서들이 존재하며 실생활에 사용되고 있다. 센서는 자동화 설비 및 로봇 등과 같이 자동으로 주변 환경을 감지하여 이를 판단하고 작동하는 장치에 필수적으로 사용되는 부품이다.

(3) 센서공학(-工學, Sensor Engineering)

센서란 측정 대상물로부터 물리량을 검출하고 검출된 물리량을 전기적인 신호로 변환시켜 주는 소자를 의미한다. 센서공학은 이러한 센서의 원리, 특성, 응용에 대하여 연구하는 학문 분야이다.

센서를 제조하기 위해서는 다양한 센서의 재료, 반도체 등과 같은 물질의 특성에 대한 이해가 필요하다. 따라서 금속학(Metallurgy), 전자공학(Eelectronics), 물리학(Physics) 등의 관련 분야에 대한 광범위한 지식이 필요하다. 새로운 센서의 개발도 센서공학에서의 주요 연구 분야 중 하나이다. 또한 이러한 센서를 이용하여 다양한 응용 분야에 적용하는 것과 센서를 어떻게 사용해야 정확한 계측을 할 수 있는지에 대한 것도 중요한 연구 분야 중 하나이다.

센서는 첨단산업 현장에서의 자동화 시스템을 비롯하여 자동차 관련 산업, 우주 항공 산업, 의료 분야, 환경 측정 분야, 산업 전반에 걸친 다양한 분야 및 일상생활에 이르기까지 폭넓게 사용되고 있다. 따라서 센서기술은 모든 산업 분야에서 핵심적인 기술로 자리 잡고 있으며, 각국에서 기술경쟁력을 선점하기 위해 노력하고 있다. 센서는 반도체의 집적화 기술과 MEMS(Micro Electro-Mechanical System)의 소형화 기술들과 결합하여 더욱 소형화, 지능화, 고성능화될 것이며, 대량생산됨에 따라 가격도 저렴해질 것으로 예측할 수 있다. 이렇듯 산업의 전 분야에 널리 활용되고 있는 센서공학에서는 산업체 또는 실생활에서 사용하는 다양한 센서의 동작원리와 특성 및 응용 회로 등을 다룬다.

(4) 센서(Sensor)의 응용

유비쿼터스 센서 네트워크 (USN : Ubiqutious Sensor Network)는 인식된 정보를 실시간 전송하기 위해 네트워크 형태로 발전시킨 것인데, USN은 환경을 인지하기 위한 센서로, 인식된 데이터를 처리하기 위한 마이크로프로세서, 인식된 정보 전달을 위한 무선송수신기로 구성된 초소형 저가, 저전력 장치들로 구성된 네트워크이다.

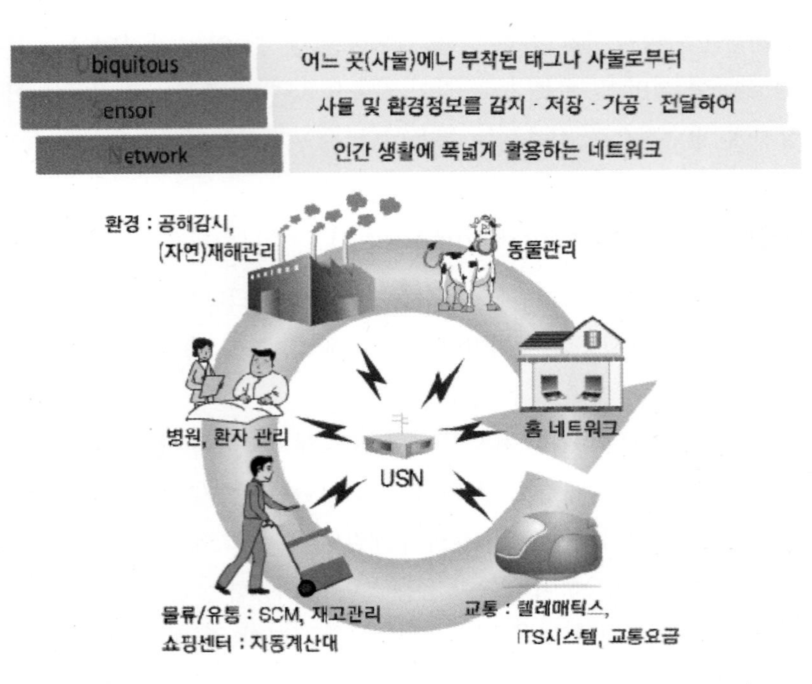

[그림 6-12] USN(Ubiquitous Sensor Network) *〈참고자료 2〉

6.4.2.3 태그(Tag)

Tag(어떤 표시를 하기 위해 붙인)는 꼬리표 또는 (사람 · 사물을 묘사하기 위해 붙인) 꼬리표를 의미하는데 IT용어로는 표지, 데이터 요소 식별자, 표시 문자인 태그를 말한다. 데이터의 집합에 붙여진 하나 이상의 문자이며, 이 집합에 관한 정보를 포함하고 그 식별이 가능한 것을 말한다.

광의로는 연산 처리를 할 때의 각 데이터의 내부 표현에 사용되는 형(Type)의 정보를 가리키고, 협의로는 기계어 중의 특정한 비트 부위를 의미한다. 실제로는 프로세서부나 데이터부의 특정한 부위에 그 속성이 나타나 있는 정보를 말한다.

전파식별장치(RFID : Radio Frequency IDentification)는 사물을 식별하기 위해 다양한 분야에서 사용하는 일종의 태그라 할 수 있다. 전파식별장치(RFID)는 사물에 RFID태그를 부착하여 사물의 정보를 확인하고 주변상황정보를 감지하는 전자태그 및 센싱 기술로, 인터넷 이후 미래 IT 시장을 선도할 기술 중 하나로 주목받고 있다. 바코드를 대체하여 상품관리를 네트워크화하고 지능화함으로써 다양한 솔루션이 개발되어지고 있으며, 궁극적으로 모든 사물에 ID를 부여하게 되어 사물의 자동인식이 가능해지며, 이들 간의 상호 통신이 가능하도록 네트워크가 형성되어 유비쿼터스 센서네트워크 형태로 발전하고 있다.

RFID시스템은 관리할 대상 사물에 태그를 부착하고 전파를 이용하여 사물 및 주변상황 정보를 감지하고 필요한 정보를 수집, 저장, 가공, 추적함으로써 사물에 대한 원격 처리, 관리 사물 간 정보 교환 등 다양한 서비스를 제공하는 시스템이다. 필요한 모든 사물 또는 장소에 RFID 태그를 부착하여 이를 통해 기본적인 사물의 인식 정보는 물론이고, 센싱 기술과 결합될 경우 주변의 환경정보(예를 들면 온도, 습도, 오염 정보, 균열 정보 등)까지 탐지하여 이를 실시간으로 네트워크에 연결하여 그 정보를 관리한다.

RFID는 무선 송수신용 안테나를 내장한 리더(Reader)와 필요한 정보를 저장하고 교환하는 태그, 유무선 통신망으로 연결된 서버로 구성된다.

○ 태그 : 데이터를 저장할 수 있어, RFID의 핵심 기능을 담당하는 태그는 제품, 동물, 또는 사람 등 사물에 부착되어 사물을 인식
○ 리더 : RFID 태그에 읽기와 쓰기가 가능하도록 하는 장치
○ 안테나 : 정의된 주파수와 프로토콜로 태그에 저장된 데이터를 교환하는 장치
○ 서버 : 리더에서 수신된 사물에 대한 정보를 활용하여 응용처리를 수행

RFID 시스템은 바코드나 QR 코드, 스마트 카드와 비슷한 기능을 수행하는데 바코드와 RFID를 비교해보면 다음과 같다.

[표 6-4] 바코드와 RFID의 비교 *〈참고자료 1〉

기 능	바코드	RFID
저장 능력	2^7 = 128	2^{128} = 3.40282E+38
저장 정보	국가(3),제조업체(4), 상품품목(5)에 대한 정보만 입력가능	국가, 제조업체, 상품품목 외에 생산일자, 유통기간, 원산지, 생산자, 가공자, 판매자 정보, 매장 및 가격 정보뿐만 아니라 상품의 특징, 조리법 등 거의 모든 제품정보를 입력가능
상품 인식	동일 상품은 모두 동일 ID	동일 종류의 상품도 모두 각각 다른 개별 ID
상품 인식 예	농협에서 납품받은 농산품	어떤 산지에서 몇 월, 몇 일, 몇 시에 출하되어(생산자 정보) 어떤 공장에서 몇 월, 몇 일, 몇 시에 가공되어(가공자 정보) 어떤 매장에 몇 월, 몇 일, 몇 시에 입고되어(판매자 정보) 몇 번째 진열장에서 몇 번째 진열된 농산품

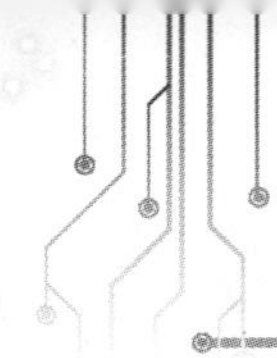

6.4.2.4 임베디드 시스템(Embedded System : 내재화된 부품 또는 모듈)

임베디드 시스템은 어떤 제품이나 솔루션에 추가로 탑재되어 그 제품 안에서 특정한 작업을 수행할 수 있도록 하는 솔루션이나 시스템을 말한다. 즉, 특정한 별도의 작업을 수행하기 위해 추가로, 본래의 시스템에 끼워 넣은 내장형시스템이라는 뜻이다. 예를 들어 휴대폰에 TV 기능이 탑재된 DMB 기능을 임베디드 시스템이라고 볼 수 있다. 즉, 주된 용도가 전화인 휴대폰 시스템에 '끼워 넣은(embed)' DMB시스템을 뜻한다. 이것은 기계 또는 전자 장치에 그것의 두뇌 역할을 하는 마이크로 프로세서(Microprocessor)를 장착해 설계함으로써 효과적인 제어를 할 수 있도록 하는 것을 의미한다. 기기를 동작시키는 소프트웨어(운영체제)를 컴퓨터처럼 디스크에서 읽어 들이는 것이 아니라 칩에 담아 기기에 내장시킨(embedded) 형태의 장치를 말한다.

특히 디지털 홈 시대를 맞아 가전제품에 사용되는 임베디드 기술이 주목받고 있는데 세탁기, 냉장고 등에 현재도 사용되고 있다. 예를 들면 세탁물의 종류에 따라 물과 세제와 강약 등을 제어하는 세탁기, 냉장실 또는 냉동실에 들어가는 재료에 따라 자동으로 반응하는 냉장고, 밥을 지을 때 들어가는 재료에 따라 다르게 작동되는 전기밥솥 등이다. 이러한 임베디드 기술은 세탁기와 냉장고뿐만 아니라, 에어콘, 휴대폰 등의 가전제품이나 자동차, 비행기, 엘리베이터 등의 제품 등에 있는 컴퓨터 및 이를 제어하는 내장 시스템으로 본 시스템의 품질을 더욱 높여주는 역할을 수행한다. 대개의 경우 기기제품 그 자체로 작동할 수도 있지만, 제품에 임베디드 시스템이 결합되어지면 더욱 더 효율적으로 기능을 수행한다. 그러므로 첨단 기능이 들어 있는 현대의 각종 전자 · 정보 · 통신 기기는 대부분 임베디드 시스템을 갖추고 있다.

임베디드 시스템은 또한 공장자동화나 가정 자동화와 같이 자동화 분야에서도 필수적인 요소로 부각되고 있으며, 군사 · 의료 · 교통 환경 등 인간생활의 전 분야와 연계되어 있어서 향후 관련 시장이 크게 확대될 것으로 전망되고 있다. 자동차, 휴대폰, 가전제품, 공장 자동화 장비 등 각종 전자기기들 대부분이 임베디드 시스템을 갖추고 있다.

특정 기능을 수행하기 위해 컴퓨터와 Program이 어떤 시스템에 내장되어 기존의 기계적인 시스템과 일체가 되어 사용되는 방식인 임베디드 시스템은 의료기, 미사일 등의 무기 시스템이나 비행기, 우주선 등의 우주 항공 시스템, 자동차, 선박 등의 고속 교통시스템 등의 다양한 분야에서 폭 넓게 활용되고 있다.

그런데 여기서 중요한 것은 이런 모든 기능을 회로만으로 구성해서 구현한다는 것은 사실상 불가능하다는 점이다. 적당한 제어용 CPU가 있고, 또 그 기기의 기능에 맞는 Program이 탑재되어 있어 그 Program을 통해야만 기능을 구현할 수 있는 것이다. 바로 이런 것이 임베디드 운영체제라 할 수 있다. 일반적으로 임베디드 시스템은 특정 기능을 수행하기 위해 컴퓨터의 하드웨어와 소프트웨어가 조합된 전자제어시스템을 말한다.

임베디드 소프트웨어는 여러 가지로 나뉘어지는데, 그 중에서도 특히 임베디드 운영체제(OS : Operating System)가 중요하게 부각되고 있다. 현재 윈도우와 리눅스 등 OS제품들은 대부분 PC와 서버 등의 운영을 위해 사용되고 있으나 이동통신 단말기, 화상통신기기, 디지털 TV등 디지털 시대의 많은 전자제품들에도 OS의 탑재가 필요하다. 이러한 기기에 사용되는 OS를 임베디드 운영체제라고 하는데 시스템의 용도에 맞는 기능을 얼마나 빨리, 잘 구현해 주느냐가 이 시스템의 핵심인데, 윈도CE, 팜 OS 등이 대표적이고 임베디드 리눅스와 같은 Program은 일반 PC와도 연동이 가능하다. 최근 리눅스 채택이 늘고 있다.

이렇게 ① Chip(IC Chip), ② 센서(Sensor), ③ 태그(Tag), ④ 구동체(Embedded System : 내재화된 부품 또는 모듈)들을 사용하여 생활공간과 전자공간을 연결하고 융합해 나가는 유비쿼터스 컴퓨팅기술을 다시 한번 정리해보면 물리적 생활공간 속에 수많은 작은 컴퓨터(Chip, Sensor, Tag, 기타 작은 구동체 등)를 일상의 사물들 속에 심고, 전자적 공간의 Computer System을 Network로 연결하여 물리적 공간의 상황을 사물과 사물, 사물과 컴퓨터, 컴퓨터와 사람 간의 상호작용을 통해 인식하고 생활공간 속성과 전자적 공간 속성이 양방향으로 상호작용 할 수 있는 기능 중심의 Network·Computing System이라 할 수 있다. 초점은 사물-컴퓨터-사람이 Network로 연결되어 소통하는 것인데 일상적인 사물에 각각 제 역할에 적합한 컴퓨터를 넣어서, 사물끼리 서로 통신이 가능 하도록 하는 사물인터넷(IoT : Internet of Things)으로 사람을 포함한 기존의 사물들이 혼연일체로 합체되어 소통(Communication)하는 것이라 할 수 있다.

한편 이러한 유비쿼터스 컴퓨팅기술은 5C와 5Any로 나타낼 수도 있다.

여기서 5C는 언제 어디서나 서비스가 가능한 컴퓨팅, 사람과 사람뿐만 아니라 사람과 사물, 사물과 사물 간의 Communication, 이들이 서로 유기적으로 연결된 Connectivity, 제공되는 정보나 서비스가 개인화된 Contents, 이 모든 것을 사람들이 느끼지 못하게 보이지 않게 제공하는 조용함 Calm이다.

그리고 5Any는 언제나(Any-time), 어디서나(Any-where), 어떤 통신망(Any-네트워크)으로도, 어떤 장비(Any-device)로도, 사용자가 원하는 모든 서비스(Any-service)를 지원해주는 컴퓨팅 환경을 말한다.

이러한 5C와 5Any를 위한 기술은 세 가지로 정리할 수도 있는데, 먼저 네트워크에 접속되어야 한다. 즉 무선 네트워크 을 통하여 모든 기기들이 연결되어 어느 곳에서나 정보를 얻을 수 있어야 한다. 다음은 사용자에게 보이지 않는 컴퓨터로 자연스럽게 컴퓨터를 사용하기 때문에, 컴퓨터는 의식되지 않으면서 언제 어디서나 보이지 않게 산소처럼 사용자를 지원한다. 마지막으로 사용자와 상황에 따라 차별화된 개별서비스로 사용자가 누구이고, 어디에서 사용되느냐에 따라 다른 서비스 제공해야 한다.

그 예로는 몸에 걸칠 수도 있고(Wearable computing), 여러 가지 사물에 Chip(Microchip) 등을 심을 수도 있고(Embedded computing), Sensor를 통해 필요한 정보를 주고받을 수도 있고 (Sentient computing), 언제 어디에서나(Nomadic computing), 스며들어 널리 퍼질 수 있고(Pervasive computing), 때로는 일회용으로 쓰고 버릴 수도 있는(Disposable computing), 현실세계와 가상세계를 연결해주는 조금은 색다른 컴퓨팅(Exotic computing) 기술 등이 있다.

▸ 웨어러블 컴퓨팅(Wearable computing)

웨어러블 컴퓨팅은 유비쿼터스 컴퓨팅 기술의 출발점으로서 컴퓨터를 옷이나 안경처럼 착용할 수 있게 해줌으로써 컴퓨터를 인간의 몸의 일부로 여길 수 있도록 하는 기술이다. 본래 군사 훈련용으로 개발되었던 것이 지금 컴퓨터 기술에 물리, 의류, 감성공학, 심리 등 여러 분야와 연동되어 각종 필요한 디지털 장치와 기능을 입을 수 있는 것들에 통합시킨 미래 컴퓨팅 기술이다. 구글글라스, 스마트워치, 의류 및 침대 착용 등이 그 예이다.

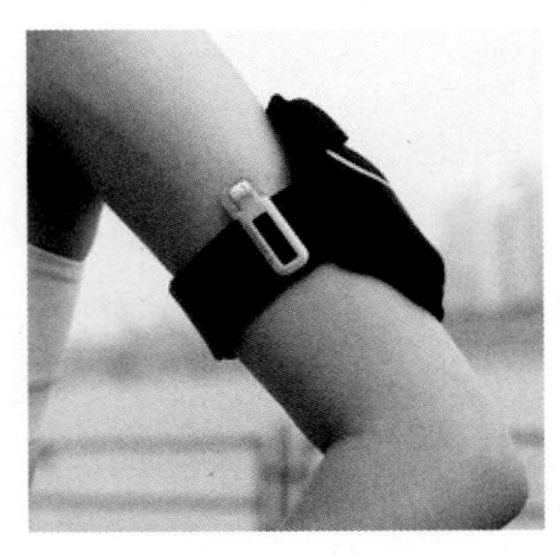

[그림 6-13] 캐시비 웨어러블 교통카드 클립패스 사진

▸ 임베디드 컴퓨팅(Embedded computing)

임베디드 컴퓨팅은 사물에다 컴퓨터 Chip(Micro chip) 등을 심어 사물을 지능화 하는 컴퓨팅으로 일상적인 사물에 제 역할에 맞는 컴퓨터를 넣어 사람과 사물들 간에 통신을 가능하게 한다. 그 예로는 다리, 빌딩 등 건축물에 Chip을 장착하여 안정성 진단을 하는 것을 들 수 있다.

▸ 감지 컴퓨팅(Sentient computing)

감지 컴퓨팅은 컴퓨터가 Sensor 등을 통해 사용자의 상황을 인식하여 사용자가 필요로 하는 정보를 제공해 주는 컴퓨팅 기술로 인간이 감각기관을 통하여 외부 환경의 상태를 느끼는 것처럼 센서라는 장치를 이용하여 정보를 획득하여 사용자에게 제공하거나 스스로를 처리하는 것을 말한다. 이러한 감지 컴퓨팅을 통해 커뮤니케이션, 정보제공, 상황고지, 행위제안, 지능형 서비스 등의 유비쿼터스 서비스를 제공할 수 있다.

▸ 노매딕 컴퓨팅(Nomadic computing)

노매딕 컴퓨팅은 어떠한 장소에서도 이미 다양한 정보기기가 편재되어 있어 정보기기를 사용자가 굳이 휴대할 필요가 없는 환경을 말하는 것으로 마치 넓은 초원을 돌아다니며 마음껏 생활하는 유목인처럼 어떤 특정한 장소가 아니라 자유자재로 이동하면서 어디서든지 컴퓨터를 사용할 수 있게 하는 기술이다. 이는 유비쿼터스 네트워크와 일맥상통하는 것으로 무선 초고속 인터넷, 자동차용 차세대 정보제공 서비스인 텔레매틱스 등을 예로 들 수 있다.

▸ 퍼베이시브 컴퓨팅(Pervasive computing)

스며드는 컴퓨팅인 퍼베이시브 컴퓨팅은 어디든지, 어떤 사물이든지 컴퓨터가 편재되어 전기나 가전제품처럼 일상화된다는 것으로 생활 속 구석구석 파고드는 컴퓨터 관련 기술을 의미한다. 유비쿼터스 컴퓨팅과 유사한 개념으로 PC의 핵심 기술 등이 다른 종류의 기기에도 널리 퍼져 현재의 e-비즈니스 환경을 더 확장시켜 놓은 것이라 할 수 있다. 이러한 예로는 PDA, 스마트폰, MP3플레이어와 같은 초소형 핸드헬드 제품(일명 포스트 PC), 인터넷 TV나 인터넷 냉장고 등 컴퓨터와 인터넷 기술이 접목된 첨단 가전제품, 자동차용 오토 PC 등을 들 수 있다.

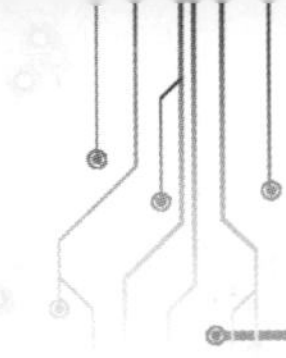

▸ 1회용 컴퓨팅(Disposable computing)

1회용 컴퓨팅을 의미하는 것으로 모든 사물에 컴퓨터를 심을 수 있도록 컴퓨터 가격을 1회용 종이만큼이나 저렴하게 만드는 기술로 어떤 물건에서라도 컴퓨터 기술을 활용할 수 있도록 한다. RFID 태그 기술이 현실화되기 위하여 RFID칩이 아주 저렴해져서 모든 사물에 장착이 가능해져야 한다.

▸ 엑조틱 컴퓨팅(Exotic computing)

엑조틱 컴퓨팅은 스스로 생각하며 현실세계와 가상세계를 연계해주는 컴퓨팅을 실현하는 기술이다. 집안에서 일어나는 물리적인 문제와 컴퓨터가 수행해야 할 작업이 지능적으로 파악된다.

▸ 조용한 컴퓨팅(Silent computing)

조용한 컴퓨팅은 사용자가 의식하지 않고 조용히 있어도 사물 속에 심어놓은 컴퓨터들이 마치 하인처럼 정해진 일을 묵묵히 수행하는 것을 실현하는 컴퓨팅 기술로 컴퓨팅의 기술 자체의 중요성보다는 기술과 인간과의 관계에 더욱 초점을 맞춘 개념이다.

▸ 기타 컴퓨팅

커뮤니티 컴퓨팅(Community computing)은 사용자 주변의 사물들이 사용자의 의도를 파악하고 커뮤니티를 구성하여 서비스를 제공하는 협업 지능 컴퓨팅이다. 그리고 오토노믹 컴퓨팅(Autonomic computing)은 컴퓨터가 생명체의 자율적인 신경 시스템과 유사한 시스템으로 구성되어있어 컴퓨터의 자율성을 강조한다. 또한 앰비언트 컴퓨팅(Ambient computing)은 인지하지 않고 있는 순간에도 계속적으로 수많은 정보를 수집하고 가공하여 필요로 하는 장소와 시간에 여러 가지 용도로 사용할 수 있도록 하기 위한 시스템을 강조한다.

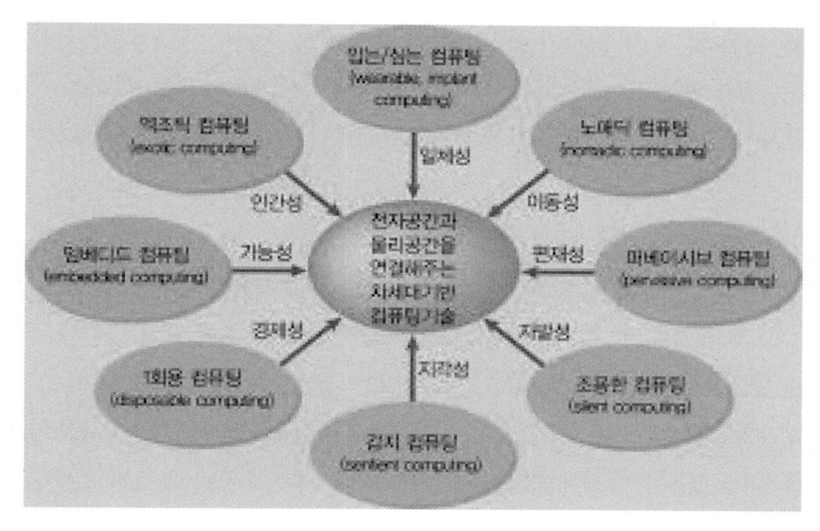

[그림 6-14] 유비쿼터스 컴퓨팅 기술의 종류 *〈참고자료 1〉

6.4.3 유비쿼터스 환경에서의 응용서비스

(1) 홈 네트워킹(Home Networking)

가정 내의 정보 가전 기기가 네트워크로 연결되어 지능화되고 있으며, 기기, 시간, 장소에 구애 받지 않고 편리하고 안전하게 고품질의 홈서비스를 제공한다.

가정구성원들이 생활기기를 네트워크로 연결해 집 안팎에서 제어하거나 통신할 수 있도록 해주는 기술이다. 차세대 가전제품인 냉장고, 전자레인지, 에어컨 등의 제어용 가전제품과 PC, 전화기, TV, 오디오, 휴대단말기 등 정보용 가전제품에 대해 네트워크와 홈 서버(Home Server)를 매개로 해 양방향 서비스를 구현한다. 홈 네트워킹은 각종 전자기기와 연계해 인터넷 서비스는 물론 홈시어터, 가전기기 원격제어, 방문객 확인 등 다양한 기능을 수행한다. 즉, 정보통신기술의 발달과 고속 인터넷 등 디지털 인프라가 구축되면서 소비자들은 세탁, 쇼핑, 친지와의 연락, 건강 등을 더욱 편리하게 처리할 수 있게 된다.

(2) 텔레매틱스(Telematics)

텔레매틱스(Telematics)는 통신(Telecommunication)과 정보(Informatics)의 합성어로 IT와 자동차기술이 결합된 기술을 의미한다. 자동차 안에서 이메일을 주고받고, 인터넷을 통해 각종 정보도 검색할 수 있는 오토(Auto) PC를 이용한다는 점에서 '오토모티브 텔레매틱스'라

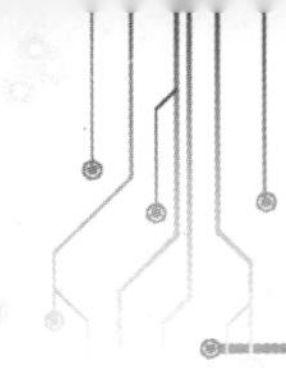

고도 부른다. 통신 및 방송망을 이용하여 자동차 안에서 위치추적, 인터넷 접속, 원격 차량진단, 사고감지, 교통정보 및 홈 네트워크와 사무자동화 등이 연계된 서비스 등을 제공한다. 이는 단순한 교통수단에 불과했던 자동차를 '움직이는 사무실'로 탈바꿈시켜 준다.

(3) u-시티(Ubiquitous City)

u-시티는 첨단 IT 인프라와 유비쿼터스 정보기술을 도시계획에 활용하여 기존 도시의 재탄생 또는 체계적인 계획에 따른 신도시로, 생활의 편의 증대와 삶의 질 향상, 체계적 도시관리에 의한 안전 보장과 시민 복지 향상, 신산업 창출 등 도시의 제반 기능을 혁신시키는 21세기형 차세대 정보화 도시를 말한다. 이는 디지털 홈과 전자행정, 전자교육, 전자환경 관리, 전자교통 등을 도시통합관제센터에서 통합 관리하는 체제로 설계되고 생활 속에서 다양한 유비쿼터스 서비스 기능을 제공한다.

(4) u-상업(Ubiquitous Commerce)

u-상업은 각종 네트워크, 휴대폰 · PDA와 같은 무선기기와 정보가전 등 모든 형태의 도구를 통해 이루어지는 전자상거래로 누구나, 어디서나, 언제든지, 어떤 것에 대해서도 교류, 대응 거래가 가능하다. 서로 네트워크로 연결됨으로써 기존에는 존재하지 않았던 새로운 비즈니스가 다양하고 폭넓게 발생한다.

(5) u-의료(Ubiquitous Health)

u-의료는 IT와 의료를 결합한 것으로 통신과 보건의료를 연결하여 언제, 어디서나 예방, 진단 치료, 사후 관리의 보건의료 서비스를 통한 건강관리나 진료를 받을 수 있는 새로운 기술을 말한다.

6.4.4 유비쿼터스 컴퓨팅 기술의 방향과 미래

(1) 상반된 기술의 통합과 다양한 기술 진화 방향의 공존

첫째, Server 기술과 유선통신 기술 영역이 단절되지 않는 망의 통합으로 진화한다.

둘째, 클라이언트와 PostPC 기술, 무선 및 유 · 무선 통합망 기술은 초고속, 대용량의 멀티미디어 데이터에 대한 광대역접속 서비스를 제공한다.

셋째, 내장된 초소형 컴퓨팅 객체와 미세 전자기계 System(MEMS) 기술, Sensor 기술 및 근거리무선통신(Near Field Communication) 기술이 자율형 컴퓨팅 환경을 제공하는 방향으로 진화한다.

(2) IT기술 진화 파장의 성숙화에 따른 성장 동인의 이동

IT 인프라를 기반으로 하는 IT · 서비스의 융합, IT · NT의 융합, IT · BT의 융합 등으로 기술 진화 성장 동인이 이동한다.

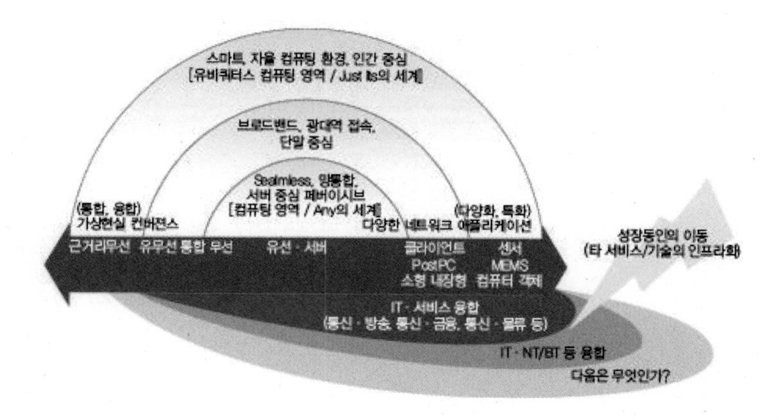

[그림 6-15] IT기술의 진화에 따른 성장 동인의 이동 *〈참고자료 1〉

(3) 유비쿼터스 컴퓨팅 시대의 유비쿼터스 네트워크

PC, Server 중심인 협의의 네트워크ing뿐만 아니라 Tablet PC, Smart Phone, IPTV, 오디오/비디오 기기, 정보가전, 휴대전화, 게임기, 제어기기 등과 같은 다양한 기기가 접속되어야 한다.

(4) 유비쿼터스 컴퓨팅의 미래

Mark Weiser의 유비쿼터스 컴퓨팅 전개 시나리오를 보면 한 사람이 여러 가지 다양한 컴퓨터를 활용할 수 있는 유비쿼터스 컴퓨팅 시대가 2020년 이내에 일반화될 것으로 추정하고 있다.[19]

---

19) 〈참고자료〉 : 1) 양순옥 외, 생능 출판사, 유비쿼터스 개론, 2012
2) 김명주 외, 이한 미디어, 컴퓨터의 이해, 2012
3) 조재승, 형설출판사, 학문명 백과 : 공학, 2012

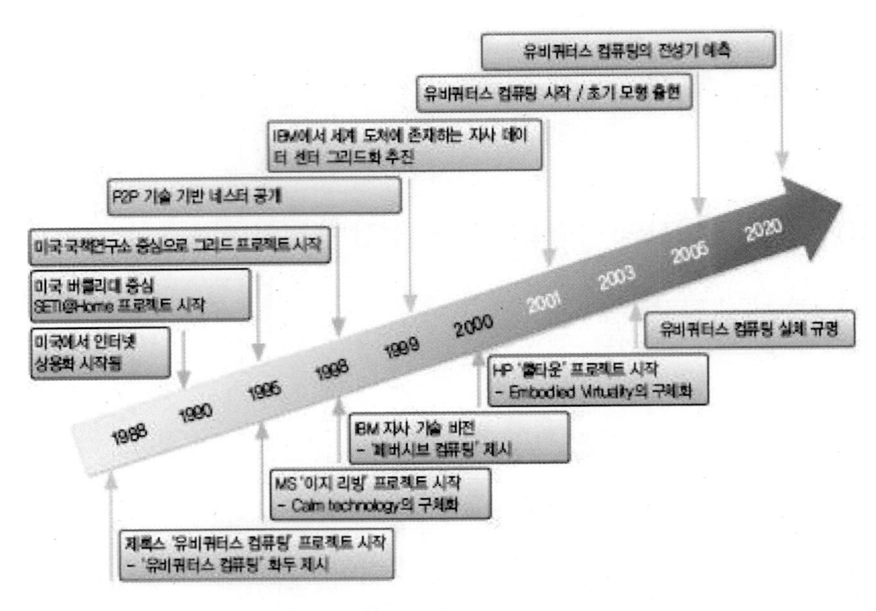

[그림 6-16] 마크 와이저 유비쿼터스 컴퓨팅 전개 시나리오 *〈참고자료 1〉

6.5 사물인터넷(IoT : Internet of Things)

유비쿼터스 컴퓨팅 기술을 다시 정리해보면, 수많은 작은 컴퓨터(Chip, Sensor, Tag, 기타 작은 구동체 등)를 물리적 생활공간 속에 있는 일상의 사물들 속에 심고, 전자적 공간의 Computer System을 Network로 연결하여 물리적 공간의 상황을 사물과 사물, 사물과 컴퓨터, 컴퓨터와 사람 간의 상호작용을 통해 인식하고 생활공간과 전자공간의 속성이 양방향으로 상호작용 할 수 있는 기능 중심의 Network · Computing System이라 할 수 있다. 이러한 유비쿼터스 컴퓨팅과 사물인터넷(IoT : Internet of Things)의 개념은 서로 다른 관점으로 바라보면서 강조점을 달리하는 개념으로 보인다.

유비쿼터스 컴퓨팅 기술은 사물-컴퓨터-사람이 Network로 연결되어 소통하는 것인데 일상적인 사물에 각각 제 역할에 적합한 컴퓨터를 넣어서, 사물끼리 서로 통신이 가능하도록 하여, 사람을 포함한 기존의 사물들이 혼연일체로 합체되어 소통(Communication)한다는 점에서, 사물 인터넷(IoT: Internet of Things)과 밀접한 관련을 가진 개념으로 확대, 발전하는 것으로 볼 수 있다.

6.5.1 사물인터넷(IoT)의 개념

사물인터넷이라는 말은 1999년에 비누, 샴푸 등을 제조, 판매하던 P&G의 케빈 애슈턴이 처음 사용하면서 사람들의 입에 오르내리기 시작했다.

브랜드 매니저로 일하던 그는 RFID*나 여러 센서를 일상생활 속에서 접하는 사물에 적용하면, 사물들끼리도 정보를 주고받을 수도 있겠다고 생각했다. 이 얘기는 컴퓨터뿐만 아니라 일반 생활 용품도 인터넷에 연결될 수 있다는 뜻이다.

인터넷이 일반 사람들에게 널리 쓰이기 시작한지 얼마 안 됐을 당시, 그가 말한 사물인터넷은 먼 미래에나 실현될 것처럼 보였다. 하지만 20년도 채지나지 않은 지금, 우리가 사는 세상은 어떤가? 이미 사물인터넷 시대에 들어와 있다.

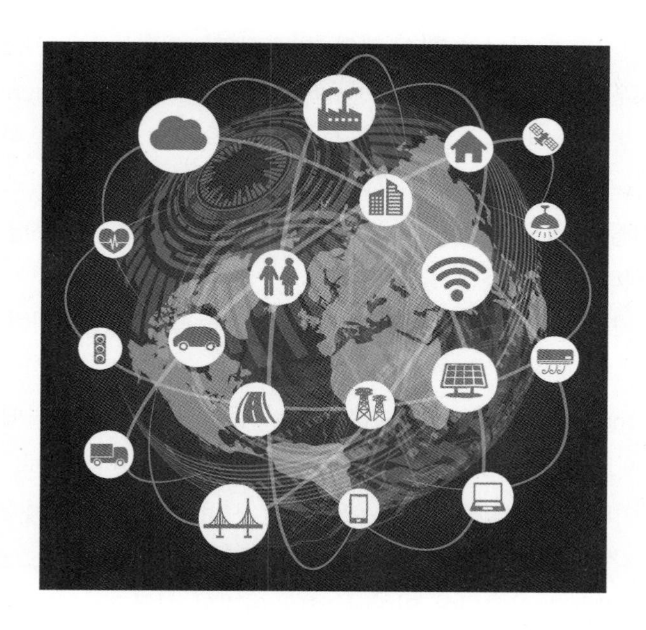

사물인터넷이란 생활 속에서 사용하는 보통 물건들이 네트워크로 연결되어 정보를 주고받는 것을 말한다.

버스의 위치와 속도 등을 서버에 보내 정류장 도착 시간을 실시간으로 알려 주는 버스정보시스템은 사물인터넷의 한 종류이다. 버스 정류장에서 내가 타야할 버스가 어디쯤 와 있는지, 내가 있는 위치에 도착하려면 몇 분 남았는지 알려 주는 전광판을 본 적이 있을 것이다. 버스 도착 정보는 스마트폰의 앱으로도 확인할 수 있는데, 이런 '버스정보시스템'이 바로 사물인터넷의 대표적인 예이다. 버스정보시스템은 버스에 GPS 수신기와 무선 통신 장치를 설치해 실시간으로 버스의 위치를 알아낸 다음, 운행 상태나 도착 예정 시간 등을 계산한다. 이것을 서버에 보내면, 정류장의 전광판이나 스마트폰으로 이 정보가 전송되는 것이다.

이와 같이 **사물인터넷기술(IoT : Internet of Things)은 홀로 떨어져 존재하는(Stand Alone) 물리적 사물들을, Network으로 연결하여 지능적으로 융합시킨다. 즉 사물인터넷기술(IoT)은 일상적인 사물에, 각각 제 역할에 적합한 컴퓨터를 넣어서 사물들끼리 서로 통신이 가능 하도록 하여 모든 사물들이 살아 있는 것처럼(Everything is alive) 혼연일체로 합체되어 소통(Communication)할 수 있도록 지능적으로 융합시켜 연결하는 기술이다.**

특히 만물인터넷기술(IoE : Internet of Everything)은 단순한 사물 간의 연결을 넘어 데이터, 클라우드, 모바일 등을 연결하는 환경을 강조하는 말인데 사물인터넷과 거의 비슷하게 사용되기도 한다.

가전제품, 전자 기기뿐만 아니라 헬스 케어, 원격 검침, 스마트홈, 스마트카 등 다양한 분야에서 사물을 네트워크로 연결해 정보를 공유하는 사물인터넷(IoT : Internet of Things)에서 한 단계 더 발전한 형태로 사람과 데이터, 공정, 경로, 모바일, 클라우드, 사물 등을 연결하는 환경을 말한다. 초고속 통신망, 스마트 그리드, 유비쿼터스 센서 네트워크 등이 유기적으로 연결되어 단순한 사물 간의 연결을 넘어 센서로 정보를 수집하고 클라우딩 컴퓨터, 인공지능 등으로 정보를 분석하여 가치를 창출시킨다.

예를 들면 무인 자동차가 집이나 도로, 가로등과 지능적으로 연결되어 정보를 주고받을 수 있다.

사물인터넷(IoT, Internet of Things)이 진화하여 만물이 인터넷에 연결되는 미래의 인터넷은 서로 소통하며 새로운 가치와 경험을 창출해 내는 미래의 인터넷으로, 존재하는 모든 사람과 프로세스, 데이터까지 모바일, 클라우드 등이 서로 결합된 인터넷을 말한다.

사물인터넷이란 각 사물이 능동적으로 자료를 수집하고 분석하여 스스로 행동할 수 있는 지능을 가지고 네트워크로 연결되어 있어야 하며 연결된 사물은 새로운 가치 및 서비스를 제공할 수 있다.

▸ 사물인터넷의 4가지 기술적 구성요소

사물인터넷은 유무선 통신 및 네트워크 인프라, 서비스 인터페이스, 보안 4가지 기술적 구성요소를 갖는다.

"앞으로 사물인터넷 시대에는 모든 기기와 제품들이 서로 대화를 나누는 슈퍼 커넥티비티(Super Connectivity)시대가 될 것이다." 세계적으로 유명한 미래학자 제레미 리프킨(미국 경제동향연구재단 이사장)은 미래의 모습을 이렇게 그렸다. 앞으로는 사람이 중간에 연결해주지 않아도 사물들끼리 알아서 정보를 주고받는 시대가 된다는 뜻이다. 사물들끼리 네트워크로 연결되어 있는 것, 이것이 요즘 IT 산업의 핵심 기술로 주목받고 있는 '사물인터넷'이다.

이미 우리 주변의 사물은 인터넷을 통해 서로 연결되어 있다. 카메라로 찍은 사진을 곧바로 TV화면에 띄워서 볼 수 있고, 스마트폰으로 작성한 문서를 종이에 인쇄할 수도 있을 것이다. 다만 아직까지는 사람이 카메라와 TV를, 스마트폰과 프린터를 연결해 주어야 한다.

하지만 앞으로는 사물들이 스스로 상황을 파악해서 이런 단순 작업뿐만 아니라, 필요한 더 어려운 일도 알아서 척척 해줄 것이다.

집에 아무도 없다고 판단한 조명이 전기 히터에 이 사실을 알리고, 정보를 전달받은 전기 히터가 화재를 예방하기 위해 스스로 작동을 멈추는 것처럼 말이다.

▸ 사물인터넷의 핵심은 센서와 테그

사물인터넷 시대에는 사물들이 언제 어디서나 주변 환경의 변화를 재빨리 알아챌 수 있는 '센서 기술'이 핵심 기술로 꼽힌다. 센서는 온도, 압력, 속도와 같은 정보를 전기적인 신호로 바꾸는 장치이다.

어떤 값을 측정하느냐에 따라 센서의 종류가 나뉘며, 온도 센서, 습도 센서, 초음파 센서, 압력 센서 같은 물리적인 양을 측정하는 센서들이 가장 쉽게 접할 수 있는 것들이다.

이 외에도 맥박이나 혈압, 혈당 등 우리 몸의 건강 상태를 측정하는 바이오센서도 있다. 최근에는 사람들의 얼굴이나 동작을 인식하는 센서나 사람들의 생각 변화를 읽을 수 있는 뇌파를 측정하는 센서도 개발되고 있다.

하지만 아무리 성능 좋은 센서라도 너무 크거나 두꺼우면 원하는 제품에 달기가 어렵다. 그래서 사물에 쉽게 붙일 수 있도록 얇고 잘 휘는 등 센서의 모양과 재질도 매우 중요하다.

한국전자통신연구원의 경기욱 박사팀은 자유자재로 말거나 휠 수 있을 정도로 얇은 촉각센서를 개발했다. 연구팀은 투명한 필름 안에 눈에 보이지 않을 정도로 가늘고 긴 관을 붙인 뒤, 한쪽 끝에서 빛을 통과하게 했다. 손가락으로 막을 누르면 빛이 움직이는 길이 막혀 반대쪽 끝에 도달하는 빛의 양이 달라진다. 이 차이를 관의 끝에 있는 센서가 감지해, 누르는 힘의 위치나 세기 같은 촉각 정보를 알 수 있다. 이 막의 두께는 머리카락보다 얇아서 어디든 쉽게 붙일 수 있다. 사람 피부에 붙이면 내 몸이 센서가 되는 '스마트 스킨'이 되는 것이다. 한국전자통신연구원 경기욱 박사팀이 만든 촉각센서. 필름처럼 얇은 이 센서는 옷이나 물건 등 어디에나 쉽게 붙일 수 있다.[20]

RFID(Radio Frequency IDentification)는 무선주파수(Radio Frequency)를 이용하여 사물을 식별(IDentification)할 수 있는 기술을 말한다. 전자태그, 스마트태그 등으로도 불린다. RFID는 사물의 이름, 가격, 제조일자 등 정보를 담고 있는 태그와 이것을 읽을 수 있는 판독기로 구성된다.

현재 널리 사용되는 바코드와 개념은 비슷하지만, 바코드보다 정보를 훨씬 많이 담을 수 있고, 판독 속도도 더 빠르다. (참고: 표 6.4)

6.5.2 사물인터넷(IoT)의 특징과 사례

사물인터넷이 가진 특징은 여러 가지지만, 가장 핵심적인 특징은 다음 3가지이다.

① 각 사물은 네트워크로 연결되어 있어야 한다. 사물과 사물, 사물과 인간이 정보를 주고 받을 수 있어야 한다는 뜻이다.

② 각 사물은 필요할 때 스스로 자료를 수집하고 분석하여 주어진 명령을 실행할 수 있는 지능을 가진다. 여기서 지능은 대단한 인공지능을 말하는 것은 아니고, 사람이 하나하나 명령을 내리지 않아도, 사물이 주어진 일을 알아서 할 수 있도록 하는 작은 프로그램이 필요하다는 의미이다.

③ 마지막으로 이러한 네트워크에 연결된 사물이 만들어내는 정보는 단순히 정보를 전달하는 데 그치는 것이 아니라, 새로운 서비스를 제공할 수 있어야 한다. 스마트폰에 기록된 개인 일정에 맞춰서 공연이나 전시의 입장권을 예매하고, 시간에 맞춰 교통편을 알려 주는 등 생활에 도움이 되는 서비스를 제공해줘야 한다는 뜻이다.

설정 온도에 따라 자동으로 작동하는 보일러, 타이머에 따라 저절로 켜지고, 꺼지는 조명, 집 안 구석구석을 혼자서 돌아다니며 청소하고 충전도 하는 로봇 청소기 등 집 안을 둘러보면 자동으로 작동하는 기기들이 많다. 그런데 여기에 한술 더 떠서, 요즘은 이들 기기가 인터넷에 연결되어, 스마트폰으로 집 밖에서 보일러를 작동시키고, 냉장고 문에 붙은 모니터로는 요리법을 검색할 수 있고 더 나아가 냉장고에 현재 어떤 음식재료가 들어 있는지, 자주 사용하는 재료 중에서 부족한 재료가 무엇인지를 주인의 스마트폰에 알려주고 준비를 촉구하는 '비포 서비스(Before Service)'도 제공한다.

---

20) 〈참고자료〉 : [© 한국전자통신연구원]

4차 산업혁명 시대에는 사람이 요청하기도 전에 사물이 먼저 사용자에게 맞춤 서비스를 제안하는 '비포 서비스(Before Service)'도 가능하다.

예를 들면, 미국 기업 캐터필라는 건설 장비에 수십 개의 센서를 달아 기계 상태를 실시간으로 수집한다. 이 데이터는 관제센터에서 모니터링 할 수 있다. 이를 '비전 링크 시스템'이라고 하는데 구성품의 교체 시기와 고장 여부 등을 '미리' 알려준다.

국내에서는 물류 업계가 비포 서비스에 뛰어들었다. 삼성 SDS는 2015년부터 사물인터넷 센서 칩을 컨테이너에 부착해 물류의 이동 과정을 실시간으로 모니터링하고 있다. 운송 과정에서 발생할 수 있는 돌발 상황을 대비할 수 있는 셈이다.

비포 서비스는 농업 현장에서도 빛을 발한다. 바로 스마트팜(Smart Farm)이다. 줄기의 직경과 생장 길이, 꽃의 수, 과실의 수 등 수집한 작물의 생육 정보를 토대로 최적의 수확 시기와 예상 수확량 등을 예측해준다. 과실의 수확, 적화, 낙과 등 현장에서 발생하는 변화도 알려준다.

이는 장기적인 생산성 향상과 작물의 품질 개선에 도움이 된다.

농민들도 전문 경영인 못지않은 경영전략을 준비해서 농업 경영도 '스마트'하게 할 수 있는 농업인을 위한 경영기록 분석 시스템이 국내에서는 처음으로 경북농업기술원이 개발했다. 주먹구구식의 장부 정리 방식에서 탈피하여, 한 해 농사 계획과 규모, 지출내용 등 다양한 농사관련 항목을 PC나 스마트폰으로 입력하면 서버에 데이터베이스로 정리된다. 이를 통해 일반 기업체의 회계 시스템처럼 비용과 이익, 손실요소 등을 면밀하게 분석할 수 있다. 또, 다른 농가와의 비교가 가능하고, 작목별 손익도 대조할 수 있다.

이런 것이 바로 생활 속에 자리 잡고 있는 사물인터넷이다.

▸ 평범한 화분들의 변신

또 다른 예로서, 세계 최초로 식물의 뿌리를 이용해 공기를 깨끗하게 정화시키는 신개념 공기 청정기 화분 '클레어리(Clairy)'를 소개한다.

공기를 깨끗하게 정화시키는 클레어리의 원리는 식물의 뿌리가 에어필터 기능을 한다. 클레어리는 탑재된 센서를 통해 공기의 품질을 측정하고, 온도와 습도도 측정해 스마트폰 앱을 통해 시각화해 보여준다. 클레어리는 화분이자 공기 청정기이다. 관건은 공기 청정 기능의 수준이다.

또 다른 예를 들어 보면, 시들어가는 식물들과 와이파이와 센서를 이용해서 소통하는 스마트 화분 '플랜티'이다.[21)]

▸ **IT제품 10선 ② 스마트 화분'플랜티'**

스타트업(신생 벤처기업) 엔씽이 선보인 스마트화분 '플랜티'는 마이크로 USB로 전원을 연결하고, 집안의 공유기로 와이파이와 연결해 '목 말라요. 물 주세요' 등의 음성을 통해, 사용자에게 화분의 상태를 전달 할뿐 아니라, 화분 스스로 물주기도 가능하다.

즉, 조도 및 습도 센서가 화분의 식물 상태를 파악하고 외출 시 혹은 출장 시에도 물통과 펌프가 연결돼 있어 화분에 물을 공급할 수도 있다.

사물인터넷기술(IoT)은 이러한 일상적인 사물에, 각각 제 역할에 적합한 컴퓨터를 넣어서 사물들끼리 서로 통신이 가능하도록 하여 모든 사물들이 살아 있는 것처럼(Everything is alive) 혼연일체로 합체되어 소통(Communication)할 수 있도록 지능적으로 융합시켜 연결하는 기술이다.

사람과 IT기기뿐만 아니라, 사람과 식물이 연결된 사회! 멋지지 아니한가?

바로 이것이, 화분이라는 사물을 살아 움직이게 하는(Everything is alive) 사물인터넷을 이용한 농업과 IT의 융합이며 IT 융합 기술(IT Convergence Technology)인 것이다.

여러분들의 전공분야가 이 화분이라고 생각하고 이 화분에 생명을 불어넣어 스마트 화분으로 만들자는 창의적인 생각 그 자체가 바로 IT 융합 기술(IT Convergence Technology)이다.

▸ **사물인터넷이란**

- 사물인터넷은 센서와 인터넷을 통해 사물 스스로 데이터를 얻고 실시간으로 정보를 주고받는 기술이나 환경을 일컫는다.
- 궁극적인 사물인터넷은 사람의 조작 없이도 사물 사이의 학습 및 정보화 과정을 통해 사람에게 도움을 주는 환경
- 반면 현재 상용화하고 있는 사물인터넷은 협의의 의미로 해석할 수 있으며 주로 모바일 기기를 이용, 사람의 개입을 통해 정보를 가공하거나 제어하는 것

---

21) 〈참고자료〉 : [Copyright ⓒ YTN Science, http://science.ytn.co.kr/program/program_view.php?s_mcd=1190&s_hcd=&key=201603310934112513

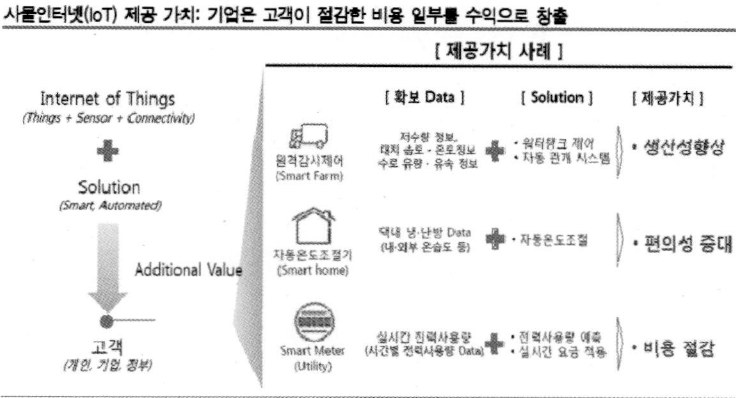

▸ 다양한 서비스로 신성장 산업을 파생

- ICT 접목을 통한 기술 고도화와 함께 다양한 산업이 서로 융복합되어 신성장 산업으로 자리매김
- 초기 시장은 지능형 빌딩 및 운송 시스템(각각 IBS[Intelligent Building System], ITS[Intelligent Transport System]), 스마트홈, 커넥티드카, 스마트그리드, 스마트헬스케어 등의 산업 군에서 제한적인 서비스

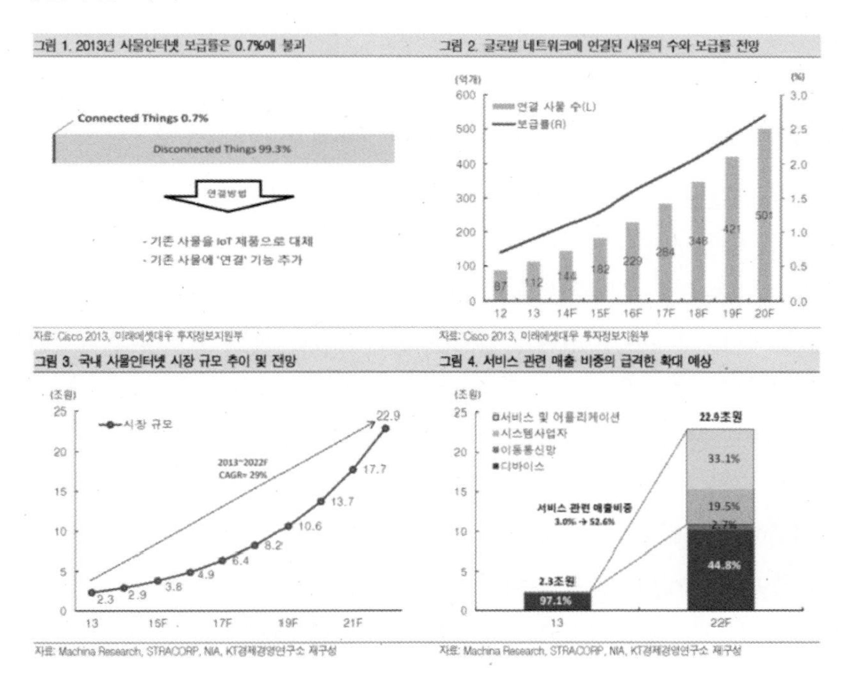

▸ 인프라는 대기업, 서비스는 중소기업이 주도할 전망

- 대부분의 수혜주는 앞으로 급성장이 예상되는 플랫폼/솔루션 및 서비스 공급자 시장에 위치
- 사업 성장의 가능성이 큰 기회요인과 함께 다수의 중소형 경쟁 기업이 참여하는 위험요인을 동시에 가지는 특성을 지님
- 각 시장에 선진입하여 시장 지위를 확보하고 관련 기술을 고도화 중인 기업에 주목할 필요 有

그림 6. 부문별 사물인터넷 적용 사례

분야	사례
가전	**NEST**: 실내온도 최적화 및 에너지 절감이 가능한 스마트 온도조절 장치
제조	**지멘스**: 고성능 자동화 설비와 관리 시스템 간 실시간 연동으로 맞춤생산 극대화
차량	**GM**: 긴급구조요청시스템, 원격차량진단서비스 등 제공
보안	**미 뉴욕시의 테러감지시스템(DAS)**: CCTV, 자동차 인식장치 등이 연계되어 위험, 테러 의심 정보를 수집/분석하고 결과를 경찰, 소방서 등에 제공

자료: Gartner, Statista, 현대경제연구원, 미래에셋대우 투자정보지원부

그림 7. 2017년 소비자 부문 사물인터넷 연결 디바이스 구성 예상

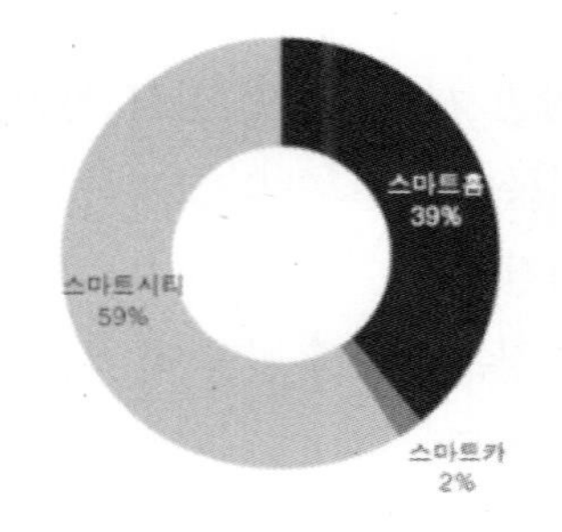

주: 비중은 연결 기기 갯수 기준
자료: Gartner, Statista, 현대경제연구원, 미래에셋대우 투자정보지원부

6.5.3 사물인터넷(IoT)의 주소(IP)와 보안 체계

현재 인터넷에 연결된 사물은 1%도 안 된다고 한다. 전 세계에 약 1조 5000억 개의 사물이 있다고들 하는데, 이들 중 100억 개 정도가 인터넷으로 연결된 셈이다. 100억 개라고 하면 엄청나게 많은 것 같지만, 우리주변에 있는 물건 100개 중에 인터넷에 연결된 것이 1개가 채 안 된다는 뜻이다. 그러나 2013년에 발표된 사물인터넷 관련 보고서에 따르면, 2020년에는 240억 개의 사물이 인터넷으로 연결될 것이라고 한다. 시간이 지날수록 그 수는 점점 늘어날 것이다. 그리고 곧 우리 주변에 있는 대부분의 사물이 하나로 연결되는 '슈퍼 커넥티비티' 시대가 열릴 것이다.

사물이 인터넷에 연결되기 위해서는 사물 고유의 인터넷 주소(IP)가 필요한데 새로운 인터넷 주소도 더 많이 필요하다. 현재 인터넷 주소를 표시하는 방법은 '210.113.039.224'와 같이 표시하는 'IPv4'방식으로, 최대 약 43억 개를 만들 수 있다. 하지만 2020년에 인터넷에 연결되

는 사물의 수가 240억 개로 늘어나면, 지금보다 훨씬 더 많은 인터넷 주소가 필요하다. 이러한 문제를 해결하기 위해 'IPv6' 방식이 대안으로 등장했다. IPv6은 IPv4보다 길이가 길어서, 43억×43억×43억×43억, 즉, 거의 무한대로 주소를 만들 수 있다. 따라서 인터넷에 연결되는 사물의 수가 폭발적으로 늘어나도 인터넷 주소 걱정은 없다.

▸ IPv6(Internet Protocol version 6)

현재 사용되고 있는 IP 주소체계인 IPv4의 단점을 개선하기 위해 개발된 새로운 IP 주소체계를 말한다. IPv4에 이어서 개발된, 인터넷 프로토콜(IP) 주소 표현 방식의 차세대 버전이다. 128 bit의 주소체계를 가지고 있다. IPv6은 인터넷 프로토컬(IP) 버전 6(Internet Protocol version 6)의 줄임말이다. 인터넷 엔지니어링 태스크 포스(IETF)의 공식규격으로, 차세대 인터넷통신규약이라는 뜻에서 IPng(IP next generation)라고도 한다.

IPv4와 다른 점은 다음과 같다. IPv4는 32비트 주소체계에 (2^{32} =) 42억 개의 주소수를 가지고 있고, A · B · C · D 클래스 CIDR(등급 없는 도메인 간 라우팅)로 주소를 할당한다. 반면 IPv6는 128 비트의 주소체계로 ($2^{128} = 3.4*10^{38}$) 3.4*10 38승 개의 주소수를 가지고 있고, 주소도 CIDR를 기반으로 계층적으로 할당한다. 주소 유형은 유니캐스트 · 멀티캐스트 · 애니캐스트 3가지이다.

주소 구문은 IPv4의 129.232.123.123과 같은 12자리 숫자가 아니라, 이진수 형식으로 표시된다. 즉 00100001110110101001000…11010 등 128 비트로 표시되고, 128 비트 주소는 다시 16 비트(0010000111011010) 단위로 나누어진다.

또 16 비트 블록은 16진수로 변환되고, 21DA:00D3:0000:2F3B:02AA:00FF:FE28:9C5A와 같이 쌍점(콜론)으로 구분된다. 여기서 21DA:D3:0:2F3B:2AA:FF:FE28:9C5A처럼 0을 없애고 더 단순하게 주소를 만들 수도 있다. 이 경우 각 블록마다 하나의 숫자는 있어야 하기 때문에 한 블록에 0만 있을 때는 하나는 남겨 두어야 한다. 주소 공간을 늘려 망 확장성이 더욱 향상된 IP 주소 체계로, 휴대폰이나 전자제품에도 적용할 수 있다.

역시 가장 큰 장점은 IP 주소의 길이가 128 비트로 늘어났다는 점이다. 이는 폭발적으로 늘어나는 인터넷 사용에 대비하기 위한 것이다. 그밖에 ① 네트워크 속도의 증가, ② 특정한 패킷 인식을 통한 높은 품질의 서비스 제공, ③ 헤더 확장을 통한 패킷 출처 인증과 데이터 무결성 및 비밀의 보장 등도 대표적인 장점으로 꼽힌다.

IPv6는 IPng(IP next generation), 즉 차세대 IP라고도 불리고 있다. IPv6는 현재 사용되고 있는 IPv4를 개선하기 위한 진화적 세트로 설계되었다. 새로운 버전의 인터넷 프로토콜로서 기존의 인터넷통신망과 구분하기 위해 기존 인터넷 프로토콜에 버전 번호 4를 붙어 IPv4라 칭하고 이와 구별한다. IPv6가 IPv4와 가장 크게 다른 점은 IP 주소가 128비트로 늘어났다는 것이다.

IPv6의 특징은 크게 세 가지다. 첫째, IP 주소 규모의 대폭적인 확장, 둘째 실시간 멀티미디어 처리 기능, 셋째 IP 자체의 보안성 확대이다. 우선 IPv6는 128 비트 체계를 채택하기 때문에 이론적으로 2의 128제곱(2^{128} = $3.4*10^{38}$) 개의 컴퓨터가 연결될 수 있다. 이 수치는 매초마다 10억대의 컴퓨터가 새로 인터넷에 연결되어도 사용할 수 있는 무한대에 가까운 용량이다.

IPv6에서 멀티미디어의 실시간 처리 기능은 비디오 데이터를 전송할 수 있는 광대역 폭을 확보하고 각각 다른 대역폭에서도 무리 없는 동영상 처리가 가능하도록 지원하는 것이다. 또한 IPv6는 보안 문제를 근본적으로 해결하기 위해 아예 IPsec을 프로토콜 내에 탑재해 보안 기능을 수행하도록 설계되었다.[22)]

한편, 사물인터넷은 스마트폰과 컴퓨터는 물론, 자동차와 가로등, 카메라까지 세상의 모든 사물이 네트워크로 연결될 수 있다. 그리고 이들의 상호작용에는 국경도 없다. 자동차를 해킹하면 달리는 속도나 방향을 해커가 조작해 사고를 일으킬 수도 있다. 고작 몇 만원짜리 회로 기판 하나를 자동차에 연결하면 가능하다고 하니, 사물인터넷의 편리함을 누리기 위해서는 제품 개발과 동시에 완벽한 보안 체계가 만들어져야 한다.

이런 이유로 사물인터넷 기기에 적합한 효율적인 암호 알고리즘이 필요해서 암호화 연구가 많이 진행되고 있다. 암호 알고리즘은 기본적으로 암호화와 복호화의 과정을 거친다. 특정 메시지를 수식을 통해 변환하는 것을 '암호화', 반대로 암호를 풀어 본래 메시지로 만드는 과정을 '복호화'라고 한다. 사물인터넷에 많이 사용되는 암호 알고리즘은 '프린스(PRINCE)'라는 것인데, 프린스가 널리 사용되는 이유는 복호화 과정이 매우 간단하기 때문이다. 이 덕분에 다른 암호에 비해 10배 이상 작은 칩을 사용할 수 있고, 전기도 훨씬 적게 든다.

정보를 보호하기 위해서는 암호화 기술과 함께 정보를 선택적으로 공개하는 것도 생각해 볼 수 있다. 정보를 중요도에 따라 등급을 정하고, 원하는 정보만 서버에 전달될 수 있도록 설정하는 것이다. 그러면 내 정보의 일부만 공개하거나, 원하는 사람이나 그룹에게만 보이게 할 수도 있다.

---

22) 〈참고자료〉 : [네이버 지식백과, "IP 주소 체계 버전 6[Internet Protocol version 6", 한국정보통신기술협회.]

사물인터넷이 단순한 편의를 넘어서 생활에 도움이 될 분야 가운데 하나가 바로 의료 분야이다. 심장병이나 당뇨 등의 질병을 앓고 있는 환자가 몸에 센서를 붙이고 있으면, 몸에 이상이 생기는 즉시 센서가 이를 감지하고, 곧바로 병원에 알려 신속하게 치료받을 수 있게 해주기 때문이다. 그런데 이 과정에서 해커들이 정보를 빼돌릴 수 있다는 것이 문제이다.

이를 방지하기 위해 정보가 기존의 통로 대신 더 안전한 길로 돌아가는 SDN(Software Defined Network)보안도 정보 보안의 한 방법으로 떠오르고 있다. 예를 들어, 환자의 건강 정보가 병원으로 전송되던 중 해킹이 감지됐다고 하면 센서는 정보가 전송되던 경로를 즉시 차단하고, 안전한 다른 경로를 찾아서, 정보를 병원에 보내는 것이다.

이렇게 사물인터넷은 정보 전달과 보안, 두 마리 토끼를 모두 잡아야 한다. 인터넷에 연결되는 모든 장치가 그렇듯, 사물인터넷에 있어서도 보안은 중요한 문제이다.

사물인터넷 세상에서는 내 몸과 집, 심지어 길거리에 있는 수많은 센서들이 시시때때로 내 정보를 수집한다. 이 정보에는 누가 알아도 상관없는 사소한 것도 있지만, 누군가가 이것을 이용해 나를 해칠 수도 있는 일이다. 사실 따지고 보면 나와 관련된 정보 가운데 사소한 것이란 없을 지도 모른다. 최근 스마트 TV나 스마트 냉장고가 속속 등장하면서 사물인터넷 시대에 한걸음씩 다가가고 있지만, 이들 제품에는 그 흔한 ID나 비밀번호도 없다.

사물인터넷에서 보안이 특히 더 중요한 이유는 바로 모든 사물이 하나로 연결돼 있기 때문이다. 이중에서 어떤 특정사물 하나만 해킹되더라도 사물인터넷 세상 전체가 마비될 수도 있다.

이렇게 온 세상을 마비시킬 수 있는 대표적인 해킹 방법이 '디도스 공격'이다. 디도스 공격은 특정 컴퓨터를 좀비 PC로 만들어 시스템 전체를 마비시키는 방법이다. 사물인터넷 세상에서는 스마트폰과 컴퓨터는 물론 숟가락이나 의자까지도 좀비 PC가 될 수도 있다.

지난 2014년 1월 미국의 보안 업체, 프루프포인트는 TV나 냉장고와 같은 가전제품을 이용한 사이버공격 사례를 공개했다. 이들의 발표에 의하면, 2013년 12월 23일부터 2014년 1월 6일까지 약 보름간 악성 이메일 75만 건이 발송되었다고 한다.

국내 보안 업체들은 이미 몇 해 전에 가정용 오디오나 프린터가 악성 코드에 감염돼 오작동하는 모습을 시연해 보인 적이 있다. 카메라가 달린 TV를 해킹하면 시청자의 사생활을 몰래 촬영해 인터넷으로 중계할 수도 있다고 경고했다.

사물인터넷 세상에서 가장 큰 문제는 보안이다. 정보 보호를 위해서는 완벽한 암호화 기술도 필요하지만, 정보 공개 방법이나 안전한 길로 돌아가는 SDN 보안도 대안으로 떠오르고

있다.[23)]

6.6 IT융합기술(IT Convergence Technology)

'제4차 산업혁명'의 저자인 세계경제포럼(다보스 포럼) 회장 클라우드 슈밥(Klaus Schwab)은 4차 산업혁명을 모든 것이 연결되어지는, 보다 지능적인 사회로의 진화라고 정의하였다. 이를 통해 보았을 때 4차 산업혁명의 핵심 키워드는 '연결'과 '융합'이 될 것이다.

6.6.1. 융합기술의 개념과 3대 융합기술(IT, NT, BT)

21세기의 새로운 기술 혁신, 3대 핵심 융합기술을 꼽으라면 IT(정보통신기술), NT(나노기술), BT(생명공학기술)의 융합(融合)기술을 들 수 있다.

이 기술들은 함께 발전하면서 새로운 기술 혁신을 이루게 될 것이다.

이렇게 2가지 이상의 서로 다른 기술들이 결합해서 만들어지는 기술을 융합기술이라고 하는데, 앞으로 우리 사회의 기술 변화는 물론 사회, 문화까지 크게 변화시켜 나갈 것이다.

▸ 새로운 기술 혁신, 융합기술 : 나노기술(NT : NanoTechnology)

눈으로 볼 수 없는 나노 세계는 작디작은 세계 속에 담긴 놀라운 미래이다.

나노기술(NT)은 나노미터 크기의 물질들을 기초로 하여 우리 실생활에 유용한 나노소재, 나노부품, 나노시스템을 만드는 기술이다.

나노는 난쟁이를 뜻하는 그리스어 나노스(nanos)에서 유래했다고 한다. 세상의 작은 것들은 그 작은 것을 이루고 있는 더 작은 것을 생각하면서 계속 찾아 가다 보면 우리가 볼 수도 없는 작은 세상이 펼쳐진다. 볼 수도 없었던 세상을 사람들은 볼 뿐만 아니라 이리저리 마음대로 조작하기까지 한다. 커다란 물건을 작게 만들 수 있을 뿐만 아니라 전혀 다른 성질의 물질까지 만들 수 있게 되었다. 바로 나노과학, 나노기술 덕분이다.

---

23) 〈참고자료〉 : 1) 양순옥 외, 생능 출판사, 유비쿼터스 개론, 2012, 2) 김명주 외, 이한 미디어, 컴퓨터의 이해, 2012, 3) 조재승, 형설출판사, 학문명 백과 : 공학, 2012

나노기술(NT : NanoTechnology)은 10억 분의 1미터를 뜻하는 나노미터 크기의 물질을 제어하는 기술이다. 물체가 나노미터 크기로 작아지면 구조나 성질이 달라진다. 예를 들어 연필심의 원료인 흑연을 만든 탄소나노튜브는 철보다 강하고 전기도 아주 잘 통한다. 이는 흑연의 구조가 변했기 때문인데, 이것을 이용해 미국의 나사(NASA)에서는 우주 엘리베이터 개발을 연구하고 있다고 한다. 또 노란색의 금덩어리를 나노크기로 줄이면 붉은색으로 바뀌는데, 이것도 금의 성질이 변했기 때문이다. 이런 나노미터 크기의 입자는 실제로 면적이 늘어나 적은 양으로도 큰 효과를 볼 수 있다. 나노기술은 정보통신기술(IT)과 융합해서 에너지와 자원이 부족한 문제를 해결해 주고, IT융합기술 환경을 만들 수 있다. 또한, 생명공학기술(BT)과 융합해서 건강하고 오래 살 수 있는 사회를 만들어 줄 중요한 기술이다.

▸새로운 기술 혁신, 융합기술 ; 생명공학기술(BT : BioTechnology)

생명공학기술(BT : BioTechnology)은 생물이 가지고 있는 고유한 기능을 높이거나 개량하여 필요한 물질을 대량으로 생산해 내거나 유용한 물질을 만들어내는 기술이다.

Bio란 Biology(생물학)의 앞 글자를 따서 지은 이름이다. 즉, 생물을 이용하는 기술이 BT이고, BT를 기본 기술로 하여 발전한 산업이 바이오 산업이다. 바이오 산업은 부가가치가 무척 크기 때문에 황금알을 낳는 산업이라고 불리기도 하는데. 바이오 산업이 가장 발달하고 있는 분야는 역시 의약 분야라고 할 수 있다. 고치기 어려운 병인 당뇨나 암의 치료약을 생물을 이용하여 만들기 시작했다. 예를 들어 참나무 꼭대기에 자라는 겨우살이가 암에 특효약이라고 하면 과학자들은 겨우살이의 어떤 성분이 암 치료에 도움이 되는지 찾아내고 겨우살이를 수확하기 좋은 곳에서 재배하는 방법을 알아내고, 겨우살이가 만드는 항암물질 유전자를 찾아 유사한 생물을 만들어 낸다.

또 항암물질이 더 많이 포함된 물질을 만드는 겨우살이 만들기 등을 통해 약을 개발하고 판매한다. 현재 생물을 이용한 산업이 가장 활발히 연구되고 있는 곳은 의약 분야지만 앞으로는 농업은 물론 에너지, 환경 등 많은 곳에서 활용될 전망이다.

이렇게 동식물이 가지고 있는 유용한 특성을 이용한 약품을 개발하거나 농·축산물의 품종을 개량하는 등의 기술을 생명공학기술이라고 한다. 인간 유전자를 분석하거나 맞춤의료, 인공장기, 유전자 치료 등 사람이 건강하고 오래 살 수 있게 하는 현대의 불로초와 같은 기술이다. 그리고 식량부족 문제, 새로운 연료에너지 개발 등 아주 중요한 일들을 해줄 것으로 기대하고 있다.

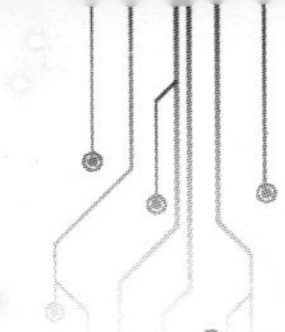

▸ 새로운 기술 혁신, 융합기술 : 정보기술(IT : Information Technology)

정보기술(IT ; Information Technology)은 정보화 시스템 구축에 필요한 유형 · 무형의 모든 기술과 수단을 아우르는 기술을 뜻하는 용어로 정보통신 산업의 발전과 함께 사회적 경제적 부가가치 창출에 무게를 두는 정보혁명을 주도하는 기술로 부각되었다.

조선 · 철강 · 자동차 · 섬유 등 기존의 제조업이 직접적인 유형 가치를 창출하는 데 중점을 두는 반면, 정보기술은 컴퓨터 · 소프트웨어 · 인터넷 · 멀티미디어 · 경영혁신 · 행정쇄신 등 정보화 수단에 필요한 유형 · 무형기술을 아우르는 간접적인 부가가치 창출에 무게를 두는 새로운 개념의 기술이다.

데이터, 음성 대화, 사진, 동영상, 멀티미디어는 물론, 아직 출현하지 않은 형태의 매체까지 포함하며, 정보를 개발 · 저장 · 교환하는 데 필요한 모든 형태의 기술까지도 망라한다. 정보기술은 정보통신 산업이 급속도로 발전하면서 '정보혁명'을 주도하였다.

앞으로의 정보기술은 컴퓨터의 성능이나 소프트웨어의 품질 자체만이 아니라 소비자의 욕구 파악, 적정가격 산정 등 종합적인 서비스로 발전할 것이다.[24)]

정보의 생산과 응용, 관리에 관련한 모든 기술. 초고속 인터넷, 이동 통신, 광통신, 홈 네트워크 등 통신 기술과 컴퓨터, 소프트웨어, 데이터베이스, 멀티미디어 등 정보기술의 융합에 따른 정보 통신 기술(ICT : Information and Communication Technology)이 핵심이다.

정보통신기술은 정보를 주고받는 것은 물론 개발, 저장, 처리, 관리하는 데 필요한 모든 기술을 의미한다. 우리나라는 반도체, 디스플레이, 휴대폰, 초고속인터넷망이 발달해서 흔히 IT 강국이라고 하는데, 앞으로 휴대인터넷을 비롯해 이동하면서 TV를 볼 수 있는 디지털멀티미디어방송(DMB), 할인마트에서 물건을 사고 계산대에서 바로 나갈 수 있는 무선주파수식별(RFID), 인터넷 전화, 통신, 방송, 인터넷 등이 융합된 광대역 통합망 등 새로운 기술이나 서비스가 확대될 것이다. 이러한 기술의 결정판이 IT융합기술 환경이다.

▸ 융합기술

융합기술은 나노 수준의 물질을 제어하고 이를 바탕으로 생명공학기술, 정보통신기술을 한 단계 더 나아간 형태의 기술로 발전시키고, 각 기술 간의 상호작용으로 생기는 기술 변화, 사회 · 문화적인 변화를 일으킬 수 있는 첨단기술이다. 융합기술이 인간의 건강한 삶과 식량 확보, 에너지, 환경, 안전 등 우리 생활 여러 곳에 미치게 될 거라고 전문가들은 예상하고 있다.

---

24) 〈참고자료〉 : [네이버 지식백과, 두산백과]

▸ **융합기술의 활용**

생명공학기술로 인간의 모든 유전 정보를 담고 있는 게놈의 염기서열을 손에 넣었지만, 게놈에 담고 있는 유전암호를 해석하는 것은 아직 하지 못했다. 이를 밝혀내기 위해 정보통신기술을 이용하면 새로운 신약과 치료법을 찾아낼 수 있고, 피 한 방울로 각종 질병을 진단할 수 있거나 침 몇 방울로 심장 발작을 알 수 있다면 병을 빨리 찾아내 치료할 수 있을 것이다.

생명공학기술에 나노기술을 이용하면 우리 몸의 혈관 등을 돌아다니면서 진단, 치료하는 미세로봇도 만들 수 있다. 나노기술과 정보통신기술이 융합하면 탄소나노튜브를 이용한 디스플레이 장치, 여러 숫자를 한꺼번에 처리할 수 있는 양자 컴퓨터, 플라스틱 덮개나 페인트처럼 칠할 수 있도록 만든 나노 태양전지 등을 개발할 수 있다.

기존의 정보 통신 기술을 생명체 현상과 접목하여 생물학적인 원리와 특성을 활용한 새로운 IT 제품, 서비스를 창출하는 응용 IT기술. 생물학 관련 정보를 생성, 가공, 공유, 서비스하는 소프트웨어 및 하드웨어로서 바이오 정보 처리, 소프트웨어, 바이오 정보 감지 소자, 생체 정보 모니터링 시스템, 생체 정보 보호 모듈이 있고 유전자 조작을 모방하여 IT를 고도화하기 위한 바이오 컴퓨터가 있다.

6.6.2 IT융합기술(IT Convergence Technology)

컴퓨터와 정보기술(IT)이 주도하는 지식정보화사회는 생산성, 효율성, 편의성 등을 증진시켜 인류의 삶의 양식에 많은 변화를 가져왔으며 사회의 모든 분야에서 전반적인 패러다임의 변화를 가져 왔다. 컴퓨터는 기존의 컴퓨터 기능뿐만 아니라, 오디오 기기와의 통합, 비디오 기기와의 통합 등으로 멀티미디어(Multimedia)화되어 인간의 시각과 청각적 기능을 비롯한 오감이 통합되어지고, 전화, 휴대전화, TV, 팩시밀리, 스마트폰을 비롯한 다양한 통신기기와의 통합, TV를 통한 방송과의 통합 등으로 네트워크(Network)화하고, 전 세계의 사람들과 네트워크를 통해 의사소통할 수 있는 웹기반 서비스인 SNS(Social Network Service)로 발전하고 있다. 또한 미래의 컴퓨터는 인간 지능과의 결합 등으로 지능화(Intelligent)화 하여, 우리의 생활과 문화를 급속하게 변모하게 할 것이다. 즉, 인터넷이라는 글로벌 네트워크에 연결되어진 뉴미디어(New Media)가 컴퓨터를 중심축으로 기능이 통합되어지면서 디지털 융합(Digital Convergence)과 함께 IT융합기술(IT Convergence & Fusion Technology)로 발전하고 있다.

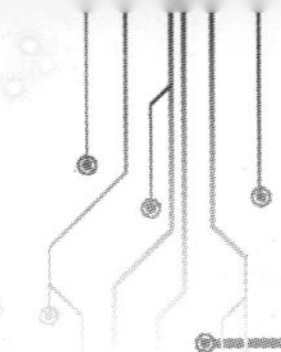

6.6.2.1 IT융합기술의 개념

현재의 IT융합기술은 IT의 Sensing, Networking, Computing, Actuating 기술이 부품 또는 모듈로서 내재화되어 타산업의 제품과 서비스는 물론이고 공정을 혁신하거나 새로운 부가가치를 창출하는 모든 기술을 의미한다. 최근 들어 자동차, 조선, 섬유 등 우리나라의 주력 산업에서 중국의 추격이 가속화됨에 따라 글로벌 경쟁력 유지를 위한 차별화 수단으로 IT융합기술의 중요성이 부각되고 있어, IT융합기술에서의 차별화된 경쟁우위 창출이 필요하다. 지금까지의 인터넷 시대에서 IT 산업이 각 산업을 지원하는 역할에 머물렀다면, 앞으로 전개될 융합화 시대에는 IT 산업이 모든 사회분야에 융합되어서 혁신을 이끌어가는 핵심 동력으로 혁신창조경제를 이끌어 가기를 바란다.

4차 산업혁명 시대가 본격 열리고 있다. 4차 산업혁명의 핵심 주제는 정보기술(IT) 중에서도 소프트웨어다. 즉 ▲인공지능(AI) ▲사물인터넷(IoT) ▲빅데이터(Bigdata) ▲클라우드(Cloud) ▲로봇(Robot) ▲3D프린팅 ▲자율주행자동차 등 IT 소프트웨어를 기반으로 한 핵심 기술들과 응용 기술들이 산업과 사회의 경계를 허물게 된다. 다시 말해 IT 소프트웨어를 바탕으로 한 융합의 산물들이 우리사회를 크게 변화시켜 나간다는 것이다.

그러므로 IT융합기술(IT Convergence Technology)은 다음과 같이 정의할 수 있다.

① 여러 가지 학문이나 과학기술이 ▲인공지능(AI) ▲사물인터넷(IoT) ▲빅데이터(Bigdata) ▲클라우드(Cloud) ▲로봇(Robot) ▲3D프린팅 ▲자율주행자동차 등 IT 소프트웨어 기술과 하나로 합쳐지면서, 지금까지 없었던 새로운 창의적인 기술과 상품(Goods)으로 만들어 나가는 것이 IT 융합 기술이라고 할 수 있다.

② BT, NT, IT 등 독립적인 기술들 중에서 특히 IT기술을 중심으로 자동차, 조선, 기계, 국방과 항공등 방위산업, 건설, 섬유, 안전, 보건·의료·건강, 에너지·환경문제 등 여러 가지 다양한 산업 분야에 융합하여 미래 사회에서 요구되는 산업의 고부가가치화, 그러므로 IT융합기술은 글로벌 경쟁력을 확보하고 미래의 신산업을 창출해서, 인간의 삶의 질을 향상시킬 수 있는 창의적인 신기술로서 다양한 산업의 원천핵심기술이라 할 수 있다.

- 기존의 산업에 정보기술(IT)을 접목함으로써 지금까지 없었던 새로운 형태의 재화나 서비스를 창출하는 형태의 기술 진화 과정
- IT를 접목시킴으로써 IT산업 및 타 산업의 발전을 견인하여 생산, 고용, 부가가치 및

수출 유발 효과를 창출하는 기술

그런데 IT 융합 기술은 응용분야(Application)에 의존적이다. 즉 IT(소프트웨어) 전문가들이 다른 모든 응용분야의 전문지식까지 알고 있지 못하기 때문에, 개발하고자 하는 분야의 전문가와의 협업, 도움이 필요하다.

그러므로 IT 융합 기술은 각자의 전공응용 분야(Application)+정보기술(IT)이 필요하다. 따라서 IT융합 기술은 각자의 전공 응용 분야(Application)에 정보기술(IT)을 융합(접목)시켜 활용해 나가는 Digital Convergence라 할 수 있다. Digital Convergence는 Multimedia와 Digital Contents와 New media가 컴퓨터와 정보기술(IT)과 함께 Internet을 중심축으로 다른 사물들과 소통하면서 기능을 통합해 나가는 것이기 때문이다.

6.6.2.2 국내 IT융합기술의 특성과 사례

IT융합기술은 IT의 네트워크화, 지능화, 내재화의 특성을 통해 기존 기술 및 산업 간 융합화 및 고도화를 통해 IT 산업과 기존산업의 융복합화 촉진을 통해 우리나라 산업경쟁력의 지속적 우위 확보 및 신성장 동력화를 추진하게 된다. 이처럼 IT융합기술은 미래의 지식 창조사회의 변화를 주도하기 때문에 일찍이 서울대, 고려대, 연세대 등에서는 융합과학기술 대학원과 학부를 설치하고, IT - NT 융합, IT - BT 융합 등을 연구 중이며, 우리 정부에서도 블루 오션 IT융합기술 분야로서, 자동차 산업과 IT융합기술, 조선 산업과 IT융합기술, 의료 산업과 IT융합기술, 국방산업과 IT융합기술, 건설 산업과 IT융합기술 등 IT융합기술개발사업을 추진 중이다.

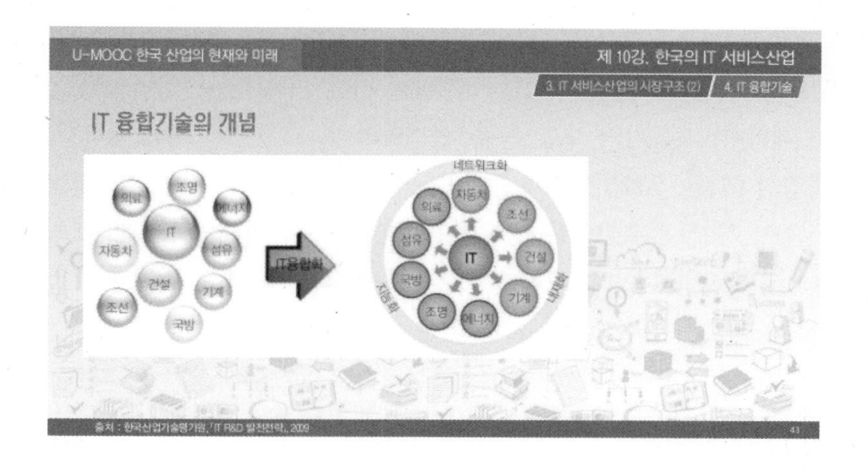

그리고 많은 산업의 구조 개편이 IT 융、복합을 통해 이루어지고 있다. 이에 녹색 기술 및 비즈니스에 대한 시대적 요구에 따른 전통산업과의 융합에 의한 신규 수익모델이 속속 소개되고 있으며 산업간 융합은 피할 수 없는 흐름으로 우리의 삶에 다가오고 있다.

두 번째로 IT융합기술기반 수출경쟁력강화를 추진하고 있다. 국내외 IT 융합 분야 시장 규모는 크게 성장하고 있으나 고부가가치 창출이 가능한 엔지니어링, 친환경, 에너지 절감, 지능화, 사회 안전 및 국방 부분 등은 선진국에 비해 상대적으로 낮은 수준으로, IT 융합 가속화로 주력 수출 산업으로 재도약할 수 있는 기회가 될 수 있다.

세 번째로 환경 · 에너지 접목기술 연구개발이 가속화 되고 있다. 더욱 더 강화될 환경 규제에 대응하기 위해서는 기술 개발 및 적용과 관련한 유연성을 갖추어야 하며, 기술력이 곧 경쟁력으로 IT, BT, NT 등 전산업에서 새롭게 등장하는 혁신 기술을 파악하고 접목하는 신기술을 준비해야 한다.

네 번째로 IT 융합화를 통한 생산시스템의 지능화, 고도화 및 통합화가 이루어지고 있다. 시스템 복잡화에 따른 소프트웨어 품질문제 방지 및 표준화/범용화를 위한 소프트웨어/하드웨어 플랫폼 개발을 위하여 엔지니어링 아키텍처 및 전자 플랫폼 기술역량 강화가 필요하고 최근 들어 제조기술과 나노기술(NT) 및 정보기술(IT)의 융합기술의 발달로 인하여 기존 생산 시스템 지능화 및 고도화와 더불어 분산된 단위모듈의 기능 통합화에 대한 제조업체의 필요성 인식이 확대되고 있다.

다섯 번째로 소재, 생산, 유통 등 산업 전주기에 IT기술 접목을 통한 신산업이 출현되고 있다. 소재의 IT화, 생산공정의 IT화 및 산업자체의 IT화 측면에서 고부가가치화 및 새로운 비즈니스모델 및 일자리 창출이 이루어지고 있다.

AI기반 음성인식 기술은 2017년 새해 벽두에 열린 미국 라스베이거스 가전전시회(CES 2017)에서 많은 참가 업체들이 AI 기능을 탑재하여 사람의 목소리를 알아듣고 작동하는 에어컨과 냉장고, 세탁기, 자동차와 드론 등을 선보였다.

4차 산업혁명의 핵심인 AI와 결합한 음성인식 기술은 스마트폰 기반 대화형 개인비서에서 스피커형 홈 허브, 가전, 로봇, 의료, 헬스케어 등 전 산업에 확대 적용되면서 최고의 사용자 인터페이스(UI)로 각광받고 있다. 하지만 이는 시작에 불과할 뿐, 본격적으로 방대한 사물인터넷(IoT)과 스마트 홈에 융합되기 시작하면 가히 그 시장은 폭발적으로 증가 할 전망이다.

2000년 초에 간단한 검색 엔진 인터페이스로 시작된 음성인식 기술은 최근 AI 딥러닝 기술을 통합함으로써 음성 인식을 통해 수집된 데이터를 바탕으로 사용자의 상황을 분석하고 이용자의 욕구(needs)에 최적화된 서비스를 제공해주는 개인 비서로 빠르게 진화 중에 있다.

▸음성인식(Speech Recognition) AI 접목 로봇 출시 경쟁 치열

SK텔레콤 누구(NUGU) 음성인식 디바이스

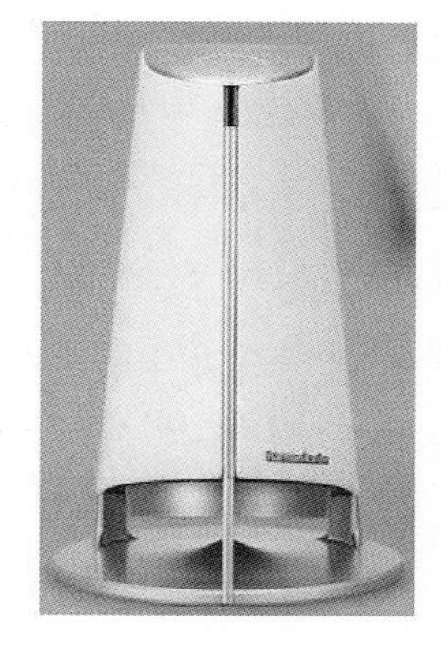
kt GiGA Genie 인공지능 스피커

급속히 발전하고 있는 인공지능 음성인식 기술은 더 이상 미래의 기술이 아니라 우리의 삶과 사회를 변화시키는 기술로서 적극적으로 도입이 진행되고 있으며, 이에 따른 인공지능 음성 인식 시장을 선점하기 위한 IBM, 아마존, 애플, 구글, 마이크로소프트, NTT, 소프트뱅크 등 글로벌 IT 업체들과 SKT, KT, 삼성, LG, 네이버 등 국내 업체들은 치열한 무한 경쟁에 돌입하였다. CES 2017에서 아마존의 AI 음성인식 비서 '알렉사(Alexa)'는 지난해 구글 알파고 열풍이 휩쓸고 지나간 틈을 비집고 숨은 주인공으로 각광을 받았다. 아마존은 알렉사 소프트웨어를 구성하는 각종 앱 프로그래밍 인터페이스(API)와 코드 등을 '알렉사 스킬 키트'라는 이름으로 무료 공개하겠다고 천명하였는데, 이를 통해 가전, 자동차, 스마트폰 등의 제조사들의 대거 참여를 기대하고 있다고 한다.

국내의 경우 유료방송 진영에서 인공지능(AI)과 온라인 동영상 서비스(OTT)를 접목한 신기술 서비스를 도입 과정에 있다. 우선 셋톱박스(STB)를 중심으로 AI 기능을 확대하면서 셋톱박스가 케이블 TV나 인터넷 TV (IPTV) 시청을 위한 단순 수신용 장비를 탈피하여 가정 내 인공지능(AI) 비서, 사물인터넷(IoT) 허브(Hub), 고음질 스피커, WiFi (무선랜) 공유기로까지 역할을 넓혀가면서 멀티미디어 기기로 나아가고 있다.

SKT의 경우 MWC에서 '누구(NUGU)'라는 음성인식 AI 로봇을 출시하였는데, 이 제품은 단순 재미 위주에서 비서 역할 등 기능 중심으로 확대된 것이 특징이다.

케이블 TV업계 선두주자 CJ 헬로비전은 오는 7월 AI가 접목된 UHD 셋톱박스를 공개하기로 하였고, 이는 구글의 AI 디바이스 '구글홈' 혹은 아마존의 AI 음성비서 '알렉사'와 연동하는 방식으로 제공된다고 알려져 있다.

KT는 자사의 IPTV 서비스인 '올레 TV'와 AI를 융합한 홈 비서 '기가 지니(GiGA Genie)'를 통해 시장 경쟁에 합류중이다.

위성방송 사업자인 KT스카이라이프는 지난해 11월 구글과 손잡고 출시한 안드로이드TV 셋톱박스 'SKY UHD A+'를 활용한다는 방침이며, 구글의 안드로이드 운영체제(OS)와 같은 AI 기술을 접목시킨다는 전략이다. 음성인식 기능이 장착됐기 때문에 이용자가 "스포츠 채널 보여줘", "KBS 아버지가 이상해 드라마 보고 싶어"라고 말만 하면 알아서 채널을 바꿔주거나 원하는 Program 다시 보기 서비스를 이용할 수 있다.[25)]

25) 〈참고자료〉 : 1) 양순옥 외, 생능 출판사, 유비쿼터스 개론, 2012
2) 김명주 외, 이한 미디어, 컴퓨터의 이해, 2012
3) 조재승, 형설출판사, 학문명 백과 : 공학, 2012

CHAPTER 07

IT융합기술 사례연구(Case Study)

창의적 소프트웨어 파워배양과 미래 IT융합기술
컴퓨팅 기술(IT)과 컴퓨팅 사고(CT)력
Computing Technology (IT) & Computational Thinking (CT)

07 CHAPTER

IT융합기술 사례연구(Case Study)

고대 사람들이 무거운 물건을 옮기기 위해 바퀴를 만들지 않았다면 현재의 자동차는 존재하지 않았을 것이고 벨이 전화기를 발명하기 않았다면 현재의 스마트폰은 존재하지 않았을 것이다. 도보, 가마, 바퀴를 이용한 수레, 말, 마차, 자동차, 자율 자동차 등으로 운송수단이 발전하고 있다. 통신 수단은 벨이 발명한 전화를 시작으로 이동 전화(휴대 전화), 스마트 폰 등으로 변화 발전하고 있다. 현물의 물물 교환으로 시작된 화폐는 곡물, 귀금속을 거쳐, 금속화폐, 지폐, 신용카드와 모바일 전자 결제로 이어지는 신용화폐 등으로 변화하면서 발전하고 있다. 이처럼 기술적 혁신과 새로운 기술의 등장으로 인해, 사라지는 직업과 새롭게 생겨나는 직업 등 사회적 경제적으로 커다란 변화가 일어나고 있으며 이러한 변화의 중심에는 세상을 이해하는 새로운 사고방식과 가치관이 시대적 패러다임으로 뒤따르게 된다.

2016년 1월 다포스 포럼에서는 제4차 산업혁명은 디지털 혁명에 기반하여 사물의 물리적, 생물학적 공계가 없어지고 서로 섞이는 기술 융합 시대라고 정의하여 전 세계의 산업구조 및 시장경제 모델에 커다란 영향을 미칠 것으로 전망하였다. 이에 따라 경제는 규모의 경제(Economy of Scale ; 기업의 생산설비가 일정한 때 발생하는 대량생산의 이익), 범위의 경제(Economy of Scope ; 기업들이 한 제품보다는 여러 제품을 함께 생산하는 결합생산의 방식을 채택하면 생산비용을 절감할 수 있는 현상을 말한다. 예를 들면, 자동차의 경우 하나의 공장 내에서 여러 차종을 함께 생산하는 것이 각 차종을 독립적인 공장에서 생산하는 것보다 유리하다), 전문성의 경제(Economy of Specialist ; 복잡한 현대의 문제를 해결하려면 문제와 관련된 전문성이 필요), 융합의 경제(Economy of Synergy ; 지식의 융합을 통해 전문성을 찾고 창의성을 확보)로 바뀌고 있다. 또한 삶의 양식에 커다란 변화를 가져올 4차 혁명시대에 정보기술(IT)과 IT융합기술은 사회 전반적인 패러다임의 변화를 주도해 나가면서, 생산성, 효율성, 편의성 등을 증진시켜 나간다.

7.1 스마트폰과 생활 속의 IT융합기술

우리나라만 하더라도 2009년 80만 명이던 스마트폰 이용자가, 4천만 명을 넘어설 정도로 급증했다. 거의 모든 사람들이 스마트폰을 비롯한 모바일 기기를 갖고 있고, 무선 인터넷에 항상 접속해 있다고 해도 과언이 아니니다. 닐슨코리아의 조사결과에 따르면, 우리나라 이용자들의 하루 평균 모바일 기기를 이용하는 시간은 203분으로 PC나 TV를 앞지를 정도라고 한다. 때문에 모바일을 이용하면, 개개인의 세부적인 생활 패턴과 습관에 맞춘 제품이나 서비스 등 무궁무진한 비즈니스와 가치를 창출해낼 수 있을 것이다.

이러한 측면에서, 질병예방, 진단, 치료 등을 위한 스마트헬스, 독거노인을 위한 원격 모니터링 등과 같은 의료 및 복지 분야는 많은 관심을 받아왔다. 지능형 교통 정보제공 시스템과 같은 공공 분야나 스마트폰을 통한 다양한 위치기반 서비스 등 생활밀착형 서비스들도 활발히 만들어지고 있다. 특히, 패션과 IT의 융합과 같이 문화적인 분야와 IT의 접목은 향후 더 많은 관심을 모을 것으로 여겨진다. 이러한 측면에서, IT를 활용한 융합산업의 미래는 매우 밝다고 할 수 있다.

이처럼 IT를 접목하여 혁신적인 성장동력을 발굴하기 위해서는 경제, 산업, 교육, 문화, 복지 그리고 사회의 전 영역으로 시야를 확장해야 할 것이다. 정부에서도 IT를 근간으로 기존에 시도되지 않았던 영역들과의 융합을 발굴하고 지원할 필요가 있다. IT와 다양한 분야와의 인적 교류도 이루어져야 한다. 정부 또는 민간에서 운영하는 다양한 창업 지원이나 아이디어 발굴 Program들은 이러한 점에 주안점을 두어야 할 것이다.

7.1.1 이미 생활 속에 찾아온 4차 산업혁명

4차 산업은 먼 미래의 일이 아니다. 4차 산업의 근간을 이루는 기술들이 이미 일상 곳곳에서 활용되고 있다. 매일 들고 다니는 스마트폰이 가장 대표적이다. 이제 보통 사람들도 평소 스마트폰의 음성 인식 기능으로 맛집정보, 지도정보 등을 검색한다. 일정 관리나 애플리케이션 실행도 보통 목소리로 작동시킨다. 일일이 손으로 검색하지 않고 말만 해도 검색이 되니까 편리하다.

스마트폰으로 사진을 찍고 인터넷 사이트에 올리자 사진 속 인물의 나이와 성별 정보가 표시된다. 인물의 표정만으로 심리 상태를 분석하는 기능도 있다. 찍은 사진을 인물과 풍경 등 주제별로 자동 분류해 주는 기능도 등장했다.

수많은 데이터를 디지털 정보로 바꾼 뒤 공통된 요소를 찾아 분류해내는 기계 학습, 이른바 '머신러닝' 기술을 이용한 것이다.

시각장애인을 위해 사진의 내용을 설명해 주거나, 스마트폰을 통해 실시간 통역과 번역이 가능한 기술도 상용화를 앞두고 있다. 멀게만 느껴졌던 인공지능 기술은 이미 우리 일상생활 속 깊숙이 자리 잡고 있다.

사용자가 '즐겨찾기'를 따로 만들지 않아도 삼성 스마트폰의 인공지능 '빅스비'와 애플 아이폰의 인공지능 '시리(Siri)'는 어떤 애플리케이션(앱)을 가장 자주 사용하는지 파악해 사용자에게 자동으로 추천해준다. 가령 e-메일 앱을 가장 많이 사용하는 사람의 스마트폰 화면에는 e-메일 앱이 가장 먼저 뜨는 식이다.

가전제품에 사물인터넷 기능을 더한 '스마트 홈' 서비스 역시 4차 산업이 만들어낸 기술이다. 스마트 홈이란 인터넷 네트워크에 연결된 기기들이 스마트폰과 연동돼 집 밖에서도 집 안의 기기들을 제어하는 시스템이다. 집에 들어가기 1시간 전에 공기청정기를 켜거나 외출 중 로봇 청소기를 돌리고 가스 밸브의 개폐 여부를 확인하는 일이 가능하다.

최근에는 사용자와 대화가 가능한 스마트 홈 서비스도 나오고 있다. 예컨대 "잔잔한 음악 좀 틀어줘"라고 말하면 음성을 인식한 인공지능 스피커가 인터넷상에서 발라드나 클래식 같은 음악을 찾아 들려준다.

세계적인 IT 자문기관인 가트너는 올해 전 세계 사물인터넷 기기가 전년보다 31% 증가한 84억 대에 달할 것으로 전망했다. 3년 뒤인 2020년에는 올해의 2배 이상인 204억 대까지 늘어나고, 관련 시장도 3조 달러 규모로 커질 것이라고 예측했다.

스마트폰 사용자는 전세계를 통틀어 19억 명(2013년 기준)에 이른다. 2019년에는 56억 명이 스마트폰을 쓸 것으로 보인다. 스마트폰이 널리 보급되면서 온라인과 오프라인의 경계선이 흐려졌다. 전화기만 꺼내 들면 언제 어디서나 인터넷을 사용할 수 있기 때문이다. 여기서 'O2O'(Online to Offline)가 태어났다.

7.1.2 O2O(Online to Offline, Offline to Online) 온 · 오프라인의 벽을 허물다

온라인과 오프라인 시장의 접점에서 나타난 O2O 시장이 주목 받고 있다. 지금 이 글을 읽는 당신은 온라인인가, 오프라인인가. 네이버캐스트를 읽는 중이니 당연히 인터넷에 연결된 상태일 것이다. 그렇다면 인터넷 창을 닫으면 오프라인이 될까. 아니다. 잘 때도 끄지 않는 스마트폰 때문에 당신은 언제나 인터넷에 연결돼 있다.

O2O의 단어 그대로의 뜻은 "온라인에서 오프라인으로" 인데, 온라인에서 고객을 끌어 모아 오프라인 상점으로 옮겨준다는 뜻이다. 정보 유통 비용이 저렴한 온라인과 실제 소비가 일어나는 오프라인의 장점을 접목해 새로운 시장을 만들어 보자는 데서 나왔다.

인터넷은 정보 유통 비용이 아주 저렴하다. 먼저 점포를 운영하는 상점주 입장에서 살펴본다. 인터넷이 없을 때 오프라인 상점이 고객을 모으려면 TV나 신문에 광고를 내거나 전단지를 뿌려야 했다. 돈이 많이 드는 광고 방식이다. 인터넷이 나타난 뒤에는 웹사이트를 만들거나 SNS 마케팅을 벌이는 등 돈이 훨씬 적게 드는 방식으로 홍보 활동을 할 수 있게 됐다. 똑같이 쿠폰 1천 장을 뿌려도 오프라인에서는 쿠폰 제작비와 배포 비용을 내야 하지만, 온라인에서는 이런 돈이 들지 않는다.

고객에게도 인터넷은 편리한 쇼핑 수단이다. 마음에 드는 신발 한 켤레를 고르려 몇 시간씩 발품을 팔던 일을 인터넷에서는 클릭 몇 번으로 해결할 수 있다. 동일하거나 비슷한 상품의 품질과 가격을 비교해보는 일도 훨씬 쉽다.

이런 장점 때문에 인터넷 등장 초기에는 모든 상거래를 온라인 쇼핑몰이 대체할 것처럼 보였다. 하지만 그런 일은 일어나지 않았다. 인터넷이 나타난 지 20년, 전자상거래가 나온 지 10여 년이 지났지만 여전히 사람들은 오프라인에서 더 많은 돈을 쓴다. 국내 전자상거래 규모는 44조원 정도인 반면, 오프라인 상거래는 320조원 규모로 7배 이상 크다.

왜 그럴까. 사람이 오프라인 세상에 존재하는 이상 온라인이 대체할 수 없는 부분이 있기 때문이다. 옷을 입고, 밥을 먹고, 커피를 마시는 일은 모두 오프라인에서 일어난다. 다른 사람과 만나 인간적으로 교류하는 일 역시 온라인으로는 불가능하다. 온라인으로 대신할 수 없는 경험이다.

이런 한계를 뛰어넘어 보자는 발상에서 O2O가 시작됐다. 처음에는 온라인으로 고객을 모아 오프라인으로 데려오는 마케팅 방식을 가리키는 말로 쓰였다. 그루폰이나 티몬 같은 소셜커머스 회사가 들고 나와 널리 알려지기 시작했다.

7.1.3 비콘과 NFC같은 기술도 O2O 열풍에 기여했다.

비콘(Beacon)은 블루투스 기술을 활용한 근거리 위치기반 통신 장치다. 조약돌만한 송수신기를 매장에 달면 70m 안에 있는 잠재 고객에게 할인 쿠폰을 전송할 수 있다. 대표적인 사용 예는 애플 '아이비콘(iBeacon)'과 SK플래닛 '시럽(Syrup)'이다.

아이비콘은 저 전력 블루투스(블루투스LE) 기술을 이용해 신호가 닿는 범위 안에 있는 사용자에게 매장 할인 정보와 쿠폰 등을 전송하는 서비스다. 위치를 정확하게 파악할 수 있어 매장 안에 들어온 고객의 동선을 따라가며 상품 정보를 전송하는 것도 어렵지 않다.

SK플래닛 시럽은 쿠폰과 멤버십 카드를 통합 관리하는 모바일 응용Program(앱)이다. 블루투스LE 기술을 기반으로 매장 안에 들어온 고객에게 해당 매장에서 사용할 수 있는 쿠폰과 멤버십 카드를 알려준다.

NFC(근거리 무선 통신)는 10cm 정도로 가까운 거리에서 기기를 접촉하지 않아도 데이터를 주고받을 수 있는 기술이다. 통신 거리가 짧아 안전하다는 평을 받는다. 다양한 분야에서 활용되지만, 모바일 결제 분야에서 특히 애용된다.

7.1.4 NFC(Near Field Communication : 근거리 무선통신)

13.56MHz 대역의 주파수를 사용하여 약 10cm 이내의 근거리에서 데이터를 교환할 수 있는 비접촉식 무선통신 기술로서 스마트폰 등에 내장되어 교통카드, 신용카드, 멤버십카드, 쿠폰, 신분증 등 다양한 분야에서 활용될 수 있는 성장 잠재력이 큰 기술이다. NFC를 활용하면 스마트폰으로 도어락을 간편하게 여닫을 수 있으며, 버스나 지하철 등 대중교통을 손쉽게 이용할 수 있고, 쿠폰을 저장해 쇼핑에 활용하는 것도 가능하다.

또한 신용카드, 쿠폰, 멤버십 등을 탑재한 전자 지갑이 현실 세계의 지갑을 대체하고, 출입통제, 태그 기반의 원터치 다이얼, 위치 기반의 광고, 스마트폰 간 P2P 파일 교환 등 무궁무진한 서비스 창출이 가능하다. 이러한 서비스들은 이용자의 일상생활과 밀접히 관련되어 있으며, 라이프 스타일 및 경제활동에 더욱 급격한 변화를 가져올 것으로 전망된다.

NFC의 짧은 통신 거리는 단점이지만, 짧은 거리이기 때문에 기존 유통 위주의 RFID 기술보다 보안성이 높고 데이터를 교환하기 위해 통신 대상 기기에 이용자가 스마트폰을 직접 터치해야 한다. 이용자의 행동을 기반으로 의도를 인식하여 다양한 이용자 맞춤형 서비스들과 연결하기가 좋은 장점이 있다. 그리고 기존 근거리 무선 데이터 교환 기술이 '읽기'만 가능했던 반면, NFC는 '읽기'와 '쓰기' 모두 가능한 장점이 있다.

NFC를 가장 잘 활용한 예로는 애플이 내놓은 모바일 간편결제 '애플페이'가 있다. '아이폰6'를 비롯해 애플페이를 지원하는 단말기 안에 신용카드 정보를 미리 저장해두고, 물건 값을 치를 때는 아이폰을 결제단말기(POS)에 댄 채 지문만 인식하면 결제가 끝난다. 국내에서는 NFC가 교통카드에 널리 쓰인다.

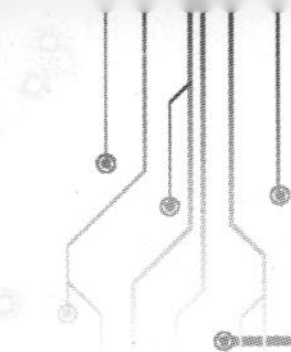

7.1.5 오프라인으로 뛰어드는 온라인 회사 : Online to Offline

다음카카오는 O2O 시장에 뛰어들 계획이라고 발표했다. 국내 스마트폰 사용자 가운데 97%가 설치한 카카오톡 고객 기반에 다음의 지도와 검색 서비스를 결합해 온라인과 오프라인을 아우르겠다는 전략이다. 이석우 다음카카오 공동대표는 "사람과 오프라인 비즈니스의 연결은 최근 발표한 '옐로우 아이디'가 대표적"이라며 "다음의 지도와 검색 기술이 결합한다면, 지금보다 훨씬 더 가치 있는 서비스를 제공할 수 있을 것"이라고 말했다. 다음카카오가 처음으로 내놓은 O2O 서비스는 '카카오택시'다. 다음카카오는 택시 기사와 승객을 모바일 앱으로 연결해주는 카카오택시를 운영하고 있다

SK플래닛도 시럽을 내놓으며 O2O를 '넥스트 커머스 전략'의 핵심으로 꼽았다. 또 2014년 O2O 쇼핑 업체 '샵킥'을 인수했다고 발표했다. 샵킥은 메이시스백화점과 베스트바이 등 14개 미국 대형 유통업체 매장 1만 2천여 곳에서 쓸 수 있는 쇼핑 앱이다.

네이버는 오프라인 매장이 모바일 웹사이트에서 제품을 소개하도록 연결하는 샵윈도 서비스를 시작했다. 패션 의류 상품을 보여주는 스타일윈도와 농수산물을 파는 프레시윈도, 인테리어 소품 업체를 소개하는 리빙윈도 등 3가지 카테고리로 나뉜다.

라인도 O2O 진출에 박차를 가하는 중이다. 라인은 지난 2014년 '라인앳'(LINE@)을 내놓고 오프라인 상점이 라인 메신저로 고객과 소통할 수 있는 창구를 열었다. 카카오톡 옐로아이디와 비슷한 서비스다. 배달의민족과 손잡고 일본에서 음식 배달 서비스 '라인와우'를 시작했다. 최근엔 라인 메신저로 콜택시를 부르는 '라인택시' 서비스도 내놓았다.

7.1.6 온라인으로 뛰어드는 오프라인 회사 : Offline to Online

온라인 서비스 회사만 O2O에 눈독 들이는 것은 아니다. 스타벅스는 매장에 가기 전에 미리 주문과 결제를 마치고 매장에 가서는 바로 커피를 들고 나올 수 있는 '사이렌오더(Siren Order)' 서비스를 2014년 전세계 최초로 한국에서 시작했다. 사이렌오더는 출시 40일 만에 사용 횟수가 15만 건을 넘길만큼 각광 받았다.

모바일에서 책을 산 뒤 오프라인 서점에 방문해 바로 책을 가져갈 수 있는 교보문고 바로드림 서비스도 인기가 높다. 교보문고 전체 모바일 매출 가운데 바로드림 매출이 36%를 넘을 정도다. 롯데나 신세계 같은 전통 오프라인 유통회사도 매장과 온라인 서비스를 연계한 O2O 서비스를 준비 중이다.

수많은 기기가 인터넷에 연결되며 사물인터넷(IoT)의 구체적인 서비스 형태로 O2O가 부

각될 것이다. O2O 시장은 온라인 상거래 시장에만 머물지 않는다. 온라인 상거래가 오프라인 시장과 점점을 넓히면서 O2O 시장은 연 300조원 규모인 전체 상거래 시장까지 커질 수 있다. 국내 시장 규모만 쳐서 이 정도다. 가트너는 2016년에 모바일 결제 시장 규모가 6천억 달러가 넘을 것이라고 전망했다.

아직 이 시장을 장악한 회사는 나타나지 않았다. 애플이나 구글, 아마존 같은 거대 IT기업도 이제 막 손을 뻗은 상황이다. 다음카카오와 라인도 모바일 고객층을 기반으로 O2O 시장에 뛰어드는 중이다.

GPS나 RFID 등 위치파악 기술은 개인이 보유한 디바이스를 통해 고객의 위치 · 동선 및 접근장소를 파악할 수 있게 만들었으며, 디바이스를 통한 인터넷 애플리케이션 접속 시 개인별 온라인 접속장소, 이용시간, 검색정보를 파악할 수 있게 되어 고객이 어떠한 니즈(needs)와 원츠(wants)를 가지고 어떤 상품에 관심을 갖고 있는지도 파악할 수 있다.

모바일 기기가 확대되면서 쏟아지는 데이터를 어떻게 활용해야 하는가에 대한 관심도 높아지고 있다. 이에 따라 자연어 처리 기술, 감성 분석 기술 등의 발달로 인해 다양한 컨텍스트 어웨어니스(Context-aware Service) 기반의 서비스들이 등장하고 있다.

컨텍스트 어웨어니스 기술이란, 다양한 센싱 또는 사용자 데이터를 통해 고객에게 맞춤 정보를 제공하는 것이다. 대표적인 예로, 애플의 시리와 구글의 구글 나우를 들 수 있다. 사람들의 자연어를 인식해 사용자의 모바일 사용으로 인한 행태들을 기록 분석, 다음 상황을 예측하거나 추천을 해주는 것이다.

모바일 디바이스는 실제 세계를 비추는 Local Tool의 성격을 갖고 있어, 지인으로부터 맛집이나 영화 등을 위치 기반으로 추천받거나 검색할 수 있는 서비스도 주목받을 것이며, 모바일에 담긴 사용자들의 일상을 기록하고 있는 라이프로그(Lifelog)까지 결합되면 보다 정교한 마케팅이 가능해질 것이다. 기업 입장에서도 개인의 라이프로그 데이터를 활용해 타겟 마케팅에 적극 활용할 수 있다는 입장이다. 위치와 라이프로그(Life Log)를 결합한, 상황 및 정황 정보 기반하에 제공되는 맞춤 제작 서비스(Context-aware Service), 정보기기(스마트폰)에 기반한 고객특화 서비스가 확대되고 있다.

점차 오프라인과 온라인 커머스의 경계를 흐릿하게 하는 O2O 모바일 커머스 비즈니스 모델(Online-to-Offline Commerce BM)들의 출현이 확대되고 있다. 사용자들은 스마트폰을 가지고 상점 근처에 가면, 데일리딜/교환권/할인정보들을 받아볼 수 있을 뿐만 아니라, 오프라인 매장은 손님들을 끌어들이는 홍보 효과를 동시에 받을 수 있다.

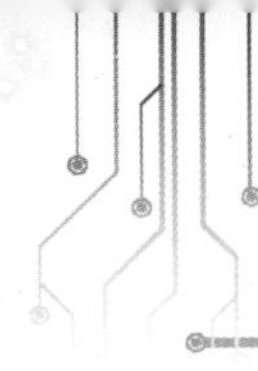

해외의 유명 사례로는 샵킥(Shopkick)이 있다. 샵킥은 제휴 매장에 방문하면 Kicks라는 포인트를 지급하고, 이후 샵킥 연동 신용카드로 상품을 결제 시 Kicks를 추가로 지급받도록 지원해 사용자들의 로열티를 발생시킬 뿐만 아니라, 오프라인 매장으로 끌어들이는 효과를 얻었다.

미국 최대 쇼핑몰 그룹인 'Simon Property Group' 은 '숍킥(Shopkick)' 이라는 이름의 애플리케이션을 개발하여 운용중이다. 이 애플리케이션은 점포 내에 설치된 음파발생기를 통해 개인의 핸드폰이 점포를 인식하여 점포별 쿠폰 등을 보내주는 POD 마케팅을 실시할 수 있도록 되어 있다. 'Shopkick'의 성공적 운영을 보고 세계 다수 기업이 유사 마케팅 도구로 활용 가능한 애플리케이션을 개발 중이다.

▸ Point of Difference(POD) : **차별점**

제품 간, 브랜드 간 차별적 특성을 의미한다.
예를 들어, 갤럭시 S7의 POD는 빅스비, 홍채인식 등이 있을 것이다

▸ Point of Parity(POP) : **동등성**

parity라는 단어는 동등성, 동등함을 뜻한다.
즉, POP는 같은 카테고리 내에 있는 제품들이 공통적으로 갖는 특징, 유사성을 의미한다.

7.1.7 자동 체크인 기반의 모바일 마케팅 서비스 Shopkick

스마트폰이 등장했을 당시 화두가 되었던 것은 여러 가지가 있지만, 개인적으로는 자유로운 인터넷의 사용과 LBS(Location based Service ; 위치 정보 기반 서비스)의 등장이었다.

대표적인 LBS 기반의 서비스인 포스퀘어는, 지도에 체크인 개념을 더해 사용자들로 하여금 방문을 유도하고 SNS와 다양한 기능으로 자신이 가는 장소마다 직접 체크인을 함으로서 자신의 위치를 알리고, 보상을 받는 형태이다.

현재 미국에서 서비스 되고 있는 ShopKick이란 App은, 포스퀘어와 크게 다르지 않고 기본적으론 둘 다 같이 LBS를 활용한 체크인 개념의 서비스다. 다만, 달라진 것은 '직접 체크인해야 하는 귀찮음'과 '계속 사용해야하는 이유'를 개선했다는 점이다.

샵킥이란 서비스를 요약하자면 다음과 같다.

○ 체크인 과정의 번거로움이 생략 : 일반적인 LBS인 GPS는 사용자의 위치를 몇 미터 단위로는 측정하지 못하기 때문에, 판매장의 천장에 달린 Deducer라는 저주파 발생장치에서 나오는 신호를 활용한 사용자의 정확한 위치 정보를 스마트폰에 전달하여 자동 체크인할 수 있는 '워크인' 개념의 방문 유도 마케팅

○ 소비자 맞춤형 정보 전달 : 스마트폰의 위치와 움직임의 동선에 따라 고객의 관심사와 구매패턴을 파악 가능

○ 상거래와 연결된 서비스 : 등록된 모바일 정보로 결제 혹은 매장내 이벤트나 할인 행사에 참여 가능

○ 사이버머니 Kickbucks : 기존의 사이버머니와 비슷한 개념이지만, 소비자 행동에 대한 보상 관점이라는 것이 Point

즉, 현존하는 LBS보다 정확한 사용자 위치 측정이 가능하고, 개개인에 맞춤정보를 전달해 주며 무엇보다 귀찮지 않고, 방문으로도 할인해주고, 스캔을 하면 더 할인해주고 하는 등의 보상도 매력적이다.

실내에서 저주파 발생기를 통해 단거리에서 반응하는 워크인 개념은, 소비자가 직접적으로 발을 들여놓도록 유도한다는 점에서 제휴사에겐 매우 큰 이점이다.

어쨌든 이런 측면에서 사람들이 생각하는 서비스는 비슷한 관점을 지니고 있기 마련이다. 결국은 사용자들을 어떻게 파악하느냐와 어떠한 관점에서 문제점을 해결하느냐에 따라 서비스의 질과 성공 여부가 달라지기도 한다. 현재 아마존이나 이베이 등의 초대형 물류 서비스를 포함해서도 상위 리스트에 노출되고 있으나 아쉽게도 국내에서는 서비스 되지 않으니 아래의 사이트에서 동영상을 참고하기 바란다.

http://youtu.be/2uixneqbqkI

이러한 LBS기술의 사례는 단순하게는 네비게이션의 역할부터, 분실단말기 탐색, 지역정보 검색에서부터, 스마트폰APP의 다양화와 다양한 아이디어의 등장으로 위치기반의 마케팅이나 광고로까지 발전했다. 흔한 사례로 근처의 배달 음식점을 찾는다거나, 자신 주변의 병원을 찾는 등의 수많은 세부 서비스들을 APP이나 포탈검색 등에서도 적용하고 있다.

국내에서도 온라인과 오프라인을 연결하는 커머스 시도가 이뤄지고 있다. SK M&C는 OK 맵을 통해 위치정보와 소셜 커머스를 연계했으며, 배달의 민족이나 요기요 등 모바일과 오프

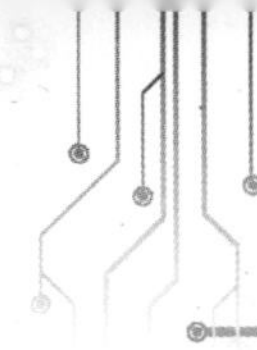

라인 매장을 연결하는 음식 배달 사업도 눈에 띄게 성장했다. 티켓몬스터 및 위메이드 프라이스 등의 소셜커머스 업체는 배달 시장에도 진출할 예정이다.

7.1.8 물먹고 잠잘 때도 인공지능… 진화하는 IoT

A씨는 아침에 일어나면 스마트폰으로 침대의 온도를 낮춰놓고 정수기에서 오늘 하루 마셔야 할 물의 양을 확인한다. 샤워를 하고 거울 앞에 서면 거울이 잡티, 피부결 등 피부상태를 확인해 준다. 외출했다 돌아오면 공기청정기가 집안 공기상태를 분석해 A씨에게 보고하고, A씨가 원하는 상태로 조절해 준다.

인공지능 기술이 발달하면서 일상적으로 쓰는 가구나 가전에도 사물인터넷(IoT)이 적용되는 사례가 확대하고 있다. 사물인터넷이란 인터넷으로 연결된 사물들이 데이터를 주고받아 스스로 분석, 학습한 정보를 사용자에게 제공하거나 사용자가 이를 원격 조정할 수 있는 인공지능 기술을 의미한다.

코웨이가 지난해 10월 출시한 최신 공기청정기 제품 '듀얼파워 공기청정기 아이오케어(IoCare)'는 기기가 실내 공기 질을 사용자의 스마트폰으로 전송하고 알람도 제공한다. 집안 내 미세먼지나 이산화탄소 농도가 짙어지면 집주인의 스마트폰으로 알람을 보내 공기청정기를 가동하라고 알려주는 방식이다.

코웨이는 정수기 제품에도 사물인터넷 기술을 접목해 '스마트 워터케어' 서비스를 출시했다. 이는 고객 집안에 설치된 정수기, 비데, 매트리스 등이 보내온 자료들을 결합해 고객의 생활방식을 분석함으로써, 적절한 하루 물 음용량을 고객의 스마트폰으로 전송해 주는 서비스다. 코웨이는 고객이 그날 마신 물의 양을 스마트폰으로 확인할 수 있도록 한 '스마트 컵' 제품도 출시했다. 코웨이는 지난달 미국 가전행사(CES)에 참가해 2018년까지 사물인터넷 결합 제품 및 서비스 비율을 전체의 80%까지 끌어올리고, 관련 대용량자료(빅데이터) 조건을 축적하겠다고 밝혔다.

귀뚜라미는 지난해 처음으로 가스보일러용 'IoT 실내온도 조절기'를 출시한 후 지난달에는 이보다 한층 진화해 학습능력을 갖춘 제품을 출시했다.

이 제품은 기본적으로 사용자가 집 밖에서 스마트폰으로 보일러 전원, 온도, 운전 예약 등 각종 기능을 설정할 수 있으며, 보일러에 문제가 발생하면 보일러가 이를 고객의 스마트폰으로 자동 전송해 알려준다. 지난달 출시된 신제품은 '스마트 학습기능'이 추가돼 보일러가 스스로 사용자의 생활 방식을 분석, 이를 토대로 주간 평균 온도나 기상 · 취침 상태 온도 설정을 알아서 해준다. 보일러는 온도 설정이 변경될 때마다 이를 사용자의 스마트폰으로 알려줘, 사용자는 밖에서도 언제는 보일러 가동 상태를 확인할 수 있다.

장수돌침대는 지난해 침대 업계 최초로 스마트폰으로 침대온도를 조절할 수 있는 기능을 갖춘 신제품인 '뉴오스타'를 출시했다.

에몬스가구는 지난 1월 화장대 거울에 고해상도 카메라를 넣어 모공, 피부결, 주름 상태 등을 측정할 수 있는 사물인터넷 제품 '뷰티미러'를 선보였다.

이 밖에 보안전문회사 ADT캡스는 이달 초 LG유플러스와 협력해 현관 잠금, 침입 감지, 경보 알림, 출동 경비, 원격 제어 등을 할 수 있는 가정용 보안서비스 'IoT(사물인터넷) 캡스'를 출시했다. 이 CCTV는 도둑 고양이가 지날 땐 조용하지만 도둑이 나타나면 경보를 울린다. 기존 CCTV가 단순히 움직이는 물체를 감지하는 수준이었다면 인공지능은 위험한지 아닌지를 스스로 판단할 수 있다. 이 같은 지능형 감시 체계 시장은 해마다 20%씩 성장하고 있다.

로봇이 물건을 배달하고 술집에서 서빙을 하는 모습은 공상 과학 영화에서 낯설지 않은 장면이다. 서비스나 제조업에 쓰이는 지능형 로봇 시장도 한해 14%씩 크고 있다.

수많은 차들의 움직임을 파악해 통행을 조절하면 교통 체증도 해결하고 사고도 줄일 수 있을 것이다. 인공지능으로 교통을 제어하는 시장도 연평균 9%씩 성장 중이다.[26)]

7.2 자동차 산업과 IT융합기술

7.2.1 자율주행 자동차(무인차)

(1) PART 1 무인자동차가 온다.

1769년, 프랑스의 기술자 니콜라 조셉 퀴뇨는 증기기관을 이용해 최초의 자동차를 만들었다. 이 자동차를 본 당시 사람들은 아마도 이런 반응을 보였을지도 모르겠다.

"말이 끄는 것도 아닌데 차가 스스로 움직이다니! 그런데 저거 위험하지 않나?"라고 말이다.

이후 250년 정도의 시간이 지난 지금은 자동차가 없는 세상을 상상하기 힘들 정도이다.

26) 〈참고자료〉 : [서울=연합뉴스, SBS 뉴스, 원본 링크 :http://news.sbs.co.kr/news/endPage.do?news_id=N1003465148&oaid=N1003465401&plink=REL&cooper=SBSNEWSEND&plink=COPYPASTE&cooper=SBSNEWSEND]

그만큼 자동차가 사람들의 생활에 필수품이 되었다는 얘기다.

자율주행자동차가 운행하는 모습을 처음 보는 사람들의 반응도 증기자동차를 본 1769년 사람들과 비슷하지 않을까 싶다. '사람이 운전대를 잡지 않았는데 차가 알아서 길을 가다니!' 라는 놀라움에 이어 '그런데 정말 안전할까?'라는 걱정이 뒤따를테니 말이다. 그러나 컴퓨터는 졸지도 않고 딴 짓도 하지 않는다. 그리고 머지않은 미래에는 자율주행자동차가 없는 세상을 상상할 수 없는 시대가 올 것이다.

자율주행자동차는 컴퓨터가 운전한다. 컴퓨터에게 지금 당장 운전대를 전적으로 내주자니 조금 불안하다. 그런데 사실 사람의 운전 실력도 생각보다 믿을 만하진 않았다. 현재 발생하고 있는 교통사고의 90% 이상이 '자동차의 문제'가 아닌, '운전자의 부주의'에 의해 발생하고 있기 때문이다. 즉, 자동차의 고장보다 사람이 운전을 잘못해서 사고가 더 자주 난다는 것이다. 사람은 운전하면서 졸기도 한다. 또 운전 중 휴대전화를 조작하기도 하고, 신호를 제대로 지키지 않는 사람도 있다. 이런 상황에서 언제나 사고가 일어나는 건 아니지만, 사고의 확률이 높아지는 것은 분명하다.

그런데 컴퓨터는 운전하면서 졸지 않는다. 신호를 어기는 일도 없고, 운전 중 다른 일을 하지도 않는다. 게다가 감정이 없으니, 갑자기 위급상황이 벌어져도 당황하지 않고 침착하게 정해진 매뉴얼대로 대처할 수 있다.

사람은 운전할 때 꽤 많은 정보를 동시에 처리해야 한다. 도로의 형태, 차선의 모양, 앞차와의 간격, 신호등과 교통 표지판, 주변을 지나가는 사람, 도로에 놓인 장애물 등을 모두 유심히 살펴야하기 때문이다. 눈에 보이는 정보들을 모은 뒤, 이 정보를 바탕으로 전체적인 주변 상황을 파악하고, 그에 따른 적절한 판단을 끊임없이 내려야 안전하게 운전할 수 있다.

이렇게 보니, 운전자가 상당히 대단한 사람처럼 보인다. 하지만 이는 사실 우리가 평범하게 길을 걷고 있을 때도 벌어지는 일이다. 아주 어릴 때부터 매일같이 해오던 일이기 때문에 어렵지 않게 느껴질 뿐, 목적지까지 안전하게 걸어가는 일은 상당히 복잡한 과정이다.

이런 의미에서 자율주행자동차를 책임질 컴퓨터가 운전을 배우는 과정은 험난하다. 컴퓨터가 바라보는 세상은 우리가 보고 느끼는 세상과는 다르기 때문이다. 비유하자면 평생 앞을 보지 못하다가, 갑자기 시력을 얻게 된 상황이랄까, 눈에 여러 가지 물체들이 보이지만 생전 처음 보는 까닭에 무슨 물체인지 알아보지 못하는 것이다. 그러니 컴퓨터도 사람처럼 '학습'을 할 수밖에 없다.

자율주행자동차의 학습은 소프트웨어를 통해 이뤄진다. 처음에는 눈만 뜨고 있을 뿐, 아무 것도 알아보지 못하던 컴퓨터가 소프트웨어를 통해 자동차와 사람의 생김새를 구분하고, 중앙선과 차선, 신호등, 횡단보도 등 다양한 물체와 교통 신호들을 읽기 시작하는 것이다. 이렇게 주변 사물을 알아보는 과정을 '인지'라고 부른다.

주변 사물을 인지한 자동차는 교통 상황을 파악하기 시작한다. 앞차와의 간격이 너무 가깝진 않은지, 차선은 잘 지키고 있는지, 길 중간에 장애물은 없는지 등을 끊임없이 살피는 과정이다. 이런 과정을 '판단'이라고 부른다.

인지와 판단을 마친 컴퓨터는 이를 바탕으로 자동차를 움직이는데, 이 과정을 '제어'라고 부른다. 이처럼 자율주행자동차는 '인지 → 판단 → 제어'의 과정을 거쳐 스스로 운전한다.

이런 방식으로 움직인 최초의 자동차는 1977년 일본 츠쿠바공과대학에서 만든 자동차다. 이 자동차는 그저 도로에 찍힌 흰 점을 차에 달린 카메라로 읽어낸 뒤, 시속 20km로 따라가는 수준이었다. 하지만 불과 35년이 지난 후 만들어진 자율주행자동차는 미국에서 정식 운전면허를 취득한다. 그야말로 눈부신 발전이다.

통계청의 자료에 의하면 교통사고 원인은 90% 이상 운전자의 부주의이며, 운전자의 26%가 졸음운전을 경험한 적이 있으며, 전체 교통사고 사망자의 31%가 졸음운전이 원인이라고 한다.

▲ 구글에서 제작한 자율주행자동차의 모습. (출처 : 구글)

사람처럼 생각하는 자동차

사람은 눈을 통해 들어오는 영상 정보만으로도 상당히 많은 것들을 알아낸다. 하지만 컴퓨터는 아직 이 정도 수준까지 도달하지 못했다. 그래서 자율주행자동차에는 서로 다른 역할을 하는 두 종류의 눈이 달려 있다. 바로 영상 정보를 모으는 카메라와 물체의 위치와 크기 등을 파악하는 레이더이다.

카메라는 차선, 신호등, 교통 표지판 등 형태와 색으로 이루어진 정보들을 파악하는 데 사용된다. 이 밖에도 자동차 주변에 다른 차나 보행자가 있는지, 길에 장애물이 있는지 등을 파악한다. 하지만 카메라에는 한 가지 단점이 있다. 바로 물체의 속도, 위치 변화 등 움직임에 관련된 정보를 금방 알아내지는 못한다는 것이다. 그래서 다른 종류의 눈, 레이더가 필요하다. 레이더는 영상이 아닌 전파를 이용하는데, 발사된 전파가 주변 사물에 부딪히면 반사되어 되돌아오는 원리를 이용한다. 전파가 반사되어 돌아오는 시간, 반사가 일어난 각도, 반사파의 형태 등을 분석하면 물체의 움직임에 대한 정보를 빠르고 정확하게 파악할 수 있다. 이는 박쥐가 초음파를 이용해 장애물에 부딪히지 않고 비행을 하는 것과 같은 원리다. 레이더로는 물체의 색이나 정확한 모양을 파악할 순 없지만, 주변 사물들의 움직임을 실시간으로 꽤 정확하게 읽어낼 수는 있다.

구글에서 2012년에 개발한 자율주행자동차는 1초에 160만 번이나 전파를 발사하고, 이를 통해 200m 거리에 있는 물체의 움직임도 정확히 읽을 수 있다.

카메라와 레이더를 함께 활용하면 정확한 상황파악이 가능하다. 하지만 아직도 넘어야 할 산이 남아 있다. 예를 들어, 폭설이 내리는 상황을 생각해 본다. 자율주행자동차는 카메라와 레이더에 들어오는 정보를 해석한 뒤, 이에 알맞은 판단을 내려야 하는데, 폭설에 의해 차선이 눈에 덮여 잘 보이지 않거나 레이더의 전파가 진행하는 데 방해를 받으면 입력되는 정보 자체가 정확하지 않게 된다. 자칫 큰 사고로 이어질 수 있다.

이런 상황을 피하고자 필요한 것이 바로 '추측'이다. 추측은 이전에 입력된 정보들을 조합해 새로운 정보를 만드는 과정이다. 인공지능의 핵심이다. 정보가 입력되면 오직 결과만을 내놓던 컴퓨터가, 결과가 아닌 또 다른 정보를 만들어내야 하는 상황이 벌어진 것이다.

이때 '빅데이터 분석 기술'이 필요하다.

다시 폭설이 내리고 있는 도로로 돌아가 본다. 다행히 컴퓨터는 이전에 주행하며 모았던 방대한 분량의 빅데이터를 분석해 차선이 보통 어떤 모양으로 그려지는지를 알고 있다. 비록 차선이 눈에 묻혀 보이지 않지만, 주변 풍경이나 도로의 형태에 스스로 만들어낸 차선 정보를 더하면, 마치 사람이 눈길에서 운전하는 것처럼 폭설 속에서도 차선을 '추측'해서 안전하게 달릴 수 있다.

기술을 개발하는 데 있어서 생활을 편리하게 하는 것도 중요하지만, 사람에게 친숙하게 다가갈 수 있느냐도 중요하다. 따라서 앞으로 출시될 자율주행자동차는 스스로 주행할 수 있을 뿐만 아니라, 탑승자의 건강상태나 기분을 파악하고, 이에 대한 알맞은 조치를 취하기도 할 것이다.

일본의 IT 기업인 소프트뱅크가 만든 로봇 '페퍼'에는 인간의 감정을 읽는 기능이 들어 있다. 페퍼는 인간의 말투와 얼굴 근육 변화를 읽어내고, 그 정보를 바탕으로 인간의 감정을 파악한다. 최근 일본의 자동차 회사인 혼다는 페퍼의 감정 분석 기능을 탑재한 자동차를 개발하겠다고 발표했다. 자동차가 인간의 기분을 읽고, 상황에 맞춰 이야기를 건네거나 음악을 골라 주는 것이다.

한편, 한국전자통신연구원에선 적외선 카메라와 근거리 레이더를 이용해 운전자의 상태를 체크하는 기술도 개발하고 있다. 적외선 카메라로는 사람의 얼굴 형태를 분석하고 눈 깜빡임, 시선의 방향, 고개의 각도 등을 분석해 운전자가 졸고 있는지 여부를 판단한다.

또한 근거리 레이더는 운전자의 심장박동 패턴을 파악해 건강상태를 끊임없이 확인한다. 그래서 평상시 사람이 직접 운전을 하다가도 졸음운전이 예측되거나 갑자기 건강에 이상이 생겨 운전을 할 수 없게 되면, 자동차가 스스로 자율주행 기능을 작동시켜, 안전한 곳으로 차를 대피시킬 수 있다.

2000년대 초반, 주차할 때 진땀을 빼던 사람들에게 반가운 소식이 있었다. 자동으로 주차를 해주는 차가 나왔다는 것이었다. 당시에는 전 세계적으로 큰 뉴스가 된 첨단 기능이었는데, 10여 년이 지난 지금은 일부 고급 자동차에 자동주차 기능이 탑재되어 있다. 그런데 이번에는 주차뿐만 아니라 운전 자체를 두려워하는 사람들에게 반가운 소식이 있다. 사람이 손 하나 까딱하지 않아도, 알아서 원하는 곳까지 데려다 주는 자동차가 개발되고 있다. 운전하는 사람이 없다고 해서 흔히 '무인자동차'라고 부르는데, 차 안에 사람이 없는 것이 아니라 사람 대신 컴퓨터가 운전하기 때문에, 정확히 말하면 '자율주행자동차(Self-driving car)'라고 하는 게 맞다. 하지만 여기서는 부르기 쉽게 '무인자동차'라고 하겠다.

한 보고서에 따르면 2035년에는 전 세계적으로 자동차 4대 중 1대가 무인자동차가 될 것이라고 한다.

자율주행에도 등급이 있다.

미국도로교통안전국은 자율주행의 단계를 LEVEL 0(비자동 단계)부터 LEVEL 4(완전자율주행 단계)까지 5단계로 구분하고 있다. 현재 판매되는 자동차에 적용된 기술은 LEVEL 2와 LEVEL 3이다.

LEVEL 4단계는 차를 탄 순간부터 내릴 때까지 모든 것을 차가 알아서 해주는 완전자율주행 단계이기 때문에, 방향을 바꾸는 데 필요한 핸들은 물론, 브레이크 페달도 없다.

완전자율주행 자동차는 모든 것을 차가 알아서 하기 때문에 핸들도, 브레이크, 페달도 없다. 심지어 앞뒤 좌석을 마주보게 할 수도 있다. 무인자동차는 사람처럼 졸음운전의 위험도 없고 DMB를 시청하면서 한눈을 팔지도 않으니 교통사고가 줄어들 것이다.

한편, LEVEL 3단계까지 제한된 자율주행 단계에서는 타고 있는 사람이 자율주행 모드에서 운전자 모드로 바꿀 수 있다. 따라서 핸들이나 브레이크 페달 등 사람이 운전하는 데 필요한 장치들이 그대로 있다.

무인자동차가 보편화되면 우리는 자동차를 타도 운전할 필요가 없다. 그렇다면 도로를 달리는 자동차 대부분이 무인자동차라면 어떤 점이 좋은가?

① 교통사고가 줄어든다.

자동차 사고는 운전자의 실수로 일어나는 경우가 많다. 최근에는 스마트폰을 조작하거나 DMB를 시청하는 바람에 사고가 나는 경우가 늘고 있다. 게다가 사람은 운전하다가 졸음이 몰려오기도 하고, 볼 수 있는 시야의 범위도 제한돼 있다. 또 돌발 상황이 벌어졌을 때, 몸이 반응하는 데에도 시간이 걸려, 사람은 운전 중 신체적으로 극복할 수 없는 한계를 가지고 있다. 하지만 무인자동차는 이런 한계가 없으니 사고가 날 확률이 줄어든다.

② 자유 시간이 늘어난다.

무인자동차를 타고 이동하는 동안, 차를 탄 사람은 운전에 신경을 쓸 필요가 없다. 그 대신 휴식을 취하거나 책을 읽는 등 자유롭게 시간을 보낼 수 있으니, 운전에서 해방되어 더 의미 있는 일을 할 수도 있다. 또한 무인자동차는 교통 상황을 파악해 최적의 경로로 이동하기 때문에 주행시간이 절약된다. 게다가 목적지까지 도착하면 주차도 알아서 척척 해주니, 주차시간도 줄어든다. 여러모로 사용 가능한 시간이 늘어날 것이다.

③ 길도 덜 막히고, 에너지도 절약되고!

무인자동차는 에너지 절약도 실천한다. 사람이 직접 운전할 때보다 다른 무인자동차와 차간 거리를 더 가깝게 유지하며 주행해도 서로 부딪히지 않으며, 불필요한 급출발과 급제동을 하지 않으니 교통 상황이 훨씬 좋아진다. 이렇게 효율적으로 주행하면, 에너지를 절약할 수 있을 뿐만 아니라, 이산화탄소 발생량도 줄여 환경도 보호할 수 있다.

④ 운전을 못해도 드라이브를 즐길 수 있다.

어린이나 몸이 불편한 어르신들처럼 운전을 할 수 없는 사람들은 누군가가 운전을 해 줘야만 차를 타고 이동할 수 있다. 하지만 무인자동차가 있으면, 운전을 하지 못하는 사람도, 운전을 하기 싫은 사람도 다른 사람의 도움 없이 어디든 갈 수 있다.

무인자동차 시대의 걸림돌

무인자동차는 기술적으로 거의 완성 단계에 다다랐다. 그러나 기술적으로 완성됐다고 곧바로 무인자동차가 도로를 질주할 수 있는 것은 아니다. 사람들이 실제로 사용할 때 나타날 수많은 문제를 해결해야 하기 때문이다. 어떤 문제들이 발생할 수 있을까?

① 법적 문제

무인자동차끼리 도로에서 부딪히는 사고가 발생한다면, 법적인 책임은 과연 누구에게 있을까? 자동차를 만든 제조사에게 있을까, 무인자동차 주인에게 있을까?

이런 상황에서 누구에게 책임을 물어야 하는지 아직 법적으로 정해져 있지 않다.

② 통신 문제, 보안 문제

무인자동차는 차의 위치나 속도와 같은 운행 정보를 서버와 끊임없이 주고받는다. 만약 통신에 문제가 생기거나 서버가 해킹을 당하면 어떻게 될까?

무인 자동차들은 도로 한복판에서 뒤죽박죽되어 큰 사고로 이어질 수 있다.

서버는 여러 대의 컴퓨터와 연결되어 있는 일종의 중앙 컴퓨터로, 공동으로 사용하는 정보나 Program이 저장되어 있다. 연결된 각 컴퓨터는 필요할 때마다 서버에 접속해 원하는 자료를 주고받는다.

무인자동차가 운행하는 데 있어서 서버와의 통신은 생명과도 같다. 그런데 서버는 다른 통신망을 통해 해킹이 가능하다.

③ 무인자동차의 고민

무인자동차를 타고 가던 중, 갑자기 도로에 떨어진 물건을 피하려다 지나가던 사람들과 부딪힐 위험에 처해 있다고 한다. 그런데 사람들을 피하려면 반대쪽 절벽으로 떨어져야 한다. 무인자동차는 어떻게 해야 할까?

(2) PART 2 가장 빠른 길을 찾아라.

무인자동차는 센서와 GPS 등을 통해 수집한 정보를 정보처리장치에서 빠른 속도로 분석해 실시간으로 현재 위치와 주변 상황을 파악한다. 실제로 무인자동차가 수집하는 정보량은 1초에 1GB(기가바이트)에 달하는데, 여기서 1GB는 대략 영화 한편 분량에 해당하는 방대한 양이다.

이렇게 어마어마하게 많은 정보를 받는 즉시 분석해 매순간 어디로 갈지, 얼마나 빨리 움직일지 등을 결정해야 한다. 이 결정을 하는 주인공이 바로 다양한 알고리즘을 적용해 만든 소프트웨어이다. 여기서 알고리즘이란 어떤 일을 수행하기 위한 문제해결과정의 여러 단계들을 순서대로 모아 놓은 것이라 생각하면 된다.

목적지까지 안전하고 정확하게 그리고 빨리!

길을 찾는 데에 있어서 가장 중요한 것은 목적지를 정확히 찾는 것이다. 하지만 빠른 길을 찾는 것 역시 무척 중요하다. 어떤 경우에 빠른 길을 찾는지 생각해 보고 그 예를 적어 보자.

요즘 사람들은 대부분 자동차에 내비게이션 시스템을 설치한다. 같은 기능을 하는 스마트폰 앱을 사용하는 경우도 많다. 내비게이션의 가장 기본적인 기능은 목적지까지 가는 길을 알려 주는 것이지만, 최근에는 목적지까지 가는 길뿐만 아니라 '가장 빠른 길'을 찾아 준다. 무인자동차라고 다르지 않다. 목적지까지 가장 빨리 가는 것도 무인자동차의 중요한 기능이다. 사람이 운전하는 자동차든 무인자동차든 가장 빠른 길을 찾기 위해서는 '최단 경로 알고리즘'이라는 것을 활용한다. 여기서 빠른 길이란 목적지까지 실제 거리가 가까운 길일 수도 있고, 조금 돌아가서 거리는 멀지만 시간은 적게 걸리는 길일 수도 있다.

최단 경로 알고리즘은 이름 그대로 빠른 길을 알 필요가 있는 여러 분야에 널리 쓰이고 있다. 지하철 환승 경로 찾기나 지하철과 버스 등 대중교통으로 길을 찾는 Program은 물론이고, 도시를 계획할 때 건물을 배치하거나 전자회로를 설계할 때도 최단 경로 알고리즘을 사용하고 있다.

빠른 길 찾기의 기본, 다익스트라 알고리즘

최단 경로를 찾기 위한 여러 가지 알고리즘 중 가장 많이 알려진 것이 '다익스트라 알고리즘'이다. 이것은 네덜란드의 컴퓨터 과학자인 에스커 다익스트라가 1959년 발표한 것인데, 한 지점에서 다른 지점으로 가는 최단 거리를 구하는 방법을 제안한 것이다.

다익스트라 알고리즘은 각 지점과 그 지점들을 잇는 경로를 점과 선으로 간단하게 표시하는 데서 시작한다. 그리고 각 경로에 대해서 거리, 이동시간, 이동하는 데 드는 비용 등 빠른 길을 찾는 데 고려해야 할 모든 항목을 수치로 만든다. 이 수치를 '가중치'라고 하면, 거리가 멀고, 시간이 오래 걸리고, 비용이 많이 들수록 가중치는 커진다. 다시 말해, 가장 쉽고 편리하고 빨리 가는 길이 가중치가 가장 작은 것이다. 목적지까지 가는 방법은 어떤 경로를 거치느냐에 따라 여러 가지가 있다. 곧장 가기도 하고, 여기저기 들러서 한참을 돌아갈 수도 있다. 그런데 지나가는 길마다 가중치가 있어서, 최종 목적지까지 지나가는 길의 가중치를 모두 더한 다음, 그 값을 비교해 볼 수 있다.

다익스트라 알고리즘에서는 이 가중치의 합이 가장 작은 경우가 가장 빠른 길이 된다.

집에서 학교까지 가는 가장 빠른 길 찾기

다익스트라 알고리즘을 이용해 집에서 학교까지 가는 길을 한번 살펴본다.

집과 학교 사이에는 공원과 마트가 있다.

다익스트라 알고리즘을 이용하려면, 먼저 이들 4개 지점 중 2지점을 잇는 길을 모두 표시하고, 각 길에 가중치를 매긴다.

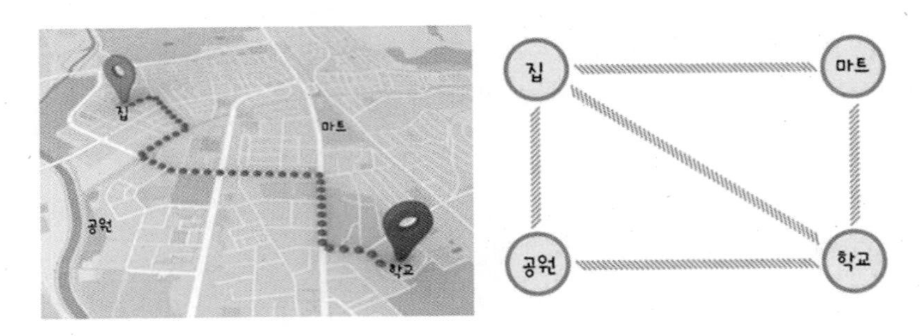

먼저 집과 학교, 그 사이에 거쳐 갈 수 있는 지점들을 점으로 표시하고, 각 지점을 연결하는 선에 가중치를 표시한다. 가중치를 정하는 방법은 여러 가지가 있는데, 예를 들면 비용을 따져 볼 수 있다. 집과 학교 사이에는 공원과 대형 마트가 있는데, 공원까지는 걸어갈 수 있지만 마트까지는 마을버스를 타야 한다. 결과적으로 마트까지 가는 데 비용이 더 드니, 공원으로 가는 길보다 마트로 가는 길에 가중치를 더 둘 수 있다. 그래서 집에서 공원까지 가중치는 3, 집에서 마트까지 가중치는 5로 정했다.

집에서 학교까지 바로 가는 길은 다른 곳을 거치지 않기 때문에 빨리 갈 것처럼 보이지만, 일반 버스를 타고 꼬불꼬불한 길을 따라 가야 한다. 그래서 가중치를 10으로 정했다. 반면, 집에서 공원으로 가는 길이나 공원에서 학교로 가는 길에는 각각 지름길이 있어서 시간을 줄일 수 있다. 앞에서 집에서 공원으로 가는 길에 가중치를 3으로 두었기 때문에, 이보다 조금 멀게 느껴지는 공원에서 학교 가는 길에는 가중치를 4로 두었다. 그리고 앞에서 집에서 마트까지 가는 길의 가중치를 5로 두었으므로, 시간이 조금 더 걸리는 마트에서 학교 가는 길에는 가중치를 6으로 두었다.

자, 이제 집에서 학교까지 가는 가장 빠른 길을 찾아본다.

집에서 학교까지 가는 방법은 집에서 학교로 바로 가는 것, 공원을 거쳐 가는 것, 마트를 거쳐 가는 것, 이렇게 3가지이다. 다익스트라 알고리즘에서 가장 빠른 길은, 도중에 거치는 길의 가중치를 모두 더해서, 그 값이 가장 작은 경로라고 볼 수 있다. 그러니 이제는 각 경로에 대해서 가중치를 더해 본다. 먼저 집에서 학교까지 직접 가는 방법의 가중치는 10이다.

두 번째, 집에서 공원을 거쳐 학교로 가는 경우의 가중치를 모두 더하면 3+4=7이다. 세 번째, 마트를 거쳐 학교로 가는 길의 가중치를 모두 더하면, 5+6=11이다.

결국 가장 빠른 길은 가중치의 합이 7로 가장 적은, '공원을 거쳐 가는 길'이 된다.

이 경우는 간단하기 때문에 학교로 가는 모든 경우의 수를 구해서 각각의 거리를 비교하면 가장 빠른 길을 쉽게 찾을 수 있었다. 그러나 실제 우리가 살고 있는 곳의 지도는 이보다 훨씬 복잡하다. 그만큼 빠른 길을 찾는 방법도 복잡하다. 그래서 혼자 다 알아서 하는 무인자동차에게는 다익스트라 알고리즘에서 가중치의 합이 가장 작은 길을 재빨리 계산해낼 수 있는 매우 똑똑한 컴퓨터가 필요하다.

(3) PART 3 보고, 판단하고, 움직이는 무인차

사람이 운전하지 않아도 스스로 움직이는 무인자동차는 센서 기술, 데이터 처리 기술, 분석 기술 등이 총동원된 첨단 기술의 집합체이다.

무인자동차는 크게 3단계를 거쳐 스스로 움직인다. 주변으로 부터 정보를 받는 '정보 수집 단계(인지)', 이 정보를 처리해서 판단을 내리는 '의사 결정 단계(판단)', 그리고 결정된 내용에 따라 실제로 자동차를 움직이게 하는 '차량 제어 단계(제어)'가 바로 그것이다.

정보 수집 단계(인지)–센서

무인자동차에서 정보를 수집하는 운전자의 감각기관 역할을 하는 것은 차체에 장착된 레이더, 카메라, 위성항법장치(GPS) 등 각종 센서들이다. 자신의 위치를 파악하고, 장애물이나

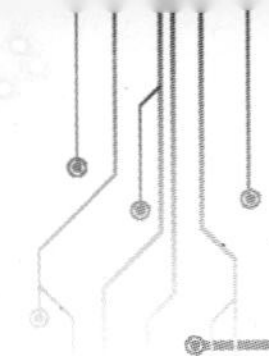

다른 자동차와의 거리, 주변에 걸어가는 사람은 없는지 등을 인식한다.

레이더는 전파에 가까운 레이저를 발사한 뒤 물체에 부딪혀 되돌아오는 데 걸리는 시간과 반사된 모양 등의 정보를 얻다. 카메라는 주변 상황을 직접 찍어 영상 자료를 만들며, GPS 수신기는 지구 밖에 있는 인공위성을 이용해 자동차의 현재 좌표를 얻다. 이 모든 정보가 1초에 1GB*나 전달되니, 정보 수집뿐만 아니라 빠르게 전달하는 것도 무인 자동차의 중요한 요소이다.

의사 결정 단계(판단)-소프트웨어

이 단계는 센서를 통해 수집된 데이터를 해석하고, 차를 어떻게 작동시켜야 할지 판단을 내리는 단계이다. 이 일은 소프트웨어가 담당하며, 개발자들은 수많은 상황에 대해 어떤 판단을 내릴지에 대한 알고리즘을 구상하고, 소프트웨어를 만든다.

소프트웨어는 레이더에서 온 정보를 분석해 주변물체들의 거리와 크기를 알아낸다. 또 카메라가 보내온 영상을 이미 가지고 있는 여러 물체의 영상 자료와 비교해서 어떤 물체인지 구분한다. 사물인지, 사람인지, 동물인지 알아야 상황에 맞는 판단을 할 수 있기 때문이다. GPS에서 얻은 자동차의 좌표를 지도 데이터와 비교하면, 자동차의 현재 위치를 알 수 있다.

이런 여러 가지 정보를 종합해서 적절한 판단을 내리는 것도 소프트웨어의 역할이다. 오른쪽으로 가야할지, 왼쪽으로 가야할지, 차선을 언제 바꿀지, 서서히 멈춰도 되는지 급제동을 해야 하는지 등을 결정하는 것이다.

이 모든 기능은 안전과 직결되는 무인자동차의 핵심 요소이다.

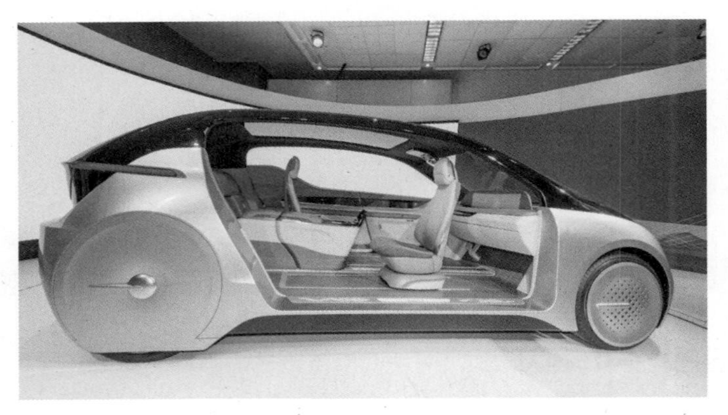

2017년 1월에 공개된 무인자동차의 내부 모습

핸들이나 브레이크 페달 같은 운전 장치가 없는 대신, 내부에 설치된 중앙 컴퓨터의 소프트웨어가 모든 정보를 분석해, 차를 어떻게 작동시킬지를 결정한다(ⓒ Steve Lagreca/Shutterstock.com).

차량 제어 단계(제어) - 기계 장치

차량 제어 단계에서는 소프트웨어가 내린 결정에 따라 정교하게 움직이는 모터가 작동하면서 차의 움직임을 조절한다. 소프트웨어가 1m 움직였다고 파악하더라도 실제 차량은 그보다 적게 혹은 많게 움직일 수 있기 때문에, 수많은 시험을 통해 그 차이를 줄이는 게 중요한 과제이다. 뒤에서 만들 햄스터와 같은 로봇을 움직여 보면, 이동하라고 명령한 거리와 실제로 로봇이 움직인 거리에 차이가 있는 것을 볼 수 있을 것이다.

햄스터 로봇은 크기가 4cm 정도 되는 작은 교육용 로봇이다. 센서와 바퀴가 달려 있어, 장애물을 감지하면서 움직일 수 있다. 가장 큰 장점은 전자보드가 들어 있어서, 원하는 명령을 코딩한 다음 전자보드에 업로드하면, 명령에 따라 움직이게 할 수 있다는 것이다.

그래서 무인자동차를 간접적으로 체험해 볼 수 있다.

이 모든 과정이 원활하게 이뤄질 때, 무인자동차는 신호등과 주변 자동차들의 움직임에 따라 차선을 바꾸거나 장애물을 피하면서 목적지까지 안전하게 움직일 수 있다.

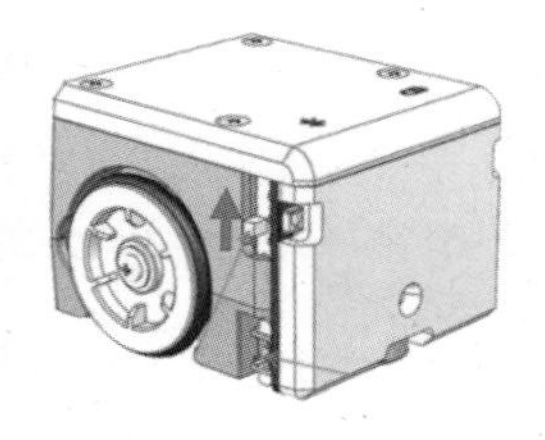

햄스터 로봇

진로탐색 : 자동차공학자

현대자동차와 아우디 등 기존 자동차 회사는 물론이고, 구글, 우버, 애플, 테슬라 등 IT 기업들도 자율주행자동차 연구에 뛰어들어, 경쟁이 점점 뜨거워지고 있다. 자율주행자동차는 기술적으로는 거의 완성 단계에 이르렀지만, 사고 책임이라든가 보안 문제 등 아직 해결해야할 문제들이 남아 있다. 그래도 우리는 그리 머지않은 미래에 자율주행자동차 시대를 맞이할 것이다. 그래서 기존 공학기술과 센서, 인공지능 등을 결합하는 전문가가 누구보다

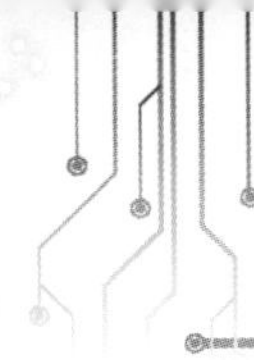

많이 필요하다.

기계, 설비, 정밀 등의 학과들이 모두 해당한다. 그런데 최근 전기자동차가 등장하면서 예전에는 없었던 기술이 필요하게 됐다. 바로 모터와 배터리기술이다. 그래서 전기 및 전자공학과도 자동차공학 관련 학과가 된다. 여기에 센서, 자동제어, 자율주행 시스템 등 자동차를 구성하는 IT 부품이 점점 늘고 있다. 이를 '전장'이라고 부르는데, 자동차 제조 원가의 40%에 이를 정도로 중요해지고 있다. 다른 분야와 마찬가지로 자동차도 이제 여러 학문간 융합이 필수가 됐다.

무인자동차 관련 직업

예나 지금이나 자동차 산업은 수많은 관련 직업을 만들어내는 산업이다. 기계공학과 관련된 직업이 많지만, 정보통신 분야의 비중이 점점 늘어나고 있는 상황이다.

자동차시스템을 이해하고 새로운 모델과 신기술을 개발하려면, 논리적이고 분석적이며 창의적인 사고력이 필요하다.

다른 분야의 전문가와 힘을 합쳐 일을 하게 되는 경우가 많으므로 협동 정신, 원만한 대인관계가 필요하다.

자동차와 IT 융합은 첨단 IT 신기술을 기반으로 자동차의 센터 및 전자장치가 상호 작용하여 운전자에게 안전하고 편리한 운전 환경을 제공하는 고부가가치 산업으로 빠르게 성장하고 있다.

자동차-IT융합의 성공사례로는 다음과 같은 것들이 있다.

현대자동차의 '블루링크'

실시간으로 날씨정보, 음성으로 문자메시지 전송, 내비게이션 연동 등 편의를 제공하고 스마트폰 · 스마트패드 등으로 차량을 제어할 수 있는 기술을 활용하면 차량과 멀리 떨어진 곳에 있어도 스마트폰에 장착된 애플리케이션으로 원격 제어할 수 있다.

오비고의 '차량용 웹 브라우저'

차량에서 모바일 엡스토어에 접속하고 콘텐츠를 유무선 관계없이 호환해 사용할 수 있다.

미디어젠의 '다국어 음성인식 미들웨어'

내비게이션과 오디오에 들어가는 음성 인터페이스 기술 및 한국어 음성시스템을 제공하여 수입에 의존해 오던 음성 인터페이스 기술을 국산화한 미디어젠의 '다국어 음성인식 미들웨어'가 있다.

LG이노텍 '자동차 전장용 초소형 카메라'

운전이 미숙한 초보운전자 등을 위해 장착되는 전후방 감시카메라에 적용된 LG이노텍/삼성테크윈/엠씨넥스의 '자동차 전장용 초소형 카메라'가 있다.

인포테인먼트 SW

스마트폰 애플리케이션을 통해 자동차 시동을 켜고 끄는 것은 물론 차내 온도 조절 및 자동차 점검과 위치확인 등의 기능을 지닌 유비벨록스의 '차량용 인포테인먼트 오픈플랫폼 및 앱', 인포뱅크의 '인포테인먼트 SW' 등을 들 수 있다.

이러한 성공과 더불어 매년 1월 미국 라스베가스에서 개최되는 세계 최대의 전자쇼인 CES(Consumer Electronics Show) 2017에서는 주요 자동차 기술 트랜드로 인공지능기반의 자율주행차, 전기차 등이 화두가 되어 차량 전용 스마트폰 앱과 자체 앱스토어의 본격화, 자동차용 OS 경쟁, 새로운 자동차의 신기술 적용 등을 선보였다.

7.2.2 자동차 산업과 IT융합기술의 특징

자동차 산업과 IT융합기술은 첨단 IT 신기술을 기반으로 다양한 차량 주변 정보 및 주행상황을 인지, 판단하여 차량을 제어함으로써 차량, 운전자 및 보행자의 안전성, 편의성, 안락성 등 다양한 서비스 및 제품을 창출하는 산업이다. 그래서 통신, 인프라, 서비스, 지리정보, 반도체, 임베디드 SW, 센서, 액추에이터, 제어 등 다양한 분야가 융합된 산업이며, 기존 IT 산업뿐만 아니라 ITS 등 타 산업과의 연계시너지 효과가 매우 높다.

또한 최근 휴대폰, 인터넷 산업과 같은 기존 IT 산업은 시장포화로 인하여 성장이 주춤하여 신규 시장 발굴이 절실한 시기임에 따라 자동차에 정보통신 기술을 융합한 자동차 산업과 IT융합기술은 IT 산업 전체에 새로운 블루 오션 산업으로 인식되고 있다.

그러나 자동차 산업과 IT융합기술은 보수성이 높아 신기술의 진입장벽이 매우 높고, 긴 Life Cycle을 갖는 자동차의 특성 상 제품 수명주기가 일반 IT 제품보다 월등히 긴 특징을 가진 반면, 가격 민감도가 낮은 특성을 가지고 있어 기존의 IT 산업과는 매우 상이한 특성을 가지고 있다. 그리고 자동차의 개발 비용 중 SW가 전체 생산비 중에서 차지하는 비중이 증가하고 있으며 이에 따라 SW 품질에 대한 중요성이 부각되고 있고 신뢰성 있는 코드 생산을 위해 인간의 손수 코딩에서 모델링 도구를 통한 자동 생성 기능을 이용함으로써 기 검증된 코드를 재사용하여 신뢰성을 확보하는 방향으로 SW가 개발되고 있다.

7.2.3 자동차 산업과 IT융합기술의 패러다임

최근 자동차에 장착되는 IT 기기 센서, 소프트웨어가 증가하고 있다. 먼저 전장부품 분야에서는 능동형/지능형 안전 기술의 개발이 가속화되고 있으며, 또한 차량 탑재 기기 간의 데이터 통신량이 방대해짐에 따라 FlexRay 등 차량내 통신 기술 개발 및 적용이 확산되고 있다.

두 번째로 센서기술과 통신 기술의 융합을 통해 미국, 유럽, 일본 등 선진국에서는 차량 탑재 센서의 감지 범위 밖에서 발생되는 위험 요소를 상황인지 함으로써 보다 안전한 주행을 보장할 수 있는 능동형 안전 시스템 개발을 시작하고 있다.

세 번째로 인포테인먼트 분야에서는 운전자 통합 정보시스템(DIS), 멀티미디어 네트워크, 텔래매틱스 시스템 및 서비스가 지속적으로 개발되고 있으며, 특히, 가전기기와의 연결 및 생활정보 입수 및 결재 등의 기술이 개발되고 있다.

네 번째로 차량과 스마트폰의 연동 서비스를 통해 자동차 제어 서비스 등이 상용화 되고 있으며 스마트폰의 앱스토어 서비스를 차량 내로 가져오려는 시도가 이루어지고 있다.

다섯 번째로 친환경을 고려한 하이브리드 및 전기자동차 개발에 박차를 가하고 있으며 충전인프라 구축 관련 논의가 활발히 전개되고 있으며 차체 경량화, 배터리 안정성, 충전 시간 등의 문제를 해결하려고 노력하고 있다.

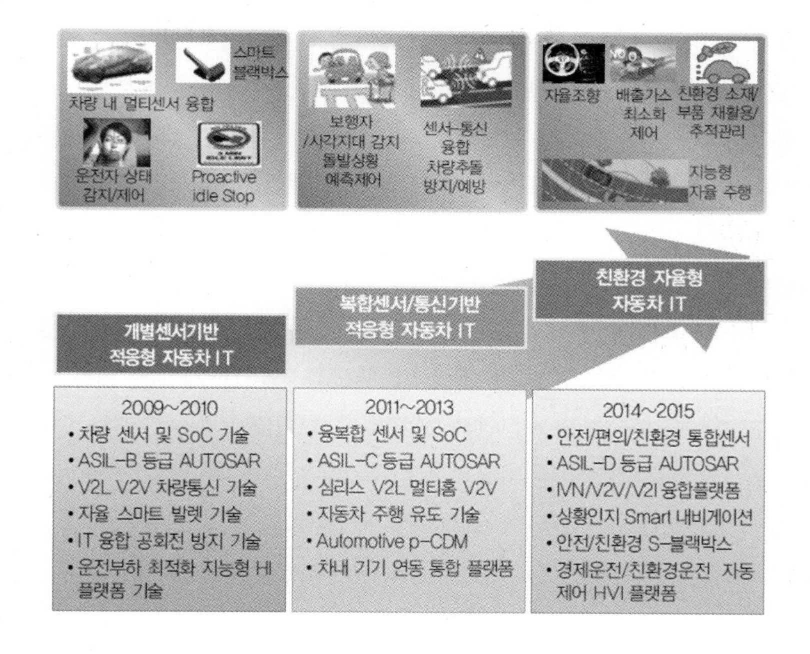

7.2.4 자동차 산업과 IT융합기술의 기술 및 사례

자동차 산업과 IT융합기술은 안전맵 기반의 능동 안전 시스템 기술, HF 기반의 통합 안전 시스템 기술, V2I(Vehicle-to-Everything) 통신 기반 횡방향 통합제어 시스템 기술, 실시간 3D 디지털 안전맵 기술, 센서 네트워크 기반 센서 퓨전기술 등이 대표적이다.

〈참고〉

- ▸V2I(Vehicle-to-Everything ; 차량 · 사물 통신 ; 차량을 중심으로 유무선망을 통해 정보를 제공하는 기술.
- ▸V2X는 차량과 차량 사이의 무선 통신(V2V : Vehicle to Vehicle), 차량과 인프라 간 무선 통신(V2I : Vehicle to Infrastructure), 차량 내 유무선 네트워킹(IVN : In-Vehicle Networking), 차량과 이동 단말 간 통신(V2P : Vehicle to Pedestrian) 등을 총칭한다.
- ▸V2X를 이용하여 차량과 도로의 정보 환경, 안정성, 편리성 등을 향상시킬 수 있다.

국내에서는 자동차용 부품 생산은 AV 시스템 및 텔래매틱스 단말이 주종을 이루고 있으며, 차량용 전장 ECU는 거의 100% 지멘스, 보쉬, 델파이 등 세계적인 전장업체들로부터 수입되고 있는 실정이기 때문에 현대 기아차가 Microsoft와 전략적 제휴를 맺고 차량용 인포테인먼트시스템, 텔레매틱스 등 차량용 서비스, 차량내 각종 인터넷 컨텐츠 활용 방안 등 자동차 산업과 IT융합기술 분야 중장기적 협력 Program에 나서고 있다. 그리고 ETRI에서 2008년부터 "차량 전장용 통합제어 SW플랫폼 개발"과제를 통해 AUTOSAR 표준 플랫폼과 개발지원 도구를 개발하고 있다. 또한 국내자동차 관련 산업계에서는 하이브리드 및 전기자동차 개발에 박차를 가하고 있으며 충전인프라 구축 관련 논의가 활발히 전개되고 있다.

미국에서는 DARPA Urban challenge 대회를 통해 차량에 다수의 센서를 탑재한 차량 중심의 인지/계획/제어 알고리즘 개발이 연구되고 있고 교통정보 제공 및 응급정보 전송을 위한 기지국-차량간 통신기술이 IEEE802.11p를 기반으로 기술개발이 완료되어 상용 서비스를 준비 중에 있으며, 차량안전 지원을 위한 차량 간 무선통신 기술 개발을 위해 WAVE(Wireless Access for Vehicular Environment)에 대한 연구가 진행되고 있다. 그러한 연구의 결과물의 예로 MS사는 "윈도오토모티브"라는 자동차용 OS를 활용하여 내비게이션과 AV 보급, 델파이의 충돌방지예방시스템, GM은 Dual depth 에어백 및 텔레매틱스 OnStar 상용화, 충돌방지 경고를 위한 Save-IT 프로젝트, DaimlerChrysler와 BMW는 차간거리제어, 차선이탈경보, Stop&Go는 충돌방지예방시스템 등을 들 수 있다.

일본에서는 자동차 기업 중심으로 지능형 자동차 기술개발을 주도하고 있다. 도요타는 주차도움, 충돌예방, 차량제어시스템, 미쓰비시는 차선이탈, 닛산은 차선유지 시스템을 상용화하고 세계적인 가장 안전한 도로의 운행 환경을 구축하는 Smartway21 프로젝트, 도요타자동차의 하이브리드카 프리우스 출시로 친환경자동차 개발을 주도하고 있다

Faraday future도 FF 91이라는 자사 최초의 상용 전기차를 내보였고, 스위스의 자동차 제조업체인 Rinspeed는 삼성전자에 인수된 Harman과 협력해 친환경 컨셉카 Oasis를 개발했다. 기존 자율주행차와는 달리 딥러닝과 인공지능 비서를 장착하고 있다.

Faraday Future의 양산 SUV 전기차인 FF91

Rinspeed 전기 컨셉차인 Oasis

자동차와 IT융합기술은 첨단 IT 신기술을 기반으로 자동차의 센서 및 전자장치가 상호 작

용하여 운전자에게 안전하고 편리한 운전 환경을 제공하는 고부가가치 산업으로 빠르게 성장하고 있다.

자동차는 IT기술을 융합한 최첨단 자동차. 자동차 자체의 첨단 시스템 도입은 물론 지능형 교통 시스템과 연동하여 최적의 교통 효율을 제공하는 지능형 자동차(Smart Vehicle)로 발전하고 있다.

(1) 연결

GM 쉐보레는 차량 내 와이파이를 활용하여 탑승자들이 모바일기기로 무선인터넷을 사용하고 스마트폰을 통해 필요한 어플리케이션을 자동차에 안전하게 내려 받아 사용할 수 있는 'On Star 4G LTE'를 소개했다.

아우디는 초당 100Mb에 달하는 데이터 통신을 기반으로 온라인 게임이나 비디오 스트리밍을 차량 내에서 자유롭게 즐기며 실시간 교통 신호 정보 제공 서비스를 통해 운전자의 신호상황을 파악하여 다음 거리를 계산해 적정 속도를 제시해주는 '아우디 커넥트'를 공개했다.

벤츠는 운전자 습성 및 과거 이력을 토대로 사용자와 상호작용하는 '예측형 사용자 경험' 시스템을 공개했다. 이 인포테이먼트 시스템은 주변 정보를 인식하고 운전자의 기분과 주로 가는 장소를 스스로 검색하는 등 사용자 경험을 제공하고 페이스북 친구 전화번호와 주소를 내려받아 내비게이션에 보내는 기능을 갖는다.

크라이슬러는 음석인식 기능, 긴급 구조 본부 연결을 위한 'Uconnect 인포테인먼트 시스템' 업그레이드 버전을 공개했다.

기아 자동차는 전방 차량 및 도로 인프라와 통신하여 사고나 교통 정보 등을 미리 알려 안전한 주행 환경을 만드는 차량-인프라 간 통신 서비스, 도로 상황과 감정을 고려한 맞춤형 음악 서비스인 스마트 라이온 등 스마트 서비스를 제공하는 '차세대 인포테인먼트' 시스템을 공개했다.

차세대 인포메이션 시스템

전기차 텔레매틱스 유보 EVe

(2) 친환경차

포드는 특수 집광판을 지붕에 설치하여 태양의 움직임에 따라가며 충전하는 것으로 세계 최초로 태양광 충전 플러그인 하이브리드카 'C-Max 솔라에너지 컨셉카'를 공개하고 도요타는 '수소연료전지차(FCV)'를 공개하여 2015년 미국에 출시한다.

포드의 솔라에너지 콘셉카

도요타의 수소연료 전지차

(3) 웨어러블 기기

벤츠는 차량의 주차 위치나 도어 잠김 여부, 주유상태, 충전 상태 등을 파악하는 스마트워치를 활용한 기술을 공개했다.

BMW는 원격시동, 목적지 정보전송, 차량 내부 온도조절, 배터리 잔량 확인, 충전 소요시간, 차문 개폐 상태 등의 서비스를 제공하는 삼성 갤럭시 기어를 활용한 기술을 공개했다.

현대자동차는 구글 글라스를 비롯한 웨어러블 기기와 연동하는 '블루링크'의 혁신성을 소개했다.

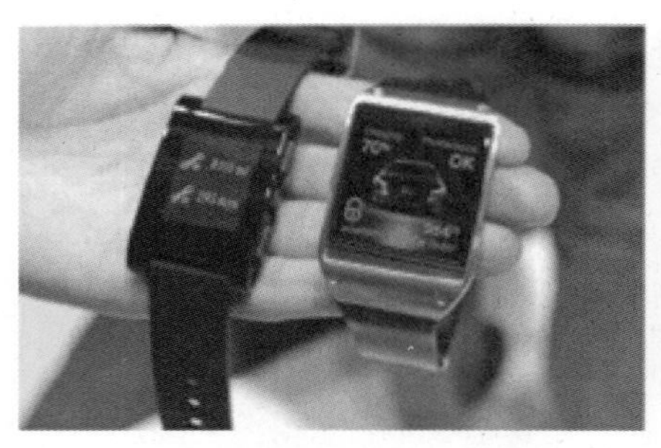
벤츠의 스마트워치 앱

갤럭시기어로 제어하는 BMW i3

(4) 무인자동차와 자율주행기술

아우디와 인덕트는 차선을 인식하며 자율 주행을 하는 자체 개발한 무인 자동차를 공개했고 보쉬와 발레오는 차량이 주차장을 지나가면서 비어 있는 공간을 파악하고 자동으로 주차하는 무인 자동 주차를 선보였다.

아우디 A7 자율주행자

인덕트 자율주행차량

보쉬의 자동주차기술

발레오 아이폰 제어 자동주차 시스템

▸ **사고 예감되면 차가 알아서 서는 링컨 MKZ**

미국차 포드의 고급브랜드에 속하는 링컨은 최근들어 안전성을 강화하고 있어 주목된다.

주행중 스톱앤고 기능이 탑재된 적응형 크루즈 컨트롤 시스템을 탑재하거나, 운전자 보조 시스템을 대거 적용해 안전뿐 아니라 자율주행 기술력까지 선보이고 있다.

링컨 브랜드가 최근 국내에서도 선보인 신형 MKZ의 경우는 링컨의 최첨단 안전 시스템이 대거 적용된 케이스여서 MKZ 하나만 봐도 링컨 브랜드 전체의 안전 기술력을 어느정도 가늠해 볼 수 있다.

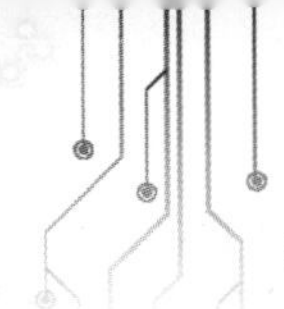

① 적응형 크루즈 컨트롤(Adaptive Cruise Control)

링컨이 적용하고 있는 크루즈 컨트롤 시스템은 일반적으로 봐왔던 장치와는 다르다. 스톱앤고 기능이 추가된 때문이다. 그러므로 가다서다를 반복하는 정체가 심한 도로에서는 운전자의 주행 스트레스를 낮춰준다.

스톱앤고 시스템이 적용된 크루즈 컨트롤 시스템은 선행 차량과의 거리를 일정하게 유지해주는 게 특징이다. 도로 정체 상황으로 인해 차량이 정지해야 할 경우에는 브레이크를 작동하여 차량을 정지시켜주고, 선행 차량이 움직이기 시작하면 그에 따라 자동으로 차량을 주행하기 시작한다. 출퇴근 길 시내도로에서 유용하게 쓰인다.

② 보행자 감지 기능이 탑재된 충돌 방지 시스템

일단 차량이 주행 중에는 레이더와 카메라 장비를 통해 전방의 도로를 스캔한다. 다른 차량이나 보행자와의 충돌이 감지될 경우 운전자에게 경고를 발동한다. 운전자가 적시에 대응하지 않을 경우, 시스템의 브레이크가 자동으로 최대 수준으로 적용되어 정면충돌의 경우 충격을 완화하거나 충돌 사고를 미연에 방지해주는 기술이다.

이 시스템은 일반도로나 고속도로뿐 아니라 서행하게 되는 골목길에서도 유용하게 쓰인다. 골목길 주행에서는 갑자기 어린 아이들이나 개, 고양이 등 동물도 갑자기 튀어나오는 경우가 잦다. 이런 경우 운전자가 미처 제동장치 작동을 빨리 진행하지 못하더라도 차가 알아서 스스로 정지한다.

충돌 방지 기능도 눈길을 모은다. 주행 속도에 관계없이 다른 차량과의 후방 충돌을 피할 수 있도록 보조하며, 보행자 감지 기능은 주간 주행 시 저속에서 보행자를 피할 수 있도록 지원한다. 이 같은 시스템은 모두 전방 충돌의 충격을 완화하거나 특정한 충돌 상황을 미연에 방지한다.

③ 차선 유지 시스템

운전자의 의도와 상관없이 차량이 주행 차선을 벗어나려 할 경우 다시 해당 차선을 유지하도록 지원해준다. 차선 이탈을 방지해주는 이 시스템은 시속 60km 이상에서 가능하다. 졸음이나 운전 부주의로 차선을 이탈하게 되면, 경고음과 함께 전자적으로 스티어링 휠을 조작해 차선을 유지해주는 기술이다.

④ 사각지대 정보 시스템

주행중 차량의 사각지대에 다른 차량이 진입했을 때나 또는 후진 시 후측방에서 다가오는 차량을 감지하여 운전자에게 정보를 알려준다. 차량 운전에 익숙한 사람뿐 아니라 여성이나 초보 운전자에게 주행 안전성을 높인다.

⑤ 연속 댐핑 제어 시스템

첨단 센서를 통해 차량의 서스펜션 모션이나 차체의 움직임, 스티어링 및 브레이킹을 지속적으로 모니터링 해주는 시스템이다. 이 데이터를 사용하면 초당 mm 단위로 서스펜션 댐핑을 조절하고, 보다 조용하고 부드러운 주행을 위해 차체의 움직임 제어가 가능하다.

⑥ 드라이브 컨트롤

링컨의 드라이브 컨트롤 시스템은 전동식 어시스트 스티어링과 액티브 노이즈 컨트롤 시스템으로 분류된다. 전동식 어시스트 스티어링의 경우에는 유압 펌프 대신 전기 모터를 사용해 보다 향상된 연비를 맛볼 수 있다. 여기에 조작성이나 반응성이 뛰어나기 때문에 핸들링에서 유리하다.

저속에서는 가볍고 반응성이 뛰어난 스티어링 감각을 지원하고, 고속에서는 더욱 자신감 있는 컨트롤을 위한 절제된 스티어링 느낌을 갖게 한다.

액티브 노이즈 컨트롤 시스템은 차량의 스피커 시스템을 통해 상쇄음파를 발산하여 원치 않는 소음 제거할 수 있다. 실내 분위기나 엔진 사운드를 개선하여 보다 조용하고 쾌적한 실내 환경 조성할 수 있다는 점에서 장점이다.

링컨 MKZ의 경우, 주행 모드를 스포츠 모드로 설정하게 되면, 액티브 노이즈 컨트롤 시스템이 활성화 되어 전반적인 주행 상황에 알맞도록 사운드가 개선된다.[27]

(5) 차량 전용 스마트폰 앱과 자체 앱스토어의 본격화

자동차 업체들은 자신의 회사의 앱스토어를 구축하여 후발업체와 차별화하는 전략을 구사하고 주유, 거리, 위치 등 차량 정보 파악과 고장 진단 등의 서비스를 제공하고 있다. 예로는 포드의 '앱링크 2.0', 벤츠 전용 앱의 '아이리모트' 등이 있다.

---

27) 데일리카 하영선 기자 ysha@dailycar.co.kr
자동차 뉴스 채널 데일리카 http://www.dailycar.co.kr

(6) 자동차용 OS 경쟁

구글은 오픈 자동차 연합(Open Automotive Alliance : OAA)의 출범을 발표하고 최상의 안드로이드 시스템을 안전하고 완벽한 방식으로 자동차에 접목 시켜 운전자가 보다 안전하고 재미있게 사용할 수 있도록 안드로이드와 융합된 자동차를 출시할 예정이다. 자동차용 플랫폼 현황은 다음과 같다.

업체	플랫폼(Program)	참여사	상용화 시기
구글	안드로이드 (개방자동차연합)	아우디, GM, 혼다, 현대차, 앤디비아	2014년 말
애플	iOS(iOS인더카)	혼다, 벤츠, 닛산, 페라리, 쉐보레, 기아, 현대, 볼보, 재규어 등 12개 제조사	2014년 상반기

*〈자료〉: 전자신문, 2014. 1. 8

(7) 새로운 자동차에 신기술 적용

아우디는 차량 내 각종 정보를 중앙 계기판에 구현하고 운전자의 주의를 분산시키지 않고 차량 경량화까지 이룰 수 있는 혁신 기술인 차량 전용 태블릿 '아우디 스마트 디스플레이'를 공개했다.

기아자동차는 운전자의 손과 손가락 동작을 직관적으로 인식하여 다양한 조작이 가능한 모션 제스처 인식 스위치, 생체 신호를 활용한 운전자 인증 기능 및 건강 상태 체크로 운전자와의 교감을 확대한 U-헬스케어 등을 제시하고 융합 신기술을 공개했다.

7.3 조선 산업과 IT융합기술

국내의 조선과 IT 융합은 크게 두 가지로 생각할 수 있다.

첫째는 "Digital shipyard"이다. 이는 조선산업 현장인 야드공간을 효율적으로 사용하고 블록 구조물의 이동 및 공정을 실시간으로 모니터링해서 조선산업의 현장 환경을 개선할 수 있는 조선소 블록 구조물 추적 및 통합관리 기술이다.

둘째는 "Smart Ship"이다. 이는 차세대 지능형 선박으로 선박엔진과 제어장치, 각종 기관의 운항 정보를 위성을 통해 지상에서 실시간 모니터링 하고 선박내 시스템을 원격 진단 및 제어 할 수 있도록 하는 하나의 네트워크로 통합 시스템 기술이다.

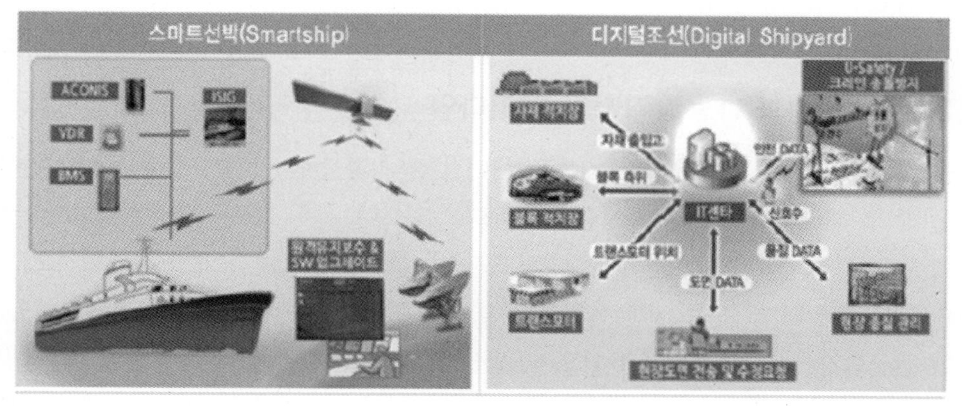

*〈자료〉 : 지식경제부, 2012

조선 · 해양플랜트의 융합 성공사례로는 현대중공업의 ‘스마트선박(e-Navigation)’, 삼성중공업의 ‘선박포털 서비스(Vessel Portal Service)의 선박용 위성통신 최적화 기술’, 대우조선해양의 ‘스마트쉽빌딩(Shipbuilding)’, 삼성중공업의 ‘고부가가치 해양플랜트’, 현대중공업의 ‘ LNG-FPSO 독자모델 개발’ 등이 있다.

7.3.1 조선 산업과 IT융합기술의 특징

조선IT 융합 기술은 전통 조선해양 산업에 IT기술을 융합하는 기술을 총칭하는 것이다. 먼저 조선해양 산업은 전방산업인 해운산업, 방위산업 그리고 후방산업인 기계산업, 철강산업, 전자산업 등과의 연관 효과가 큰 자본 및 노동, 그리고 기술 집약적 산업이며 전후방산업에 대한 파급효과가 매우 크다. 다음으로는 조선해양 산업에 IT기술을 융합하여 첨단 기술 집약적 산업으로 발전시키고 그 시너지 효과를 바탕으로, 경쟁력을 강화하고 고부가가치 산업으로의 전환을 주도하고 있다. 마지막으로 조선해양 산업에서의 IT 융합 분야는 선박 및 해양구조물의 설계, 생산 및 관리 측면에서의 IT 융합(조선 IT 융합)과 선박 및 해양구조물 그리고 여기에 탑재되는 기자재에 대한 IT 융합(선박 IT 융합)을 포함한다. 이에 따라 조선IT융합기술은 주력산업인 조선해양 산업의 생산성 향상을 통한 기술 경쟁력 강화 및 고부가

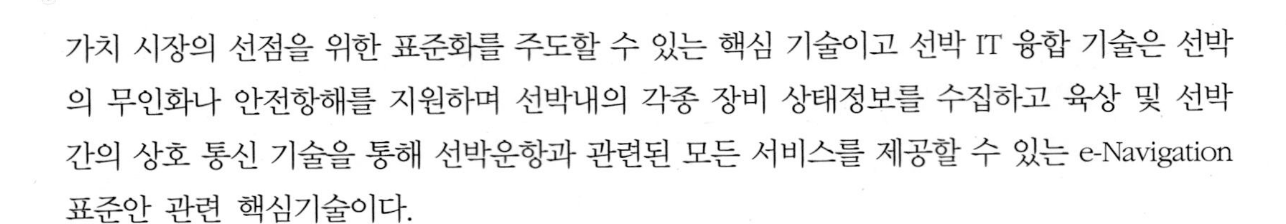

가치 시장의 선점을 위한 표준화를 주도할 수 있는 핵심 기술이고 선박 IT 융합 기술은 선박의 무인화나 안전항해를 지원하며 선박내의 각종 장비 상태정보를 수집하고 육상 및 선박 간의 상호 통신 기술을 통해 선박운항과 관련된 모든 서비스를 제공할 수 있는 e-Navigation 표준안 관련 핵심기술이다.

7.3.2 조선 산업과 IT융합기술의 패러다임

최근에는 해양환경 규제, 온실가스 저감, 에너지 절약 및 선박 안전성 강화 등 다양한 분야에서 선박 및 해양구조물에 대한 기술이 개발되고 있으며, 특히 IT 등 첨단 기술의 융복합화를 통한 고기능성, 지능형의 선박과 해양구조물의 설계 및 생산기술 개발에 주력하고 있다. 처음으로 IT, 컴퓨터 기술 등 연관 산업의 기술 진전으로 선박 설계 및 생산 전용 Program을 이용한 전산화가 급속히 진전되고 있으며, 생산성 향상 및 원가 절감을 위한 선형, 의장 등 제품/건조 공정의 표준화가 적극적으로 이루어지고 있다. 두 번째로 선박 수주에서 인도 시까지 전 과정을 통합 전산화하여 공정 간 정보 교류를 원활히 하고 나아가 유지보수, 운항 및 검사, 폐선 등 선박의 전 생애(Life Cycle)에 걸쳐 관리하는 시스템에 대한 개발이 진행되고 있다. 세 번째로 현재 미국 및 유럽이 독점하고 있는 선박 위성이동통신 분야에서 유럽 EU는 우수한 성능과 서비스를 지원하는 VSAT 시스템이 선박의 안전운항 및 자동항해를 지원하는데 유용하게 사용될 것으로 전망하고 있다. 이러한 관점에서 광대역 위성이동통신 기술은 전화, 인터넷, TV 등 광대역 통방융합서비스 제공이 가능하지만, 핵심 시스템을 미국, 유럽의 제조사가 독점하고 있고 협대역 위성이동통신은 인마샛(Inmarsat), 이리듐(Iridium), 뚜라야(Thuraya) 등이 있으나, 음성, 인터넷 등의 광대역 통신 융합서비스 제공에는 한계가 있다. 네 번째로 2007년 7월 53차 IMO의 NAV(Sub-Committee on Safety of Navigation) 회의에서 e-navigation 전략의 핵심 목적과 정의에 대한 초안이 마련되었고 2009년 7월 개최된 55차 NAV 회의에서는 선상 사용자 요구사항과 우선순위 설정에 대한 초안이 작성되었다. 이에 따라 조선IT 기자재의 해외 의존도를 낮추고 우리나라 기자재에 대한 국제 인지도를 높이기 위해 이 분야에 대한 지원 및 기술개발이 진행되고 있다.

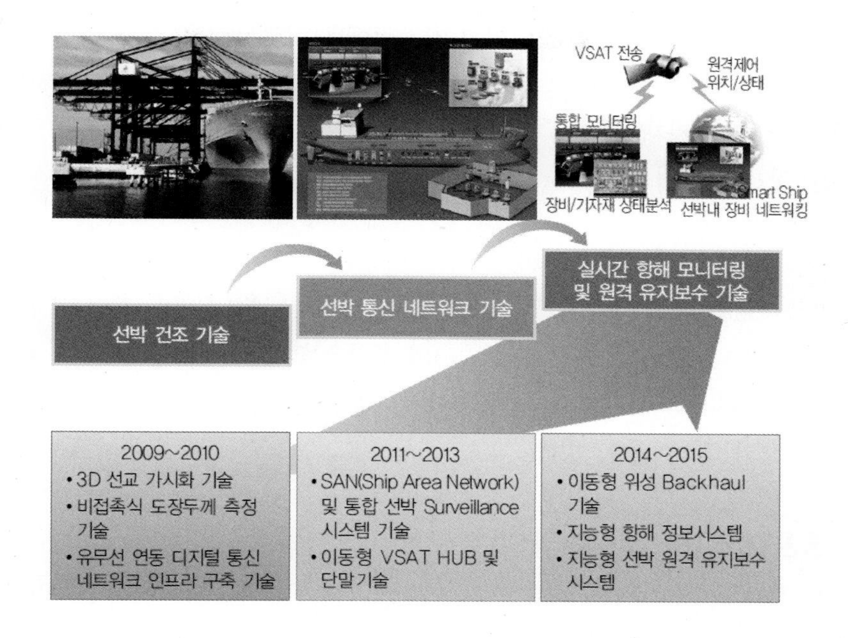

7.3.3 조선 산업과 IT융합기술 사례

조선 산업과 IT융합기술 은 시뮬레이션 기반의 선박 및 해양구조물 생산기술, 선박생애주기 관리 기술, e-Navigation 기술(e-navigation technology), 능동형 자율제어 무인선 기술, 선박통합모델기술(Ship data modeling tech.) 등이 대표적이다.

국내에서는 2002년 이후 조선 1위국을 유지했으나, 2008년 세계 경기침체로 인해 크루즈선, 쇄빙선 등 고부가가치 선박 및 해양플랜트 위주로 전환중이고 제조업체의 선박 건조능력 및 건조품목 비율은 다른 경쟁국가에 비해 우위를 차지하지만 선박의 안전항해를 지원하기 위한 IT 인프라시스템은 해외 의존도가 높은 편이다. 그리고 IT기술을 적용한 선박 설계 및 생산 시스템을 구축하고 있으며, 소프트웨어를 통한 경쟁국으로의 기술 유출 방지를 위해 노력하고 있다. 또한 선박 설계 및 생산에 사용하는 CAD, CAE, CAM, ERP, PDM 등 모든 소프트웨어가 기술 개발 노력이 부족한 현실이다.

미국에서는 NTIA에서 새로운 기술 기준을 만족하는 무선항법 레이더 기술 개발과 ITU-R 국제 표준을 주도하고 있다.

일본에서는 Challenge 21계획이라는 선박해양기술 개발 정책에 따라 새로운 형식의 미래 첨단형 선박을 개발하고 조선용 CIMS 등 핵심 요소 기술을 산학연 공동으로 개발하여 세계 1위 조선국으로 성장하면서 자동화를 통한 범용 선박분야에서의 고품질 추구하고 있다.

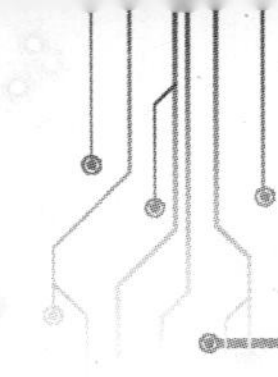

EU에서는 크루즈선과 가스선 등 고부가가치 선종에 특화하는 전략을 추구하여 이들 시장에서 확고한 지위를 구축하고 지속적인 조선 산업을 유지하기 위하여 선박 설계 관련 Program 및 IT 기반 기자재 개발에 주력하고 있다.

중국에서는 원가 경쟁력 기반 Low End 선박제조 역량 강화 모색하고 있다.

*〈자료〉: [지식경제부, 2012]

조선 · 해양플랜트의 융합 성공사례로는 현대중공업의 '스마트선박(e-Navigation)', 삼성중공업의 '선박포털 서비스(Vessel Portal Service)의 선박용 위성통신 최적화 기술', 대우조선해양의 '스마트쉽빌딩(Shipbuilding)', 삼성중공업의 '고부가가치 해양플랜트', 현대중공업의 'LNG-FPSO 독자모델 개발' 등이 있다.

(1) 현대중공업-ETRI-울산대의'SAN'

2011년 3월 조선 산업분야에서 IT융합기술의 첫 번째 연구개발과제였던 IT 기반 선용 토탈솔루션 개발의 결과물이 결실을 맺기 시작했는데, 현대중공업-ETRI-울산대는 3년간 공동으로 세계 최초로 선박통신기술을 개발하는 데 성공했다. 이것은 바로 SAN이다. SAN은 선박 내 모든 기능을 실시간으로 모니터링하고 제어할 수 있는 유 · 무선 선박 통합 네트워크 기술이다. 선박 내 관리자뿐 아니라 원격지 관리자도 엔진, 항해 시스템, 각종 센서, 제어기의 상태를 한 화면을 통해 실시간 모니터링하고 통제할 수 있게 해준다. 또한 과거에는 항해장치 이상이 발생하면 전문가가 헬기 등으로 선박에 직접 파견돼야 했으나 이 기술을 활용해 원격유지보수가 가능하게 되면서 비용을 크게 절감할 수 있게 되었다. 결국, 현대중공업은 SAN 기술을 개발한 지 1년도 되지 않아서 총 110척의 스마트쉽(smart Ship)을 수주하였고, 2011년 4월 SAN이 IEC 국제표준으로 채택되는 등 우리나라가 중국을 따돌리고 세계 1위 조선국의 명성을 유지하는 데 크게 기여할 수 있었다.

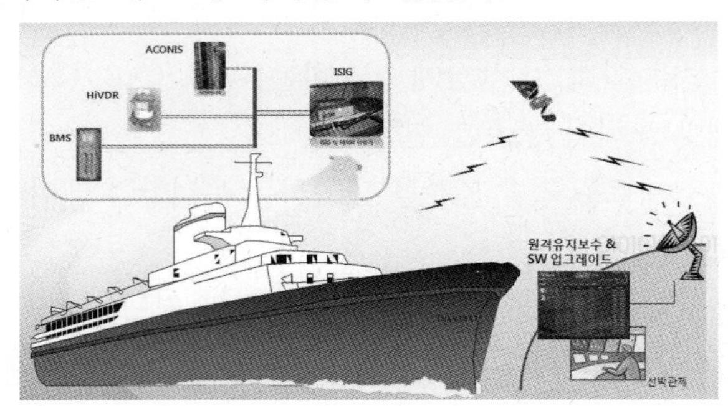

(2) 삼성중공업의'VPS'

삼성중공업은 자체 기술로 2011년 '선박포털 서비스(Vessel Portal Service)의 선박용 위성 통신 최적화 기술'을 개발하였다. 이 시스템은 선박의 운행상태를 육상에서 인터넷으로 선박에 설치된 각종 자동화 장비를 모니터링하고 선박의 고장 여부를 진단하며, 그에 따른 필요한 조치를 취함으로써 안정적이고 효율적인 항해를 지원한다.

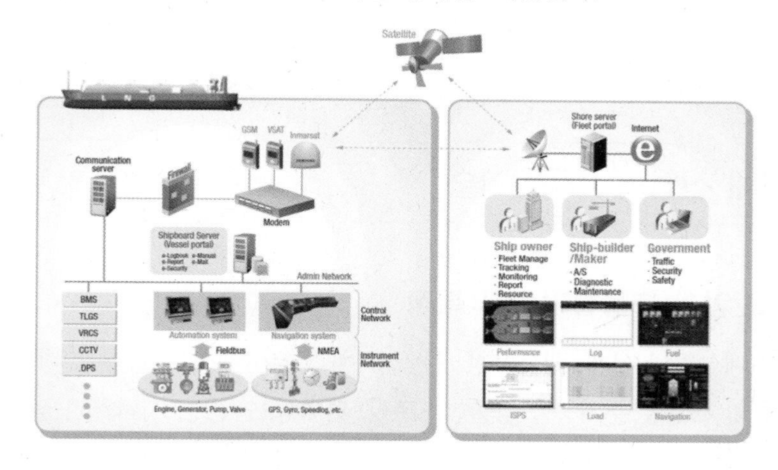

(3) 대우조선해양의'스마트쉽빌딩'

대우조선해양이 추진 중인 스마트쉽빌딩은 스마트오피스, 스마트쉽야드(Shipyard), 스마트쉽 등 3가지로 구성된다. 스마트쉽빌딩은 대우조선해양에서 건조한 선박과 해양구조물에 대해 IT기술을 접목시켜 제품의 가치를 향상하여 경쟁력을 제고시킨다. 이는 글로벌 통신 네크워크 기반의 운항 관제 적용 및 스마트 ICT 기술 기반 선박 내 융합 서비스를 구현한 차세대 선박이다.

(4) 기타

2010년 5월 이메인텍, 대한해운, KT와 공동으로 선박 및 해양플랜트 설비를 실시간으로 관리할 수 있는 '온보드 설비관리시스템(CMMS : Computerized Maintenance Management System)'을 개발하였다.

삼성중공업은 2011년 글로벌 석유업체인 로열더치셸(Royal Dutch Shell)로부터 30억 2,600만 달러에 수주한 LNG-FPSO 해양플랜트를 건조 중이다. 삼성중공업의 LNG선 세계 시장점

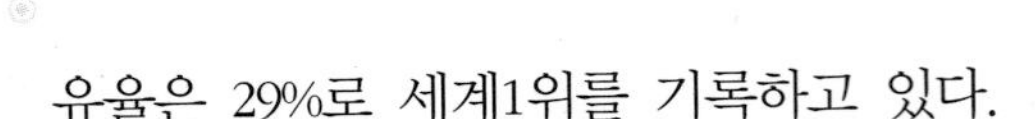

유율은 29%로 세계1위를 기록하고 있다.

현대중공업은 2012년 1월 국내 최초로 LNG-FPSO 독자모델인 '현대 FLNG'를 개발하여 노르웨이 선급협회로부터 기본설계 승인을 획득하였다. LNG-FPSO는 심해가스전으로부터 채굴한 천연가스를 전(前) 처리하고 영하 163도로 액화, 저장, 하역할 수 있는 부유식 해상설비이다. FLNG(Floating Liquefied Natural Gas)은 부유식 액화천연가스 생산 · 저장 · 하역 설비이다.

7.4 기계 산업과 IT융합기술

7.4.1 기계 산업과 IT융합기술의 특징

기계 IT는 기계산업의 설계, 생산공정, 제품, 서비스 분야에 IT기술/부품/기기를 수용하여 기계의 지능화 및 새로운 순기능을 창출함으로써, 편의성, 안전성, 서비스 향상 및 비용 절감 등을 이끄는 활동으로 기술적 의미로는, 기계에 IT를 활용하여 기계에 지능을 부여하고, 기계와 기계 혹은 인간간의 효율적 인터페이스로 기계의 효율을 높이는 기술을 뜻한다.

기계산업의 IT융합 형태는 IT기술 융합 분야에 따라 다름과 같이 분류할 수 있다.

① 제품 IT 융합(product IT convergence) : 기계적 성능(가공 등)을 수행하는 시스템 혹은 단일기계에 IT기술 융합

(예) 유비쿼터스 공작기계, 공작기계와 메인 서버 연계 등을 통한 대용량 데이터 실시간 수집 및 정보 시스템과의 연계를 위한 플랫폼, 시뮬레이션 등

② 부품 IT 융합(component IT convergence) : 기계부품, 모듈에 IT기술 융합

(예) 센서, 전자식 액츄에이터, 컨트롤러(ECU) 등 완제품의 지능화 및 복합기능을 위한 부품의 메카트로닉스화 및 RFID 등 부품 자체의 결함 검출/생애 추적 목적의 IT 융합화

③ 생산공정 IT 융합(process IT convergence) : 생산공정의 기계설비 및 장치에 IT를 융합하여 생산공정을 자동화 · 무인화

(예) 텔레매틱스 e-Machine, USN/M2M 기반 생산기계, 미들웨어 기술 등 생산설비 간

자율 통신 및 연결 추진(동기화/협업화)

④ 서비스 IT 융합(service IT convergence) : 판매된 기계의 사후관리를 위해 IT를 활용

(예) 건설기계, 섬유기계 등의 원거리 실시간 모니터링(유비쿼터스 관리), 진단/보수, 사고예방(도난 방지), 제품관리 서비스 등

7.4.2 기계 산업과 IT융합기술의 패러다임

기계와 IT 융합이 진행되면서 IT 부품 비중이 크게 늘어날 것으로 예상되며, 이에 따른 기계 및 생산설비의 하드웨어 구조에도 큰 변화가 예상된다. 국내에서는 생산공정의 자동화, 실시간 상태 모니터링/제어, 생산물류 최적화 등의 생산시스템 전반의 자동화, 고도화 및 지능화 추구하는 방향으로 기술개발 진행되고 있다. 그리고 일본의 경우, 2008년 공작기계 및 생산자동화 업체에서 MT와 IT 융합 개념의 원격제어 시스템을 개발 중이며, Cool Earth Program (2008. 3)에서 가정과 빌딩의 조명과 공조시스템의 에너지 사용을 최적화할 수 있는 기술을 포함시켜 탄소배출량 10~15% 절감을 목표로 한다. 또한 미국의 NIST와 CII 주도로 40여개의 플랜트 전문기업이 참여한 민관공동 기술개발 기관 FIATECH에서 플랜트 분야 IT 융합기술 로드맵인 Capital Project Technology Roadmap 제시하고 있으며 EU는 IMS, ESPRIT 프로젝트를 통해 다양한 지능기계 개발을 추진하고 있으며, 지식 동적화와 관련, 독일 아헨 공대 WZL을 중심으로 Mobile Production 연구를 진행하고 있다.

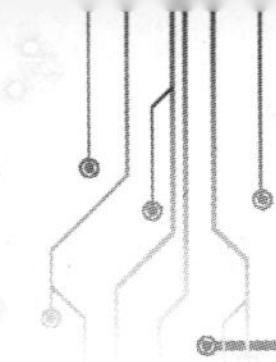

7.4.3 기계 산업과 IT융합기술 사례

기계 IT의 기술은 상황 인지 보전 기술, U-기반 지능 협업 기술, Built-in 자율 보정기술, 지식진화형 공장운영 S/W 및 플랫폼 기술, 증강현실 기반 공장운영 가시화 기술 등이 대표적이다.

미국에서는 2000년대 들어서 GM 엔진부서를 주축으로 연구한 MAP (Manu-facturing Application Protocal), MMS(Manufacturing Message Specification) 연구 및 OMAC (Open Modular Architecture Con-troller) Project 실시했다. 이에 따라 Saginaw Machine사는 일리노이 대학과 공동으로 IT 및 실시간 제어를 이용하여 캠 프로파일을 고속 서보로 직접 가공하는 기술을 개발하였고 LAMB사는 미시건대학과 함께 마이크로프로세서와 레이저 및 피에조 소자를 이용 자동차 엔진 가공용 라인보링 장비의 처짐을 보상함으로써 라인보링공정을 M/C에 통합할 수 있는 장치를 개발하였다.

일본에서는 Hatamura(2000)의 열변형 보정 지능기계, Kakino(2003)의 적응제어형 지능기계 등 지식기반 지능기계에 대한 연구가 주류를 이루며, 최근에는 Mitsubishi(2007)의 원격조작기계와 같이 IT 지식을 동적화하기 위한 연구가 이루어졌다. 그리고 캐논사는 IT 산업의 고집적화, 소형화 추세에 대응해 2010년에 해상 성능 50nm의 노광기 개발을 추진하면서 이를 위한 신규 광원 기술을 개발 중이다. 또한 Yamazaki Mazak사는 MT(Manufacturing Technology)와 IT(Information Technology) 융합 개념의 장비(Integrex e시리즈)를 개발하였으며, 열변형 보상, 방진기능, 안전기능에 지능형 제어기를 장착한 M/C를 출시하였고 공작기계 및 생산자동화 업체에서는 MT와 IT 융합 개념의 원격제어 모니터링 시스템 개발 중이다.

EU 영국 Prolec사에서는 Angle Sensor를 이용한 자동화 굴삭기 제어기술을 개발해 2007년 독일 BAUMA건설기계 전시회에 출품했고, 현재까지 가장 선진화된 제어기술을 보유하고 있다. 그리고 차세대 굴삭기의 위치 제어기술로 Digmaster Pro를 최근 개발해 굴삭시스템에 적용 중이다. 또한 독일 Siemens사는 원격감시에 따른 고장처리를 Telecommunication을 통해 지원하는 시스템 개발 중에 있다.

국내에서는 손에 잡히는 실시간 글로벌 생산공장, 작업자 · 사용자 편의적인 제조 환경 구현, IT Convergency GMS, IT Contents Embedded CNC, 마이크로 생산기계 및 Factory에 대한 연구로 자율적 주행, 작업효율 및 편의성 향상, 위험 및 격오지역 무인화 작업, GYRO Sensor 및 GPS 기술을 이용한 작업위치 및 자세인식 기술, Load Sensing 및 Position Sensing 기술을 이용한 지형, 인식기술 동력 최적화 통합제어, 수요에 따른 생산공정 최적화, USN 및 공정

자동화/무인화, 가상현실 기술, Embedded S/W 플랫폼 기술, 지구 온난화를 대응 에너지 사용 저감 및 고효율화, 인간 감성 및 외부 기온 감지 냉동/공조, USN 및 무선 네트워크 통신기술, 생산공정 상태 모니터링 및 실시간 제어, 실시간 설비 유지보수 시스템, 생산 공정간 제공품 물류 모니터링 및 최적화 등이 있다.

7.5 국방 항공 등 방위 산업과 IT융합기술

7.5.1 방위 산업과 IT융합기술의 특징

방위산업과 IT융합기술분야는 미국 등 선진국 등의 기술주도로 기술격차가 크기 때문에 세계 최고수준의 IT기술과 방산분야의 접목을 통하여 새로운 패러다임의 방산-IT 융·복합 신산업 창출 및 방산 분야의 기술 주도한다. 그래서 국내의 경우에는 안보를 중시해 다음과 같은 분야로 분류될 수 있다.

○ 모델링 및 시뮬레이션 분야 : 군 전투력 향상 및 게임시장 신산업 창출
○ 무인감시 분야 : 감시경계능력 강화 및 방산수출 확대
○ 국토안전 분야 : 대테러 및 치안 및 재난방지 능력 확보

또한 NCW는 첨단 IT가 반영된 차세대 총체적 전쟁 개념으로, Sensor-to-Shooter로부터 육·해·공과 위성 통신, 사이버전을 모두 활용되어야 한다. 그래서 무기체계가 첨단화 및 네트워크화됨에 따라 무기체계 내장형 소프트웨어의 역할과 비중이 증가되고 있으며, 신뢰성 및 안전성이 높은 무기체계 내장형 소프트웨어에 대한 요구가 증대되고 있다. 그리고 방산기술의 현대화 차원에서 군 자체의 위성탑재체가 발사되어 운용을 시작하고 있는 단계로, 지상의 군위성통신 장비의 개발 필요성이 대두되고 있다. 또한 각종 정보통신 체계와 병사의 생존 가능성과 공격 및 대응 능력 증강에 대하여 국내 IT기술 적용 및 고도화되어 보병용 항법시스템의 자립도를 위해 Self-Contained 항법기술이 요구되며 다양한 인프라를 복합 활용하는 기술이 필요하다. 또한 새로운 전략/전술 및 무기 기반의 훈련을 KCTC에서 수행하고 있으나 안전성 및 다양성이 떨어지므로 증강현실(AR : Augmented Reality) 기반 가상으로 훈련에 참여할 수 있는 기술/시스템 개발이 필요하다.

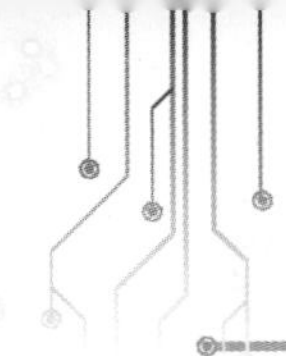

7.5.2 방위 산업과 IT융합기술 사례

방산 IT의 기술로는 적응형 미래 보병용 항법기술, 증강현실 기반 가상훈련 참여기술, ALL IP 기반의 유무선 통합 네트워크 기술, 시나리오기반 의사결정지원시스템 기술, 상황판단을 위한 융합정보처리기술 등이 대표적이다.

여러나라에서 USN 센서, 무기체계 내장형 보안 소프트웨어, 이동형 위성 광대역 멀티미디어시스템(NASA의 ACTS, Boeing 등에서 항공기용 위성통신 안테나를, SeaTel사, KVH사 등은 해상, 육상용 이동 위성통신 안테나 개발 중), 무인 체공 플랫폼, Self-Contained 항법 센서, 보행항법 기술(Honeywell에서 보행자용 DRM(Dead Reckoning Module)을 개발 판매), 증강현실(기상정보AR) 기술이 개발 중이다.

7.5.3 방위 산업과 IT융합기술의 패러다임

최근 전통적인 방산/항공우주분야에 광범위하게 IT기술 적용이 확대되고 있다. 항공우주전자(Avionics) 장비와 정보/전자전 장비, 각종 무인기와 위성개발에 있어서 IT 비중이 50% 이상으로 확대되고 선진국들은 정보전과 전자전 체계, 신호정보체계, 지상과 우주에서의 우주감시체계, 국경선/공공시설 경계자동화와 무인감시 · 정찰체계, 고해상도 정보기술 개발에 주력하고 있다. 그리고 첨단 안보 IT기술 확보를 위한 국가적인 지원 확대 추세로 미국 HSARPA (Homeland Security Advanced Research Project Agency)와 HSCE(Homeland Security Centers of Excellence)를 통해 첨단기술을 연구 중이다. 또한 무기체계 내장형 보안 소프트웨어분야는 태동기 단계이며, 주요 선진국가에서 연구가 진행 중이나, 방위 산업이라는 특성상 기술이전이 어려우므로, 조기 연구진행을 통한 기술확보 및 선진 기술과의 격차 해소 필요하다. 이동형 위성 광대역 멀티미디어시스템에 대해 미국, 캐나다, 유럽, 일본 등에서 이미 1995년부터 기술개발에 착수하여 기술 실용화 가능성을 검증하였고, 계속적으로 고도화 개발 추진 중이다. Self-Contained 항법 센서는 가속도계/자이로와 같은 관성센서는 Vehicle용 INS를 위한 센서로도 사용되지만 보행자용 항법 및 충격, 제스처 인식, 기울임 감지 등의 목적으로도 사용되며 MEMS 기술의 발달에 따라 고성능, 저가, 저전력 센서 개발이 이루어지고 증강현실(AR) 기술은 야간 또는 안개 등으로 시야가 확보되지 않은 환경에서 실 환경영상에 경로를 중첩 제시하는 선박 및 자동차용 실감 내비게이션(미국의 LookSea, 독일의 INSTAR, 일본의 VICNAS, 한국 ETRI) 외에도 e-Learning, 방송 및 광고분야 등에서 활발한 연구개발이 진행되고 있다. 특히 최근 스마트폰의 활성화로 모바일 환경 하에서 위치정보와 연계된 증강현실 서비스들이 대거 등장(미국의 Wikitude, Layar, 일본의 Sekai Camera 등)하여 실세계와 가상객체의 정확한 매칭을 위해 AR 마커를 사용하는 단점을 보완하기 위해 마커 없이 실제 3차원 환경을 인식하는 markless 기술이 시도되고 있다.

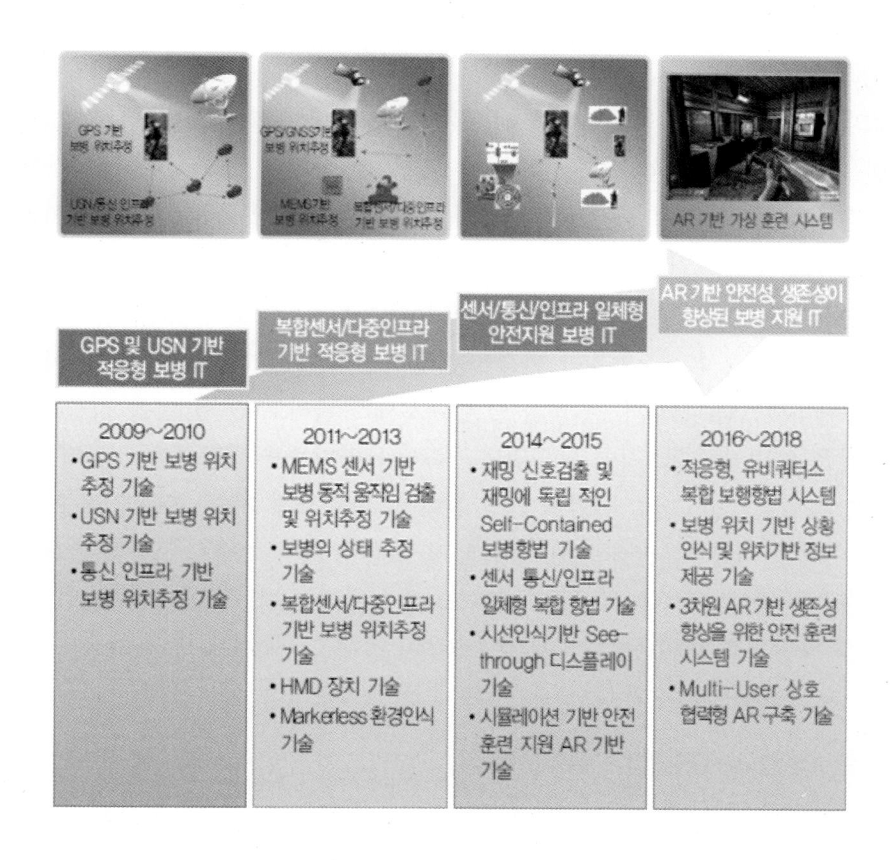

7.5.4. 국방 · 항공 산업과 IT융합기술의 성공사례

국방 · 항공 IT융합기술의 성공사례로는 무인감시 장비에 사용되는 열 영상 카메라에 적용되는 임베디드 SW인 도담시스템즈의 '네트워크형 열 영상 카메라 임베디드SW', 카메라가 인식되는 왜곡현상이나 사각지대 영상을 시뮬레이션으로 예측하여 군사용 정찰기 성능을 향상시키는 이즈소프트의 'DVS(Digital Vision Simulation)', 항공무기체계의 핵심 요소기술인 응용소프트웨어·컴퓨터 실시간 운영체제·통신 미들웨어를 개발하고 T-50 고등훈련기에 적용하여 성능을 입증한 KAI의 '항공기용 SW' 등이 있다.

7.6 건설 산업과 IT융합기술

건설과 IT융합기술은 기존 건설 산업에 환경 친화적 건축 소재 기술, 첨단 건설공정 관리 기술, 공정과 연계된 최적물류관리, 에너지 절감 및 효율적 이용 개술을 포괄하는 큰 개념으로 IT기술의 접목을 통해 도시 어디서든 네트워크 환경에 접속할 수 있는 유비쿼터스 환경을 구축한 것을 바탕으로 편리하고 안전하며 쾌적한 경제적 건축물을 구축하는 것이다.

여기서 말하는 편리한 건축물은 사무자동화 환경 구축으로 업무 효율성을 높이는 환경을 구축하는 것이고 안전한 건축물은 각종 센서 및 CCTV 등의 상황인지 기술을 사용하여 화재와 도난 등을 방지하는 기능을 말하며 쾌적한 건축물은 친환경소재 및 바이오 응용 기술을 활용하여 보다 친환경적이고 쾌적한 환경을 제공하는 것을 말한다. 또한 경제적 건축물은 실시간 시공관리시스템, 건축자재관리와 같은 프로세스 관리로 건축비용을 절감하고 스마트그리드와 같은 에너지 절감 기술을 도입함으로써 유지비용을 절감하는 것이다.

건설과 IT 융합은 기존 건설 산업에 환경 친화적 건축 소재 기술, 첨단 건설공정 관리 기술, 공정과 연계된 최적물류관리, 에너지 절감 및 효율적 이용 개술을 포괄하는 큰 개념으로 IT기술의 접목을 통해 도시 어디서든 네트워크 환경에 접속할 수 있는 유비쿼터스 환경을 구축한 것을 바탕으로 편리하고 안전하며 쾌적한 경제적 건축물을 구축하는 것이다.

7.6.1 건설 산업과 IT융합기술의 특징

건설IT는 국민의 라이프스타일을 변화시키고, 新성장동력의 고부가가치 산업을 견인하는 건설 IT 융합 산업이다. 기존의 건설 산업에 IT기술을 융합하여 건설 산업의 고부가가치를 지향하며, 다양한 응용 시장을 보유하고 전통적인 건설 산업 전반에 걸쳐 IT 기술과의 융합도(融合度)를 높여 건설 인프라, 지능형 건설 서비스 및 에너지절감/친환경 성능을 높이는 기술로서, 전문 건설회사 및 IT 전문 기업 간의 유기적인 기술적 및 비즈니스적인 연계가 필수적이다. 그리고 건설 프로세스는 일반적으로 설계, 시공, 운영 및 유지관리 단계에서 고유의 기업들이 산업군을 형성하고 있으며, 각 공정마다 IT기술을 융합하기 위해 유기적으로 연계되어 있다. 또한 도로, 교량, 철도, 터널 등과 같은 대규모 네트워크의 사회기반시설(SOC)에서부터 생활형 시설(주거용 건축물, 아파트 등)과 초고층빌딩에 이르기까지 시장규모의 스펙트럼이 매우 넓어 다양한 기술이 사용되고 있으며, 수요자의 다양한 니즈를 반영하므로 적용

기술 또한 다양성, 안정성, 경제성 등을 요구하고 있다. 따라서, 기존의 전통적인 건설 기술에서 첨단화, 복잡화 및 고급화를 추구하는 미래적인 건설 기술로 발전 중이며, 이를 위해 IT융합 첨단 유지관리 및 건설 엔지니어링, 친환경, 에너지 절감, 신소재 및 지능화 기술을 접목한 건설 기술 고도화를 통한 신성장 동력 산업으로 발전하고 있다.

글로벌 경기침체의 대책으로 스마트 SOC 사업을 적극 추진 중이기 때문에 발전 속도가 건설 기술보다 상대적으로 빠른 IT기술을 효과적으로 융합하는 기술이 필요한 시점이며, 이를 통해 전통적인 SOC 관리에서 미래적인 지능형 능동 SOC 기술로의 진화는 필연적이라고 할 수 있다. 세계적인 흐름에 부합하는 지능형 능동 SOC에 대한 기술 개발로, 우리의 건설 산업에 대해서도 미래지향적인 비즈니스 모델을 제시할 것으로 기대되고 지능형 능동 SOC는 도로, 교량, 터널, 댐, 건물 등과 같은 건설 SOC에 첨단 센서, 통신, 로봇, 소프트웨어 등 IT기술을 융·복합하여 공공 시설물의 지능형 모니터링, 자기제어 및 대응 등 현장에서 대응하는 능동형 SOC 시스템을 개발하여 사회 인프라의 운영 안전성 향상, CO2 저감, 유지 관리비 절감을 지향하는 기술이다.

*〈자료〉: 건설-IT 기획보고서, ETRI, 2008

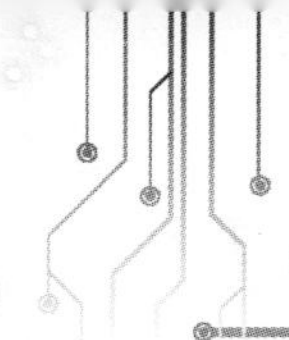

7.6.2 건설 산업과 IT융합기술의 패러다임

세계의 건설 산업과 IT융합기술 시장은 약 7.5조달러('08년) 규모이고(Global Construction Perspectives, 2008), 이중 국내 건설 IT 융합시장은 2010년 약 36조 원에서 2015년 73조 원에 도달할 전망(한국건설교통기술평가원, 2007)이며, 건설 산업은 국가 경제에 차지하는 비중이 매우 큰 반면, 부가가치 창출이 미흡한 전통적인 아날로그 산업으로 인식되어 그동안 기술투자와 IT 융합이 미흡하였다. 그러나 최근 건설 기술의 설계 · 시공 · 유지관리 분야에서 뚜렷하게 IT, 로봇, 자동차, 통신 등 첨단 기술의 융 · 복합 기술 개발을 매우 적극적으로 추진하고 있는 상황이다. 그리고 건설 기술은 정부의 녹색성장 정책과 맞물려, 건설과 IT기술을 융합한 신성장 동력 기술에 집중하고 있으며, 특히 지능형, 친환경 에너지 절감을 위한 생활 밀착형 건설 기술과 SOC형 건설 기술에 IT를 융합한 고부가가치의 SOC 기술로 변화하는 추세이다. 또한 기존의 SOC 건설 기술 고도화 및 지능화를 위해 최근 추진하는 대표적인 건설 IT융합기술은 지능형 교통체계(ITS), 유비쿼터스 도시(u city), 차세대 공간정보(GIS) 등의 기술 개발이 매우 중요한 과제로 등장하면서 지능형 건설 인프라를 기반으로 기존 IT산업과 연계된 다양한 유비쿼터스 건설 서비스와 같은 산업 창출을 통한 국가 경쟁력 확보하고 있다.

최근 건설산업 전 과정에서의 친환경, 에너지 절감, 지능화, 경비절감, 높은 정확도, 현장 안전도 향상 등에 IT 융합을 확산하고 있기 때문에 선진국의 건설업체는 가상현실기술을 이용하여 설계/시공 시뮬레이션을 활발히 추진하고, 스마트 빌딩/주택 보급 및 상품화에 주력하고 있다. 또한 도시 및 SOC 건설을 상품화하는 건설 IT 인프라 기술도 확산되면서, 도시의 설계/시공/운영 전반에 걸쳐 IT융합기술이 폭넓게 활용되는 추세이며 첨단 그린도시의 설계/시공/운영 플랫폼 기술, 그리고 광, RFID, 무선 등 첨단기술을 이용한 지능형 SOC 유지관리 기술이 각광받을 전망이다.

7.6.3 건설 산업과 IT융합기술 사례

건설 IT는 인프라 패치/삽입형 자기 진단 기술, 도로 이용 에너지 생산기술, 안전취약구간 지능형 사고 인지, 악천후 상황 인지 기술, 능동형 피해 저감/충격 완화 기술, 능동형 시설물 원형 치유 기술 등이 대표적이다.

미국에서는 건설 산업을 6대 국가전략산업중 하나로 지원하고 있으며, CMS, CERF, FIATECH와 같은 건설 IT 융합 사업을 진행하여 유지관리/에너지비용50% 감소, 생산성 30%향상, 공해 50% 감소 등의 국가 건설목표를 설정하여 추진 중이다. 그리고 미국 NSF(National Science Foundation) 산하의 CMS는 IT 융합 가상 건설, 에너지 절감/친환경, 지능형 건설 기술 개발 진행하고 미국 백텔(Bechtel) 건설은 u-컴퓨팅 기술과 건설 프로세스와 접목한 스마트 건설 기술 개발하고 있다. 그래서 세계적 IT 기업인 IBM은 Smart Utility 사업 분야를 유망 신사업 분야로 설정하여 투자를 시작했고 세계 최대 네트워킹장비 업체인 CISCO 역시 CUD(Connected Urban Development) 프로젝트를 통해 건설 사업과 연계를 집중하고 있다.

EU에서는 미래 세계건설시장에 경쟁우위를 확보하기 위해 “사회기반시설 혁신전략”을 마련하고 IT와 나노 등 첨단기술과 융합한 건설 신자재 신기술개발 계획을 수립하였고 2030년까지 2,400억유로 투자 계획을 수립하였다.

영국은 건설산업의 경쟁력강화를 위해 지속가능한 건설 기술로서 ICT, 유지관리, 건설자재, 구조, 전기 등 8개 분야에 R&D투자를 하고 있다.

디지털 건설 선두 기업인 핀란드 YIT는 ‘3D 가상건설’기술인 BIM(Building Information Modeling)을 활용하여 기존 2D 설계에 따른 비효율성과 재시공 문제를 해결하려고 하고 있다.

일본에서는 건설성 산하 JACIC는 건설산업에 IT기술의 융합을 통하여 기존 기술 혁신 및 국제 경쟁력 강화를 추진하여 국토교통성을 중심으로 공공사업 코스트 절감대책시행, 공사계획, 설계및 발주 효율화, 규제완화 등을 추진한다.

국내에서는 건설 분야에 있어 매우 중요한 IT 융합 기술에 대한 개발 요구가 이어져 왔으며, 이는 UCity 사업 및 기타 국내 구축된 IT 인프라를 이용한 융합기술 개발에 대한 요구를 통해 지속되고 있다.

7.7 섬유 산업과 IT융합기술

섬유산업이 요즘 패스트 패션(Fast Fashion)이라는 새 옷을 입고 혁신산업으로 거듭나고 있다. 패스트 패션은 통상 계절 변화에 따라 신상품을 내어 놓던 방식에서 벗어나, 트렌드 변화에 민감하게 반응해 1~2주 단위로 새로운 제품을 내어놓는 브랜드들을 말한다. 눈여겨볼 점은, 이를 가능케 하는 데에 정보통신기술(ICT)이 기여를 하고 있다는 것이다.

일례로 세계적인 패스트 패션 브랜드인 ‘자라(Zara)’는 전 세계 매장에서 실시간으로 보내오는 데이터를 바탕으로 특정 상품을 언제, 어느 매장에 진열해야하는지 분석한다. 대량 생산과 유통이 아닌, 빅데이터 분석으로 잘 팔리는 제품을 적기에 공급한다는 전략이다. 빅데이터 분석 알고리즘을 개발하는 데는 미국의 MIT와 협업도 이루어졌다고 한다. 우리나라도 기존의 장기 기획 방식을 탈피해 다품종 소량생산과 유통단계를 줄이는 방식의 패스트 패션 기업으로 탈바꿈하는 사례가 늘고 있다고 한다.

패스트 패션뿐만 아니라, 패션과 IT가 직접 결합된 상품들도 등장하고 있다. 대표적인 스포츠용품 회사인 나이키는 손목보호대처럼 생긴 퓨얼밴드(FuelBand)를 내어놓았다. 퓨얼밴드는 운동량을 측정해 점수로 환산해주고, 이를 모바일 앱이나 웹사이트를 통해 주변 사람들과 공유할 수 있도록 해준다.

이처럼 IT와는 거리가 먼 것처럼 보이는 영역에서도 IT와 융합을 통해 새로운 시장과 가능성을 창출해 내는 시도들이 활발해 지고 있다. 이는 전 세계가 촘촘히 네트워크로 연결되고, 방대한 정보들을 한꺼번에 수집하고 해석할 수 있게 되면서 가능해진 일이다. 여기에 스마트폰의 확산으로 대표되는 모바일 혁명이 더해져 IT는 혁신적인 사업을 만들어내는 기반으로 여겨지고 있다.

IT 기기는 사람과 밀착되기 위해 점점 소형화되면서 이동성을 갖게 되었고 사람과 점점 친밀한 관계를 형성해가고 있으며, 사람과 떼려야 뗄 수 없는 기기로 발전해가고 있다. 섬유도 이와 마찬가지로 사람을 중심으로 한 변화와 발전을 통해 각기 다른 환경에 가장 가깝게 밀착될 수 있는 가능성이 있는 소재다.

7.7.1 섬유 산업과 IT융합기술의 특징

섬유산업과 IT는 전통적인 전략산업인 섬유산업에 IT기술이 융합되어 섬유소재의 IT화, 섬유공정의 IT화 및 서비스의 IT화를 통해 노동집약적 산업구조에서 고부가가치 산업구조로 견인하여 궁극적인 섬유산업의 IT화 견인하고 신성장동력 창출하고 있다. 이에 Well-being 트렌드와 라이프스타일의 변화, 의류 기술 융합형의 스마트 섬유에 대한 관심 및 수요가 증가하고 있다. 그리고 IT 섬유 융합산업은 단순 생활 · 의류 개념에서 벗어나 지식, 문화, 서비스가 접목된 정보생활 필수품으로 유비쿼터스 디지털 라이프스타일을 제공함으로써 신규 비즈니스 모델 및 고부가가치화 창출하고 있다. 그리고 섬유산업은 다양한 스트림(Stream) 주체 간의 협력을 통해 완제품이 만들어지는데 IT기술과의 융합도(融合度)를 높이기 위해 섬유소재의 IT화, 섬유공정의 IT 및 서비스의 IT화를 통한 유기적인 연계를 바탕으로 섬유산업의 IT화가 이루어져야 한다.

7.7.2 섬유 산업과 IT융합기술의 패러다임

최근 선진 각국은 아직 발전초기에 있는 융합기술 성장 가능성과 파급효과를 인식하고 자국의 강점을 활용한 융합기술 및 산업을 집중 육성 중에 있다. 섬유산업에 신호전달 섬유(디지털 실), 센서, 유비쿼터스 개인미디어, 네트워크 통신 등의 IT기술을 적용함으로써, 섬유/의류가 IT 기능을 직접 수행하는 섬유제품의 IT화를 통한 고부가가치 신제품(스마트/인텔리전트 섬유/의류, IT 산업용 소재 등) 개발이 가속화되고 있다. 그리고 의류패션산업에 3차원 기술(가상현실, CG, 스캐닝, 시뮬레이션, 등), 차세데 디스플레이, 디지털 염색, 전자상거래(인터넷, 모바일, TV 등), RFID, 고객관리시스템, 협업/전주기관리 시스템 등 IT기술을 적용하여, 의류패션 제품의 기획/디자인-설계-주문-생산-판매-유통/마케팅 등 전 공정의 IT화를 달성하고 있다. 또한 이를 통하여 유비쿼터스 패션 쇼핑 서비스, 디지털콘텐츠 등 제품에 부가되는 새로운 부가 가치와 맞춤 대량생산(mass customization)에 의한 새로운 패션제품 시장이 생성되고 있다.

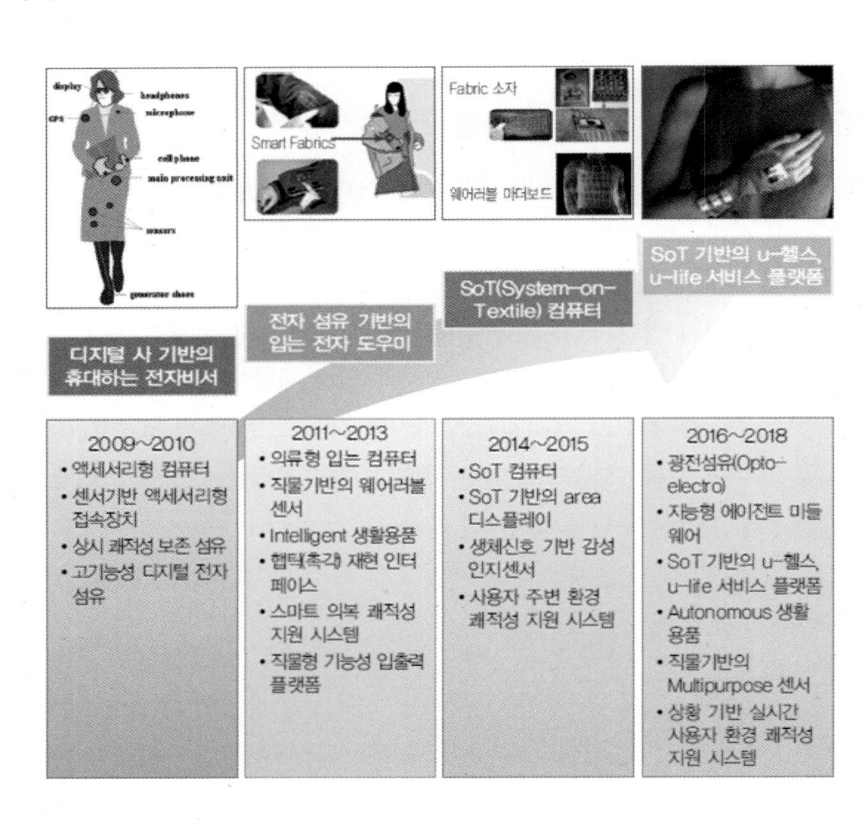

7.7.3 섬유 산업과 IT융합기술 사례

섬유와 IT기술을 결합하는 주요는 e-Textiles이다. 이 프로세스는 크게 네 가지가 있다. Woven(제직방법)과 Knitted(니팅방법), Embroidered(자수방법), Printed(프린트방법)가 그것인데 각각의 방식에 의해서 섬유를 전자화시키고 있다.

첫째로 Woven 기술을 사용해 제직 사이사이에 LED를 끼움으로써 LED 커뮤니케이션을 할 수 있는 플랫폼으로 제작한 제품과 제직밴드로 각각의 디바이스를 연결하는 커넥터의 역할을 하는 제품 등이 개발되고 있다.

둘째로 Knitted 기술을 사용하면 의류에 심전도센서를 심을 수 있어 옷을 입음으로써 심전도를 체크할 수 있다. 때문에 스포츠의류나 내의 등 기능성 의류에 많이 접목되고 있는 기술이다.

셋째로 Embroidered로 자수방법을 말하는데, 전도성소재를 원단에 자수해놓고 컨트롤 칩을 같이 연결시키는 작업을 진행하고 있다. 이 기술을 통해 섬유가 키패드 기능을 가질 수 있게 되었다.

넷째로 Printed 기술이 있는데, RFID(전자태그)를 프린팅함으로써 제품에 대한 상세설명이라든지 고객정보 등을 알 수 있도록 제작된 제품과 프린팅을 통해 섬유를 전자화시켜서 움직이지 않고 따로 명령하지 않아도 휠체어가 이동할 수 있도록 만든 기능성 제품도 있다.

전자섬유 원사

전도성사 자수기법

전도성 잉크 자수

직물회로보드

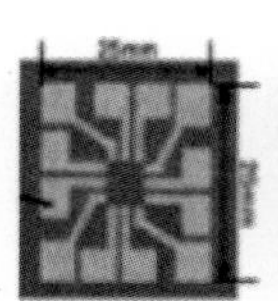
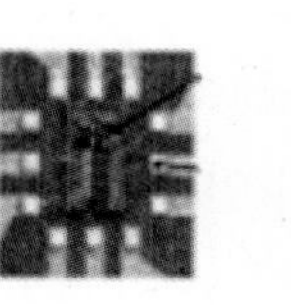
스크린 프린팅

다중 직물 회로보드

동박전사 기법

직물전자소자 패키징

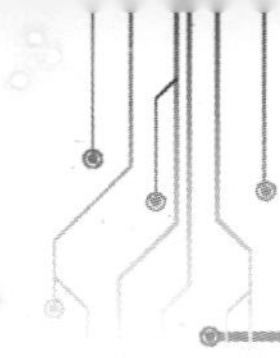

섬유 IT기술은 신호전달 원사제조기술, 신호전달사를 이용한 섬유제품화 기술, 위기대응 지능형 섬유제조기술, IT 기기 내장가능 Fabrication 기술 등이 대표적이다.

원천기술 1위, Super 섬유제품 시장점유율 3위인 미국은 원천 소재기술에, 기능성 제품, 복합기술, 시장점유율 6위인 일본은 복합가공기술 분야에, 세계패션주도, 시장점유율 2위인 이태리는 디자인 및 제품화 기술에 중점, 원가 경쟁력, 중저가 제품, 생산규모 1위인 중국은 양산 체계화에 집중하고 있다.

미국에서는 섬유의 자동검사, 시스템 분석 및 시뮬레이션의 통합화, 정보통신 인프라, 섬유산업의 모델링화, 재단 · 봉제센서기술, 수요기동형 생산시스템 구축(QR화), 컴퓨터지원 직물 평가 시스템개발 등이 포함되어 있다. 예로는 Levis, David's Bridal 등에서는 Intellifit 스캐너를 이용해서 소비자에게 의복의 치수 찾아주기 서비스 실시, Brooks Brother(맞춤정장), Bench Mark Clothers(맞춤정장), Boston Manner(맞춤정장), 벤첼로(맞춤복의 40% 가격대), Landsend(토탈 의류)에서는 3차원 스캐너로 소비자의 인체를 계측한 후 맞춤 의복을 제공, NikeID의 경우 소비자의 발의 모양을 고려한 맞춤 신발을 제공한다.

EU에서는 섬유, 패션 분야와 IT를 접목하는 스마트웨어 연구가 활발하게 진행되고 있다. Bodymetrics(영국, 청바지), Corpus(독일, 맞춤정장), Figleaves(영국, 란제리/T-Bra), Samson(프랑스) 등도 3차원 스캐너로 소비자의 인체를 계측한 후 맞춤 의복을 제공하고 MiAdidas의 경우 소비자의 발의 모양을 고려한 맞춤 신발을 제공한다.

일본에서는 2005년 2월에 광 전계 센싱(photonics electric field sensing)을 응용한 인체 통신 네트워크(HAN, Human Area Network) 기술인 RedTacton을 발표하였다. 이에 일본은 산학관 협동사업으로 촉감발현기구 해명, 인체데이터 척도화와 쾌적한 의복설계에의 응용, Virtual/Augment Reality를 응용한 인물 및 복장 표현방식의 개발, 의복 착용감 평가시스템, 정보수집 의류의 개발, 인텔리전트 Apparel CAD 개발과 고속네트워크에 의한 생산, 유통, 소비 시스템에의 응용 등의 기술개발을 적극 추진하고 있다. 이는 종래의 생산자 중심에서 소비자(Market) 중심체제로 전환하고 SCM(Supply Chain Management : 공급망 관리) 체제 구축에 힘쓰고 있음을 보여준다. 예를 들면 3차원 스캐너로 소비자의 인체 계측 후 맞춤보정용 속옷 제작, 3차원 디지털패션 서비스, 3자원 의상 콘텐츠 제작툴인 V-Stitcher 출시 등을 들 수 있다.

한국에서는 한국생산기술연구원에서는 독자기술로 고속전송용 디지털사를 개발하였고 이를 이용하여 디지털밴드 생산기술, 회로설계를 위한 자수기술, 편직기술과 같은 원천기술을 확보하고 있다. 그리고 건국대학교는 'i-Fashion'프로젝트를 통하여 세계 최초로 3차원 아바타, 가상코디/피팅, DTP(digital textile printing), RFID, DID(digital information display) 등을 이용한 유비쿼터스 쇼핑 기술, 맞춤복 생산기술 개발 중이다. 현재 코오롱, 제일모직, 신세계 등 의류패션/유통업체들과 시범사업들을 성공적으로 수행하고 있다.

섬유산업과 IT융합기술의 성공사례로는 코오롱글로텍의 스마트섬유 '히텍스'와 건국대와 신세계 I&C의 '맞춤 양산형 섬유제품 PLM 시스템' 등이 있다.

(1) 코오롱 글로텍의 발열 스마트섬유'히텍스'

코오롱글로텍은 2008년 세계 최초로 프린트 전자섬유 기술을 이용한 자체 발생 열로 체온을 일정하게 유지시켜 보온성과 쾌적함을 느낄 수 있도록 하는 발열 스마트 섬유 '히텍스'(HeaTex) 상용화에 성공해 '스마트 의류'를 출시했으며, 아웃도어 등산복, 스키복, 골프복뿐만 아니라 기능성 방한복으로 상품화하였다. 이 섬유는 그 자체가 전도성을 띄며 온도조절이 가능해 추운 겨울에 유용하게 사용할 수 있으며, 유연성과 건강 기능성 등의 기능도 갖고 있다.

(2) 건국대와 신세계 I&C의'맞춤 양산형 섬유제품 PLM 시스템'

2011년 건국대는 신세계 I&C와 공동으로 3D 풀스캐너를 활용한 맞춤 양산형 섬유제품 'PLM(Product Lifecycle Management) 시스템'을 개발하였다. 의류제품의 기획/설계로부터 주문-생산-QC-판매/유통-AS 등에 이르는 전 과정에 IT기술을 활용하여 제품의 전 주기를 관리하는 맞춤의류 전용시스템이다. 이러한 가상 피팅 서비스 관련 기술은 선주문-후생산 방식의 상용화로 잉여생산 ZERO 형의 의류시장 선도, 맞춤 양산형 의류제품의 PLM시스템의 타기술에의 파급 등의 효과를 기대한다.

7.8 에너지 산업과 IT융합기술

7.8.1 에너지 산업과 IT융합기술의 특징

에너지 IT 융합 분야는 전통적인 에너지 기술에 전자 및 정보통신 기술이 융합되어 생성된 새로운 산업분야로 신재생에너지 분야, IT 산업의 효율 향상 분야 전통 산업의 효율 향상 분야 및 저탄소형 녹색생활혁명 분야로 구성되고, 에너지의 Life-Cycle 측면에서는 에너지 생성 분야, 에너지 보존 분야 및 에너지 절감 분야로 구성된다. 그리고 에너지의 IT 융합은 신재생에너지, 효율 향상 기술, 온실 가스 처리 기술을 통한 CO_2 절감을 목표로 나누어 추진되고 있으며, 건물에너지 효율향상, 전기에너지 효율향상, 고효율 설비 · 기기, 수송에너지 효율향상 등 4분야로 구분되는 에너지 효율향상 분야가 빠르게 확대하여 진행 중이다.

7.8.2 에너지 산업과 IT융합기술 사례

에너지 IT의 기술은 고효율 전력 에너지 변환/절체 기술, 고효율 에너지 전송 기술, 전력 에너지 소비 제어 및 분석 기술, 에너지 상거래 서비스 프레임워크 기술, 에너지 상거래 Security 및 서비스 기술 등이 대표적이다.

미국은 차세대 브로드밴드 구축을 확대하여 전력망 지능화, 원격 근무 및 전자 의료 확산에 매진하는 한편 데이터 센터 효율성 향상에 주력하고 있다.

일본은 "경제 성장과 환경 보전이 양립하는 유비쿼터스 네트워크 사회"를 국가 정보화 비전으로 제시하고 미래 국가 발전 전략으로 그린 IT 추진하여 건물 에너지 관리 시스템(BEMS), 지능형 교통 시스템, 원격 근무에 중점을 두고 데이터 센터, 통신 네트워크, 디스플레이 등 3대 분야의 전력 효율성 향상을 목표로 그린 IT 연구개발 프로젝트 추진하고 있다.

영국은 정부가 솔선하여 2020년까지 정부 IT 전체 영역의 탄소 중립 추진하고 있다.

7.8.3 에너지 산업과 IT융합기술의 패러다임

미국, 일본, 덴마크 등 IT 산업 강국들은 에너지 IT기술 및 제품 개발에 집중적인 투자를 하여 신성장동력으로 육성하고 있는데 국내 삼성전자는 저전력 LED 노트북, 태양광 휴대전화 등 친환경 제품 개발 확대하고 있고 친환경 공급망 구축을 위한 "에코파트너 제도"와 친환경 · 저전력 제품 생산 및 글로벌 환경 규제 대응을 위한 "에코디자인 제도"를 도입하고 있다. 그리고 삼성 SDS는 현장 중심 업무시스템 "Open Place"를 개발하여 원격 근무, 원격 협업, 화상 회의 등 지원하고 IBS/BEMS 등 건물 에너지 관리 솔루션으로 건물 유지비 절감 실현했으며 직류 전원, 가상화, 클라우드 컴퓨팅 등 19개 그린 IT기술 개발 프로젝트 추진 및 이를 적용한 그린 IDC 구축 확대하였다. 또한 LG CNS는 LED 전자 현수막, IP-인텔리 가로등, 온라인 완결 서비스, 통합 커뮤니케이션(UC), 환경 센서 등을 새로운 성장 사업으로 추진하였다.

7.8.4 에너지 산업과 IT융합기술

에너지-IT융합기술의 성공사례로는 전력선통신과 CDMA를 융합한 새로운 개념의 한전의 '스마트 그리드 원격검침 통신기술' 상용화, 전력IT의 핵심인 양방향 통신·수요반응 등의 개념이 포함된 LS산전의 '스마트그리드 에너지 효율화 시스템' 등이 있다.

7.9 보건 의료 산업과 IT융합기술

우리가 살아가는 데 필요한 것들이 무궁무진하듯, 현재 세계 각국의 기업들은 다양한 분야에서 사물인터넷과 IT융합기술 서비스를 앞다투어 내놓고 있다. 반도체 칩을 만드는 회사부터 가전회사, 통신회사, 자동차회사까지 창의적인 아이디어와 기술을 바탕으로 지금까지 만나보지 못했던 서비스를 만들고 있다. 흥미로운 사물인터넷과 IT융합기술 서비스를 만나본다.

▸ **건강을 책임진다–헬스케어**

건강하게 오래 사는 건 인류의 오랜 바람이다.

그리고 이런 바람 덕분에, 사물인터넷과 IT융합기술 시대를 맞이한 요즘, 신기하고 똑똑한 건강관리 제품이 속속 등장하고 있다.

현재는 각종 센서가 사용자의 건강 상태를 간단히 파악하는 정도이지만, 앞으로 기술이 더 발전하면 질병의 진단뿐만 아니라 치료도 가능해질 것이다. 벌써부터 세계의 유명 병원들이 사물인터넷과 IT융합기술 기술을 도입해 스마트 병원 시스템을 선보이고 있기 때문이다.

① 스마트 약병

결핵이나 당뇨, 고혈압 같은 질병을 가진 사람은 규칙적으로 약을 꾸준히 복용해야 한다. 미국의 바이탈리티(Vitality)사는 시간에 맞춰 약을 먹을 수 있는 스마트 약병 글로우캡(Glowcaps)을 출시했다. 이 제품은 설정된 시간마다 뚜껑에서 빛과 소리가 나서 약 먹을 시간을 알려 준다. 만일 시간이 지나도 약병의 뚜껑이 열리지 않으면 사용자의 휴대전화나 집으로 전화를 걸어, 약 먹을 시간이라는 것을 다시 한 번 알려 주기까지 한다. 환자의 약 복용이력은 바이탈리티사의 서버에 저장되고, 회사는 이를 정리하여 환자, 보호자, 주치의에게 이메일로 보낸다. 그러면 환자가 약을 잘 복용하고 있는지를 가족과 주치의도 확인할 수 있다.

② 투약 관리 장치

스위스의 비질런트(Vigilant)사는 당뇨병 환자의 인슐린 투약 관리를 위해 비플러스(Bee+)를 개발했다. 시중에 판매되는 인슐린 투약 장치를 비플러스에 끼우고 투약하면, 등록된 스마트폰으로 투약 정보가 실시간으로 전송된다. 여기에 사용자가 혈당 정보 등 추가 정보를 입력하면, 스마트폰 앱을 통해 투약 주기를 효율적으로 관리할 수 있다. 또 의사도 환자를 진료하는 데 이 정보를 활용할 수 있다.

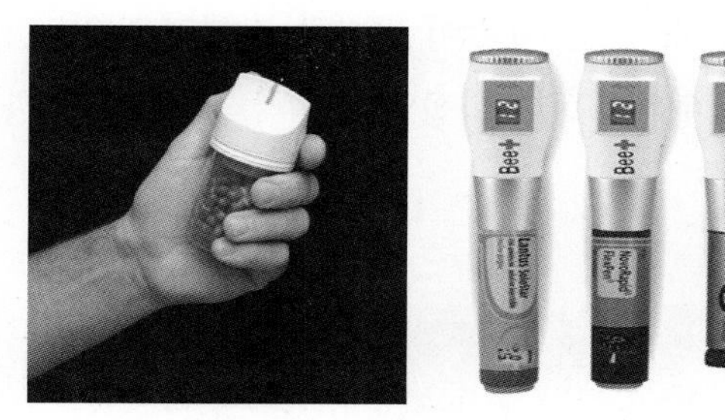

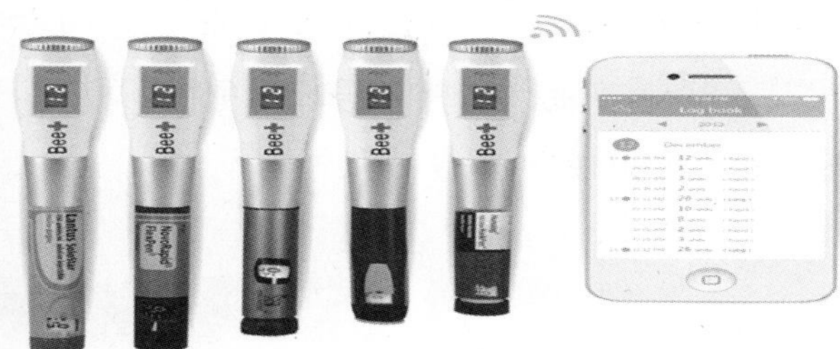

7.9.1 보건 의료 산업과 IT융합기술의 특징

보건 의료 IT 융합산업은 보건 의료산업과 IT 산업의 이종 간 융합산업으로 신기술의 융합을 통하여 창출되는 고부가 가치 산업이며 IT 기반의 보건 의료산업을 총칭한다. 이러한 보건 의료 IT 융합산업의 종류에는 최고의 의료서비스를 제공할 수 있는 첨단 생명의료서비스 분야와 고령화에 따라 급증하는 노인인구를 대상으로 하는 뉴-에이징 산업, 그리고 현사회인의 만성질환 및 성인병 질병을 대비한 라이프스타일 산업으로 분류된다. 또한 이것은 주력산업인 보건 의료산업의 경쟁력확보와 글로벌 시장확보를 목표로 한다.

- 첨단 생명의료서비스 : u-hospital, IT 융복합 첨단의료영상진단시스템, IT 융복합 첨단치료시스템, 기타
- 뉴-에이징 : 노령질환 모니터링 시스템, 홈 재택 보건 의료, 실버케어, 기타
- 라이프스타일 : 생활질병 조기진단, 성인병 예방관리, 바이오센서 및 칩라이프케어, 기타

7.7.2 보건 의료 산업과 IT융합기술의 패러다임

융·복합 기술 개발로 새로운 Bio 융합칩에서 맞춤형 보건 의료 서비스 영역까지를 망라하는, 미래형 보건 의료시스템 신기술 개발이 진행 중인 보건 의료 IT는 먼저 국내에서는 IT를 접목하여 보건 의료기기 산업강국으로 진입코자 디지털병원(IT+병원) 구축 및 u-Healthcare 산업지원, 클러스터 활성화, 기술개발 등 보건 의료기기 성장기반 확충 및 병원(수요)-보건 의료기기(공급) 산업 간 협력을 강화하고 있다. 두 번째로는 미국의 경우 의료보험 개혁의 일환으로 의료정보시스템의 보급을 확대하려고 추진하고 있으며, 보건 의료비의 급증을 막기 위해 다양한 보건 의료-IT 융합 기술 개발을 추진하고 있다. 세 번째로 EU에서는 필립스가 주도하는 My Heart 프로젝트 등 여러 국가가 참여하는 연구개발 Program을 통

해 IT를 접목한 신개념의 보건 의료서비스에 대한 연구개발이 활발히 진행되고 있다. 네 번째로 일본은 고령화에 따른 수요에 대응하기 위해 고령친화산업에 적극적으로 투자하고 있으며, 이를 위한 기술개발이 활발히 진행되고 있다.

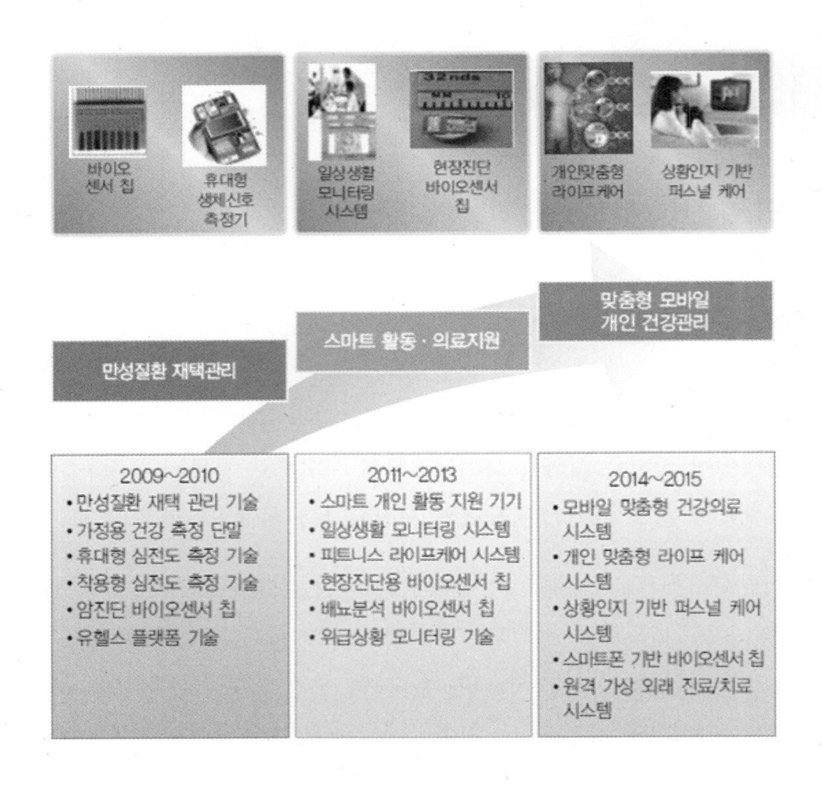

7.9.3 보건 의료 산업과 IT융합기술 사례

보건 의료 IT의 기술은 고령자 생활 상황인식 환경지능기술, 전자기 센싱의 생체조직 진단기술, 약물대사 질병감지 자동 측정기술, 하이브리드 기반 유비닥터(Ubiquitous-doctor) 시스템, 고령자 독립 생활능력 향상기술 등이 대표적이다.

국내에서는 신산업 가능성과 중요성을 인식하나 기술 난이성과 시장개척 위험성으로 투자 미진한 편이나 삼성에서는 바이오칩, u-헬스 사업을 미래 지속성장을 위한 분야로 지정하고 비즈니스 모델을 연구 중이며, 모바일 제품에 탑재해 u-헬스케어 시장에 진입 예정이다. 그리고 KT에서는 분당 서울대 병원과 시범서비스, 조선대 병원과 u-Hospital 환경 구축, 경기도 u-건강지킴이 서비스 등 다양한 시범서비스에 참여하고 LG에서는 감염바이러스 진단칩, 병원정보화 시장 비즈니스, RFID, 보건 의료스마트카드, 원격 진료서비스 등 사업을 추진 중이다. 또한 LG, SK, 삼성, 인성정보 등은 만성질환을 원격으로 관리하는 스마트케어 시범사업을 정부 과제로 추진하며 인성정보에서는 당뇨병 환자의 혈당관리를 원격으로 지원하는 원격혈당관리시스템을 구축하고 시범서비스를 실시하고 있다.

미국에서는 GE Healthcare에서는 차세대 성장동력으로 헬시매지네이션을 선언하고 2015년까지 100개 이상의 헬시매지네이션 프랜드상품 개발 생산을 계획하고 IBM에서도 무선 헬스케어 플랫폼에 대한 연구개발을 진행하고 있으며, Intel을 중심으로 Motorola, Oracle, Cisco 등이 Continua Health Alliance 컨소시엄을 결성하여 시장 선점을 위한 기술 표준에 적극 대응하고 있다. 또한 Viterion, Honeywell HomMed, Health Hero Network 등에서 가정에서 건강관리 서비스를 제공받는 홈 헬스케어 서비스를 제공한다.

EU에서는 Siemens Healthcare Diagnostics는 질병의 분석, 측정, 관리의 토탈 솔루션을 제공하려고 준비 중이고 Philips Medical System에서는 울혈성 심부전증환자의 건강관리를 위한 원격모니터링 시스템 및 서비스를 제공하고 있으며, Roche Diagnostics에서는 Actionable Health Information을 이용하여 질병 치료전후의 관련된 모든 의학정보를 제공하는 서비스를 시행하고 있으며, 특화된 테스트로 질병의 조기 발견 및 정기적 관찰은 물론 질병의 지속적인 모니터링을 통해 진단 및 치료에 이르는 헬스케어 Program을 제공한다.

일본에서는 고령자 복지 10개년 계획, New Gold Plan 등의 정책을 통해 고령친화 기술에 대한 연구개발을 적극적으로 지원하고 있다. 마쓰시다전기는 체중, 체지방, 당뇨수치 등을 자동으로 측정하고 매일 건강상태를 확인할 수 있는 건강 화장실 시스템을 개발하고 일본 고베시에서는 RFID 기술을 활용하여 시각장애인의 보행 안내시스템을 개발하여 시범운영하고 있다.

4차 산업은 보건 의료 시스템을 변화시켜 나간다. 4차 산업의 핵심 기술 중 상당수는 보건 의료 분야와 연관돼 있다. 이미 정보통신기술을 응용한 다양한 보건 의료 서비스가 확대되고 있는 추세이다. 영국의 국가보건서비스(NHS)는 가정에 사물인터넷과 IT융합기술 기기를 설치해 치매 환자를 실시간으로 모니터링하는 시범 사업을 진행 중이다. 일본의 경우 어르신을 돌보는 지능형 로봇을 개발 중이고, 2021년에는 약을 지어 주는 로봇 약사도 등장할 전망이다.

신개념 의료기기도 속속 등장하고 있다.

의류 브랜드인 랄프 로렌은 2015년 심장박동, 호흡, 근전도 등을 측정하는 '스마트 셔츠'를 출시했다. 환자의 심장박동 수가 떨어지는 등 위험한 상황에 처하면 이를 가까운 가족이나 담당의사에게 알리는 기능을 갖고 있다.

스위스 기업 호코마는 신체 마비 환자가 외골격 로봇과 가상현실(VR) 기기를 착용하고 가상공간을 걸어 다니며 재활 훈련을 할 수 있는 '로코맷 Lokomat'을 선보이기도 했다.

유헬스란 유비쿼터스(Ubiquitous)와 헬스케어(Healthcare)의 접목어로서 정보통신기술이 보건 의료분야의 전공과 융합되어 언제 어디서나 질병의 예방, 진단, 치료, 사후관리를 받을 수 있는 건강관리 및 보건의료서비스를 제공한다. 즉 IT기술을 기반으로 한 융합기술 분야중 사회적 경제적효과를 창조할수 있는 대표적인 분야라 할 수 있다.

최근 모든 정보의 디지털화, 초고속 유무선 통신망을 통한 대용량 정보전송기술, 멀티미디어 데이터의 저장 및 처리기술의 발전, RFID, USN, 마이크로칩 등의 유비쿼터스 환경의 등장으로 IT융합기술의 발전이 빠르게 진행되고 있다.

유헬스를 통해 가정, 직장, 자동차, 야외 등의 다양한 장소에서 건강과 질병에 관련된 정보를 실시간으로 수집가능하고, 지속적인 모니터링을 통해 건강과 관련된 상태를 미리 점검하고 사전 조치할 수 있을 뿐만 아니라 질병과 관련된 긴급한 사후 조치까지를 실시간으로 가능하게 한다.

▸ 헬스 및 보건 의료정보시스템 개요

〈특징〉

〈국내외 시장동향〉

1. IT 융합형 보건 의료서비스 가치 평가모델 개발
2. IT 융합형 고령자 건강생활 지원 기기 및 시스템
3. 신체변화 모니터링 맞춤형 사이버 주치의 정밀 건강관리시스템
4. 모바일 응급환자 모니터링 시스템
5. 독거노인의 안녕평가를 위한 실시간 원격간호로봇 및 관리시스템
6. IT 기반의 디지털병원 시스템
   - 디지털병원 전자건강기록 세계화 기술
   - 임상 및 진료 지원 용어DB구축(국제표준 연계) 및 CCR 프로토콜 디지털병원 정보시스템-보건 의료기기통합 프레임워크 기술개발
   - 보건 의료기기 원격관리 및 정보시스템 표준 통합 기술
   - 디지털병원 전자건강기록기반 진료 특화 시스템 기술
7. 지능형 디지털 심폐소생술(CPR)훈련실습시스템

8. IT융합형 고령자 건강생활지원 기기 및 개인 휴대용 U-Health기기 시스템 실시간 혈압, 맥박, 체온 모니터링 휴대기기
9. 적정 온도 습도 관리를 위한 감응시스템
10. 위치정보기반 건강관리활동 모니터링 단말기, 연동 웹 서비스 디자인 컨설팅 및 개발
11. Full-HD CCD 의료 영상 내시경 카메라 시스템
12. FSP시스템 응용 자동 약 분류 포장기 개발
13. 의료기술 트레이닝멘토링 시스템
14. 홈 헬스케어용 인지 재활 시스템
    - 유비쿼터스를 활용한 무선 원격 체온(계) 감지 시스템
    - 청각 장애인을 위한 온라인 발음교정 시스템
    - Sensor Network를 이용한 응급구호시스템
    - 휴대용 링거액 주입속도 자동조절 및 링거량 잔량감지 및 자동 통보 시스템
    - 기도양압 호흡용 기류 생성 장치 개발
    - 원격 의료용 휴대폰 확대 영상장치
    - 휴대용 수액 자동 주입장치 개발
    - 원적외선 온열기에 전기치료장비와 오존 발생기가 부착된 보건 의료기의 개발
    - 체형관리 및 통증치료를 위한 지능형 운동처방기 개발

7.10 조명 산업과 IT융합기술

7.10.1 조명 산업과 IT융합기술의 특징

조명 IT는 조명과 IT 산업의 융합을 통하여 환경, 사람, 공간, 상황, 감성 등을 인식하여 혁신적인 에너지 절감 및 인간친화적인 최적의 조명환경을 구현하여 고품격 생활주거 공간을 제공하는 New-IT 융합사업으로 저탄소 녹색성장의 핵심 축으로 기후협약, 저탄소 사회 구현을 앞당길 미래 산업이다. 조명기기의 에너지절감 효과를 극대화하기 위해 사용 장소 및 목적에 따라 광출력 및 광색, 색온도 등의 조절 및 감성, 환경, 통신 등의 IT 정보 네트워크를 이용하여 불필요한 에너지소비를 최소화하는 지능형 신조명 산업으로 조명 IT 융합산

업과 교통, 디스플레이, 건설, 보건 의료, 농수산업과 접목을 통하여 기존 산업의 고부가가치화 및 동반성장이 가능하게 할 산업간 융합 산업이다.

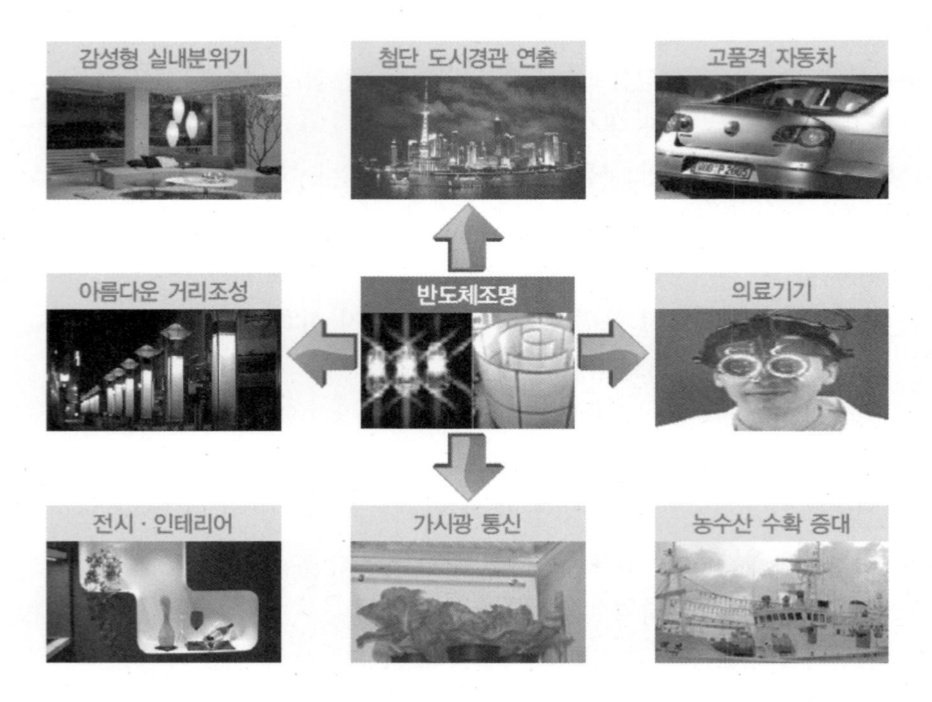

7.10.2 조명 산업과 IT융합기술의 패러다임

최근 선진각국은 반도체조명 및 이를 이용한 응용산업에 대한 파급효과를 인식하고, 시장접근성 확대 및 시장선점, 모든 단계의 특허 확보, 지능형 조명시스템 제공 능력 확보를 위한 기술 개발 집중하고 있다. 세계조명시장의 약 60%를 점유하고 있는 Osram, Philips, GE 등 3대 선진사는 LED 업체의 M&A를 통해 수직통합을 추진하며, 융합산업 확대를 위한 기술개발을 추진하고 있다.

국내에서는 기존의 광소자 또는 광원기술과 NT, IT 및 유기반도체 기술 등의 새로운 기술이 융합된 고성능, 신기능, 감성화를 위한 요소기술 개발이 진행되고 있고 LED 조명을 이용하여 디스플레이, 수송조명, 농생물, 보건 의료, 해양수산과 같이 전통산업에 응용되어 신산업을 창출하기 위한 연구가 추진되고 있다. 또한 OLED조명은 국내 OLED 디스플레이 생산인프라를 이용하여 조명응용을 위한 핵심기술 개발 및 조기 상용화를 위한 연구가 정부의 지원하에 이루어지고 있으며 LED 조명을 이용한 조명네트워크 및 가시광 통신기술개발과 표준화가 추진되고 있다.

7.10.3 조명 IT의 기술 및 사례

조명 IT의 기술은 양방향 정보교환형 스마트 조명시스템 기술, 환경제어 식물농장 LED 시스템 조명 기술, LED 조명 통신 연동 기술, 인텔리젼트 에너지원-조명 융합 기술, 스마트 해양 LED 조명 시스템 기술 등이 대표적이다.

미국에서는 DOE의 지원하에 'Next Generation Lighting Initiviative' 프로젝트가 추진되며 신조명인 LED, OLED 원천기술 확보에 주력하고 있다.

일본에서는 1998년부터 에너지절감 및 환경대책의 일환으로 '21세기 빛 프로젝트'를 통해 차세대 조명 기술 개발 추진 중이며 신에너지산업기술종합개발기구(NEDO)의 개정에너지절감법에 따라 IT 연계 에너지절감형 조명 개발에 주력하고 있다.

EU에서는 오스람, 필립스 등 선진사를 중심으로 EU FP7 Program을 통하여 차세대 조명과 IT 융합 핵심기술 개발 및 시장선점을 위한 기술개발에 주력하고 LED원천기술을 보유하고 있는 독일은 정부차원에서 BMBF Program을 통하여 조명산업 주도권 강화를 위한 차세대 기술 선점에 주력하고 있다.

중국에서는 저가형 산업구조의 체질개선을 위하여 선진사의 기술도입 및 선진사와의 합작회사 설립 등을 통하여 자국 산업체의 선진화를 위하여 정부지원을 확대하고 있다.

(1) 집이 점점 똑똑해진다-스마트홈

우리가 생활하는 집은 사물인터넷의 주력 무대이다. 잠자고, 식사하고, 휴식을 취하는 모든 일상이 사물인터넷의 활용 대상이다. 스마트홈을 구성하고 있는 사물인터넷은 집 주인의 생활 패턴을 분석하고 학습하여, 최적의 조명과 온도를 설정한다. 더불어 에너지도 낭비되는 일 없이 효율적으로 관리한다. 또 반려동물의 얼굴을 인식하고 체중도 관리해, 건강하게 기를 수 있도록 도와준다.

① 스마트 조명

필립스사의 휴(Hue)는 LED 스마트 조명이다. 스마트폰을 이용해 조명의 색상과 밝기를 조절할 수 있고, 주기를 조정해 깜빡이게 할 수도 있다. 스마트 조명은 아침 기상시간에 맞춰 은은한 불빛으로 잠을 깨워 줄 수도 있으며, 사용자가 집에 도착할 시간에 맞춰 미리 켜지기도 한다. 또 장기간 집을 비울 때에는 주기적으로 불을 켰다 꺼서, 범죄 예방에 도움을 줄 수도 있다.

② 스마트 온도 조절기

2014년 구글이 인수한 네스트(NEST)라는 기업의 대표 제품은 바로 '써모스탯(Thermostat)'이라는 스마트 온도조절기이다. 온도 조절기라면 설정 온도에 맞게 보일러가 작동했다 멈추게 했다 하는 보일러 조절 장치에도 있는 기능이라 특별할 게 없어 보인다.

그런데 써모스탯은 스스로 학습하는 스마트온도조절기이다. 처음 설치하고 사람이 생활하면서 자유롭게 원하는 실내 온도를 설정하면, 그 패턴을 학습하기 시작한다. 그리고 일단 패턴을 익히면, 사람이 시간에 따라 온도를 일일이 설정하지 않아도 알아서 쾌적한 온도를 맞춰 준다. 학습을 하면 할수록 사용자의 패턴을 맞추는 정확도는 더 높아진다.

또 다른 기능으로 써모스탯은 사람의 움직임을 감지해서 외출 시에는 온도를 낮추고, 귀가 시간을 설정해 두면, 시간에 맞춰 온도를 높여 준다. 인터넷에 연결되어 있기 때문에 외부 온도와 습도 정보를 얻어 실내 환경을 쾌적하게 유지할 수 있고, 스마트폰을 이용하면 실내 온도를 밖에서 조절할 수도 있다.

(2) 개인정보 유출, 도둑 침입 금지-보안

사물인터넷 기술이 가장 활발하게 활용될 것으로 기대되는 분야가 바로 보안 분야이다. 보안이라고 하면, 정보 보안을 먼저 떠올리는 사람이 많겠지만, 정보 보안뿐만 아니라 집이나 사무실이 비었을 때 일어날 수 있는 범죄나 재난을 막는 물리적인 보안 또한 중요한다.

① 스마트 잠금 장치

스마트 잠금 장치 티오락(TEO Lock)은 스마트폰을 이용해 열고 잠글 수 있는 자물쇠이다. 다른 사람에게 1회만 열 수 있도록 하거나 일정기간 또는 지속적으로 열고 잠글 수 있는 권한을 줄 수 있어서, 가족끼리 자물쇠를 공유할 수도 있다. 또한 스마트폰을 통해 자물쇠의 위치와 잠금 상태, 남은 배터리 용량 등도 모두 관리할 수 있다.

② 스마트 비디오폰

스마트 비디오폰 링비디오 도어벨(Ring Video Doorbell)은 일반적으로 현관에 설치된 비디오폰과 비슷하다. 손님이 찾아와 초인종을 누르면, 방문객의 얼굴이 화면에 나타난다. 그런데 보통 비디오폰은 벽에 고정되어 있어서 누가 찾아왔는지 보려면 비디오폰이 설치된 거실로 직접 가야 한다. 외출 중일 때에는 누가 왔는지 알 수도 없고 집에 와서 녹화된 영상을 봐야 확인할 수 있다.

하지만 링비디오 도어벨은 초인종이 눌리면 연결된 스마트폰으로 영상이 전송된다. 물론 집에 없어도 방문객과 대화할 수 있고, 문을 열어줄 수도 있다.

사물인터넷 서비스는 지금도 다양한 분야에서 참신한 아이디어로 계속 개발되고 있다.

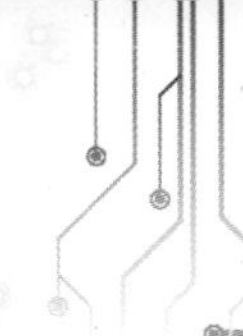

7.11 IT융합기술의 대표적인 사례 및 성공요인

[표 7-1] IT융합기술의 대표적인 사례 및 성공요인

분야	제품	업체	중요도	성공요인
자동차	텔레매틱스 '블루링크'	현대자동차	◆◆	① IT 인프라, ② 수요기업-공급기업 협력
	차량용 웹브라우저	오비고	◆	① 자체 R&D, ② 정부과제 수행
	다국어 음성인식 미들웨어	미디어겐	◆	① 자체 R&D, ② 정부과제 수행
	자동차 전장용 초소형 카메라	LG이노텍, 삼성테크윈 등	◆	① 자체 R&D, ② 수용기업-공급기업 협력
	자동차 인포테인먼트 오픈 플랫폼 및 맵	유비벨록스	◆	① 자체 R&D, ② 정부과제 수행, ③ 틈새시장 개척
	자동차 인포테인먼트 소프트웨어	인포뱅크	◆	① 자체 R&D, ② 틈새시장 개척, ③ 수요기업과 기술협력
조선·해양플렌트	스마트쉽 (Smart Ship)	현대중공업, ETRI, 울산대	◆◆◆	① 자체 R&D, ② 수요기업과 협력, ③ 정부과제 수행
	선박용 위성통신 최적화 기술	삼성중공업	◆◆	① 자체 R&D, ② 소비자 니즈 충족
	스마트쉽빌딩	대두조선해양	◆◆	① 자체 R&D, ② 정부과제 지원
	현대 FLNG	현대중공업	◆◆◆	① 자체 R&D, ② 수요기업-공급기업 협력
섬유	히덱스 (Hea Tex)	코오롱글로덱	◆◆	① 자체 R&D, ② 틈새시장 개척, ③ 소비자자 니즈 충족
	맞춤 양산형 섬유제품 FLM시스템	건국대	◆◆	① 신세계-건국대 기술 협력, ② 정부과제 지원
국방·항공	네트워크형 열영상 카메라 임베디드 SW	도담시스템즈	◆◆	① 자체 R&D, ② 정부과제 수주
	DVS(Digital Vision Simulabion)	이즈소프트	◆	① 자체 R&D, ② 틈새시장 개척
	항공기용 응용 SW	KAI/ADD, 인텔릭스, 도담시스템스, MD 테크놀로지	◆◆◆	① 정부과제 수행, ② 산학연 협력, ③ 수요기업과 기술협력
에너지	스마트그리드 원격겸침 통신기술	한전	◆	① 자체 R&D, ② 틈새시장 개척
	스마트그리드 에너지 효율화 시스템	LS 산전	◆	① 자체 R&D, ② 틈새시작 개척

*〈자료〉 : ETRI, 산업분석연구팀

CHAPTER

08

소프트웨어 시스템(Software System)

창의적 소프트웨어 파워배양과 미래 IT융합기술
컴퓨팅 기술(IT)과 컴퓨팅 사고(CT)력
Computing Technology (IT) & Computational Thinking (CT)

08 CHAPTER

소프트웨어 시스템 (Software System)

컴퓨터 시스템(Computer System)은 하드웨어(Hardware)와 소프트웨어(Software)로 크게 분류할 수 있으며 하드웨어는 컴퓨터의 5대 장치인 입력, 출력, 기억(주 기억, 보조 기억), 연산, 제어장치로 나눈다. 이 책의 3장에서 다룬다.

소프트웨어(Software)에 대한 사회적, 경제적인 의존도가 급속하게 증가하고 있다. 정치, 경제, 사회, 교육, 국방, 의료, 생산, 출판, 예술, 오락에 대한 의존성(Dependability)이 증가하고 있으며, 또 더욱 새롭고 다양한 분야에 소프트웨어의 필요성이 계속적으로 증가하여 최근에는 스마트폰의 모바일 앱(App)에 대한 수요와 공급도 크게 증가하는 추세에 있다.

소프트웨어(Software)는 Computer System 자체의 기본적인 작업을 수행하는 시스템 소프트웨어(System Software)와, Computer와 시스템 소프트웨어를 활용하여 사용자가 요구하는 특정한 일과 작업을 수행하는 응용 소프트웨어(Application Software)로 크게 대별할 수 있다.

8.1 시스템 소프트웨어(System Software)

시스템 소프트웨어(System Software)는 컴퓨터를 작동시키고 컴퓨터 시스템의 기본적인 작업을 수행한다. 시스템 소프트웨어의 종류에는 Windows, Mac OS, UNIX, Linux 등으로 대표되는 운영체제(Operating System)가 있다. 그리고 운영체제가 아니면서 컴퓨터 시스템의 기본적인 작업을 도와주는 시스템 소프트웨어인 컴파일러(Compiler), 인터프리터(Interpreter) 등의 언어 번역기(Language Translator)와 윈도우 탐색기, Naver Cloud, Daum Cloud 등의 Utility Program으로 구분할 수 있다.

8.1.1 운영체제(OS : Operating System)

운영체제는 System의 여러 가지 자원들인 CPU, RAM, HDD, I/O 장치, 네트워크 등을 효율적으로 관리하고 운영하여 사용자와 컴퓨터 하드웨어 간의 인터페이스 역할을 담당하여 사용자가 컴퓨터 하드웨어를 쉽고 편리하게 사용할 수 있도록 해주는 소프트웨어이다. 또한 사용자는 운영체제를 통하여 컴퓨터에서 응용소프트웨어를 작업할 수 있게 된다.

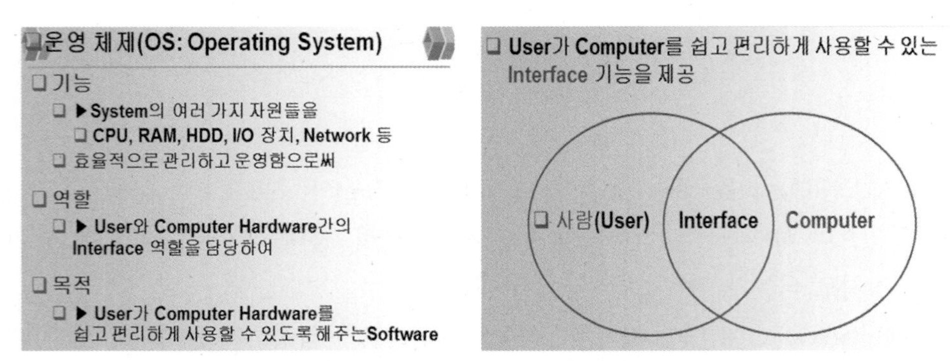

[그림 8.1] 컴퓨터 시스템에서 운영 체제의 기능, 역할(Interface), 목적

여기에서 사용자 환경(UI : User Interface)은 사람과 Computer의 상호작용 환경이다. 그 중에서 그래픽 중심의 사용자 환경(GUI : Graphics User Interface)은 윈도우 메뉴(Windows Menu)와 아이콘(Icon)등을 Mouse Click 만으로도 쉽고 편리하게 Computer를 사용할 수 있도록 하는 Computer와 인간의 상호작용 환경(User Interface)이다.

[표 8-1] User Interface(UI : 사용자 환경)의 발전 방향

CUI	명령어(Command) 중심의 사용자 환경 (Command User Interface)	예) DOS 환경
GUI	그래픽(Graphic) 중심의 사용자 환경 (Graphics User Interface)	예) Windows 환경 (Windows 8) 최근에는 터치스크린기능중심으로
NLUI	자연언어 중심의 사용자 환경 (Natural Language User Interface)	미래의 OS 환경

운영체제가 아니면서 컴퓨터 시스템의 기본적인 작업을 도와주는 시스템 소프트웨어인 컴파일러(Compiler), 인터프리터(Interpreter) 등의 언어 번역기(Language Translator)와 윈도우 탐색기, Naver Cloud, Daum Cloud 등의 Utility Program으로 구분할 수 있다.

8.1.2 언어 번역기(Language Translator)

사람의 언어인 자연어(프로그래밍 언어)를 컴퓨터 언어인 기계어로 바꾸어 주는 역할을 하는 번역 프로그램을 언어번역기(Language Translator)라고 하며 크게 컴파일러(Compiler)와 인터프리터(Interpretor)로 구분한다. 다음으로 프로그래밍 언어는 원시프로그램인 소스파일을 컴파일 과정을 통해 실행파일을 생성하는 컴파일 방식에 따라 인터프리터 언어와 컴파일러 언어로 구분된다. 인터프리터 언어와 컴파일러 언어의 특징과 주요 언어를 살펴보면 [표 8-3]과 같다.

[표 8-2] 인터프리터(Interpretor)와 컴파일러(Compiler)의 특징과 주요 언어

인터프리터	• **특징 : Program 코드를 한 줄씩 번역하면서 실행** • 장점 : 한줄 한줄 씩 실행하기 때문에 실행 중 발생한 오류가 어디서 발생했는지 쉽게 찾을 수 있다. • 단점 : 실행할 때마다 번역하고 실행하고를 반복하기 때문에 실행 속도가 느리다.	BASIC, Lisp, Snobol 4, Prolog 등
컴파일러	• **특징 : Program 코드를 한 번에 전부 번역해서 실행** 소스 파일 → 목적 파일 → 실행 파일의 과정을 거친다. • 장점 : 한번 번역하면 실행 파일을 미리 만들어 놓고 실행하기 때문에 인터프리터 방식보다 실행 속도가 빠르다. • 단점 : Program일부를 수정하는 경우에도 Program전체를 다시 번역해야하고, Program전체를 실행 파일에 모두 저장하기 때문에 실행 파일 크기가 크다.	FORTRAN, COBOL, PASCAL, Ada, C 등 대부분의 언어

이러한 인터프리터언어와 컴파일러 언어의 특징을 동시에 가지고 있는 것이 Visual Basic 언어이다.

8.2 응용 소프트웨어(Application Software)

소프트웨어(Software)는 Computer System 자체의 기본적인 작업을 수행하는 시스템 소프트웨어(System Software)와, Computer와 시스템 소프트웨어를 활용하여 사용자가 요구하는 특정한 일과 작업을 수행하는 응용 소프트웨어(Application Software)로 크게 대별할 수 있다.

특히 응용 소프트웨어(Application Software)에 대한 사회적, 경제적인 의존도가 급속하게

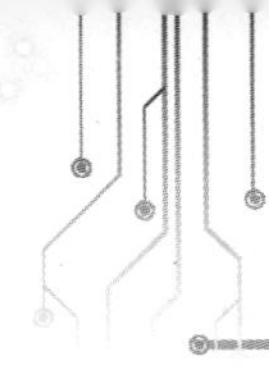

증가하면서, 정치, 경제, 사회, 교육, 국방, 의료, 생산, 출판, 예술, 오락 등 다양한 분야에 응용되고 있다. 또한 더욱 새롭고 다양한 분야에 응용 소프트웨어의 필요성이 계속적으로 증가하고 있으며, 최근에는 스마트폰의 모바일 앱(App)에 대한 수요와 공급도 크게 증가하는 추세에 있다. 그래서 이 장에서는 기존에 출시된 응용소프트웨어의 종류를 먼저 살펴보고, 소프트웨어 공학의 중요한 원리와 컴퓨팅 사고방식으로, 새롭게 만드는 응용소프트웨어의 설계와 개발에 관하여 살펴본다.

8.2.1 인터넷(Internet) 검색을 위한 웹 브라우저(Web Browser)

웹 브라우저(Web Browser)는 웹 서버(Web Server)의 하이퍼텍스트(Hypertext) 문서를 볼 수 있도록 해주는 클라이언트(Client) 프로그램으로 Hypertext를 기반으로 한 웹(web)및 다른 Internet Service 사이트(Site)의 정보를 찾아 주는 도구이다.

Hyper Text는 하나의 문서에서 다른 문서로 비순차적으로 연결되는 연결 고리(Hyper Link)를 가지는 문서이며 이때 연결되는 목적물(Target)은 다른 사이트일 수도 있고 문서일 수도 있고 Graphic, 음성, 영상 File (Multimedia)일 수도 있다.

일반Text가 순차적, 직선적자료라면 Hyper Text는 비순차적, 선택적자료라고 할 수 있다.

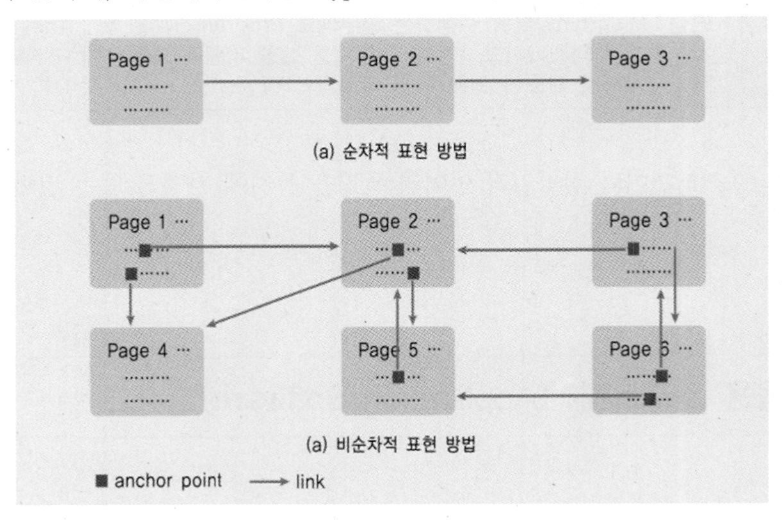

[그림 8-3] Hyper Text의 순차적 및 비순차적 표현 방식

Hyper Media는 Hyper Link와 Multimedia를 가지는 매체를 말한다.

Protocol은 송신측과 수신측 장비 간에 어떤 Message를, 언제, 어떤 방법으로 전송할지를,

약속해놓은 통신의 방법과 절차에 대한 규약이라고 할 수 있다.

http://www.daum.net 처럼 사용되는 HTTP(Hyper Text Transfer Protocol)는 Hyper Text 문서를 전송하는 통신규약으로 Internet 문서는 HTTP Protocol로 검색하며 Hyper Text 문서를 작성하는 언어인 HTML(Hyper Text Markup Language)로 작성되어 HTML형식으로 저장되어 확장자가 .html 혹은 .htm 형식으로 만들어진다.

WWW(World Wide Web : Web)는 WWW 또는 Web 또는 3W라고 하며 전 세계에 넓게 퍼졌다는 뜻인 World Wide와 거미줄이란 뜻의 Web이 합쳐진 단어이다.

전 세계의 수많은 Computer에 주소와 이름을 부여해 서로 구분 하는 체계인 Internet의 주소 체계는 IP주소와 Domain Name으로 구분해 볼 수 있다.

Internet 상의 모든 Computer는 예를 들어 147.46.10.201에서 볼 수 있듯이 마침표로 연결된 4개의 숫자로 구성되어 서로 구별되는 주소를 가지는 IP Address로 되어 있는데 이것은 사람이 기억하기 어려운 숫자로 되어 있어, 숫자로 된 IP주소보다 기억하기 쉬운 Domain Name의 개념이 도입되었다.

www.kangwon.ac.kr 라는 Domain Name에서 볼 수 있듯이 뒤에 있는 첫 번째 Domain은 국가를 표시하는 Domain으로 한국(kr), 일본(jp), 영국(uk), 캐나다(ca) 등을 나타낸다.

두 번째 Domain은 기관의 성격을 표시하는 Domain으로 우리나라의 대학을 나타내는 교육기관(ac), 상업적인 기관, 회사(co), 정부기관(go),비영리단체(or),망 관리기관(nm)으로 이루어져 있다.

세 번째 Domain은 기관의 고유 이름을 표시하는 Domain으로 한국방송공사(KBS), 중앙일보(Joongang), 문화 방송(MBC), 강원대학교(Kangwon) 등으로 구분된다.

네 번째 Domain은 기관의 고유 컴퓨터(Host Computer) 이름을 표시하는 Domain이다.

〈예〉
서울대학교의 popeye라는 Computer : popeye.snu.ac.kr
강원대학교의 주 Computer : www.kangwon.ac.kr
한국방송공사의 주 Computer : www.kbs.co.kr
옥션(주), 경매 Portal : www.auction.co.kr

Portal site는 Internet에서 처음으로 접속하여 원하는 자료를 찾기 시작하는 기점이 되는 Site로 그 특징은 처음 접속한 Site에서 사용자가 원하는 것을 대부분 해결할 수 있도록 News, 오락 등 각종자료들을 종합적으로 제공하고 다른 Site로 빠르게 이동할 수 있는 검색

기능도 제공하고 있다.

Home Page는 Internet의 정보를 담은 각각의 화면을 의미하는데 Home은 각 정보의 시작 화면을, Page는 시작 화면에 연결된 다음 화면들을 의미한다. Web상에 독립된 주소 공간을 가진 Home Page는 WWW Site라고 부른다.

[표 8-2] 최상위 도메인의 종류

도메인	기관명	도메인	국가명
edu	교육기관	kr	대한민국(Korea, South)
com	회사(사업체)	kp	북한(Korea, North)
gov	정부 기관	jp	일본(J메무)
int	국제 기구	ca	캐나다(Canada)
org	비영리 공공 기관	de	독일(Germany)
net	네트워크 관련 기관	uk	영국(United Kingdom)
mil	미국 국방성 관련 기관	fr	프랑스(France)

8.2.2 웹 브라우저(Web Browser)의 종류

Netscape사의 Navigator로 촉발된 Web Browser의 경쟁은 PC운영체제의 사실상의 독점적 표준으로 군림하고 있는 Microsoft사의 윈도우즈 운영체제에 힘입어 Internet Explorer의 독점적 시장을 열어주게 된다.

그런데 지금 현재 Internet Explorer가 한국 Web Browser시장에서 높은 점유율을 유지하고 있으나 불필요하게 추가되는 시작프로그램과, 확장성이 좋은 Internet Explorer의 장점을 악용한 각종 ToolBar, BHO(Browser Helper Object : 특정프로그램의 도움말 기능인데 여기에 각종 악성코드나 Adware가 기생함) 등에 악성코드들이 부지불식간에 계속해서 사용자의 Browser에 설치되어 속도의 저하를 일으키고 있다. 또한 Internet Explorer는 빠르게 진보하는 인터넷 관련 기술적용이 다른 Browser에 비해 느려서 속도가 느려지고 있다. 한편 속도가 빠른 최신 Web Browser로는 특히 Chrome(Google)이 주목 받고 있다.

또한 세계 최고의 IT 인프라를 자랑하는 우리나라에서 최초로 개발된 Swing(Zum Internet)도 Web Browser시장에 진출하였다.

8.2.3 웹 브라우저(Web Browser)를 지원해주는 Plug-in 소프트웨어

일반적인 널리 알려진 텍스트, 이미지, 사운드는 Web Browser가 기본적으로 잘 지원하지만 최신의, 특별한 경우의 Multimedia, Animation, 동영상, 가상현실과 같은 정보는 그것을 제작한 특별한 소프트웨어가 필요하게 되는데 그것을 지원해주는 소프트웨어를 접속(Plug-in) 소프트웨어라 한다.

종류는 3가지로 나뉘는데 2차원 Animation, 실시간 비디오, 가상현실을 지원하는 소프트웨어로 나뉜다. 2차원 Animation의 예로는 Shockwave가 있고 실시간 비디오는 Real Player와 QuickTime Player, 곰 Player가 있다. 가상현실을 지원하는 것으로는 VRML(Virtual Reality Mark-up Language) Player가 있다.

8.2.4 Multimedia 분야의 소프트웨어

(1) Graphic Editing S/W

이 소프트웨어는 이미지 편집과 그림을 그릴 수 있다. 이미지 편집에 해당되는 것은 Adobe Photoshop과 Paintshop 등이 있다. 그림을 직접 그릴 수 있는 드로잉기능을 가진 것으로는 Illustrator와 Corel DRAW가 있다.

(2) Sound Editing S/W

이 소프트웨어는 사운드 편집과 MIDI S/W가 있다. 사운드 편집에는 Goldwave, WaveEdit, Encore가 있다. MIDI S/W에는 NoteWorthy, Cakework, Sound Forge 등이 있다.

(3) 동영상 Editing S/W

Windows Movie Maker, Daum Pot Encoder가 이 소프트웨어에 해당한다. 그리고 비디오 편집도구도 이 소프트웨어에 속하는데 널리 사용되는 비디오 전문 편집도구에는 Premiere가 있다.

(4) Contents 저작도구

○ Web Page 저작도구 : FrontPage, Dream Weaver, Namo Web Editor

○ CD/DVD 저작도구 : ToolBook, Authorware

○ Animation 저작도구 : Flash, Director 등

8.2.5 사무생산성 향상을 위한 사무용 소프트웨어

워드 프로세서나 스프레드시트 소프트웨어 등 비즈니스에서 이용하는 소프트웨어인데, 메뉴 구성이나 화면 설계 등이 표준적인 인터페이스로 통일되어 있어 활용법을 쉽게 익힐 수 있다. Word Processor에는 한글, MS Word가 대표적이다. 프레젠테이션 소프트웨어에는 PowerPointer와 프레지(Prezi) 등이 있는데 프레지는 공간과 시간을 초월하는 실시간 공동작업 가능하다. 그 이유는 프레지는 파워포인트, 이미지, 비디오, 유튜브 비디오, PDF 파일 가져오기가 가능하기 때문이다. 또, Spread sheet에는 MS Excel이 있고 Data Base에는 MS Excess가 있다. 그리고 사무용 S/W Package 제품도 있다. 오피스 꾸러미(Office Suite)에는 MS Office, 한컴Office가 있다.

8.2.6 기업과 Business를 위한 정보 System 분야 소프트웨어

전자상거래(e-Commerce, or e-Business, m-Commerce, u-Commerce)는 온라인 네트워크를 통하여 재화나 서비스를 사고파는 모든 형태의 거래를 말한다. 가계, 기업, 정부, 금융기관 등 경제주체 간에 상품과 서비스를 교환하는 데 전자적인 매체, 주로 인터넷을 활용하는 것을 전자상거래라고 할 수 있다. 최근에는 전화, 스마트폰, TV, 케이블TV, CD 등을 이용한 전자 카탈로그, 사내전산망 등 다양한 정보통신 매체를 이용하여 상품과 서비스를 유통시키는 모든 유형의 상업적 활동으로 확대되고 있다. 보다 넓은 의미로는 이러한 정보통신 매체를 활용하여 상품과 서비스를 사고파는 것뿐 아니라 수주와 발주, 광고 등 상품과 서비스의 매매에 수반되는 광범위한 경제활동을 의미하기도 한다.

전자상거래는 거래 주체 유형에 따라 B2C, B2B, B2G, C2C 등 여러 가지 유형이 있다. B2C(Business to Customer)는 기업과 개인(Internet쇼핑몰) 간에 이루어지는 전자상거래이다. B2B(Business to Business)는 기업과 기업 간에 이루어지는 전자상거래이다. B2G(Business to Government)는 기업과 정부, C2C(Customer to Customer)는 개인과 개인(옥션, 장터) 간에 이루어지는 전자상거래이다.

컴퓨터 기반의 정보시스템이 필요할 때마다 도입되고 사용되자 기업에는 다수의 시스템이 필요한 업무에 각기 사용되는 환경에 처하게 되었다. 특히 개별적으로 운영되던 정보시스템

은 서로 연관되어 있는 업무 처리를 지원하는 데에 매우 불편했다. 이에 따라 시스템 연계 내지 통합 필요성이 대두되었다. 그래서 등장한 것이 ERP이다.

ERP(Enterprise Resource Planning)는 전사적 자원관리, 기업자원 관리이다. 이 시스템은 기업에서 사용되는 모든 인적, 물적 자원의 효율적 관리를 위한 통합 DB를 구축하여 구매, 생산, 재고, 판매, 인사, 고객관리 등 기업의 모든 업무프로세서를 통합적으로 관리하고 정보를 공유하여 최적화된 기업 활동을 추구한다.

SCM(Supply Chain Management)은 공급사슬관리이다. 공급망 전체를 하나의 통합된 개체로 보고 이를 최적화하고자 하는 경영 방식이다. ERP시스템의 문제점을 극복하고 새로운 기업 경영혁신 도구가 필요하게 되어 등장했다.

CRM(Customer Relationship Management)은 고객 관계 관리이다. 이것은 기업이 현재 고객 및 잠재 고객의 관련 정보를 정확히 파악해 고객 관계 관리를 효과적으로 지원하기 위한 경영전략이다. 마케팅 판매 서비스 등이 포함된다.

EAI(Enterprise Application Integration)는 기업 내 상호 연관된 모든 애플리케이션을 유기적으로 연동하여 필요한 정보를 중앙 집중적으로 통합, 관리, 사용할 수 있는 환경을 구현하는 것으로 e-비즈니스를 위한 기본 인프라이다. 기업통합관리는 유사 개념이다.

8.2.7 경영정보시스템(MIS ; Management Information System)

DSS(Decision Support System)는 최고경영자를 위한 의사결정(Decision Making) 지원시스템이며 EIS(Executive Information System)는 최고관리자, 중역정보 시스템이라고도 부른다.

MSS(Management Support System) or IRS(Information Report System)는 중간관리자를 위한 경영지원 시스템이며 TPS(Transaction Processing System)는 실무관리자를 위한 자료중심 처리 시스템으로 기업이 일상적으로 반복하여 발생시키는 생산관리(구매관리, 자재관리, 제조관리, 품질관리) 영업관리(주문처리, 실적관리, 고객관리) 재무관리(계정원장관리, 자금관리) 인력관리(급여관리, 인사관리) 등 수많은 자료를 효율적으로 처리하는 시스템이다.

8.2.8 통계처리 및 자료 시각화 소프트웨어

통계처리 S/W로는 SPSS(Statistical Package for the Social Science)가 사회과학분야의 자료분석을 위해 시작되어 통계분석 및 비즈니스 보고서 작성 등에 널리 사용되고 있으며

SAS(Statistical Analysis System) 또한 각종 통계분석 및 자료 분석에 널리 사용되는 S/W로 알려져 있다.

수학, 공학 계산 및 자료 시각화 S/W로는 행렬연산과 수치해석에 주로 이용되는 MATLAB (Matrix Laboratory)와 Maple, Mathematica 등이 수학 및 공학 계산을 처리하며 결과를 그래프로 보여준다.

8.2.9 기타 응용 소프트웨어(Application Software)의 종류

오락적 효과와 즐거움을 주는 Entertainment 분야에서는 수많은 Game S/W가 있다.

스마트폰(Smart Phone)에서도 수많은 응용 소프트웨어(Application Software)가 어플(Appl.) 혹은 앱(App.)이라는 이름으로 불리면서 지금 이 시간에도 새롭게 출시되고 있다.

8.3 소프트웨어 시스템(Software System)의 설계

8.3.1 소프트웨어 시스템(Software System) 개발 방법론

소프트웨어(시스템) 개발 방법론이란 소프트웨어 개발의 생산성과 품질 향상을 목적으로 하여 소프트웨어 개발의 전 과정에 지속적으로 적용할 수 있는 방법, 절차, 기법 등을 말하는 것이다. 하드웨어 가격은 급락하는 데 비해 소프트웨어 가격이 폭등하는 이른바 '소프트웨어 위기'에 직면하게 되면서 소프트웨어를 개발하는 프로젝트에 공학적인 기법을 접목하여 위기를 극복해보자는 취지에서 소프트웨어 공학의 역사가 시작되었고, 그 해결책으로 만들어진 것이 소프트웨어(시스템) 개발 방법론이다.

소프트웨어 개발 방법론은 70년대의 구조적 방법에서 시작하여, 80년대의 정보공학, 90년대의 객체지향 방법, 90년대 말의 컴포넌트 기반 개발 방법 및 현재의 제품계열 기반 개발 방법으로 발전하고 있다.

특히 최근에 많이 연구되고 있는 제품계열 기반 개발 방법은 공통적으로 재사용될 수 있는 핵심 자산(core asset)을 개발하고 품질이 좋다고 증명된 핵심 자산을 재사용하여 시스템을 개발하는 방식으로, 품질 및 개발 생산성의 획기적인 향상을 통하여 시장적시성을 만족시켜 줄 수 있는 개발 방법으로 제안되었다.

이 제품계열 기반 개발 방법은 임베디드 제품의 다양한 요구를 가장 적합하게 반영할 수 있는 방법으로, 선진국에서는 이를 임베디드 시스템 개발에 적용하려는 연구 개발이 활발하게 진행되고 있다. 국내에서는 80년대 후반부터 선진국의 방법론 도입으로 개발 방법론의 표준화를 시작하였고 이는 시스템 통합 사업(SI사업)의 팽창으로 90년대부터는 더욱 가속화하게 되었다.

최근에는 임베디드 시스템의 개발 및 보급이 활성화되면서 기존의 정보시스템이나 어플리케이션을 대상으로 개발하던 소프트웨어 개발 방법론에서 진화한 다양한 패러다임의 제품계열 방법, 애자일 방법 등의 개발이 활발한 추세이다.

*〈참조〉 : [네이버 지식백과, '생활 속의 임베디드 소프트웨어'. 한국전자통신연구원(ETRI)]

(1) 구조적 프로그래밍(Structured Programming)

1960년대 말 E.W. 다이크스트라가 주창한 프로그램 작성 기법이다. 프로그램이 프로그래머의 개성에 따라 복잡다단하게 만들어지기 때문에 개발하는 데도 문제가 많지만 후에 다른 사람이 유지보수를 할 때는 더욱 어려웠던 문제를 해결하기 위해 시작되었다.

프로그램의 구조를 여러 갈래로 분기하여, 복잡하게 하지 않고, 순서대로, 선택적으로 반복 문장을 사용하는 제어구조만을 사용한 프로그램이다. 프로그램 개발 시 이해와 수정이 쉽고, 정확성을 검증하기 쉬워서 최종적으로 제어구조가 명확한 프로그램을 만들 수 있다.

구조적(構造的) 프로그래밍 또는 스트럭처드 프로그래밍이라고도 한다. 프로그램을 만들 때 쉽게 이해할 수 있고, 수정하기 쉬우며, 정확성을 검증하기 쉬운 프로그램이 되도록 문제를 단계적으로 상세히 풀어나가서, 최종적으로는 제어구조(制御構造)가 명확한 프로그램을 만드는 방법론을 말한다.

종전의 프로그램 작성 방법의 문제를 사전에 방지하기 위하여, 프로그램을 작성할 때에는 가급적 순서에 따라 차례로 하나씩 작성해 나가는 구조와, 처리 방법을 선택하는 문장을 사용하여 가능하면 프로그램이 분기되지 않도록 하며, 반복 문장을 사용하는 것을 원칙으로 하고 있다.

이렇게 하면 프로그램을 실행할 때에 제어가 위에서 아래로 가는 성질을 가지게 되며, 구조가 단순하여 프로그램을 이해하기 쉽기 때문에 오류가 나타나거나 기능을 변경할 경우 쉽게 처리할 수 있다. 아울러 선택 또는 반복문을 발췌하여 재사용하기도 쉬워 프로그램의 생

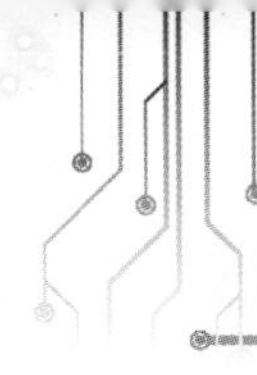

산성도 높일 수 있다. 그러나 지금은 객체지향형 프로그램 기법이 일반화되면서 구조적 프로그래밍 방법은 잘 쓰이지 않고 있다.

(2) 객체지향 프로그래밍(Object-Oriented Programming)

모든 데이터를 객체(object)로 취급하여 프로그래밍 하는 방법으로, 처리 요구를 받은 객체가 자기 자신의 안에 있는 내용(속성과 메소드)을 가지고 처리하는 방식이다.

이 개념은 1960년 중엽에 유행한 시뮬레이션 언어의 SIMURA에서 유래한 것이다. 모든 데이터를 객체(object)로 취급하며, 객체에는 클래스(class : 類)라는 개념과 클래스의 구체적인 예가 인스턴스(instance)의 개념이 있어서, 상위(上位)와 하위(下位)의 관계가 된다.

객체 사이는 메시지의 송수신으로 상호 통신한다. 가장 특징적인 것은 각 클래스에 그 메시지를 처리하기 위한 방식이 있다는 것이다. 어떤 인스턴스에 메시지가 도래하면 그 상위 클래스가 그것을 처리한다. 현재 객체지향개념은 프레임 표현형식과 융합하여 인공지능을 위한 소프트웨어 기법(技法)의 하나로 되어 있다.

객체지향프로그램은 C, Pascal, BASIC 등과 같은 절차적 언어(procedure-oriented programming)가 크고 복잡한 프로그램을 구축하기 어렵다는 문제점을 해결하기 위해 탄생된 것이다.

절차적 언어에서는 코드 전체를 여러 개의 기능부분 즉, 출력하는 기능 부분과 사용자로부터 입력을 받는 기능 부분 등으로 분할하는데, 이와 같이 각 기능부분을 구성하는 코드를 모듈이라고 한다. 절차 지향적 언어에서는 프로그램을 여러 기능부분으로 나누고 이들 모듈을 편성하여 프로그램을 작성할 경우, 각 모듈이 처리하는 데이터에 대해서는 전혀 고려하지 않는다. 다시 말하면 데이터 취급이 완전하지 않고 현실 세계의 문제를 프로그램으로서 표현하는 것이 곤란하다.

이러한 절차 지향적 프로그래밍이 가지는 문제를 해결하기 위해 탄생된 객체지향 프로그래밍은 객체라는 작은 단위로 모든 처리를 행하는 방법으로, 모든 처리는 객체에 대한 요구의 형태로 표현되며, 요구를 받은 객체는 자기 자신 내에 기술되어 있는 처리를 실행한다. 이 방법으로 프로그램을 작성할 경우 프로그램이 단순화되고, 생산성과 신뢰성이 높은 시스템을 구축할 수 있다.

➢ Software 분석/설계 방법론(Paradigm) 비교

분석/설계 방법론	Program을 보는 관점(View)	분석할 때의 강조점	사례
구조(중심)적분석 자료흐름도; DFD (Data Flow Diagram) 자료사전; DD (Data Dictionary)	자료+Process(함수) 기능(Method) 중심의 관점	> 자료보다 함수(기능)에 중점 > Process(기능)를 먼저 정하고 > Process(기능)에 대한 > 입출력을 나중에 정함	Structured Analysis SREM
정보공학방법론 개체관계도; ERD (Entity Relation Diagram)	자료+Process(함수) 자료(Data:속성) 중심의 관점	>자료들 사이의 관계를 우선파악 >자료에 대한 Operation Pattern으로 >Business 기능을 분석하여 Process를 Grouping	Information Engineering
객체 지향(중심) 분석 UML(Unified Modeling Lang.) Diagram	객체 + 객체 + ... :자료(Data:속성)와 기능(Method)을 함께 추상화한 객체(속성,Method) 중심의 관점	> 객체= 자료+ 함수(Process) >or객체= 자료 (Data:속성) > + 기능(Method) > >System= 객체들의 모임 >객체와 객체 사이의 >관계 파악이 중요	RUP OMT Fusion 51

8.3.2 소프트웨어 시스템의 설계목표와 원리, 객체지향 소프트웨어 개발공정

이 절에서는 IT기술의 꽃, 심장이라고 할 수 있는 프로그램, 즉 양질의 좋은 소프트웨어를 작성하려고 할 때 유념해야하는 설계 목표와 원리, 그리고 평가기준에 대하여 생각해본다.

➢ SW의 설계 목표와 원리, 객체지향 SW개발 공정

- ➢IT기술의 심장: Program, Software
  - ➢Software의 정의(Definition)와 특성
  - ➢좋은 Software의 조건(Software 품질: Quality)
- ➢Software System의 설계 원리와 목표, 평가 기준
  - ➢설계 원리: 추상화(Abstraction)와 단계적 정제
  - ➢설계 평가의 기준: 분할(Module화)
    - ➢Module 응집도와 Module 결합도
  - ➢설계 목표: 통합과 구조화
    - ➢분할된 Module들의 효율적 계층구조설계
  - ➢Software 개발방법론(Paradigm) 비교
  - ➢객체지향분석/설계 방법론(Paradigm)의 특징
- ➢객체지향 Software 개발 공정(RUP)
  - ➢SW부품(Component)과 라이브러리(Library)
  - ➢CBD(Component Based Development)와 API
  - ➢Open API를 활용한 매시업(Mashup) 서비스 사례

➢ Software의 정의(Definition)

- ➢Program +
- ➢Program의 개발, 운용, 유지보수에 필요한 정보 일체
  - ➢Software 개발과정에서 생산된 결과물(Output) 일체
  - ➢문서화 자료 포함

3

➢ Software의 특성

- ➢순응성(Conformity)
  - ➢사용자 요구나 환경에 따라 적절히 변화, 발전해야 한다.
- ➢변경성(Changeability)
  - ➢수정이 가능해야 하고
- ➢Test 가능(Testability)
  - ➢수정 후에는 시험이 가능해야 한다.

4

➢ Software의 특성

- ➢보존성(Longevity)
  - ➢그러나 한번 개발된 후에는
  - ➢다른 공산품처럼 마모에 의해 소멸되지 않고
- ➢극히 적은 비용으로 무한 복제 가능(Duplicability)
  - ➢S/W의 가격은
    - ➢추가되는 원료의 가격이 없다.
      - ➢ 복제하는 CD 가격만 추가하면 된다.
    - ➢책상, 건물, 옷 등은 추가되는 원료의 가격이 높다.
    - ➢1개의 가격과 1,000,000개의 가격이 같다
  - ➢경제적으로 높은 부가가치를 가진다.

6

일반적으로 소프트웨어의 가격은 높은 부가가치를 가지며, 소프트웨어의 특성은 극히 적은 비용으로 무한 복제가 가능하기 때문에 소프트웨어 생산량이 많아짐에 따라 추가되는 원료의 가격이 없다.(책상, 건물, 옷 등은 생산량이 많아짐에 따라 추가되는 원료의 가격이 높다.) 따라서 소프트웨어 제품 1개의 가격과 1,000,000개의 가격이 같다.(CD 등 소프트웨어를 담을 기억장치의 가격만 추가)

소프트웨어는 사용자 요구나 환경에 따라 적절히 변화해야 한다는 순응성(Conformity)을 가져야하기 때문에, 언제나 시험이 가능하고 수정이 가능한 변경성(Changeability)을 가진다.

또한 응용 소프트웨어는 컴퓨터 관련지식(Computer Domain Knowledge)과 응용분야 관련 지식(Application Domain Knowledge)이 동시에 필요하기 때문에 응용분야에 의존적(Application Dependability)인 특성을 가진다(예 : 세무 정보시스템을 개발하려면 Computer 관련 지식+세무 관련 지식이 필수).

그러므로 소프트웨어는 컴퓨터 관련 전문가 혼자만의 능력으로 개발되기는 어렵고 다양한 분야의 전문가들과 협동 작업이 필요하다. 따라서 진정한 IT 융합기술을 실현하는 창의적인 소프트웨어를 개발하려면 두 가지 관련지식을 필수적으로 가져야 한다. 응용분야의 지식을 가진 다양한 전공분야의 전문가들이 IT기술에 대한 지식을 이해하고 소프트웨어개발에 참여해야 할 이유가 바로 여기에 있다.

컴퓨터와 IT기술이 주도하는 지식정보화사회에서 IT기술은 그 자체로 존재하기 보다는 다른 첨단 기술들과 융합되는 디지털 라이프(Digital Life), 디지털 컨버전스(Digital Convergence)를 통하여 급격하게 변화하고 있기 때문이다.

➢ Software의 특성

- ➢ **응용분야에 의존적 (Application Dependability)**
  - ➢ 다양한 응용(적용)분야 지식이 필수
- ➢ **응용(Application) Software개발 관련 지식**
- ➢ **Computer(IT)관련 지식(Computer Domain Knowledge)**
- ➢ +
- ➢ **응용(적용)분야 관련지식(Application Domain Knowledge)**
- ➢ 예) 세무 정보시스템을 개발하려면
  - ➢ Computer(IT)관련 지식 + 세무관련지식이 필수
  - ➢ 응용(적용)분야 인 세무 전문가의 참여가 필수
  - ➢ 그래서 IT융합기술의 분야에는
  - ➢ 응용(적용)분야 전문가의 참여가 필수

7

그러면 좋은 소프트웨어의 조건은 무엇인가? 좋은 소프트웨어는 Software를 바라보는 관점과 입장에 따라 품질에 대한 관점이 달라진다.

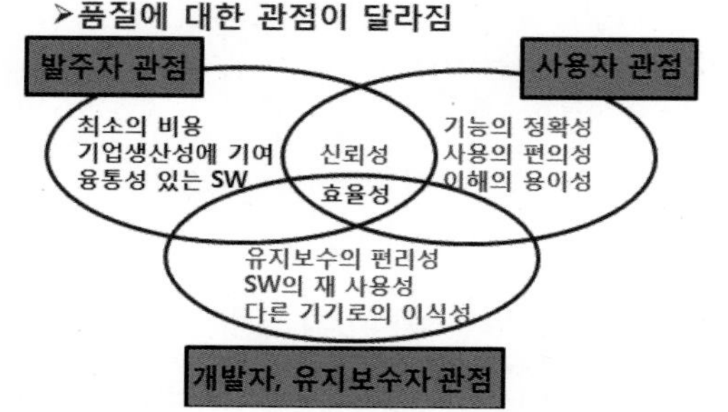

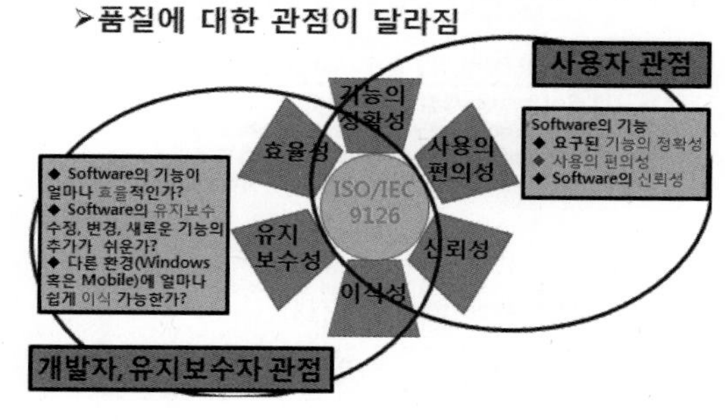

➢ 좋은 Software의 조건(SW 품질: Quality)

➢ 사용자 관점

➢1)정확성(Correctness)
- ➢원하는 기능이 정확하게 있는지
- ➢그 기능이 정확하게 동작하는지, 표준에 적합한지
- ➢요구 분석서의 기능과 일치하는지 점검

➢2)신뢰성(Reliability)
- ➢오류(Error), 정지(Failure)의 발생 빈도가 적은
- ➢제대로 작동할 확률이 높은 S/W System
- ➢정확성을 위한 필요조건

➢3)강인성(Robustness)
- ➢아주 드물게, 요구 분석서에 정의되지 않은 상황
- ➢(오류)에서도 제대로 작동하는 S/W System

➢ 좋은 Software의 조건(SW 품질: Quality)

➢ 사용자 관점

➢4)사용의 편의성(Usability)과 이해의 용이성
- ➢사용자가 System을 쉽고, 친근하게 느낄 수 있고
- ➢주된 사용자에 따라 달라질 수 있는 사용자 특성과
- ➢예) 어린이, 노인, 여성, IT환경의 초보자, 능숙자 등
- ➢여러 가지 인간적 특성(Human factor)을 고려한
- ➢편리한 사용자 환경(User Interface)의 우수성

➢ 개발자 관점

➢5)Algorithm의 효율성과 성능(Performance)
- ➢수행 속도, 시간 복잡도 등
- ➢문제 해결 방법(Algorithm)의 효율성
- ➢여러 번의 Simulation, Stress Test

➢ 좋은 Software의 조건(SW 품질: Quality)

➢ 개발자 관점

➢6)유지보수성(Maintainability)
- ➢보수성: 단기적 문제 해결
- ➢제한된 시간에 Software 오류를 해결할 수 있는 SW
- ➢유지보수가 용이하면 Software 비용이 감소

➢7) 유연성(Flexibility)
- ➢새로운 System 환경의 변화에 대한 영향이 적은 SW
- ➢진화성: 중, 장기적 문제 해결
- ➢운영체제(OS), 스마트폰과의 연동, 빅 데이터(Big Data), 인공지능(AI), 사물인터넷(IoT) 등
- ➢미래의 새로운 환경적 변화에 대한 적응과 계속적이고, 잠재적인 발전 가능성이 높은 SW

➢ 좋은 Software의 조건(SW 품질: Quality)

➢ 개발자 관점

➢8)재 사용성(ReUsability)

➢호환성, 재 사용성 증가를 위한 적응성(Adaptability)
- ➢동일한 SW를 여러 종류의 이 기종 System에서 재 사용할 수 있도록 Interface(구체적으로 인수(Parameter) 등)를 표준화
- ➢다른 SW에 열려 있는(Openness; Public) 개방(확장) 가능성
- ➢다른 SW에 닫혀 있는(Closeness; Private) 폐쇄(보호) 용이성

➢ 적응성이 이미 검증된 Library, Class 등 기존SW부품 재사용

➢ 적응성을 강조한 재사용 가능한 새로운 Component 개발

➢ 개발속도 향상, 개발비용 절감, 재 사용 품질향상을 위해

➢9)이식성(Portability)과 상호 운영성(InterOperability)
- ➢어떤 기종의 System에서 다른 기종의 System으로 이동
- ➢Network상에서 Platform에 상관없이 호환성(Compatibility)이 증가된 재 사용 가능한 S/W System

➢ SW의 설계 목표와 원리, 객체지향 SW개발 공정

➢IT기술의 심장: Program, Software
- ➢Software의 정의(Definition)와 특성
- ➢좋은 Software의 조건(Software 품질: Quality)

➢Software System의 설계 원리와 목표, 평가 기준
- ➢설계 원리: 추상화(Abstraction)와 단계적 정제
- ➢설계 평가의 기준: 분할(Module화)
  - ➢Module 응집도와 Module 결합도
- ➢설계 목표: 통합과 구조화
  - ➢분할된 Module들의 효율적 계층구조설계
- ➢Software 개발방법론(Paradigm) 비교
- ➢객체지향분석/설계 방법론(Paradigm)의 특징

➢객체지향 Software 개발 공정(RUP)
- ➢SW부품(Component)과 라이브러리(Library)
- ➢CBD(Component Based Development)와 API
- ➢Open API를 활용한 매시업(Mashup) 서비스 사례

➢ Software시스템의 설계원리(Design Principle)

➢추상화(Abstraction)의 원리
- ➢근본적인 본질에 집중

➢단계적 분해(Stepwise Refinement)
- ➢처음부터 자세한 것을 다루지 않고 단계적으로 분할하여 구체화

➢Module화(Modularization)
- ➢Program을 작고 독립적인 단위로 분할

➢정보 은닉(Information Hiding)
- ➢기능(특정 기능)을 수행하기 위해서
- ➢필요한 자료만을 하나의 함수 안에 정의하는 원리
- ➢즉 필요 없는 자료를 접근할 필요가 없다는 개념

➢ 추상화(Abstraction)의 원리

➢문제해결에 중요한 부분을 강조하는 **추상화(Abstraction) 기법이 시스템 설계에서 사용된다:**

➢추상화(Abstraction)의 원리
- ➢목적과 무관한 세부적인 것은 **생략하고,**
- ➢상대적으로 중요하지 않은 부분은 **버리고,**
- ➢중요하고 필수적인 부분만으로 문제를 단순화하여
- ➢가장 중요한(근본적인) 본질에 집중
- ➢복잡한 문제 ⇒ 추상화 ⇒ 간단한 개념
  - ➢특히 설계의 초기 단계에는
  - ➢System의 가장 중요한 기능과
  - ➢근본적인 구조에 집중한다.

➢ 추상화(Abstraction)의 원리

➢복잡한 문제 ⇒ 추상화 ⇒ 간단한 개념
- ➢덜 중요한 부분과 자세한 사항을 접어두고
- ➢가장 중요한(근본적인) 본질에 집중

➢예) 주택의 구조를 나타내는 평면도
- ➢지엽적이고 덜 중요한,
- ➢자세한 표현을 생략하고,
- ➢근본적인 개념(목조, 전원, 농가 주택 등)으로부터
- ➢전체적이고 큰 구조(방향, 크기, 위치)를 먼저 파악
- ➢중요한 구조만을 다각형과 선 등으로 간결하게 표현

16

➢ 추상화의 원리로 중요한 부분을 강조한 모형화

➢모형화(Modeling):

➢만들고자 하는 것을 추상화(가장 중요한 기능, 속성만을 표현)해서 미리 만들어보는 방법

➢모형화(Modeling) 표현 방법의 특징: 추상화
- ➢현실을 단순화, 가시화
- ➢관심 분야가 아니거나,
- ➢목적과 무관한 세부적인 것은 생략하여
- ➢중요하고 본질적이고, 필수적인 것만을 표현

➢ 추상화의 원리로 중요한 부분을 강조한 모형화

➢모형화(Modeling):

➢정의: 만들려고 하거나 표현하려고 하는 것을
- ➢1) 더 잘 이해하고, 분석하기 위해,
  - ➢1) 만들고자 하거나
  - ➢▶ 비행기, 자동차, 스마트 폰 시제품 등
  - ➢▶ 아파트 설계도, 모형도, 조감도 등
  - ➢2) 표현하고자 하거나
  - ➢▶ Fashion Show, 중요한 행사의 리허설 등
- ➢2) 그것을 **추상화(가장 중요한 기능, 속성만을 표현)** 해서 미리 만들어보는 방법

추상화를 통한 모형의 예: 각각 다른 관점의 지도

- Modeling 표현 방법의 특징: 추상화
  - 목적과 무관한 세부적인 것은 생략하고 단순화하여
  - 중요하고 본질적이고, 필수적인 것만을 표현

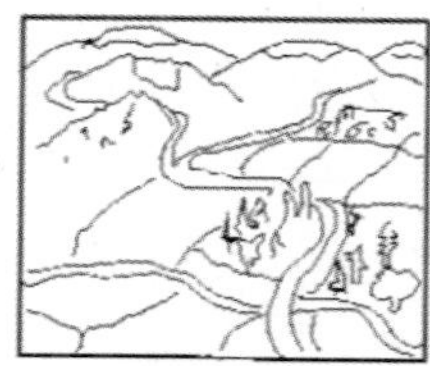

(a) 실제의 모습

(b) 불완전한 표현

추상화를 통한 모형의 예: 각각 다른 관점의 지도

- Modeling 표현 방법의 특징: 추상화
  - 목적과 무관한 세부적인 것은 생략하고 단순화하여
  - 중요하고 본질적이고, 필수적인 것만을 표현

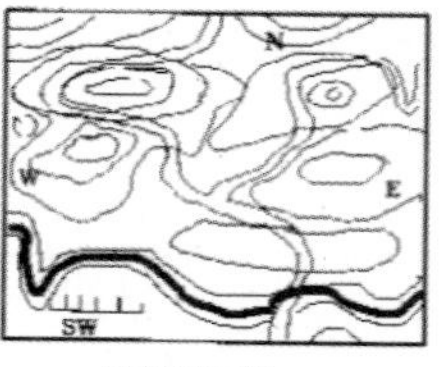

(c) 지형학적 표현

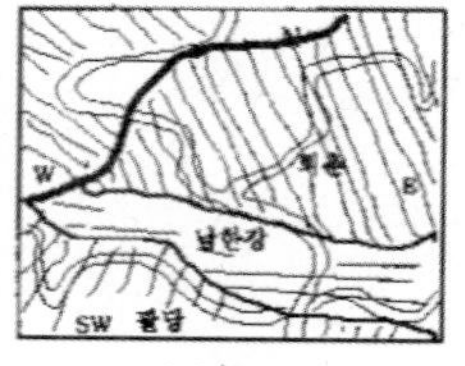

(d) 지질학적 표현

➢ 단계적 정제 혹은 분해(Stepwise Refinement)

- 단계적 정제 혹은 분해 과정
  - SW설계 초기단계는, 처음부터 자세한 것을 다루지 않고,
  - 가장 중요한(근본적인) 본질(기능)부터 시작해서
  - 전체적이고 근본적인 개념으로부터, 큰 구조를 먼저 파악해
  - System의 중요한 기능과 구조적인 속성만을 생각한다.
  - 점차적(단계적)으로 분할하면서 자세하게 구체화하는 방법.

- 적용 방법
  - 기능을 최대한 크게 생각하고 분류하여 큰 System으로 보고
  - 기본 설계 단계에서 Module에 대한 전체 구조를 설계하고
  - 계층적인 구조를 만들면서 점차적으로 구체화
  - 점차 Module에 대한 세부 사항으로 내려가며 구체화
  - 상세한 내역(Algorithm, 자료구조 등)은 가능하면 뒤로 미룸

➢ 단계적 정제 혹은 분해(Stepwise Refinement)

- 예) 작가의 글 쓰기
  - 예) 대하소설
  - 처음부터 무작정 글을 써 내려가는 것이 아니라
  - 1) 큰 주제를 선정하고
    - 큰 골격과 전체적인 구성을 먼저 생각한다.
    - 예를 들면 장 단위의 구상을 먼저 생각하고
  - 2) 처음에는 큰 문단 수준으로 전개하고
    - 점차 작은 문단 수준으로 전개한다.
    - 예를 들면 절 단위의 구상을 다음 단계에서 생각하고
  - 3) 점차 아주 자세한 하위 수준으로 전개해 나간다.
    - 그 다음에 구체적인 표현을 생각하고
    - 재미있게 살을 붙여나간다

22

➢ 단계적 정제 혹은 분해(Stepwise Refinement)

- 단계적 정제 혹은 분해
  (Stepwise Refinement):
- 예) 화가의 그림 그리기
  - 처음부터 무작정 그림을 세밀하게 그리는 것이 아니라
  - 1) 주제를 선정하고
  - 2) 큰 그림, 큰 구도를 먼저 잡고
  - 3) 점차적으로 세밀한 부분을 완성한다.

□예) 화가의 그림 그리기

➢ 단계적 정제 혹은 분해(Stepwise Refinement)

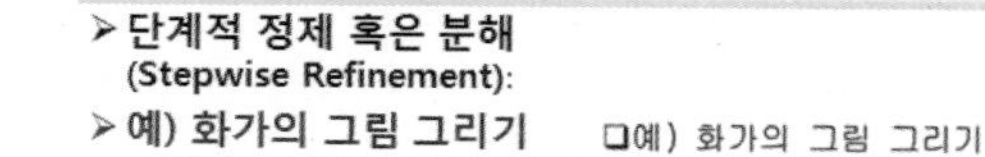

- 단계적 정제 혹은 분해
  (Stepwise Refinement):
- 예) 화가의 그림 그리기
  - 처음부터 무작정 그림을 세밀하게 그리는 것이 아니라
  - 1) 주제를 선정하고
  - 2) 큰 그림, 큰 구도를 먼저 잡고
  - 3) 점차적으로 세밀한 부분을 완성한다.

□예) 화가의 그림 그리기

> 단계적 정제 혹은 분해(Stepwise Refinement)

- Software의 설계도 같은 개념으로 접근
  - 처음에는 간단한 기능을 가진 큰 단위의 Module로 만들고
  - 점차 점차 작은 단위의 Module로 세분화, 추가해 나간다

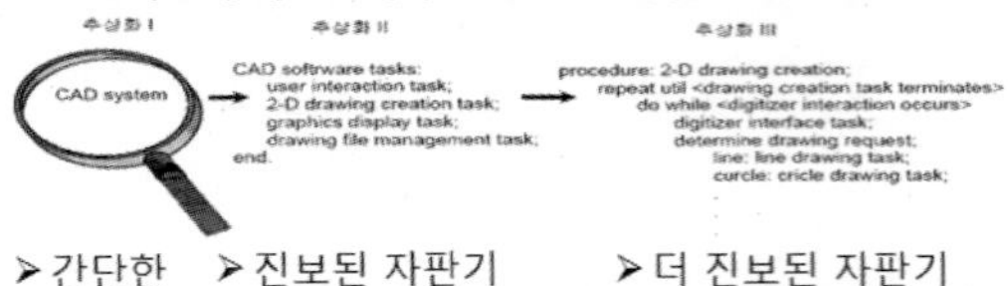

- 간단한 자판기
- 진보된 자판기
  - 최신 자료를 외부DB에서 읽어올 수 있는 모듈 추가
- 더 진보된 자판기
  - 최신 자료를 외부 DB에서 읽어올 수 있는 모듈 추가
  - 음성합성 모듈 추가
  - 음성인식 모듈 추가
  - 얼굴인식 모듈 추가

24

> 단계적 정제 혹은 분해(Stepwise Refinement)

- Software의 설계도 같은 개념으로 접근
  - 처음에는 간단한 기능을 가진 Module로 만들고
  - 점차, 작은 단위의 Module로 세분화해서, 추가해 나간다
- 1)가능하면 검증된 Library, Class 등 기존 SW부품 재사용
- 2)기존부품이 없으면 재사용가능한 새로운 Component개발

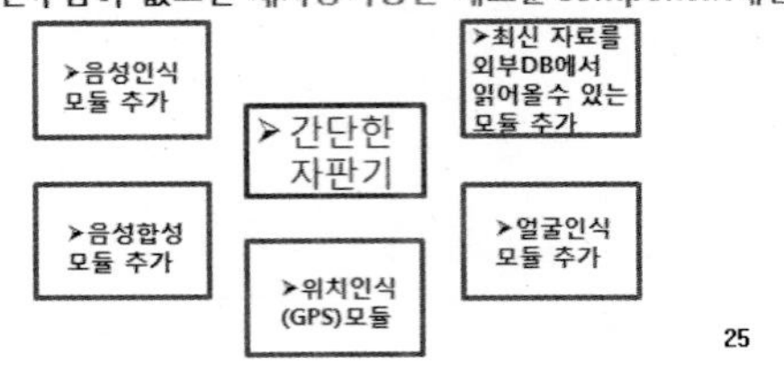

25

> 단계적 정제 혹은 분해(Stepwise Refinement)

- 단계적 정제 과정
  - 기능을 최대한 크게 생각하고 분류하여 설계하고
  - 계층적인 구조를 만들면서 점차적으로 구체화
  - 상세한 내역(Algorithm)은 뒤로 미룸
- 주택의 구조에 대한 적용
  - 기본 설계 단계에서
  - Module에 대한 전체 구조설계
  - 점차
  - 부분적인 Module에
  - 대한 세부 사항을 구체화
  - 예) 하나 하나의 방

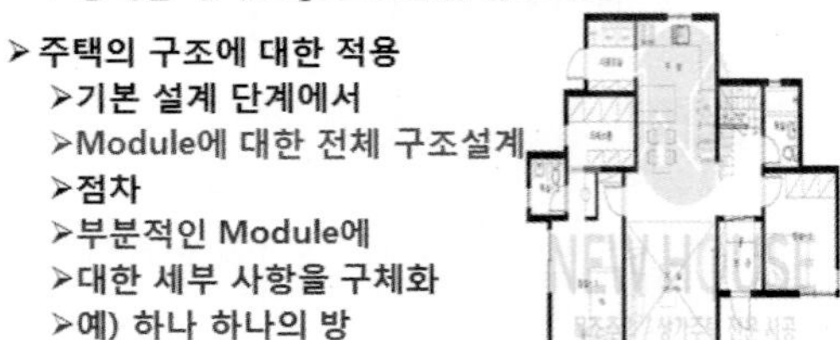

> Software시스템의 설계원리(Design Principle)

- 추상화(Abstraction)의 원리
  - 근본적인 본질에 집중
- 단계적 분해(Stepwise Refinement)
  - 처음부터 자세한 것을 다루지 않고 단계적으로 분할하여 구체화
- Module화(Modularization)
  - Program을 작고 독립적인 단위로 분할
- 정보 은닉(Information Hiding)
  - 기능(특정 기능)을 수행하기 위해서
  - 필요한 자료만을 하나의 함수 안에 정의하는 원리
  - 즉 필요 없는 자료를 접근할 필요가 없다는 개념

(1) 모듈(Module)

소프트웨어나 하드웨어의 일부로, 큰 전체 시스템 및 체계 중 다른 구성 요소와 독립적인 하나의 구성 요소를 말한다. 컴퓨터 분야에서의 모듈이란 독립적인 하나의 소프트웨어 혹은 하드웨어 요소를 말하며, 각각 다음과 같은 개념을 의미한다.

① 소프트웨어 모듈

프로그램의 기능을 독립적인 부품으로 분리한 것을 모듈이라고 하며, 모듈화 프로그래밍이란 이러한 분리를 강조하여 유지 보수와 타 프로그램에서의 코드 재사용을 손쉽게 하는 소프트웨어 설계 기법을 말한다. 모듈은 일반적으로 서브루틴과 데이터 구조의 집합체로서, 그 자체로서 컴파일 가능한 단위이며, 재사용 가능하고 동시에 여러 다른 모듈의 개발에 사용될 수 있다. 모듈의 인터페이스는 모듈에 의해 제공되거나 필요로 되는 요소들을 표현한다. 모듈의 개념을 명시적으로 지원하는 언어로는 Ada, FORTRAN, Pascal, Python, Ruby 등

이 있으며, 일반적으로 프로그래밍 언어에 따라 모듈의 개념을 패키지라 부르기도 하며 그 규모도 언어마다 상이하다.

② 하드웨어 모듈

컴퓨터 하드웨어나 전자공학에서의 모듈은 컴퓨터 내에서 기본적인 기능을 제공하기 위해 하나의 회로 보드로 패키지화 된 독립적인 전자 회로, 혹은 큰 장치 내에서 독립적으로 설치 및 교체되고 사용되도록 설계된 작은 구성요소를 말한다. 예를 들어 NOT 게이트와 같이 더 큰 논리 유닛을 만들기 위한 기본 논리 회로나, RAM과 같은 메모리 모듈을 모두 하드웨어 모듈로 볼 수 있다.

*〈참고〉 : [네이버 지식백과, '모듈(module), 두산백과]

➢ 시스템의 분할과 Module화

- ➢ Module화(Modularization)
  - ➢(엑셀 등과 같이 여러 가지 기능을 가진)
  - ➢복잡한 대형 Program을 개발하려고 하면
  - ➢작게 분할하는 것이 개발하기도 쉽고,
  - ➢유지 보수 관리하기에도 쉽기 때문에
  - ➢작고 독립적인 기능을 가진 단위로 분할 후 정복(Divide & Conquer)하는 전략을 사용하게 되는데
  - ➢이때 분할하는 과정을 Module화(Modularization)
  - ➢기능적으로 분할된 독립적 기능 시스템을 Module(대형 System 을 이루는 작은 구성요소) 이라 한다.
- ➢ 이것은 비단 SW의 개발 방법뿐만 아니라
  - ➢모든 복잡한 시스템(프로젝트)을 보다 더 잘 이해하고, 쉽게 관리 가능하게 하는 일반적인 접근 방법이다.

15

➢ 시스템의 분할과 Module화

- ➢ Module :
  - ➢독립적인 기능을 가진 단위(Sub Program)로 분할한
  - ➢기능적으로 독립된 서브 시스템을 Module이라 한다.
  - ➢대형 Software를 이루는 작은 구성요소(Program)
  - ➢각 Module은 분명한 한 가지 기능역할만 수행해야 한다
  - ➢Ex) EXCEL의 함수(Function), 자동차 부품,
  - ➢Ex) 스마트 폰 부품(홍체 인식 카메라 모듈)
- ➢ 함수(Function) 혹은 Module 은
  - ➢ 많은 사람들이 자주 사용하는 기능을
  - ➢ 사용자가 이름만 호출하면 편리하게 사용할 수 있도록
  - ➢ 미리 작성해 둔 기능적으로 독립된 작은 Program
- ➢ EXCEL은 Module화 된 Program인 함수들의 집합

16

➢ 시스템의 분할과 Module화

- ➢Module화(Modularization)의 장점
  - ➢기능적으로 독립된, 동일한 기능의 패턴을
  - ➢복잡한 IF문장이나 GO TO 문장의 사용으로 Main Program속으로 직접 포함시켜 가져오거나
  - ➢여러 가지 다른 형태로 처리하는 것은
  - ➢Program의 구조를 혼란스럽고 복잡하게 하고
  - ➢따라서 유지보수가 매우 복잡하다.
  - ➢동일한 기능의 패턴을 반복적으로 수행한다면
  - ➢새로운 기능의 함수로 분리하여 Module화하고
  - ➢그 Module을 호출하여 반복 수행하는 것이 좋다.
    - ➢예) 음성 인식, 음성합성, 지문인식, 홍채인식,
    - ➢위치인식(GPS) 모듈

17

➢ 시스템의 분할과 Module화

- ➢Module화(Modularization)의 장점
  - ➢Module은 기능적으로 독립된 작은 Program이므로 쉽게 작성 가능하고,
  - ➢또 한번 개발된 기능적으로 독립된 Module(Program)을
  - ➢여러 종류의 메인 Program에서 호출하여 사용하면 많은 사람들이, 그 기능을 쉽게 재 사용 할 수 있다.
    - ➢예) 음성 인식, 음성합성, 지문인식, 홍채인식 모듈
  - ➢문제 발생 시에도 쉽게 교체 가능한 자동차의 부품, 전자제품, 스마트폰의 부품처럼 쉽게 교체 가능하다.
- ➢ Module화는
  - ➢System 복잡도(Complexity)의 문제를 해결해 주며
  - ➢System의 유지 보수와 수정을 용이하게 하여준다.

18

➢ 시스템의 분할과 구조화(Design Objectives)

- ➢ 1. 시스템의 분할:
  - ➢ 대형 Program은 작은 단위로 나누어 별도로 작성하고 별도로 검사(Test)한다.
  - ➢ 입출력(공통적 기능)은 별도로 모아서 독립된 Module로 만든다.
- ➢ 2. 시스템의 구조화:
  - ➢ Software 구성 요소(Module)들 사이에
  - ➢ 효과적인 제어를 가능하게 하는 계층 구조를 가져야 한다.

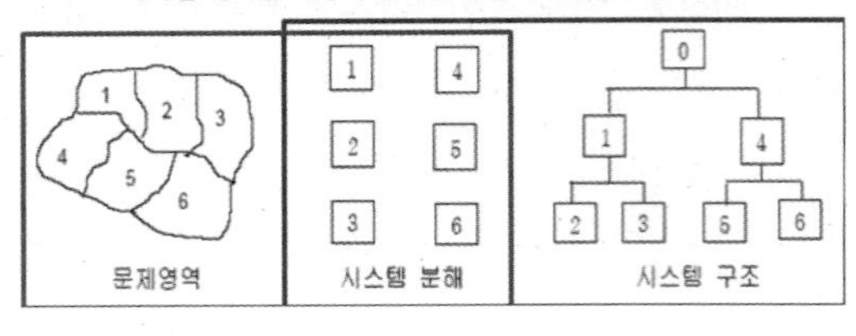

➢ 시스템의 분할과 Module화

- ➢ System의 분해를 어떻게 할 것인가?

- ➢ **Module :**
  - ➢ **Module의 크기에 대한 견해는 매우 다양**
  - ➢ **소규모 System: Class, 함수(Function), Subroutine**
  - ➢ **대규모 System: 독립 Program (하나의 수행 File)**

- ➢ **문제영역은 논리적,기능적으로 분할되어**
- ➢ **Module화 되어야 한다**
  - ➢ ▶ **Module 내부의 응집도는 높아야 하고,**
  - ➢ ▶ **Module 간의 결합도는 최소화 되도록**

20

➢ Module화 설계 평가의 기준

- ➢ 높은 품질의 Software를 얻기 위해
- ➢ 설계 단계에서 고려되어야 하는 Module의 특징
  - ➢ 기능적 독립성,
  - ➢ 응집도,
  - ➢ 결합도,
  - ➢ 이해도, 적응도 등
- ➢ **Module 응집도(Module Cohesion)**
  - ➢ Module 안의 요소들이 강한 응집력을 갖도록 설계
- ➢ **Module 결합도(Module Coupling)**
  - ➢ 다른 Module들과 상호간에
  - ➢ 결합도가 약한 Module이 되도록 설계

➢ Module 응집도

- ➢ **Module 응집도(Module Cohesion)**
- ➢ **하나의 Module 안에 여러 가지 기능을 합쳐 놓으면**
  - ➢ **1) 이해성이 떨어지고 유지보수가 어렵다**
  - ➢ **2) 기능의 정확한 Test가 어렵고**
    - ➢ 앞의 기능이 변경되었을 때 뒤의 기능에 영향
    - ➢ 오류를 일으킬 가능성이 증가하며,
    - ➢ 시험하기도 어렵게 된다.
  - ➢ **3) 또한, 재 사용의 가능성이 줄어 든다**
    - ➢ 단일 목적의 기능이 아니므로

➢ Module 응집도

- ➢ **Module 응집도(Module Cohesion)**
- ➢ Module 안의 구성 요소들이 공동의 목적을 달성하기 위하여 관련되어 있는 정도
  - ➢ **Module들은 공통의 목적을 가져야 한다.**
    - ➢ **한 문단에 하나의 주제 (일관된 중심사상 전개)**
  - ➢ **Module의 기능이 짧은 문장 하나로 정의되도록 한다.**
    - ➢ **문장이 한 개의 동사와 목적어로 표현**
- ➢ **목 표: 하나의 Module이 하나의 기능을 갖도록 설계**
  - ➢ 예) 보고서출력과계산결과저장: **Module**
    - ➢ 최종 보고서를 출력하고, 계산 결과를 디스크에 저장
    - ➢ 두 개의 기능을 분리하여 두 개의 Module로 분리
    - ➢ 예) 보고서출력: **Module**과, 계산결과저장: **Module**로 분리
- ➢ 참고: **Myers의 응집도 7단계**

➢ Module 응집도

- ➢ **Module 응집도(Module Cohesion)**
- ➢ **하나의 Module이 하나의 기능을 가지는 높은 응집도는**
  - ➢ **Module의 기능적 독립성을 높여주며**
  - ➢ **Software의 수정과 확장을 용이하게 해주는**
  - ➢ **고품질의 Software를 만드는 기준이 된다.**
- ➢ **응집도는 Module을 중심으로 분류되기도 하지만**
  - ➢ **System에 사용되는 객체(또는 Data)를 중심으로**
  - ➢ **응집도가 분류될 수 도 있다.**

- ➢ **객체 지향 개발 방법은**
  - ➢ **객체의 속성(Data)과 메소드(동작)을 함께 묶어**
  - ➢ **객체를 정의함으로써 높은 응집도를 얻을수있는 방법**

➢ Module 결합도

➢ Module 결합도(Module Coupling)
➢ Module은 하나의 Black Box로
  ➢다른 Module과의 독립성이 높아야 하지만
  ➢Module 간에 상호 협력하여
  System의 공동목표 기능을 완수해야 하기 때문에
  상호관계는 어느 정도는 필수적
➢ 그러나 Module 간에 관계가 많으면(결합도가 높을수록)
  ➢1)System 설계가 복잡해지며
  ➢2)한 Module의 변화가 다른 Module에도 영향을 주는 파급 효과(Ripple effect)를 일으키게 된다.
  ➢3)파급 효과가 클수록 System을 유지보수하기 어렵다

➢ Module 결합도

➢ Module들 상호간의 결합도(Module Coupling)
  ➢Module 사이의 상호 연관, 의존성의 지표
  ➢Module들 사이의 상호 교류가 많고
  서로의 의존도가 높을수록
  ➢특히, 기능이 정확히 나누어져 있지 않을 때
  ➢Module 사이의 의존도는 높아지고 결합도는 증가

➢ 결합도(Coupling) 는
  ➢Program 요소들 사이의
  ➢Module의 독립성 및 응집도와 밀접한 관계

➢ Module의 수와 크기

➢ Module의 수가 상대적으로 증가하면
➢응집도와 결합도는 어떻게 될까?
  ➢상대적으로 각 Module의 크기는 감소하며
  ➢응집도는 높아진다
  ➢Module들 사이의 상호 교류가 증가하여,
  ➢결합도가 높아진다

➢ Module의 수가 상대적으로 감소하면
➢응집도와 결합도는 어떻게 될까?
  ➢상대적으로 각 Module의 크기는 증가하며
  ➢응집도는 낮아진다
  ➢Module들 사이의 상호 교류는 감소하여,
  ➢결합도가 낮아진다

27

➢ Software시스템의 설계원리(Design Principle)

➢ 추상화(Abstraction)의 원리
  ➢근본적인 본질에 집중

➢ 단계적 분해(Stepwise Refinement)
  ➢처음부터 자세한 것을 다루지 않고
  단계적으로 분할하여 구체화

➢ Module화(Modularization)
  ➢Program을 작고 독립적인 단위로 분할
➢ 정보 은닉(Information Hiding)
  ➢기능(특정 기능)을 수행하기 위해서
  ➢필요한 자료만을 하나의 함수 안에 정의하는 원리
  ➢즉 필요 없는 자료를 접근할 필요가 없다는 개념

➢ Parnas의 정보 은닉(Information Hiding)

➢ Module 을 Black Box화
  ➢Module의 속성(자료값)과 메소드(기능)등 자세한 내용이
  ➢다른 Module(Class)에게 감추어져 있어
  ➢다른 Module이 접근하거나 변경하지 못하도록 한다.
  ➢오직 일정한 Interface로만 Message를 전달한다.
➢ 정보 은닉은 Module(Class)들 사이의 독립성을 유지
  ➢Module 자체의 이해도를 높이고
  ➢하나의 Module이 변경되더라도
  ➢다른 Module에 영향을 주지 않는다.
➢ Module(Class) 단위의 수정, 시험, 유지보수에 큰 장점
  ➢Module의 작성, 수정, 교체를 독립적으로 할 수 있고
  ➢Module 설계 평가의 기초가 된다.

➢ 캡슐화(Encapsulation): 클래스(Class)의 특징

➢ 정보 은닉의 방법: 캡슐화(Encapsulation)
  ➢개별 Module(Class)에서 필요한 속성과 Method를
  ➢각각의 개별 Module(Class)에서
  ➢하나의 독립된 캡슐 상태로 유지하여 직접 관리한다.
  ➢외부 Module(Class)에서
  ➢알 필요가 없는 정보는 감추고
  ➢함부로 접근하거나 변경하는 것이 불가능 하다.
➢ 객체지향언어에 기본적으로 포함되어 있다.
  ➢자료나 함수에 접근할 수 있는 권한을
  ➢Class에 정의
  ➢예) Public Class, Private Class
  ➢예) 전역변수, Class(모듈, Form)변수, 지역 변수

➢ 캡슐화(Encapsulation)

➢정보 은닉의 방법: 캡슐화(Encapsulation)
- ➢Class 안에 정의된 자료를 외부에서 알 수 없도록 보호
  - ➢오직 일정한, 잘 정의된 Interface로만 서로 소통

➢캡슐화와 정보 은닉을 통한 추상화는
- ➢Module 자체의 이해도를 높이고
- ➢하나의 Module이 변경되더라도
- ➢다른 Module에 영향을 주지 않는다.

➢ Module들 상호간의 독립성 향상으로 변경과 교체가 쉽다.
- ➢예) SW를 설계할 때 계층구조를 이용하여 설계하는 것도
- ➢(상위, 하위 Module 간)계층들 사이의 정보 은닉을 통하여 Module들 상호간의 독립성 향상을 얻기 위함
  - ➢예) 통신 System의 7 계층, 운영체제의 계층화 등

➢ 분할된 Module들을 효율적 계층구조로 구조화

➢ System 구조도(Structure Chart)
- ➢1) Module화를 통한 Program의 분할
- ➢2) 분할된 Module들을 효율적 계층구조로 재구조화
- ➢효율적 계층구조로 캡슐화와 정보 은닉을 통한 추상화는
- ➢Module들 상호간의 독립성 향상으로 변경과 교체가 쉽다.

➢ 과다한 깊이와 너비를 가진 구조도의 예

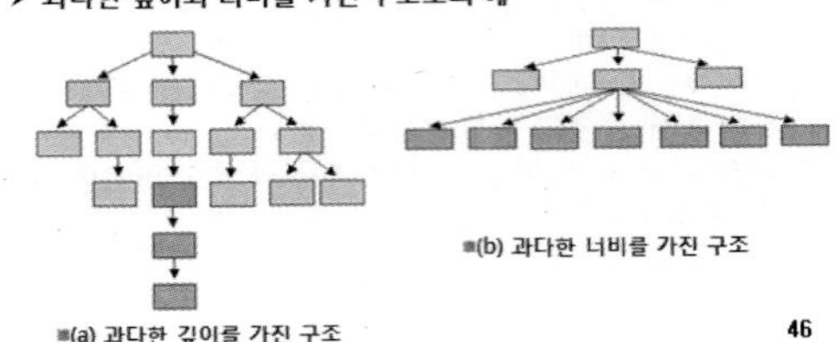

■(a) 과다한 깊이를 가진 구조

■(b) 과다한 너비를 가진 구조

46

➢ 분할된 Module들을 효율적 계층구조로 구조화

➢ 주(主) 프로그램 : Main (Calling) Program
- ➢프로그램의 전체골격이 되는 중요한 명령들이 있는 부분으로
- ➢서브프로그램과 함께 전체적인 프로그램을 구성한다.

➢ 부(副) 프로그램 : Sub (Called) Program
- ➢주 프로그램 안에서
- ➢독립적으로 특정한 기능을 수행할 수 있는
- ➢(부품 역할을 수행하는) 작은 프로그램.
- ➢장점: 이런 방식으로 처리하면,
- ➢한 번 작성된 동일한 기능(Function)의 작은 프로그램이,
- ➢여러 가지 프로그램의 여러 곳에서
- ➢필요할 때 마다 호출될 수 있고
- ➢호출될 때 마다(Called) 반복 실행 가능하다.
- ➢비슷한 말: 서브루틴, 함수, 프로시저, 클래스, 객체, 라이브러리

32

➢ 분할된 Module들을 효율적 계층구조로 구조화

➢ 주 Program(Main Program)
- ➢호출 Program(Calling Program):

➢ 부 Program(모듈: Module)
- ➢피 호출 Program(Called Program)
- ➢ =Sub Program =Subroutine
- ➢ =함수(Function) =Procedure
- ➢비슷한 말: 서브루틴, 함수, 프로시저,
- ➢비슷한 말: 클래스, 객체, 라이브러리
- ➢Procedure:
  - ➢일반적으로 어떤 행동을 수행하기 위한 일련의 작업순서를 말하는데,
  - ➢루틴이나 서브루틴 및 함수와 같은 뜻이다.
  - ➢프로시저는 특정 작업을 수행하기 위한
  - ➢Program의 일부이다.

48

➢ SW의 설계 목표와 원리, 객체지향 SW개발 공정

➢IT기술의 심장: Program, Software
- ➢Software의 정의(Definition)와 특성
- ➢좋은 Software의 조건(Software 품질: Quality)

➢Software System의 설계 원리와 목표, 평가 기준
- ➢설계 원리: 추상화(Abstraction)와 단계적 정제
- ➢설계 평가의 기준: 분할(Module화)
  - ➢Module 응집도와 Module 결합도
- ➢설계 목표: 통합과 구조화
  - ➢분할된 Module들의 효율적 계층구조설계
- ➢Software 개발방법론(Paradigm) 비교
- ➢객체지향분석/설계 방법론(Paradigm)의 특징

➢객체지향 Software 개발 공정(RUP)
- ➢SW부품(Component)과 라이브러리(Library)
- ➢CBD(Component Based Development)와 API
- ➢Open API를 활용한 매시업(Mashup) 서비스 사례

➢ System의 분해 or 분할(Decomposition)

➢분할 후 정복(Divide & Conquer):
- ➢복잡한 작업 과정을 효율적으로 처리하는 일반적 방법
- ➢문제 영역을 이해 가능하고 처리 가능한 단위로 분해하여 하나 하나 해결해 나가는 방식

➢구조적 분석과 객체 지향적 분석 방법의 차이
- ➢구조적 분석(Structured analysis)
  - ➢처리 과정(Processes) 혹은 기능(Functions) 단위로 분할
- ➢객체 지향적 분석(Object Oriented analysis)
  - ➢사물(Things) 혹은 개체(Entities) 단위로 분할
  - ➢= 개념적 Class(or Object)
  - ➢객체들의 모임, 집합 = SW System

35

➤ Software 분석/설계 방법론(Paradigm) 비교

분석/설계 방법론	Program을 보는 관점(View)	분석할 때의 강조점	사례
구조(중심)적분석 자료흐름도; DFD (Data Flow Diagram) 자료사전; DD (Data Dictionary)	자료+Process(함수) 기능(Method) 중심의 관점	> 자료보다 함수(기능)에 중점 > Process(기능)를 먼저 정하고 > Process(기능)에 대한 > 입출력을 나중에 정함	Structured Analysis SREM
정보공학방법론 개체관계도; ERD (Entity Relation Diagram)	자료+Process(함수) 자료(Data:속성) 중심의 관점	>자료들 사이의 관계를 우선파악 >자료에 대한 Operation Pattern으로 >Business 기능을 분석하여 Process를 Grouping	Information Engineering
객체 지향(중심) 분석 UML(Unified Modeling Lang.) Diagram	객체 + 객체 + ... :자료(Data:속성)와 기능(Method)을 함께 추상화한 객체(속성,Method) 중심의 관점	> 객체= 자료+ 함수(Process) >or객체= 자료 (Data:속성) > + 기능(Method) >System= 객체들의 모임 >객체와 객체 사이의 >관계 파악이 중요	RUP OMT Fusion 36

➤ 객체지향분석/설계 방법론(Paradigm)의 특징

➤ 객체 지향 언어의 아버지 - 'Simula' 캡슐화와 상속성을 최초 도입

➤ 객체 지향 Programming(OOP)의 5대 특징

- ➤ 상속성(Inheritance)
  - ➤ 대표객체(Class: 이미 잘 만들어둔 Program)의 속성과 메소드를
  - ➤ 똑같이 복사하여 자식객체(Instance)를 쉽게 만들 수 있는 상속성,
- ➤ 재 사용성(Reusability)
  - ➤ 자식객체(Instance)를 속성과 메소드만 변경(수정)하여
  - ➤ 다른 Program에서 다 목적으로 다시 사용하는 재 사용성
- ➤ 캡슐화(Encapsulation) & 정보은닉(Information Hiding)
  - ➤ 객체(Class)들 상호간의 독립성 향상으로 변경과 교체가 쉽도록
  - ➤ Program을 객체(Class)단위로 캡슐화 하여,
  - ➤ 객체(Class) 외부에서 알 필요가 없는 정보를 감추는 정보은닉,
- ➤ 다형성(Polymorphism)
  - ➤ 연관된 기능을 하나의 이름으로 각각 다르게 사용하는 다형성

➤ 객체지향 SW 개발 공정 (RUP)

➤ RUP는 객체지향 SW개발 공정의 사실상 표준(De Facto)

- ➤ 1) SW의 전체적인 구조(Architecture) 중심 설계
  - ➤ System을구성하는 Module들의 전체구조를 효율적으로 구성
  - ➤ 이해가 용이, 유연성이 증대, 확장성이 우수한 제품 개발
- ➤ 2) 사용 사례(Use Case)에 의한 구동(驅動 ; Drive)
  - ➤ 요구사항을 조기 정립하여 전체공정을 효율적으로 운용
- ➤ 3) CBD(Component 지향 SW 설계)
  - ➤ 재사용 가능한 검증된 Component의 사용(조립)과 개발
  - ➤ 개발속도 향상, 개발비용 절감, 품질향상
  - ➤ Software부품(Component)들과 Library
  - ➤ CBD(Component Based Development)
  - ➤ Software부품(Component)들의 연결과 API
  - ➤ Open API를 활용한 매시업(Mashup) 서비스 사례
- ➤ 4) 반복 및 점증적 개발로 위험을 최소화

➤ 객체지향분석/설계 방법론(Paradigm)의 특징

- ➤ 객체 지향 Programming(OOP, Object-Oriented Programming)
  - ➤ 순서대로 처리되는 복잡한 절차 지향 언어(C 등)와 다르게
  - ➤ 순서와 상관없이 필요할 때,
  - ➤ 동작의 주체인 객체(Module단위 Program) 단위로
  - ➤ 설계하고, 실행되는 객체 중심 Programming
  - ➤ 객체단위로 Program의 작성,수정,시험,교체를
  - ➤ 독립적으로 할 수 있으므로
  - ➤ 재 사용성, 유지 보수성, 이식성, 상호 운영성, 유연성, 신뢰성이 높은 고 품질의 SW를 생산할 수 있다.
- ➤ 5대 특징을 지원하는 객체지향 언어
  - ➤ 상속성(Inheritance)
  - ➤ 재 사용성(Reusability)
  - ➤ 캡슐화(Encapsulation)
  - ➤ 정보은닉(Information Hiding)
  - ➤ 다형성(Polymorphism)

➤ SW의 설계 목표와 원리, 객체지향 SW개발 공정

- ➤ IT기술의 심장: Program, Software
  - ➤ Software의 정의(Definition)와 특성
  - ➤ 좋은 Software의 조건(Software 품질: Quality)
- ➤ Software System의 설계 원리와 목표, 평가 기준
  - ➤ 설계 원리: 추상화(Abstraction)와 단계적 정제
  - ➤ 설계 평가의 기준: 분할(Module화)
    - ➤ Module 응집도와 Module 결합도
  - ➤ 설계 목표: 통합과 구조화
    - ➤ 분할된 Module들의 효율적 계층구조설계
  - ➤ Software 개발방법론(Paradigm) 비교
  - ➤ 객체지향분석/설계 방법론(Paradigm)의 특징
- ➤ 객체지향 Software 개발 공정(RUP)
  - ➤ SW부품(Component)과 라이브러리(Library)
  - ➤ CBD(Component Based Development)와 API
  - ➤ Open API를 활용한 매시업(Mashup) 서비스 사례

➤ SW의 전체적인 구조(Architecture) 중심 설계

- ➤ System 구조도(Structure Chart)로 표현한다
  - ➤ System을 Module 단위로 분할
  - ➤ Module의 이름과 기능 정의(사각형의 박스로 표현)
  - ➤ System을 이루는 Module들의 관계와 전체구조를 파악
  - ➤ Module의 계층적 구성(호출 관계가 화살표로 표현)
  - ➤ Module 사이의 입출력 Interface를 표시

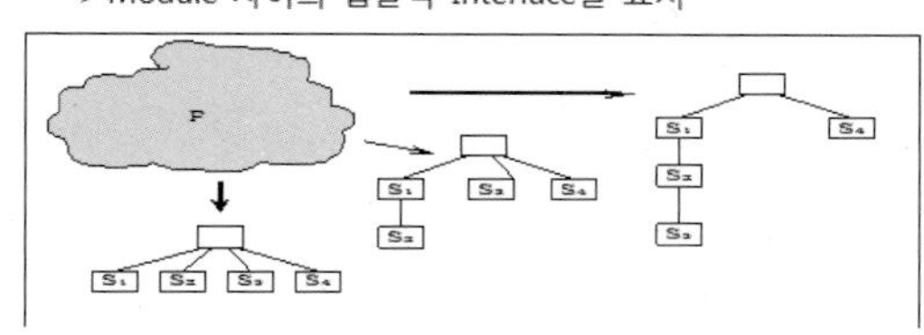

➤ SW의 전체적인 구조(Architecture) 중심 설계

➤ **System 구조도(Structure Chart)로 표현한다**
- ➤ **System을 Module 단위로 분할**
- ➤ Module의 이름과 기능 정의(사각형의 박스로 표현)
- ➤ **System을 이루는 Module들의 관계와 전체구조를 파악**
- ➤ Module의 계층적 구성(호출 관계가 화살표로 표현)
- ➤ Module 사이의 입출력 Interface를 표시
- ➤ **자율주행 자동차 시스템**
  System 구조도(Structure Chart) 1

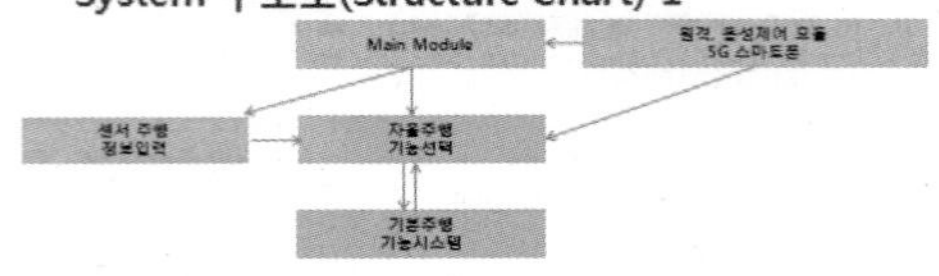

자율주행 자동차 시스템
System 구조도(Structure Chart) 2

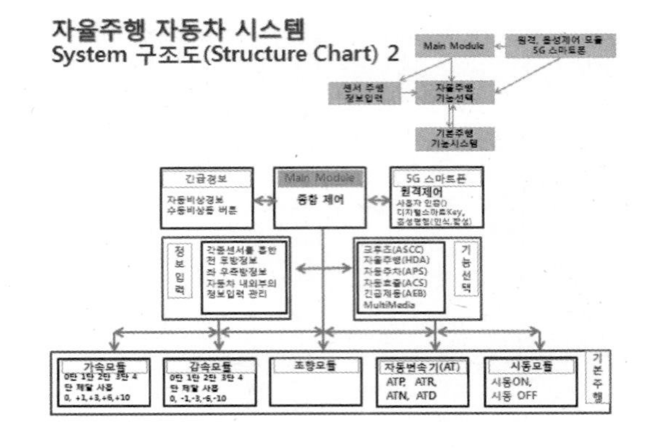

예)하위모듈로 계속해서 분할하는 System 구조도
호출 **Program**(Calling Program)과 피호출 **Program**(Called Program)
주 **Program**(Main Program)과 부 **Program**(모듈: Module)

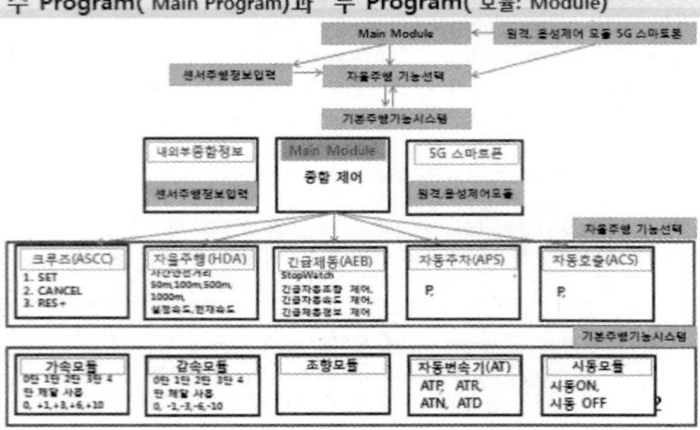

자율주행 자동차 시스템
기능 Module별 System 구조도(Structure Chart) 3

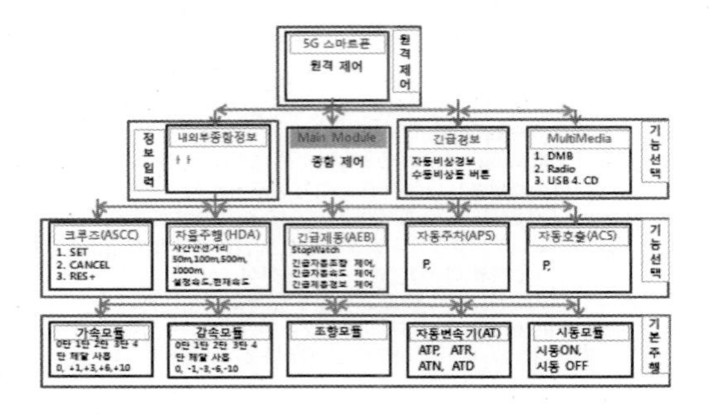

➤ SW의 전체적인 구조(Architecture) 중심 설계

➤ **System 구조도(Structure Chart)로 표현한다**
- ➤ **System을 Module 단위로 분할**
- ➤ Module의 이름과 기능 정의(사각형의 박스로 표현)
- ➤ **System을 이루는 Module들의 관계와 전체구조를 파악**
- ➤ Module의 계층적 구성(호출 관계가 화살표로 표현)
- ➤ Module 사이의 입출력 Interface를 표시
- ➤

자동판매기 시스템
전체구조도(Structure Chart)

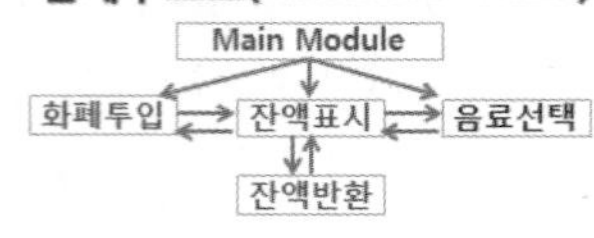

➤ 구조도(Structure chart)와 흐름도(Flow chart)

➤ **System 구조도(Structure Chart)**
- ➤ **System을 이루는 Program의 전체 구조를 파악**
- ➤ **System을 분할한 Module들의 관계와 계층구조를 파악**

➤ **흐름도 혹은 순서도(Flow chart) :**
- ➤ **개별적인 Module 내부의 작업 절차를 나타내는데 주로 사용**

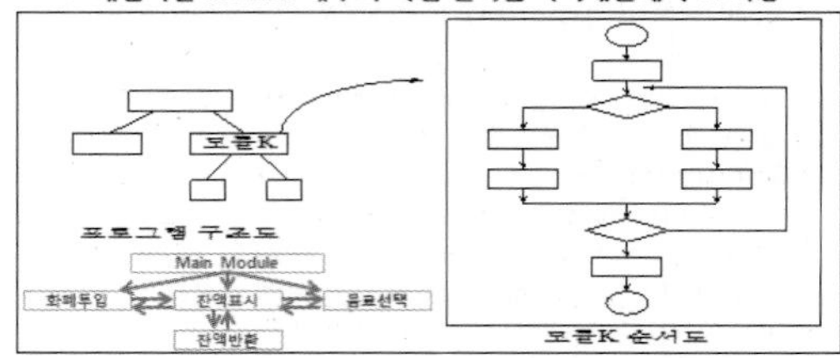

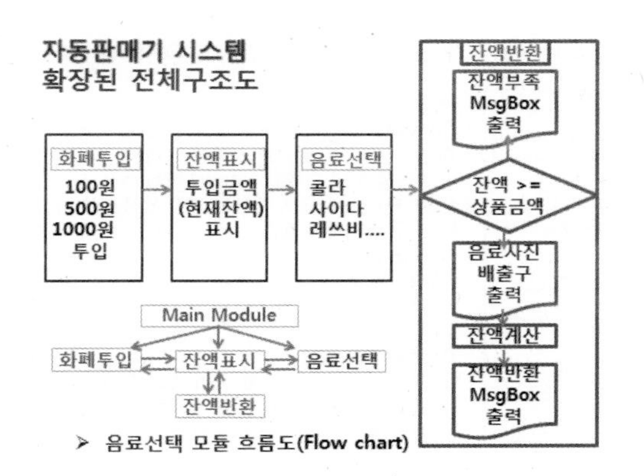

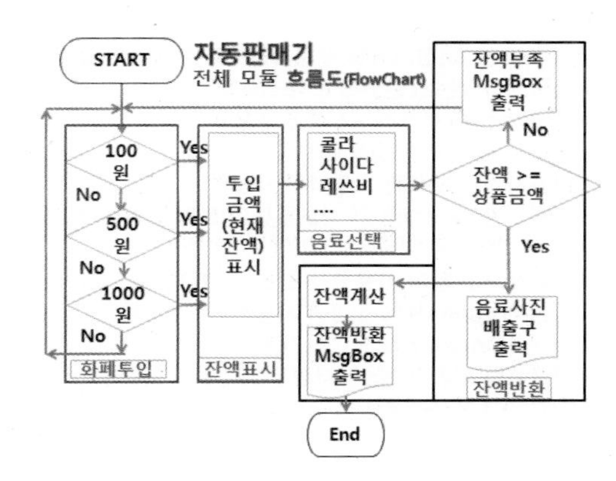

➢ 객체지향 SW 개발 공정 (RUP)

➢ RUP는 객체지향 SW개발 공정의 사실상 표준(De Facto)

➢ 1) SW의 전체적인 구조(Architecture) 중심 설계
- ➢ System을 구성하는 Module들의 전체구조를 효율적으로 구성
- ➢ 이해가 용이, 유연성이 증대, 확장성이 우수한 제품 개발

➢ 2) 사용 사례(Use Case)에 의한 구동(驅動 ; Drive)
- ➢ 요구사항을 조기 정립하여 전체공정을 효율적으로 운용

➢ 3) CBD(Component 지향 SW 설계)
- ➢ 재사용 가능한 검증된 Component의 사용(조립)과 개발
- ➢ 개발속도 향상, 개발비용 절감, 품질향상
- ➢ Software부품(Component)들과 Library
- ➢ CBD(Component Based Development)
- ➢ Software부품(Component)들의 연결과 API
- ➢ Open API를 활용한 매시업(Mashup) 서비스 사례

➢ 4) 반복 및 점증적 개발로 위험을 최소화

➢ 객체지향 SW 개발 공정 (RUP)

➢ RUP는 객체지향 SW개발 공정의 사실상 표준(De Facto)

➢ 1) SW의 전체적인 구조(Architecture) 중심 설계
- ➢ System을 구성하는 Module들의 전체구조를 효율적으로 구성
- ➢ 이해가 용이, 유연성이 증대, 확장성이 우수한 제품 개발

➢ 2) 사용 사례(Use Case)에 의한 구동(驅動 ; Drive)
- ➢ 요구사항을 조기 정립하여 전체공정을 효율적으로 운용

➢ 3) CBD(Component 지향 SW 설계)
- ➢ 재사용 가능한 검증된 Component의 사용(조립)과 개발
- ➢ 개발속도 향상, 개발비용 절감, 품질향상
- ➢ Software부품(Component)들과 Library
- ➢ CBD(Component Based Development)
- ➢ Software부품(Component)들의 연결과 API
- ➢ Open API를 활용한 매시업(Mashup) 서비스 사례

➢ 4) 반복 및 점증적 개발로 위험을 최소화

➢ 사용 사례(Use Case) 작성의 예:

자율 주행 자동차 기능 시스템의 예	
사용사례 이름 (Use Case)	크루즈컨트롤(ASCC) 기능 사용 사례(Use Case)
참여 액터 (Actor)	크루즈컨트롤(ASCC) 버튼 객체(액터는 차후 Prog.에서 Class가 된다)
시작조건	1) 시동 ON 상태이고,(AND조건) 2) 자동변속기가 D의 값을 가지고,(AND조건) 3) 가속페달이 눌러진 양수 +의 상태값을 가지면서,(AND조건) 4) 감속페달이 눌러지지 않은 상태 0 의 상태값(초기값)을 가지고 5) 크루즈컨트롤(ASCC) 버튼을 선택한 상태이면 Cruise기능선택 RadioButton에서 1. SET 2. CANCEL 3. RES+ 3가지 상태 중에서 1개를 선택할 수 있다.
사건의 흐름	Cruise기능선택 RadioButton에서 1. SET 2. CANCEL 3. RES+ 3가지 상태 중에서 1개를 선택한다. 1. SET을 선택하면, 현재속도계를 설정속도계로 출력하고 정속주행한다. 2. CANCEL을 선택하면, 현재의 설정속도계를 해제하고 한 단계 감속(-5)한다. 가속페달(Accel)을 선택하지 않으면 계속 감속한다. 3. RES+을 선택하면, 현재의 설정속도계를 한 단계 가속(+5)한다.
종료조건	Cruise기능선택 RadioButton에서 2. CANCEL 을 선택하고 크루즈컨트롤(ASCC) 버튼을 해제하였을 때

➢ 라이브러리(Library)의 필요성

➢ **프로그래밍을 하다 보면 반복되는 부분을 함수로 만들 때가 있다.**
- ➢ 그런데 어제 만든 덧셈 함수가
- ➢ 오늘 프로그램에 또 필요하다면
- ➢ 덧셈 함수를 또 다시 만들어야 할까?
- ➢ 이런 경우 **똑같은 함수를 다시 만들 필요 없이**
- ➢ **원하는 기능의 라이브러리 함수를 사용함으로써**
- ➢ **보다 효율적인 프로그래밍이 가능하다.**

➢ 라이브러리(Library)

➢ 미리만들어 놓은 함수, SW부품(Component)들의 집합
- ➢ 도서관에서 필요한 책을 빌리듯
- ➢ 필요한함수, 기존SW부품들도 찾아서사용할 수 있다

➢ Library; 특정기능을 수행하는 SW 부품들의 집합

➢라이브러리는 표준화되고 테스트된
➢특정 기능을 수행하는 SW 부품들을
➢모아서 체계화 한 것으로
➢이용자가 필요하면 호출하여 사용할 수 있는
➢표준화된 Program 및 서브루틴의 모임을 말한다.
  ➢재고 관리에서는 재고품의 관리 파일들이 라이브러리를 구성할 수 있다.

➢표준적으로 많이 사용되는 코드의 재사용을 위해,
➢다른 Program들에서 많이 사용할 수 있도록
➢다른 Program들과 링크되기 위하여 존재하는
➢서브루틴이나 함수들이 저장된 파일들의 모음을 말하는데,
➢운영체제나 SW개발환경제공자들에 의해 제공되는 경우가 많다.

73

➢ Software 부품(Component): VB Control객체

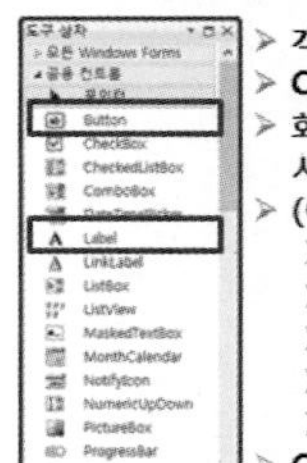

➢ 객체(Object)와 Control
➢ Control : Visual Basic에서의 객체 or 개체
➢ 화면 디자인 시 필요한 객체를 그래픽으로 시각화해 놓은 일종의 Library Program
➢ (이미 Program으로 작성된 것을 재사용한다)
  ➢도구 상자에 포함된
  ➢Button,
  ➢레이블,
  ➢텍스트 박스 등
  ➢
➢ Control 개체들은
  ➢크기, 위치, 입력된 값 등의 속성을 가지며
  ➢특정 사건에 해당하는 이벤트가 발생하면
  ➢동작과 기능에 해당하는 메소드를 실행한다

74

➢ Library 와 Software 부품(Component)들

➢Subroutine Library
  ➢엑셀의 함수, GUI Library 함수, 수치 계산 함수
➢Code Block: Parameter를 지정하여 Instance화
  ➢Black Box, TV의 인공지능 스피커 등과 같이 동종의 다른 기기에서 재사용 가능한 Code Block
➢Modular Programming
  ➢가능하면 새로 개발하는 Program들을 Module(속성; Data 과 메소드; Operation 의 묶음)로 개발해야 한다
  ➢객체지향 Programming이 대표적인 Modular Programming
➢모든 SW부품은 재사용과 확장이 용이해야 한다.
  ➢ Ada의 Package, JavaBeans 등
  ➢Visual 도구들(Button, TextBox등 Control 객체들)
  ➢Component들을 그래픽환경에서 플러그인 가능

75

➢ Library; 특정기능을 수행하는 SW 부품들의 집합

➢ 라이브러리에 등록되는 서브루틴은 다른 Program과 쉽게 연결되도록, 보통은 컴파일된 형식(Object module)으로 존재하지만,
  ➢Program의 작성과 실행에 필요한 소스(Source)형식, 목적(Object)형식, 적재(Load)형식의 3가지로 만들어져 있다.
  ➢라이브러리 내의 루틴들은 많은 사용자들이 폭넓게 사용할 수 있는 범용(Sum, Average 등)일 수도 있지만,
  ➢3차원 애니메이션 그래픽 등과 같이 특별한 용도의 함수도 있다
➢ 이들의 제공형태는
  ➢사용자 Program 내부에서 서브루틴(Subroutine: 작은 Program)으로서 사용되는 Sub Module형과
  ➢일련의 모든 처리가 라이브러리의 내부에서 완결(完結)되어 그 반환값 만을 돌려주는 함수 패킷형으로 크게 구분된다.

76

함수(Function)와 서브루틴(Subroutine)의 차이

➢ 함수(Function; Sub Program)는 함수의 이름을 사용하여 호출한다.
  ➢ 함수는 자신을 호출한 Sub(Program)으로부터 필요한 인수를 전달받아 자신을 호출한 Sub(Program)에게 계산결과값(반환 값)을 돌려준다.
  ➢ 1)함수이름을 사용하여 함수를 호출하고,
  ➢ 예) sum = ReturnSum (변수a,변수b) '// 단순히 함수 이름으로 호출
  ➢ 2)필요한 인수(변수a,변수b)의 값을 함수에 전달하고
  ➢ 3)호출(called)된 함수내부에서는 전달받은 인수를 사용하여 계산하고,
  ➢ 4)함수를 호출한 Sub로 계산된 결과값(반환값)을 다시 전달(리턴)한다.
  ➢ 5)결과처리, 출력 등 모든 처리를 호출한(call) Sub내부에서 행한다.
➢ Sub(Subroutine; Sub Program)는 Call문과Sub이름에 의해 호출된다.
  ➢ 1)Call문과 Sub이름을 사용하여 호출하고,
  ➢ 예) Call ReturnSum (변수a,변수b) '// Call 서브루틴 이름으로 호출
  ➢ 2)필요한 인수(변수a,변수b)의 값을 Sub에 전달만 한다.
  ➢ 3)호출(called)된 Sub내부에서는 인수를 사용하여 결과값을 계산하는데
  ➢ 4)호출(call)하는 Sub는 호출(call)만하고
  ➢ 5)결과처리, 출력 등 모든 처리를 호출한(call) Sub에서 위임 받아서
  ➢ 호출된(called) Sub내부에서 행한다.

77

함수(Function)와 서브루틴(Subroutine)의 차이

- text1, text2를 통해서 두 숫자를 입력 받아, text3에서 결과를 출력하는
- 함수(Function)를 호출하는 경우

```
Private Sub Button1_Click()
Dim 변수a As Integer
Dim 변수b As Integer
Dim sum As Integer
변수a = Val(text1.text)
변수b = Val(text2.text)
sum = ReturnSum(변수a,변수b) '/ 3)호출한함수를통해 계산결과를 리턴
text3.text = sum '/ 4)함수를 호출한 Sub에서 리턴 받은 결과를 출력
End Sub
Functioin ReturnSum(변수a, 변수b) '/ 2)호출한 함수에게 결과를 리턴
ReturnSum = 변수a + 변수b '/ 1)호출된 함수 내부에서는 계산만 한다.
End Function
```

➢ 호출(call)하는 Subroutine에서 Call문이 없는 함수이름을 사용하여 함수를 호출하면
➢ 호출(called)된 함수 내부에서는 필요한 계산만 하고,
➢ 함수를 호출한 Subroutine내부에서 다시 그 계산 결과를 리턴 받아서 결과처리, 출력등 모든처리를 행한다

78

함수(Function)와 서브루틴(Subroutine)의 차이

- text1, text2를 통해서 두 숫자를 입력 받아, text3에서 결과를 출력하는
- 서브루틴(Subroutine; SubProgram)을 호출하는 경우

```
• Private Sub Button1_Click()
• Dim 변수a As Integer
• Dim 변수b As Integer
• 변수a = Val(text1.text)
• 변수b = Val(text2.text)
• Call ReturnSum(변수a, 변수b)   ' 1) Call문을 사용하여 Sub를 호출하고
• End Sub                         '    계산을 위해 필요한 인수를 전달
• Sub ReturnSum(변수a, 변수b)    ' 2) 인수의 전달과 함께 호출되는 Sub
• Dim sum As Integer
• sum = 변수a + 변수b   ' 3)필요한 인수를 사용하여 결과값을 계산하고
• text3.text = sum      ' 4)계산된 결과값을 호출된 Sub 내부에 있는
• End Sub               '   text3.text에서 출력한다
```

- ➢ 호출(call)하는 Subroutine은 호출(call)만하고 모든 처리는
- ➢ 호출(called)되는 Subroutine
- ➢ 내부에서 결과처리, 출력 등 모든 처리를 위임 받아서 행한다.

78

➢ CBD(Component Based Development)

➢ 기본 개념
- ➢ 자동차 엔진 설계자는 작은 나사부터 시작해서
- ➢ 모든 것을 전부 만들지 않는다.
- ➢ 스마트 폰이나 전자 회로를 설계하는
- ➢ 하드웨어 엔지니어도 마더보드나, 박스 위에,
- ➢ 이미 만들어진 칩과 부품들을 조립하여
- ➢ 시스템을 구성 한다.

➢ 잘 만들어진 부품, 즉 Component가

➢ 이런 방식의 작업을 가능하게 한다.
- ➢ 이런 방식을 따르면
- ➢ (SW를 포함한, 모든)제품을 빨리,
- ➢ 그리고 품질 좋게 만들 수 있다.

54

➢ CBD(Component Based Development)

➢ 목적
- ➢ 검증된 SW 부품(Component)의 재사용으로
- ➢ 개발 생산성을 높이고, 짧은 기간에 System 개발 가능
- ➢ 좋은 품질의 Software를 빨리 개발 가능

➢ SW 조립
- ➢ Software 개발에서도 이미 적용되고 있다.
- ➢ 워드프로세서가 스프레드시트와 연결되고 그래프와 데이터베이스가 정보를 나눌 수 있다.
- ➢ 별도로 설계된 객체들이 상호 작용하기 전에 서로의 기능에 대하여 자세히 알아볼 수 있다.
  - ➢ JavaBeans 등
- ➢ Component들을 그래픽환경에서 플러그인 가능
  - ➢ 비주얼 도구들(컨트롤 객체들)

55

➢ 라이브러리(Library)와 API

➢ 서점에서 책을 찾아야 한다면
- ➢ 여기저기를 직접 돌아다니면서 필요한 책을 찾을 수 있지만,
- ➢ 특정 구역을 담당하는 직원에게 물어본다면
- ➢ 책에 관한 정보나 책의 위치를 쉽게 알 수 있다.

➢ 이때 서점 직원을 API, 담당구역을 라이브러리 라고 할 수 있다.

➢ 식당에서 메뉴를 보고 음식을 골라 직원에게 주문한다.
- ➢ 메뉴와 직원을 통해, 음식을 주문하여 주방에 전달한다.

➢ 이때 메뉴와 직원을 API, 주방을 라이브러리 라고 할 수 있다.

➢ 우리가 모든 음식을 만들어 먹을 수는 없지만, 우리를 대신해 맛있는 요리는 만드는 전문 요리사가 있다.
- ➢ 전문요리사에게 주방을 맡기고
- ➢ 우리는 먹고 싶은 음식만을 메뉴에서 골라 주문한다면
- ➢ 음식을 직접 만드는 복잡한 절차를 거치지 않고도
- ➢ 맛있는 음식을 먹을 수 있다.

64

➢ API(Application Programming Interface)

- ➢ HW에 새로운 기능을 추가할 때,
- ➢ 새로운 기능을 가진 HW를 모두 직접 만드는 것이 아니라
- ➢ 어떤 기능의 실행을 위해서 미리 만들어진 HW Module(Module) (예: CPU, RAM, HDD, 마우스, 프린터, 스피커, I/O 장치들을 추가해서 함께 합치기만 하면 된다. (HW 부품의 조립)
  - ➢ 좋은 HW는 중요한 기능을 수행하는 수많은 기능 Module들을 쉽게 추가하고 교체할 수 있는 확장성을 제공함으로써
  - ➢ HW HW기기의 성능 추가와 유지보수 활동을 쉽게 해준다
- ➢ SW Program을 만들 때도,
- ➢ 수많은 Program을 모두 직접 만드는 것이 아니라
- ➢ 어떤 기능의 실행을 위해서 미리 만들어진 SW Module들을 함께 합치기만 하면 된다. (SW 부품의 조립)
  - ➢ 좋은 API는 중요한 기능을 수행하는 수많은 기능 Module들을 쉽게 추가하고 교체할 수 있는 확장성을 제공함으로써
  - ➢ Program 개발과 유지보수 활동을 쉽게 해준다.

➢ API(Application Programming Interface)

- ➢ Program을 만들 때, 모든 Program을 직접 만드는 것이 아니라
- ➢ 어떤 기능의 실행을 위해서 미리 만들어진 Module Block(API) 들을 함께 합치기만 하면 된다.
- ➢ 다른 Platform 혹은 다른 라이브러리 Program과
- ➢ 응용 Program이 연결되어 통신할 때 사용되는(Interface 역할을 하는)언어나 메시지 형식을 API라고 한다.
- ➢ API란 응용(Application) Program을
- ➢ 누구나 쉽게 만들 수 있도록
- ➢ IT 전문가들이 미리 작성해둔 소스코드 모음이다.
  - ➢ 좋은 API는 중요한 기능을 수행하는
  - ➢ 수많은 기능 Module들을 제공함으로써
  - ➢ Program 개발을 쉽게 해준다.
  - ➢ 좋은 Platform은 수많은 Module들을 API 형식으로 많이 제공함으로써 Program 개발을 쉽게 해준다.

> API(Application Programming Interface)란?

- 여러 가지 다른 플랫폼(윈도우, 안드로이드 등)과
- IT(Digital)기기(PC, Smart Phone)들에게
- 기존 Program과 Library들을 연결하여, 재사용하고
- 필요한 응용(Application) Program을
- 쉽고 편리하게 만들 수 있도록 Interface 기능을 제공

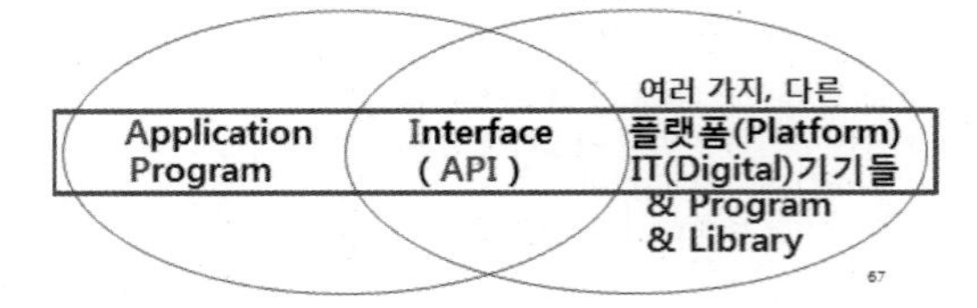

> Software부품(Component)의 연결: Interface

- Component 의 정의:
- 관련된 기능으로 응집된 Software의 Package의 단위로서
- 독립적으로 개발되어 분배될 수 있는 단위이며
  - 독립된 배포 단위 :
  - 분할되어서 일부만 전달되어 사용될 수 없다
- 다른 Component와 조립될 수 있도록
  - Component 자체를 수정하지 않고
  - Component의 성질을 정확하게 수정할 수 있도록
  - 서로 밀접한 관계에 있는 Software의 Package
- 다른 Component에게 제공하는 서비스와
- 다른 Component가 사용하는 서비스에 대하여
- 명시적으로 잘 정의된 Interface가 있어야 한다. [D'Souza,1999]

> Software부품(Component)의 연결: Interface

- API(Application Programming Interface)
  - 부품을 호출(연결)하기 위해 미리 약속된 절차와 과정(Protocol)의 총칭
  - Component들을 그래픽환경에서 플러그인 가능
    - 비주얼 도구들(컨트롤 객체들)
- 부품(Component, Library, Code Block Visual 도구들(Button, TextBox등), JavaBeans의 호출,연결,조립: 주로 함수이름,인수,반환 값
- 함수(Function; Sub Program)는 함수의 이름을 사용하여 호출한다.
  - 함수는 자신을 호출한 Sub(Program)으로부터 필요한 인수를 전달받아 자신을 호출한 Sub(Program)에게 반환 값(계산결과값)을 돌려준다

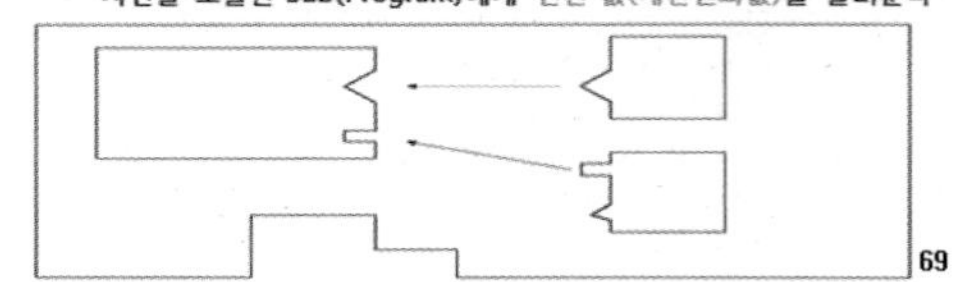

> API(Application Programming Interface)

- API는 Program이 다른 Platform 혹은 Program과 통신할 때 사용되는(인터페이스 역할을 하는) 언어나 메시지 형식이다.
- 즉, 라이브러리 (혹은 특정한 프로그램의 기능이나 데이터)를 다른 프로그램에서 접근하기위해 미리 정의한 통신규칙이다.
  - 즉, 해당 함수의 내부 구조는 알 필요 없이
  - API에 정의된 방법으로, 해당 함수를 호출하고
  - 단순히 입력 값을 전달해주고
  - 결과 값만을 사용할 수 있게 해준다.

- API가 실행되기 위해서는
- 특정 서브루틴에 연결을 제공하는 함수를 호출하고
- 호출된 함수를 수행하기 위해
- 연결되어야 하는 몇 개의 Module이나 루틴을 가진다.
- 그래서 API마다 필요한 절차와 방법과 약속이 다를수 있다.

> API(Application Programming Interface)

- 좋은 API는 라이브러리를 비롯한
- 수 많은 Building block을 제공함으로써
- 프로그램 작성자가 Program 개발을 쉽게 하도록 도움을 준다.
  - 수많은 함수로 구성되어 있는 API는 Program을 만들 때
  - 자주 사용하는 기능 Block 들을 쉽게 호출할 수 있도록 해
  - 프로그래머는 미리 만들어진 기능 Block 들을 호출하여 작성한 프로그램속에 함께 합치기만 하면 된다.

- API 의 구분
- 폐쇄형(Closed) API와 공개형 혹은 개방형(Open) API 로 구분
- 폐쇄형(Closed) API는 해당 회사나 기관 내부에서만 접근 가능.
- 공개형(Open) API는 제3자도 접근 가능하다.

71

> 공개형(Open) API의 활용

- Open API는 특정 서비스를 제공하는 서비스 업체가 자신들의 서비스에 접근할 수 있도록 그 방법과 절차를 외부에 공개한 것으로 해당 서비스로 접근하기 위한 규칙을 공개 정의한 것
- 예) 페이스북에서 로그인 API를 공개했기 때문에 다른 웹 사이트에서 "페이스북 계정 연동 로그인" 기능을 사용할 수 있고 그 덕분에 우리는 매번 회원가입을 하지 않아도 된다.
  - 별도의 회원정보 기록 없이, 버튼 하나만 누르면
  - 바로 해당 사이트에 가입과 동시에 로그인이 되도록 하는 기능을 갖고 있다.
  - 이 방법은 이미 수동적으로 회원가입이 되어 있어도,
  - 페이스북 아이디와 기존에 가입된 아이디와 맞으면,
  - 동일하게 연계되어 회원활동이 가능하다.

72

➢ Open API 와 매시업(Mashup) 서비스

- ➢매쉬업(Mashup): 공개 API를 이용해 기존의 서비스에 새로운 서비스를 융합(창조)하는 프로그램을 만드는 것
- ➢매시업 서비스로 가장 유명한 것은 구글 지도에,
- ➢부동산 매물 정보사이트인
- ➢크레이그 리스트(www.craigslist.org)를 결합시킨
- ➢'하우징맵(www.housingmaps.com)' 사이트로,
- ➢지도 정보에서 특정 지역을 선택하면
- ➢해당 지역의 부동산 매물정보를 보여주는 서비스를 제공하고 있다.
  - ➢ 하우징맵은 폴 레이드매처라는 사람이 구글의 지도 API 코드를 해킹하여 만든 것인데
  - ➢ 당시 구글 지도를 활용한 확장성과 가능성을 본 구글은
  - ➢ 폴 레이드매처를 고소하기는커녕 그를 구글 직원으로 채용하였고,
  - ➢ 구글은 그때부터 지도 API를 공개적으로 제공하기 시작하였다.
- ➢그 후 많은 매시업 서비스들이 생겨났는데
- ➢지도와 관련된 매시업의 발전된 사례는 특정 지역을 택하면 그 지역의
- ➢뉴스·범죄통계정보·허리케인정보·UFO목격정보·주유소가격정보·영화관·술집·온천·기업AS센터·고속도로·교통날씨 등을 알려주는 다양한 서비스를 제공.

➢ Open API 와 매시업(Mashup) 서비스

- ➢매쉬업(Mashup): 원래는 서로 다른 곡을 조합하여
- ➢새로운 곡을 만들어 내는 것을 의미하는 음악용어이지만,
- ➢IT분야에서는 웹서비스 업체들이 웹상에서 제공하는
- ➢다양한 정보(각종 콘텐츠)와 서비스를 융합(혼합)하여
- ➢지금과는 다른 새로운 웹서비스를 개발하는 것을 의미.
- ➢서로 다른 웹사이트의 콘텐츠를 조합하여
- ➢새로운 차원의 콘텐츠와 서비스를 창출하는 것을 말한다.
- ➢즉, 웹 서비스나 공개 API를 제공하는 업체들이 제공하는 각종 데이터나 콘텐츠(예; 구글 지도 정보)를 받아 서로 융합하거나
- ➢전혀 다른 새로운 서비스를 만들어 내는 것을 의미한다.

74

➢ Open API 와 매시업(Mashup) 서비스

- ➢ 매쉬업(Mashup) 서비스는
- ➢ 웹서비스 업체가 자신들의 서비스에 접근할 수 있도록 접근방법을 공개하는 것으로부터 비롯된다.
- ➢ 웹서비스 업체들이 공개한 API(프로그램에서 또 다른 프로그램을 제어하고 사용할 수 있도록 하는 인터페이스)를 기반으로
- ➢ 독자적인 유저 인터페이스나 콘텐츠를 융합하여
- ➢ 새로운 응용서비스 즉 매시업을 개발할 수 있다.
- ➢ 구글·마이크로소프트·아마존을 비롯하여
- ➢ 네이버·다음·알라딘 같은 국내 업체들도
- ➢ 자사의 콘텐츠를 외부에서 사용할 수 있게
- ➢ API를 공개하고 있다.

75

➢ Open API와 매시업(Mashup) 서비스 사례

- ➢ 매시업 서비스의 대표적 사례는 증강현실(AR)게임 "포켓몬고"
- ➢ 전 세계 지도정보를 갖고 있는 구글이 지도 데이터를 제공하는 조회형 Open API인 "지도 API"를 게임업체등 일반기업에 공개하면서 포켓몬고가 탄생했다.
- ➢ 게임업체는 별도의 지도정보 수집을 하지 않고 "지도 API"를 활용해서 지도 정보를 제공받아, 게임 플레이어의 위치에 맞게 지도화면을 보여주고, 구글 지도 위에서 포켓몬을 잡을 수 있도록 했다.
- ➢ 음식배달 서비스인 "배달의 민족"도 T맵의 위치정보 API를 활용.
- ➢ SK텔레콤은 위치정보, 교통정보, 가게정보(명칭, 주소, 전화번호, 메뉴 등) 등을 제공하는 조회형 API인 "T맵 API"를 공개했다.
- ➢ "배달의 민족"은 "T맵 API"를 활용해서 사용자의 위치에 맞는 주변 음식점 정보를 제공받아, 사용자에게 보여주고 배달음식을 손쉽게 주문할 수 있는 서비스를 제공한다.
- ➢ 만약 현대자동차의 네비시스템에 구글의 "지도 API"를 탑재하면 어떻게 될까?
- ➢ 전세계 어디라도 원하는 목적지를 찾아갈 수 있는 슈퍼 자동차?

76

➢ Open API와 매시업(Mashup) 서비스 사례

- ➢ Open API를 활용한 금융권 사례
- ➢ Open API를 활용하면 어떤 핀테크 기업도 금융회사의 기능과, 데이터에 접근 가능해져 다양한 서비스나 상품개발이 가능하다.
- ➢ 어떤 핀테크 기업의 앱에 접속해 환율조회버튼을 클릭하면 앱은 은행에서 미리 정해놓은 환율조회 API 명령어를 은행 서버로 전송해서, 고객의 스마트폰에서 해당 서버의 환율조회 API를 호출한다.
- ➢ 앱에서는 전송받은 환율조회정보를 고객이 보기 편한 화면으로 구성해 세계 각국의 환율정보를 제공한다.
- ➢ 환전신청, 대출, 이체, 해외송금도 가능하다.
- ➢ 바로 이런 것이 Open API를 통해 구현되는 기술적 혁신이다.
- ➢ 그런데 증강현실(AR) 게임 "포켓몬고"를 위한 "지도 API",
- ➢ "배달의 민족"을 위한 "T맵 API", 세계 각국의 환율정보를 위한 환율조회 API의 절차와 방법은 각각 다를 수밖에 없다.
- ➢ 그래서 특정 API마다 필요한 절차와 방법과 약속(API)이 다를 수밖에 없다.

77

➢ Open API와 매시업(Mashup) 서비스 사례

- ➢매시업 서비스의 장점:
- ➢기존의 자원을 활용하여 만들기 때문에,
- ➢새로운서비스를 만들기위해 투여되는비용이 매우적다
- ➢단점:
- ➢1차서비스에 종속되어 있어
- ➢1차서비스가 중단될 때, 매시업 서비스 역시 중단되며,
- ➢1차서비스의 제공형태가 변경될 때 따라서 변경된다.
- ➢웹 2.0(데이터의 소유자나 독점자 없이 누구나 손쉽게 데이터를 생산하고 공유할 수 있도록 한 사용자 참여 중심의 인터넷 환경) 시대로 접어들면서
- ➢매시업 서비스 개념은 더욱 주목 받고 있다.

78

➢ 국내의 Open API 사례

- ➢ 국내에는 이외에도 다양한 Open API 들이 제공되고 있다.
- ➢ 네이버 오픈 API (https://developers.naver.com/main)
- ➢ 정부 3.0 공공데이터 포털 (https://www.data.go.kr/)
  - ➢ 행정안전부 공공데이터 개방 목록에서 제공하는
  - ➢ 영문주소를 포함한 도로명주소 검색API를 제공하고 있으며,
  - ➢ 제공되는 API는 국민누구나 사용할수 있도록 개방하고 있다.

- ➢ 일상생활에서의 Open API들은 어떻게 활용되고 있을까?
  - ➢ 회사 홈페이지에 네이버 지도 API를 이용해 회사 약도 넣기
  - ➢ 네이버 가격비교 API를 이용해 내 쇼핑몰에서 가격 비교 가능토록 하기
  - ➢ 우편번호 API를 내 쇼핑몰에 넣어 배송지 입력하기
  - ➢ 기상청 날씨 API를 내 쇼핑몰에 넣어 날씨에 따라 계획하기

79

➢ 국내의 Open API 사례: Naver Open API

API명	설명	호출제한
검색	네이버 블로그, 이미지, 웹, 뉴스, 백과사전, 책, 카페, 지식iN 등 검색	25,000회/일
지도(Web, Mobile)	네이버 지도 표시 및 주소 좌표 변환	20만/일
네이버 아이디로 로그인	외부 사이트에서 네이버 아이디로 로그인 기능 구현	없음
네이버 회원 프로필 조회	네이버 회원 이름, 닉네임, 이메일, 성별, 연령대, 프로필 조회	없음
Papago NMT 번역	인공신경망 기반 기계 번역 (영,중)	10,000글자/일
Papago SMT 번역	통계 기반 기계 번역 (영,일,중)	10,000글자/일
Clova Face Recognition	입력된 사진을 입력받아 얼굴윤곽/부위/표정 /유명인 닮음도를 리턴	1,000건/일
데이터랩(검색어트렌드)	통합검색어 트렌드 조회	1,000회/일
데이터랩(쇼핑인사이트)	쇼핑인사이트 분야별 트렌드 조회	1,000회/일
캡차(이미지)	자동 입력 방지용 보안 이미지 생성 및 입력값 비교	1,000회/일
캘린더	로그인한 사용자 캘린더에 일정 추가 가능	5,000회/일
카페	특정 네이버 카페 가입하기	50회/일
카페	네이버 회원이 가입한 카페 게시판에 글 쓰기	200회/일
블로그	네이버 회원의 블로그에 글쓰기	200회/일
단축URL	입력된 URL을 me2.do 형태의 짧은 URL로 변환	25,000회/일
공유하기	네이버 블로그, 카페, 폴라 공유하기	없음

80

➢ 객체지향 SW 개발 공정 (RUP)

➢ RUP는 객체지향 SW개발 공정의 사실상 표준(De Facto)

- ➢ 1) SW의 전체적인 구조(Architecture) 중심 설계
  - ➢ System을 구성하는 Module들의 전체구조를 효율적으로 구성
  - ➢ 이해가 용이, 유연성이 증대, 확장성이 우수한 제품 개발
- ➢ 2) 사용 사례(Use Case)에 의한 구동(驅動 ; Drive)
  - ➢ 요구사항을 조기 정립하여 전체공정을 효율적으로 운용
- ➢ 3) CBD(Component 지향 SW 설계)
  - ➢ 재사용 가능한 검증된 Component의 사용(조립)과 개발
  - ➢ 개발속도 향상, 개발비용 절감, 품질향상
  - ➢ Software부품(Component)들과 Library
  - ➢ CBD(Component Based Development)
  - ➢ Software부품(Component)들의 연결과 API
  - ➢ Open API를 활용한 매시업(Mashup) 서비스 사례
- ➢ 4) 반복 및 점증적 개발로 위험을 최소화

➢ 요구분석의 문제점과 접근방법

- ➢ 요구자체의 난해성, 복잡도 위험을 최소화
  - ➢ 응용분야의 난해성 ▶ 응용분야 전문지식의 습득
  - ➢ 응용분야의 복잡도 ▶ 단계적 분할과 재 구조화
- ➢ 요구자체의 부정확, 잦은 변경에 의한 영향을 최소화
  - ➢ 사용자의 부정확한 요구 표현
    ▶ 시제품 개발(Prototyping), 점증적 개발 방법
  - ➢ 요구 사항의 잦은 변경
    ▶ CASE Tool 혹은 적절한 언어 선택, 점증적 개발 방법
  - ➢ 대화의 장애, 의사소통, 상호이견의 문제
    ▶ UML, DFD, DD, 그림, PPT,
  - ➢ SW의 전체적인 구조(Architecture) 중심개발
    ▶ Program의 Module화

8.4 소프트웨어 시스템(Software System)의 개발

8.4.1 소프트웨어 시스템의 개발 과정과 기법(Software Life Cycle)

이 절에서는 소프트웨어 시스템의 개발 과정과 기법에 대하여 Software (Development) Life Cycle)을 중심으로 살펴본다.

➢ S/W 개발 과정과 기법(Software Life Cycle)

➢SW 개발과정: Software (Development) Life Cycle
- ➢건축 공정과 SW개발 공정의 비교

➢System 분석(Analysis): 요구사항 분석: 문제의 정의
- ➢1. 문제해결과 관련된 데이터를 수집하고 정리하기
- ➢2. 시스템 분석: 해결하려고 하는 문제의 명확한 정의

➢System 설계(Design): 문제의 해결 방법 결정
- ➢3. 시스템 설계(Design): 문제해결 방법의 정의
- ➢4. Software시스템의 설계원리(Design Principle)
  - ➢추상화(Abstraction) & 단계적 분해
  - ➢Module화(Modularization) & 정보 은닉(Information Hiding)
- ➢5. Algorithm의 표현 방법(Module 명세화 기법)
  - ➢의사 Code(Pseudo code)와 흐름도(Flow chart)
  - ➢N-S도표(Nassi-Schneiderman Chart)
- ➢6. 사용자 환경(User Interface)설계: 사용자 분석

➢System 구현(Implementation), Test 및 통합(Integration)

➢System 설치(Installation): 사용자 지침서 및 개발 문서 작성

➢System 유지보수(Maintenance)
- ➢1)오류 수정 2)적응적 3)기능개선(약 60%) 4)예방적 유지보수

➢ SW 개발공정은 건축의 공정과 비슷

➢건물을 지을 때의 진행 과정으로부터 공학에 일반적으로 적용 되는 기본 원리 발견
- **➢설계회사에서 설계 도면을 완성한 후**
- **➢시공회사를 선정하여 설계 도면대로 건축**
- **➢시공과정, 시공 후에는 감리회사가 감리**
- **➢사용자가 입주하여 건물을 사용하면서 유지보수**

➢ ▶장점:
- **➢설계, 시공, 감리의 주체가 분리되어**
- **➢책임 소재가 분명**

➢ 건축공정과 S/W개발 공정의 비교

➢ 요구사항 분석 단계(컴퓨팅 사고 단계:자료수집, 문제 정의)
- **➢사용자들의 요구사항을 수집하고 통합**

➢ 설계 단계(컴퓨팅 사고 단계: 알고리즘(문제해결방법)결정단계)
- ➢사용자의 요구 조건을 만족할 수 있도록
- **➢요구사항을 종합하여 설계사가 설계도면 완성**

➢ 구현 단계(**설계도면 내용 준수 여부를 기초로 구현**)
- **➢시공회사는 설계도면에서 지정한대로 건물을 건축**

➢ 검증 단계(**설계도면 내용 준수 여부를 기초로 검증**)
- **➢시공 중에도 감리회사가 설계도면대로 시공 감리**
- ➢시공이 끝나면 종합 감리하여 안전과 품질을 보증

➢ 유지보수 단계(컴퓨팅 사고 단계: 문제해결방법작은수정단계)
- ➢사용자들이 입주하여 **건물(SW)을 사용하면서**
- **➢불편한 점, 잘못된 점, 비교적 작은 부분을 유지보수**

➢ 건축공정과 S/W개발 공정의 비교

건축 공학 / 소프트웨어 공학

건물 사용자 요구 사항 분석 ↔ (설계도면 결정을 위한 자료수집, 문제정의) ↔ 소프트웨어 사용자 요구사항 분석

건물 설계 ↔ (설계도면 결정단계 알고리즘 작성 (문제해결방법)) ↔ 소프트웨어 설계

시공 ↔ (설계도면 대로 구현) ↔ 프로그래밍 (코딩)

감리 ↔ (설계도면 대로 검증) ↔ 테스팅

건물 유지보수 ↔ (설계도면에서 부분적인 수정과 보완) ↔ 소프트웨어 유지보수

컴퓨팅 사고단계의 설계자,업무 분석자 (System Engineer, System Analyst, Business Analyst, Coordinator)

설계도대로 시공하는 단순 시공자, 프로그래머 (Programmer, Builder, Operator)

➢ SW 개발과정: Software (Development) Life Cycle

➢ (어떤)**Project**(라도) **계획 및 관리가 중요**

➢ System 분석(Analysis): 문제의 정확한 정의
- ➢ 정확한 요구사항 도출과 요구분석, 문제 분석, 문제의 정의

➢ System 설계(Design): 문제의 해결 방법 결정
- ➢ **Algorithm, Data 구조, Data Base** 설계
- ➢ 전체적인 **Software** 구조, 입출력(**I/O**), **Interface** 설계

➢ System 구현(Implementation)
- ➢ Coding, 양질의 Program을 생산

➢ Test 및 통합(Integration)
- ➢ 단위, 통합, System Test, 성능 측정

➢ System 설치(Installation)
- ➢ 사용자 지침서 및 개발 문서 작성

➢ 유지보수(Maintenance)

컴퓨팅 사고단계의 설계자,업무 분석자 (System Engineer, System Analyst, Business Analyst, Coordinator)

➢ SW 개발과정: Software (Development) Life Cycle

➢ (어떤)**Project**(라도) **계획 및 관리**

➢ System 분석(Analysis): 문제의 정확한 정의
- ➢ 정확한 요구사항 도출과 요구분석, 문제 분석, 문제의 정의

➢ System 설계(Design): 문제의 해결 방법 결정
- **➢ Algorithm, Data 구조, Data Base 설계**
- **➢ 전체적인 Software 구조, 입출력(I/O), Interface 설계**

➢ System 구현(Implementation)
- ➢ Coding, 양질의 Program을 생산

➢ Test 및 통합(Integration)
- ➢ 단위, 통합, System Test, 성능 측정

➢ System 설치(Installation)
- ➢ 사용자 지침서 및 개발 문서 작성

➢ 유지보수(Maintenance)

설계도에서 지시하는 대로 단순시공하는 단계 **프로그래머 시공자, 시행자 (Programmer, Builder, Operator)**

> SW 개발과정: Software (Development) Life Cycle

- Project 계획 및 관리
- System 분석(Analysis): 문제의 정확한 정의
  - 정확한 요구사항 도출과 요구분석, 문제 분석, 문제의 정의
- System 설계(Design): 문제의 해결 방법 결정
  - Algorithm, Data 구조, Data Base 설계
  - Software 구조, 입출력(I/O), Interface 설계
- System 구현(Implementation)
  - Coding, 양질의 Program을 생산
- Test 및 통합(Integration)
  - 단위, 통합, System Test, 성능 측정
- System 설치(Installation)
  - 사용자 지침서 및 개발 문서 작성
- 유지보수(Maintenance)

컴퓨팅 사고단계
설계자,업무 분석자
(System Engineer,
System Analyst,
Business Analyst,
Coordinator)

> System 분석(Analysis): 문제의 명확한 정의
> 1. 문제해결과 관련된 데이터를 수집하고 정리하기

- 필요한 정보와 데이터의 수집과 분석
- 벤치마킹(Benchmarking)의 개념과 유형
  - 건축공사를 할 때 쇠막대에 표시한 기준점을 지칭하는 용어에서 유래
- 1)동종(최우수)기업 벤치마킹(Peer Benchmarking)
- 2)스왓 분석(SWOT Analysis)
  - 현재 직면하고 있는 환경에서
  - 자신에게 강점(Strengths), 약점(Weakness),
  - 기회(Opportunities), 위협(Threats)으로 작용하는
  - 요인을 도출하는 방법.

> 1. 문제해결과 관련된 데이터를 수집하고 정리

- 3)모범사례 분석(Best Practice Analysis)
  - 특정 분야의 최우수 경쟁자를 비교 분석 대상으로,
  - 경쟁자의 핵심 성공요인(CSFs, Critical Success Factors)을 조사하여,
  - 자신의 프로세스 를 평가한 뒤,
  - 혁신이 필요한 요인을 찾고자 하는 벤치마킹 방법.
- 예) 식당의 고객만족 핵심성공요인: 맛, 저렴한 가격, 친절, 청결
- 예) SW 분야에서의 고객만족 핵심 성공요인:
- 옛날에는, CPU 속도, 그래픽 성능, 메모리(HDD, SDD, DRAM)의 액세스(access) 성능, 배터리 사용시간 등
- 성능시험 결과를 수치화하여 기록하고 추후 성능개선의 기준점으로 삼는 방식으로 벤치마킹을 활용
-

> 1. 문제해결과 관련된 데이터를 수집하고 정리

- 고객만족 핵심 성공요인(CSFs, Critical Success Factors)조사
- 예) SW 분야에서의 고객만족 핵심 성공요인:
- 1)정확성(Correctness)
  - 사용자가 원하는 기능이 있는지, 기능이 정확하게 동작하는지
- 2)사용의 편의성과 용이성(Usability)
  - 사용자가 System을 쉽고, 친근하게 느낄 수 있고
  - 여러 가지 인간적 특성을 고려한 편리한 사용자 환경(User Interface)
- 3)Algorithm의 효율성과 성능(Performance)
  - 문제 해결방법(Algorithm)의 효율성
- 4)유지보수성(Maintainability)
  - 제한된 시간에 Software 오류를 해결할 수 있는 정도
- 5) 유연성(Flexibility)
  - Platform에 상관없이 호환성이 증가된 재 사용 가능한 S/W
  - 미래의 새로운 환경적 변화에 대한 적응과 계속적인 발전 가능성
- 이러한 성능시험 결과를 수치화하여 기록하고
- 추후 성능개선의 기준점으로 삼는 방식으로 벤치마킹을 활용

> 2. 시스템 분석: 해결하려고 하는 문제의 정의

- 요구 사항(Requirements) 분석의 중요성
- Software 개발에 있어서 가장 어렵고 중요한 부분은
- "어떻게(How)" 해결할 것인가가 아니라
- "무엇(What)" 을 해결할 것인가, 즉
- 전체적인 방향, 목적, 구체적 기능을 정확하게 결정
  - 예) 문제 해결 방법(공주님의 달)
  - 예) 일반적인 사업의 성패
- ▶ Requirements Analysis (Engineering)
  - 개발하고자 하는 System의 청사진을 잘 그리기
  - 포함되어야 할 기능이 무엇인가를 신중히 결정

> 요구사항 분석의 중요성: 예) Software 개발의 성패

- 고객만족의 핵심 성공요인(CSF)은 "무엇(What)"인가?
- 전체적인 방향, 목적, 구체적 기능을 정확하게 결정
- ■ 멘토의 유산 - "라인"과 "만" 커피
  - https://news.naver.com/main/read.nhn?mode=LPOD&mid=tvh&oid=374&aid=0000128690
- 글로벌 모바일 메신저 "라인(LINE)"
  - 4년 연속 전세계에서 가장 많은 수익을 올린 앱
  - (비 게임 분야, 2013~2016년)
  - 국내 1위 인터넷 포털 네이버가
  - 2011년 2월 야심차게 런칭한 네이버톡
  - 하지만 시장 선도자 카카오톡의 높았던 벽

➢ 요구사항 분석의 중요성: 예) Software 개발의 성패

- ➢ 고객만족의 핵심 성공요인(CSF)은 "무엇(What)"인가?
- ➢ 전체적인 방향, 목적, 구체적 기능을 정확하게 결정
- ➢ **"시장 선도자(First Mover)"의 어마어마한 강점**
  - ➢ 선점 효과:
    - ➢ 시장 선도 상품 이후에 더 뛰어난 제품이 나오더라도
    - ➢ 옛 방식에 익숙해진 사람들이 계속해서 기존 제품을 사용하는 현상
  - ➢ + 네트워크 효과:
    - ➢ 여러 사람이 사용할수록 그 제품의 효용이 계속 높아지는 현상
- ➢ **"후발 주자(Fast Follower)"의 한계**
  - ➢ 무참히 실패하고만 네이버톡
  - ➢ 하지만....국내에서의 실패는 해외시장으로 눈을 돌린 계기
- ➢ 수만 가지가 불리한 후발주자의 강력한 강점 하나
  - ➢ '선발주자의 허점을 파악한다면, 이상에 가깝게 포지셔닝 할 수 있다'

➢ 요구사항 분석의 중요성: 예) Software 개발의 성패

- ➢ 고객만족의 핵심 성공요인(CSF)은 "무엇(What)"인가?
- ➢ 전체적인 방향, 목적, 구체적 기능을 정확하게 결정
- ➢ 이해진(네이버 의장)의 발상
  - ➢ 글로벌 모바일 메신저 '라인(LINE)을 개발하는
  - ➢ 한국인 책임자를 일본으로 보내며 한 당부
  - ➢ "알고 있는 지식 전부를 잊고 가라. 생활, 음식, 언어, 문화등 모든 면에서 그 나라(일본)를 중심에 두고 생각해야 한다"
- ➢ 글로벌 모바일 메신저 '라인(LINE)' 도 마찬가지다.
  - ➢ 고객만족 핵심 성공요인(CSF) 조사
  - ➢ 아기자기한 캐릭터를 좋아하는 일본인의 특성을 공략
  - ➢ 다양한 감정을 표현할 수 있는 이모티콘과 스티커 출시
- ➢ '모바일 메신저는 많다. 그러나 스티커만으로 대화를 이어 갈 수 있는 건 라인이 유일하다'

➢ 요구사항 분석의 중요성: 예) Software 개발의 성패

- ➢ 고객만족의 핵심 성공요인(CSF)은 "무엇(What)"인가?
- ➢ 전체적인 방향, 목적, 구체적 기능을 정확하게 결정
- ➢ **그 결과......   "라인 해?"**
  - ➢ **전화번호 대신 라인 아이디를 묻는 일본의 젊은이들**
  - ➢ **라인이 일본인의 생활에 완전히 녹아 들다**
- ➢ **이후 글로벌 모바일 메신저 '라인(LINE)' 이**
- ➢ **다른 국가 진출 시에도**
- ➢ **현지인의 라이프 스타일을 철저히 분석**
- ➢ 고객만족 핵심 성공요인(CSF) 조사
- ➢ **음식을 포장해 갖고 가서, 집에서 먹는 문화, 태국에는**
- ➢ **배달서비스 'LINE 맨' 제공**

➢ 요구사항 분석의 중요성: 예) Software 개발의 성패

- ➢ 고객만족의 핵심 성공요인(CSF)은 "무엇(What)"인가?
- ➢ 전체적인 방향, 목적, 구체적 기능을 정확하게 결정
- ➢ **중동 국가에서는 무슬림의 가장 큰 행사인**
- ➢ **'라마단'을 표현한 스티커 출시**
- ➢ **2016년 3월, 전 세계 230개국 사용자 수 10억 돌파**
- ➢ 신중호 네이버 최고 글로벌 책임자
- ➢ 우리의 것을 단순히 갖고 나가서 지역화하는 "현지화(Glocalization:)는 역시 지나치게 우리 중심의 개념이다.
- ➢ 해당 국가의 생활과 문화 속으로 완전히 들어가는 '문화화(Culturalization)'를 추구해야 한다"
- ➢ 고객만족 핵심 성공요인(CSF)이 포함된 그 무엇(What)을 해결해 줄 수 있는 **좋은 SW**라야 성공할 수 있다.

➢ 요구사항 분석의 중요성: 예) Software 개발의 성패

- ➢ 고객만족의 핵심 성공요인(CSF)은 "무엇(What)"인가?
- ➢ 전체적인 방향, 목적, 구체적 기능을 정확하게 결정
- ➢ 그리고 세계적인 브랜드에 맞선 또 하나의 후발주자
- ➢ '만 커피(MAAN COFFEE)' : 한국인이 만든 중국의 10대 커피 전문점
- ➢ 중국 시장을 선점한 **세계 1위** 커피 전문점 스타벅스
  - ➢ 스타벅스 트레이드 마크 만국 공통의 규격화된 매장 인테리어
  - ➢ '불편하지만 다른 데가 없으니까...'
- ➢ 중국인들의불만을 간파하고 중국인의 취향에 맞춤설계한 매장
  - ➢ 고객만족 핵심 성공요인(CSF) 조사의 결과
  - ➢ "만 커피 개업 이후 주변 스타벅스 매장의 손님이 절반 이하로 떨어졌다.
  - ➢ 성공 요인은 흉내바둑이 아닌 빈틈 공략이다" - 신자상 만 커피 회장
- ➢ 고객만족 핵심 성공요인(CSF)이 포함된 그 무엇(What)을 해결해 줄 수 있는 **좋은 전략**이라야 성공할 수 있다.

➢ 요구사항 분석의 중요성: 예) Software 개발의 성패

- ➢ 고객만족의 핵심 성공요인(CSF)은 "무엇(What)"인가?
- ➢ 전체적인 방향, 목적, 구체적 기능을 정확하게 결정
- ➢ **■ 멘토의 유산 - "라인"과 "만" 커피**
  - ➢ https://news.naver.com/main/read.nhn?mode=LPOD&mid=tvh&oid=374&aid=0000128690
- ➢ 글로벌 모바일 메신저 "라인(LINE)"
  - ➢ **4년 연속 전세계에서 가장 많은 수익을 올린 앱**
  - ➢ **(비 게임 분야, 2013~2016년)**
  - ➢ **국내 1위 인터넷 포털 네이버가**
  - ➢ **2011년 2월 야심차게 런칭한 네이버톡**
  - ➢ **하지만 시장 선도자 카카오톡의 높았던 벽**

➢ 2. 시스템 분석: 해결하려고 하는 문제의 정의

➢ **요구사항 분석(Requirements Analysis)**
➢ 어떻게(How) 해결할 것인가가 아니라
  ➢**How를 찾아내는 것 ▶ 설계:**
  ➢ 요구 분석은 System을 어떻게 만들 것인지를 언급하지 않고
➢ 무엇을(What)만들것인지, 무엇을(What)해결할것인지
  ➢**What을 찾아내는 것 ▶ 분석:**
➢ System의 전체적인 방향, 목표와 기능만을 기술한 것
  ➢ System이 어떤 방식으로 구현되어야 한다는 것은 요구가 아니다.
  ➢ 즉, 사용할 DB System이 관계 형인가 아니면 객체지향 형인가,
  ➢ 컴퓨터에 메모리가 얼마나 필요한가, 어떤 Programming 언어가 사용되어야 하나 등은 이 단계에서 전혀 고려하지 않는다.
  ➢ 고객이 의무로 규정하지 않는 이상,
  ➢ 위와 같은 사항은 요구가 아니다.

➢ 2. 시스템 분석: 해결하려고 하는 문제의 정의

➢ **요구사항 분석(Requirements Analysis)**
➢ 무엇을(What)만들것인지, 무엇을(What)해결할것인지
  ➢**What을 찾아내서, 표현한 것 ▶분석:**
➢ System의 목표와 기능에만 초점을 둔다.
  ➢**개발할 System에 반드시 포함되어야 할 기능과**
  ➢**SW System의 전체적 방향과 목표를**
  ➢**구체적으로 찾아내는 것**
➢ **예) 새로운 건축 설계 시에 집주인의 요구사항**
  ➢**넓은 거실, 침실은 셋 이상, 주방, 넓은 서재,**
  ➢**욕실은 둘 이상, 수도와 전기, 보일러 등 ......**
➢ 예) 회사의 급여 System을 구축한다고 하면
  ➢ 매달 급여명세서를 발급하는 기능, 온라인으로 급여를 지급하는 기능,.
  ➢ 장소를 가리지 않고 (회사나 집에서도) 급여를 확인할 수 있는 기능 등.

➢ 2. 시스템 분석: 해결하려고 하는 문제의 정의

➢ **요구사항 분석(Requirements Analysis)**
➢ Software 개발의 출발(Alpha) ▶ **시작점: 목표**
  ➢**무엇을 개발할 것인가를 정확히 결정해서 문서화한**
  ➢**요구사항 명세서에 따라서 목표를 가지고 개발 시작**
  ➢**1) System이 반드시 가져야 할 기능**
  ➢**기능적 요구: 자율주행 자동차의 기능:**
    ➢**무인주행(Manless Driving), 부분자율주행(HDA), 정속주행(Cruise)**
    ➢**긴급제동(AEB), 자동주차(APS), 자동호출(ACS) 기능 등**
  ➢2) System이 제공하여야 할 서비스나 제약 조건
  ➢비 기능적 요구: 자율 주행차의 성능이나 효율, 반응 시간 등

➢ **Software 개발의 마지막(Omega)▶ 도착점: 평가기준**
  ➢**요구사항 명세서에 따라서 Test 결과가 정확하면 합격**

➢ 2. 시스템 분석: 해결하려고 하는 문제의 정의

➢ **요구사항 분석(Requirements Analysis)**
➢ **1) 분석 단계**
  ➢정확한 요구 사항을 추출하여
  ➢어떤 문제 (What) 를 해결할 것인지 결정하여
  ➢**구현될 System의 목표를 명확히 도출**
➢ **2) 요구사항 명세서 작성 단계**
  ➢**System이 어떤 기능을 가져야 하는가를 정확히 기술**
  ➢구현에 있어서 제약 조건 및
  ➢성능에 관한 사항도 명시

➢ 요구사항 추출과 분석단계에서 유용한 질문들

➢ **정보를 수집하고 재구성, 요구 추출에 적용되는 6하 원칙**
➢ **Who ▶ 분석 대상 업무에 누가 관련되는가?**
  ➢ 누가 어떤 일을 어떻게 수행하는가? (관계자들의 구체적인 작업내용)
➢ **What ▶ 제안된 System의 현재 기능은 무엇인가?**
  ➢ **현재의 System은 어떤 작업을, 어떤 방법으로 처리하는가?**
➢ **Why ▶ 왜 새로운 System을 고려하게 되었나?**
  ➢ **현재의 System 작업과정에서 문제가 되는 것은 무엇인가?**
➢ **When ▶ 새로운 System은 언제 완성되어야 하나?**
  ➢ **새로운 Hardware로의 교체 or 새로운 Software의 인수시기**
➢ **Where ▶ 새로운 System은 어떤 환경에서 작동될 것인가?**
  ➢ **Hardware적 요구 환경, 운영 체제 등 Software적 요구 환경**
➢ **How ▶ 새 System은 어떻게 작동할 것인가?**
  ➢ **어떠한 제약 조건하에서, 얼마만큼의 비용을 지불하나?**[23]

➢ 2. 시스템 분석: 해결하려고 하는 문제의 정의

➢ **시스템 분석가(System Analyst or System Engineer)**
  ➢**컴퓨팅 사고단계의 설계자, 업무 분석자**
  ➢**System Analyst, System Engineer,**
  ➢**Business Analyst, Coordinator**
➢ **System 분석가 VS. Coding 프로그래머의 자질과 임무**
  ➢**응용 분야(Application)에 대한 전문지식이 필수적**
  ➢**의사소통(Communication) 능력**
    ➢**듣고, 말하고, 쓰고, 발표하는 능력 매우 중요**
  ➢**고객의 관점에서 문제를 볼 수 있는 객관적 시각 필요**
    ➢**대화를 통하여 다양한 관점을 통합하는 임무**
    ➢**사용자들로부터의 모순되는 요구사항을 해결하는 능력**
  ➢**HW, SW를 포함한, IT환경 전반에 대한 전문지식:**

➢ 2. 시스템 분석: 해결하려고 하는 문제의 정의

- ➢ **요구사항 분석(Requirements Analysis)**
- ➢ 예) 새로운 건축 설계 시에 집주인의 요구사항
  - ➢ 넓은 거실, 침실은 셋 이상, 주방, 넓은 서재,
  - ➢ 욕실은 둘 이상, 수도와 전기, 보일러 등 ......
- ➢ 설계사의 설계
  - ➢ 거실은 아래층 중앙, 침실은 위층,
  - ➢ 주방과 서재는 북쪽 아래층,
  - ➢ 다용도실을 추가하는 등 설계 도면 작성
- ➢ 완성된 설계는 요구를 만족하는 특정한 Solution
  - ➢ 여러 가지 다른 Solution이 있을 수 있다.
  - ➢ 예) 거실을 크게 하기 위하여 방을 작게 할 수도 있고
  - ➢ 주방을 더 넓게 하기 위하여 거실을 축소할 수도 있다.

➢ S/W 개발 과정과 기법(Software Life Cycle)

- ➢ SW 개발과정: Software (Development) Life Cycle
  - ➢ 건축 공정과 SW개발 공정의 비교
- ➢ System 분석(Analysis): 요구사항 분석: 문제의 정의
  - ➢ 1. 문제해결과 관련된 데이터를 수집하고 정리하기
  - ➢ 2. 시스템 분석: 해결하려고 하는 문제의 명확한 정의
- ➢ System 설계(Design): 문제의 해결 방법 결정
  - ➢ 3. 시스템 설계(Design): 문제해결 방법의 정의
  - ➢ 4. Software시스템의 설계원리(Design Principle)
    - ➢ 추상화(Abstraction) & 단계적 분해
    - ➢ Module화(Modularization) & 정보 은닉(Information Hiding)
  - ➢ 5. Algorithm의 표현 방법(Module 명세화 기법)
    - ➢ 의사 Code(Pseudo code)와 흐름도(Flow chart)
    - ➢ N-S도표(Nassi-Schneiderman Chart)
  - ➢ 6. 사용자 환경(User Interface)설계: 사용자 분석
- ➢ System 구현(Implementation), Test 및 통합(Integration)
- ➢ System 설치(Installation): 사용자 지침서 및 개발 문서 작성
- ➢ System 유지보수(Maintenance)
  - ➢ 1)오류 수정 2)적응적 3)기능개선(약 60%) 4)예방적 유지보수

➢ 3. 시스템 설계(Design): 문제해결 방법의 정의

- ➢ **요구사항 분석(Requirements Analysis)**
- ➢ 예) 새로운 건축 설계 시에 집주인의 **요구사항**
  - ➢ 거실, 침실 셋,
  - ➢ 주방, 서재, 욕실 둘,
  - ➢ 수도와 전기 등
  - ➢ ......
- ➢ **시스템 설계(Design): 설계사의 설계**
  - ➢ **거실은 아래층 중앙, 침실은 위층,**
  - ➢ **주방과 서재는 북쪽 아래층,**
  - ➢ **다용도실을 추가하는 등 설계 도면 작성**

➢ 3. 시스템 설계(Design): 문제해결 방법의 정의

- ➢ 시스템 분석에서 만들어진 요구 조건, 제약 조건을 만족한다면
- ➢ 여러 가지 다른 Solution이 있을 수 있다.
  - ➢ 여러 가지 대안 중에 하나의 Solution을 선택
- ➢ 제안된 설계는 문제에 대한 특정한 Solution
  - ➢ 예1) 거실을 크게 하기 위하여 방을 작게 할 수도 있고
  - ➢ 예2) 주방을 더 넓게 하기 위하여 거실을 축소할 수도 있다.
  - ➢ 최종 안을 선택하는 일은 원칙이나 필요에 기초
  - ➢ 집주인이 저렴한 비용을 최우선적으로 고려한다면
  - ➢ 예1) 비용이 적게 드는 설계안을 채택한다든지
  - ➢ 집주인이 식구가 더 늘어날 계획을 가지고 있다면
  - ➢ 예2) 확장이 용이한 설계안을 채택하는원칙을 반영해야한다.
- ➢ **Software 설계도 같은 관점**

➢ Software시스템의 설계원리(Design Principle)

- ➢ **추상화(Abstraction)의 원리**
  - ➢ **근본적인 본질에 집중**
- ➢ **단계적 분해**(Stepwise Refinement)
  - ➢ 처음부터 자세한 것을 다루지 않고 단계적으로 분할하여 구체화
- ➢ **Module화**(Modularization)
  - ➢ Program을 작고 독립적인 단위로 분할
- ➢ **정보 은닉**(Information Hiding)
  - ➢ 기능(특정 기능)을 수행하기 위해서
  - ➢ 필요한 자료만을 하나의 함수 안에 정의하는 원리
  - ➢ 즉 필요 없는 자료를 접근할 필요가 없다는 개념

➢ 추상화의 원리로 중요한 부분을 강조한 모형화

- ➢ **모형화(Modeling)**:
- ➢ **만들고자 하는 것을 추상화(가장 중요한 기능, 속성만을 표현)해서 미리 만들어보는 방법**
- ➢ **모형화(Modeling) 표현 방법의 특징: 추상화**
  - ➢ 현실을 단순화, 가시화
  - ➢ 관심 분야가 아니거나,
  - ➢ **목적과 무관한 세부적인 것은 생략하여**
  - ➢ **중요하고 본질적이고, 필수적인 것만을 표현**

➢ 단계적 정제 혹은 분해(Stepwise Refinement)

- ➢ 단계적 정제 혹은 분해 과정
  - ➢ SW설계 초기단계는, 처음부터 자세한 것을 다루지 않고,
  - ➢ 가장 중요한(근본적인) 본질(기능)부터 시작해서
  - ➢ 전체적이고 근본적인 개념으로부터, 큰 구조를 먼저 파악해
  - ➢ System의 중요한 기능과 구조적인 속성만을 생각한다.
  - ➢ 점차적(단계적)으로 분할하면서 자세하게 구체화하는 방법.
- ➢ 적용 방법
  - ➢ 기능을 최대한 크게 생각하고 분류하여 큰 System으로 보고
  - ➢ 기본 설계 단계에서 Module에 대한 전체 구조를 설계하고
  - ➢ 계층적인 구조를 만들면서 점차적으로 구체화
  - ➢ 점차 Module에 대한 세부 사항으로 내려가며 구체화
  - ➢ 상세한 내역(Algorithm, 자료구조 등)은 가능하면 뒤로 미룸

➢ 단계적 정제 혹은 분해(Stepwise Refinement)

- ➢ Software의 설계도 같은 개념으로 접근
  - ➢ 처음에는 간단한 기능을 가진 큰 단위의 Module로 만들고
  - ➢ 점차 점차 작은 단위의 Module로 세분화, 추가해 나간다

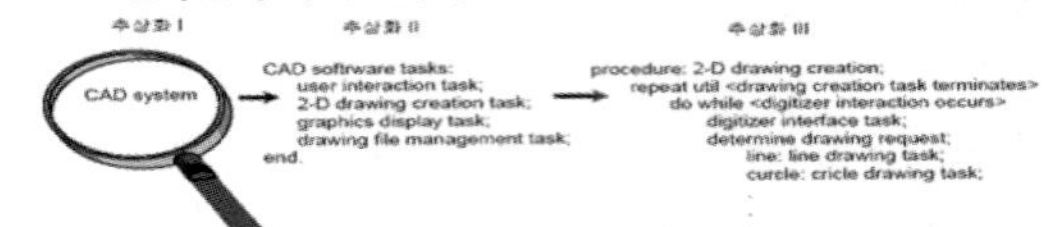

- ➢ 간단한 자판기
- ➢ 진보된 자판기
  - ➢ 최신 자료를 외부DB에서 읽어올 수 있는 모듈 추가
- ➢ 더 진보된 자판기
  - ➢ 최신 자료를 외부 DB에서 읽어올 수 있는 모듈 추가
  - ➢ 음성합성 모듈 추가
  - ➢ 음성인식 모듈 추가
  - ➢ 얼굴인식 모듈 추가

39

➢ 추상화를 통한 Modeling 표현 방법

- ➢ Modeling 표현 방법의 특징: 추상화
- ➢ S/W System Modeling
  - ➢ 개발하려고 하는 S/W System의 기능이나 동작과정 등을 분석,이해하기 위하여
  - ➢ 간단한 물리적 모형, 도해를 만들거나 또는 그 System의 특징을 표현하는 과정
- ➢ System을 여러 가지 관점(View)에서 관찰하여
  - ➢ 그 결과를
  - ➢ 개념화, 구조화, 시각화, 명세화, 문서화

추상화를 통한 모형의 예: DFD(Data Flow Diagram)

- ➢ Modeling 표현 방법의 특징: 기능 중심의 추상화
  - ➢ 중요하고 본질적이고, 필수적인 기능과 자료흐름을 표현
  - ➢ 기능은 원 또는 사각형으로, 입출력 자료흐름은 화살표로 표시

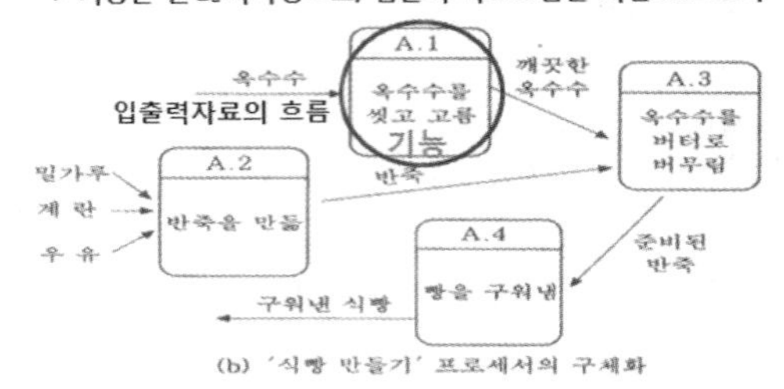

(b) '식빵 만들기' 프로세서의 구체화

➢ 추상화를 통한 모형의 예: 사용사례(Use Case)

자율 주행 자동차 기능 시스템의 예	
사용 사례 (Use Case)이름	크루즈컨트롤(ASCC) 기능 사용 사례(Use Case)
참여액터(Actor)	크루즈컨트롤(ASCC) 버튼 객체(액터는 차후 Prog.에서 Class가 된다)
시작조건	1) 시동 ON 상태이고,(AND조건) 2) 자동변속기가 D의 값을 가지고,(AND조건) 3) 가속페달이 눌러진 양수 +의 상태값을 가지면서,(AND조건) 4) 감속페달이 눌러지지 않은 상태 0 의 상태값(초기값)을 가지고 5) 크루즈컨트롤(ASCC) 버튼을 선택한 상태이면 Cruise기능선택 RadioButton에서 1. SET 2. CANCEL 3. RES+ 3가지 상태 중에서 1개를 선택할 수 있다.
사건의 흐름	Cruise기능선택 RadioButton에서 1. SET 2. CANCEL 3. RES+ 3가지 상태 중에서 1개를 선택한다. 1. SET을 선택하면, 현재속도계를 설정속도계로 출력하고 정속주행한다. 2. CANCEL을 선택하면, 현재의 설정속도계를 해제하고 한 단계 감속(-5)한다. 가속페달(Accel)을 선택하지 않으면 계속 감속한다. 3. RES+을 선택하면, 현재의 설정속도계를 한 단계 가속(+5)한다.
종료조건	Cruise기능선택 RadioButton에서 2. CANCEL 을 선택하고 크루즈컨트롤(ASCC) 버튼을 해제하였을 때

추상화를 통한 모형의 예: DFD(Data Flow Diagram)

- ➢ Modeling 표현 방법의 특징: 기능 중심의 추상화
  - ➢ 중요하고 본질적이고, 필수적인 기능과 자료흐름을 표현
  - ➢ 기능은 원 또는 사각형으로, 입출력 자료흐름은 화살표로 표시

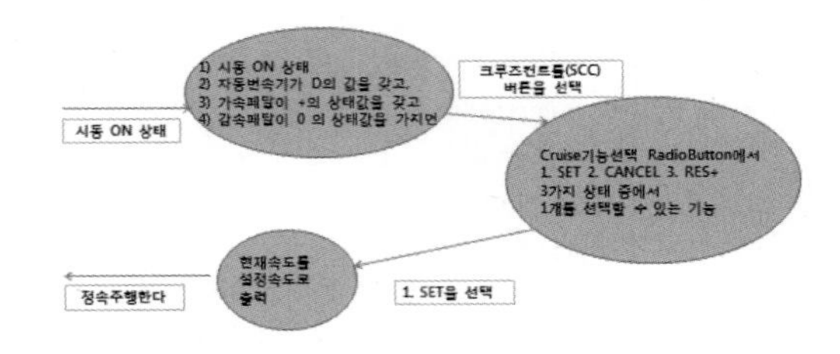

추상화를 통한 모형의 예:UML(Sequence Diagram)

➢ **Modeling 표현 방법의 특징: 객체 중심의 추상화**

➢ 객체들 사이의 메시지교환을 시간적 순서(위에서 아래)로 표현한 순차D

➢ 사각형은 객체의 생성과 소멸을, 화살표는 메시지의 송,수신을 표현

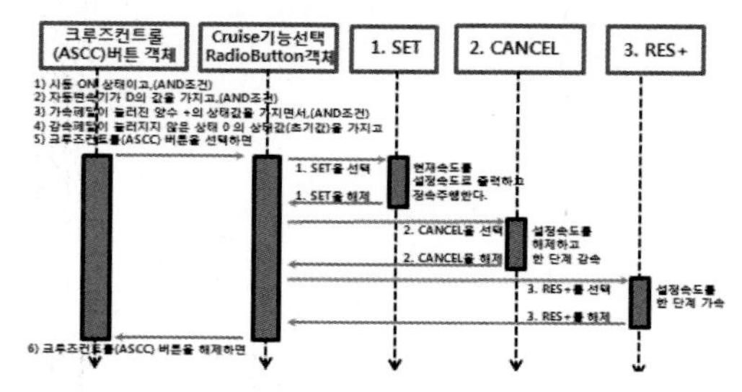

➢ 3. 시스템 설계(Design):

➢ 분할하여 정복(Divide and Conquer):

➢공학적 문제해결의 일반적 방법

➢ 모든 공학 분야에서 System을 구성 요소로 나누어 접근하는 방식

➢즉 큰 일을 작게 나누고

➢작은 일을 하나씩 해결하고

➢다시 통합하여 효율적인 구조로 최적 구조화

➢ Software System도

➢크고 복잡한 문제를 해결하기 위해

➢기능 단위인 Module로 분할하여 정복(Module 화)

➢ System은 논리적, 기능적으로 분할되어

➢ Module화 되어야 한다.

8.4.2 프로그램의 설계(Program Design)와 번역과 실행

프로그램을 작성하는 과정은 그림에 나타낸 것처럼 단계적으로 흐름으로 구성된다. 프로그램 설계는 원하는 프로그램을 완성시키기 위한 구체적 작업의 첫 스텝이다. 시스템 전체를 대상으로 한 기본 설계와 상세 설계에서 내부의 처리 상세, 각 단위 프로그램 간의 인터페이스 상세 등을 결정하는 작업이며, 프로그램 설계서, 플로 차트, 테이블 설계서 등의 작성 과정을 말한다.

*〈참고〉: [컴퓨터인터넷, IT용어대사전]

8.4.2.1 프로그래밍 언어(Programming Language)

프로그램(Program)은 Computer로 어떤 일을 처리 하고자 할 때 그 일의 문제해결 과정과 처리 순서인 알고리즘(Algorithm)을 Programming 언어로 코딩한 것이다. 이렇게 프로그램을 작성하기 위해 사용하는 기호 체계를 프로그래밍 언어라고 하며 이것은 인간과 Computer가 의사소통할 수 있는 언어를 말한다.

프로그래밍 언어의 분류

프로그래밍 언어는 기본적으로 기계(컴퓨터)와 가까운 저급언어(Low level language)와 사람과 가까운 고급언어(High level language)로 구분된다.

또한 프로그래밍 언어는 세대별로 1세대 초창기 언어로서, 기계어와 일대일로 대응하는 어셈블리 언어(assembly language), 2세대 비구조적인 고급언어인 포트란과 코볼, 3세대 구조화 프로그램, 즉 프로시저 위주의 고급언어인 파스칼과 C언어, 4세대 객체지향 프로그래밍(OOP)과 비주얼 프로그램이 강조된 언어인 비주얼 베이직(Visual Basic), C++, C#, JAVA, 5세대 고급언어인 프롤로그(Prolog) 등으로 구분된다.

[표 8-3] Programming 언어의 분류

구분		
고급언어 (High-Level Language) : 사람이 잘 이해 할 수 있는 언어	초기의 고급언어	FORTRAN, COBOL,PL/1, PASCAL, BASIC, C 등
	최근의 고급언어	C++, C#, JAVA, Visual BASIC, Visual C++ ,Prolog
저급언어 (Low-Level Language) : 컴퓨터가 잘 이해 할 수 있는 언어	어셈블리 언어 (Assembly Language)	기계어 명령 코드(2진수)를 기억하기 쉬운 연상 기호(mnemonic code)로 만든 언어
	기계어 (Machine Language)	컴퓨터가 직접 이해할 수 있는 2진수(0과 1)로 된 언어

➤ Programming 언어의 분류

- ➤ **Programming 언어의 분류 1**
  - ➤ 기계(Computer)와 가까운 저급 언어와 사람과 가까운 고급 언어로 구분
  - ➤ 저급 언어 ➔ 기계어, 어셈블리어
  - ➤ 고급 언어 ➔ C 언어, Visual Basic, C++ 언어, C#, JAVA
- ➤ **Programming 언어의 분류 2 (세대에 따라 구분)**
  - ➤ 1세대: 초창기 언어로 기계어와 일대일 대응 ➔ 어셈블리어
  - ➤ 2세대: 비구조적인 고급 언어 ➔ 포트란, 코볼
  - ➤ 3세대: 구조적 Program(Procedure 위주의 고급 언어)
  - ➤ ➔ 파스칼, C 언어
  - ➤ 4세대: 객체 지향 Programming(OOP)과
  - ➤ Visual Program이 강조된 언어
  - ➤ ➔ Visual Basic, C++ 언어, C#, JAVA
  - ➤ 5세대: 고급 언어 ➔ 프롤로그(Prolog)

8.4.2.2 고급언어의 Programming과정

개략적인 고급 언어의 Programming과정은 다음 그림과 같다.

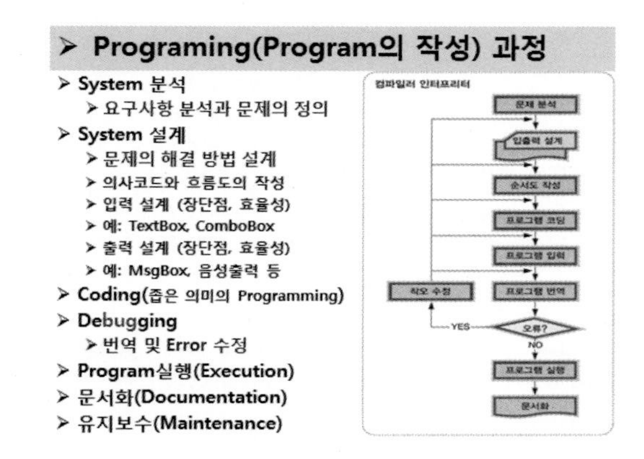

프로그램의 작성

(1) 프로그램 설계(Program design)를 위한 알고리즘(Algorithm)

알고리즘(Algorithm)은 어떤 문제를 해결하기 위해 명확히 정의된(well-defined), 유한개의 규칙과 절차의 모임, 명확히 정의된 한정된 개수의 규제나 명령의 집합이며, 한정된 규칙을 적용함으로써 문제를 해결하는 것이다. 알고리즘은 사람의 손으로 문제를 해결할 것인지, 컴퓨터로 해결할 것인지에 관계없이 문제 해결 방법을 의미한다.

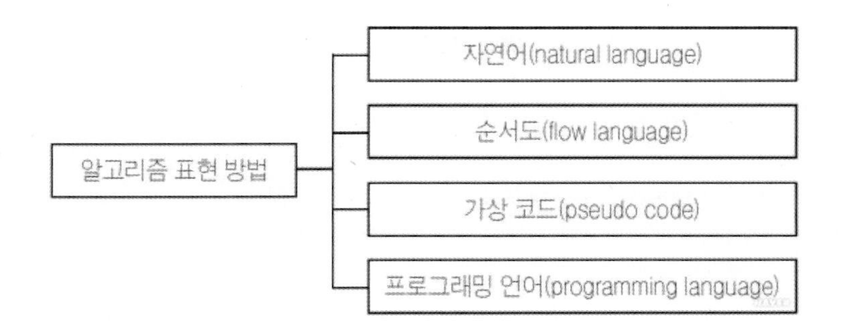

알고리즘은 일반적으로 일반화되어 있지 않은 어떤 문제에 대하여 그 해결을 하기 위한 프로그램을 작성할 경우, 프로그램을 실제 작성하기에 앞서 충분한 문제의 분석 과정을 거쳐 적절한 해결책을 세워 나가는 일련의 작업 단계를 말한다.

➢ Programming: Algorithm작성과 Coding

➢ 프로그램(Program)
- ➢Computer 혹은 IT환경 혹은 일상생활 혹은 직무처리에서
- ➢어떤 문제를(일을) 효과적으로 해결(처리)하기 위하여

➢ 1) 알고리즘(Algorithm: 문제해결방법) 결정 (건축의 설계과정)
- ➢매뉴얼(Manual)
  - ➢생활속: 예) (라면을 맛있게 끓이는 방법에 대한 생각)
  - ➢분야별: 예) 자동차 사용설명서, 전자제품 사용설명서 등
  - ➢제품별: 예) 인공지능에어컨의 작동방법이 담긴 설명서 등
  - ➢업무별: 예) 직무명세서와 직무기술서 등
- ➢올바른 처리 방법과 구체적인 절차에 따라 기술한
- ➢의사 Code와 흐름도 등 형식으로, 방법에 대한 생각을 정리

➢ 2) Coding하는 과정 (방법의 실행, 건축의 시공과정)
- ➢Computer 혹은 IT환경(디지털 기기, 스마트기기 등)이 이해할 수 있는
- ➢Programming 언어(매우 쉬운 언어도 많다)로 만든
- ➢일련의 명령문(문제해결방법(알고리즘)에 따라 라면을 끓이는 과정)

53

➢ Programming: Algorithm작성과 Coding

➢ 그래서 Programming은 2 단계 과정(부분)으로 구성

➢1) 알고리즘(Algorithm) 작성과정: **방법의 설계**
- ➢시스템 분석과 설계의 과정에서
- ➢어떤 문제를 해결하기 위하여 그 처리 방법과 절차를 기술하는 과정
- ➢해당분야 전문가와의 협업을 통해
- ➢Program의 핵심논리인 문제해결방법(알고리즘)을 작성하고
  - ➢의사 Code(자연언어로 표현된 일종의 매뉴얼)와
  - ➢흐름도(의사 Code의 핵심논리를 간단하게 도식화한 것)를 주로 사용

➢2) Programming언어로 작성(Coding): **방법의 실행**
- ➢ Computer 혹은 IT환경(디지털 기기, 스마트기기 등)이 이해할 수 있는
- ➢ Programming 언어 (매우 쉬운 언어도 많다)를 사용하여
- ➢ 미리 작성된 알고리즘을 일련의 명령문(Code)으로 옮기는 단순한 과정
  - ➢특정 언어의 문법을 사용하여 Code를 작성(굳이 어려운 언어를 고집X)

➢문제해결방법(알고리즘) 작성과정이 더욱 중요하다.

IT융합기술과 컴퓨팅 사고방식(Computational Thinking)

➢ 알고리즘(Algorithm)은
- ➢이 세상 모든 일(특히 내가 하고자 하는 일)을
- ➢더욱 효율적으로 수행할 수 있도록
- ➢문제해결방법에 대한 생각을 정리한 것

➢ 프로그램(Program)의 핵심논리인 문제해결방법(알고리즘)은
- ➢의사 Code와 흐름도, 매뉴얼 등으로 미리 준비하여
- ➢작성해두고 발전적으로 계속해서 수정할 수 있다

➢IT 융합기술은
- ➢각자의 전공분야(Application)기술 + IT기술
- ➢그래서 모든 전공분야와 모든 직종의) 사람들이
- ➢Program을 이해하고
- ➢Program을 효과적으로 작성하는
- ➢사고방식(컴퓨팅 사고)에 익숙해져야 한다.

54

➢ S/W 개발 과정과 기법(Software Life Cycle)

➢SW 개발과정: Software (Development) Life Cycle
- ➢건축 공정과 SW개발 공정의 비교

➢System 분석(Analysis): 요구사항 분석: 문제의 정의
- ➢1. 문제해결과 관련된 데이터를 수집하고 정리하기
- ➢2. 시스템 분석: 해결하려고 하는 문제의 명확한 정의

➢System 설계(Design): 문제의 해결 방법 결정
- ➢3. 시스템 설계(Design): 문제해결 방법의 정의
- ➢4. Software시스템의 설계원리(Design Principle)
  - ➢추상화(Abstraction) & 단계적 분해
  - ➢Module화(Modularization) & 정보 은닉(Information Hiding)
- ➢5. Algorithm의 표현 방법(Module 명세화 기법)
  - ➢의사 Code(Pseudo code)와 흐름도(Flow chart)
  - ➢N-S도표(Nassi-Schneiderman Chart)
- ➢6. 사용자 환경(User Interface)설계: 사용자 분석

➢System 구현(Implementation), Test 및 통합(Integration)

➢System 설치(Installation): 사용자 지침서 및 개발 문서 작성

➢System 유지보수(Maintenance)
- ➢1)오류 수정 2)적응적 3)기능개선(약 60%) 4)예방적 유지보수

8.4.2.3 알고리즘의 표현 기법

알고리즘은 표현하는 구체적인 기법으로는 의사코드(Pseudocode), 구조도와 흐름도(Flow Chart), 나시-슈나이더만(NC)차트 등이 있다.

➢ Algorithm의 표현 방법(Module 명세화 기법)

➢ Module안의 처리과정(Algorithm)의 표현기법
- ➢Module의 문제해결방법을 명세화하는 주요 도구들
- **➢의사 Code(Pseudo code)**
- ➢의사 결정표(Decision Table)
- ➢의사 결정도(Decision Diagram)
- **➢구조도(Structure chart)와 흐름도(Flow chart)**
- **➢N-S도표(Nassi-Schneiderman Chart),**
- ➢PDL(Program Design Language)
- ➢상태천이도(State Transition Diagram)
- ➢행위도(Action Diagram)

➢ 의사(疑似) Code (Pseudo code; 가짜 code)

➢ 의사(疑似)Code는 말 그대로
- ➢Code(Program)를 흉내만 내는 가짜 Code이기 때문에,
- ➢특정 Programming언어에 구속되지 않는
- ➢일반적인 자연언어(주로 영어나 한글 등)로
- ➢알고리즘의 흐름을 대략적으로 모델링하는 용도로 사용한다.

➢ Programming을 효과적으로 하기 위해서는
- ➢다양한 Programming언어 사용자들이
- ➢모두 알고리즘을 잘 이해할 수 있도록
- ➢의사 Code를 많이 사용한다.

➢ 실제적인 Programming 언어로 작성된 Code처럼
- ➢특정 Programming언어의 문법에 따라 작성된 것이 아니라,
- ➢컴퓨터에서 직접 실행할 수는 없으며,
- ➢특정 언어로 프로그램을 작성하기 전에
- ➢알고리즘만을 표현한 Code이다.

(1) 의사코드(擬似 Code ; Pseudo-code ; 가상프로그램)

특정 프로그래밍 언어의 문법을 따라 작성된 것이 아니라, 영어 혹은 한국어 등 일반적인 언어로 진짜 코드(프로그램)를 흉내 내어 알고리즘을 작성한 가짜 코드를 말한다. 의사(疑似) 코드는 말 그대로 흉내만 내는 가짜 코드이기 때문에, 실제적인 프로그래밍 언어로 작성된 코드처럼 컴퓨터에서 실행할 수는 없으며, 특정 언어로 프로그램을 작성하기 전에 알고리즘을 대략적으로 모델링하는 데에 쓰인다.

의사코드는 실제 프로그래밍 언어처럼 엄밀한 문법을 따를 필요가 없기 때문에 다양한 변종이 존재한다. 그러나 보통 사용자가 많은 C나 리스프, 포트란 프로그래밍 언어 등의 문법과 비슷한 모양이 많다. 엄밀한 묘사가 불필요한 부분에는 자연어(영어 혹은 한글)가 자유롭게 쓰이기도 한다.

컴퓨터 분야의 전공 서적에서는 다양한 언어 구사자들이 모두 이해할 수 있도록 특히 의사코드를 많이 사용하여 설명한다. 또한 보통 의사코드는 저자마다 그 문법이 다르기 때문에, 책의 서두에는 의사코드의 문법이 간략히 설명되어 있기도 하다.

① 제어와 자료 구조를 설명하는 구문에 엄격한 규칙이 없는 자연 언어로, 실행될 수는 없으나 실제 컴퓨터 언어와 매우 유사한 언어로 프로그램의 논리를 표현한 것이다.

② 프로그램을 어떠한 언어로도 코딩할 수 있도록, 특정한 컴퓨터 언어에 구애 받지 않고 간략한 형식으로 작성하여, 이후 단계에서 실행될 수 있는 프로그램의 논리를 쉽게 참조 또는 사용할 수 있도록 한 것을 말한다. 따라서 프로그램 내용을 구조적 워크스루(Workthru) 등에서 검토하는 데도 매우 유용하게 이용된다.

③ 소프트웨어 개발 시에 의사 코드를 기술하기 위해 사용되는 언어. 이는 일반 프로그래밍 언어가 아니며, 영어와 비슷한 구조를 가지고 있어 사용자가 알아보기 쉽게 되어 있다.

➢ 의사 Code (Pseudo code) 작성 요령

➢ 작은 문제들의 해결방법(알고리즘) 만들기
➢ 소단위 명세서(Mini-Spec.)
➢ 구조적 영어(Structured English)
  ➢연산이나 제어구조를 표현하는데 쓰이는 영어 단어를 중심으로
  ➢Programming Logic을 표현

➢ 구조적(Structured) Programming 기본 제어구조를 사용
  ➢순차 구조
  ➢선택 구조 (if then else, case등)
  ➢반복 구조 (repeat, until, while 등)

➢ 의사 Code (Pseudo code) 작성 요령

➢ 작은 문제들의 해결방법(알고리즘) 만들기
➢ 구조적 영어(Structured English)로 작성된
➢ 소단위 명세서(Mini-Spec.) 의사 Code 의 예

```
➢ IF   청구액 > 50만원
➢       IF   납입지체일 > 60일
➢              THEN 사고해결부서에 통고
➢              ELSE (신용도가 아직 좋음)재청구서 발송
➢ ELSE
➢       IF   납입지체일 > 60일
➢              THEN 재청구서 발송
➢                       신용평가서에 기록
➢              ELSE 재청구서 발송
➢ END-IF
```

➢ Program의 기본적 논리: 순차, 선택, 반복 구조

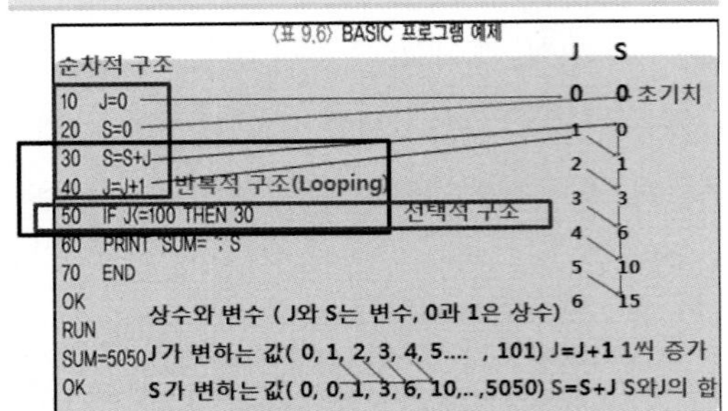

1 부터 100 까지의 합을 구하는 Program

➢ 의사 Code (Pseudo code) 작성 요령

➢ 5) 작은 문제들의 해결방법(알고리즘) 만들기
➢ 구조적 Programming의 기본 제어구조

➢ 선택적 구조
- ➢ ▶ IF THEN
- ➢ ☞ IF condition THEN action
- ➢ END-IF
- ➢ ▶ IF THEN ELSE
- ➢ ☞ IF condition THEN action 1
- ➢ ELSE action 2
- ➢ END-IF

➢ 의사 Code (Pseudo code) 작성 요령

➢ 5) 작은 문제들의 해결방법(알고리즘) 만들기
➢ 구조적 Programming의 기본 제어구조
➢ **선택적 구조**
- ➢ ▶ CASE
- ➢ ☞ CASE selector OF
- ➢ condition1 : action1
- ➢ condition2 : action2
- ➢ condition3 : action3
- ➢ condition4 : action4
- ➢ condition5 : action5
- ➢ END-CASE

➢ 의사 Code (Pseudo code) 작성 요령

➢ 5) 작은 문제들의 해결방법(알고리즘) 만들기
➢ 구조적 Programming의 기본 제어구조
➢ **반복적 구조**
- ➢ ▶ WHILE DO
- ➢ ☞ WHILE condition THEN action
- ➢ END-WHILE
- ➢
- ➢ ▶ REPEAT UNTIL
- ➢ ☞ REPEAT condition action
- ➢ UNTIL condition

➢ 한글 의사 Code (Pseudo code)의 예

➢ 예) 자동 판매기 의사 Code
- ➢ ① 가진 돈을 자동판매기 에 넣는다.
- ➢ ② '음료수(예:오렌지주스) 선택' 버튼을 누른다
- ➢ ③ 음료수를 받는다.
- ➢ ④ 투입한 돈이 음료수가격(예;500원)만큼 감소
- ➢ ⑤ 만약 남은 돈이 (If조건)
  - ➢ ⑥ 음료수가격 이상이면 (Yes조건 분기)
    - ➢ 다른 음료수를 선택하려면 ②번으로 돌아간다.
  - ➢ ⑦ 그렇지 않으면 (No조건 분기)
    - ➢ ⑧ 거스름 돈을 받고 끝낸다.

(2) 순서도(Flow-Chart, 順序圖, 흐름도)

프로그램이나 작업의 진행 흐름을 순서에 따라 여러 가지 기호나 문자로 나타낸 도표를 말하며, 프로그램의 논리적인 흐름이나 데이터의 처리 과정을 표현하는데 사용한다. 프로그

램을 작성하기 전에 프로그램의 전체적인 흐름과 과정 파악을 위해 필수적으로 거쳐야 되는 작업이다.

➢ 흐름도 혹은 순서도(Flow chart)

➢개념
- ➢처리하고자 하는 문제를 분석하여
- ➢그 해결 방법의 논리적 흐름과
- ➢시간적 순서를 이해하기 쉽게
- ➢미리 약속된 기호와 도표를 사용하여 표현한 그림

➢의의 (일반 모든 사회분야)
- ➢직무 명세서에 의한 업무 절차 파악이 용이하고
- ➢불필요한 업무 과정을 변경하거나 제거할 수 있어
- ➢기존의 업무 흐름을 새롭게 변경, 개선하여
- ➢직무과정과 작업과정을 합리적으로 간소화하고
- ➢일 처리 방법을 효율적으로 개선하면서
- ➢합리적인 문제 해결방법을 찾는 도구

➢ 흐름도 혹은 순서도(Flow chart)

➢ 의의 (소프트웨어 개발분야)
- ➢Programming 언어에 상관없이 공통적으로 사용가능
  - ➢문제 해결 방법만 논리적인 순서로 정확하게 작성되면
  - ➢Programming언어로 작성하는 코딩작업은 쉽게 작성
- **➢문제해결방법의 논리적 흐름을 쉽게 이해할 수 있다.**
  - ➢문제해결방법을 다른 사람에게 쉽게 설명할 수 있어
  - ➢의사교환과 의사결정의 합의에 효율적이다.
- **➢프로그램 작성을 위한 기초 자료로서 핵심적 역할**
  - ➢개발하는 프로그램의 논리적 흐름을 쉽게 파악하여
  - ➢잘못된 흐름을 개선하거나 새로운 기능을 쉽게 추가하여
  - ➢시스템 분석과 설계 및 유지보수에 중요한 도구
  - ➢흐름도를 잘 만드는 것은,
  - ➢곧 우수한 프로그램을 만드는 것이다

➢ 흐름도 혹은 순서도(Flow chart)

➢ 흐름도
- ➢어떤 문제의 해결 방법을
- ➢논리적 흐름 혹은 시간적 순서로 배열하여
- ➢미리 약속된 기호와 도표를 사용하여 표현한 그림

➢ 예) 행복해지기 위한 해결 방법을 찾아가는 간단한 행복 흐름도

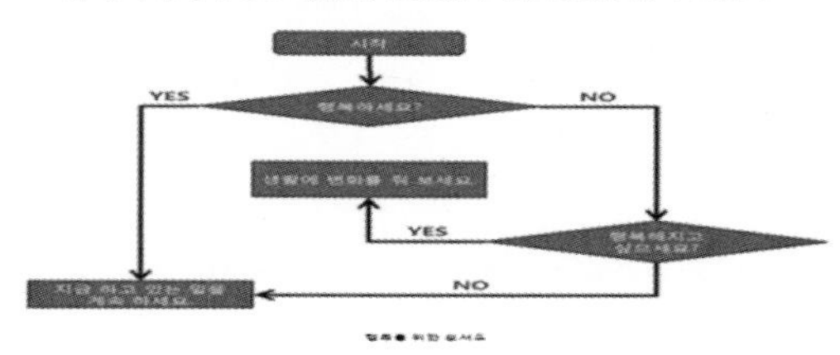

➢ 흐름도 혹은 순서도(Flowchart)의 기본기호

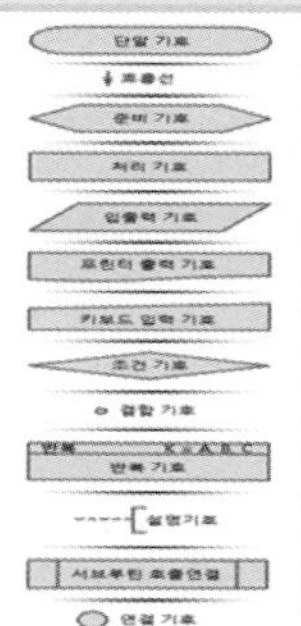

1. 단말기호 형태: 양 옆이 둥근 가로로 긴 직사각형
의미: 시작기호와 완료기호로 처음과 끝을 표현함

2. 흐름선 형태: 단 방향 화살표
의미: 작업의 흐름을 명시

3. 준비기호 형태: 양 옆이 뾰족한 육각형
의미: (작업을 진행하기 전) 사전 준비 사항을 명시. 변수선언, 변수 초기화를 다룸. 사용할 변수를 여기에 다 명시해야 하는데 생략하는 경우가 있음. 대신 배열변수일 경우에는 명시해줘야 함.

4.처리기호 형태: 직사각형
의미: 처리해야 할 작업을 명시 (연산이나 Y=3x 등의 치환 문)

5. 프린터 출력기호 형태: 하단 선이 파도모양인 직사각형.
의미: 프린터로 출력하도록 지시.

6. 조건에 따른 선택 분기 기호 형태: 마름모
의미: 조건에 따라 분기(여러 흐름선 중 하나의 흐름 선을 선택

7. 설명 기호 형태: 길이가 유한한 수평으로 곧은 점선. 점선의 우측에 세로로 긴 직사각형을 붙임. 직사각형은 우측에 모서리 선이 없다.
의미: (Program언어 상의 주석과 동일) 작업의 이해를 돕기 위한 설명을 제공. 실제 동작에 영향을 미치지 않는다.

77

➢ 흐름도 혹은 순서도(Flow chart)

➢종류

➢System(General) Flow chart :범용 흐름도
- ➢처리하고자 하는 문제를 **전체적으로 분석**하여 총괄적으로 작성

➢Program(Outline) Flow chart :개략 흐름도
- ➢처리하고자 하는 문제를 **부분적으로 분석**하여 프로그램 단위로 작성

➢Detail(Module, Function, Subprogram, Procedure, Logic) Flow chart : 상세 혹은 논리 흐름도
- ➢처리하고자 하는 문제를 더 **세부적으로 분석**하여 더 작은 논리적 단위로 작성

병원업무흐름도(Hospital Business Process Configuration) System(General) Flow chart : 범용 흐름도

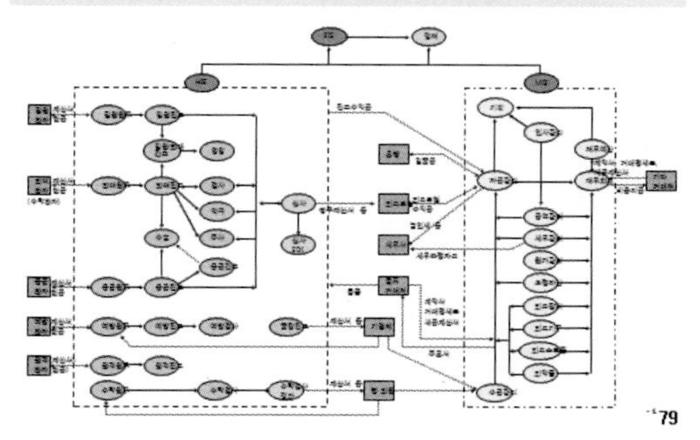

79

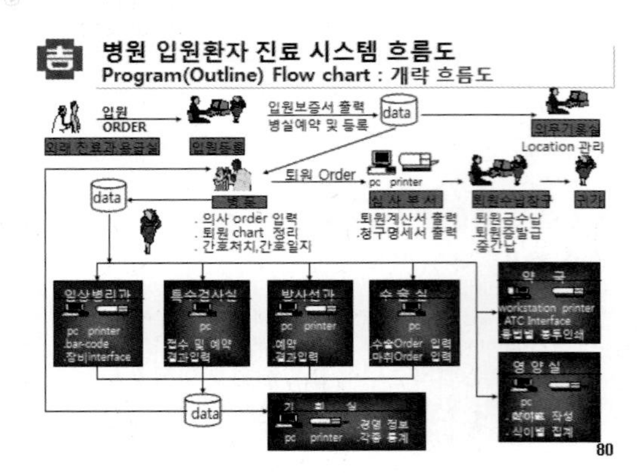

병원 입원환자 진료 시스템 흐름도
Program(Outline) Flow chart : 개략 흐름도
입원
ORDER
입원보증서 출력
병실예약 및 등록
data
의무기록실
Location 관리
외래 진료과,응급실
입원등록
퇴원 Order
pc printer
data
병동
심사부서
퇴원수납창구
귀가
. 의사 order 입력
. 퇴원 chart 정리
. 간호처치,간호일지
.퇴원계산서 출력
.청구명세서 출력
.퇴원금수납
.퇴원증발급
.중간납
임상병리과
pc printer
.bar-code
.장비interface
특수검사실
pc
접수 및 예약
결과입력
방사선과
pc printer
예약
결과입력
수술실
pc
수술Order 입력
마취Order 입력
약국
workstation printer
ATC Interface
용법별 봉투인쇄
영양실
pc
.식이표 작성
.식이별 집계
data
기획실
pc printer
경영 정보
각종 통계
80

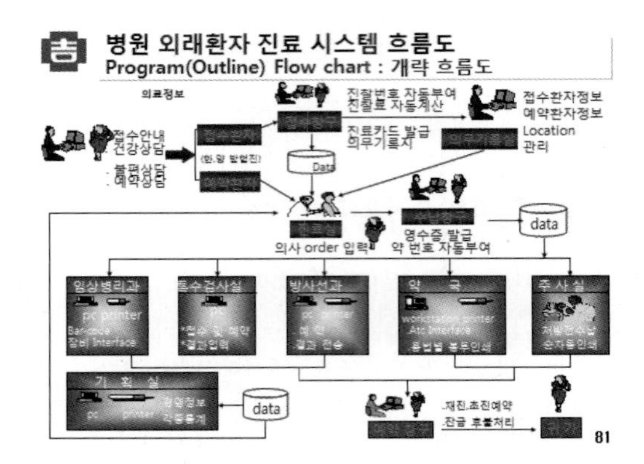

병원 외래환자 진료 시스템 흐름도
Program(Outline) Flow chart : 개략 흐름도
의료정보
진찰번호 자동부여
진찰료 자동계산
진료카드 발급
의무기록지
접수환자정보
예약환자정보
Location
관리
접수안내
건강상담
. 불편상담
. 예약상담
접수창구
의무기록실
Data
진료실
수납창구
data
의사 order 입력
영수증 발급
약 번호 자동부여
임상병리과
pc printer
Bar-code
장비 Interface
특수검사실
PC
*접수 및 예약
*결과입력
방사선과
pc printer
예약
결과 전송
약국
workstation printer
Atc Interface
용법별 봉투인쇄
주사실
처방전수납
순차응인쇄
기획실
pc printer
경영정보
각종통계
data
.재진,초진예약
.잔금 후불처리
예약창구
귀가
81

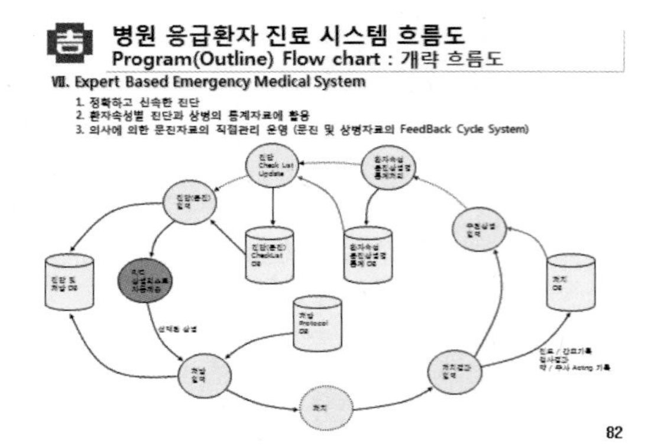

병원 응급환자 진료 시스템 흐름도
Program(Outline) Flow chart : 개략 흐름도
Ⅶ. Expert Based Emergency Medical System
1. 정확하고 신속한 진단
2. 환자속성별 진단과 상병의 통계자료에 활용
3. 의사에 의한 문진자료의 직접관리 운영 (문진 및 상병자료의 FeedBack Cycle System)
82

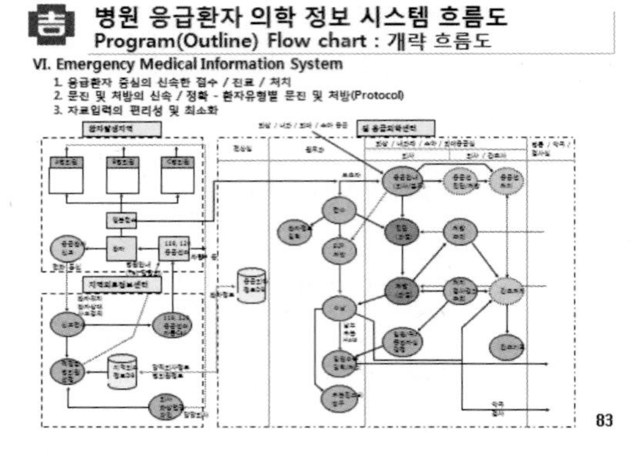

병원 응급환자 의학 정보 시스템 흐름도
Program(Outline) Flow chart : 개략 흐름도
Ⅵ. Emergency Medical Information System
1. 응급환자 중심의 신속한 접수 / 진료 / 처치
2. 문진 및 처방의 신속 / 정확 - 환자유형별 문진 및 처방(Protocol)
3. 자료입력의 편리성 및 최소화
83

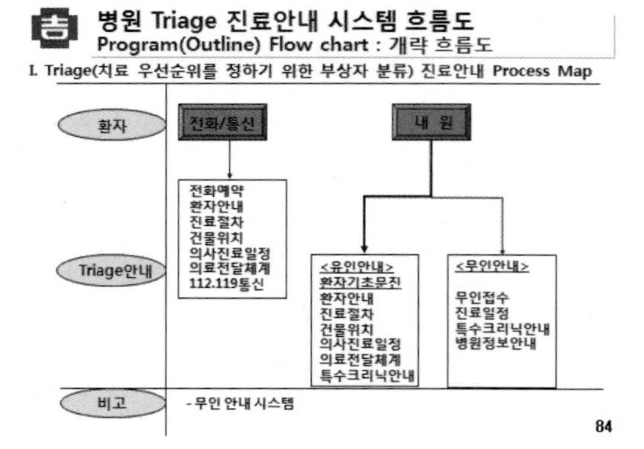

병원 Triage 진료안내 시스템 흐름도
Program(Outline) Flow chart : 개략 흐름도
I. Triage(치료 우선순위를 정하기 위한 부상자 분류) 진료안내 Process Map
환자
전화/통신
내원
전화예약
환자안내
진료절차
건물위치
의사진료일정
의료전달체계
112.119통신
Triage안내
<유인안내>
환자기초문진
환자안내
진료절차
건물위치
의사진료일정
의료전달체계
특수크리닉안내
<무인안내>
무인접수
진료일정
특수크리닉안내
병원정보안내
비고
- 무인 안내 시스템
84

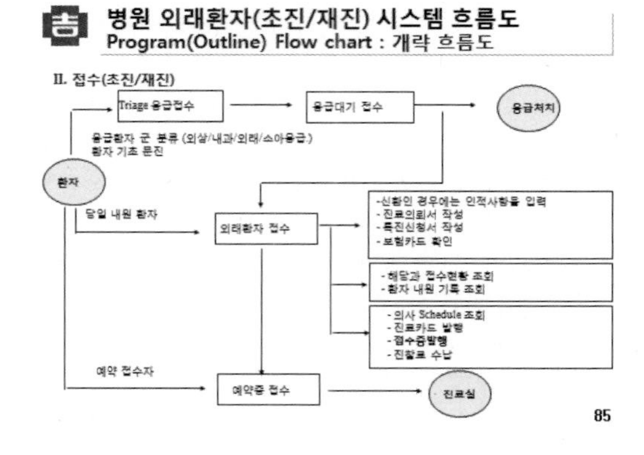

병원 외래환자(초진/재진) 시스템 흐름도
Program(Outline) Flow chart : 개략 흐름도
Ⅱ. 접수(초진/재진)
Triage 응급접수
응급대기 접수
응급처치
응급환자 군 분류 (외상/내과/외래/소아응급)
환자 기초 문진
환자
당일 내원 환자
외래환자 접수
-신환인 경우에는 인적사항을 입력
-진료의뢰서 작성
-특진신청서 작성
-보험카드 확인
-해당과 접수현황 조회
-환자 내원 기록 조회
-의사 Schedule 조회
-진료카드 발행
-접수증발행
-진찰료 수납
예약 접수자
예약증 접수
진료실
85

병원 외래환자(문진/처방) 시스템 흐름도
Program(Outline) Flow chart : 개략 흐름도

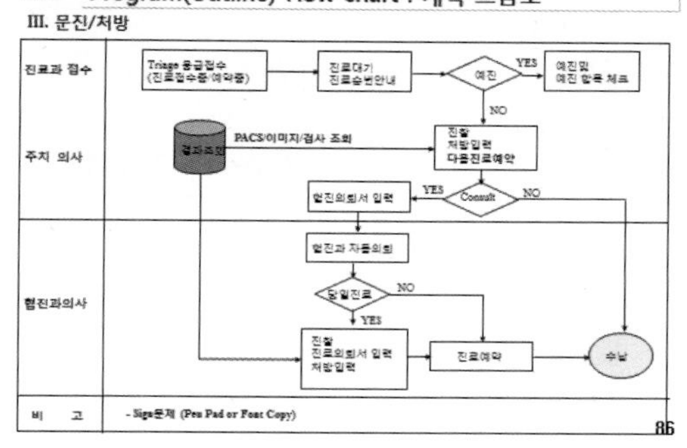

병원 외래환자(수납/예약) 시스템 흐름도
Program(Outline) Flow chart : 개략 흐름도

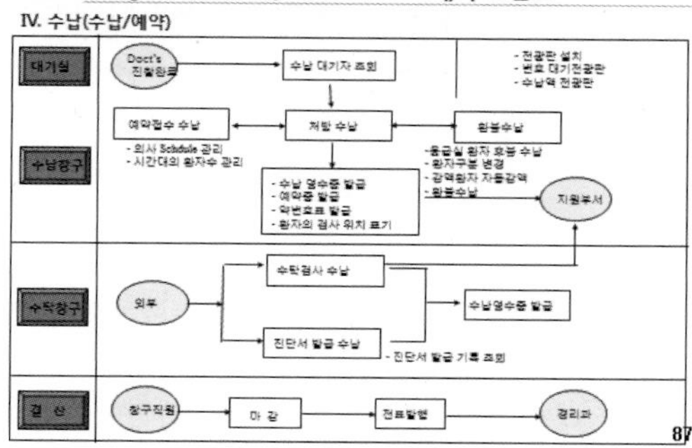

➢ 흐름도 혹은 순서도(Flow Chart)의 예
Detail(Subprogram, Module, Function, Logic) Flow chart: 상세혹은 논리 흐름도

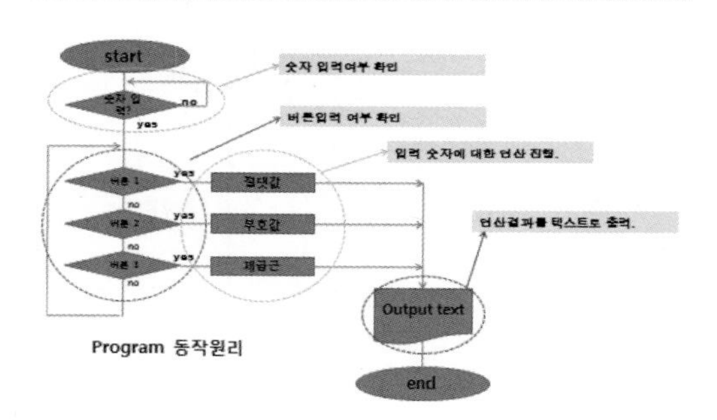

➢ 흐름도 혹은 순서도(Flow Chart)의 예
Detail(Subprogram, Module, Function, Logic) Flow chart: 상세혹은 논리 흐름도

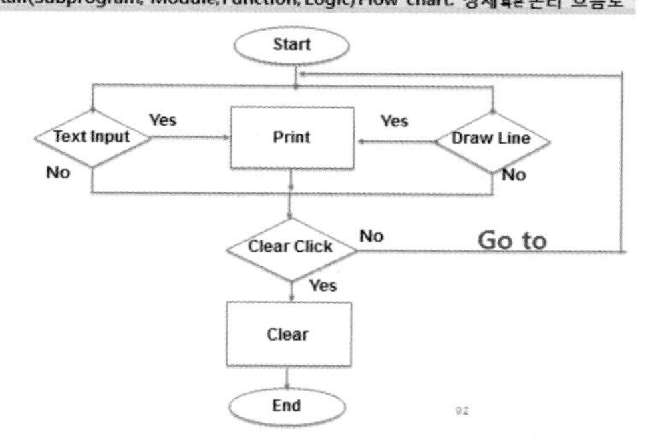

➢ 의사코드, 화면을 이용하여 흐름도(Flow Chart) 작성
Detail(Subprogram, Module, Function, Logic) Flow chart: 상세혹은 논리 흐름도

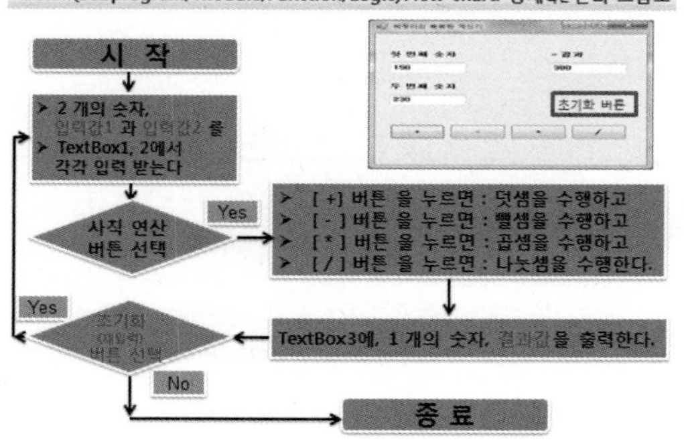

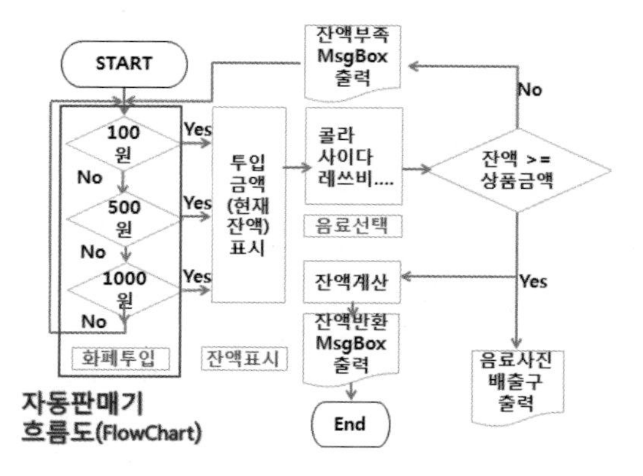

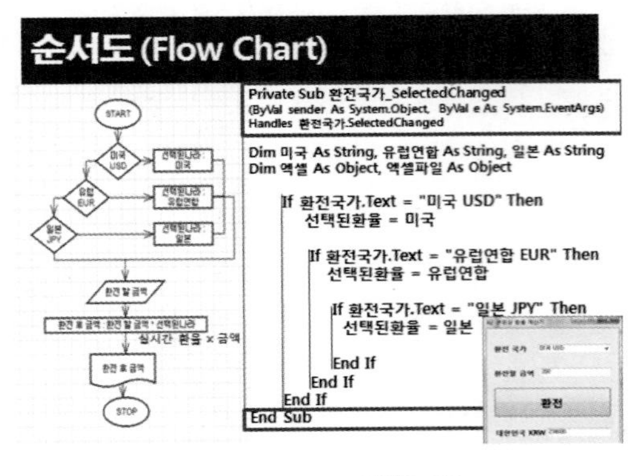

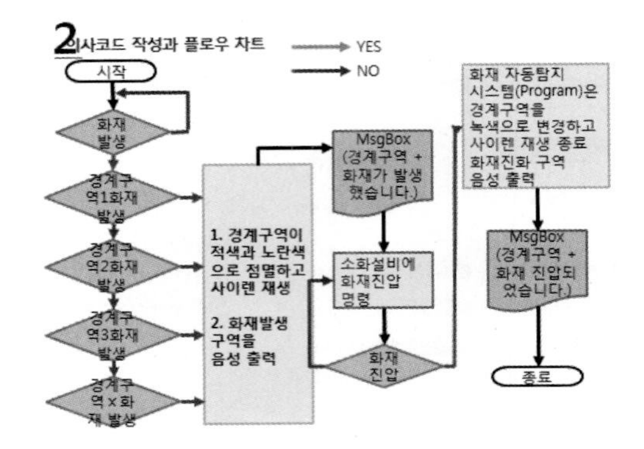

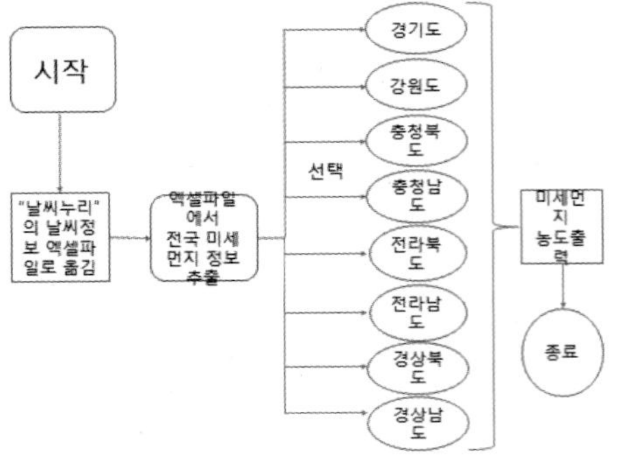

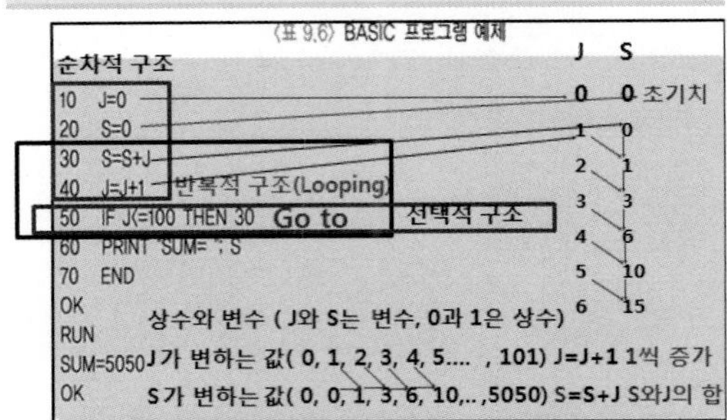

➤ 흐름도 혹은 순서도(Flow Chart)의 단점

- ➤ 흐름도(flowchart)는 쉽게 배울 수 있고
  - ➤ 오랫동안 가장 많이 쓰였던 방법
- ➤ **설계 도구로서의 단점**
  - ➤ **Program의 설계에서 중요한 점은 제어 흐름이**
  - ➤ **구조적(structured program)이 되어야 하는데**
  - ➤ **Algorithm 표현에 흐름도를 사용하면**
  - ➤ **실행 순서가 불규칙적으로 비약하는 경우가 많게 된다.**
    - ➤ **예) Go to 문장의 사용 등**
  - ➤ **흐름도를 사용할 경우**
  - ➤ **제어 흐름이 구조적이 되지 못하고 뒤엉키는,**
  - ➤ **이른바 스파게티 Code가 되기 쉬워**
  - ➤ **최근의 SW 개발 현장에서는 많이 쓰이지 않고 있다**

➤ Program의 기본적 논리: 순차, 선택, 반복 구조

〈표 9.6〉 BASIC 프로그램 예제

순차적 구조

```
10  J=0
20  S=0
30  S=S+J
40  J=J+1
50  IF J<=100 THEN 30
60  PRINT "SUM= "; S
70  END
OK
RUN
SUM=5050
OK
```

J	S	
0	0	초기치
1	0	
2	1	
3	3	
4	6	
5	10	
6	15	

반복적 구조(Looping) / Go to / 선택적 구조

상수와 변수 (J와 S는 변수, 0과 1은 상수)

J가 변하는 값(0, 1, 2, 3, 4, 5.... , 101) J=J+1 1씩 증가

S가 변하는 값(0, 0, 1, 3, 6, 10,.. ,5050) S=S+J S와J의 합

1 부터 100 까지의 합을 구하는 Program

(3) N-S 도표

➤ **N-S도표(Nassi-Schneiderman Chart)**

➤ **구조적 Program의 논리 기술 기본 형태인**
  ➤ **순차, 선택, 반복의 표현을 박스로 표현**
➤ **Program의 구조를 쉽게 파악**

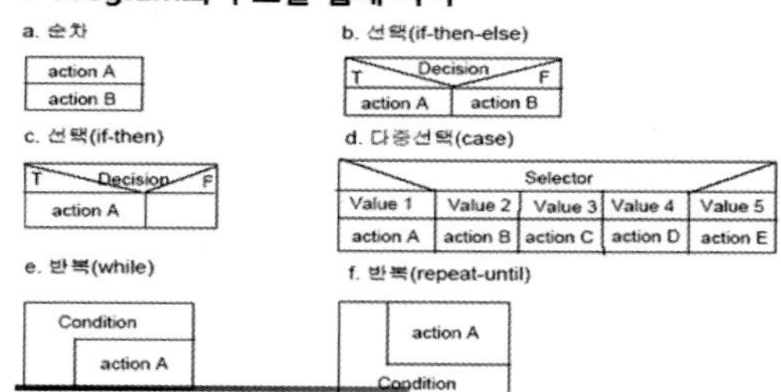

➤ **N-S도표(Nassi-Schneiderman Chart)**

➤ **N-S 도표 : Program의 구조를 쉽게 파악**
  ➤ **구조적 Program의 논리 기술 기본 형태인**
  ➤ **순차, 선택, 반복의 표현을 박스로 표현**

  ➤ 도표는 항상 사각형
  ➤ 도표의 제어흐름은 위에서 아래로
  ➤ 수평으로 그어진 줄은 모두 평행
  ➤ 사각형이 빈 공간(null statement)일수도 있다
  ➤ 모든 사각형은 다시 하나의 N-S 도표로 표현가능

➤ **N-S도표(Nassi-Schneiderman Chart)**

➤ N-S 도표 :
➤ 장점
  ➤ 구조적 Program의 기초적 논리
  ➤ 배우기 쉽고, 읽기 쉬우며 원시 Code로 전환이 쉬움
  ➤ Program의 구조를 쉽게 파악할 수 있다
  ➤ Program의 복잡도, 제어구조를 한 눈에 볼 수 있다.

➤ 단점
  ➤ 도표를 그려야 하는 불편함
  ➤ 자동화 도구로 보완가능

8.4.3.4 고급언어의 번역과 실행절차

사람이 잘 이해할 수 있는 언어인 고급언어로 작성된 프로그램이 컴퓨터에서 수행되기 위해서는 컴퓨터가 잘 이해할 수 있는 기계어로 번역해 주어야 한다.

고급 언어의 번역(Compile)과 실행 절차는 다음과 같다.

➢ 고급 언어의 번역(Compile)과 실행 절차

➢ 시스템 분석과 설계(논리 흐름: 알고리즘 작성),
➢ 프로그램 작성(Coding), 번역(Compile),
➢ 오류 수정(Debugging), 실행(Execution).

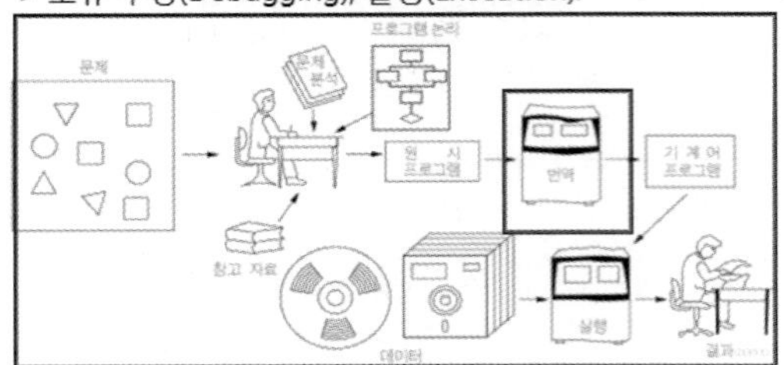

➢ 고급 언어의 번역(Compile)과 실행 절차

1) 디버깅(Debugging):
고급언어를 번역(Compile)하여
목적(기계어) Program 제작
(라이브러리 추가없는 Program)
& 주로 오류수정

고급 언어 프로그램 → 컴파일러 (Compile) → 기계어 프로그램 → 로더 (Loader) → 메모리에 기계어 프로그램 로드 → 실행 → 결과값

소스(source) 프로그램

목적(object) 프로그램

2) 빌드(Build):
번역된 목적(기계어)Program에
라이브러리들을 직접+추가하여
실행(*.exe) Program 완성

➢ 고급 언어의 번역(Compile)과 실행 절차

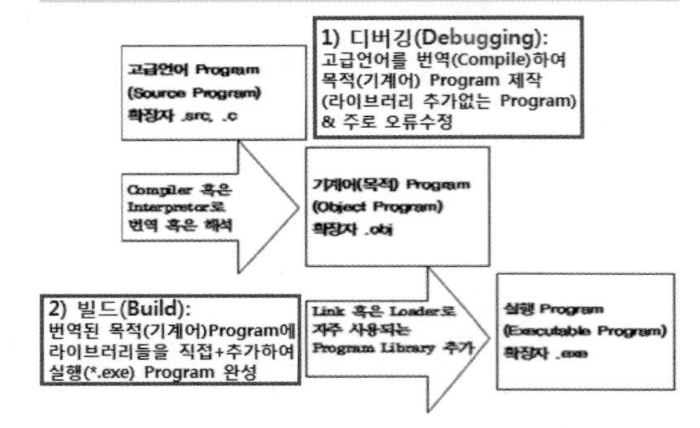

[그림 8-2] 고급 언어의 번역(Compile)과 실행 절차

CHAPTER

09

Visual Basic과 객체지향 프로그래밍

창의적 소프트웨어 파워배양과 미래 IT융합기술
컴퓨팅 기술(IT)과 컴퓨팅 사고(CT)력
Computing Technology (IT) & Computational Thinking (CT)

CHAPTER 09

Visual Basic과 객체지향 프로그래밍

9.1 Visual Basic의 특징

마이크로소프트에서 개발한 윈도용 응용 프로그램 개발언어인 비주얼 베이직(Visual Basic)은 초보자가 접근하기 쉬운 장점을 가지고 있는데, 그 이유는 시각적인 개발 환경과 더불어, 베이직 언어의 연장선상에 있기 때문이다.

비주얼 베이직(Visual Basic)은 윈도(Window)나 버튼(Button)을 양식(Form)에 배치함으로써 그래픽 사용자 인터페이스(GUI)를 사용하여 초보자도 쉽게 프로그램을 작성할 수 있는 장점이 있다.

➢ 비주얼 베이직(Visual Basic)의 일반적 특징:

- ➢ 비주얼 베이직(Visual Basic) 2015는
  - ➢ C++, Java, C# 등과 같은 객체지향언어(OOP언어)와 함께
  - ➢ 비주얼 스튜디오(Visual Studio)라는 패키지로 제공된다.
  - ➢ Visual Basic) 2015부터 모바일 응용프로그램을 만들 수 있는 기능들이 새롭게 추가되었다.
- ➢ 비주얼 베이직(Visual Basic)은
  - ➢ 입문자용 베이직(Basic) 언어이면서
  - ➢ 시각적(Visual)인 개발 환경으로
  - ➢ 초보자도 쉽게 사용할 수 있도록
  - ➢ 편리하고 강력한 기능들을 제공한다.
  - ➢ 몇 가지 컨트롤 객체와, 몇 가지 명령어와,
  - ➢ 데이터의 간단한 입,출력 기능만으로도
  - ➢ GUI 응용프로그램의 RAD개발을 할 수 있는 도구이다.

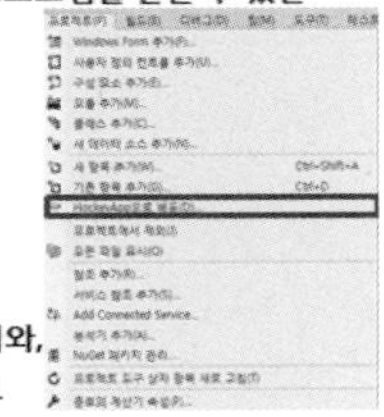

Visual Basic은 객체 연결 및 복사(OLE, Object Linking & Embedding) 기능을 지원한다. 이것은 윈도우 환경에 존재하는 모든 개체(그래픽, 이미지, 사운드, 동영상, 텍스트, 윈도우, Program 등)를 서로 연결하거나 복사(포함)할 수 있다.

Visual Basic의 중요한 특징은 다음과 같이 요약해 볼 수 있다.

첫째, Visual Basic은 객체지향 프로그래밍(OOP : Object-Oriented Programming)을 지원한다. Visual Basic은 순서대로 처리되는 복잡한 절차 지향 언어(C 등)와 다르게, 순서와 상관없이 필요할 때, 동작의 주체인 객체 단위로 실행되는 객체 중심 프로그래밍이다. 이 때문에 Visual Basic은 컨트롤(Control) 객체의 속성과 메소드를 자식 객체가 재사용하는 상속성, 컨트롤(Control) 객체를 다른 Program에서 다시 사용할 수 있는 재사용성, Program을 객체(클래스) 단위로 캡슐화하고, 객체 외부에서 알 필요가 없는 정보를 감추는 정보은닉이 가능하며, 연관된 기능을 하나의 이름으로 각각 다르게 사용하는 다형성 등이 가능하다.

➤ Visual Basic의 특징: 객체지향 Programming

- ➤ 객체 지향 Programming(OOP, Object-Oriented Programming)
  - ➤ 순서대로 처리되는 복잡한 절차 지향 언어(C 등)와 다르게
  - ➤ 순서와 상관없이 필요할 때,
  - ➤ 동작 주체인 객체 단위로 설계, 실행되는 객체 중심 Programming
- ➤ 객체 지향 Programming(OOP)의 5대 특징
  - ➤ 이미 잘 만들어둔 객체(Class: Program)의 속성과 Method를 자식객체(Program)에 모두 적용할 수 있는(재 사용하는) 상속성,
  - ➤ 자식객체(Program)를 속성과 Method만 변화(수정)시켜 여러 가지 다양한 객체(Program)를 쉽게 만들고 여러 가지 목적으로 다른 Program에서 다시 사용하는 재 사용성
  - ➤ Program을 객체(Class) 단위로 캡슐화 하여,
  - ➤ 객체(Class) 외부에서 알 필요가 없는 정보를 감추는 정보은닉,
  - ➤ 연관된 기능을 하나의 이름으로 각각 다르게 사용하는 다형성,

둘째, Visual Basic은 이벤트 기반 프로그래밍(EDP : Event-Driven Programming)을 지원한다. 즉, 이벤트(Event)가 발생할 때, 이것을 처리하는 이벤트 프로시저(Event Procedure : 작은 Program)가 자동으로 호출되어 실행된다. 예를 들면 현관문을 열고 들어가는 이벤트가 발생하면 현관의 센서등이 자동으로 켜지는 것처럼, 버튼1 객체를 클릭하는 이벤트가 발생하면, button1_click sub program이 이벤트 프로시저로서 자동으로 실행되는 것이다.

➤ Visual Basic의 특징: 이벤트 기반Programming

- ➤ 이벤트 기반 Programming(EDP, Event-Driven Programming)
  - ➤ 어떤 이벤트(Event)가 발생할 때, 이것을 처리하는
  - ➤ Event Procedure(작은 Program)가 호출되어 자동으로 실행.
- ➤ 예 1: 현실의 세계
  - ➤ 고객님께서(객체) 현관문 앞에 서면 (Event:특정사건 발생)
  - ➤ 현관문이 자동으로 열린다(Event Procedure:특정동작 실행)
- ➤ 예 2: (Visual Basic) 객체지향 Program의 세계
  - ➤예) Sub Button1_Click
  - ➤ ....Program 내용......
  - ➤ End Sub
  - ➤Button1 버튼 객체가 클릭되면 (Event)
  - ➤Button1 버튼 객체와 연결된
  - ➤Button1_Click 속에 포함된........Program 내용......
  - ➤동작이 실행된다.(Event Procedure)

셋째, Visual Basic은 Program 코드를 자동으로 생성한다. 화면의 위치와 모양을 설명하기 위해 새로운 코드를 작성할 필요 없이 미리 코드로 작성된 컨트롤(Control) 객체(그래픽 개체)를 끌어오기만 하면 되는 편리한 GUI 환경을 제공한다. 이것은 그래픽 환경이 중심이 된 윈도우 Program과 웹 문서 등의 인터넷 응용 Program과 웹 기반 응용 Program을 컨트롤(Control) 객체를 사용하여 효율적으로 쉽게 개발할 수 있게 해 준다.

➢ Visual Basic의 특징: Program Code의 자동생성

- ➢ **Program Code를 자동으로 생성한다.(Visual 언어의 특징)**
  - ➢ 화면의 위치와 모양, 그리고 그 속에 포함된 객체를 설명하기 위해
  - ➢ 새롭게 코드를 작성할 필요 없이
  - ➢ 미리 코드로 작성된 그래픽 객체를 끌어오기만 하면 되는
  - ➢ 편리한 GUI 환경을 제공
  - ➢ 이미 잘 만들어둔 객체(Class: Program)의 속성과 Method를 자식객체(Program)에 모두 적용할 수 있는(재 사용하는) 상속성,
  - ➢ 자식객체(Program)를 속성과 Method만 변화(수정)시켜 여러 가지 다양한 객체(Program)를 쉽게 만들고 여러 가지 목적으로 다른 Program에서 다시 사용하는 재 사용성
  - ➢ 예) 버튼(Button)객체의 속성과 Method를 상속받아서,
  - ➢ 수정, 변화시켜 새로운 버튼(Button)으로 재 사용 한다.
- ➢ 비쥬얼 언어가 가지는 일반적 특징
  - ➢ 그래픽 환경이 중심이 된 윈도우즈 Program과
  - ➢ 웹 문서 등의 인터넷 응용 Program과 웹 기반 응용 Program을
  - ➢ 그래픽 객체를 사용하여 효율적으로 쉽게 개발할 수 있다.

➢ 윈도우, 웹 기반 Program화면을 효율적으로 개발

- ➢ **Visual Basic**
  - ➢ 윈도우 Program과 웹 기반 Program의 공통된 화면을 효율적으로 개발할 수 있는 언어
- ➢ **윈도우 Program의 예(한글 2017)**

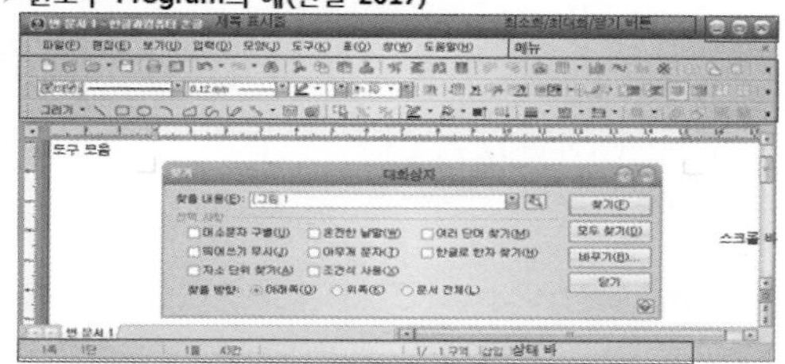

넷째, 비주얼 베이직(Visual Basic)은 이벤트 기반 프로그래밍의 3세대 프로그래밍 언어이면서, 또한 마이크로소프트의 컴포넌트 오브젝트 모델에 따른 풍부한 구성 요소를 가진 통합 개발 환경 및 RAD을 가리키기도 한다. 비주얼 베이직은 GUI 응용 프로그램의 RAD개발을 가능하게 해주며, 데이터베이스에 대한 접근을 데이터 액세스 오브젝트, 원격 데이터 오브젝트, 또는 ActiveX 데이터 오브젝트들, 그리고 Active X컨트롤과 개체의 생성을 통해 가능하게 한다. 프로그래머는 비주얼 베이직에서 제공하는 구성 요소를 응용 프로그램에 삽입할 수 있다. 또한 비주얼 베이직으로 만든 프로그램은 윈도 API를 사용할 수 있으나, 추가적인 외부 함수 선언이 필요하다.

➢ Visual Basic의 특징: 통합 개발환경(IDE)

- ➢ 비주얼 스튜디오(Visual Studio)라는 패키지는
  - ➢ 통합개발환경(IDE: Integrated Development Environment)
    - ➢편집기(Editor) + 컴파일러(Complier) +
    - ➢디버거(Debugger) + GUI(Graphic User Interface)
- ➢ 비주얼 베이직(Visual Basic)은
  - ➢ Event 기반 Programming의 3세대 Programming 언어이면서,
  - ➢ MS의 COM(Component Object Model)의 풍부한 구성요소를 가진
  - ➢ GUI 응용 Program의 RAD개발을 가능하게 해 주며,
  - ➢ 데이터베이스에 대한 접근을 데이터 액세스 오브젝트, 원격 데이터 오브젝트, 또는 ActiveX 데이터 오브젝트들, 그리고 Active X컨트롤과 객체의 생성을 통해 가능하게 한다.
  - ➢ **솔루션개념: 여러 개의 프로젝트나 웹사이트를 포함한다.**
  - ➢ **보통의 프로젝트가 하나의 솔루션에 하나의 프로젝트를 만들지만**
  - ➢ **나중에, 필요에 따라, 더 많은 프로젝트를 솔루션에 추가할수 있다.**

9.2 객체지향 프로그래밍(OOP : Object-Oriented Programming)

9.2.1 클래스(Class)와 객체 혹은 객체(Object)

소프트웨어 개발 방법론 중에서 구조적 분석방법이 프로그램을 처리과정 혹은 기능으로 분할한다면 객체지향 분석은 사물 혹은 객체(Object) 또는 개념적 Class로 분할하여 시스템을 파악한다. 이때 객체(Object)는 사전적 의미로 보면 자동차, 컴퓨터, 전화기, 책 등과 같이 보거나 만질 수 있는 물체, 공간을 차지하고 있는 사물을 의미한다. 이러한 객체는 직접 인식할 수 있는 형태의 유형적 사물인 구체적 객체와 소프트웨어에서 간적 인식할 수 있는 형태의 무형적 개념인 추상적 개념의 객체를 포괄하는 용어로 객체의 속성(자료값)과 메소드(동작과 기능)로 설명할 수 있는 모든 것을 말한다.

System을 객체(Object)단위로 분할하는 객체지향

- ➢분할 후 정복(Divide & Conquer) :
  - ➢복잡한 작업 과정을 가진 System을 효율적으로 처리하는 일반적 방법
  - ➢문제 영역을 이해 가능하고 처리 가능한 단위로 분해하여 하나 하나 해결해 나가는 방식
- ➢객체 지향적 분석 방법
  - ➢객체 지향적 분석(Object Oriented analysis)
    - ➢사물(Things) 혹은 객체(Entities) 단위 로 분해
    - ➢= 개념적 Class(or Object)
    - ➢SW System = 객체들의 모임, 집합 으로 본다.

➢ Software 분석/설계 방법론(Paradigm) 비교

분석/설계 방법론	Program을 보는 관점(View)	분석할 때의 강조점	사례
구조(중심)적분석 자료흐름도; DFD (Data Flow Diagram) 자료사전; DD (Data Dictionary)	자료+Process(함수) 기능(Method) 중심의 관점	> 자료보다 함수(기능)에 중점 > Process(기능)를 먼저 정하고 > Process(기능)에 대한 > 입출력을 나중에 정함	Structured Analysis SREM
정보공학방법론 개체관계도; ERD (Entity Relation Diagram)	자료+Process(함수) 자료(Data:속성) 중심의 관점	>자료들 사이의 관계를 우선파악 >자료에 대한 Operation Pattern으로 >Business 기능을 분석하여 Process를 Grouping	Information Engineering
객체 지향(중심) 분석 UML(Unified Modeling Lang.) Diagram	객체 + 객체 + ... :자료(Data:속성)와 기능(Method)을 함께 추상화한 객체(속성,Method) 중심의 관점	> 객체= 자료+ 함수(Process) >or객체 = 자료 (Data:속성) + 기능(Method) >System= 객체들의 모임 >객체와 객체 사이의 >관계 파악이 중요	RUP OMT Fusion 42

➢ 객체(Object)

- ➢사전적 의미:
  - ➢보거나 만질 수 있는 물체
  - ➢공간을 차지하고 있는 사물
  - ➢예)자동차, Computer, 전화기, 책, 사람, ...
- ➢구체적 객체
  - ➢우리가 주변에서 볼 수 있는 모든 물체
  - ➢인간이 직접 인식할 수 있는 형태의 유형적 사물

➢ 객체(Object)

- ➢추상적 객체 (정보, S/W)
  - ➢논리적으로 생각 가능한 어떤 것을 의미
  - ➢인간이 간접 인식할 수 있는 형태의 무형적 개념
  - ➢속성(자료 값)과 Method(동작과 기능)로
  - ➢설명할 수 있는 모든 것이 객체가 될 수 있다.
- ➢예) 상품 구매 주문, 상품 판매 등
  - ➢상품을 주문하고 , 판매하는 일은
  - ➢상품의 이름과 가격, 주문자의 이름과 같은 속성 (자료 값) 과
  - ➢주문이 발생하고, 물건이 배달되는 Method(동작과 기능)로 구성하면
  - ➢온라인 상의 수많은 웹 프로그램(사이트)들을 쉽게 제작 가능

➤ 객체(Object)

➤ 직접 인식할 수 있는 형태의 유형적 사물 (구체적 객체)
➤ 간접 인식할 수 있는 형태의 무형적 개념 (추상적 객체)
➤ 양자를 포괄하는 개념적 용어
 ➤ 속성(자료값)과 Method(기능)으로 설명할 수 있는 모든 것이
 ➤ 객체(작은 Program의 단위, 혹은 Class의 단위)가 될 수 있다.
  ➤ 이미 잘 만들어둔 객체(Class: Program)의 속성과 Method를 자식객체(Program)에 모두 복사하여 적용할 수 있는 상속성,
  ➤ 자식객체(Program)를 속성과 Method만 변화(수정)시켜주면 여러 가지 다양한 객체(Program)를 쉽게 만들고 여러 가지 목적으로 다른 Program에서 다시 사용하는 재 사용성
➤ 객체(Object)와 Control
 ➤ 객체(Object) : 현실 세계의 객체
 ➤ Control : Visual Basic에서의 객체

➤ 객체(Object)와 Control 객체

도구 상자: Button, CheckBox, CheckedListBox, ComboBox, DateTimePicker, Label, LinkLabel, ListBox, ListView, MaskedTextBox, MonthCalendar, NotifyIcon, NumericUpDown, PictureBox, ProgressBar, RadioButton, RichTextBox, TextBox, ToolTip, TreeView, WebBrowser

➤ Control : Visual Basic에서의 객체
➤ 화면 디자인 시 필요한 객체를 시각화한 것
➤ (이미 Program으로 작성되어 있다)
 ➤ 도구 상자에 포함된
 ➤ 버튼(Button),
 ➤ 레이블(Label),
 ➤ 텍스트 박스(TextBox) 등
 ➤
➤ Control 객체들은
 ➤ 크기, 위치, 입력된 값 등의 속성을 가지며
 ➤ 특정 사건에 해당하는 Event가 발생하면
 ➤ 동작과 기능에 해당하는 Method를 실행한다

➤ 객체의 속성(Property, Attribute)

➤ 객체가 가질 수 있는 특징, 특성, 상태, Data, 값 등
 ➤ 속성의 종류는 모든 Class가 공통으로 상속한다
 ➤ 속성의 구체적인 값은 다른 객체와 구분되는 기준이다.
  ➤ 객체의 색상, 크기, 위치 등 기본적인 특징과 그 값
➤ 예)자동차 라는 객체의 속성

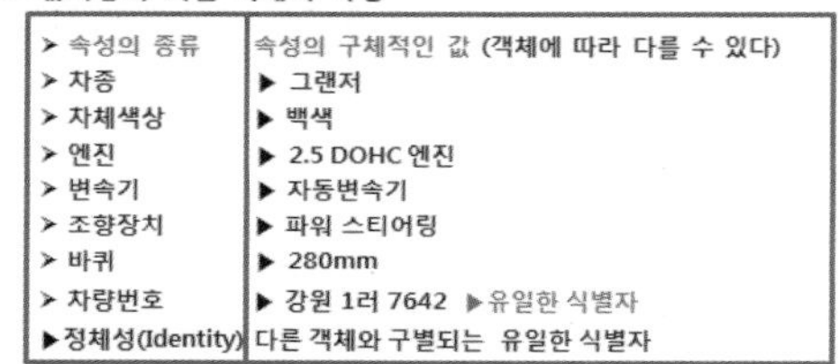

➤ 속성의 종류	속성의 구체적인 값 (객체에 따라 다를 수 있다)
➤ 차종	▶ 그랜저
➤ 자체색상	▶ 백색
➤ 엔진	▶ 2.5 DOHC 엔진
➤ 변속기	▶ 자동변속기
➤ 조향장치	▶ 파워 스티어링
➤ 바퀴	▶ 280mm
➤ 차량번호	▶ 강원 1러 7642 ▶유일한 식별자
▶정체성(Identity)	다른 객체와 구별되는 유일한 식별자

➤ TextBox객체의 주요 속성(Property)

텍스트 박스 객체 : 사용자로 부터 텍스트를 입력 받거나 출력할 때 사용

종류	이름	설명
속성	Alignment	텍스트 박스에 입력한 텍스트의 위치를 설정한다. ·0-왼쪽 맞춤 : 왼쪽 정렬 ·1-오른쪽 맞춤 : 오른쪽 정렬 ·2-가운데 맞춤 : 가운데 정렬
	BorderStyle	테두리 모양을 설정한다. ·0-없음: 테두리나 테두리에 관련되는 요소가 없음 ·1-단일고정 : [illegible]
	Locked	텍스트 박스에 있는 텍스트의 편집 가능 여부를 설정한다. ·True : [illegible] ·False : 편집 가능
	MaxLength	텍스트 박스에 입력할 수 있는 최대 문자 수를 설정한다. ·0 : 최대 문자수의 제한이 없음
	MultiLine	텍스트 박스에 텍스트를 여러 줄 입력 가능한지 여부를 설정한다. ·True : 여러 줄의 텍스트 허용 False : 한 줄 텍스트만 허용
	PasswordChar	텍스트 박스에 입력한 문자가 화면에 나타나지 않고 이 속성에 설정한 문자(예를 들어 *)가 화면에 대신 출력된다. 주로 암호를 입력하는 Program에서 사용한다. 기본값 없음
	ScrollBar	텍스트 박스에 수평/수직 스크롤 바를 생성할지 여부를 설정한다. MultiLine 속성이 True로 설정되어 있어야 적용된다. ·0-없음 : 스크롤 바를 생성하지 않음 ·1-수평 : 수평 스크롤 바 생성 ·2-수직 : 수직 스크롤 바 생성 ·3-양방향 : 수평/수직 스크롤 바 모두 생성
	Text	텍스트 박스에 입력된 텍스트를 표시. TextBox1.Text

VBProgram형식: 객체이름.속성
TextBox1.Text= " 강원대학교 "
TextBox2.PasswordChar= *
ID변수 = TextBox1.Text
PW변수 = TextBox2.Text

➤ 객체의 Method (동작과 기능)

➤ 객체의 동작과 기능적인 특성을 표현(추상화)
 ➤ 객체가 수행할 수 있는 일, 동작 등 행동하거나 반응하는 방법
 ➤ Method(기능)의 종류는 Class의 모든 객체가 공통으로 상속한다
 ➤ Method(기능)의 구체적인 값은 다른 객체와 구분되는 기준이다.
➤ 예)자동차 라는 객체의 Method(기능)

➤ Method(기능)의 종류	Method(기능)의 구체적인 값(성능)은 객체에 따라 각각 다를 수 있다
➤ 출발하다, 정지하다	
➤ 전진하다, 후진하다	
➤ 가속하다, 감속하다	
➤ 좌회전하다, 우회전하다	

➤ Method(기능) 혹은 Operation 으로 부름
 ➤ 행위, 행동, 동작, 기능 등 으로 부름

➤ TextBox객체의 주요 Method와 이벤트

종류	이름	설명
Method	Move	폼에서 해당 텍스트 박스의 위치를 설정한다.
	SetFocus	해당 텍스트 박스에 포커스를 둔다.
	Zorder	텍스트 박스의 Z-순서를 결정한다.
이벤트	Change	텍스트 박스의 속성값을 변경했을 때 발생한다.
	Click	텍스트 박스를 마우스로 클릭했을 때 발생한다.
	DbClick	텍스트 박스를 마우스로 더블 클릭했을 때 발생한다.
	KeyPress	텍스트 박스에 포커스를 둔 상태에서 특수키([Alt], [Ctrl], [Shift]) 이외의 키를 눌렀을 때 발생한다.

VBProgram형식: 객체이름.속성
TextBox1.PasswordChar= *
TextBox1.Text=" 강원대 "
VBProgram형식: 객체이름.Method
TextBox2.SetFocus
VBProgram형식: 객체이름.이벤트
TextBox1.Click Butten1.Click
TextBox1.DbClick

사물을 파악하는 추상화의 방법은 일반화와 특수화로 나눌 수 있다.

일반화는 서로 같은 공통부분에 초점을 맞추고 집단화한 그룹으로 통합하여 다른 개체들과 구분되는 공통된 기준(속성과 메소드)을 찾아내는 것을 의미한다.

특수화는 서로 다른 차별화된 부분에 초점을 맞추고 구체적 객체로 세분화 하여 다른 개체들과 구분되는 기준(속성과 메소드)을 찾아내는 것을 의미한다.

예를 들면 개를 생각해볼 때 일반화하면 일반적인 개, 특수화하면 치와와, 진돗개, 풍산개 같이 다른 특성을 가지는 다른 종류의 개를 찾아내 분류한 것이 된다.

➢ 추상화(일반화 & 특수화)의 방법

➢ 추상화: 중요하지 않은 것을 과감히 생략하고 중요한 부분만을 집중함으로써 문제해결을 더욱 쉽게 한다.
  ➢ 자전거, 자동차의 작동 원리를
  ➢ 핸들, 페달, 브레이크만으로 단순화해서 설명

➢ 일반화(Generalization) : 서로 같은 공통 부분에 초점
  ➢ ▶ 일반화로 집단화한 그룹(Class)으로 통합
    ➢ 치와와를 볼 때
    ➢ 구체적인 개의 종류 보다는 일반적인 개라고 생각
    ➢ 다른 객체와 공통되는 기준이다.

➢ 특수화(Specialization) : 서로 다른 차별화된 부분에 초점
  ➢ ▶ 특수화로 구체적 객체(Instance)로 세분
    ➢ 개를 바라볼 때
    ➢ 이 개는 치와와이고, 저 개는 진돗개라고 생각
    ➢ 다른 객체와 구분되는 기준(속성)이다.

➢ 클래스(Class)와 인스탄스(Instance)객체

➢ 사람 ▶ 일반화로 유사한 객체를 그룹화 (Class)
➢ 철수, 영희 ▶ 특수화로 구체적 객체를 세분화 (Instance)

➢ Class의 계층 구조 :

➢ 탈것(Vehicle): 자동차, 기차, 비행기, 배 등 운송 수단 ▶ 그룹(Class)
  ➢ 자동차 : 승용차, 승합차, 화물차 ▶ 그룹(SubClass)
    ➢ 승용차 : 현대차, 기아차 ▶ 그룹(SubClass)
      ➢ 현대자동차 ▶ 그룹(SubClass)
        ▶ 일반화한 그룹(Class)
        ➢ 에쿠스, 제네시스, 그랜저 ▶ 유사한 객체(Instance)

▶ 특수화로
구체적 객체를 세분화 (Instance)
▶ 서브폴더

▶ 일반화로
유사한 객체를 그룹화 (Class)
▶ 폴더

➢ 클래스(Class)

➢ 유사한 객체를 그룹화, 일반화한 그룹
➢ 동일한 속성, 행위, 관계, 의미를 공유하는
➢ 일련의 객체 집합
  ➢ Collection of Objects (Instances)

➢ 공통적 속성과 공통적인 행동 수단을 지닌 것들의 범주(Category)
  ➢ Common Property or Attribute
  ➢ Common Method or Behavior

이처럼 공통적인 속성, 동작과 기능을 가지고 있는 객체의 집합을 Class라 하고 Class를 이루는 소속 객체 하나하나를 Instance라 한다. Class에서는 공통적 속성과 동작과 기능을 가지고 있는 새로운 객체인 Instance를 쉽게 만들어 낼 수 있다. 예를 들면 현실 세계의 Class를 사람이라고 할 때 수치 값은 각각 달라도 공통적으로 가지고 있는 속성(Property)은 “이름, 키, 체중, 얼굴, 팔, 다리 등”이고 값은 달라도 공통적인 동작이나 기능, 즉 메소드는 “먹는다, 잔다, 걸어간다, 서있다, 앉아 있다 등”으로 나타낼 수 있다.

➢ 클래스(Class)는 공통적 속성, 공통적 동작을 가짐

➢ 공통적 속성, 동작과 기능을 가지고 있는 객체 집합
  ➢ 일련의 객체 집합(Collection of Instances): 사람
  ➢ 공통적 속성: 그 수치 값은 다를지라도 공통속성
    ➢이름, 키, 체중, 얼굴, 팔, 다리, 위, 간,
  ➢ 공통적 동작과 기능(Method): 그 내용은 다를지라도 공통기능
    ➢먹는다, 잔다, 걸어간다, 앉아 있다, 생각한다

➢ Class에서는 새로운 객체(Instance)를 쉽게 만들수 있다
  ➢사람이라는 대표객체 Class에서
  ➢공통적 속성, 공통적 동작과 기능을 가지고 있는
  ➢새로운 객체 ▶ 갑순이 를 쉽게 만들어 낼 수 있다
  ➢갑순이 는
  ➢사람 Class의 모든 속성과 Method를 상속한다

➢ 부모객체(Class)와 자식객체(Instance)의 상속성

➢ 대표객체 혹은 부모객체(Class)에서
➢ 새로운 자식객체(Instance)를 쉽게 만들어 낼 수 있다
  ➢ 구체적 속성값과 (이름, 키, 체중, 얼굴, 팔, 다리, 위, 간)
  ➢ Method의 내용은 (먹는다, 잔다, 걸어간다, 앉아 있다, 생각한다)
  ➢ 조금씩 다르겠지만
  ➢대표객체 사람 Class가 가진 모든 속성과 Method(기능)를
  ➢상속한 새로운 자식객체(Instance)
  ➢▶ 갑순이 는 사람 Class 가 가진 모든 속성과 Method(기능) 를 상속
  ➢▶ 을순이 는 사람 Class 가 가진 모든 속성과 Method(기능) 를 상속
  ➢▶ 병순이 는 사람 Class 가 가진 모든 속성과 Method(기능) 를 상속

➢ Control (Visual Basic에서의 Class)객체에서
➢ 새로운 객체(Instance: 작은 Program)를 쉽게 만들어 낼 수 있다
  ➢▶ 손오공, 붕어빵 객체는
  ➢Class가 가진 모든 속성과 Method(기능)를 상속

➢ 부모객체(Class)와 자식객체(Instance)의 상속성

➢부모객체 혹은 부모객체(Class):
➢도구상자에 있는 버튼(미리 작성된 Program 객체)

➢부모객체(Class)에 소속되는
➢하나 하나의 자식객체(Instance): (버튼1) (버튼2)

➢자식객체(Instance)는 부모객체(Class)의
➢모든 속성과 Method를 상속한다
  ➢도구상자에 있는 부모객체 버튼을 복사해 만든
  ➢자식객체 버튼1,버튼2,버튼3,버튼4,버튼5 는
  ➢부모객체 버튼의 모든 속성과 Method를 상속한다

9.2.2 객체(Object)와 컨트롤(Control)

현실 세계의 개체를 객체(Object)라고 하면, Visual Basic에서의 개체를 컨트롤(Control)이라고 한다. Control은 화면 디자인 시 필요한 개체를 아이콘 형태로 시각화해 놓은 것(실제로는 작은 Program)으로 도구상자에 포함된 레이블, 텍스트박스, 버튼 등을 말한다. 이것은 입력된 값, 크기, 위치 등의 속성을 가지고 있으며 특정 사건에 해당하는 이벤트가 발생하면 동작과 기능에 해당하는 메소드를 실행한다.

Control은 표준 Control과 Active X(사용자 정의) Control이 있고, 표준 Control은 도구상자에 표시된다.

객체지향Programming(OOP, Object-Oriented P.)

> Control : Visual Basic에서의 객체
>> 도구 상자에 포함된 레이블, 텍스트 박스, 버튼 등을
>> 아이콘 형태로 시각화해 놓은 것(실제로는 작은 Program)
>> 객체는 모두 속성과 메소드, 이벤트를 가진다.

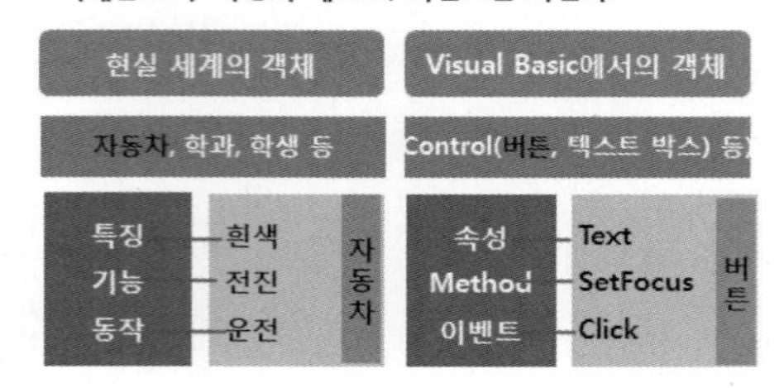

[그림 9-1] 객체(Object)의 의미

➤ 객체(Object)와 Control 객체

- (화면) Control : Visual Basic에서의 객체
- 화면 디자인에 필요한 객체를 시각화한 것
- (이미 Program으로 작성되어 있다)
  - 도구 상자에 포함된
  - 버튼(Button),
  - 레이블(Label),
  - 텍스트 박스(TextBox) 등
- Control 객체들은
- 크기, 위치, 입력된 값 등의 속성을 가지며
- 특정 사건에 해당하는 Event가 발생하면
- 동작과 기능에 해당하는 Method를 실행한다

객체: 속성(Property), 메소드(Method), 이벤트(Event)

- 객체(Object)와 Control(Visual Basic에서의 객체)
- 객체(Object) : 존재하는 모든 것
  - 속성(데이터 값)를 지니면서
  - 어떤 동작(Method)을 수행하는 기본 단위로
  - 속성과 Method, 이벤트(Event)를 가진다.
- 속성(Property) : 객체의 색상, 크기, 위치와 같이
  - 객체가 갖는 기본적인 특징과 그것의 값
- 메소드(Method) : 객체가 실행하는 동작이나 기능을 정의
  - 객체(Control)의 기능에 따라 정의된 Method가 다르다
- 이벤트(Event) : 어떤 객체가 반응할 수 있는 특정 사건
  - 사용자가 마우스를 움직인다,
  - 사용자가 키보드로 문자를 입력한다,
  - 사용자가 버튼을 클릭한다 등

➤ TextBox객체의 주요 속성(Property)

텍스트 박스 객체 : 사용자로 부터 텍스트를 입력 받거나 출력할 때 사용

종류	이름	설명
속성	Alignment	텍스트 박스에 입력한 텍스트의 위치를 설정한다. * 0-왼쪽 맞춤 : 왼쪽 정렬 * 1-오른쪽 맞춤 : 오른쪽 정렬 * 2-가운데 맞춤 : 가운데 정렬
	BorderStyle	테두리 모양을 설정한다. * 0-없음: 테두리나 테두리에 관련되는 요소가 없음 * 1-단일고정 : 크기 조절 불가능. 테두리가 있는 3D 형태
	Locked	텍스트 박스에 있는 텍스트의 편집 가능 여부를 설정한다. * True : 편집 불가. 문자열 이동이나 반전 표시는 가능 * False : 편집 가능
	MaxLength	텍스트 박스에 입력할 수 있는 최대 문자 수를 설정한다. * 0 : 최대 문자수의 제한이 없음
	MultiLine	텍스트 박스에 텍스트를 여러 줄 입력 가능한지 여부를 설정한다. * True : 여러 줄의 텍스트 허용 False : 한 줄 텍스트만 허용
	PasswordChar	텍스트 박스에 입력한 문자가 화면에 나타나지 않고 이 속성에 설정한 문자(예를 들어 *)가 화면에 대신 출력된다. 주로 암호를 입력하는 Program에서 사용한다. 기본값 없음
	ScrollBar	텍스트 박스에 수평/수직 스크롤 바를 생성할지 여부를 설정한다. MultiLine 속성이 True로 설정되어 있어야 적용된다. * 0-없음 : 스크롤 바를 생성하지 않음. * 1-수평 : 수평 스크롤 바 생성 * 2-수직 : 수직 스크롤 바 생성 * 3-양방향 : 수직/수평 스크롤 바 모두 생성
	Text	텍스트 박스에 입력된 텍스트를 표시. TextBox1.Text

VBProgram형식: 객체이름.속성
TextBox1.Text= " 강원대학교 "
TextBox2.PasswordChar= *
ID변수 = TextBox1.Text
PW변수 = TextBox2.Text

➤ TextBox객체의 주요 Method와 이벤트

종류	이름	설명
Method	Move	폼에서 해당 텍스트 박스의 위치를 설정한다.
	SetFocus	해당 텍스트 박스에 포커스를 둔다.
	Zorder	텍스트 박스의 Z-순서를 결정한다.
이벤트	Change	텍스트 박스의 속성값을 변경했을 때 발생한다.
	Click	텍스트 박스를 마우스로 클릭했을 때 발생한다.
	DbClick	텍스트 박스를 마우스로 더블 클릭했을 때 발생한다.
	KeyPress	텍스트 박스에 포커스를 둔 상태에서 특수키([Alt], [Ctrl], [Shift]) 이외의 키를 눌렀을 때 발생한다.

VBProgram형식: 객체이름.속성
TextBox1.PasswordChar= *
TextBox1.Text=" 강원대 "
VBProgram형식: 객체이름.Method
TextBox2.SetFocus
VBProgram형식: 객체이름.이벤트
TextBox1.Click Butten1.Click
TextBox1.DbClick

➤ Visual Basic Control 객체의 종류와 기능

- ➤ (화면) Control 객체
  - ➤ 폼에 포함할 수 있는,
  - ➤ 즉 화면 디자인 시 필요한 객체를 시각화한 것
  - ➤ (이미 Program으로 작성되어 있다)
  - ➤ 각각 다른 속성, Method, Event를 가진다.
- ➤ 기본(표준 or 공용) Control
  - ➤ Visual Basic에 내장된 Control로 윈도우나 내부 기능 제어
  - ➤ 도구 상자에 아이콘화되어 있는 20개의 Control
- ➤ ActiveX(사용자 정의) Control
  - ➤ 사용자가 추가할 수 있는 사용자 정의 Control
  - ➤ MS에서 제공하는 것도 있고,
  - ➤ 웹에서 무료로 배포되거나, Control만 제작해 판매하는 업체의 것을 구입해 사용할 수도 있음.

➤ VB 기본 Control 객체의 종류와 기능

이름	설명
마우스 포인터	폼과 Control을 선택하여 이동하거나 크기 조절
픽처 박스	그림을 읽어서 표시, 그래픽 Method를 가짐, 컨테이너 기능
레이블	문자열이나 숫자 등을 표시
텍스트 박스	텍스트를 입력하거나 출력, 주로 데이터 등을 입력받을 때 사용
프레임	체크 박스나 옵션 버튼처럼 서로 관련이 있는 Control을 모아서 그룹으로 관리할 때 사용
버튼	마우스로 클릭하여 명령을 지시하거나 취소할 때 사용
체크 박스	어떤 항목의 사용 여부를 결정할 때 사용, 하나 이상의 항목을 선택할 때 사용
라디오버튼(옵션버튼)	어떤 항목의 사용 여부를 결정할 때 사용, 프레임 안에 있는 옵션 버튼 중 하나만 선택 가능
콤보 박스	여러 항목 중에서 하나를 선택할 때 사용(텍스트 박스 기능+ 리스트 박스 기능).
리스트 박스	여러 항목 중에서 하나 이상을 선택할 때 사용
수평 스크롤 바	수평 방향 스크롤 바를 표시
수직 스크롤 바	수직 방향 스크롤 바를 표시
타이머	일정 시간 간격으로 타이머 이벤트를 자동으로 발생, 주로 시간 표시나 애니메이션에 사용
드라이브 리스트 박스	드라이브 목록을 리스트 박스 형태로 표시
디렉터리 리스트 박스	디렉터리 목록을 리스트 박스 형태로 표시
파일 리스트 박스	파일 목록을 리스트 박스 형태로 표시
도형	도형 원, 타원, 사각형 등의 도형을 그림
선	선 앞 끝점을 잇는 선을 그림
이미지	그림 표시, 픽처 박스보다 메모리가 절약되며 속도가 빠름, 컨테이너 기능이 없음.
데이터	데이터베이스 객체(DAO)를 Control화하여 데이터베이스 파일에 접근할 수 있게 함. 여기서 데이터베이스의 열기, 닫기, 검색 및 조회, 삽입, 삭제, 변경 등의 작업이 가능
OLE	OLE로 공유된 객체를 삽입

➤ 클래스(Class)와 객체(Instance)의 구분

- ➤ OOP의 특징:
- ➤ Control (Visual Basic에서의 Class)대표 객체에서
- ➤ 새로운 객체(Instance)를 쉽게 만들어 낼 수 있다
- ➤ 도구 상자에 포함된 텍스트 박스, 버튼 등
- ➤ (Visual Basic에서의 Class)대표 객체를 상속하여
- ➤ (미리 작성해둔 Program을 복사하여)
- ➤ 속성과 Method를 조금씩 변형시키면서
- ➤ 여러 가지 다른 형태의 Program으로
- ➤ 쉽게 만들고, 쉽게 재 사용할 수 있다

- ➤ 일반적인 객체 지향 Program도 가능
- ➤ 부모객체 Class(부모 자동차)를 위해 미리 작성해둔 Program을
- ➤ 그대로 상속(복사)하여 여러 가지 종류의 Instance(자식 자동차)들의
- ➤ 특성에 따라 속성과 Method(기능)를 조금씩 변형시키면서
- ➤ 여러 가지 종류의 자동차들을 쉽게 만들고, 쉽게 재 사용할 수 있다

9.2.3 객체지향(중심)(Object Oriented Programming)언어의 5대 특징

Visual Basic 언어를 포함한 모든 객체지향(중심)(Object Oriented Programming)언어가 가지고 있는 5대 특징을 살펴본다.

➤ 객체지향 Programming언어

- ➤ 객체 지향 Programming(OOP, Object-Oriented Programming)
  - ➤ 순서대로 처리되는 복잡한 절차 지향 언어(C 등)와 다르게
  - ➤ 순서와 상관없이 필요할 때,
  - ➤ 동작의 주체인 객체(Module단위 Program) 단위로
  - ➤ 설계하고, 실행되는 객체 중심 Programming
  - ➤ 객체단위로 Program의 작성,수정,시험,교체를
  - ➤ 독립적으로 할 수 있으므로
  - ➤ 재 사용성, 유지 보수성, 이식성, 상호 운영성, 유연성, 신뢰성이 높은 고 품질의 SW를 생산할 수 있다.
- ➤ 5대 특징을 지원하는 객체지향 언어
  - ➤ 상속성(Inheritance)
  - ➤ 재 사용성(Reusability)
  - ➤ 캡슐화(Encapsulation)
  - ➤ 정보은닉(Information Hiding)
  - ➤ 다형성(Polymorphism)

➤ 객체지향 Programming언어(OOP)의 5대 특징

- ➤ 상속성(Inheritance)
  - ➤ 부모객체(Class: 이미 잘 만들어둔 Program)의 속성과 Method를
  - ➤ 똑같이 복사하여 자식객체(Instance)를 쉽게 만들 수 있는 상속성,
  - ➤ Program의 수 많은 중복을 방지한다.
- ➤ 재 사용성(Reusability)
  - ➤ 자식객체(Instance)를 속성과 Method만 변경(수정)하여
  - ➤ 다른 Program에서 다 목적으로 다시 사용하는 재 사용성
  - ➤ 같은 기능을 하는 Class는 재 사용 가능하다.
- ➤ 캡슐화(Encapsulation) & 정보은닉(Information Hiding)
  - ➤ Program을 객체(Class)단위로 캡슐화 하여,
  - ➤ 객체(Class) 외부에서 알 필요가 없는 정보를 감추는 정보은닉,
  - ➤ 객체(Class)들 상호간의 독립성 향상으로 변경과 교체가 쉽다.
- ➤ 다형성(Polymorphism)
  - ➤ 연관된 기능을 하나의 이름으로 각각 다르게 사용하는 다형성

➤ 클래스(Class)와 객체(Instance)의 상속성

- ➤ OOP의 특징: 상속성(Inheritance)
- ➤ Control (Visual Basic에서의 Class)대표 객체에서 새로운 객체(Instance)를 쉽게 만들어 낼 수 있다
  - ➤ 부모객체(Class: 이미 잘 만들어둔 Program)의
  - ➤ 속성과 Method를 똑같이 복사하여
  - ➤ 자식객체(Instance)를 쉽게 만들 수 있는 상속성,
  - ➤ 이것은 Program의 수 많은 중복을 방지한다.
  - ➤ 예)
  - ➤ 도구 상자에 포함된 텍스트 박스, 버튼 등
  - ➤ Control Class의 모든 속성과 Method를 가진 새로운 객체
  - ➤ ▶ 버튼 1, 버튼 2, 버튼 3, 버튼 4, 버튼 5, 버튼 6 은
  - ➤ 버튼 Class의 모든 속성과 Method(기능)를 상속한다

➤ 클래스(Class)와 객체(Instance)의 상속성

- ➤ 부모객체에서 새로운 자식객체(Instance)를 쉽게 만든다
  - ➤ 도구 상자에 포함된 텍스트 박스, 버튼 등
  - ➤ Control Class의 모든 속성과 Method를 가진 새로운 객체
  - ➤ ▶ 버튼 1, 버튼 2, 버튼 3, 버튼 4, 버튼 5, 버튼 6 은
  - ➤ 버튼 Class의 모든 속성과 Method(기능)를 상속(복사)한다
  - ➤ 도구 상자에 포함된 텍스트 박스, 버튼 등
  - ➤ Control Class에 미리 작성해둔 Program을 상속(복사)하여
  - ➤ 속성과 Method를 조금씩 변형시키면서
  - ➤ 여러 가지 다른 형태의 Program으로
  - ➤ 쉽게 만들고, 쉽게 재 사용할 수 있다
- ➤ 일반적인 부모객체 Class(부모 자동차) Program을 그대로 상속(복사)하여
  - ➤ 여러 종류의 Instance(자식 자동차)들의 특성에 따라
  - ➤ 속성과 Method(기능)를 조금씩 변형시키면서
  - ➤ 여러 종류의 자동차 Program들을 쉽게 만들고, 쉽게 재 사용할 수 있다

➤ 클래스(Class)의 특징: 캡슐화(Encapsulation)

- ➤ 정보 은닉의 방법: 캡슐화(Encapsulation)
  - ➤ 개별 Module(Class)에서 필요한 속성과 Method를
  - ➤ 각각의 개별 Module(Class)에서
  - ➤ 하나의 독립된 캡슐 상태로 유지하여 직접 관리한다.
  - ➤ 외부 Module(Class)에서
  - ➤ 알필요가 없는 정보는 감추고
  - ➤ 함부로 접근하거나 변경하는 것이 불가능 하다.
- ➤ 객체지향언어에 기본적으로 포함되어 있다.
  - ➤ 자료나 함수에 접근할 수 있는 권한을
  - ➤ Class에 정의
  - ➤ 예) Public Class, Private Class
  - ➤ 예) 전역변수, Class(모듈, Form)변수, 지역 변수

➤ 클래스(Class)의 특징: 다형성(Polymorphism)

- ➤ '면적을 계산한다'
  - ➤ '삼각형 면적을 계산한다',
  - ➤ '사각형 면적을 계산한다',
  - ➤ '원 면적을 계산한다'

삼각형 / area( )　　사각형 / area( )　　원 / area( )

도형	면적계산 Method	면적계산 공식
삼각형	area( )	밑변×높이÷2
사각형	area( )	가로×세로
원	area( )	반지름^2×3.14

- ➤ 다형성은
  - ➤ 이름이 같은 Method area( ) 가
  - ➤ 사용하는 객체에 따라 다르게 동작하는 것을 의미하며,
  - ➤ 서로 다른 구현(코드)을 제공한다.
  - ➤ 예) 위에서 모든 도형에 대해 면적을 구하는
  - ➤ Method 이름은 area( )로 모두 동일하지만
  - ➤ 이 Method를 구현하는 Program 부분에서는
  - ➤ 위와 같이 각기 다른 공식을 사용하여 구현된다

➤ 클래스(Class)의 특징: 다형성(Polymorphism)

- ➤ 다형성은 객체지향언어에서 제공하는 개념이고,
- ➤ C 언어와 같은 절차적 언어에는 존재하지 않는다.
- ➤ 그러므로 C 언어에서는 area() Method를 공통으로 사용할 수 없고
- ➤ 도형별로 Tri_Area(), Rect_Area(), Circ_Area()와 같이
- ➤ 다른 이름으로 표현해야 한다.
- ➤ 그렇다면 이러한 다형성의 개념이 객체지향언어에서 어떻게 유용할까?
- ➤ 예를 들어, 같은 행위에 대해 하나의 이름을 사용할 수 있으므로,
- ➤ 사다리꼴의 면적도 구해야 한다면
- ➤ 이미 작성된 도형 Class에서 상속받는 사다리꼴 객체 하나만 추가하면 된다.
- ➤ 이름 area() 를 상속받아서 사다리꼴 면적 공식만 수정 추가하면 된다.
- ➤ 이처럼 추가나 삭제 같은 변경이 쉬워 확장이 용이하고 유지보수가 쉽다.

삼각형 / area( ) (밑변×높이)

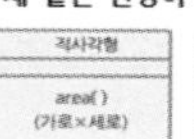

원 / area( ) (반지름^2×3.14)

사다리꼴 / area( ) (아랫변+윗변)×높이×1/2

9.3 이벤트 기반 프로그래밍(EDP : Event-Driven Programming)

이벤트 기반 프로그래밍은 사용자의 명령, 마우스 클릭, 다른 프로그램의 메시지, 키보드 입력 등의 이벤트에 따라 Control되는 프로그래밍을 의미한다.

➢ Event 기반 Programming(EDP, Event-Driven P.)

- ➢ 이벤트(Event) :
- ➢ 어떤 반응(동작과 기능)을 유발하는 사건
  - ➢마우스를 클릭할 때 어떤 명령이 실행되게 하려면
  - ➢어떻게 해야 할까?
    - ➢마우스를 언제 클릭할지는 알 수 없기 때문에
    - ➢마우스가 클릭되는 바로 그 때 명령이 실행되도록 해야 한다.
- ➢이와 같이 어떤 Event(신호)가 발생할 때
  - ➢(마우스가 클릭되는 바로 그 때)
  - ➢Program을 실행하는 것을
  - ➢Event 기반의 Programming이라고 하고
  - ➢이때 자동으로 실행되는 Program을
  - ➢Event Procedure 라고 한다.

즉 이것은 A의 변화 이벤트가 B의 변화 또는 반응 메소드를 유발하여 A의 변화에 B가 연관되어 반응하는 것이다. 이때 이벤트는 어떤 처리 또는 반응(메소드 : 동작과 기능)을 유발하는 사건으로 이벤트가 발생되면 메소드가 발생된다. 예를 들면 일정 시간 동안 마우스의 움직임이 없거나 키보드의 입력이 없으면(이벤트발생) 화면 보호기 프로그램이 자동으로 작동한다(메소드 동작).

이러한 Event의 종류는 다음과 같다.

- ○ 신호(Signal) Event는 비동기적이고 어떤 신호가 발생할 때 반응이 있을 수도 있고, 없을 수도 있다. 예를 들면 mail, 문자message, message passing 등을 들 수 있다.
- ○ 호출(Call) Event는 동기적이고 어떤 호출이 발생할 때 수신객체의 반응(답신)이 와야 작업 계속 가능하다. 예를 들면 chatting, procedure call 등을 들 수 있다.
- ○ 시간(Time) Event는 시간의 경과할 때 반응이 일어나고 After와 시간 간격으로 표시된다. 예를 들면 "After(3 seconds) 화면보호기 작동" 등을 들 수 있다.
- ○ 변화(Change) Event는 어떤 상태가 변화하거나 특정 조건을 만족할 때 반응이 일어나는데 When과 Boolean Expression으로 표현한다. 예를 들면 "When Time = 12:00", "When Length 〈 100 cm"등으로 표현될 수 있다.

➤ Event 기반 Programming(EDP, Event-Driven P.)

➤ 동기화(Synchronize):
➤ A의 변화(Event)가 B의 변화 또는 반응(Method)을 유발
  ➤ A의 변화에 B가 연관되어 반응한다.(예: 대인관계)
  ➤ 내가 만든 Program을 언제 실행할까?
  ➤ Event를 발생시켜 동기화 시킨다.

➤ 이벤트(Event)
  ➤ 어떤 처리 또는 반응(Method, 동작과 기능)을 유발하는 사건
  ➤ Event가 발생하면 Method(기능)가 동작한다
  ➤ 예) 일정 시간 동안 마우스의 움직임이 없거나
  ➤ 키보드의 입력이 없으면
  ➤ (Event가 발생하면)
  ➤ 화면보호기 Program이 자동으로 동작한다
  ➤ (Event Procedure 가 동작한다)

➤ 이벤트(Event)의 종류

➤ 신호(Signal) Event : 비 동기적
  ➤ 어떤 신호가 발생할 때 반응이 있을 수도 있고, 없을 수도 있음
  ➤ 예) mail, 문자message, message passing

➤ 호출(Call) Event : 동기적
  ➤ 호출이 발생할 때 수신객체의 반응(답신)이 와야 작업 계속 가능
  ➤ 예) chatting, procedure call

➤ 시간(Time) Event: 시간의 경과할 때 반응이 일어남
  ➤ After와 시간 간격으로 표시
    ➤예) After(3 seconds)
    ➤예) 화면보호기

➤ 변화(Change) Event :
  ➤ 어떤 상태의 변화 or 특정 조건을 만족할 때 반응이 일어남
  ➤ When과 Boolean Expression으로 표현
    ➤예) When Time = 12:00
    ➤예) When Length < 100 cm

➤ 이벤트(Event)의 종류

➤ 명령을 자동으로 실행시키는 Event(신호)는 다양한 방법으로 지정 가능하다.
  ➤자동문의 경우
    ➤Event(신호)가 발생: 사람이 센서 가까이에 갈 때
    ➤Program을 실행: 출입문이 자동으로 열린다.
  ➤블랙박스의 경우
    ➤Event(신호)가 발생: 충격 혹은 움직임을 포착할 때
    ➤Program을 실행: 블랙박스가 자동으로 동작한다.

➤ 이외에도 다양한 센서와 장치를 이용하여 움직임이나 소리를 통해 Event를 인지하고 Program이 자동으로 실행되도록 할 수도 있다.

이벤트(Event)는 마우스를 움직이는 동작과 기능, 키보드로 문자를 입력하는 동작과 기능, 버튼을 클릭하는 동작과 기능 등 개체가 반응할 수 있는 특정사건을 말하며, 이벤트 프로시저(Procedure)는 이벤트가 발생했을 때 이벤트를 처리하기 위해 자동으로 실행되는 작은 Program이다. 이벤트 기반 프로그래밍은 어떤 이벤트가 발생하면 어떤 속성을 가진 개체(Control)가 특정 메소드(기능)을 수행한다.

예를 들면 현실 세계에서, 현관문을 열 때(이벤트의 발생) 현관의 전등이 켜진다.(이벤트 프로시저의 실행) 또, 교수님이(개체 : 현실 세계의 객체) 강의실에 입장하면(이벤트의 발생) 수업이 시작된다(이벤트 프로시저의 실행)는 것이다.

(Visual Basic) 객체지향 Program의 세계에서는 Button1이 클릭되면(이벤트의 발생) 그 버튼과 연결된 어떤(실행, 출력, 종료 등)동작이 실행된다(이벤트 프로시저의 실행).

그래서 이벤트가 발생하면(사용자가 Button1 버튼을 마우스 왼쪽버튼으로 클릭하면) 그 이벤트에 연결된 이벤트 프로시저(Button1_Click Sub Program)를 자동으로 시작한다.

예) Button1 버튼을 클릭하면(이벤트 : 특정 사건의 발생)

이벤트 프로시저(Button1_Click Sub Program)를 자동으로 시작한다.(메소드 : 동작과 기능)

➢ Visual Basic의 특징: 이벤트 기반Programming

- ➢ 이벤트 기반 Programming(EDP, Event-Driven Programming)
  - ➢ 어떤 이벤트(Event)가 발생할 때, 이것을 처리하는
  - ➢ Event Procedure(작은 Program)가 호출되어 자동으로 실행.
- ➢ 예 1: 현실의 세계
  - ➢ 고객님께서(객체) 현관문 앞에 서면 (Event:특정사건 발생)
  - ➢ 현관문이 자동으로 열린다(Event Procedure:특정동작 실행)
- ➢ 예 2: (Visual Basic) 객체지향 Program의 세계
  - ➢ 예) Sub Button1_Click
  - ➢ ....Program 내용......
  - ➢ End Sub
  - ➢ Button1 버튼 객체가 클릭되면 (Event)
  - ➢ Button1 버튼 객체와 연결된
  - ➢ Button1_Click 속에 포함된........Program 내용......
  - ➢ 동작이 실행된다.(Event Procedure)

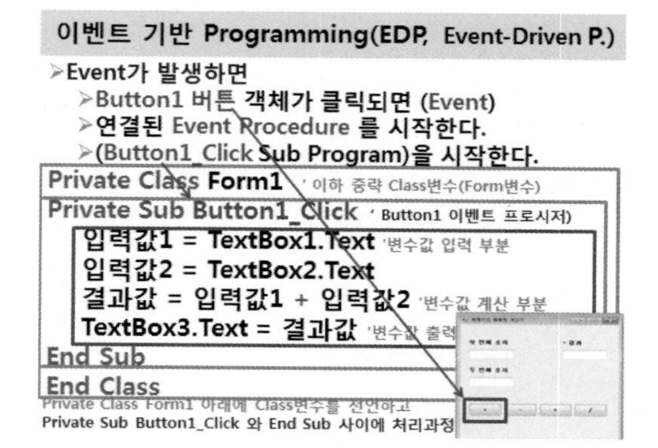

9.4 Visual Basic 소개와 화면 구성

9.4.1 Visual Basic 시작과 종료

Visual Basic 설치는 네이버 검색창에서 "비주얼 스튜디오"를 검색하여 설치한다.

Visual Basic 시작은 시작 메뉴나 바로 가기 아이콘을 이용해 실행한다.

① 시작메뉴 : 〈시작〉-[모든 Program]-[Microsoft Visual Studio]-[Visual Basic] 클릭

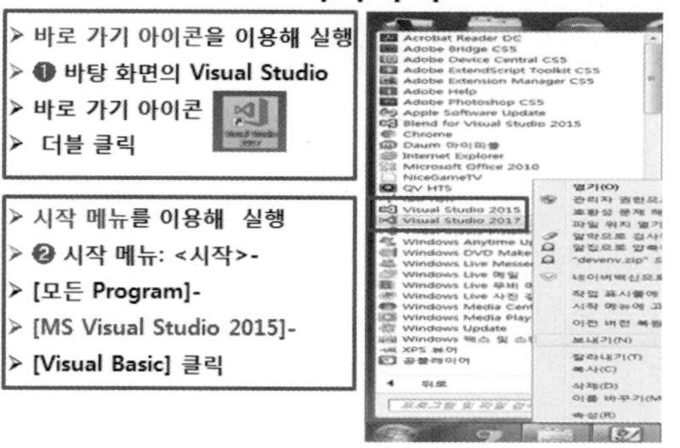

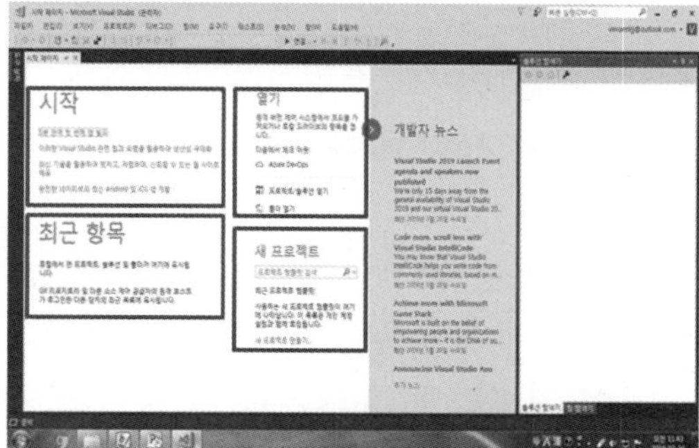

② 바탕 화면의 Visual Basic 바로가기 아이콘 : 더블클릭 - [새 프로젝트] 대화상자에서 표준 EXE를 선택한 후 〈열기〉 버튼 클릭

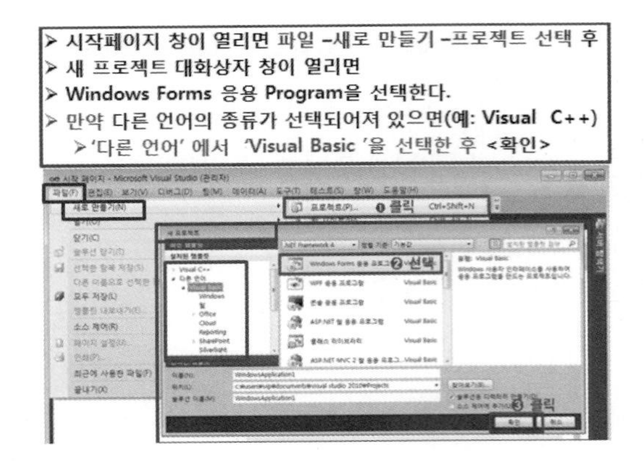

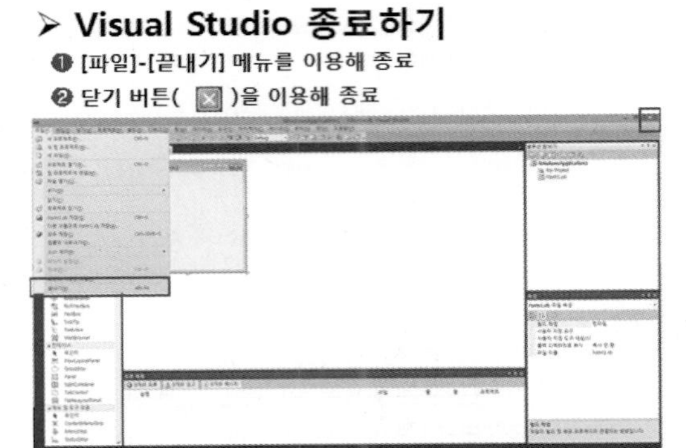

Visual Basic 종료는 [파일]-[종료] 메뉴를 이용해 종료하거나 오른쪽 상단의 닫기 버튼을 이용해 종료한다.

9.4.2 Visual Basic 화면 구성

Visual Basic 화면은 기본적으로 아래와 같이 구성되어 있다.

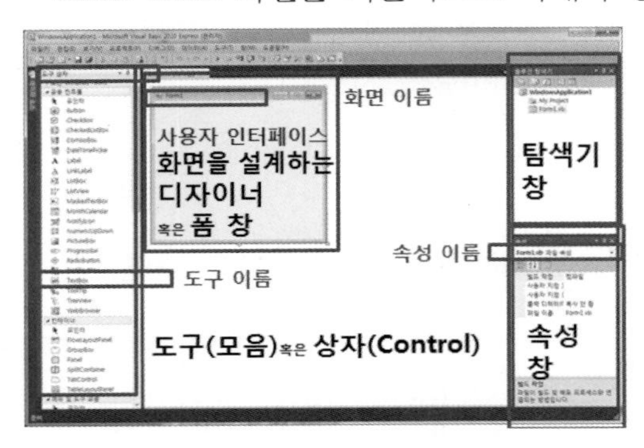

① 메뉴 : 모든 작업 명령문을 풀다운 메뉴 방식으로 제공한다.

② 표준 도구 모음 : 자주 사용되는 메뉴 항목을 아이콘화 하여 모아 놓은 것으로 아이콘에 커서를 두면 그 기능을 풍선 도움말로 보여준다.

③ 도구 상자 : 화면을 작성할 때 사용되는 Control 개체를 모아 놓은 상자이다. 이때 Control

은 Program 실행에 필요한 화면 제작시 필요한 구성 요소 중에서 기본적인 몇 가지를 아이콘으로 만들어 놓은 작은 Program이다. 즉, 텍스트 박스, 버튼, 체크 박스 등 화면 디자인 시 필요한 화면 구성요소를 시각화한 것이다.

④ 폼 창 : Control을 배치하여 사용자에게 보일 화면을 디자인하는 곳이다.

⑤ 프로젝트 탐색기 창 : 프로젝트를 구성하는 폼과 모듈, 클래스와 리소스, 문서 파일 구조 등을 표시하고 폼과 모듈의 추가나 삭제, 폼 창과 코드 편집 창의 활성화 등을 편리하게 할 수 있다.

⑥ 속성 창 : 각 Control의 속성을 보여주는 창으로 속성값을 직접 편집하고, 즉시 확인할 수 있다.

ⓐ Control 목록상자 : 속성을 설정할 수 있는 Control 이름을 표시하고 오른쪽의 폼을 클릭하면 현재 폼에 있는 개체를 표시한다.

ⓑ 정렬탭 속성을 사전순이나 논리적 항목으로 분류하여 계층별로 표시한다.

ⓒ 속성 리스트 왼쪽에는 개체의 속성, 오른쪽에는 해당 속성의 설정값 표시한다.

⑦ 폼 레이아웃 창 : 완성된 폼을 실행했을 때 화면에 출력되는 배치를 확인하고 보통은 보이지 않게 감추어 놓는다.

⑧ 코드 편집 창 : Program 코드를 직접 입력하여 편집하는 곳이다. 코드 편집 창을 열기 위해서는 폼 창에서 코드를 작성할 Control을 더블클릭하고 Control에서 마우스 오른쪽 버튼을 클릭 후 [코드 보기] 메뉴 선택하거나 메인 메뉴에서 [보기]-[코드] 선택한다.

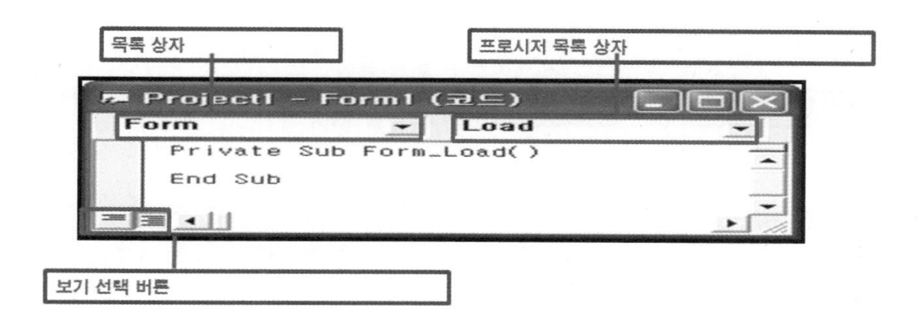

➢ 만약 디자이너 혹은 폼 창이 보이지 않으면
1) 메뉴에서 보기 탭을 선택한 후 디자이너 클릭
2) 혹은 오른쪽 위에 있는 Form1_vb(디자인)클릭
& Form1_vb(디자인):화면)과 Form1_vb*(소스코드)를 자유왕래

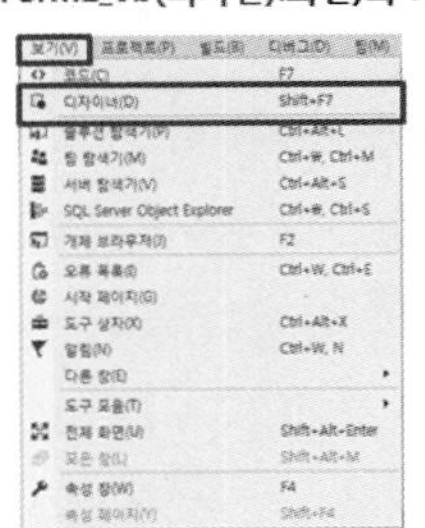

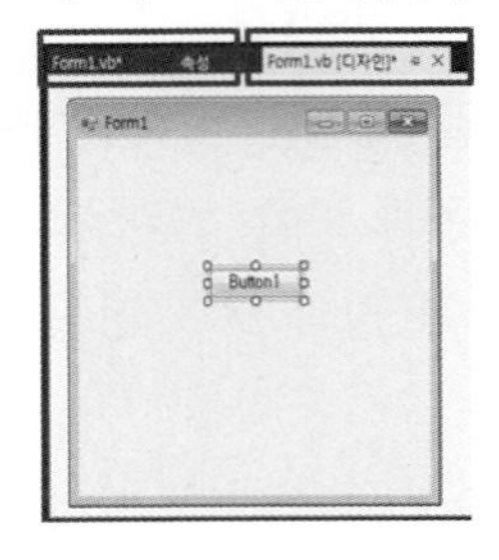

➢ 화면을 디자인하는 **디자이너** 혹은 **폼(Form) 창**

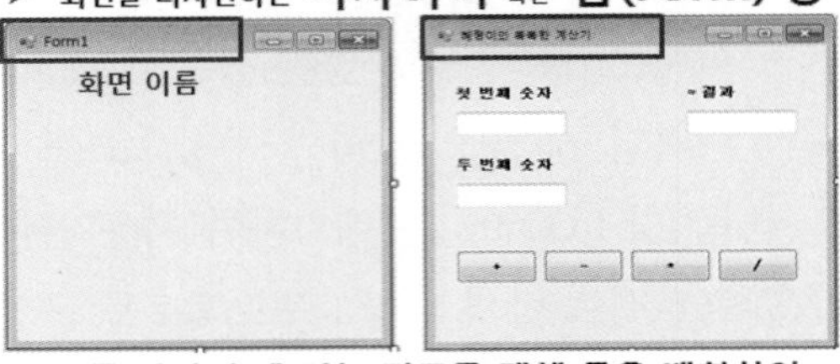

➢ 도구 상자 속에 있는 컨트롤 객체 등을 배치하여 프로그램에서 필요한 화면을 설계
➢ 폼의 크기는 마우스로 원하는 만큼 조절 가능
➢ 여러 개의 폼(다중 폼)을 사용할 수도 있다.
➢ 폼을 저장하면 확장자 'frm' 형태로 저장

➢ 만약 도구모음이 보이지 않으면
1) 메뉴에서 보기 탭을 선택한 후 도구모음 클릭
2) 혹은 옆에 있는 도구상자 클릭

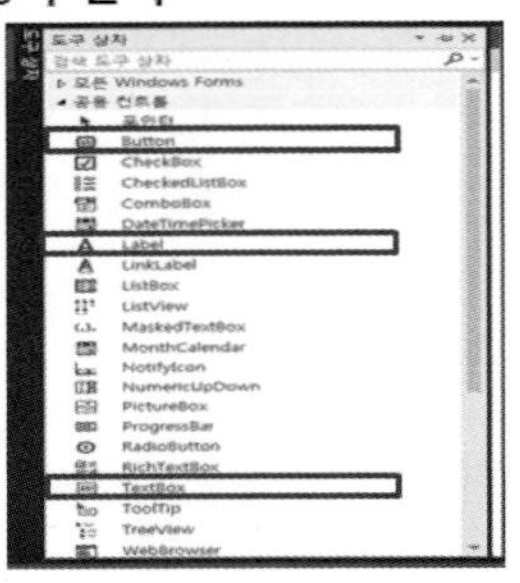

➢ 화면을 컨트롤하는 객체를 만드는 **도구상자**

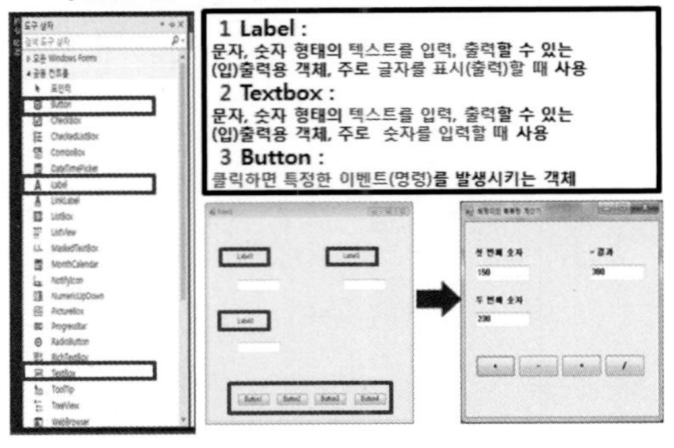

➢ 화면을 컨트롤하는 객체를 만드는 **도구상자**

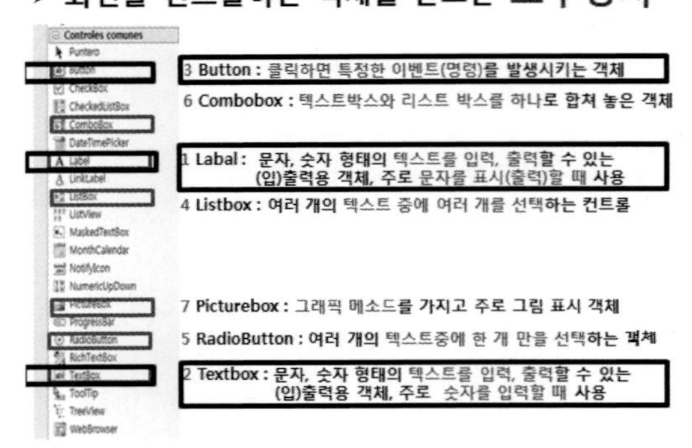

➢ 만약 속성 창이 보이지 않으면
1) 메뉴에서 보기 탭을 선택한 후 속성 창 클릭
2) 혹은 오른쪽 위에 있는 속성 클릭
3) 혹은 폼 창 안에 있는 객체를 한번 클릭

➢ 이 속성 창에서
➢ (반드시 객체 이름을 확인할 것)
➢ 여러 가지 속성을 바꿀 수 있다.
➢ 객체의 글자 위치, 크기, 내용도 바꿀 수 있다.

➢ 속성창에서 속성을 수정하여 화면 내용을 변경

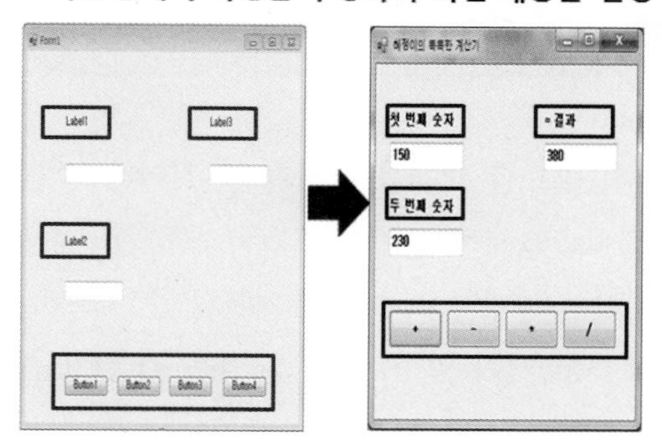

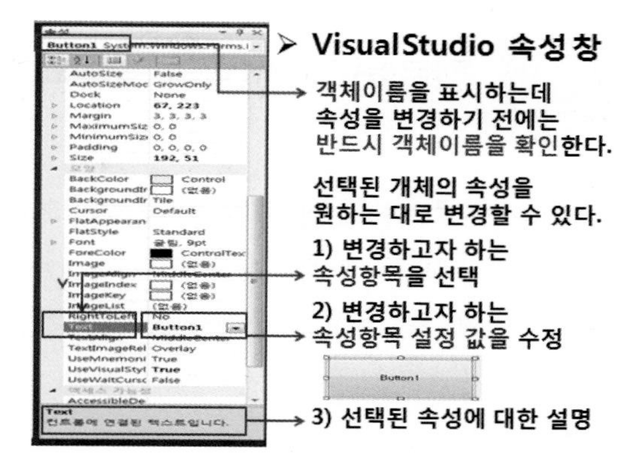

➢ 만약 솔루션 탐색기 창이 보이지 않으면
1) 메뉴에서보기탭을선택한후 솔루션탐색기클릭
2) 혹은 오른쪽 아래에 있는 솔루션탐색기클릭

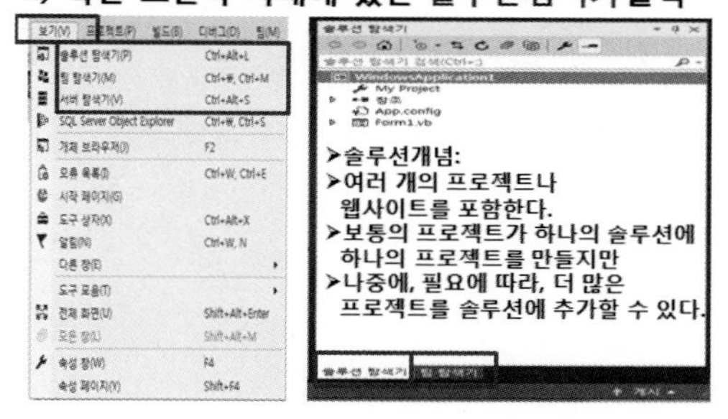

➢ 프로젝트와 솔루션을 관리하는 솔루션탐색기 창

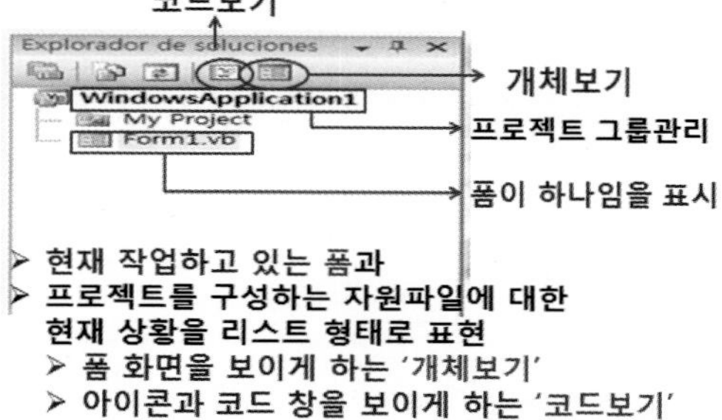

➢ 탐색기를 저장하면 확장자 'vbp' 형태로 저장

➢ 만약 소스코드 창이 보이지 않으면
1) 메뉴에서 보기 탭을 선택한 후 코드 클릭
2) 혹은 오른쪽 위에 있는 Form1_vb* 클릭
& Form1_vb(디자인):화면)과 Form1_vb*(소스코드)를 자유 왕래
3) 혹은폼창안에 있는 객체(Button1)를 더블클릭

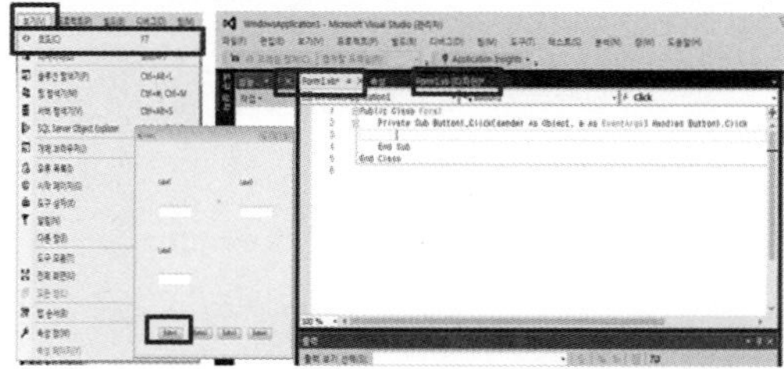

➢소스코드 입력 창:(Button1(+)객체를 더블클릭)

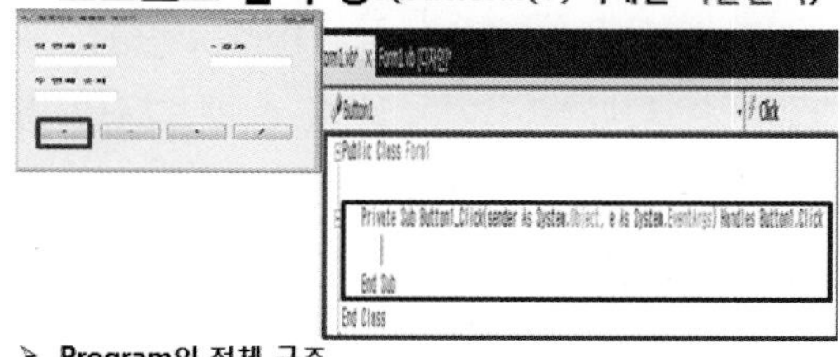

➢ Program의 전체 구조
➢ Class Form1 ' Form1 이라는 클래스의 시작을 선언
  ➢ Sub Button1_Click '서브 프로그램(함수)의 시작을 선언
  ➢ End Sub '서브 프로그램(함수)의 종료를 선언
➢ End Class ' 클래스의 종료를 선언
➢ Public : 다른 프로그램들에게 공개하는 것을 원칙으로 하는 프로그램 선언
➢ Private :다른 프로그램들에게 비 공개하는 것을 원칙으로 하는 프로그램 선언

9.5 컨트롤(Control)의 종류와 기능

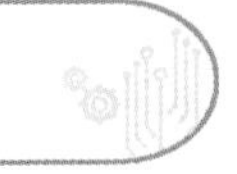

Control은 폼에 포함할 수 있는 즉, 화면 디자인 시 필요한 개체를 시각화 한 것이다. 각각 다른 속성, 메소드, 이벤트를 가진다. Control은 Visual Basic에 내장된 Control로 윈도우나 내부 기능 제어를 위해 도구상자에 아이콘화 되어 있는 20개의 Control인 기본(표준) Control과 사용자가 추가할 수 있는 사용자 정의(ActiveX) Control이 있다. 아래 그림은 기본(표준) Control이다.

➤ VB 기본 Control 객체의 종류와 기능

이름	설명
마우스 포인터	폼과 Control을 선택하여 이동하거나 크기 조절
픽처 박스	그림을 읽어서 표시, 그래픽 Method를 가짐. 컨테이너 기능
레이블	문자열이나 숫자 등을 표시
텍스트 박스	텍스트를 입력하거나 출력. 주로 데이터 등을 입력받을 때 사용
프레임	체크 박스나 옵션 버튼처럼 서로 관련이 있는 Control을 모아서 그룹으로 관리할 때 사용
버튼	마우스를 클릭하여 명령을 지시하거나 취소할 때 사용
체크 박스	어떤 항목의 사용 여부를 결정할 때 사용. 하나 이상의 항목을 선택할 때 사용
라디오버튼(옵션버튼)	어떤 항목의 사용 여부를 결정할 때 사용. 프레임 안에 있는 옵션 버튼 중 하나만 선택 가능
콤보 박스	여러 항목 중에서 하나를 선택할 때 사용(텍스트 박스 기능+ 리스트 박스 기능).
리스트 박스	여러 항목 중에서 하나 이상을 선택할 때 사용
수평 스크롤 바	수평 방향 스크롤 바를 표시
수직 스크롤 바	수직 방향 스크롤 바를 표시
타이머	일정 시간 간격으로 타이머 이벤트를 자동으로 발생. 주로 시간 표시나 애니메이션에 사용
드라이브 리스트 박스	드라이브 목록을 리스트 박스 형태로 표시
디렉터리 리스트 박스	디렉터리 목록을 리스트 박스 형태로 표시
파일 리스트 박스	파일 목록을 리스트 박스 형태로 표시
모양	모형 원, 타원, 사각형 등의 도형을 그림
선	선 및 [illegible] 또는 선을 그림.
이미지	그림 표시. 픽처 박스보다 테두리가 절약되며 속도가 빠름. 컨테이너 기능이 없음.
데이터	데이터베이스 객체(DAO)를 Control화하여 데이터베이스 파일에 접근할 수 있게 함. 여기서 데이터베이스의 열기, 닫기, 검색 및 조회, 삽입, 삭제, 변경 등의 작업이 가능
OLE	OLE로 등록된 객체를 삽입

레이블은 사용자가 직접 변경할 수 없는 텍스트를 출력하거나 다른 Control의 용도를 표기하는 데 사용하고 텍스트 박스는 사용자로부터 텍스트를 입력 받거나 출력할 때 사용한다. 그리고 버튼은 마우스로 클릭하여 명령을 지시하거나 취소할 때 사용하는데 그림을 삽입해 그림만으로 표현이 가능하다. 아래 그림처럼 레이블, 텍스트 박스, 버튼을 이용하여 폼을 만들 수 있다.

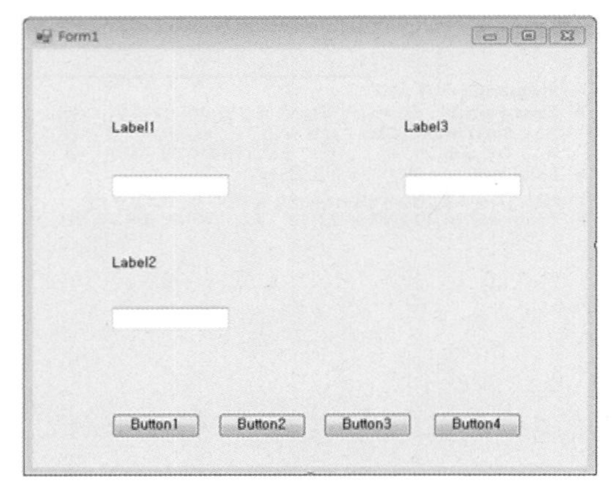

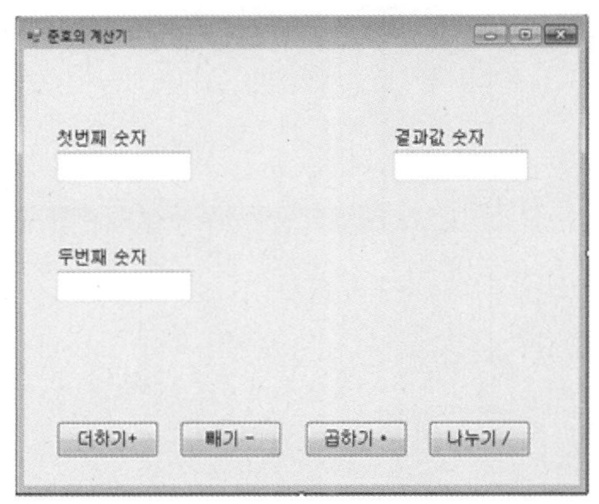

옵션버튼과 체크 박스는 그룹으로 묶인 여러 항목 중에서 하나 이상을 선택할 때 사용하며 참(True) 과 거짓(False) 중 한 가지 상태만 가질 수 있다. 두 개의 차이는 옵션버튼은 한 개만 선택가능하고 체크박스는 여러 개가 선택 가능하다.

프레임은 관련된 기능끼리 묶어주는 컨테이너의 역할을 하며 특히 옵션 버튼과 체크 박스 Control을 그룹으로 묶을 때 자주 사용한다. 아래 그림처럼 옵션버튼, 체크박스, 프레임을 이용하여 폼을 만들 수 있다.

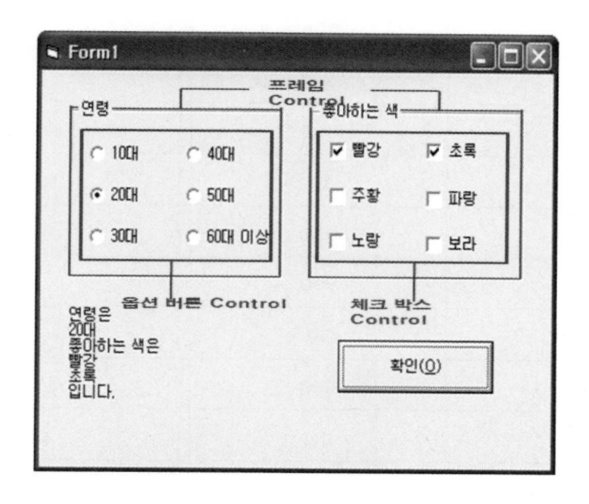

리스트 박스는 사용자가 직접 입력하지 않고 목록에서 원하는 목록을 선택할 때 사용하는 것으로 항목 추가와 삭제가 가능하다.

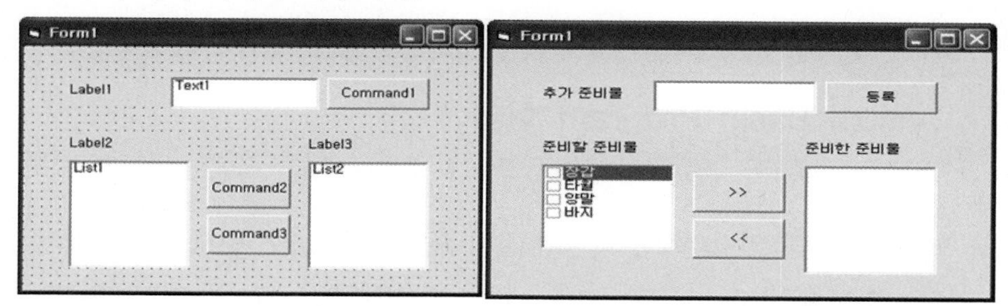

참고로 Control 박스를 이용함에 있어 Visual Basic에서는 권장하는 Control의 명명규칙이 있는데 그것은 다음과 같다.

개체 형식	접두사	사용예
폼	frm	frmDataEntry
버튼	cmd	cmdExit
텍스트 박스	txt	txtLastNessage
레이블	lbl	lblHelpMessage
옵션 버튼	opt	optBold
체크 박수	chk	chkReadOnly
프레임	fra	fraLanguage
콤보 박스	cbo	cboEnglish
리스트 박스	lst	lstPolicyCodes
수평 스크롤 바	hsb	hsbVoiume
수직 스크롤 바	vsb	vsbRate
선	lin	linVertical
이미지	img	imgIcon
픽쳐 박스	pic	picLandScape
슬라이더	sld	sldScale
일반 대화상자	dlg	dlgFileOpen

9.6 Visual Basic Program 실습 1

Visual Basic 프로그램 작성과정은 다음과 같이 요약할 수 있다. 먼저, 비주얼베이직 프로그램을 실행하여 프로젝트를 생성하고 새로운 폼에 개체인 Control을 배치하여 속성 값을 설정한다. 다음으로 코드편집 창을 열고 각 Control에 코드를 작성하여 이벤트 프로시저를 작성한다. 마지막으로 작성된 코드를 컴파일하고 실행한 후 프로젝트에 저장한다. 간단한 실습 예제를 작성하여 보자.

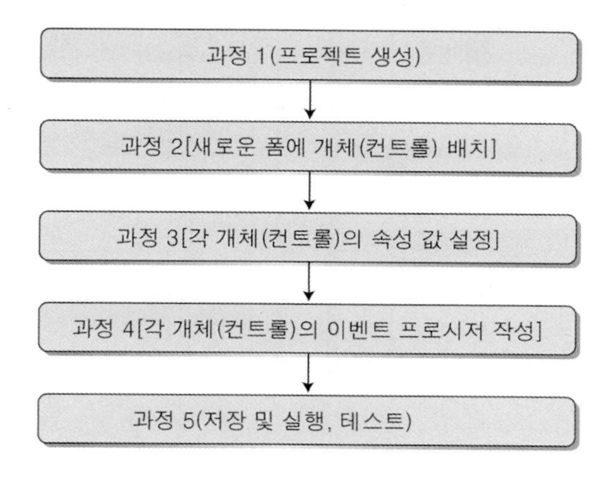

9.6.1 'Hello' 메시지를 출력하는 프로그램

첫 번째 예제는 아래 그림처럼 폼 1개, 텍스트박스 1개, 버튼 2개를 배치한 후 출력버튼을 클릭하면 텍스트 박스에 'Hello!'라고 출력하고 종료버튼을 클릭하면 프로그램을 종료하는 아주 간단한 프로그램이다. *〈참고자료1〉:

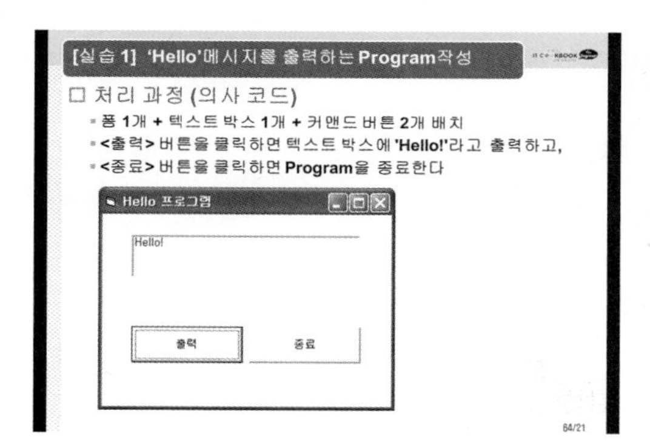

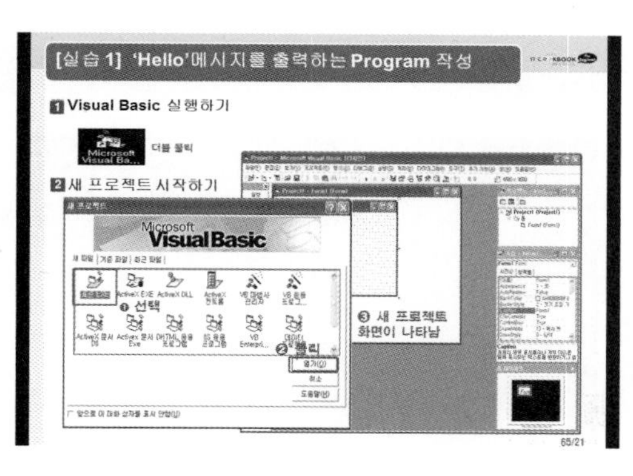

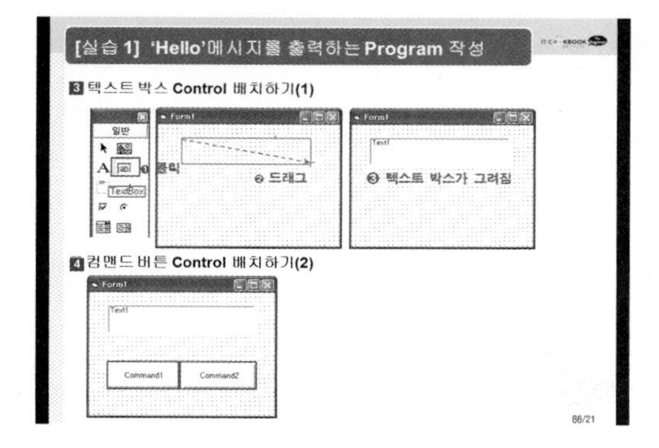

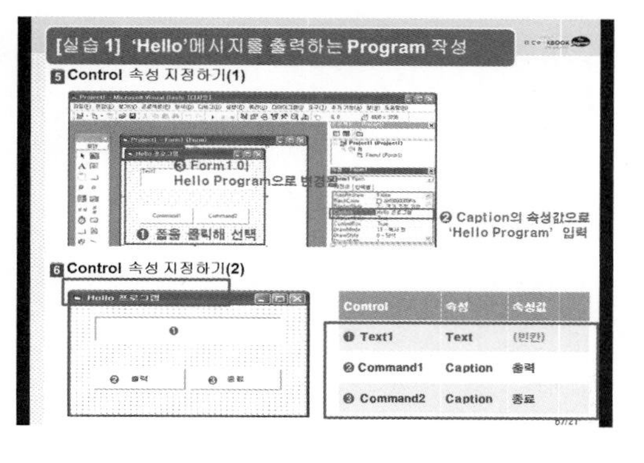

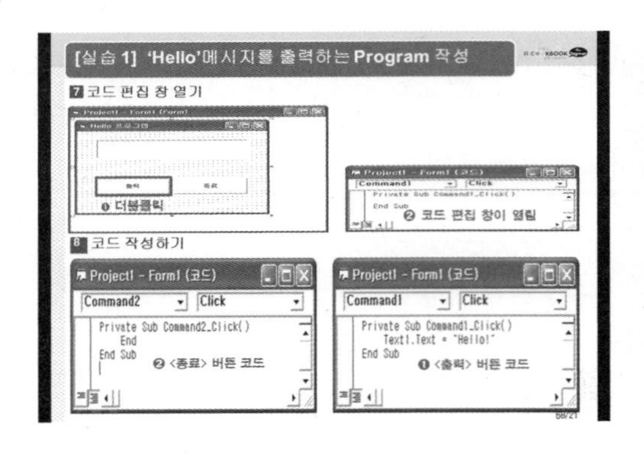

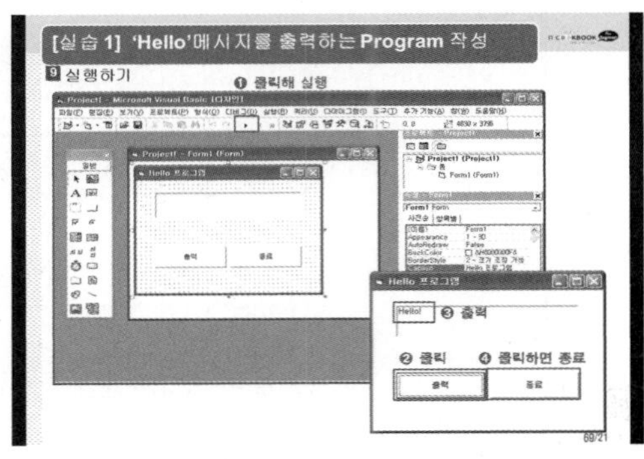

9.6.2 인사하기 메시지를 출력하는 프로그램

두 번째 예제는 아래 그림처럼 폼 1개, 텍스트박스 1개, 버튼 3개를 배치한 후 인사하기 버튼을 클릭하면 '환영합니다!'라고 출력하고 지우기 버튼을 클릭하면 '환영합니다!'를 지우고 종료하기 버튼을 클릭하면 종료하는 프로그램이다.

간단한 예제이므로 첫 번째 예제를 참고하여 직접 작성해 보기로 하자.

*〈참고자료1〉:

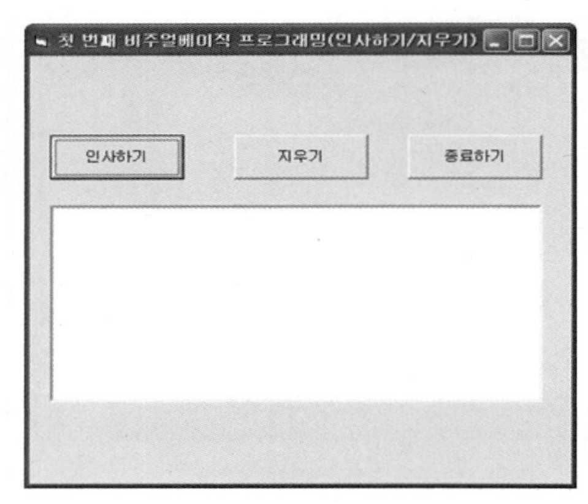

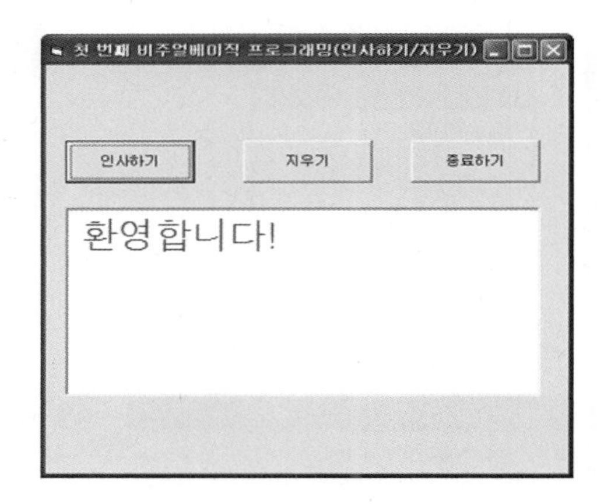

9.7 효율적인 작업을 위한 환경 설정

C나 Java 프로그래밍은 코드를 작성하고 컴파일 후 실행한다면 Visual Basic 프로그래밍은 Control을 이용해 화면(인터페이스)을 만든 후 개체의 속성 값을 설정하고 코드 작성 후 실행한다. 이 때문에 시각적 요소인 Control과 명령 코드로 이루어진 Visual Basic Program은 효율적인 작업을 위해 환경 설정이 필요하다.

9.7.1 표준 도구 모음 추가 및 삭제

표준 도구 추가 및 삭제는 [도구]-[도구모음] 메뉴 선택 후 [사용자 정의] 대화상자에서 설정하거나 표준도구 모음 빈공간에서 마우스 오른쪽 버튼을 클릭한 후에 [사용자정의]를 선택한다.

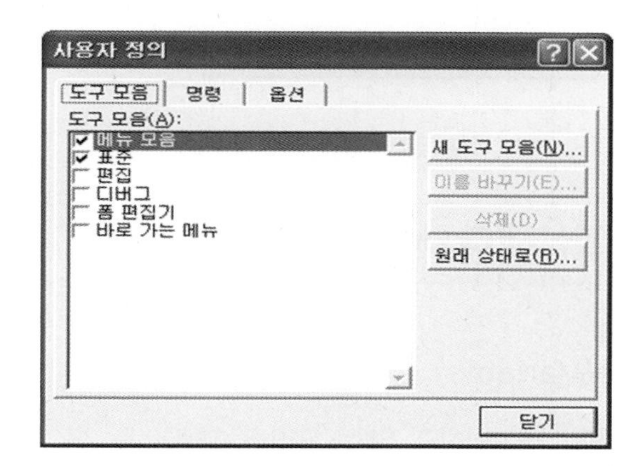

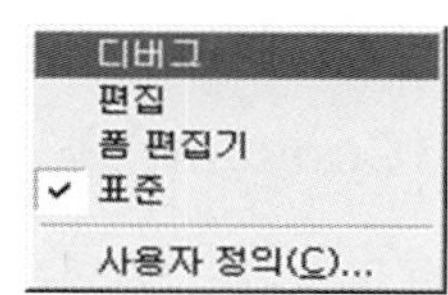

9.7.2 효율적인 개발 환경 설정

[도구]-[옵션]메뉴를 선택하여 [옵션] 대화상자에서 설정한다.

① 편집기 : Code, 창, 자동 들여 쓰기 등을 설정할 수 있다. 이때, '변수선언요구' 항목을 체크해 두면 변수 선언이 안 되었을 때 쉽게 오류를 찾을 수 있고 '구성원 자동목록' 항목을 체크해 두면 쉽게 코드를 작성할 수 있다.

② 편집기 형식 : Code 색, 글꼴, 글자 크기, 창 색 등을 설정할 수 있다.

③ 일반 : 폼의 모눈 단위 및 오류 잡기, 컴파일러 등을 설정할 수 있다.

④ 도킹 : 각 작업 창의 결합 여부를 설정할 수 있다.

⑤ 환경 : Project 열기, 변경된 내용 저장 여부 등을 설정할 수 있다.

⑥ 고급 : Project를 불러오는 방법 설정하고 하나의 윈도우가 여러 개의 폼을 갖춘 다중 문서 여부 설정할 수 있다.

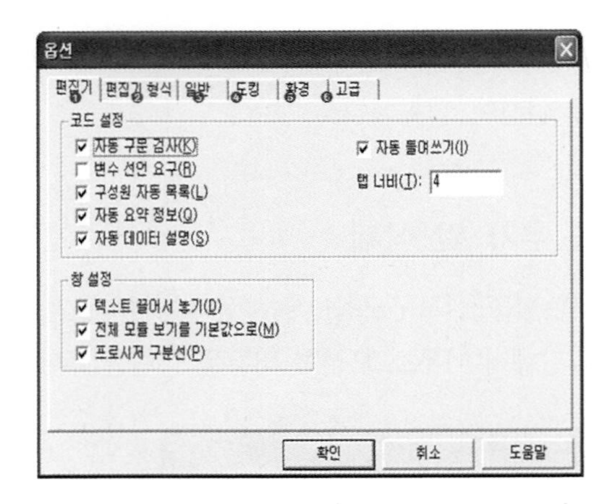

9.8 변수(Variable)와 연산자(Operator)

9.8.1 상수(Constant)와 변수(Variable)

상수는 프로그램이 실행되는 동안 값이 변하지 않는 고정된 자료값을 가진다.

➤ Program과 상수와 변수

➢상수(Constant, 常數) : **Program이 실행되는 동안에 값이 변하지 않는 고정된 Data 값(문자나 숫자)**

- ➢Program 속에서 사용된 숫자나 문자가 보이는 그대로의 형태로 사용되면서
- ➢**Program이 수행되는 동안 변하지 않는 값을 나타내는 Data로,**
- ➢수행 중 Data 값이 변화하는 값을 나타내는 변수(Variable)와 대비된다.
- ➢**Program에서 직접적인 상수의 값을 사용하면 상수의 Data 값이 변화할 때마다 Program을 직접 수정하여 변화시켜야 하므로 매우 불편.**
- ➢**예) = 1 + 2 　　예) = 17+28**

➤ Program과 상수와 변수

➢변수 (Variable, 變數) : **Program이 실행되는 동안에 값이 변할 수 있는 Data 값이 저장된 기억장소**

- ➢ 엑셀에서는 **셀의 이름**(C열3행에 있는 셀은 C3)을 **사용하여 그곳에 저장된 Data 값을 찾아가는 참조라는 개념**을 사용.
- ➢ **이처럼 기억장소를 참조하는(찾아가는) 변수의 형태(셀의 이름)로 Data 값을 표현(사용) 한다면**
- ➢ **Program** 자체(속에 포함된 상수 값)를 직접 수정하지 않고 **Program** 외부에서 변수(C3, C4,...)의 **Data** 값을 변화시키면 (자동 참조하므로) 언제나 최신의 **Data**로 변경 가능하다.

➢ **예)** 상수 　　와 　　변수
➢ = 1 + 2 　　= C3 + C4 　　엑셀의 셀 이름(참조)
➢ = 3 + 4 　　혹은 = X + Y 　　Program의 변수이름
➢ = 5 + 6 　　혹은 = 쉬운 한글이름 변수명
➢ **예)** 다음 문장에서 J와 K, x와 y는 변수이며 1, 3, 7 등은 상수
➢ J = J + 1 , K = 3 + J
➢ $x = K + 7$, $y = x^3 + 7$

➢ Program과 상수와 변수

➢ 평균을 계산하는 함수(Program)를 만드는 과정의 발전 단계
- ➢1단계(초보단계): =(15+17+25+28) / 4
- ➢**직접적인 상수를 자료 값으로 사용하는 초보 단계**
- ➢위와 같이 Data 값을 15, 17, 25, 28 이라는 **고정된 상수(Program 실행 동안에 값이 변하지 않는 수)의 형태로 Data 값을 표현한다면**
- ➢Data 값이 변화할 때마다 수식(Program에 해당)을 직접 변화시켜야 하므로 **최신의 Data로 수정하여 입력**하는 것이 매우 불편**하다.**

➢ Program과 상수와 변수

➢ 평균을 계산하는 함수(Program)를 만드는 과정의 발전 단계
- ➢2단계(중간단계): =(C3+C4+C5+C6) / 4
- ➢**간접적인 변수(셀 이름, 참조)형태로 자료 값을 표현**
- ➢위와 같이, " C3 + C4 + C5 + C6 " 를 사용하여
- ➢셀(Data의 기억장소)을 참조(찾아가는)하는
- ➢**변수의 형태로 자료 값을 표현**한다면
- ➢수식의 Data 값을 Program 내부에서 변화시키지 않고
- ➢Program 외부에서 변수(C3, C4, C5, C6)의 값을 변화시켜
- ➢Data 값을 변화 **시킬 수 있기 때문에**
- ➢**최신의 Data로 항상 수정하여 입력하는 것이 가능**하다
- ➢때문에 엑셀을 포함한 많은 Program에서는
- ➢변수(참조)의 방식을 많이 사용한다.

➢ Program과 상수와 변수

➢ 평균을 계산하는 함수(Program)를 만드는 과정의 발전 단계
- ➢3단계(고급단계): =AVERAGE(C3:C1048576)
- ➢**평균을 계산하는** 함수 AVERAGE를 사용**하고**
  - ➢함수는 사용자가 이름만 호출하면 편리하게 사용할 수 있도록 미리 작성해 둔 기능적으로 독립된 작은 Program
  - ➢함수의 재 사용(함수 AVERAGE를 여러 사람이, 여러 번 재사용)
- ➢간접적인 변수의 값 C3부터 C1048576까지를 사용
  - ➢AVERAGE 함수를 사용함으로써
  - ➢ /4 등의 직접적인 상수 값을 사용하지 않고
  - ➢매우 많은 인수를 사용하더라도, AVERAGE 함수가 자체적으로 많은 인수의 개수를 자동 입력 가능
- ➢ **Program과 Data를 분리하면, 서로의 독립성이 높아진다**

변수는 프로그램이 실행되는 동안 필요한 값을 저장하기 위한 기억 장소를 말하며 보통 '변수이름=값' 의 형식으로 사용한다. 예를 들면 변수이름이 "영어성적"이고 자료형태가 숫자형일 때는 영어성적 = 90 으로 표현하고, 변수이름이 "나의이름"이고 자료형태가 문자형일 때는 "(따옴표)"를 사용하여 나의이름 = "홍길동"으로 표현한다.

[표 9-2] 변수(Variable, 變數)와 상수(Constant, 常數)

변수(Variable, 變數);	• 상수나 수식의 계산결과를 기억시킬 기억장소로서 Program이 실행되는 동안 그 값이 변할 수 있다. 이 값은 Program을 실행할 때마다 또는 Program 내의 단계에 따라 변할 수 있다.
상수(Constant, 常數)	• Program이 실행되는 동안, 그 값이 변하지 않고, 그 자체가 실제의 값을 나타내는 문자나 숫자

참조의 이해와 변수의 개념

엑셀에서 셀(Cell)의 이름은 열과 행을 사용하여 다음과 같이 이름 붙인다. 예를 들면 A열1행에 있는 셀은 A1, A열1행부터 100행까지의 셀 범위는 A1:A100, 1행의 모든 셀은 1:1, A열1행에서 부터 C열330행까지의 모든 셀은 A1:C330 등으로 쉽게 나타낼 수 있다.

엑셀에서는 이렇게 셀의 이름(예를 들면 A열1행에 있는 셀은 A1)을 사용하여 그곳에 저장된 자료 값을 찾아가는 참조라는 개념을 사용한다. 참조는 어떤 자료가 저장된 셀(기억장소의 개념)의 주소를 찾아가는 개념으로 그 곳의 값이 변화되면 변화된 값을 자동으로 참조하므로 프로그램에서 사용되는 변수(프로그램 실행동안에 값이 변할 수 있는 기억장소의 개념)의 개념과 유사하다.

예를 들면 합계를 계산하기 위해 "31+42+55+66+77"과 같이 자료의 값을 직접 수식으로 표현한다면 수식에서 31, 42, 55, 66, 77이라는 상수(프로그램 실행동안에 값이 변하지 않는 수)의 자료 값이 변화할 때마다 수식을 직접 변화시켜야 하므로 매우 불편하다. 그러므로 "C3+ C4+C5+C6+C7"와 같이 셀(자료의 기억장소)을 참조(찾아가는)하는 수식으로 표현 한다면 수식(프로그램에 해당)자체를 직접 변화시키지 않고 C3, C4, C5, C6, C7셀의 자료 값을 변화시키는 것만으로도 가능하기 때문에 엑셀에서는 참조의 방식을 많이 사용한다.

한편 합계를 계산하는 SUM 함수를 사용하여 SUM(인수1 : 인수2)의 형식을 가지고 인수1 부터 인수2까지의 연속된 범위의 합계를 "=SUM(C3:C7)"로 간단하게 나타낼 수도 있다. 이것은 매우 큰 범위의 셀도 쉽게 표현할 수 있게 해준다.

예 = SUM(C3:C1048576)

직접적인 상수의 값을 ID와 PW로 고정 사용하여 회원을 확인하는 좋지 않은 로그인 Program의 예제

```
Private Sub Button1_Click(sender As Object, e As EventArgs) Handles Button1.Click
    If TextBox1.Text = "201621343" And TextBox2.Text = "12345" Then
        MessageBox.Show("성공입니다.", "알림", MessageBoxButtons.OK, MessageBoxIcon.Information)
    Else
        MessageBox.Show("일치하지 않습니다.", "알림", MessageBoxButtons.OK, MessageBoxIcon.Information)
    End If
```

- 만약, TextBox1에 ID를 20161343이라 입력하고
- TextBox2에 PW를 12345라 입력한다면
- 로그인 성공메시지를 출력하는 새로운 메시지 박스가 생성.
- 그렇지 않고 다른 Text가 입력된다면 로그인 실패메시지를 출력.
- 이와 같이 Program에서 직접적인 상수의 값을 사용하면 한 사람의 특정 데이터의 값만 유효한 Program이 된다.
- 이러한 Program은 상수의 Data 값이 변화할 때마다 Program을 직접 수정하여 변화시켜야 하므로 매우 불편.
- 입력된 ID와 PW를 외부 DB파일(예: Excel Data 등)에 등록된 회원정보와 비교하여 회원이면 로그인 성공메시지를 출력할 수 있어야 좋은 Program.
- 또한 외부 DB파일(예: Excel Data 등)에 등록된 회원정보는 항상 고정된 값이 아니라 수시로 수정되어질 수 있는 최신의 자료형태이면 더욱 좋다.

➢ Program과 상수와 변수

- **상수(Constant, 常數): Program이 실행되는 동안에 값이 변하지 않는 고정된 Data 값(문자나 숫자)**
  - 상수는 직접 값을 표시하는 형태를 취한다.
  - 상수에는 숫자, 문자, 문자열 등이 있다.
  - 예)
  - 숫자 365 는 1년을 의미하고,
  - 그리스문자 π(파이) 는 원주율을 의미하고,
    - 3.14159265358979...로 계속되는 무리수의 근삿값을 나타낸다
  - 문자열 " Summer " 는 여름을 의미한다는 것을
  - 많은 사람들이 이해하므로
  - **이러한 상수에 의하여 수치에 의미를 부여하면**
  - **Program의 작성과 이해를 쉽게 하는 측면도 있다.**

➤ Program과 상수와 변수

➤ 상수(Constant, 常數) : **Program이 실행되는 동안에 값이 변하지 않는 고정된 Data 값(숫자 혹은 때때로 문자)**

- ➤ 다음에서 값이 고정되어 변할 수 없는 꼭 필요한 상수와
- ➤ 값이 고정되지 않고 수시로 변할 수 있는 변수를 구분하라

- ➤ 삼각형의 넓이 $S=\frac{1}{2}ah$ (a: 밑변, h: 높이)
- ➤ 원의 넓이 $S=\pi r^2$
- ➤ 호의 길이 $l=2\pi r\times\frac{x^\circ}{360}$ (r: 반지름, x° :중심각)
- ➤ 구의 부피 $V=\frac{4}{3}\pi r^3$

➤ Program과 변수와 인수

➤ 인수(Argument; 引數) :

➤ **Program이 실행되는 동안에 필요한 자료 값을 외부 Data (예: Excel)와 외부 Module(Program) 등에서 주고(내보내는;출력) 받는(가져오는;입력) 기능을 가진,** 변수

- ➤ 예) **=SUM(365, 31)** 직접적인 상수 를 인수로 사용
- ➤ 예) **=SUM(C2,D2)** (셀 이름) 간접적인 변수 를 인수로 사용

➤ **인수는 함수나 서브루틴을 사용할 때 값을 주고 받는 변수.**

- ➤ **인수는 주 Program과 부 Program 혹은 서브루틴 사이에서** 값을 넘겨 주거나 받는 변수나 상수 또는 그들의 집합이며 매개변수(Parameter or Argument)라고도 한다.
- ➤ 가 인수(Formal Argument)는 단순히 서브루틴의 형식을 정의하기 위하여 사용하는 경우를 말하며,
- ➤ 실 인수(Actual Argument)는 실제로 그것을 호출하여 값을 주고 받는 인수를 지정하는 경우를 말한다.

➤ Program과 상수와 변수

➤ 변수 (Variable, 變數) :

➤ **기억장소에 이름을 붙여 Data(문자나 숫자)를 저장하는 공간**

➤ **Program이 실행되는 동안에 값이 변할 수 있는 Data 값이 저장된 기억장소**

- ➤ 어떤 계산을 위해서 필요한 Data를 기억시키기 위해서는 기억 장소(변수)가 필요하다.
- ➤ 원하는 이름으로 변수를 만들어, 그 이름으로 숫자, 문자 등의 값을 저장하고 수정할 수 있다.
- ➤ 변수는 여러 가지 값을 가질 수 있지만,
- ➤ 한 시점에서는 한 가지 값만을 저장할 수 있으며,
- ➤ 그 값을 언제나 저장/수정/삭제할 수 있다.
- ➤ **어떤 Data형식(숫자 형,문자 형,객체 형 등)으로 정해지면 정해진 범위 내에서 값이 변할 수 있는 기억장소이다.**

➤ **VB 에서는 다음과 같이 사용 (Data** 형식 선언자 **)**

- ➤ **String** (문자형 **2Byte** 혹은 가변) **, Byte** (숫자형 **1Byte) ,**
- ➤ **Integer**(숫자형 **2Byte) , Long** (숫자형 **4Byte)** 등

9.8.2 변수(Variable)의 선언

Program에서 변수를 사용하고자 할 때는 먼저 변수를 선언해야 하는데, 변수를 선언할 때에는 변수의 이름과 저장할 자료의 형태를 지정해주어야 한다. 변수의 이름은 변수가 가지고 있는 값을 찾기 위해 사용하는 참조의 이름이며 자료형태는 변수가 저장할 수 있는 자료의 형태를 미리 지정해 주는 것이다. Visual Basic에서는 Dim이라는 변수 선언자를 기본적으로 많이 사용한다.

```
Dim   변수이름   [As 자료형태]
```

➢ 변수 선언, 변수 이름, Data형식

➢ 변수(Variable): Program이 실행되는 동안 필요한 Data 값을 변화시킬 수 있도록, 값을 저장하기 위한 기억 장소
➢ 변수의 선언
  ➢ 변수를 사용하기 전에
  ➢ 변수의 이름과 Data형식을 미리 선언(지정)해서
  ➢ 메모리의 저장공간을 예약하는 것
➢ 변수 이름 : 변수가 가지고 있는 값을 찾기(참조하기)위해 사용
➢ Data 형식 : 변수가 저장할 수 있는 Data의 형식(종류)을 지정
➢ 변수를 선언할 때, 이름과 Data형식을 미리 지정하기 때문에
  ➢ 선언된 이름과 다른 이름을 Program내에서 부르면 오류 발생
    ➢ 변수 이름 안의 공백과 띄어 쓰기 등에 주의
    ➢ Dim 영어성적 As Byte 에서,
    ➢ 영어성적과 영어 성적은 전혀 다른 이름
  ➢ 선언된 형식과 다른 Data형식의 값을 입력하면 오류 발생

➢ 변수의 선언 형식

Dim 변수이름 As Data형식

➢ Dim 이라는 변수 선언 자(예약어)를 사용해 선언
  ➢ 참고) Dimension: 크기, 차원, 배열, 크기나 폭, 면적, 용적 등을 가리키는 용어
➢ 선언 형식: Dim 영어성적 As Byte
  ➢ 변수이름 :
  ➢ 변수가 가지고 있는 값을 찾아가기(참조하기) 위해 사용
  ➢ Data 형태 :
  ➢ 변수가 저장할 수 있는 Data의 형태(종류)를 지정
➢ 사용 방법: 변수 이름 = 값
  ➢ 영어성적 = 90 Data형식이 숫자 형
  ➢ 나의이름 = "홍길동" Data형식이 문자 형

➢ 변수의 선언 형식

Dim 변수이름 As Data형식

➢ Dim 영어성적 As Byte
  ➢ 영어성적 이라는 변수이름에, 자료를 숫자형으로 저장하겠다
➢ Dim 나의이름 As String
  ➢ 나의이름 이라는 변수이름에,
  ➢ 자료를 문자형으로 저장하겠다
➢ 변수의 사용 예
➢ 영어성적 = 100
  ➢ 영어성적 이라는 변수이름에, 숫자형 자료 100을 저장하겠다
  ➢ 나의이름 = "홍길동"
  ➢ 나의이름 이라는 변수이름에, 문자형 자료 "홍길동"을 저장하겠다

➢ 변수의 선언 형식

Dim 변수이름 As Data형식

➢ 변수의 선언과 잘못된 사용 예
➢ 선언; Dim 영어성적 As Byte
➢ 사용; 영어성적 = "베이직"
  ➢ 선언한 자료 형식(Byte; 정수형)과
  ➢ 저장하려는 자료 형식(문자형)이 일치하지 않는다.
  ➢ 숫자형 변수로 선언하고 문자형으로 저장하려 한다.
➢ 사용; 영어성적 = 1000
  ➢ 숫자가 너무 크다.
  ➢ Byte 형식은 1 Byte 크기의 숫자를 저장할 수 있다.
  ➢ 숫자의 표현 범위(0~255)를 벗어난다.

변수를 선언할 때는 몇 가지 유의사항이 있다. 간단한 예를 보면 다음과 같다.

첫째, 자료형태가 결정되었을 때 선언된 형식과 다른 값을 입력하면 오류가 발생한다.

```
Dim 영어성적 As Byte
영어성적 ="베이직"      → 형식이 불일치 (정수형으로 선언하고 문자를 저장하려 함)
영어성적 =  1000        → 숫자가 너무 크서 표현 범위(0~255)를 벗어나는 오류 발생
```

둘째, 여러 개의 변수를 함께 선언할 때에는 변수의 자료형태가 같아야 한다.

```
① Dim number1 As Integer, number2 As Integer, number3 As Integer
② Dim number1, number2, number3, As Integer
```

➢ 변수의 선언 형식

Dim 변수이름 As Data형식

➢ 여러 개의 변수를 함께 선언할 때 주의할 점
➢
➢ 다음 두 개의 변수 선언은 서로 다르다

➢ Dim을 1회 선언하고, ❶ 번과 같이 여러 개의 변수이름을 지정해도 좋다.
➢ 그러나 As Integer 자료 형식 지정은 반드시 여러 번 해야 한다.

➢ ❶Dim 입력값1 As Integer, 입력값2 As Integer, 결과값 As Integer
➢ 입력값1, 입력값2, 결과값 ➜ Integer 형

➢ ❷ 번과 같이 자료 형식 지정을 하지않으면 Variant 형으로 자동지정된다.

➢ ❷Dim 입력값1, 입력값2, 결과값 As Integer
➢ 입력값1, 입력값2 는 ➜ Variant 형,
➢ 결과값은 ➜ Integer 형

셋째, 변수이름으로는 예약어를 쓸 수 없다. Visual Basic의 예약어로는 Dim, Private, Sub, String, Integer, Byte, If, Then, Goto, End, For, Next, REM 등이 있다. 만약 이들 예약어를 사용하면 변수와 명령이 구별되지 않기 때문에 프로그램이 제대로 실행되지 않는다.

넷째, 변수이름에는 영문자, 한글, 숫자, 언더 바(_)를 사용할 수 있지만, 다른 특수기호는 사용할 수 없다.

다섯째, 첫 자는 반드시 영문자나 한글이어야 하고 기호나 숫자는 사용할 수 없다.

올바른 변수 선언	잘못된 변수 선언
Dim student_name As String	Dim name$ As String → 허락되지 않은 특수기호($) 사용
Dim score As Byte	Dim 123_address As String → 숫자로 시작
Dim 학과 As String	Dim Private As Integer → 예약어 사용

➢ 변수 이름 부여 규칙

➢ **첫 글자는 반드시 영문자나 한글이어야 하고 기호나 숫자는 사용할 수 없다.**
- ➢영문자, 한글, 숫자를 사용할 수 있지만, **언더 바(_)를 제외한** 다른 특수기호는 사용할 수 없다.
- ➢**예약어(Dim, Private, Sub, String, Integer, Byte, End ..... 등)를 사용할 수 없다.**
- ➢**대소문자는 구분하지 않는다. (Ex: RadioButton)**

➢ 255자를 넘을 수는 없지만, 조금 길더라도 변수의 내용을 잘 알 수 있는 이름으로 작성
- ➢**예) School_address, StudentName,**
- ➢**예) 학교주소, 학생이름, 학과이름, 교수이름, ...**
- ➢**예) 나쁜 이름:** 변수의 내용이 무엇인지 잘 알 수 없는 이름
- ➢**예) A1, A2, AA3, DD, ...**

➢ 예약어(Reserved word)와 비 예약어

➢ **예약어(Reserved word) :**
- ➢ 언어에서 어떤 용도로 직접 사용하기 위한 단어(Key Word)로
- ➢ 의미가 미리 고정(약속)되어 있어
- ➢ 사용자가 정의하는 변수이름으로 쓸 수 없는 이름

➢ **BASIC의 예약어**
- ➢ **Dim, Static, Public, Private** 등의 변수 선언자,
- ➢ **Byte**(정수형1Byte), **Integer**(정수형2Byte), **Long**(정수형4Byte)
- ➢ **Single**(실수형4Byte), **Double**(실수형8Byte),
- ➢ **Object**(객체형4Byte), **String**(문자2Byte 혹은 가변) 등의 Data형태 선언자
- ➢ **Sub, End sub, If, Then, Else, End If,**
- ➢ **Goto, For, Next, REM, End** 등의 명령어.
- ➢ 만약 이들 예약 어를 변수이름으로 사용하면, 변수와 예약 어가 구별되지 않기 때문에, Program은 제대로 실행되지 않는다.
  - ➢예약 어가 지정 되어 있다는 것은
  - ➢예약 어 이외의 명칭(비 예약 어 : Non-reserved word)은 사용자가 자유롭게 사용해도 된다는 뜻이다.

9.8.3 변수(Variable)와 자료형식

Visual Basic에서 제공하는 자료 형태는 변수가 몇 바이트 크기의 기억 공간을 차지해야 하는지 그 기억 공간에 어떤 형태(정수, 실수, 문자 등)로 저장되는지에 따라 결정된다.

➢ 자료(Data)형식: 형태와 크기 지정

- ➢ 변수에 저장될 자료의 형태가 어떤 것인지 잘 생각해서
- ➢ 자료형식을 지정하고 (예: 정수형, 실수형, 문자형, 객체형)
- ➢ 변수에 저장될 자료 값의 최소, 최대값 범위를 고려해서
- ➢ 변수가 몇 바이트의 기억공간을 필요로 하는지, 자료크기지정

변수의 자료형식	자료형식	자료크기
Byte Integer Long	숫자형 자료(정수형)	1 Byte 2 Byte 4 Byte
Single, Double	숫자형 자료(실수형)	4 Byte 8 Byte
String	문자형 자료	가변 혹은 고정된 크기
Object	객체형 자료	4 Byte
Variant(숫자) Variant(문자)	변수의 선언이 특별히 없었을 때 자동으로 설정되는 자료 형	

➢ 자료(Data)형식: 형태와 크기 지정

- ➢ 변수에 저장될 자료의 형태가 어떤 것인지 잘 생각해서
- ➢ 자료형식을 지정하고 (예: 정수형, 실수형, 문자형, 객체형)
- ➢ 변수에 저장될 자료 값의 최소, 최대값 범위를 고려해서
- ➢ 변수가 몇 바이트의 기억공간을 필요로 하는지, 자료크기지정

- ➢ 예: 시간 자료의 자료형식
  - ➢ 시간(Hour)은 0 부터 24까지, 2자리 정수형이므로 Byte
  - ➢ 분(Minute)은 0 부터 60까지, 2자리 정수형이므로 Byte
  - ➢ 초(Second)는 0 부터 60까지, 2자리 정수형이므로 Byte
  - ➢ 년(Year)은 -9999(BC) 부터 9999(AD)까지 4자리 실수형, Single
    - ➢ 보통은 1900년도부터 2100까지면 충분하지만, 최대 범위를 감안해
  - ➢ 월(Month)은 1 부터 12까지, 2자리 정수형이므로 Byte
  - ➢ 일(Day)은 1 부터 31까지, 2자리 정수형이므로 Byte 등
- ➢ 참고) 정수형 자료 Byte는 1 Byte(8 Bit)의 크기를 가지므로
  - ➢ 2^8 = 256 가지 경우의 수를 가지며,
  - ➢ 0부터 255까지 값을 표현할 수 있다.

자료형태	크기(바이트)	크기(바이트)
Byte	1	0~255 범위 내의 정수 저장
Integer	2	-32,768~32,767 범위 내의 정수 저장
Long	4	-2,147,483,648~2,147,483,64 범위 내의 정수 저장
Single	4	음수 : -3,402823E38~-1.401298E-45, 양수 : 3.402823E38~ 1.401298E-45, 단정밀도 부동소수점 숫자를 저장
Double	8	음수 : -1.79769313486232E308~-4.94065645841247E-32 양수 : 1.79769313486232E308~4.94065645841247E-324 배정밀도 부동소수점 숫자 저장
Boolean	2	True 또는 False 표현, 기본값은 False
Currency	8	-922,337,203,685,477.5808 ~922,337,203,685,477.580 저장
Data	8	날짜와 시간 저장, 반드시 #과 # 사이에 숫자를 넣어야 함 (예를 들어 DateTime = #1/1/2009#)
Object	4	모든 개체를 표현
String(가변)	10+문자열 길이	0~약 2조 자
String(고정)	문자열 길이	1~약 65,400자(216)
Variant(숫자)	16	Double 형 범위의 값
Variant(문자)	22+문자열 길이	String 형(가변) 범위의 값
Type 문	사용자 정의 형식	

➢ 숫자 자료 형식(정수형): Byte (1), Integer (2)

- 정수형(고정 소수점: Fixed Point) Data 형식
  - MSB(Most Significant Bit)를 부호Bit로 사용
    - 양수:0, 음수:1

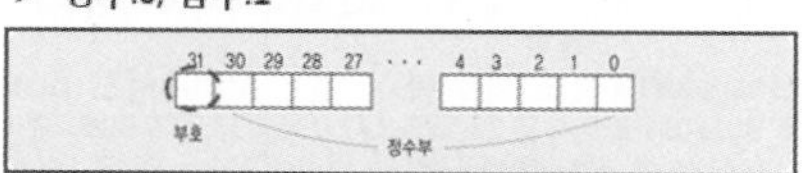

- 양수의 경우: 2진수로 변환하여 바로 표시
- 음수의 경우: 2진수로 변환하여 보수를 사용하여 표현
  - 참고: 음수를 표시하는 방법
    - 부호와 절대값 표현법
    - 1의 보수 표현법
    - 2의 보수 표현법

62

➢ 정수형: 고정 소수점(Fixed Point) : Long (4)

- 4 Byte (32 Bit)를 사용하는 경우
- -2,147,483,648~2,147,483,64 범위 내의 정수 저장
- (약 -21억~+21억 범위의 정수를 저장 가능하다)
- 양수의 경우 : 2진수로 변환하여 바로 표시
  - Ex) + 4 를 2 진수로 변환하면 $(100)_2$ 가 된다.
  - 0000 0000 0000 0000 0000 0000 0000 0100 으로 표현
  - 1 Byte(부호) 1 Byte 1 Byte 1 Byte
- 음수의 경우 : 2진수로 변환 후 보수를 사용하여 표현
  - 1의 보수법이나 2의 보수법 중 하나를 사용
  - 보통 2의 보수법을 많이 사용함
  - Ex) - 4 를 2 진수로 표현하면 0100
  - 먼저 위와 같이 + 4를 먼저 2진수로 변환하고
  - 다시 1의 보수로 변환
  - 1000 0000 1111 1111 1111 1111 1111 1011 으로 표현
  - 1 Byte(부호) 1 Byte 1 Byte 1 Byte

63

➢ 실수형: 부동 소수점: Floating Point 자료형식

- 국제 표준 IEEE 754에 정의된 표현 방식
  - 아주 큰 수나, 아주 작은 수를 표현하기 위하여 정규화(Normalization:지수를 가진 형태로 변환)하고 지수부(Exponent)와 소수부(Mantissa)로 표현
    - 2000000000000000000000000000000 = $0.2 * 10^{31}$
    - 0.00000000000000000000000000000002 = $0.2 * 10^{-31}$
  - 부동(浮動)이란 소수점이 고정되어 있는 것이 아니고 소수점 위치가 필요에 따라 유동적으로 떠다닌다는 의미
- 단형(Short Form)과 장형(Long Form)의 두 가지 형식
  - 지수부의 길이는 같고 소수부의 길이만 다르다.
  - 지수부의 길이는 1 Byte(8 Bit) 사용
    - (+127부터 -127까지 표현가능) ▶ 최대값 2^n -1
  - 소수부의 길이가 긴 장형은 정밀도가 더 높다.

64

➢ 단정도 정밀도 실수형(Single Precision)

- 4 Byte 사용하여 10진법 자료 기준 약 E38까지 표현가능
  - Ex) + 3216.879 = 0.3216879 * 10^4 ▶ 정규화
  - Computer 내부에서는 3216879와 4만 저장한다.
  - 지수부: 4 를 2 진수로 변환하면 $(100)_2$ 가 된다.
  - 소수부: 3216879를 2 진수로 변환하면
    - $(11\ 0001 \mid 0001\ 0101 \mid 1110\ 1111)_2$ 가 된다.
  - 소수부의 길이는 3 Byte(24 Bit) 사용
    - ▶ 최대값 2^{24} -1
    - (+16,777,215부터 - 16,777,215 까지 표현가능)

1 Byte	1 Byte	1 Byte	1 Byte
0000 0100	0011 0001	0001 0101	1110 1111
MSB(1)지수부(7)	가수부	가수부	가수부

- 부호비트 : bit31 (1비트), 지수부 : bit30~bit23 (8비트), 가수부(만티사): bit22~bit0 (23비트)
- 8비트로 표현 가능한 양의 지수의 최대값은 127 만약 만티사의 모든 비트가 1이라면, 반올림하여 약 2^128 가량의 값이 된다.
- 따라서, 10진법으로 고치면, log (2^128) = 128 log 2 = 128 * 2.107 = 38.5318 즉, 10^38에 해당하는 값이 된다.

65

➢ 배정도 정밀도 실수형(Double Precision)

- 8 Byte 사용하여 10진법 자료 기준 약 E38까지 표현가능
  - Ex) + 3216.879 = 0.3216879 * 10^4 ▶ 정규화
  - Computer 내부에서는 3216879와 4만 저장한다.
  - 지수부 4 를 2 진수로 변환하면 $(100)_2$ 가 된다.
  - 소수부 3216879를 2 진수로 변환하면
    - $(11\ 0001 \mid 0001\ 0101 \mid 1110\ 1111)_2$ 가 된다.
  - 소수부의 길이는 7 Byte(56 Bit) 사용
    - ▶ 최대값 2^{56} -1

1 Byte	7 Byte (56 Bit)
0000 0100	............0011 0001 0001 0101 1110 1111
MSB(1)지수부(7)	가수부

- 부호비트 : bit63 (1비트), 지수부 : bit62~bit52 (11비트), 만티사 : bit51~bit0 (52비트)
- 11비트로 표현 가능한 양의 지수의 최대값은 1023입니다. 만약 만티사의 모든 비트가 1이라면, 반올림하여 약 2^1024 가량의 값이 됩니다. 따라서, 10진법으로 고친다면, 즉, 약 10^308에 해당하는 값이 됩니다.

66

➢ C, C++, JAVA, VB의 자료형(Data type) 비교

- 정수형(고정 소수점) 숫자 Data 형식의 길이
- JAVA에서 ▶ 최대값 2^n -1
- ▶ byte
- 1 Byte(8 Bit) 사용 (+127부터 -127까지 표현가능)
- ▶ short
- 2 Byte(16 Bit) 사용 (32768 까지 표현가능)
- ▶ int
- 4 Byte(32 Bit) 사용 (2,147,483,648 까지 표현가능) 21억
- ▶ long
- 8 Byte(64 Bit) 사용 (9,223,372,036,854,775,806까지 표현) 922경
- C, C++에서
- ▶ (short) int
- 2 Byte(16 Bit) 사용 (32768 까지 표현가능)
- ▶ long (int)
- 4 Byte(32 Bit) 사용 (2,147,483,648 까지 표현가능) 21억

VB에서도 byte (1)
VB에서는 integer(2)
VB에서는 long (4)

67

➢ C, C++, JAVA, VB의 자료형(Data type) 비교

- ➢ 정수형(고정 소수점) 숫자 Data 형식의 길이
- ➢ JAVA에서 ▶ 최대값 2^n -1
- ➢ ▶ byte
- ➢ 1 Byte(8 Bit) 사용 (+127부터 -127까지 표현가능)
- ➢ ▶ short
- ➢ 2 Byte(16 Bit) 사용 (32768 까지 표현가능)
- ➢ ▶ int
- ➢ 4 Byte(32 Bit) 사용 (2,147,483,648 까지 표현가능) 21억
- ➢ ▶ long
- ➢ 8 Byte(64 Bit) 사용 (9,223,372,036,854,775,806까지 표현) 922경

VB에서도 byte (1)
VB에서는 integer(2)
VB에서는 long (4)

- ➢ C, C++에서
- ➢ ▶ (short) int
- ➢ 2 Byte(16 Bit) 사용 (32768 까지 표현가능)
- ➢ ▶ long (int)
- ➢ 4 Byte(32 Bit) 사용 (2,147,483,648 까지 표현가능) 21억

➢ C, C++, JAVA, VB의 자료형(Data type) 비교

- ➢ 실수형 숫자 Data형식 C, C++, Java 에서 공히
- ➢ ▶ float (단정도 실수형) — VB에서는 single
  - ➢ 4 Byte(32 Bit)사용 (2,147,483,648 까지 표현가능)
  - ➢ 최대값 21억
- ➢ ▶ double(배정도 실수형) — VB에서도 double
  - ➢ 8 Byte(64 Bit)사용 (9,223,372,036,854,775,806 까지
  - ➢ 표현가능) 최대값 922경
- ➢ 문자Data형식(Code) ▶ char
- ➢ ▶ char — VB에서는 string
  - ➢ C, C++ 에서는 8 Bit ASCII Code를 사용
  - ➢ JAVA 에서는 16 Bit Unicode를 사용
- ➢ 논리Data형식 ▶ boolean — VB에서도 boolean
  - ➢ (1 Bit를 사용, True or False 중 1 개의 값을 가짐)

➢ 객체형 변수: Object

- ➢Object 데이터 형식은 참조 형식
- ➢: 객체를 참조 하는 주소를 저장
  - ➢변수 기억장소에 자료값을 직접 가지는 것이 아니라
  - ➢자료 값이 실제 저장된 곳에 대한 포인터(주소)를 가진다
  - ➢그래서 메모리를 4 바이트를 사용해도 충분하다
- ➢참조하는 데이터 형식에 관계 없이
- ➢객체(Object) 그 자체이기 때문에
  - ➢응용 프로그램에서 인식 하는
  - ➢변수, 상수 뿐만 아니라 모든 객체 인스턴스를 포함하여
  - ➢그래픽, 사운드, 외부 자료 파일 등
  - ➢모든 데이터 형식의 데이터를 참조할 수 있다.
- ➢선언 형식: Dim 변수이름 As Object

➢ 변수의 선언과 사용의 예

```
Private Sub 삼성전자_Click
(ByVal sender As System.Object, ByVal e As System.EventArgs)
Handles 삼성전자.Click

    Dim 주가정보 As String
    Dim 엑셀 As Object
    Dim 엑셀파일 As Object
        → 변수 선언 부분
          주가정보를 문자형 변수로,
          엑셀,엑셀파일을 객체형 변수로 선언.

    엑셀 = CreateObject("excel.application")
    엑셀에 대한 객체를 생성.
    엑셀파일 = 엑셀.workbooks.open("D:\주식정보.xlsx")
    엑셀 객체에 지정한 경로의 엑셀 파일을 오픈.
    주가정보 = 엑셀파일.sheets(1).cells(3, 1).value
    주가정보 변수에 주식정보 엑셀 파일의 Sheets1. 3행 1열(A3)의 정보를 저장.
    출력텍스트박스.Text = 주가정보
    출력텍스트박스에 주가정보 변수의 값을 출력.
        → 변수 사용 부분
    엑셀파일.close()
    엑셀파일을 클로즈.
End Sub
```

좋은 Program의 기준: 이해하기 쉬운 Program

- ➢ 상수, 변수, 인수, 파일, 폴더, 매크로, 함수, Program 등 모든 이름은 작업 내용을 알기 쉽게 함축적으로 표현한 이름이 좋다.
  - ➢좋은 매크로 이름의 예) '폰트크기20빨간색굵게' 등
  - ➢좋은 함수 이름의 예) 'SUM'
- ➢작업 내용을 알기 쉽게 함축적으로 표현한 좋은 이름은
- ➢Program의 작성과 이해를 쉽게 하는 좋은 Program이 된다.
- ➢좋은 Program은 유지보수활동에 도움을 주고
- ➢수정, 보완을 통해 계속해서 성장, 발전한다.

9.8.4 변수(Variable)의 종류(지역변수, 모듈변수, 전역변수)

변수는 선언된 위치에 따라 유효한 범위가 달라진다.

변수는 유효한 범위에 따라 정적 변수를 포함하는 지역변수, 모듈변수, 전역변수로 구분되고 변수 선언자에는 Dim, Static, Private, Public 등이 있다.

지역 변수는 Procedure가 끝나면 메모리를 반납하는 Dim 변수와 메모리를 반납하지 않고 값을 유지하는 정적 Static 변수로 나누어진다. 그리고 모듈 변수는 Dim 혹은 Private 선언자를 사용해서 선언하고, 모듈 혹은 폼 내에 작성된 모든 Procedure에서 변수를 공유하며 폼이 종료될 때까지 메모리를 유지한다. 또한 전역변수는 전체 Project내에서 변수를 공유할 때 Public 선언자를 사용해 한번 선언하면 Project 내의 모든 Procedure에서 변수를 공유하며 Project가 종료될 때까지 메모리를 유지한다.

변수	유효 범위와 선언 위치	사용 가능 선언자
지역변수 (Procedure 수준)	•선언된 Procedure 내에서만 사용 가능 •Procedure 내에 선언	Dim End 문에서 소멸 Static Project 종료 시 소멸
모듈변수 (Form 수준)	•Form안의 모든 Procedure에서 사용 가능 •Code 편집 창의 일반 선언부에 선언	Dim Private
전역변수 (Project 수준)	•Project의 모든 Procedure에서 사용 가능 •표준 모듈을 추가한 후, •그곳의 일반 선언부에 선언	Public

➤ 지역 변수, Class 변수, 전역 변수

➤ **Program속에서 변수가 선언된 위치에 따라서**
➤ **변수 선언의 유효성 범위가 결정된다.**

- ➤ 지역 변수: 프로시저 의 상단에 선언
  - ➤ Program의 일부
  - ➤ 한 프로시저(지역)에서만 접근, 사용할 수 있는 변수
  - ➤ Sub Program (Private Sub...End Sub)등
  - ➤ 함수 (Private Function ...End Function),
- ➤ Class 변수 or 폼 변수 or 모듈 변수: 모듈 의 상단에 선언
  - ➤ 하나의 모듈(Form, Class)에서만 접근, 사용할 수 있는 변수
- ➤ 전역 변수: 프로젝트 의 상단에 선언
  - ➤ 프로젝트 전체와 관련된 모든 Class 와 모든 Program 전부
  - ➤ 모든 프로시저에서 접근, 사용할 수 있는 변수

➤ **Private Class와 End Class사이의 상단에 코드를 입력한 경우에는 Class Form1 전체 내부에서만 변수선언이 유효한 Class 변수 혹은 Form 변수가 된다**

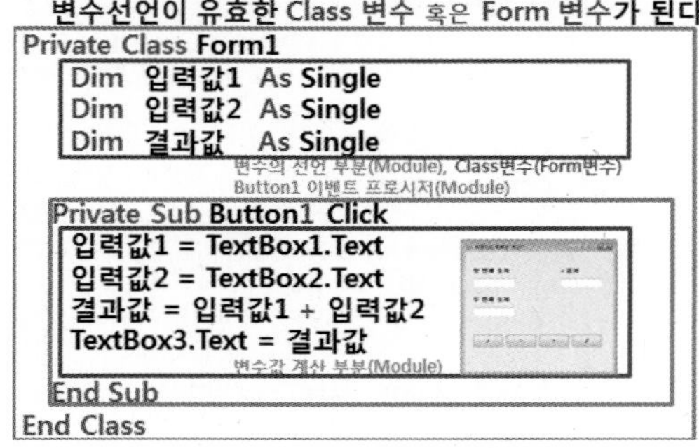

➤ **Private Sub 와 End Sub 사이에 다음과 같이 코드를 입력한 경우에는 Sub Button1_Click 내부에서만 변수선언이 유효한 지역 변수가 된다.**

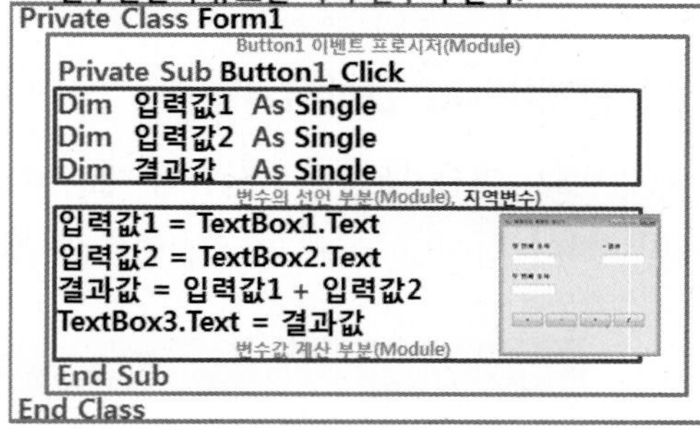

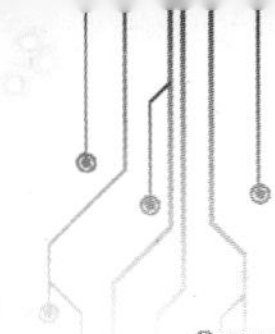

9.8.5 연산자(Operator)

연산을 위해서는 연산자와 피연산자가 있어야 한다. 연산자는 정의된 연산을 수행하는 기호이고 피연산자는 연산의 대상 또는 연산자의 동작을 받는 변수나 값을 의미한다. Visual Basic에서 사용할 수 있는 연산자의 종류로는 산술연산자, 관계(비교)연산자, 논리 연산자, 대입연산자, 연결 연산자 등이 있다.

(1) 산술연산자

산술연산자는 +, -, *, /와 같은 사칙 연산자와 거듭제곱, 나머지 등의 기타 연산자가 있다.

연산자	일반 형식	의미	사용 예
^	x^y	거듭제곱	3^4
*	x*y	곱셈	4*6
/	x/y	나눗셈	8/3
\	x\y	x를 y로 나눈 몫의 정수	8\3
Mod	x Mod y	x를 y로 나눈 나머지	8 Mod 3
+	x+y	덧셈	2+5
-	X-y	뺄셈	5-3

(2) 관계(비교) 연산자

관계(비교) 연산자는 두 수식간의 대소 비교를 위해 사용하며 피연산자 두 개의 대소 관계를 비교하여 참이면 True, 거짓이면 False를 반환한다.

연산자	일반 형식	의미	사용 예
<	x<y	작다(x가 작으면 True).	9 < 15 → True
<=	x<=y	작거나 같다(x가 작거나 같으면 True).	21 <= 21 → True
>	x>y	크다(x가 크면 True).	31 > 33 → False
>=	x>=y	크거나 같다(x가 크거나 같으면 True).	11 >= 10 → True
=	x=y	같다(x와 y가 같으면 True).	23 = 25 → False
<>	x<>y	같지 않다(x와 y가 같지 않으면 True).	24 <> 24 → False
Is	x Is y	두 개체가 가리키는 값이 같은지 알아낸다 (x와 y 두 개체가 가리키는 변수가 같으면 True, 다르면 False).	set Form_ob = Form1 set Label_ob = Llabel1 Form_ob Is Label_ob → False
Like	x Like y	두 문자열을 비교한다(x와 y를 비교해 같으면 True, 다르면 False).	"Basic" Like "Basi" → False

(3) 논리 연산자

논리연산자는 논리식의 참과 거짓을 판정하여 True/False를 반환하는 것으로 이항 논리 연산자(AND, OR)와 단항 논리 연산자(NOT)가 있다.

연산자	일반 형식	의미
And	x And y	x, y 둘다 True일 때만 True
Or	x Or y	x, y 둘다 False일 때만 False
Xor	x Xor y	x, y가 다르면 True, 같으면 False
Not	Not x	x의 각 비트를 반전(1의 보수)
Eqv	x Eqv y	x, y가 같으면 True, 다르면 False
Imp	x Imp y	x가 True이고 y가 False이면 False, 그 이외는 True

(4) 대입 연산자

대입 연산자는 선언된 변수에 값을 입력하기 위해 사용하는 것으로 '='를 사용한다.

연산자	일반 형식	의미
=	x = y	y의 값을 x에 저장. 오른쪽에서 왼쪽으로 결합함.

```
x = 10        → 올바른 표현
x = y + 10    → 올바른 표현
10 = x        → 잘못된 표현
x + y = 15    → 잘못된 표현
```

(5) 연결 연산자

연결 연산자는 문자열들을 결합하여 하나의 문자열을 반환할 때 사용한다.

연산자	일반 형식	의미	사용 예
&	"x"& "y"	두 식을 연결("xy" 반환)	"COM"&"PUTER"
+	"문자열x"+ "문자열y"	두 문자열 연결("문자열x문자열y" 반환)	"COM"+"PUTER"

(6) 연산자 우선순위

연산자가 둘 이상 있을 때에는 어떤 연산자를 먼저 계산하느냐에 따라서 결과가 달라진다.

그래서 연산자 우선순위가 필요하며 산술연산자〉연결연산자〉비교연산자〉논리연산자 순으로 계산된다.

연산자	일반 형식	우선순위
산술 연산자	^(거듭제곱)	높음
	*, /(곱셈과 나눗셈)	
	₩(몫의 정수)	
	Mod(나머지)	
	+/-(덧셈과 뺄셈)	
연결 연산자	&(문자열 연결)	
관계 연산자	Not	
논리 연산자	And	
	Or	
	Xor	
	Eqv	낮음
	Imp	

9.9 Visual Basic Program 실습 2

9.8절에서 배운 변수와 연산자를 응용해 폼1개, 레이블3개, 텍스트3개, 버튼 5개로 이루어진 간단한 사칙연산 계산기를 만들어보자. 폼디자인 및 Control속성은 아래를 참조하여 작성한다.

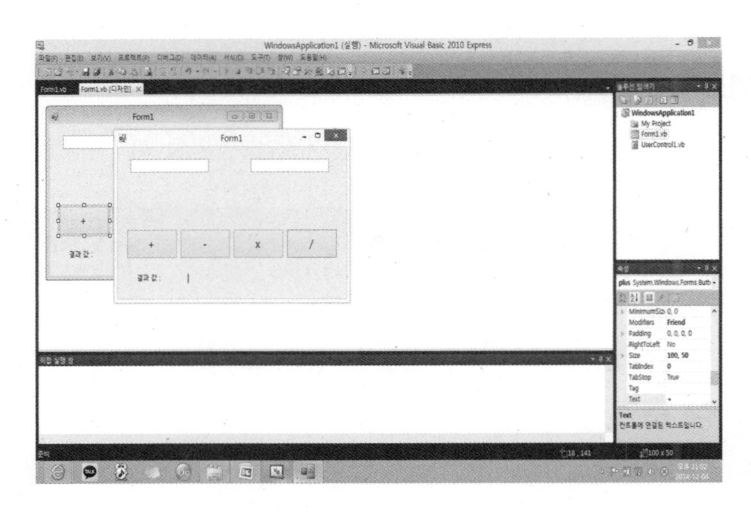

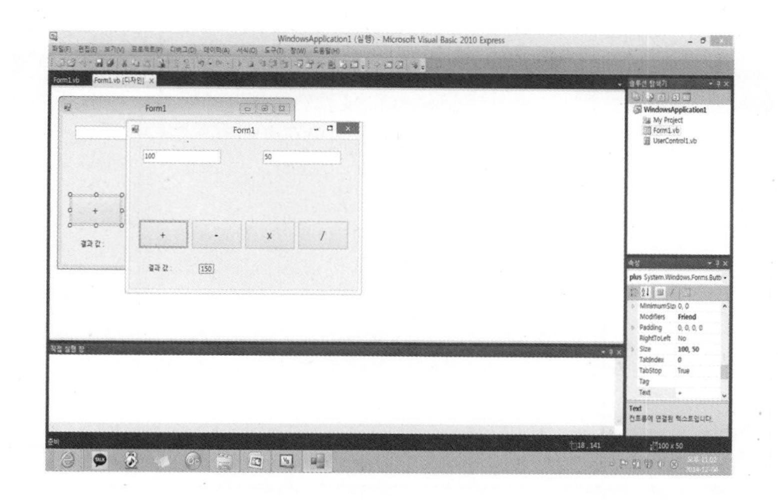

또 다른 화면 디자인을 생각해보면

*〈참고자료1〉:

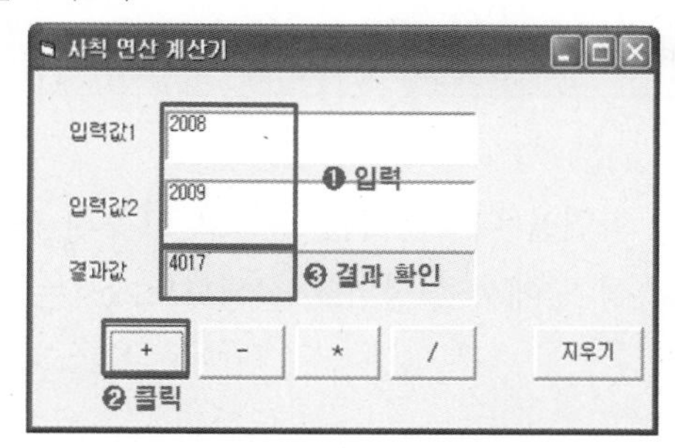

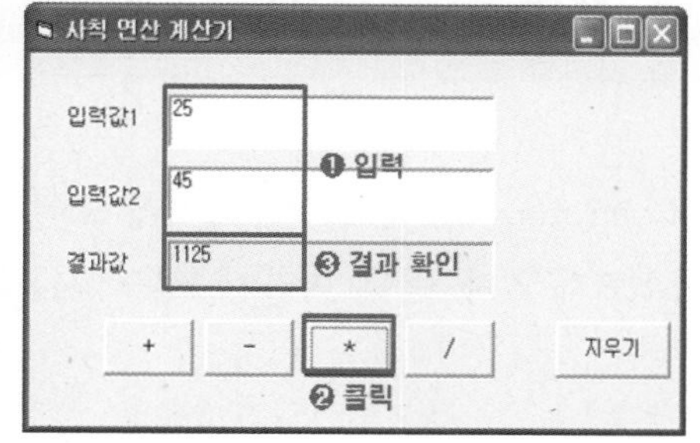

실행 결과 화면

[표 9-2] Control 속성

화면(Form)내용 변경(방법1: 속성 창에서 수정)

- **Form1 화면에서**
- 객체를 한번 클릭하여
- 그 객체의 속성 창을 열고
- 속성 창의 **Text** 속성에서
- 이름을 수정**한다.**

Con객체	속성	속성값
Form1	Text	혜정이의 똑똑한 계산기
Label1	Text	첫 번째 숫자
Label2	Text	두 번째 숫자
Label3	Text	= 결과
TextBox1	Text	(빈칸)
TextBox2	Text	(빈칸)
TextBox3	Text	(빈칸)
	Back Color	&H00C0FFC0&
Button1	Text	+
Button2	Text	-
Button3	Text	*
Button4	Text	/
Button5	Text	지우기

그리고 코드 편집창에서 코드를 입력해 준다.

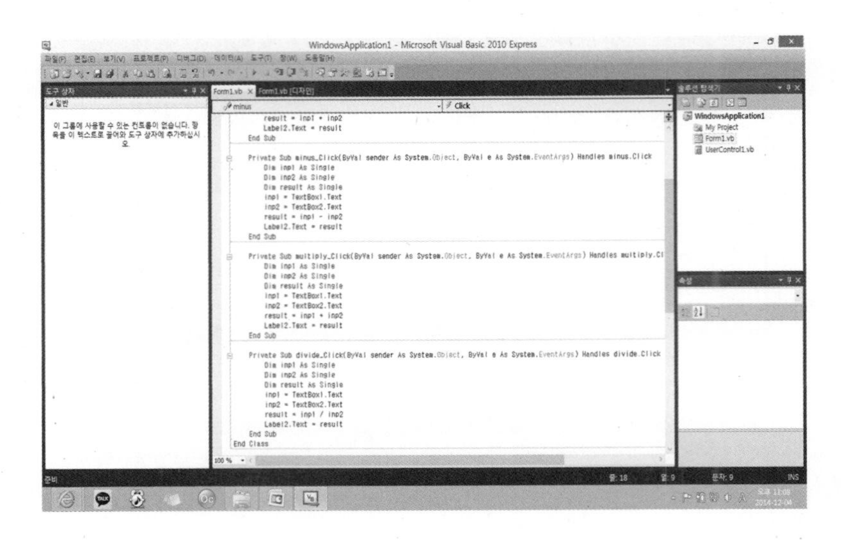

9.10 폼(Form)

폼은 Control을 배치하여 사용자에게 보여 질 화면을 디자인하는 창으로 고유의 속성, 이벤트, 메소드가 있다. 폼의 디자인 모드에서는 속성 창에서 설정하고 실행모드에서는 코드로 설정한다.

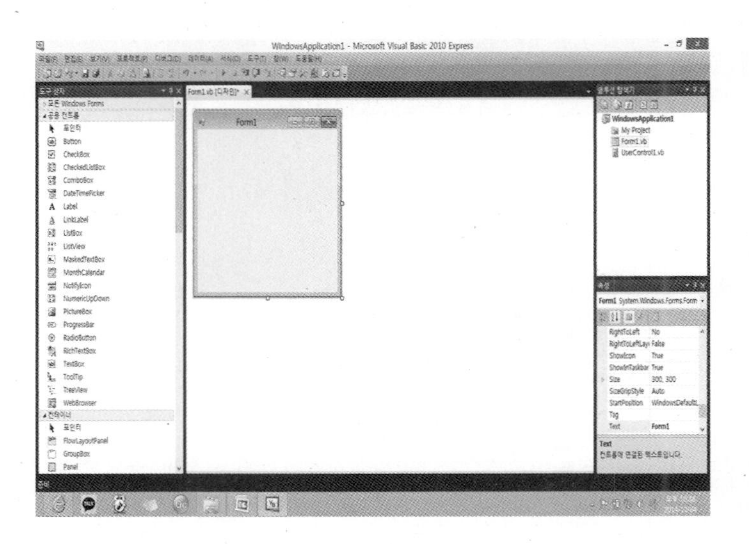

(1) 폼의 속성

이름	설명
(이름)	Form의 이름을 설정한다. 여기서 지정한 이름을 Program Code에서 사용한다.
Appearance	Form의 모양을 설정한다. •1-3D : 3차원 모양 •0-평면 : 평면 모양
BackColor	Form의 배경색을 지정한다. 기본값은 &H8000000F&
BorderStyle	Form의 경계 모양을 설정한다. •0-없음 : 테두리나 테두리 관련 요소가 없음. •1-단일 고정 : 크기 조절 불가능, 종료 버튼만 있음. •2-크기 조정 가능 •3-크기 고정 대화상자 : 크기 조절 불가능 •4-고정 도구 창(vbFixedWindow) : 크기 조절 불가능, 종료 버튼만 있음, 아이콘화해도 작업 표시줄에 표시되지 않음. •5-크기 조정 가능 도구 창(vbSizableToolWindow) : 크기 조절 불가능, 종료 버튼만 있음, 아이콘화하면 작업 표시줄에 표시됨.
Heigh	Form의 높이(픽셀 단위)를 조절한다. 기본값은 3600
Icon	Form의 아이콘을 설정한다
MaxButton	Form의 최대화 버튼 유무를 설정한다. 단, BorderStyle이 1~3으로 설정되어 있어야 적용된다. ControlBox 속성이 False이면 True 값을 가져도 Form에 표시되지 않는다. • True : 사용 가능 • False : 사용 불가
MDIChild	MDI의 자식 Form으로 할 것인지의 여부를 설정한다. • True : MDI 자식 Form이며 상위 MDI Form 안에 나타남. • False : MDI 하위 Form이 아님.
StartUpPosition	화면에 표시할 Form의 위치를 설정한다. 0-수동 : Form 배치 창에서 출력 위치를 변경하면 속성값이 그 값으로 변경되는 기본 설정값이 없는 상태 • 1-소유자 가운데 : 다른 Form의 중앙에 출력 • 2-화면 가운데 : 전체 화면의 중앙에 출력 • 3-Windows 기본값 : 화면의 왼쪽 상단에 출력
Visible	Form을 화면에 표시할지 여부를 설정한다. • True : 표시함. • False : 표시 안함.
Width	Form의 너비(픽셀 단위)를 조절한다. 기본값은 4800
WindowState	Form이 실행되었을 때의 상태(최대화/최소화/닫기)를 설정한다. • 0-표준 : 디자인 모드에서 사용한 크기대로 실행 모드에서 표시 • 1-최소화 : 아이콘으로 표시 • 2-최대화 : 전체 화면으로 표시

(2) 폼의 이벤트

이벤트		설명
기본	Resize	**사용자의 상호작용이나 Code를 사용해 Form의 크기를 변경할 때 발생한다.**
	QueryUnload	Form이 비활성화되기 직전에 발생한다.
	Activate	Form이 활성화될 때 발생한다.
	Deactivate	Form이 비활성화될 때 발생한다.
	Load	Form을 메모리에 로드한다.
	UnLoad	Form을 메모리에서 제거한다.
마우스 관련	Click	**Form에서 마우스 왼쪽 버튼을 클릭했을 때 발생한다.**
	DblClick	Form에서 마우스 왼쪽 버튼을 더블클릭했을 때 발생한다.
	MouseMove	Form에서 마우스를 움직일 때 발생한다.
	MouseDown	Form에서 마우스 왼쪽 버튼을 누를 때 발생한다.
	MouseUp	Form에서 마우스 왼쪽 버튼을 눌렀다 놓았을 때 발생한다.
	DragOver	마우스를 드래그한 채 해당 Form의 위로 올릴 때, 즉 드래그 작업이 진행 중일 때 발생한다.
	DragDrop	마우스 드래그 작업이 끝날 때 발생한다
키보드 관련	KeyPress	**표준 아스키 Code값이 부여된 키(숫자, 문자, 특수기호 등)를 눌렀다 놓을 때 발생한다.**
	KeyDown	모든 키를 눌렀을 때 발생한다.
	KeyUp	모든 키를 눌렀다 놓을 때 발생한다.

(3) 폼의 주요 메소드

메소드	기능	사용 형식
Show	Form을 화면에 표시한다.	Form이름.Show [vbmodal/vbmodeless]
Hide	Form을 화면에서 숨긴다.	Form이름.Hide
Load	Form을 메모리에 로드한다.	Load Form이름
Unload	Form을 메모리에서 제거한다.	Unload Form이름
Move	Form의 위치를 옮긴다.	Form이름.Move
Print	Form에 텍스트를 출력한다.	Form이름.Print
PrintForm	Form을 인쇄한다.	Form이름.PrintForm
Refresh	Form을 다시 그린다.	Form이름.Refresh
SetFocus	Form으로 포커스(커서)를 이동시킨다.	Form이름.SetFocus

9.11 메뉴(Menu)

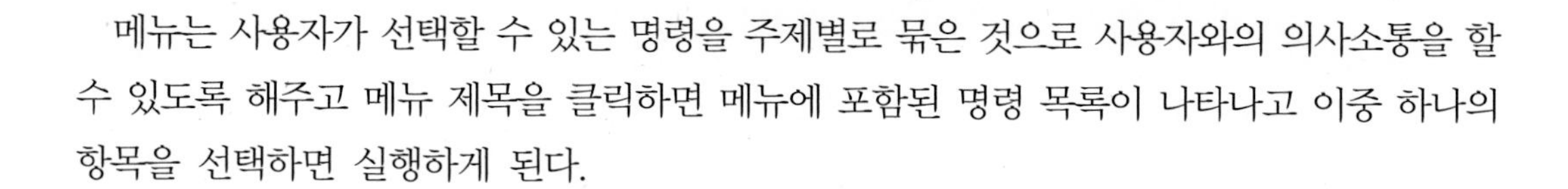

메뉴는 사용자가 선택할 수 있는 명령을 주제별로 묶은 것으로 사용자와의 의사소통을 할 수 있도록 해주고 메뉴 제목을 클릭하면 메뉴에 포함된 명령 목록이 나타나고 이중 하나의 항목을 선택하면 실행하게 된다.

(1) 메뉴의 종류

메뉴의 종류로는 폼의 최상단에 위치하며 선택하면 하위 메뉴가 펼쳐지는 주메뉴, 분리자가 기능별로 그룹화하고 단축키 설정이 가능한 하위 메뉴, PopupMenu메소드를 사용해 표시하고 메뉴 표시줄과는 독립적으로 폼 위를 떠다니는 팝업메뉴가 있다.

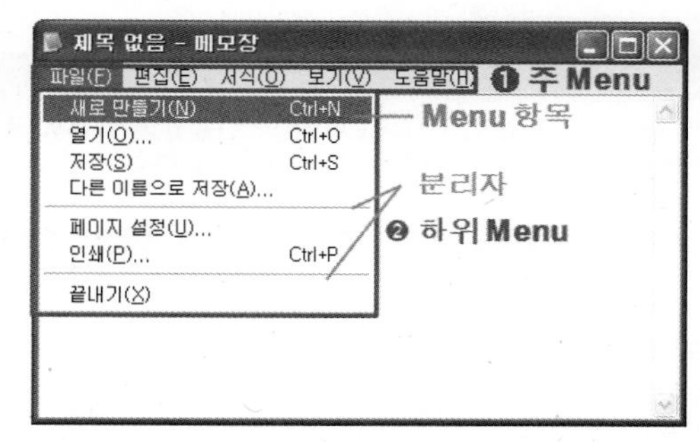

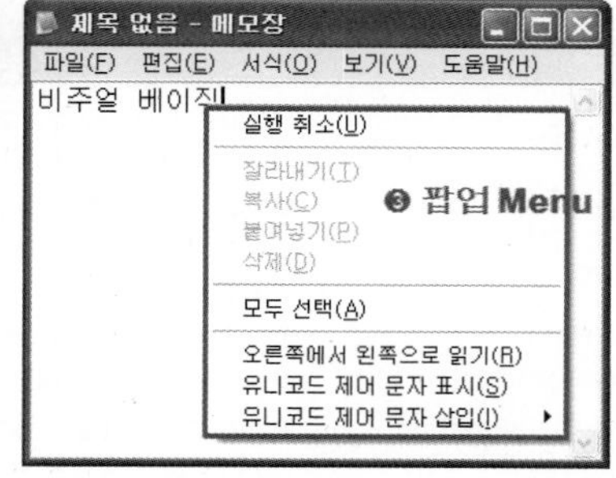

(2) 메뉴 편집기

프로그램의 메뉴를 관리하는 데 사용되는 도구로 메뉴의 추가, 기존메뉴의 수정과 관리, 메뉴의 삭제 등을 작업할 수 있고 선택키, 체크표시, 키보드 바로가기 키와 같은 효과를 메뉴에 추가할 수 있다. 메뉴 편집기를 실행하기 위해서는 [도구]-[메뉴편집기]를 선택하고 메뉴편집기 아이콘을 선택하면 된다.

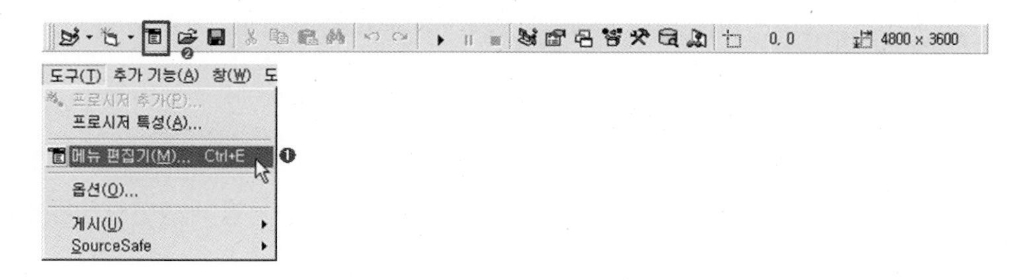

(3) 메뉴편집기 대화상자와 속성

메뉴편집기를 이용해서 주메뉴와 하위메뉴를 만들 수 있다.

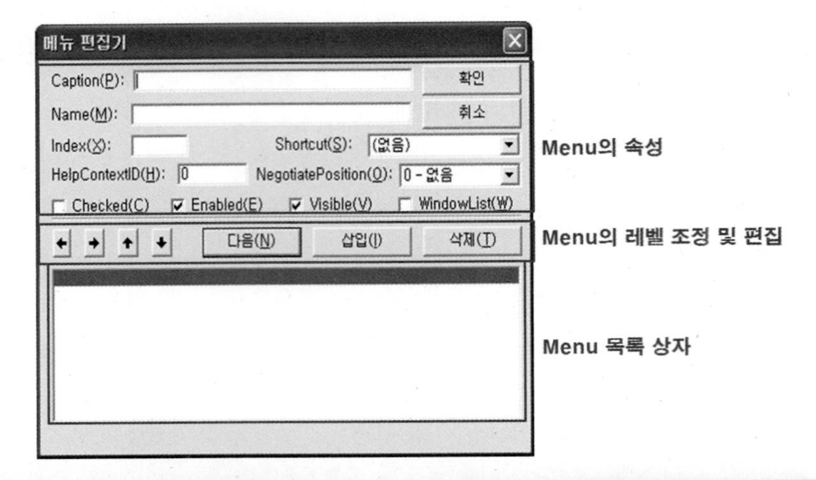

이름	설명
Caption	Menu 또는 Menu 표시줄에 나타낼 이름을 설정한다. 입력란에 -(하이픈)을 삽입하면 Menu에 구분선이 들어간다. 해당 Menu의 선택키를 지정하려면 Menu 앞에 &을 삽입한다.
Name	Menu 개체의 이름을 설정한다.
Index	같은 이름으로 설정된 Menu 개체를 배열로 만들었을 때 각 항목을 구분하기 위한 인덱스 번호를 설정한다.
Shortcut	Menu의 단축키를 지정한다.
HelpContextID	Menu 항목의 ID에 대한 고유한 값을 설정한다.
NegotiatePosition	Menu 항목 문자열의 위치를 설정한다.
Checked	Menu 이름 앞에 체크 표시를 설정한다.
Enabled	Menu의 활성화 여부를 설정한다. 체크되어 있으면 사용자가 해당 Menu를 선택할 수 있는 상태가 된다.
Visible	Menu 항목의 표시 여부를 설정한다.
WindowList	MDI Program에서 열린 자식 Form의 목록을 주 Menu의 하단에 표시할 것인지를 설정한다.
	Menu 항목을 한 단계 위로 올린다.
	Menu 항목을 한 단계 아래로 내린다.
	Menu 목록에서 Menu 항목을 위로 이동시킨다.
	Menu 목록에서 Menu 항목을 아래로 이동시킨다
	다음 항목으로 이동한다.
	선택한 항목 위에 한 줄을 삽입한다.
	선택한 항목을 삭제한다.
Menu 목록 상자	입력된 Menu를 계층적으로 보여준다. Caption에 입력된 Menu 제목이 이 목록 상자에 표시된다.

(4) 팝업 메뉴의 속성

마우스 오른쪽 버튼을 클릭했을 때 나타나는 메뉴로 다른 메뉴처럼 메뉴편집기에서 작성하여 표시할 수도 있고 PopupMenu 메소드를 사용하여 표시할 수도 있다.

이름	설명
object	생략하면 포커스를 받는 Form이 대상이 된다.
menuname	호출할 팝업 Menu의 이름. 지정된 이름은 적어도 하나의 하위 Menu를 가져야 한다.
flags	팝업 Menu의 위치와 작용을 지정하는 값이나 상수다.
x	팝업 Menu가 표시되는 X 좌표 지정. 생략하면 마우스 좌표를 사용한다.
y	팝업 Menu가 표시되는 Y 좌표 지정. 생략하면 마우스 좌표를 사용한다.
boldcommand	캡션을 볼드로 출력

*〈참고자료〉:
1) 임관철, 한빛미디어, 비주얼 베이직 for Beginner, 2014

CHAPTER

10

Visual Basic Programming 실습

창의적 소프트웨어 파워배양과 미래 IT융합기술
컴퓨팅 기술(IT)과 컴퓨팅 사고(CT)력
Computing Technology (IT) & Computational Thinking (CT)

10 CHAPTER

Visual Basic Programming 실습

창의적으로 사고하는 컴퓨팅 사고력을 위한 준비

본 장은 특별히, IT 융합 능력을 만들어가기 위해서 창의적으로 사고하는 컴퓨팅 사고방법과 다양한 프로그램 제작을 통해 문제를 해결해 나가는 소프트에어 파워(프로그래밍 능력)를 기를 수 있도록 노력하였다. 컴퓨팅 사고방법은 컴퓨터 과학 중에서도 소프트웨어공학의 원리를 중심으로 하는 문제해결방법이라고 할 수 있기 때문에, 소프트웨어공학 특히 객체지향 분석, 설계, 개발 방법론의 기본적 원리(본 교재 8.3.절과 8.4절, 제 10장 참고)를 중심으로 프로그램을 구성하였다. 또한 IT 비전공자라고 하더라도, 소프트웨어(프로그램)가 모든 전공분야에 접목될 수 있음을 이해할 수 있도록, 다양한 전공분야에서의 주제로 흥미를 유발시키는, 다양한 프로그램으로 구성하였다. 쉬운 문제부터 어려운 문제까지 컴퓨팅 사고력을 키울 수 있는, 단계별 프로그램을, 스스로 문제를 해결하는 성취감을 느낄 수 있도록 최대한 배려하였다.

특히 학생들의 눈높이에서, 학생들이 직접 제작한 Visual Basic 프로그램 중심으로, 그중의 많은 부분은 직접 멘트하고 첨삭 수정하는 과정을 통해, 좀 더 높은 수준의 프로그램으로 발전할 수 있도록 지도하면서, 학생들이 각자의 전공분야에서의 복잡한 문제 해결방법을 창의적으로 찾아나가는 과정과 다양한 프로그램 사례를 보여주려고 노력하였다.

10.1 Computer와 IT기술의 심장 : Program

10.1.1 Program

컴퓨터와 모바일 기기의 보편화는 SW시장을 점점 크게 키우고 있다. 시장은 커지고 있지만 SW개발이 점점 쉬워진다는 점이 변수이다. 어려운 프로그래밍 언어를 잘 모르더라도 프로그램을 만들 수 있는 세상이 오고 있다. 프로그래밍 언어는 점점 더 쉽게 프로그램을 만들 수 있도록 발전하고 있다. 그래서 응용분야와 관련된 간단한 응용프로그램은 이제 누구라도 쉽게 만들 수 있다.

프로그램은 좁게는 컴퓨터에 처리시키는 작업의 순서를 명령어로 작성하는 것을 말하지만 프로그램은 여러 가지 다양한 분야에서 직면하는 문제뿐만 아니라, 나아가 세상의 모든 문제는 프로그램을 잘 작성함으로써 효율적 성공적으로 해결할 수 있다. 그리고 그것을 만드는 다양한 직업이 발생하게 될 것이다.

프로그램(Program)은 Computer로 어떤 일을 처리 하고자 할 때 그 일의 문제해결 과정인 알고리즘(Algorithm)과 처리 순서를 프로그래밍 언어로 작성한 것이다. 프로그램을 작성하기 위해 사용하는 기호 체계를 프로그래밍 언어라고 하며 이것은 인간과 Computer가 의사소통할 수 있는 언어를 말한다.

프로그램은 컴퓨터를 실행시키기 위해 차례대로 작성된 명령어 모음이라 할 수 있다.

본래 '미리 작성해본다'라는 뜻을 지닌 라틴어에서 유래한 말로서, 운동회의 순서나 음악회의 연주곡목 순서 등을 미리 짜놓은 것을 의미하였다. 이후 1920년대에 라디오가 개발되며 방송 시간표를 일컫는 말로 흔히 사용되었다. 컴퓨터 분야에서는, 1946년 과학잡지 〈네이처 Nature〉에 게재된 에니악(ENIAC++) 관련기사에서 처음으로 사용되었다.

일상에서 볼 수 있는 다양한 프로그램들은 어떻게 만들어지는가?

예를 들어, 음악 프로그램은 음악감독, 객원 지휘자, 협연자가 상의해서 결정한다. 물론 결정에 앞서 고려해야 할 사항들이 많다.

첫째, 연습 시간이다. 생소한 작품을 프로그램에 포함하려면 연습 시간이 더 필요하다. 지휘자가 할 수 있는 레퍼토리와 교향악단이 최근 몇 년 간 연주해 본 곡목 사이에서 공통분모를 찾아 프로그램을 꾸민다면 연습 시간이 길지 않아도 된다.

둘째, 협연자다. 협연자를 선정할 때(최근에 국제 콩쿠르에 입상한) 신예 연주자를 내세울 것인가 아니면 이미 널리 알려진 유명 연주자를 초청할 것인가, 국내 연주자에 문호를 개방할 것인가 아니면 외국인 아티스트를 초청할 것인가 등 여러 가지 변수가 작용한다.

셋째, 연주 시간이다. 서곡과 협주곡, 교향곡이 모두 긴 곡들이어서 휴식 시간과 앙코르 연주를 포함해 두 시간이 넘어가면 곤란하다. 베토벤의 '합창 교향곡'이나 말러의 '천인 교향곡', R. 슈트라우스 등의 대곡을 후반부에 연주하려면 서곡과 협주곡은 짧은 것으로 골라야 한다.

넷째, 연주자의 숫자다. 쇤베르크의 '구레의 노래'를 연주하려면 네 명의 독창자, 내레이터, 합창단, 오케스트라 등 적어도 190명이 필요하다. 말러의 '천인 교향곡'은 더 말할 나위도 없다. 합창단을 동원하는 문제도 경비 때문에 만만치 않다.

다섯째, 연주 홀이다. 파이프오르간이 없는 예술의전당 콘서트홀에서 R. 슈트라우스의 '차라투스트라는 이렇게 말했다'나 생상의 '오르간 교향곡', 레스피기의 '로마의 소나무'를 연주를 한다는 것은 어불성설이다.

은퇴하는 단원을 위한 꽃다발 전달 행사도 음악회가 끝난 뒤 무대에서 하는 경우가 많다. 청중의 박수갈채와 함께 작별 인사를 한다.

이러한 여러 가지 분야의 프로그램은 누가 어떻게 만드는가?

이 모든 것이 최고의 효과를 가져올 수 있도록 미리 모든 변수들을 종합적으로 잘 기획하여야 성공적인 프로그램이 될 수 있고 **성공적인 프로그램은 성공적인 행사를 만드는 가장 중요한 요소이다.**

컴퓨터 프로그램은 컴퓨터에게 처리시키는 작업의 순서를 명령어로 작성하는 것이며 미리 모든 변수들을 종합적으로 잘 고려하여 그 작업이 성공적으로 수행될 수 있도록 만든 일종의 작업 지시서, 직무기술서 라고 할 수 있다.

➢ Computer와 IT기술의 심장: Program

- ➢ 우리는 일상생활 속에서 컴퓨터와 IT기술을 활용해서 많은일을 한다
  - ➢ 한글 혹은 MS-Word 등의 Word Processor Program으로 필요한 보고서 작업을 하고
  - ➢ Power Point, Excel, Access 등의 Program으로 사무실에서 필요한, 여러 가지 많은 작업을 하고,
  - ➢ Internet Explorer, Chrome 등의 Web Browser Program으로 인터넷 써핑과 온라인 쇼핑을 하고
  - ➢ Messenger 혹은 NateOn 혹은 KakaoTalk 등의 Program으로 멀리 있는 친구, 가족과 즐거운 온라인 대화를 나누며
  - ➢ Windows Media Player 등의 Program으로 음악을 듣고
  - ➢ Photoshop 혹은 Windows Movie Maker 등의 Program으로 그래픽과 동영상, 멀티미디어를 즐긴다.
- ➢ **그런데 자세히 보면** Program**을 사용하여 이 모든 작업들을 실행한다.**

➢ Computer와 IT기술의 심장: Program

- ➢ 이렇게 **컴퓨터와 IT기술을 활용한다는 것은**
  - ➢ **컴퓨터와 IT기기 속에 들어 있는**
  - ➢ 어떤 Program(Software)을 실행시키고
  - ➢ 그 Program의 내용에 따라서
  - ➢ 컴퓨터와 상호소통(Communication;대화하고 반응)하면서
  - ➢ 어떤 일을 해 나간다는 뜻이다.
- ➢ **그러므로 컴퓨터와 IT기술을 잘 이해하기 위해서는 Program을 잘 이해해야 한다는 것을 의미한다.**
  - ➢ 왜냐하면 **컴퓨터와 IT기기들은 Program이 주어지면,**
  - ➢ **Program이 지시하는대로 일을 정확하게 수행하기 때문이다**
- ➢ **그렇다면 Program이란 무엇인가?**

5

➢ 일상생활과 Program: 절차, 계획서

- ➢ 원래의 프로그램 (Program)의 의미
- ➢ **연극이나 방송 따위의 진행 차례나 진행 목록.**
  - ➢ 연주회의 프로그램, 공연, 행사 프로그램
  - ➢ '차례1', '차례2', '차례3' 등
  - ➢ **'차례표'가 미리 준비되어야**
- ➢ 점차 **일상 생활에서 해야 할 일을 미리 계획하고 작성해 놓은 <u>시간표</u>나 <u>계획서</u>로 발전**
  - ➢ Ex) 초등학교의 운동회 부터
  - ➢ 세계적인 국제회의나 각종행사 등의 진행계획,
  - ➢ '계획1', '계획2', '계획3' 등
  - ➢ **'계획표'가 미리 준비되어야**

6

➢ 일상생활과 Program: Event, Job

- ➢ 일상생활 속에서의 프로그램(Program)
  - ➢ 어떤 행사(Event)를 진행하고
  - ➢ 어떤 일(Job)을 처리하고자 할 때
  - ➢ **그 일과 행사를 더 잘 처리하기 위해서는**
  - ➢ **처리과정과 순서를 미리, 잘 계획하여 작성해야 한다**
  - ➢ 연주회의 Program, 공연, 행사 Program은 물론
  - ➢ 세계적인 국제회의나 각종행사의 진행계획까지
  - ➢ **어떤 행사나 일을 효율적으로 추진하기 위한 진행 계획(Planning;기획)이나 순서, 절차가 필요**
- ➢ **모든 행사는 잘 기획되고 잘 작성된**
  - ➢ **프로그램(Program)이 그 행사의 성패를 결정.**

7

➢ 일상생활과 Program: Manual

- ➢ **매뉴얼(manual): 사용법, 설명서, 안내서, 지침서**
- ➢ 1) 제품사용 설명서 (**제품별 매뉴얼**)
  - ➢ **예) 자동차 사용 설명서, 전자제품 사용 설명서 등**
- ➢ 2) 재난발생대비 안전매뉴얼(**생활분야별 매뉴얼**)
  - ➢ 예) 지진 상황 대처 매뉴얼 등
  - ➢ 예) 폭우 상황 대처 매뉴얼 등
  - ➢ **예) 재난 발생시 상황 대처 국민 안전 종합 매뉴얼 등**
  - ➢ 예) 기타 운전 등 비상 상황시 응급처치 매뉴얼
    - ➢ 갑작스런 사고에는 누구나 당황.
    - ➢ 운전 중 자동차 응급처치의 첫 단계,
    - ➢ 안전한 장소로 이동(2차 사고의 예방)
    - ➢ 타이어가 펑크 났을 때..스페어 타이어 교환하기
    - ➢ 배터리 고장이나 방전에 대비한 배터리와 퓨즈 상식

8

➢ 일상생활과 Program: Manual

- ➢ 3) 기관, 단체, 회사에서 사용하는 **업무별 매뉴얼**
  - ➢ 예)경리회계업무 매뉴얼 (Manual on accounting business)
  - ➢ 기관이나 단체, 회사에서
  - ➢ 금전의 출납 등
  - ➢ **회사 내의 전반적인 수입과 지출을 관리하는 경리 회계부서의 업무 규정 및 절차를 정리한 문서**
  - ➢ **일반적인 공통된 경리업무절차와 규정도 있지만**
  - ➢ **회사마다 운영하는 방식/절차 등이 다양하고, 업무 특성이 모두 다르기 때문에**
  - ➢ **회사의 특성에 맞는 적절한 경리업무절차를 독자적으로 수립해서 운영한다.**

9

➤ 일상생활과 Program: Manual

➤경리회계업무 매뉴얼
- ➤경리 회계부서는
- ➤**경리 회계업무매뉴얼을 통해 일을 효율적으로 처리한다.**
- ➤이렇게
- ➤**경리 회계업무매뉴얼을 통해**
- ➤**경리 회계업무라는 일(직무)을**
- ➤**정확하게 처리하여**
- ➤**사고 등 문제가 발생하지 않도록 만드는**
- ➤**Program이**
- ➤**바로 경리업무 시스템(SW: Program)이다**

10

➤ 일상생활과 Program: 직무기술서

➤ **예) 내과 병동간호사 직무기술서 (직무내용 요약정리)**
- ➤**1. 업무 인수.인계사항: 전체 인수.인계, 팀별 인수.인계사항**
  - ➤총 재원자 수, 중환자, 수술 환자, 입·퇴원 환자,
  - ➤중환자 상태 및 처치 사항,
  - ➤인수 인계 및 전달사항, 부서 내 중점사항 보고 등
- ➤**2. 투약 준비: 수액확인 및 준비**
  - ➤당일 경구 약 및 주사약 확인 및 준비
- ➤**3. 병실 순회(rounding)및 환자 상태, 간호 요구 사항 파악:**
  - ➤수술, 검사 계획
  - ➤환자 상태 및 간호 요구 사항 파악
  - ➤시간대별 항생제 주사 계획,
  - ➤환자 간호 계획, 환자 교육
- ➤**4. 비품 및 장비의 사용현황 및 물품 check :**
  - ➤비품 및 장비의 사용현황, 작동 상태, 숫자 파악

12

➤ 순서도 혹은 흐름도(Flowchart)

➤**종류**
- ➤**System(General) Flow chart :범용 순서도**
  - ➤처리하고자 하는 문제를
  - ➤전체적으로 분석하여 총괄적으로 작성
- ➤**Program(Outline) Flow chart :개략 순서도**
  - ➤처리하고자 하는 문제를
  - ➤부분적으로 분석하여 프로그램 단위로 작성
- ➤**Detail(Subprogram, Module, Function, Logic) Flow chart : 상세 혹은 논리 순서도**
  - ➤처리하고자 하는 문제를
  - ➤더 세부적으로 분석하여
  - ➤프로그램보다 더 작은 논리적 단위(예; Class)로 작성

13

병원 업무흐름도(Hospital Business Process Configuration)
System(General) Flow chart : 범용 순서도

14

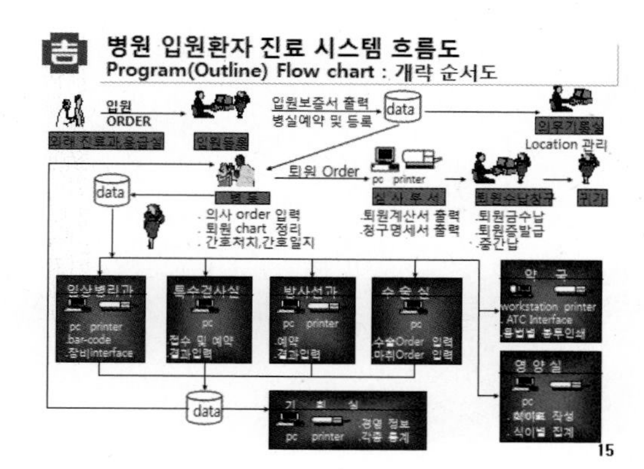

➤ 일상생활과 Program: 직무명세서

- ➤ 직무의 특성이나 직무 수행 내역 등을 기록한 서식
- ➤ 회사 내의 특정 직무를 맡은 사람이 일정 기간 동안 수행한 업무의 경과, 결과, **업무처리절차**, 문제점 등을 기록
  - ➤한 주 단위로 직무 관련 업무 진행 사항 기재
  - ➤직무명세서 서식 구성항목
    - ➤작성 일자, 작성자, 현 직무개시일,
    - ➤인적 사항(소속, 부서, 직책, 성명, 성별, 연락처, 주소),
    - ➤**직무 명세 정보**(직군 및 직렬, 직무개요, 고용형태,
    - ➤**업무처리지침, 업무처리절차**, 보고계통, 요구경력,
    - ➤필요교육조건, 필요자격조건, 인적 요건, 특이사항)
- ➤ 업무의 세부 사항을 파악하고,
- ➤ 업무의 효율적인 진행 절차와 진행상황을 파악하여
- ➤ 추후에 업무 계획을 조정할 수 있다는 것도 장점

11

직무 명세서(Job Statement)는 회사 내의 특정 직무를 맡은 사람이 일정 기간 동안 수행한 업무의 경과, 결과, 그리고 문제점 등을 기록한 문서를 말한다. 직무명세서에는 작성자와 작성 일자를 비롯하여 한 주 단위로 직무 관련 업무 진행 사항을 간략하게 기재하도록 한다.

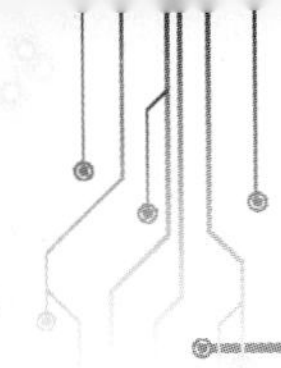

직무 명세서를 작성하면 업무의 세부 사항을 파악할 수 있다는 장점이 있으며, 또 업무의 진척 사항을 파악하여 추후의 업무 계획을 조정할 수 있다는 것도 장점으로 들 수 있다.

직무 기술서(Job Descriptions)는 직무분석의 결과 직무의 능률적인 수행을 위하여 직무의 성격, 요구되는 개인의 자질 등 중요한 사항을 기록한 문서이다.

인사관리의 기초가 되는 것으로서 직무의 분류, 직무평가와 함께 직무분석에 중요한 자료이다. 일반적으로 직무명칭, 소속직군 및 직종, 직무의 내용, 직무수행에 필요한 원재료·설비·작업도구, 직무수행 방법 및 절차, 작업조건(작업집단의 인원수, 상호작용의 정도 등) 등이 기록되며, 이는 직무의 목적과 표준성과(performance standard)를 제시해줌으로써 직무에서 기대되는 결과와 직무수행 방법을 간단하게 설명해준다.

직무의 특성이 강조된다는 점에서 인적요건(人的要件)을 중점적으로 다루는 직무명세서와 차이가 있다. 일반적으로 직무기술서 마지막 부문에서 직무명세서가 서술된다. 직무기술서는 직무의 특성, 직무에 요구되는 인적요건을 혼합하여 기술된다.

일반적인 직무기술서의 내용으로는 직무의 개요 수행하는 업무의 내용 직무수행상의 요건이 있다. 직무기술서의 작성절차로 다음과 같다

① 실제 담당자가 수행하는 형태로 기술
② 원하는 직무수행에 필요한 과업을 열거
③ 일상적인 과업수행과 중요한 과업수행 구별
④ 과업을 수행하는 다른 방법 열거

〈 간호관리학 레포트의 예 〉

간호관리학 시간에 작성했던 간호조직의 직무분석 레포트이다. 그 중 내과병동 간호사를 기준으로 작성하였다.

○내과병동간호사 직무기술서

○내과병동간호사 직무명세서

병원에서 요구하는 고급 간호 인재상을 기초로 한 개인의 교육 및 실무 요구를 충분히 고려하여 내과 병동의 업무 수행을 원활하게 수행할 수 있도록 한다.

○내과병동간호사 직무기술서

- 직무내용
- 직무 절차 및 방법

1. 물품 check
   비품 및 장비의 숫자와 사용현황, 작동 상태 파악
2. 업무 인계

- 전체 인계
- 팀별 인계
  총 재원자 수, 중환자, 수술 환자, 입·퇴원 환자, 전달사항, 관리과 수리, 물품현황보고, 부서 내 중점사항 보고, 인슐린 처치 사항

3. 투약 준비
   수액확인 및 준비
   당일 경구약 및 주사약 확인 및 준비
4. 병실 순회(rounding)
   환자 상태 및 간호 요구 파악
   PO medication 및 시간대별 항생제 주사
   수술, 검사, 간호계획 확인 및 환자 교육

〈중 략〉

○내과병동간호사 직무명세서

1. 간호학에 대한 정확한 지식과 실무에 대한 전반적인 이해
2. 환자간호 전문가로서의 업무 향상을 위한 지식과 기술
3. 급변하는 간호에 대해 수용하고, 그에 따른 연구시행기술
4. 정확한 간호지식에 근거한 간호 실무 수행 기술
5. 의사의 처방이나 규정된 간호기술에 따라 지시된 치료 제공
6. 환자를 검사, 치료하는 것을 보조하는 기술
7. 환자의 상태를 관찰하고 그에 맞게 적절하게 대처하는 기술
8. 환자나 보호자에게 치료의 경과나 예후에 대해 적절하게 설명해줄 수 있는 교육자로서의 기술

컴퓨터 프로그램은 컴퓨터에게 처리시키는 작업의 순서를 명령어로 작성하는 것이며 미리 모든 변수들을 종합적으로 잘 고려하여 그 작업이 성공적으로 수행될 수 있도록 만든 일종의 작업 지시서, 직무기술서 라고 할 수 있다.

실제로는 프로그래머(programmer)가 작업을 충분히 이해하여 처리 방법과 처리 순서를 틀림없도록 결정하고, 프로그래밍 언어(programming language)를 사용하여 기술한다.

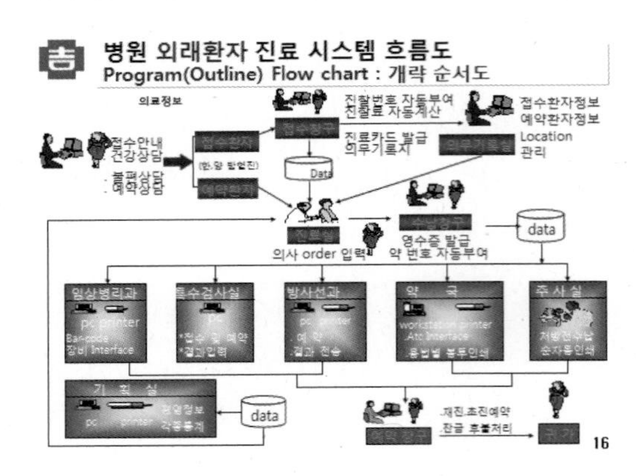

➢ 일상생활과 Program: Manual

➢ **업무매뉴얼은**
- ➢ **일종의 직무 명세서(Job Statement)**
- ➢ **직무 기술서(Job Description)**에 해당
- ➢ 이런 업무매뉴얼이 만들어지면

➢ **장점:**
- ➢ **1) 복잡한 업무절차를 효율적으로 수행하게 한다.**
- ➢ **2) 업무담당자의 부재시에도 수행 가능하게 한다**
- ➢ **3) 업무상 복잡하고 비효율적인 부분을 찾아서 개선 가능하게 한다.**
  - ➢ 업무를 더욱 효율적으로 하면서도 편리하게 처리할 수 있도록

18

➢ 일상생활과 Program: Manual

➢ 일상생활에서의 프로그램(Program) :
- ➢ 1) 연주회, 공연, 행사의 프로그램
- ➢ 2) 세계적인 국제회의나 각종행사의 진행계획부터
- ➢ 3) 제품사용 설명서 (제품별 매뉴얼)
  - ➢ 예) 자동차 사용 설명서, 전자제품 사용 설명서 등
- ➢ 4) 재난발생대비 안전매뉴얼 (생활분야별 매뉴얼)
- ➢ 5) 기관, 단체, 회사에서 사용하는 (업무별 매뉴얼)
  - ➢ 직무명세서(Job Statement)와
  - ➢ 직무기술서(Job Description)에 해당
- ➢ 6)기타 **매뉴얼: 설명서, 안내서, 지침서, 솔루션(Solution)**

➢ **일상생활에서의 프로그램(Program) :**
- ➢ 하고자 하는 일을 더 효율적으로 수행할 수 있도록
- ➢ 문제해결방법에 대한 우리의 생각을 정리한 것

22

일상생활과 컴퓨팅사고방식(Computational Thinking)

➢ 프로그램(Program)이
- ➢ 설명서, 안내서, 지침서 라면

➢ 알고리즘(Algorithm)은
- ➢ 프로그램(Program)의 핵심논리
- ➢ **어떤 일의 문제해결 과정과 방법, 즉 솔루션(Solution)**
- ➢ **이 세상 모든 분야의 일(특히 내가 하고자 하는 일)을**
- ➢ **더욱 효율적으로 수행할 수 있도록**
- ➢ **문제해결방법에 대한 생각을 정리한 것**
- ➢ **그래서 모든(직종의) 사람들이 Program을 이해하고**
- ➢ **프로그래밍적 사고방식(컴퓨팅 사고)을 가져야 한다.**

➢ **Program의 핵심논리인 문제해결방법(알고리즘)은**
- ➢ **의사코드와 흐름도, 매뉴얼 등으로 미리 준비하여**
- ➢ **작성해두고 발전적으로 계속해서 수정할 수 있다**

23

➢ Program과 알고리즘(Algorithm)

➢ **컴퓨터의 비밀! 문제해결방법(알고리즘) :**

➢ **컴퓨터가 작동할 수 있는 원리!"**

➢ **" 일반적인 '라면' 끓이는 방법"**
- ➢ **물 넣기 - 물 끓이기 - 스프 넣기 - 면 넣기 -**
- ➢ **시간 되면 불 끄기 - 그릇에 담기 - 먹기...**

➢ **이때 라면의 맛을**
- ➢ **개개인의 입맛에 맞게**
- ➢ **맛있게 하려면 어떻게 해야 할까?**

24

➢ Program과 알고리즘(Algorithm)

➢ **이때 라면의 맛을 맛있게 하려면 어떻게 해야 할까?**
- ➢ **1) "일반적인 '라면' 끓이는 방법"의 순서를 바꾸거나**
- ➢ **2) 혹은 물의 양을 다르게 하거나**
- ➢ **3) 혹은 가열하는 불의 온도를 다르게 하거나**
- ➢ **4) 혹은 투입하는 음식재료(김치 혹은 해산물 혹은 계란 등)를 달리하면**
- ➢ **개인의 입맛에 맞는 새로운 방법으로**
- ➢ **새로운 문제해결방법(알고리즘)을 만들 수 있다**
- ➢ 즉 문제해결방법(알고리즘)에 따라서
- ➢ 작업의 효율성도 달라지고, 라면의 맛도 달라진다.

➢ 알고리즘**(Algorithm) :** 어떤 일의 문제해결 과정과 방법
- ➢ **로봇에게 라면을 맛있게 끓이게 하려면**
- ➢ **맛있게 끓이는 문제해결방법(알고리즘)을 잘 작성하여**
- ➢ **(로봇이 알아들을 수 있게, 순서대로 차근차근 가르쳐 주듯이)**
- ➢ **그 방법을 입력한 후에 실행시키면 된다.**

25

➤ 알고리즘(Algorithm)의 예

➤Algorithm은 응용분야에 의존적(Application Dependability)
➤다양한 응용분야 지식이 필수
➤복잡한 문제 해결 절차를 만들기 위해서는
➤해당분야 전문가의 도움을 반드시 필요로 한다.
➤예)경리회계업무 매뉴얼(Manual on accounting business) 등

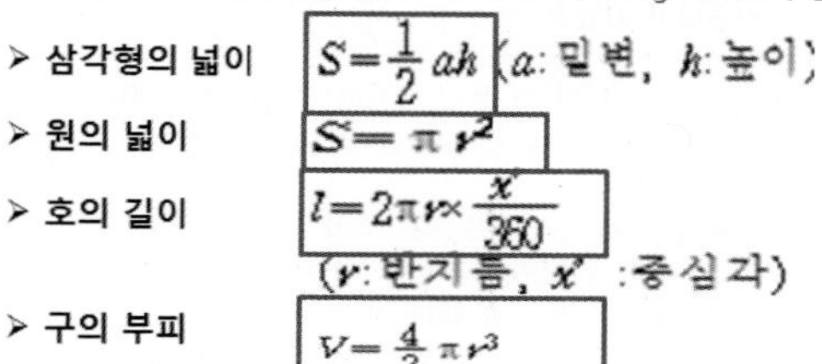

➤ 삼각형의 넓이 $S=\frac{1}{2}ah$ (a: 밑변, h: 높이)

➤ 원의 넓이 $S=\pi r^2$

➤ 호의 길이 $l=2\pi r\times\frac{x}{360}$ (r: 반지름, x: 중심각)

➤ 구의 부피 $V=\frac{4}{3}\pi r^3$

➤ Programming: Algorithm작성과 Coding

➤ 프로그램(Program)
➤Computer 혹은 IT환경 혹은 일상생활 혹은 직무처리에서
➤어떤 문제를(일을) 효과적으로 해결(처리)하기 위하여
➤ 1) 알고리즘(Algorithm: 문제해결방법) 결정 (건축의 설계과정)
➤매뉴얼(Manual)
➤생활속: 예) (라면을 맛있게 끓이는 방법에 대한 생각)
➤분야별: 예) 자동차 사용설명서, 전자제품 사용설명서 등
➤제품별: 예) 인공지능에어컨의 작동방법이 담긴 설명서 등
➤업무별: 예) 직무명세서와 직무기술서 등
➤올바른 처리 방법과 구체적인 절차에 따라 기술한
➤의사코드와 흐름도 등 형식으로, 방법에 대한 생각을 정리
➤ 2) Coding하는 과정 (방법의 실행, 건축의 시공과정)
➤Computer 혹은 IT환경(디지털 기기, 스마트기기 등)이 이해할 수 있는
➤프로그래밍 언어(매우 쉬운 언어도 많다)로 만든
➤일련의 명령문(문제해결방법(알고리즘)에 따라 라면을 끓이는 과정)

28

➤ Programming: Algorithm작성과 Coding

➤ 그래서 프로그래밍은 2 단계 과정(부분)으로 구성
➤1. 알고리즘(Algorithm) 작성과정: **방법의 설계**
➤시스템 분석과 설계의 과정에서
➤어떤 문제를 해결하기 위하여 그 처리 방법과 절차를 기술하는 과정
➤해당분야 전문가와의 협업을 통해
➤Program의 핵심논리인 문제해결방법(알고리즘)을 작성하고
➤의사코드(자연언어로 표현된 일종의 매뉴얼)와
➤흐름도(의사코드의 핵심논리를 간단하게 도식화한 것)를 주로 사용
➤2. Programming 언어로 작성(Coding): **방법의 실행**
➤ Computer 혹은 IT환경(디지털 기기, 스마트기기 등)이 이해할 수 있는
➤ 프로그래밍 언어 (매우 쉬운 언어도 많다)를 사용하여
➤ 미리 작성된 알고리즘을 일련의 명령문(Code)으로 옮기는 단순한 과정
➤특정 언어의 문법을 사용하여 Code를 작성(굳이 어려운 언어를 고집X)
➤문제해결방법(알고리즘) 작성과정이 더욱 중요하다.

30

➤ Computer와 IT기술의 심장: Program

➤ 그러므로 컴퓨터와 IT환경(IT기기 등)을 잘 활용하기 위해서는
➤ 1) IT 전문가들에 의해 기존에 만들어진
여러 가지 Program(SW) 사용법에 익숙해져야 한다.
➤ Ex) 만약 KakaoTalk 등의 Program 을 못한다면....어떻게 될까?
➤ Word Processor Program Web Browser Program
➤ Power Point, Excel, Access 등의 Program
➤ Messenger 혹은 NateOn 혹은 KakaoTalk 등의 Program
➤ Windows Media Player 등의 Program
➤ Photoshop 혹은 Windows Movie Maker 등의 Program
➤ 2) 경우에 따라서는(기존에 만들어진 Program이 없다면)
새로운 필요에 따라, 새로운 Program(SW)을 만들고,
이해하고, 수정할 수도 있어야 한다
➤ 우리가 Programming 기초 지식과 Visual Basic을 배우고
➤ 새로운 Programming 능력을 기르는 이유

29

➤ Program(Software)의 특성: Manual

➤ 컴퓨터와 IT의 심장은 바로 Program(SW)인데
➤Program의 핵심논리는
➤바로 문제해결방법(알고리즘)이고,
➤문제해결방법(알고리즘)은
➤응용분야의 사용법(Manual)에 의존적이다.
➤응용분야의 사용법(Manual)에 의존적
(Application Dependability)
➤다양한 응용분야 지식이 필수
➤경리회계업무 매뉴얼 등 직무명세서와 직무기술서처럼
➤복잡한 문제 해결 절차를 만들기 위해서는
➤해당분야 전문가의 도움을 반드시 필요로 한다.

31

➤ IT 융합기술(IT Convergence Technology)

➤ IT 융합기술은 응용분야(Application)에 의존적.
➤IT(Software) 전문가들이
➤다른 모든 분야의 전문지식까지
알고 있지 못하기 때문에
➤개발하고자 하는 해당 응용분야 전문가와의
협업, 도움이 반드시 필요하다
➤Ex) 블루 오션 IT 융합기술
➤자동차 IT 융합, 조선 IT 융합, 의료 IT 융합,
➤국방 IT 융합, 건설 IT 융합기술 등
➤ IT 융합기술은
➤각자의 전공분야(Application)기술 + IT기술

32

IT 융합기술과 컴퓨팅 사고방식(Computational Thinking)

- ➢ 알고리즘(Algorithm)은
  - ➢ 이 세상 모든 일(특히 내가 하고자 하는 일)을
  - ➢ 더욱 효율적으로 수행할 수 있도록
  - ➢ 문제해결방법에 대한 생각을 정리한 것
- ➢ 프로그램(Program)의 핵심논리인 문제해결방법(알고리즘)은
  - ➢ 의사코드와 흐름도, 매뉴얼 등으로 미리 준비하여
  - ➢ 작성해두고 발전적으로 계속해서 수정할 수 있다
- ➢ IT 융합기술은
  - ➢ 각자의 전공분야(Application)기술 + IT기술
  - ➢ 그래서 모든 전공분야와 모든 직종의) 사람들이
  - ➢ Program을 이해하고
  - ➢ Program을 효과적으로 작성하는
  - ➢ 사고방식(컴퓨팅 사고)에 익숙해져야 한다.

33

➢ 컴퓨팅 사고방식(Computational Thinking)

- ➢ 컴퓨팅 사고방식(Computational Thinking)은
  - ➢ 예를 들어,
  - ➢ 서재의 책장에 있는 책을 어떻게 하면 쉽게 정리할 수 있는지, 어떤 순서로 정리하면 좀 더 효과적인지
  - ➢ 컴퓨터가 자료를 정리하기 위하여 사용하는 논리를 참고하여,
  - ➢ 일상생활에서의 책 정리 방식에도 비교 적용하여
  - ➢ 좋은 문제해결방법을 찾아낼 수 있다.
  - ➢ 또한
  - ➢ 컴퓨터가 여러 가지 일들을 묶어서 처리하거나,
  - ➢ 우선순위를 정하여 순서대로 처리하는 원리를 배워서
  - ➢ 일상생활에서 우리가 해야 할 일들을
  - ➢ 효율적으로 처리하는 방법을 찾아낼 수 있다.

➢ 컴퓨팅 사고방식(Computational Thinking)

- ➢ **컴퓨팅 사고방식(Computational Thinking)은**
  - ➢ 컴퓨터처럼 과학적으로 생각하는 사고방식으로서
  - ➢ **컴퓨터 Program과 Software 개발에서 사용하는**
  - ➢ **과학적 원리와 논리적 방식(SW공학)을 적용하여**
  - ➢ 빠르게 변하고 복잡해지는 미래 사회에서
  - ➢ **일상생활에서의 일 처리 방법과**
  - ➢ **전공분야에서의 문제 해결 방법을**
  - ➢ **여러 가지 변수들을 고려하여**
  - ➢ **마치 프로그래밍을 하듯이**
  - ➢ **계획을 세워**
  - ➢ **효율적으로 해결해 나갈 수 있다.**

➢ 컴퓨팅 사고방식(Computational Thinking)

- ➢ **IT 융합기술을 만들어 가기 위해서 창의적으로 사고하는 컴퓨팅 사고방식은**
  - ➢ 컴퓨터가 문제를 해결하는 방식처럼
  - ➢ 복잡한 문제를 단순화하고
  - ➢ 이를 논리적, 효율적으로 해결하는 능력.
  - ➢ **컴퓨팅 사고능력을 키우면 창의력, 문제해결능력, 종합적인 사고능력 등도 함께 키울 수 있기 때문에**
  - ➢ **소프트 파워(일상생활에서의 SW 작성능력)는**
  - ➢ **이제 모든 사람들이 갖추어야 할 필수적인 능력**

➢ 컴퓨팅 사고방식(Computational Thinking): 간단 절차

- ➢ **복잡한 문제를 추상화 단계를 거쳐서 단순화**
- ➢ **분해하고 분석하고**
  - ➢ 문제 상황의 핵심 내용을 찾아내 이를 정의(정리)
- ➢ **문제 안에 내재된 패턴을 찾고**
  - ➢ 순서도를 만들고 의사코드를 작성하여
  - ➢ 문제해결 방식을 정형화
- ➢ **문제를 효율적으로 해결하는 과정**
  - ➢ (필요하다면) 기존의 문제해결방법과는 다른
  - ➢ 완전히 새로운, 창의적인 방법으로 재구성하여
  - ➢ 보다 쉽게, 정확하게, 효율적으로 해결하는
  - ➢ 논리적인 방법을 찾아가는 과정.
- ➢ 이 과정에서 창의력, 문제해결능력, 종합적인 사고능력 등을 기를 수 있다.

컴퓨팅 사고방식을 기르고 프로그래밍을 잘하려면

- ➢ 1) 평소에 컴퓨팅 사고방식(Computational Thinking)으로 생각하여 논리적인 문제해결 방법을 찾아내는 습관을 기르고,
- ➢ 2) 예제 Program들을 많이 찾아보아야 한다(Benchmarking)
  - ➢ 모범사례 분석(Best Practice Analysis) ;
    - ➢ 관심 분야의 우수한 Program들을 비교 대상으로 삼아
    - ➢ 자신의 Program 속에 도입할 수 있도록
    - ➢ 우수한 요인들을 찾아내고자 하는 벤치마킹 방법.
  - ➢ 스왓 분석(SWOT Analysis) ;
    - ➢ 관심 분야의 기존 예제 Program에서
    - ➢ 강점(Strengths), 약점(Weakness), 기회(Opportunities), 위협(Threats)으로 작용할 수 있는 요인들을 도출하려는 벤치마킹 방법.
- ➢ 3) Program의 구조와 논리와 흐름을 이해하려고 노력하고
- ➢ 4) 직접 많은 Program을 작성해 보는 것이라 할 수 있다.

➢ 알고리즘(Algorithm)과 컴퓨팅 사고방식

➢ 1) 평소에 컴퓨팅 사고방식(Computational Thinking)으로 생각하여 논리적으로 문제해결 방법을 찾아내는 습관을 기른다.

➢ 일상생활에서의 문제해결방법(알고리즘)이
➢ 좀 더 효율적인 방법이 될 수 있도록 변화시켜본다.

➢예) " 일반적인 라면 끓이는 방법"
➢물 넣기 - 물 끓이기 - 스프 넣기 - 면 넣기 -
➢시간 되면 불 끄기 - 그릇에 담기 - 먹기...

➢이때 라면의 맛을
➢개개인의 입맛에 맞게
➢맛있게 하려면 어떻게 해야 할까?

2

➢ 알고리즘(Algorithm)과 컴퓨팅 사고방식

➢ 이때 라면의 맛을 맛있게 하려면 어떻게 해야 할까?
➢1) "일반적인 라면 끓이는 방법"의 순서를 바꾸거나
➢2) 혹은 과정의 일부를 생략하거나
➢3) 혹은 물의 양을 다르게 하거나
➢4) 혹은 가열하는 불의 온도를 다르게 하거나
➢5) 혹은 투입하는 음식재료(김치 혹은 해산물 혹은 계란 등)를 다르게 하면
➢개인의 입맛에 맞는 새로운 방법으로
➢새로운 문제해결방법(알고리즘)을 만들 수 있다

➢즉 문제해결방법(알고리즘)에 따라서
➢작업 과정의 효율성도 달라지고,
➢작업 결과(라면의 맛)도 달라지기 때문에
➢
➢ 일상생활에서의 문제해결방법(알고리즘)이
➢ 좀 더 효율적인 방법이 될 수 있도록 자꾸 변화시켜본다.

3

컴퓨팅 사고방식을 기르고 프로그래밍을 잘하려면

➢ 1) 평소에 컴퓨팅 사고방식(Computational Thinking)으로 생각하여 논리적으로 문제해결 방법을 찾아내는 습관을 기르고,

➢ 2) 예제 Program들을 많이 찾아보아야 한다(Benchmarking)
➢ 모범사례 분석(Best Practice Analysis) ;
➢관심 분야의 우수한 Program들을 비교 대상으로 삼아
➢자신의 Program 속에 도입할 수 있도록
➢우수한 요인들을 찾아내고자 하는 벤치마킹 방법.
➢ 스왓 분석(SWOT Analysis) ;
➢관심 분야의 기존 예제 Program에서
➢강점(Strengths),약점(Weakness), 기회(Opportunities), 위협(Threats)으로 작용할 수 있는 요인들을 도출하려는 벤치마킹 방법.

➢ 3) Program의 구조와 논리와 흐름을 이해하려고 노력하고
➢ 4) 직접 많은 Program을 작성해 보는 것이라 할 수 있다.

➢ 알고리즘(Algorithm)과 컴퓨팅 사고방식

➢ 매뉴얼(Manual)과 알고리즘(Algorithm)
➢생활속: 예)라면을 맛있게 끓이는 방법에 대한 생각
➢분야별: 예)자동차 사용설명서, 전자제품 사용설명서 등
➢제품별: 예)인공지능에어컨의 작동방법이 담긴 설명서등
➢업무별: 예: 직무명세서와 직무기술서 등

➢ 메뉴얼의 구체적인 방법이 Program의 핵심논리이므로
➢의사코드(자연언어로 표현된 일종의 매뉴얼)와
➢흐름도(의사코드의 핵심논리를 간단하게 도식화한 것) 등
➢알고리즘이 더욱 효율적인 처리 방법과 절차가 되도록
➢변화시켜서 개선해 본다.
➢수정, 보완, 개선해 나가는 것이 바로 혁신

5

➢ 알고리즘(Algorithm)과 컴퓨팅 사고방식

➢응용분야에 특히 의존적인 분야는
➢전문가와 상의해서
➢복잡한 문제 해결 절차를 가진 Algorithm이
➢효율화, 간소화, 최적화되도록 변화시켜 본다.

➢ 삼각형의 넓이 $S=\frac{1}{2}ah$ (a: 밑변, h: 높이)

➢ 원의 넓이 $S=\pi r^2$

➢ 호의 길이 $l=2\pi r\times\frac{x}{360}$ (r: 반지름, x :중심각)

➢ 구의 부피 $V=\frac{4}{3}\pi r^3$

➢ 알고리즘(Algorithm)과 컴퓨팅 사고방식

➢ 업무매뉴얼은
➢직무 명세서(Job Statement),직무 기술서(Job Description)

➢ 업무매뉴얼의 장점:
➢1) 복잡한 업무절차를 효율적으로 수행하게 한다.
➢2) 업무담당자의 부재 시에도 수행 가능하게 한다
➢3) 업무상 복잡하고 비효율적인 부분을 찾아서 개선 가능하게 한다.

➢ 업무매뉴얼 상의
➢ 업무처리지침, 업무처리절차, 보고계통 등
➢ 업무의 세부 사항을 파악하여,
➢ 업무를 더욱 효율적으로 처리할 수 있도록
➢ 변화시켜서 개선해 본다

7

컴퓨팅 사고방식을 기르고 프로그래밍을 잘하려면

- 1) 평소에 컴퓨팅 사고방식(Computational Thinking)으로 생각하여 논리적으로 문제해결 방법을 찾아내는 습관을 기르고,
- 2) 예제 Program들을 많이 찾아보아야 한다(Benchmarking)
  - 모범사례 분석(Best Practice Analysis) ;
    - 관심 분야의 우수한 Program들을 비교 대상으로 삼아
    - 자신의 Program 속에 도입할 수 있도록
    - 우수한 요인들을 찾아내고자 하는 벤치마킹 방법.
  - 스왓 분석(SWOT Analysis) ;
    - 관심 분야의 기존 예제 Program에서
    - 강점(Strengths),약점(Weakness), 기회(Opportunities), 위협(Threats)으로 작용할 수 있는 요인들을 도출하려는 벤치마킹 방법.
- 3) Program의 구조와 논리와 흐름을 이해하려고 노력하고
- 4) 직접 많은 Program을 작성해 보는 것이라 할 수 있다.

Program을 이해하는 일반적인 작업과정

- **1) Program의 구조와 논리와 흐름을 이해하기 위하여 의미 있는 블록(Block)과 이름들을 찾아낸다**
  - 변수의 이름과 Program 헤더와 주석에서 많은 힌트를 얻을 수 있다.
  - 의미 있는 Class의 이름과 변수 이름은 Program의 의미를 파악하는 데 중요한 단서
    - 예) CustomerPricingStrategy Class
    - 예) 고객가격결정전략 Class
  - 의미 있는 SubProgram, Header 이름과 주석도 Program의 의미를 파악하는 데 중요한 단서
    - 예) Sub CustomerPricingStrategy
    - 예) Sub 고객가격결정전략

Program을 이해하는 일반적인 작업과정

- **2) 의미있는 블록(Block)들이**(예: 고객가격결정전략 Class 혹은 Sub 고객가격결정전략)**언제, 어디에서, 어떻게 호출되고, 사용되는지 분석**
  - **System의 전체 기능을 분할된 서브 기능으로 이해하는 상향식 방법**
    - 각 함수와 부 기능(Sub Function)의 자세한 이해
    - 그러면 이를 사용하는 Source Code의 의미도 이해
  - **System 전체의 모습을 먼저 이해하고 아래 단계로 내려가는 하향식 방법**
    - 어떤 블록이 어디서 호출되었는지 알아낸다.
    - Program의 여러 부분을 살펴서 각 블록의 기능, 사용 의미를 파악

Program을 이해하는 일반적인 작업과정

- **3) Program 구성 단위인 Module과 Procedure를 이해하는 방법은 다양**
  - 사용자의 입력과 반응을 처리하는 입출력 문장을 뒤져보고
  - 자료 선언, Procedure 선언, 제어 문장의 구조를 살핀다.
  - 제어 구조를 먼저 살펴보고 자료 선언 부분을 나중에 볼 수도 있다.

Program을 이해하는 작업과정 요약

- **① Program의 구조를 따라가면서 훑어보고, 의미 있는 Sub이름, Header이름, 변수이름과 주석에서 찾아 본다.**
- **② Program 안에 사용되는 개체들**, 예를 들면 **상수, 변수, 타입, Procedure의 주된 기능을 알아낸다.**
  - 이름과 그 역할을 테이블로 기술
- ③ Source Code를 위에서 아래로 읽어 내려간다.
  - **반복이나 선택 구조의 의미를 파악하면서**
  - **이해한 내용을 간단히 메모(주석이 필요)**
- **④ Program의 전체적인 논리**를 순서대로 따라가며 이해한다.
  - 유지 보수에 관련된 정도에 따라 Module에 포함된 문장을 자세히 이해하여야 하는 경우도 있고
  - 대강 이해하고 지나갈 수 있는 Module도 있다.

좋은 Program의 기준: 이해하기 쉬운 Program

- **상수, 변수, 인수, 파일, 폴더, 매크로, 함수, Program** 등 모든 이름은 작업 내용을 알기 쉽게 함축적으로 표현한 이름이 좋다.
  - **좋은 매크로 이름의 예)** '폰트크기20빨간색굵게' 등
  - **좋은 함수 이름의 예)** 'SUM'
- 작업 내용을 알기 쉽게 함축적으로 표현한 좋은 이름은
- Program의 작성과 이해를 쉽게 하는 좋은 Program이 된다.
- **좋은 Program은 유지보수활동에 도움을 주고**
- **수정, 보완을 통해 계속해서 성장, 발전한다.**

10.2 컴퓨팅 사고력(Computational Thinking)

10.2.1 컴퓨팅 사고력(Computational Thinking)

'컴퓨팅 사고력'이라는 말은 1980년대 미국 MIT의 시모어 페퍼트(Seymour Papert) 교수가 처음 사용하였다. 그런데 본격적으로 주목받기 시작한 것은 2006년에 자넷 윙(Jeannette Wing) 교수의 논문 발표 이후이다. 사회가 발전하면서 컴퓨터와 관련된 사고과정에 관심이 많아졌기 때문이다.

'컴퓨팅 사고(CT ; Computational Thinking)'(Wing, 2006)는 컴퓨터 과학의 개념으로, 인간의 행동을 이해하면서 주어진 문제에 해답을 제시하고 이에 필요한 소프트웨어 시스템을 고안하는 방법과 과정을 지칭한다. 물론 컴퓨팅 사고력은 복잡한 문제나 과업을 해결할 때, 필요한 알고리즘 구성을 포함하고 있다.

알고리즘(Algorithm)

알고리즘은 특정한 문제를 해결하기 위해 진행되는 일련의 절차 혹은 단계(Diakopoulos, 2014)로 정의될 수 있다.

알고리즘은 세분화된 일련의 과정을 통해서 얻어진 결과를 바탕으로 높은 수준의 의사결정을 내릴 수 있게 한다.

그런데 왜 컴퓨팅 사고력이 기본적인 능력으로 중요하게 생각되는 것인가?

우리가 지금 살아가는 사회에서 인터넷이나 스마트 기기 등을 사용하는 것은 매우 자연스러운 일이다. 그리고 앞으로 살아갈 미래사회에서 이러한 스마트 기기나 사물인터넷, 웨어러블 기기 등 일상생활을 더욱 편리하게 해주는 컴퓨터 기기(IT기기, 디지털 기기)들은 더욱 많아질 것이다. 게다가 인공지능, 로봇, 무인 자동차, 증강현실과 가상현실, 빅 데이터 등 다양한 정보기술들이 우리의 생활에 더욱 더 가깝게 다가오게 된다. 이러한 것들은 모두 소프트웨어와 밀접한 관련이 있는 능력이다.

미래의 사회가 컴퓨터 융합(IT 융합기술) 소프트웨어 중심으로 빠르게 변화해 간다고 많은 사람들이 이야기한다. 앞으로 변화하는 사회에서 우리가 만나게 될 대부분의 문제가 컴퓨터 소프트웨어와 관련된 것이고, 이를 해결하기 위해서는 컴퓨팅 사고력을 활용해야 한다는 것

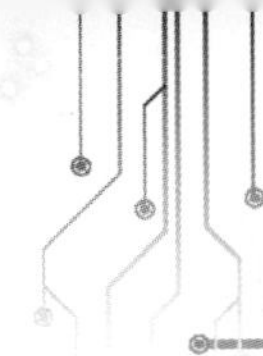

이다.

이러한 다양한 정보기술들과 그 변화의 중심에는 '소프트웨어'가 있다. 미래가 점차 소프트웨어 중심 사회로 바뀌어 가고 소프트웨어가 혁신과 성장, 가치 창출의 중심이 되어서 국가 경쟁력의 핵심이 될 것이라고 많은 전문가들이 예측하고 있다.

그래서 미래에는 우리가 가질 직업이나, 우리에게 요구하는 능력도 변화하게 된다. 지금까지는 읽고 쓰고 셈하는 것을 기본 능력으로 생각했지만 지금 현재와 미래의 융복합 시대에는 비판적 사고와 창의적인 능력, 정보기술(IT 혹은 ICT) 능력, 다양한 전공분야의 사람들과의 의사소통 능력과 협업 능력을 통한 종합적인 융복합 문제해결능력 등이 필요하다. 이러한 것들은 모두 소프트웨어를 만들어 가는 컴퓨팅 사고능력과 밀접한 관련이 있는 능력이다. 그래서 세계의 여러 나라들은 초. 중등학생들 부터 컴퓨팅 교육이나 컴퓨터과학을 필수로 교육하는 정책들을 이미 시행하고 있다. 우리나라도 이러한 흐름에 발맞추어서 '2015 개정 교육과정'을 통해 소프트웨어 교육을 필수로 하게 되었는데, 2018년부터 모든 중학교에서는 정보 교과 시간에 소프트웨어 교육을 필수로 배우게 되고 2019년부터는 초등학교 5, 6학년에서도 배우기 시작한다.

그렇다면 소프트웨어 교육에서 배우는 것은 무엇인가?

소프트웨어 교육은 '컴퓨터 과학의 기본적인 개념과 원리를 기반으로 다양한 문제를 창의적이고 효율적으로 해결하는 컴퓨팅 사고력(CT ; Computational Thinking)를 기르는 교육'을 의미한다.

컴퓨터의 워드프로세서 같은 응용프로그램의 단순한 사용법만 배우는 것이 아니라, 컴퓨터 과학(특히 소프트웨어 공학)의 기본적 개념과 원리를 활용해서 프로그램을 작성하는 과정처럼, 문제를 논리적, 창의적으로 해결하는 방법과 과정을 배우게 되는 것이다. 이때 문제를 해결하기 위한 도구로 프로그래밍 언어를 배우고, 간단한 프로그램을 만드는 프로그래밍을 배우는 것이다.

그런데 프로그래밍 과정을 코드(Code)를 짠다고 하여 코딩(Coding)이라고 때때로 부르기도 한다. 하지만 코딩을 배운다고 해서 우리 모두가 컴퓨터 프로그래머와 같은 전문 개발자가 되자는 것은 아니다. 그리고 **소프트웨어 교육이 단순히 코딩만 배우는 과정은 아니다.**

코딩은 단순하게 프로그래밍 언어의 문법만을 가르치는 것이 중요한 것이 아니라, 문제를 해결하기 위한 정확한 알고리즘을 만드는 과정이 중요하고, 알고리즘을 만드는 과정에서 중

요한 것은 컴퓨팅 사고력을 기르는 것이고, 코딩은 컴퓨팅 사고력을 기르기 위한 활동의 일부라는 점이다. 일단 알고리즘이 만들어지면, 블록을 조립하듯이 쉬운 언어를 사용한, 쉬운 코딩 방식으로 문제해결을 하는 시대로 변화해가고 있다는 것이다.

그렇다면 컴퓨팅 사고(CT ; Computational Thinking)는 무엇인가? 글자 그대로 이해해서 "**컴퓨터처럼 생각하는 능력"이라고 오해하면 안 된다.** 우리가 알파고(컴퓨터 프로그램) 자체가 될 필요는 없는 것이다. 결국 알파고라는 창의적이고, 논리적인 컴퓨터 프로그램을 만든 것은 컴퓨터 과학자, 사람들의 생각이다.

컴퓨팅 사고력은 "알파고처럼 우수한 컴퓨터 프로그램을 만드는 **컴퓨터 과학자(사람)처럼 창의적이고, 논리적으로 생각하여 문제를 해결하는 능력**"이다.

컴퓨터 과학자(사람)의 입장에서 **컴퓨팅 사고력은 문제를 바라보고, 이해하고, 해결하는 방법을 탐색하는 창의적인 사고능력**이다.

그래서 **컴퓨팅 사고능력은 컴퓨터보다는, 사람이 사고(생각)하는 과정에 더 중점**을 두는 것이 특징이라고 할 수 있다.

조금 더 자세히 살펴보면 **컴퓨팅 사고의 과정은 1) 해결하고자 하는 문제를 '추상화'하는 시스템 분석 과정과, 2) 해결 방법을 '자동화'하는 일반적인 프로그래밍 과정으로 크게 대별할 수 있다. 이때 컴퓨팅 사고력의 4가지 주요 요소 중에서 추상화와 분해(문제 분할)는 시스템 분석 과정에 속하고, 알고리즘의 작성과 프로그래밍 패턴은 프로그래밍 과정에 속한다고 할 수 있다.**

문제를 '추상화'하는 과정은 현실의 문제를 이해하고, 분석하고, 해결 방법을 생각하는 과정에서 중요하고 본질적인 부분을 찾아내는 것이다. 또한 일반화와 특수화의 과정을 통해서 문제를 해결하기 쉽도록 작은 단위로 분해(문제 분할)하고, 작은 단위, 각각의 해결 방법을 차근차근 생각하여 전체적인 문제 해결방법을 쉽게 찾아나가는 과정이다. 이 과정을 시스템 분석과정이라 한다.

시스템 분석(추상화와 문제 분할)과정에서 해결해야할 문제를 정의하고, 해결 방법을 구상했다면, **해결 방법을 '자동화'하는 과정은 프로그래밍과정이라 할 수 있는데 여기에서는 2가지의 단계가 있다.**

그 첫 번째 단계가 아주 효율적이고 정확한 결과를 얻어내는 알고리즘(문제 해결 방법)을 작성하는 과정이다.

그 두 번째 단계가 완성된 알고리즘대로 컴퓨터가 동작하도록 코딩(특정한 프로그래밍 언

어로 옮겨주는)하는 과정 이다. 이때 자주 사용되는 프로그래밍 패턴도 이러한 복잡한 문제를 해결하는 과정에서 필수적으로 사용되는 능력이다.

이때 프로그램을 실제로 직접 작성하고 동작시키면서 문제를 해결하기도 하지만 이미 개발되어 있는 프로그램이라 할 수 있는 외부의 라이브러리(음성합성 모듈, 가상현실 모듈, 생체인식 모듈, 등)를 결합하여 해결 방법을 찾아 간다. 그래서 문제 해결 과정에서 컴퓨터 과학(특히 소프트웨어 공학)의 개념과 원리의 적용, 외부 개발자들이 만든 기존의 외부 기술들에 대한 이해와 활용도 매우 중요하다.

이렇게 **해결하고자 하는 문제를 '추상화'하는 시스템 분석 과정과, 해결 방법을 '자동화'하는 일반적인 프로그래밍 과정에서 사용하는 다양한 사고 과정들을 통틀어 '컴퓨팅 사고력'이라고 한다.**

이때 문제를 바라보고, 이해하고, 해결 방법을 탐색하는 사고력이라 할 수 있는 추상화, 분해(문제 분할), 알고리즘, 프로그래밍 패턴 등 컴퓨팅 사고력의 4가지 주요 요소들이 이러한 복잡한 문제를 해결하는 과정에서 중요하게 사용되는 능력이다.

컴퓨팅 사고력(Computational Thinking)은 컴퓨터가 문제를 해결하는 방식(프로그램)처럼 복잡한 문제를 추상화 과정을 통해서, 단순화하고 이를 논리적, 효율적으로 해결하는 능력을 말한다.

컴퓨터의 소프트웨어(프로그램)를 활용하여 일상생활의 많은 문제들을 해결해 나가는 것처럼, 컴퓨터의 소프트웨어(프로그램)와 같은 논리적, 과학적 방식으로 문제 해결방법을 찾아 가는 컴퓨팅 사고력을 기르면 우리가 실생활에서 겪는 여러 가지 복잡한 문제를 효율적으로 해결할 수 있기 때문이다.

그래서 컴퓨팅 사고력은 문제 해결 과정에서 기존의 프로그래밍(컴퓨터의 프로그램을 만들어 나가는 과정) 기법 속에 이미 포함되어 발전해온 컴퓨터 과학(특히 소프트웨어 공학)의 개념과 원리의 적용, 외부 개발자들이 만든 기존의 외부 기술들을 활용하여 논리적이고 합리적인 방법으로 알고리즘을 만들어 나가는 능력을 말한다.

기존의 프로그래밍 기법 속에서 발전된 컴퓨터 과학의 또 다른 개념과 원리를 예시하면, 미국의 컴퓨터교사협의회인 CSTA (Computer Science Teachers Association)에서는 컴퓨팅 사고력의 요소로 데이터 수집, 데이터 분석, 데이터 표현, 문제 분할, 추상화, 알고리즘 및 프로시져, 자동화, 시뮬레이션 및 병렬화를 제시하고 있다. 컴퓨팅 사고를 통하여 문제를 해결할 때 이러한 모든 요소를 반드시 포함해야 하는 것은 아니며 순서대로 진행해야 하는 것도 아니다.

4차 산업혁명의 시대에 컴퓨터를 활용하여 많은 문제들을 효과적으로 해결해 나가는 것처럼, 컴퓨팅 사고력은 문제 해결 과정에서 컴퓨터 과학(특히 소프트웨어 공학)의 개념과 원리를 활용한다.

예를 들어, 크고 복잡한 문제를 추상화 과정과, 분해(문제 분할)하여 단순화하거나, 여러 가지 일들을 묶어서 처리하거나, 여러 가지 일 중에서 우선순위를 정하여 순서대로 처리하는 등의 문제를 해결하는 과정과 원리를 익혀서 실생활에서 자신이 해야 할 복잡한 일들을 효율적으로 처리하는 능력을 기를 수 있다.

그리고 컴퓨팅 사고력은 컴퓨터로 문제를 해결하는 과정에서 컴퓨터가 프로그램을 실행해 나가는 방법과 과정보다는, 사람이 문제해결을 위해 창의적, 논리적, 종합적으로 사고하는 방법과 과정에 중점을 두는 것이 특징이라고 할 수 있다.

빠르게 변하고 복잡해지는 미래 사회에서 컴퓨팅 사고력은 모든 사람들이 갖추어야 할 능력으로 인정받고 있다. 이렇게 컴퓨팅 사고력을 키우면 창의적 능력, 문제해결 능력, 다양한 전공분야를 융복합화하는 종합적 사고능력 등도 함께 키울 수 있기 때문에 일상생활의 여러 가지 분야뿐만 아니라 다양한 전공분야에서, 문제를 효율적으로 해결해 나갈 수 있다.

10.2.2 IT 융합 능력을 위해 창의적으로 사고하는 컴퓨팅 사고력

컴퓨팅 사고력(Computational Thinking)은 컴퓨터가 문제를 해결하는 방식처럼 복잡한 문제를 단순화하고 이를 논리적, 효율적으로 해결하는 능력을 말한다.

컴퓨터처럼 과학적으로 사고하는 능력을 기르면 우리가 현실생활에서 겪는 여러 가지 문제들을 컴퓨터 프로그램이 일을 처리하는 것처럼 논리적으로 해결할 수 있다. 예를 들어, 컴퓨터가 자료를 정리하는 방법과 우리가 책장의 책을 정리하는 방법을 비교하여 생각해 보면, 컴퓨터가 자료를 정리하기 위하여 사용하는 논리를 참고하여, 일상생활에서의 사람의 책 정리 방식에도 적용하여, 책장에 책을 어떻게 하면 쉽게 정리할 수 있는지, 어떤 순서로 정리할 수 있는지 생각해서 좀 더 효율적인 방법을 찾아 나갈 수 있다. 또한 컴퓨터가 여러 가지 일들을 묶어서 처리하거나, 우선순위를 정하여 순서대로 처리하는 원리를 배워서 실생활에서 우리가 해야 할 일들을 효율적으로 처리하는 능력을 기를 수 있다.

컴퓨팅 사고력(Computational Thinking)은 컴퓨터처럼 과학적, 종합적, 창의적으로 생각하는 사고력으로서 빠르게 변하고 복잡해지는 미래 사회에서 모든 사람들이 갖추어야 할 필수적인 능력으로 자리 잡아 가고 있다. 이렇게 컴퓨팅 사고능력을 키우면 창의력, 문제해결능력, 종합적인 사고능력 등도 함께 키울 수 있기 때문에 일상생활에서 일어나는 여러 가지 문제를 효율적으로 해결해 나갈 수 있다.

컴퓨팅 사고력(Computational Thinking)은 컴퓨터 프로그램과 소프트웨어 개발에서 사용하는 원리와 방식을 적용하여 실생활 속에서 일어나는 여러 가지 문제들을 효율적으로 해결하기 위하여 마치 프로그래밍 하는 것처럼 생각하는 사고력을 말한다.

그러므로 컴퓨팅 사고력(Computational Thinking)은 문제 상황의 핵심 원리를 찾아내 이를 재구성하고 순서도를 만들고 의사코드를 작성하여 문제해결 방식을 정형화하여 논리적으로 쉽게 해결하는 방식이다.

따라서 컴퓨팅 사고력(Computational Thinking) 속에는 해결하려는 문제와 관련된 데이터를 모으고 수집하여 조작하기, 문제를 구조화하고 추상화하기, 큰 문제를 작은 문제들로 쪼개기, 순서에 따라 작은 문제들의 해결을 자동화하기 등이 포함된다. 이 과정에서 디지털시대에 필요한 창의력, 문제해결능력, 종합적인 사고능력 등을 기를 수 있다.

이러한 컴퓨팅 사고력(Computational Thinking)을 기르고, 나아가 좋은 프로그램을 잘 작성하기 위해서는 첫째, 관심 분야의 우수한 예제 프로그램들을 많이 찾아보고 둘째, 프로그램의 전체적, 구조적인 논리와 흐름을 이해하려고 노력하고 셋째, 많은 프로그램을 직접 작성해 보는 것이라 할 수 있다.

첫째, 관심 분야의 우수한 예제 프로그램들을 많이 찾아보아야 한다(Benchmarking)

① 모범사례 분석(Best Practice Analysis) : 관심 분야의 우수한 프로그램들을 비교 대상으로 삼아 자신의 프로그램 속에 도입할 수 있도록 우수한 요인들을 찾아내고자 하는 벤치마킹 방법.

② 스왓 분석(SWOT Analysis) : 관심 분야의 기존 프로그램들을 비교 대상으로 삼아 강점(Strengths), 약점(Weakness), 기회(Opportunities), 위협(Threats)으로 작용할 수 있는 요인들을 도출하려는 벤치마킹 방법.

둘째, 프로그램의 전체적, 구조적인 논리와 흐름을 이해하려고 노력하고

셋째, 많은 프로그램을 직접 작성해 보는 것이라 할 수 있다.

10.3 Visual Basic 기초 Program

➢ 10.3 Visual Basic 기초 Program

➢ 10.3 Visual Basic 기초 Program
- ➢ 기본적인 본질기능(사칙연산)을 추상화, 단순화한 계산기
- ➢10.3.1 Label, TextBox, Button을 이용한 사칙연산계산기1
  - ➢A2 간단한 사칙연산계산기 시연
  - ➢의사코드(알고리즘의 표현방법중 하나) 만들기
  - ➢의사코드를 사용하여 화면 디자인하는 과정
  - ➢의사코드와 화면을사용하여 논리 작동과정 정리
  - ➢의사코드, 화면을 이용하여 흐름도(Flow Chart) 작성
  - ➢작업1: 객체 만들기(화면 디자인 그대로 만든다)
  - ➢작업2: 속성 수정하기
    - ➢1)속성 창에서 속성을 수정하는(정적인) 방법
  - ➢작업3: 소스코드(Source Code) 작성하기
  - ➢Event 기반 Programming(EDP, Event-Driven Program.)
  - ➢디버깅(Debugging)과 빌드(Build)
  - ➢자료(Data)형식(형태와 크기) 지정
  - ➢솔루션 이름 지정하고 모두 저장

➢ 의사코드(알고리즘의 표현방법중 하나) 만들기
➢ 1.Program의 논리적 작동과정을 정리하여
➢ 2.Program에서 사용할 화면 디자인을 구상

- ➢ 1) 2 개의 숫자, 입력값1 과 입력값2 를
- ➢ TextBox1, 2에서 각각 입력 받아서
- ➢ 2)
- ➢ [+] 버튼 을 누르면 : 덧셈을 수행하고
- ➢ TextBox3에, 1 개의 숫자, 결과값을 출력한다.
- ➢ [-] 버튼 을 누르면 : 뺄셈을 수행하고
- ➢ TextBox3에, 1 개의 숫자, 결과값을 출력한다.
- ➢ [*] 버튼 을 누르면 : 곱셈을 수행하고
- ➢ TextBox3에, 1 개의 숫자, 결과값을 출력한다.
- ➢ [/] 버튼 을 누르면 : 나눗셈을 수행하고
- ➢ TextBox3에, 1 개의 숫자, 결과값을 출력한다.

➢ 의사코드 만들기
➢ 1. Program의 논리적 작동과정을 정리하면서
➢ 2. Program에서 필요한 변수 생각하기

- ➢ 1) 사칙연산계산기Program에서 필요한 변수 생각하기
  - ➢ 입력변수2개, 출력변수1개 필요
- ➢ 2) 입력변수 이름 정하기: 입력값1 입력값2
- ➢ 3) 출력변수 이름 정하기: 결과값
- ➢ 4) 화면 디자인에 필요한 객체와 개수 결정하기
  - ➢ 폼 1개 + (변수이름을 표기할)라벨 3개
  - ➢ + (입력변수2개를 입력 받고,
  - ➢ 출력변수1개를 출력할)텍스트박스 3개
  - ➢ + (사칙연산기호를 표기할)버튼 4개를 배치.
- ➢ 5) 라벨과 버튼의 이름은 속성 창의 'Text' 속성에서 수정하여 변경한다.

➢ 의사코드를 사용하여 화면 디자인하는 과정

- ➢ 1)사칙연산계산기 Program에서 필요한 변수 생각하기
  - ➢ 입력변수2개, 출력변수1개 필요
- ➢ 2) 입력변수 이름 정하기: 입력값1 입력값2
- ➢ 3) 출력변수 이름 정하기: 결과값
- ➢ 4) 화면 디자인에 필요한 객체와 개수 결정하기
  - ➢ 폼 1개 + (변수이름을 표기할)라벨 3개
  - ➢ + (입력변수2개를 입력 받고, 출력변수1개를 출력할) 텍스트박스 3개
  - ➢ + (사칙연산기호를 표기할)버튼 4개를 배치.
- ➢ 5) 라벨과 버튼의 이름은 속성 창의 'Text'에서 수정 하여 변경

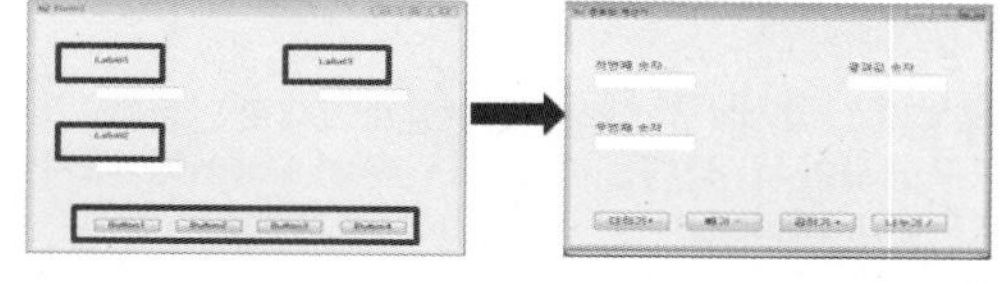

➢ 의사코드와 화면을사용하여 논리작동과정 정리

- ➢ 1) 입력값1와 입력값2를 TextBox1, 2에서 입력 받아서
- ➢ 2) [+] 버튼 을 누르면 : 덧셈을 수행하고
- ➢ [-] 버튼 을 누르면 : 뺄셈을 수행하고
- ➢ [*] 버튼 을 누르면 : 곱셈을 수행하고
- ➢ [/] 버튼 을 누르면 : 나눗셈을 수행하고
- ➢ 3) 결과값을 출력한다.

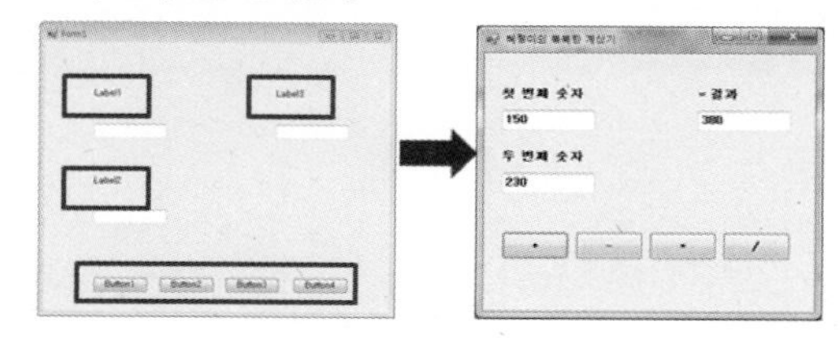

➢ 의사코드, 화면을 이용하여 흐름도(Flow Chart) 작성

Detail(Subprogram, Module, Function, Logic) Flow chart: 상세논리 흐름도

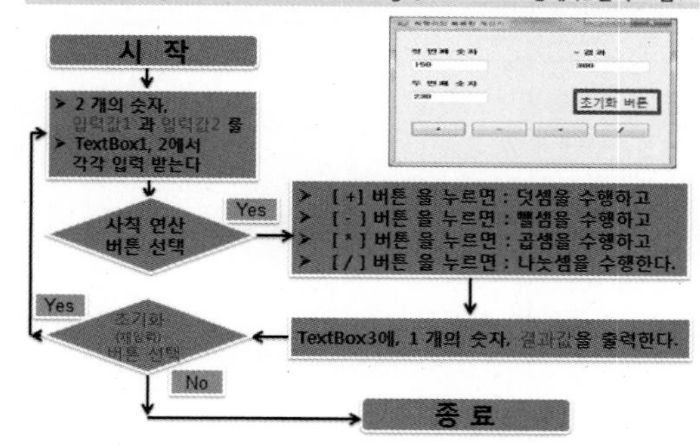

➤ Visual Studio 시작하기

➤ 바로 가기 아이콘을 이용해 실행
➤ ❶ 바탕 화면의 Visual Studio
➤ 바로 가기 아이콘
➤ 더블 클릭

➤ 시작 메뉴를 이용해 실행
➤ ❷ 시작 메뉴: <시작>-
➤ [모든 Program]-
➤ [MS Visual Studio 2015]-
➤ [Visual Basic] 클릭

➤ 시작페이지 창이 열리면 파일 –새로 만들기 –프로젝트 선택 후
➤ 새 프로젝트 대화상자 창이 열리면
➤ Windows Forms 응용 Program을 선택한다.
➤ 만약 다른 언어의 종류가 선택되어져 있으면(예: Visual C++)
➤'다른 언어' 에서 'Visual Basic '을 선택하고
➤ 파일이름,위치(경로),솔루션이름을 자세하게 지정한 후 <확인>

Program 첫 화면에 폼(Form)창이 나타난다

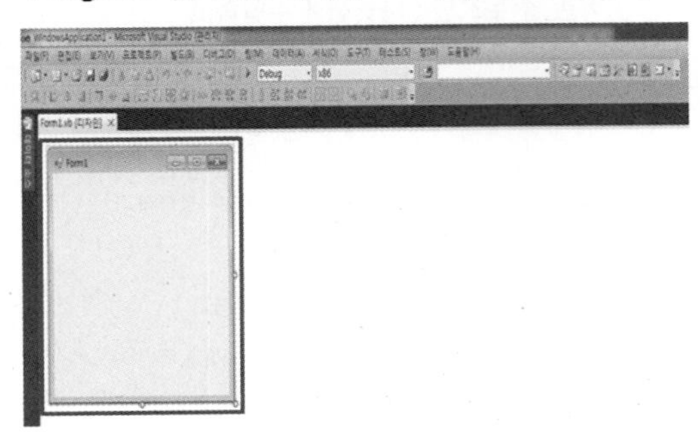

➤ 10.3 Visual Basic 기초 Program

➤ 10.3 Visual Basic 기초 Program
➤ 기본적인 본질기능(사칙연산)을 추상화, 단순화한 계산기
➤10.3.1 Label, TextBox, Button을 이용한 사칙연산계산기1
➤A2 간단한 사칙연산계산기 시연
➤의사코드(알고리즘의 표현방법중 하나) 만들기
➤의사코드를 사용하여 화면 디자인하는 과정
➤의사코드와 화면을사용하여 논리 작동과정 정리
➤의사코드, 화면을 이용하여 흐름도(Flow Chart) 작성
➤작업1: 객체 만들기(화면 디자인 그대로 만든다)
➤작업2: 속성 수정하기
➤1)속성 창에서 속성을 수정하는(정적인) 방법
➤작업3: 소스코드(Source Code) 작성하기
➤Event 기반 Programming(EDP, Event-Driven Program.)
➤디버깅(Debugging)과 빌드(Build)
➤자료(Data)형식(형태와 크기) 지정
➤솔루션 이름 지정하고 모두 저장

작업1: 객체 만들기(화면설계 그대로 만든다)
도구상자에서 객체를 더블 클릭하여 Form에 배치

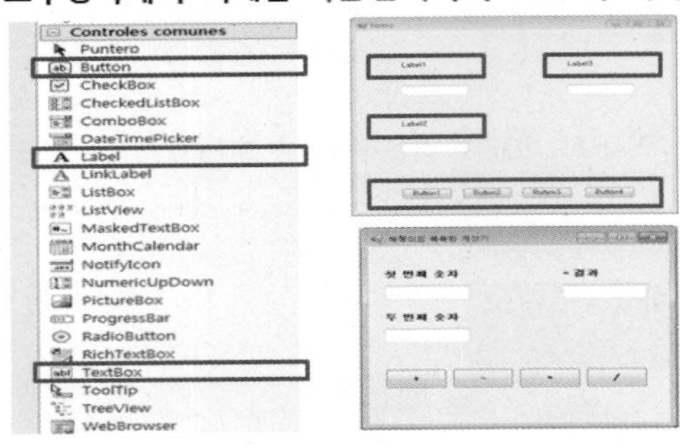

도구상자에서 객체를 더블 클릭하여 Form에 배치

➤ Label 3개 필요하므로
➤ 더블클릭 3번
➤ TextBox 3개 필요하므로
➤ 더블클릭 3번
➤ Button 4개 필요하므로
➤ 더블클릭 4번

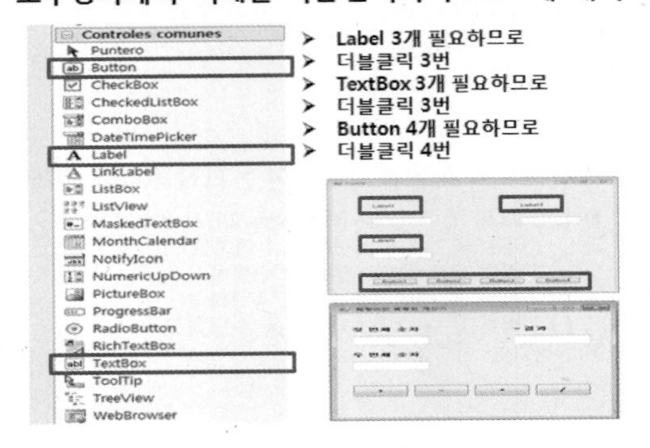

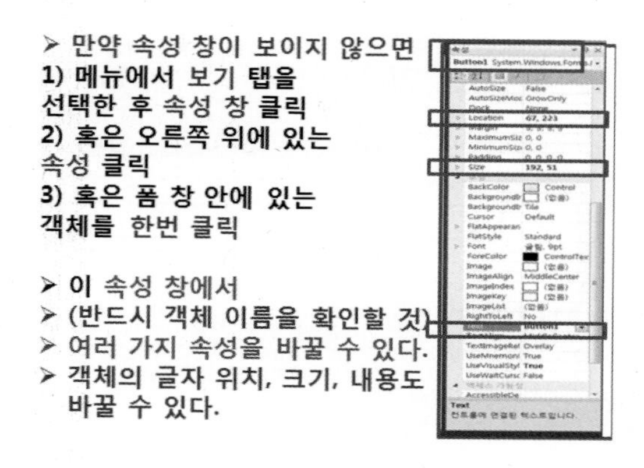

➢ 만약 속성 창이 보이지 않으면
1) 메뉴에서 보기 탭을 선택한 후 속성 창 클릭
2) 혹은 오른쪽 위에 있는 속성 클릭
3) 혹은 폼 창 안에 있는 객체를 한번 클릭

➢ 이 속성 창에서
➢ (반드시 객체 이름을 확인할 것)
➢ 여러 가지 속성을 바꿀 수 있다.
➢ 객체의 글자 위치, 크기, 내용도 바꿀 수 있다.

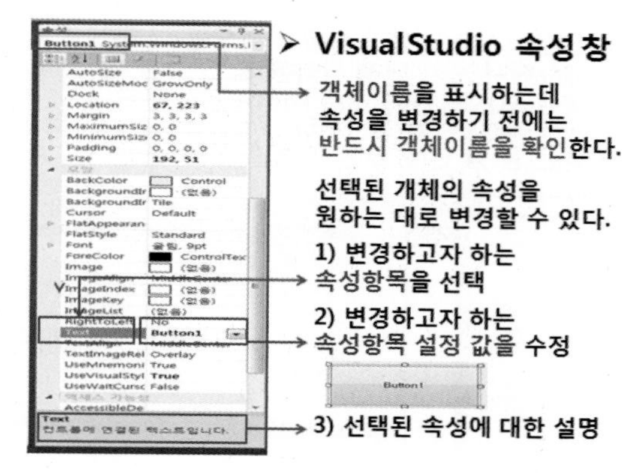

➢ **VisualStudio 속성창**

객체이름을 표시하는데 속성을 변경하기 전에는 반드시 객체이름을 확인한다.

선택된 개체의 속성을 원하는 대로 변경할 수 있다.
1) 변경하고자 하는 속성항목을 선택
2) 변경하고자 하는 속성항목 설정 값을 수정
3) 선택된 속성에 대한 설명

작업2: 속성 수정하기

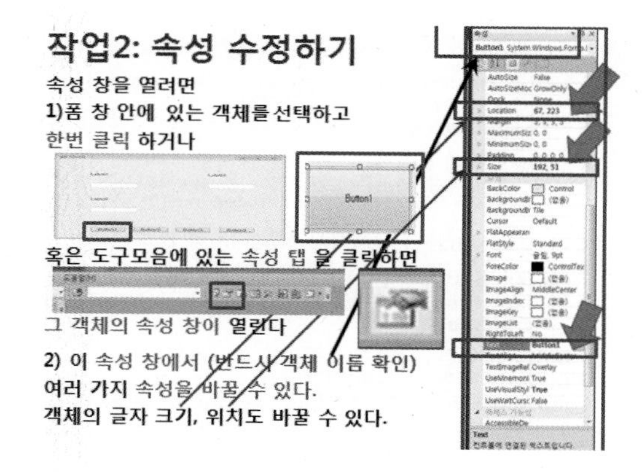

속성 창을 열려면
1)폼 창 안에 있는 객체를 선택하고 한번 클릭 하거나
혹은 도구모음에 있는 속성 탭을 클릭하면
그 객체의 속성 창이 열린다
2) 이 속성 창에서 (반드시 객체 이름 확인)
여러 가지 속성을 바꿀 수 있다.
객체의 글자 크기, 위치도 바꿀 수 있다.

➢ 속성창에서 속성을 수정하여 **화면 내용을 변경**

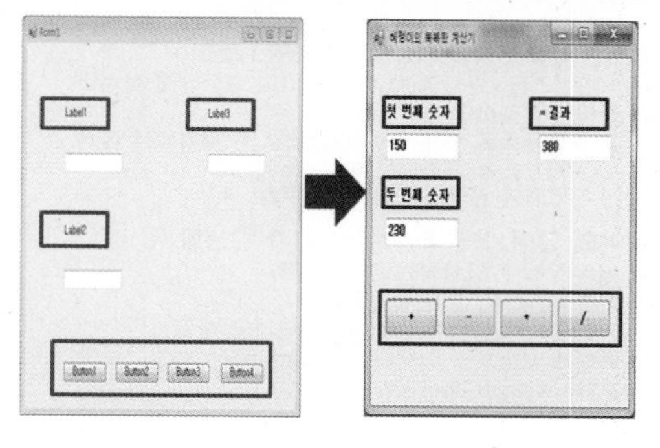

화면(Form)내용 변경(방법1: 속성 창에서 수정)

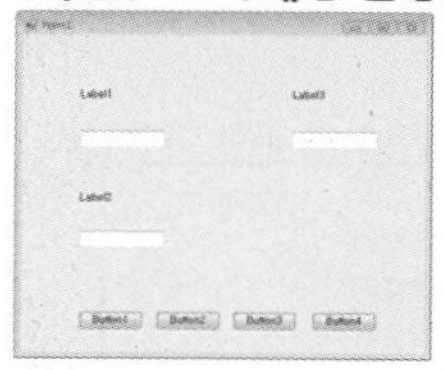

➢ Form1 화면에서
➢ 객체를 한번 클릭하여
➢ 그 객체의 속성 창을 열고
➢ 속성 창의 Text 속성에서
➢ 이름을 수정한다.

Con객체	속성	속성값
Form1	Text	혜정이의 똑똑한 계산기
Label1	Text	첫 번째 숫자
Label2	Text	두 번째 숫자
Label3	Text	= 결과
TextBox1	Text	(빈칸)
TextBox2	Text	(빈칸)
TextBox3	Text	(빈칸)
	Back Color	&H00C0FFC0&
Button1	Text	+
Button2	Text	-
Button3	Text	*
Button4	Text	/
Button5	Text	지우기

작업3: 소스코드(Source Code) 작성하기

버튼(Button1)객체를 클릭할 때 자동실행되는 **Event Procedure**
Button1객체(+)를 더블 클릭 하여
소스코드 창을 열고, 코드를 작성 혹은 수정할 수 있다.

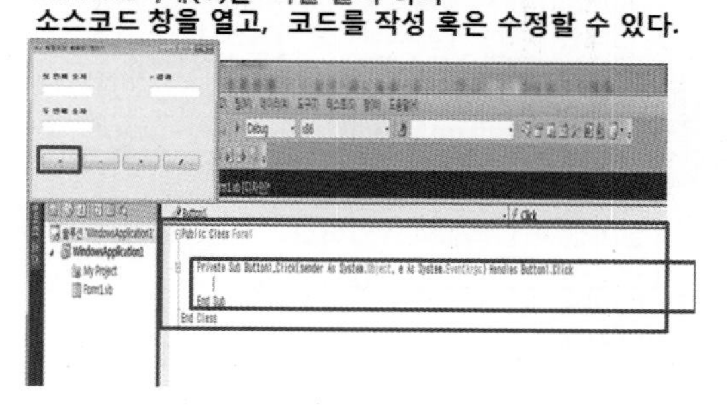

➢ 만약 소스코드 창이 보이지 않으면
1) 메뉴에서 보기 탭을 선택한 후 코드 클릭
2) 혹은 오른쪽 위에 있는 Form1_vb* 클릭
& Form1_vb(디자인):화면)과 Form1_vb*(소스코드)를 자유 왕래
3) 혹은 폼 창 안에 있는 객체를 더블 클릭

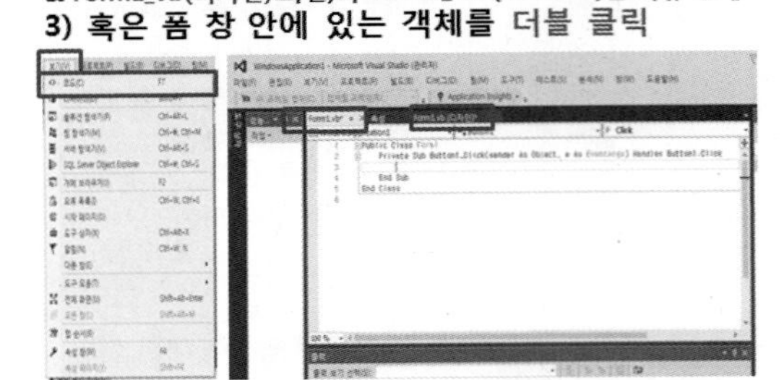

➢소스코드 입력 창:(Button1(+)객체를 더블클릭)

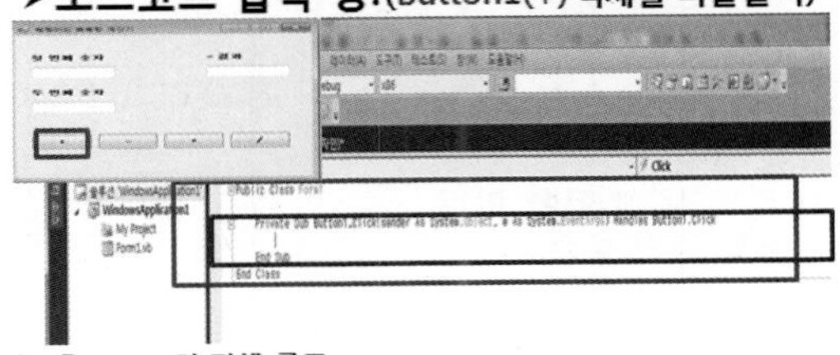

➢ Program의 전체 구조
➢ Class Form1 ' Form1 이라는 클래스의 시작을 선언
  ➢ Sub Button1_Click '서브 Program(함수)의 시작을 선언
  ➢ End Sub '서브 Program(함수)의 종료를 선언
➢ End Class ' 클래스의 종료를 선언
➢ Public : 다른 Program들에게 공개하는 것을 원칙으로 하는 Program 선언
➢ Private :다른 Program들에게 비 공개하는 것을 원칙으로 하는 Program 선언

➢ Event 기반 Programming(EDP, Event-Driven P.)

➢ 이벤트(Event) :
➢ 어떤 반응(동작과 기능)을 유발하는 사건
  ➢마우스를 클릭할 때 어떤 명령이 실행되게 하려면
  ➢어떻게 해야 할까?
    ➢마우스를 언제 클릭할지는 알 수 없기 때문에
    ➢마우스가 클릭되는 바로 그 때
    명령이 실행되도록 해야 한다.

➢이와 같이 어떤 Event(신호)가 발생할 때
  ➢(마우스가 클릭되는 바로 그 때)
  ➢Program을 실행하는 것을
  ➢Event 기반의 Programming이라고 하고
  ➢이때 자동으로 실행되는 Program을
  ➢Event Procedure 라고 한다.

➢ Visual Basic의 특징: 이벤트 기반Programming

➢ 이벤트 기반 Programming(EDP, Event-Driven Programming)
  ➢ 어떤 이벤트(Event)가 발생할 때, 이것을 처리하는
  ➢ Event Procedure(작은 Program)가 호출되어 자동으로 실행.

➢ 예 1: 현실의 세계
  ➢ 고객님께서(객체) 현관문 앞에 서면 (Event:특정사건 발생)
  ➢ 현관문이 자동으로 열린다(Event Procedure:특정동작 실행)

➢ 예 2: (Visual Basic) 객체지향 Program의 세계
  ➢예) Sub Button1_Click
  ➢ ....Program 내용......
  ➢ End Sub
  ➢Button1 버튼 객체가 클릭되면 (Event)
  ➢Button1 버튼 객체와 연결된
  ➢Button1_Click 속에 포함된........Program 내용......
  ➢동작이 자동으로 실행된다.(Event Procedure)

이벤트 기반 Programming(EDP, Event-Driven P.)

➢Event가 발생하면
  ➢Button1 버튼 객체가 클릭되면 (Event)
  ➢연결된 Event Procedure 를 시작한다.
  ➢(Button1_Click Sub Program)을 시작한다.

```
Private Class Form1 ' 이하 중략 Class변수(Form변수)
Private Sub Button1_Click ' Button1 이벤트 프로시저)
    입력값1 = TextBox1.Text '변수값 입력 부분
    입력값2 = TextBox2.Text
    결과값 = 입력값1 + 입력값2 '변수값 계산 부분
    TextBox3.Text = 결과값 '변수값 출력
End Sub
End Class
```

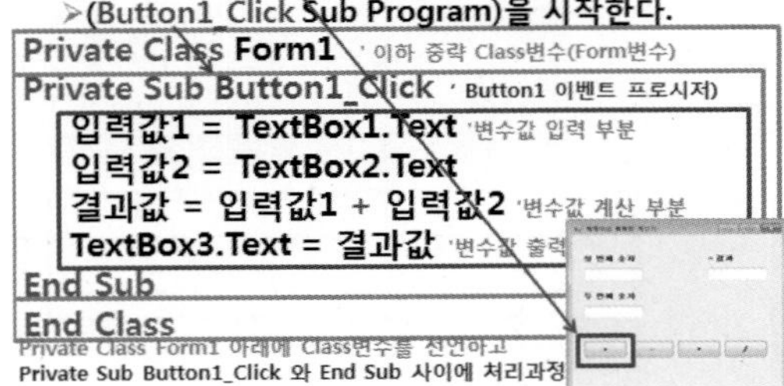

Private Class Form1 아래에 Class변수를 선언하고
Private Sub Button1_Click 와 End Sub 사이에 처리과정

변수의 선언과 자료(Data)형식

➢변수:
  ➢임의의 값을 저장하거나,
  ➢이미 저장되어 있는 값을 읽어오기 위한 기억장소

➢형식:

```
Dim 입력값1 As Integer
Dim 입력값2 As Integer
Dim 결과값 As Integer
```

➢설명:
변수 선언자 변수이름(한글) As 변수의 자료형식

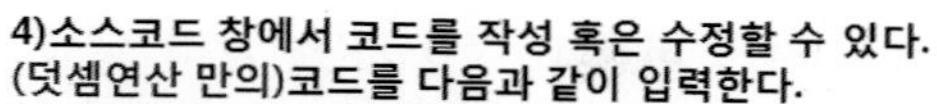
4)소스코드 창에서 코드를 작성 혹은 수정할 수 있다.
(덧셈연산 만의)코드를 다음과 같이 입력한다.
(소스코드 Form1.vb* 화면디자인 Form1.vb디자인)

➤ 의사코드, 화면을 이용하여 흐름도(Flow Chart) 작성
Detail(Subprogram, Module, Function, Logic) Flow chart: 상세혹은논리 흐름도

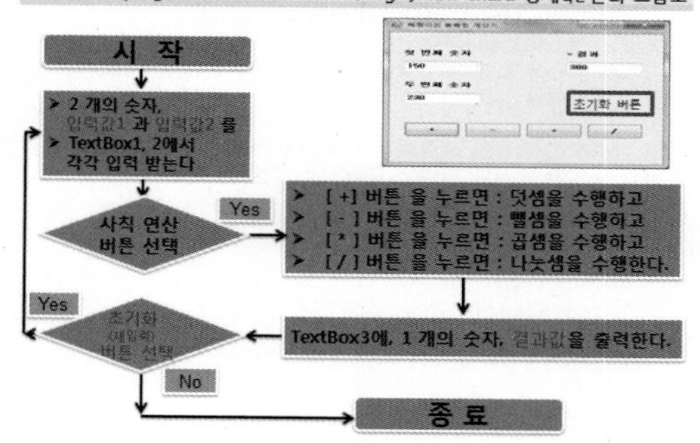

4)소스코드 창에서 코드를 작성 혹은 수정할 수 있다.
(덧셈연산 만의)코드를 다음과 같이 입력한다.
(소스코드 Form1.vb* 화면디자인 Form1.vb디자인)

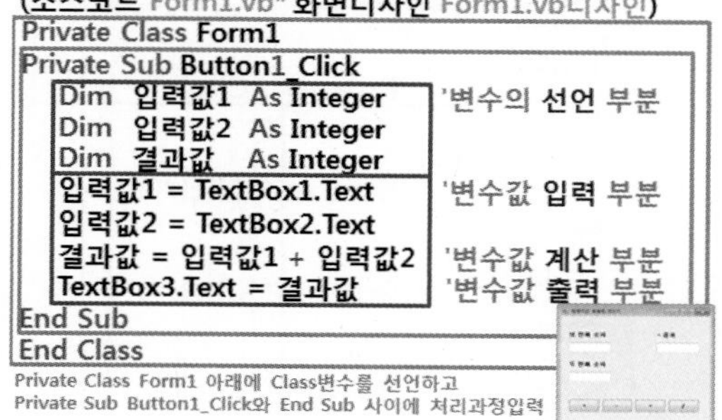

5)소스코드 뒤에 ' 를 넣어 주면 실행과는 무관한 주석
(Remark: 소스코드를 설명하는 부분)을 작성할 수 있다.
' 를 입력하고 주석을 입력하면 색상이 녹색으로 변한다.

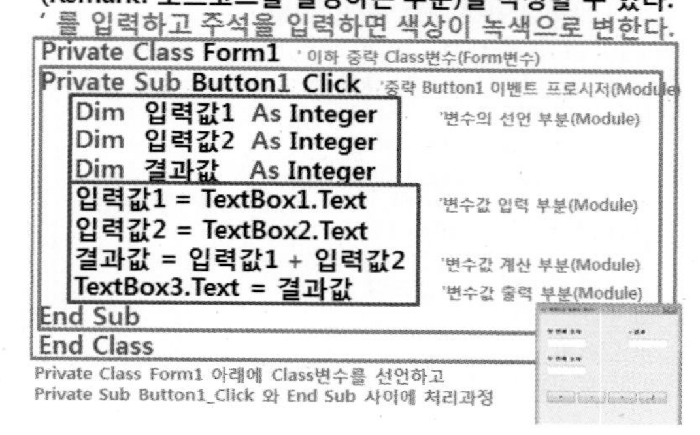

➤ 고급 언어의 번역(Compile)과 실행 절차

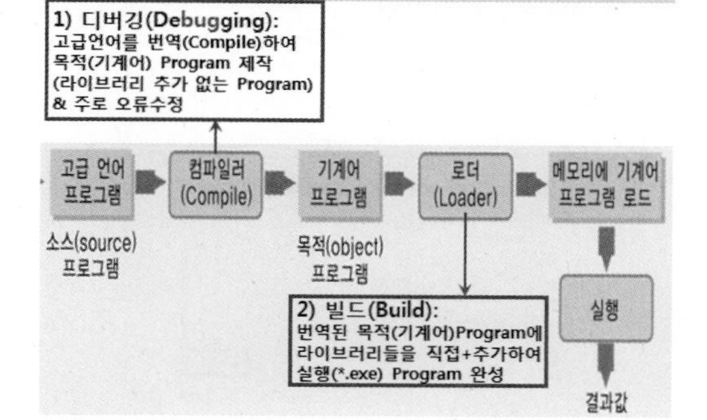

➤ 고급 언어의 번역(Compile)과 실행 절차

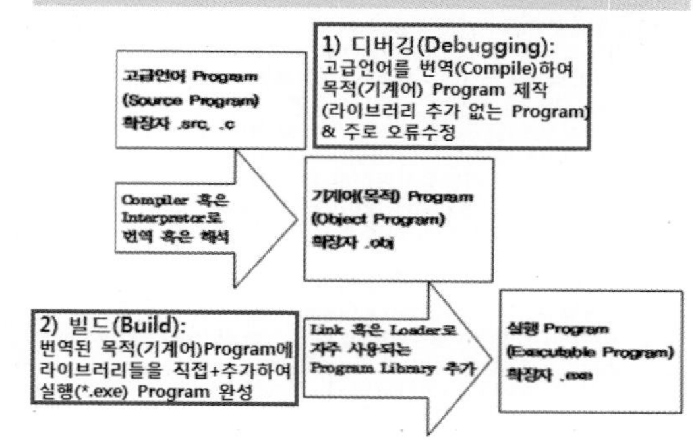

➢ 디버깅(Debugging)과 빌드(Build)

➢ 디버깅(Debugging): 컴파일과 오류수정 및 실행.
컴파일은 소스코드를 번역하여 목적파일로 바꾸는 과정으로 외부 라이브러리 등을 호출하면 실행파일(*.exe)이 생성되지 않는다. 주로 오류수정을 행한다.
➢ 빌드(Build):
외부 라이브러리 등을 호출해도 실행파일(*.exe)이 생성된다. 실행과 빌드를 동시에 하려면 주로 'F5 키'를 사용한다.

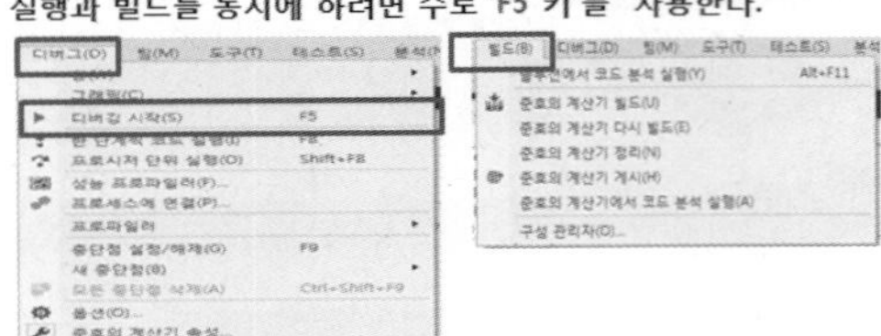

디버깅 시작 버튼 혹은 'F5 키'를 눌러 실행

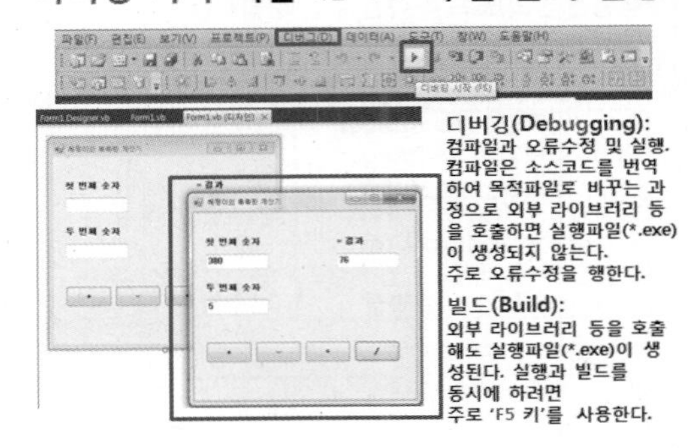

디버깅(Debugging):
컴파일과 오류수정 및 실행.
컴파일은 소스코드를 번역하여 목적파일로 바꾸는 과정으로 외부 라이브러리 등을 호출하면 실행파일(*.exe)이 생성되지 않는다.
주로 오류수정을 행한다.
빌드(Build):
외부 라이브러리 등을 호출해도 실행파일(*.exe)이 생성된다. 실행과 빌드를 동시에 하려면
주로 'F5 키'를 사용한다.

6)소스코드 창에서 코드를 작성 혹은 수정할 수 있다.
Private Sub 와 End Sub 사이에 (덧셈연산=>사칙연산) 코드를 다음과 같이 수정 한다. Button1,2,3,4 +-*/

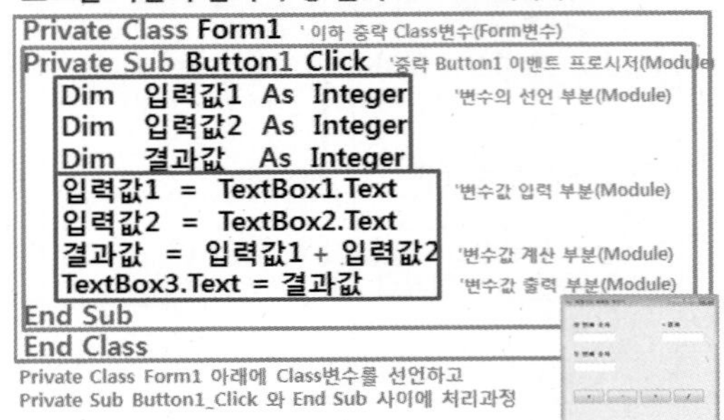

```
Private Class Form1  ' 이하 중략 Class변수(Form변수)
Private Sub Button1 Click  '중략 Button1 이벤트 프로시저(Module)
  Dim 입력값1 As Integer    '변수의 선언 부분(Module)
  Dim 입력값2 As Integer
  Dim 결과값 As Integer
  입력값1 = TextBox1.Text    '변수값 입력 부분(Module)
  입력값2 = TextBox2.Text
  결과값 = 입력값1 + 입력값2   '변수값 계산 부분(Module)
  TextBox3.Text = 결과값     '변수값 출력 부분(Module)
End Sub
End Class
```

Private Class Form1 아래에 Class변수를 선언하고
Private Sub Button1_Click 와 End Sub 사이에 처리과정

Sub Button1_Click 부분(청색사각부분)을 복사하여 버튼이름과 사칙연산기호 를 수정

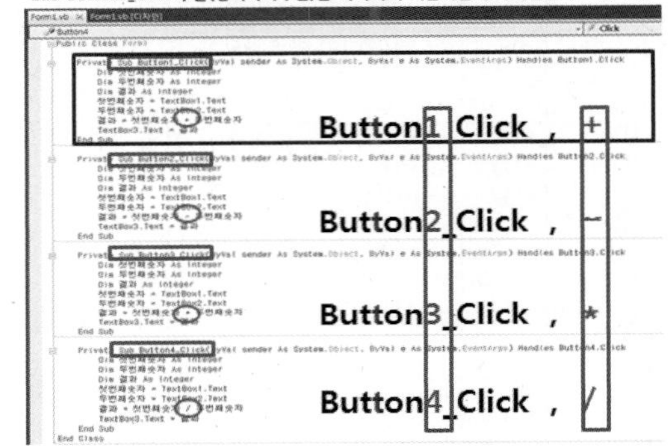

➢ 10.3 Visual Basic 기초 Program

➢ 10.3 Visual Basic 기초 Program
- ➢ 기본적인 본질기능(사칙연산)을 추상화, 단순화한 계산기
- ➢10.3.1 Label, TextBox, Button을 이용한 사칙연산계산기1
  - ➢A2 간단한 사칙연산계산기 시연
  - ➢의사코드(알고리즘의 표현방법중 하나) 만들기
  - ➢의사코드를 사용하여 화면 디자인하는 과정
  - ➢의사코드와 화면을사용하여 논리 작동과정 정리
  - ➢의사코드, 화면을 이용하여 흐름도(Flow Chart) 작성
  - ➢작업1: 객체 만들기(화면 디자인 그대로 만든다)
  - ➢작업2: 속성 수정하기
    - ➢1)속성 창에서 속성을 수정하는(정적인) 방법
  - ➢작업3: 소스코드(Source Code) 작성하기
  - ➢Event 기반 Programming(EDP, Event-Driven Program.)
  - ➢디버깅(Debugging)과 빌드(Build)
  - ➢자료(Data)형식(형태와 크기) 지정
  - ➢솔루션 이름 지정하고 모두 저장

➢ 실수형 자료 값이 나올 수 있는 데이터를
➢ (예: 50/20) 입력하여
➢ 나눗셈 연산을 수행해 본다. 결과값=2 (2.5)

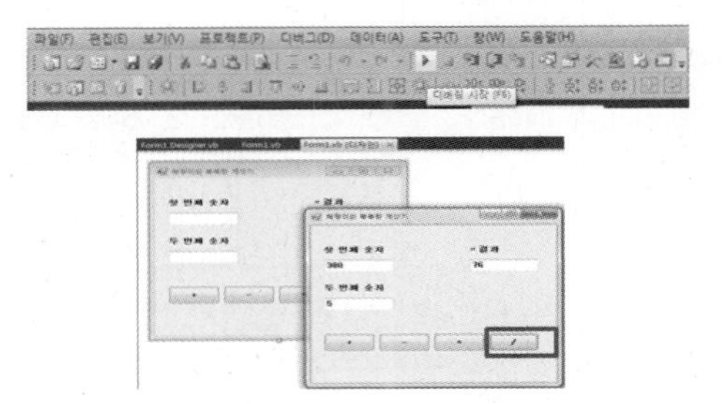

➢ 디버깅 시작 버튼 혹은 'F5 키'를 눌러 실행

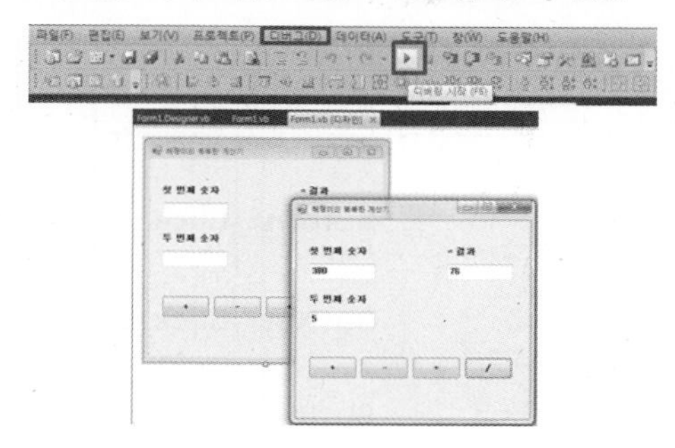

7) 실행 결과, 나눗셈의 결과값이 소수점까지 정확하게 나오지 않으면, 정수형 변수 Integer를, 실수형 변수의 자료 형식인 Single 혹은 Double로 수정한다.

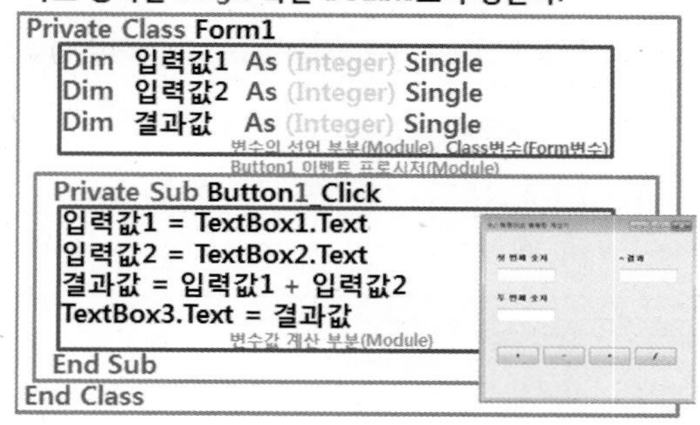

➢ 다시 디버깅시작버튼 혹은 'F5 키'를 눌러 실행

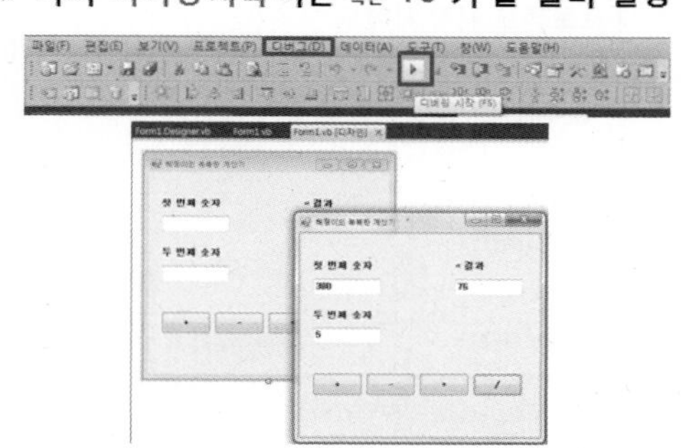

➢ 실수형 자료값이 출력되는
➢ 입력자료(예: 50/20) 를 입력하여
➢ 나눗셈 연산을 다시 수행해 본다.
➢ 결과값=2.5 확인

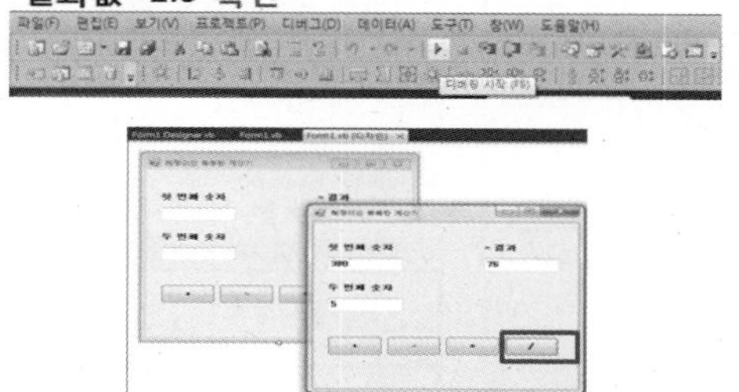

➢ 자료(Data)형식(형태와 크기) 지정

- ➢ 변수에 저장될 자료의 형태가 어떤 것인지 잘 생각해서
- ➢ 자료형식을 지정하고
  - ➢ 예: 정수형, 실수형, 문자형, 객체형
- ➢ 변수에 저장될 자료 값의 최소, 최대값 범위를 고려해서
- ➢ 변수가 몇 바이트 크기의 기억공간을 필요로 하는지, 지정

변수의 자료형식	자료형식	자료크기	표현 가능한 범위
Byte Integer Long	숫자형 자료 (정수형)	1 Byte(8Bit) 2 Byte(16Bit) 4 Byte(32Bit)	2^8 = 256 (0-255) 2^{16} (-32,768~32,767) 2^{32} (약 -21억~+21억)
Single, Double	숫자형 자료 (실수형)	4 Byte(32Bit) 8 Byte(64Bit)	E45 까지 표현가능 E308까지 표현가능
String	문자형 자료	가변 혹은 고정된 크기	
Object	객체형 자료	4 Byte	크기제한 없음
Variant(숫자) Variant(문자)	변수의 선언이 특별히 없었을 때 자동으로 설정되는 자료형		

➢ 자료(Data)형식(형태와 크기) 지정

- ➢ 변수에 저장될 자료의 형태가
- ➢ 어떤 것인지 잘 생각해서 자료형식을 지정하고
  - ➢ 예: 정수형, 실수형, 문자형, 객체형
- ➢ 변수에 저장될 자료 값의 최소, 최대값 범위를 고려해서 변수가 몇 바이트 크기의 기억공간을 필요로 하는지, 지정
- ➢ 예: 시간 자료의 자료형식
  - ➢ 년(Year)은 -9999(BC) 부터 9999(AD)까지 4자리 실수형, Single
    - ➢ 보통은 1900년도부터2100까지면 충분하지만, 최대 범위를 감안해도
  - ➢ 월(Month)은 1 부터 12까지, 2자리 정수형이므로 Byte
  - ➢ 일(Day)은 1 부터 31까지, 2자리 정수형이므로 Byte 등)
  - ➢ 시간(Hour)은 0 부터 24까지, 2자리 정수형이므로 Byte
  - ➢ 분(Minute)은 0 부터 60까지, 2자리 정수형이므로 Byte
  - ➢ 초(Second)는 0 부터 60까지, 2자리 정수형이므로 Byte
- ➢ 참고) 정수형 자료 Byte는 1 Byte(8 Bit)의 크기를 가지므로
  - ➢ 2^8 = 256 가지 경우의 수를 가지며,
  - ➢ 0부터 255까지 값을 표현할 수 있다.(2자리의 모든정수 표현가능)

➢ 변수선언에 사용하는 자료형식(VB)

- ➢ 변수에 저장될 자료형태(예: 정수형, 실수형, 문자형, 객체형)를 지정
- ➢ 변수가 몇 바이트 크기의 기억 공간을 차지해야 하는지를 지정

Data형식	크기(바이트)	크기(바이트)
Byte	1	0~255 범위 내의 정수 저장
Integer	2	-32,768~32,767 범위 내의 정수 저장
Long	4	-2,147,483,648~2,147,483,64 범위 내의 정수 저장
Single (precision)	4 (단정밀도 실수 형) 부동소수점 숫자저장	음수 : -3.402823E38~-1.401298E-45 양수 : 3.402823E38~ 1.401298E-45
Double (precision)	8 (배정밀도 실수 형) 부동소수점 숫자저장	음수 : -1.79769313486232E308~-4.94065645841247E-32 양수 : 1.79769313486232E308~ 4.94065645841247E-324
Boolean	2	True 또는 False 표현, 기본값은 False
Currency	8	-922,337,203,685,477.5808 ~922,337,203,685,477.580 저장
Data	8	날짜와 시간 저장, 반드시 #과 # 사이에 숫자를 넣어야 함 (예를 들어 DateTime = #1/1/2009#)
Object	4	모든 개체를 표현
String(가변)	10+문자열 길이	0~약 2조 자
String(고정)	문자열 길이	1~약 65,400자(216)
Variant(숫자)	16	Double 형 범위의 값
Variant(문자)	22+문자열 길이	String 형(가변) 범위의 값
Type 문	사용자 정의 형식	

Sub Button1_Click 부분(청색사각부분)을 복사하여 버튼이름과 사칙연산기호 를 수정

```
Public Class Form1
    Private Sub Button1_Click(ByVal sender As System.Object, ByVal e As System.EventArgs) Handles Button1.Click
        Dim 첫번째숫자 As Integer
        Dim 두번째숫자 As Integer
        Dim 결과 As Integer
        첫번째숫자 = TextBox1.Text
        두번째숫자 = TextBox2.Text
        결과 = 첫번째숫자 + 두번째숫자
        TextBox3.Text = 결과
    End Sub
    Private Sub Button2_Click(ByVal sender As System.Object, ByVal e As System.EventArgs) Handles Button2.Click
        ...
        결과 = 첫번째숫자 - 두번째숫자
        TextBox3.Text = 결과
    End Sub
    Private Sub Button3_Click(ByVal sender As System.Object, ByVal e As System.EventArgs) Handles Button3.Click
        ...
        결과 = 첫번째숫자 * 두번째숫자
        TextBox3.Text = 결과
    End Sub
    Private Sub Button4_Click(ByVal sender As System.Object, ByVal e As System.EventArgs) Handles Button4.Click
        ...
        결과 = 첫번째숫자 / 두번째숫자
        TextBox3.Text = 결과
    End Sub
End Class
```

Button1_Click , +

Button2_Click , −

Button3_Click , *

Button4_Click , /

➢ 파일메뉴에서 "모두 저장" 으로 저장

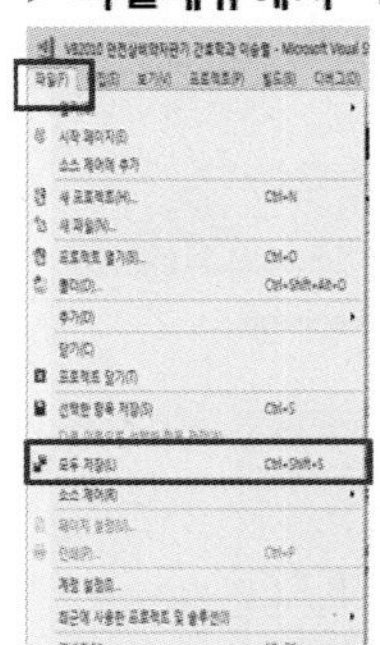

- ➢ 파일이름,위치(경로),솔루션 이름을 자세하게 지정한 후에
- ➢ 2015 버전 "모두 저장"

- ➢ 2017 버전 "모두 저장"

➢파일이름,위치(경로),솔루션이름을 자세하게 저장
- ➢새 프로젝트 시작 시에도
- ➢파일이름과 위치(경로),솔루션이름을 지정가능하다.
- ➢파일이름과 위치(경로),솔루션이름을 모두
- ➢예) G:/계산기/혜정이의 똑똑한 계산기

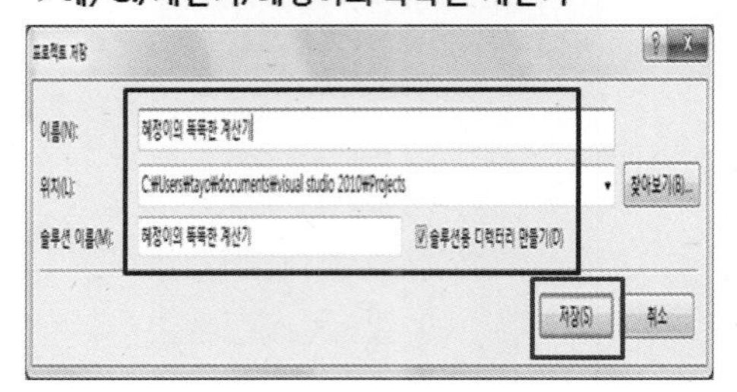

➢1) 솔루션 경로와 이름을 바꾸어 저장한 경우에

- ➢실행파일을 찾기 위해서는,
  - ➢미리 지정한 위치(경로)에서,
  - ➢솔루션 이름과 동일한, **Folder**를 찾아서
  - ➢**Obj**(혹은 **Bin**)폴더로 들어간다
  - ➢즉, **G:/**저항계산기/**Obj/Debug** 에서
  - ➢솔루션 이름과 동일한, **File** 저항계산기**.exe** 를 찾는다.
- ➢공통) 솔루션 이름과 동일한 저항계산기.exe 실행 파일을 찾아
  - ➢원하는 위치(PPT파일과 동일 폴더)에 보관해두고 실행.
  - ➢바로 가기 아이콘 혹은 하이퍼링크 연결

저항 계산기	2015-06-04 오후...	응용 프로그램	25KB
저항 계산기.pdb	2015-06-04 오후...	PDB 파일	46KB
저항 계산기.vshost	2015-06-04 오후...	응용 프로그램	12KB
저항 계산기.vshost.exe.manifest	2009-08-31 오전...	MANIFEST 파일	1KB
저항 계산기	2015-06-04 오후...	XML 문서	1KB

➢2) 솔루션 경로와 이름을 바꾸지 않은 경우,

- ➢매우 불편하다.
- ➢실행파일을 찾기 위해서는, 기본(**Default**) 경로이름을 찾아
  - ➢**WindowsApplication1**, 혹은 **2**, 혹은 **3**, 혹은 **...**
  - ➢**...** 변화되는 기본(**Default**)이름으로, **Folder**와 **File**을 찾는다.
  - ➢**Obj**(혹은 **Bin**)폴더로 들어간다
  - ➢즉, **WindowsApplication1/Obj/Debug** 에서
  - ➢즉, **WindowsApplication1.exe File**을 찾는다.
- ➢공통) **WindowsApplication1.exe** 실행 파일을 찾아,
  - ➢원하는 위치(PPT파일과 동일 폴더)에 보관해두고 실행.
  - ➢바로 가기 아이콘 혹은 하이퍼링크 연결

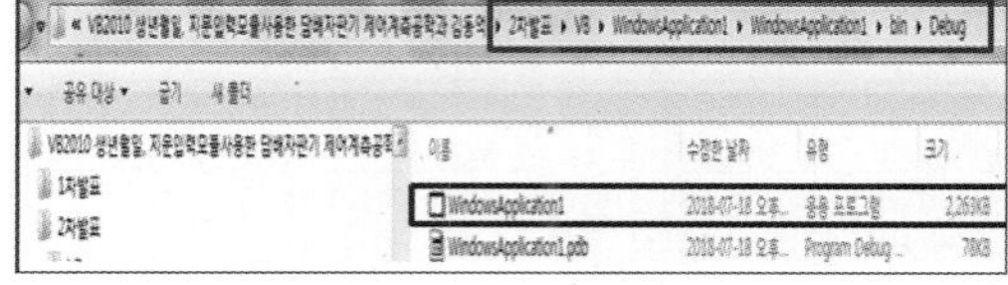

➤ 10.3 Visual Basic 기초 Program

- ➤ 10.3 Visual Basic 기초 Program
  - ➤ 기본적인 본질기능(사칙연산)을 추상화, 단순화한 계산기
  - ➤ 10.3.1 Label, TextBox, Button을 이용한 사칙연산계산기1
  - ➤ 10.3.2 10.3.1 계산기1의 문제와 Code 개선
    - ➤ 지역 변수, Class 변수, 전역 변수의 개념
    - ➤ Private Sub Form1_Load ~~ End Sub의 사용
  - ➤ 10.3.3 초기화버튼 추가하고, 속성을 동적 수정하는 계산기2
    - ➤ 의사코드(알고리즘의 표현방법중 하나) 만들기
    - ➤ 화면디자인, 논리작동과정 정리, 흐름도(Flow Chart)작성
    - ➤ 작업1: 객체 만들기, 작업2: 속성 수정하기
      - ➤ Source Code창에서 속성을 수정하는(동적인) 방법
    - ➤ 작업3: 소스코드(Source Code) 작성하기
    - ➤ 디버깅(Debugging)과 빌드(Build)
  - ➤ 10.3.4 RadioButton을 이용한 새연산 누적값 계산기3
  - ➤ 10.3.5 결과값을 누적하는 사칙연산계산기2
  - ➤ A2 학점등급계산 및 다기능 실제 계산기 실행

➤ 일단 저장했던 Project Program의 전체구조의 문제

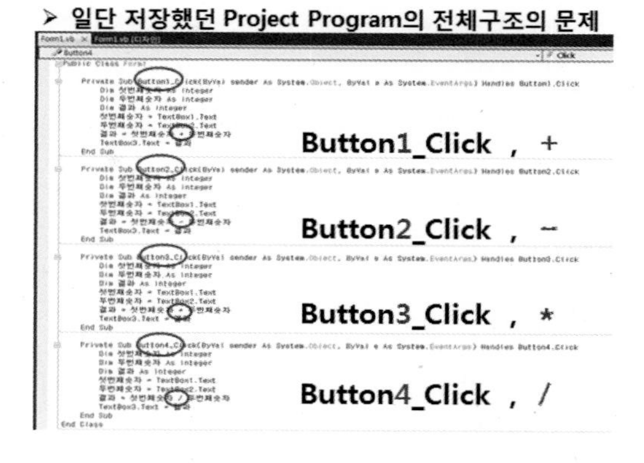

Sub Button1_Click 부분을 복사하여 버튼이름과 연산기호를 수정했기 때문에 반복발생

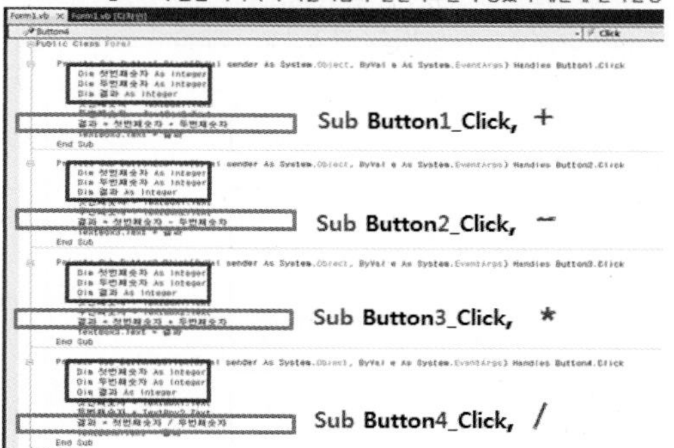

➤ 지역 변수, Class 변수, 전역 변수

- ➤ **Program속에서 변수가 선언된 위치에 따라서**
- ➤ **변수 선언의 유효성 범위가 결정된다.**
- ➤ 지역 변수: 프로시저 의 상단에 선언
  - ➤ Program의 일부
  - ➤ 한 프로시저(지역)에서만 접근, 사용할 수 있는 변수
  - ➤ Sub Program (Private Sub...End Sub)등
  - ➤ 함수 (Private Function ...End Function),
- ➤ Class 변수 or 폼 변수 or 모듈 변수: 모듈 의 상단에 선언
  - ➤ 하나의 모듈(Form, Class)에서만 접근, 사용할 수 있는 변수
- ➤ 전역 변수: 프로젝트 의 상단에 선언
  - ➤ 프로젝트 전체와 관련된 모든 Class 와 모든 Program 전부
  - ➤ 모든 프로시저에서 접근, 사용할 수 있는 변수

➤ **Private Sub 와 End Sub 사이에 다음과 같이 코드를 입력한 경우에는 Sub Button1_Click 내부에서만 변수선언이 유효한 지역 변수가 된다.**

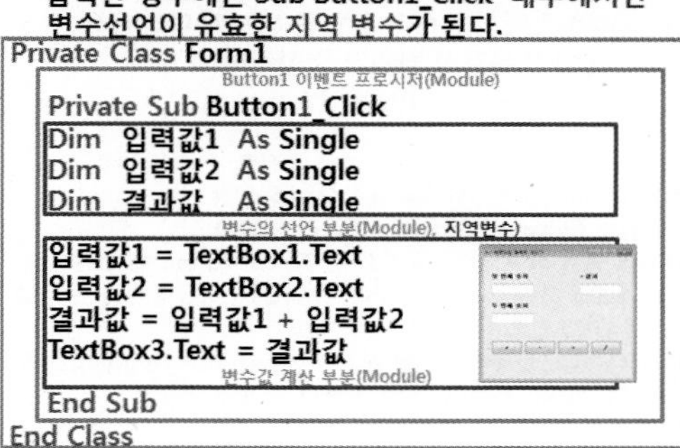

➤ **Private Class와 End Class사이의 상단에 코드를 입력한 경우에는 Class Form1 전체 내부에서 변수선언이 유효한 Class 변수 혹은 Form 변수가 된다**

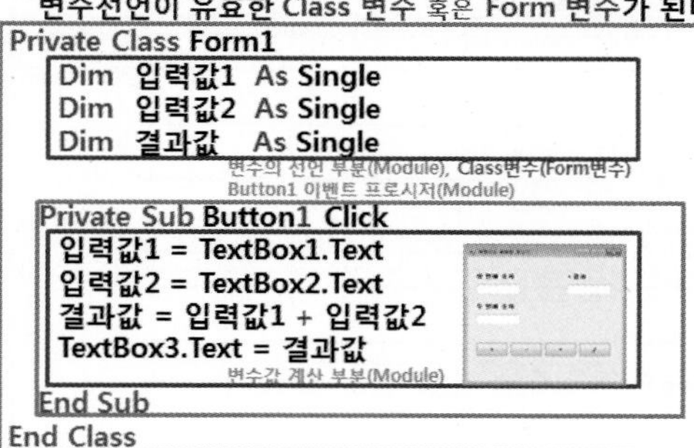

➤ Sub1,2,3,4에 반복되는 변수선언부분 만을 Class Form1 바로 하단으로 위치 변경

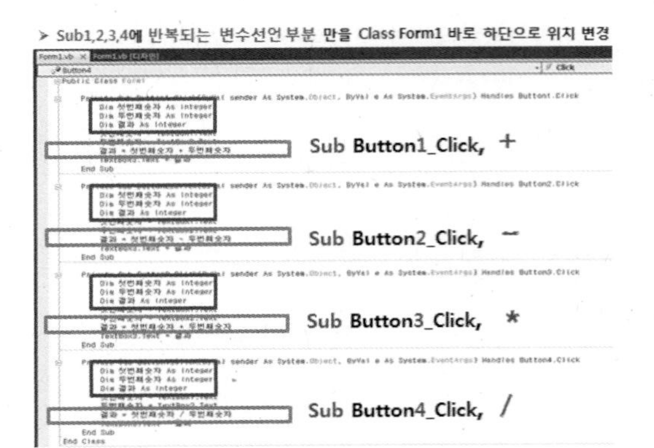

반복되는 변수선언 부분을 Class Form1에 위치시킨, 개선된 코드

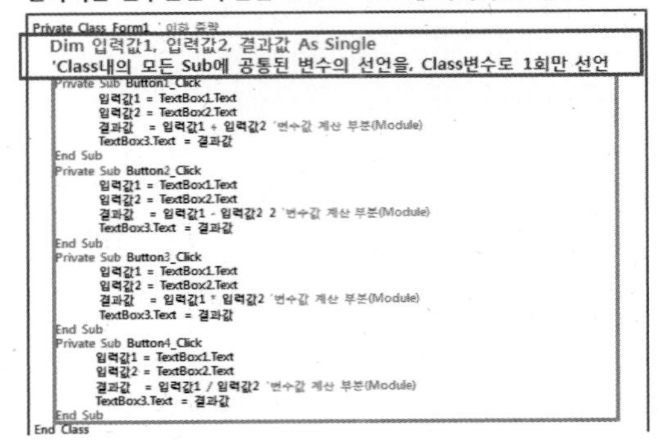

```
Private Class Form1 ' 이하 중략
  Dim 입력값1, 입력값2, 결과값 As Single
  'Class내의 모든 Sub에 공통된 변수의 선언을, Class변수로 1회만 선언
  Private Sub Button1_Click
      입력값1 = TextBox1.Text
      입력값2 = TextBox2.Text
      결과값 = 입력값1 + 입력값2 '변수값 계산 부분(Module)
      TextBox3.Text = 결과값
  End Sub
  Private Sub Button2_Click
      입력값1 = TextBox1.Text
      입력값2 = TextBox2.Text
      결과값 = 입력값1 - 입력값2 2 '변수값 계산 부분(Module)
      TextBox3.Text = 결과값
  End Sub
  Private Sub Button3_Click
      입력값1 = TextBox1.Text
      입력값2 = TextBox2.Text
      결과값 = 입력값1 * 입력값2 '변수값 계산 부분(Module)
      TextBox3.Text = 결과값
  End Sub
  Private Sub Button4_Click
      입력값1 = TextBox1.Text
      입력값2 = TextBox2.Text
      결과값 = 입력값1 / 입력값2 '변수값 계산 부분(Module)
      TextBox3.Text = 결과값
  End Sub
End Class
```

반복되는 모든 부분을 Class Form1에 위치시킨, 코드(오류 발생)

```
Private Class Form1 ' 이하 중략
  Dim 입력값1, 입력값2, 결과값 As Single
  'Class내의 모든 Sub에 공통된 변수의 선언을, Class변수로 1회만 선언
  Private Sub Form1_Load
      입력값1 = TextBox1.Text
      입력값2 = TextBox2.Text
  End Sub
  Private Sub Button1_Click '
      결과값 = 입력값1 + 입력값2
  End Sub
  Private Sub Button2_Click
      결과값 = 입력값1 - 입력값2
      TextBox3.Text = 결과값
  End Sub
  Private Sub Button3_Click
      결과값 = 입력값1 * 입력값2
  End Sub
  Private Sub Button4_Click
      결과값 = 입력값1 / 입력값2
  End Sub
      TextBox3.Text = 결과값
End Class
```

반복되지 않는 부분(변수값 계산 부분)만 (결과값=입력값1+입력값2) Sub1,2,3,4에 남겨두고 반복되는 부분 모두를 (변수선언, 변수값 입력, 출력 부분 등을) 빨간 상자 안에 넣어 Class Form1 상하에 위치시킬 수도 있으나, Private Sub Form1_Load End Sub 속에 넣어야 하는데, 단, 변수값 입력, 출력 부분은 변수값이므로, (입력값1,2 = TextBox1 ,2.Text TextBox3.Text = 결과값 등) 실행시에 폼이 뜨자마자, 입력값1,2를 TextBox1 ,2에 넣기도 전에 실행되어, 입력값을 받지 못하여 실행상 무리가 있어, Sub Button1,2,3,4 에 들어가는 것이 좋다.

반복되는 변수선언 부분만 Class Form1에 위치시킨, 개선된 코드

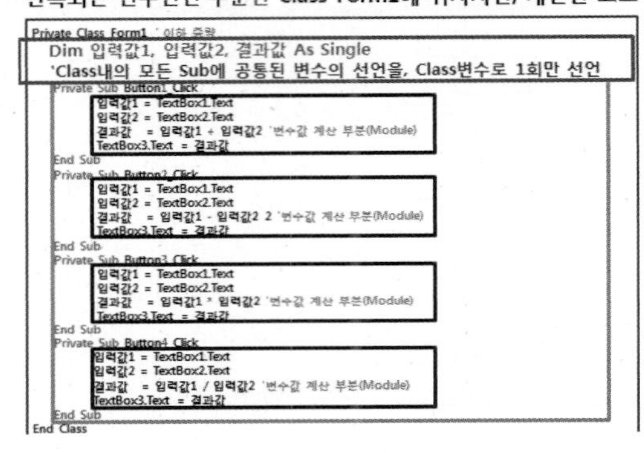

```
Private Class Form1 ' 이하 중략
  Dim 입력값1, 입력값2, 결과값 As Single
  'Class내의 모든 Sub에 공통된 변수의 선언을, Class변수로 1회만 선언
  Private Sub Button1_Click
      입력값1 = TextBox1.Text
      입력값2 = TextBox2.Text
      결과값 = 입력값1 + 입력값2 '변수값 계산 부분(Module)
      TextBox3.Text = 결과값
  End Sub
  Private Sub Button2_Click
      입력값1 = TextBox1.Text
      입력값2 = TextBox2.Text
      결과값 = 입력값1 - 입력값2 2 '변수값 계산 부분(Module)
      TextBox3.Text = 결과값
  End Sub
  Private Sub Button3_Click
      입력값1 = TextBox1.Text
      입력값2 = TextBox2.Text
      결과값 = 입력값1 * 입력값2 '변수값 계산 부분(Module)
      TextBox3.Text = 결과값
  End Sub
  Private Sub Button4_Click
      입력값1 = TextBox1.Text
      입력값2 = TextBox2.Text
      결과값 = 입력값1 / 입력값2 '변수값 계산 부분(Module)
      TextBox3.Text = 결과값
  End Sub
End Class
```

Project Program의 전체구조와 Class변수, 지역변수

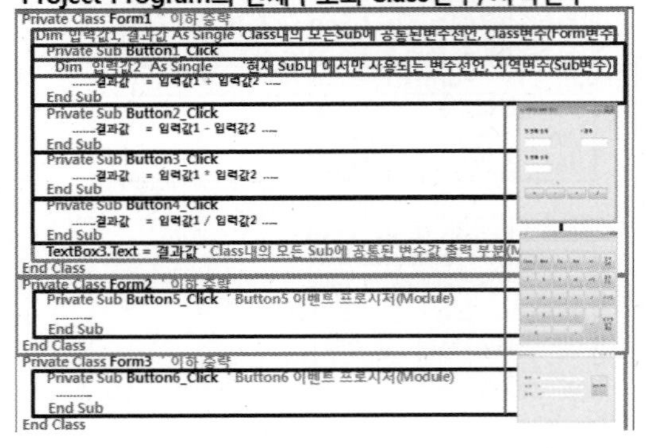

```
Private Class Form1 ' 이하 중략
  Dim 입력값1, 결과값 As Single 'Class내의 모든Sub에 공통된변수선언, Class변수(Form변수)
  Private Sub Button1_Click
    Dim 입력값2 As Single '현재 Sub내 에서만 사용되는 변수선언, 지역변수(Sub변수)
    ......결과값 = 입력값1 + 입력값2 ....
  End Sub
  Private Sub Button2_Click
    ......결과값 = 입력값1 - 입력값2 ....
  End Sub
  Private Sub Button3_Click
    ......결과값 = 입력값1 * 입력값2 ....
  End Sub
  Private Sub Button4_Click
    ......결과값 = 입력값1 / 입력값2 ....
  End Sub
  TextBox3.Text = 결과값 ' Class내의 모든 Sub에 공통된 변수값 출력 부분(M
End Class
Private Class Form2 ' 이하 중략
  Private Sub Button5_Click ' Button5 이벤트 프로시저(Module)
  ..........
  End Sub
End Class
Private Class Form3 ' 이하 중략
  Private Sub Button6_Click ' Button6 이벤트 프로시저(Module)
  ..........
  End Sub
End Class
```

➤ 지역 변수, Class 변수, 전역 변수

➤ Program속에서 변수가 선언된 위치에 따라서

➤ 변수 선언의 유효성 범위가 결정된다.

- ➤ 지역 변수: 프로시저 의 상단에 선언
  - ➤ Program의 일부
  - ➤ 한 프로시저(지역)에서만 접근, 사용할 수 있는 변수
  - ➤ Sub Program (Private Sub...End Sub)등
  - ➤ 함수 (Private Function ...End Function),
- ➤ Class 변수 or 폼 변수 or 모듈 변수: 모듈 의 상단에 선언
  - ➤ 하나의 모듈(Form, Class)에서만 접근, 사용할 수 있는 변수
- ➤ 전역 변수: 프로젝트 의 상단에 선언
  - ➤ 프로젝트 전체와 관련된 모든 Class 와 모든 Program 전부
  - ➤ 모든 프로시저에서 접근, 사용할 수 있는 변수

➢ 모바일 응용Program을 만들 수 있는 기능

➢ 비주얼 베이직(Visual Basic) 2015
- ➢ Visual Basic) 2015부터 모바일 응용Program을 만들 수 있는 기능들이 새롭게 추가되었다.

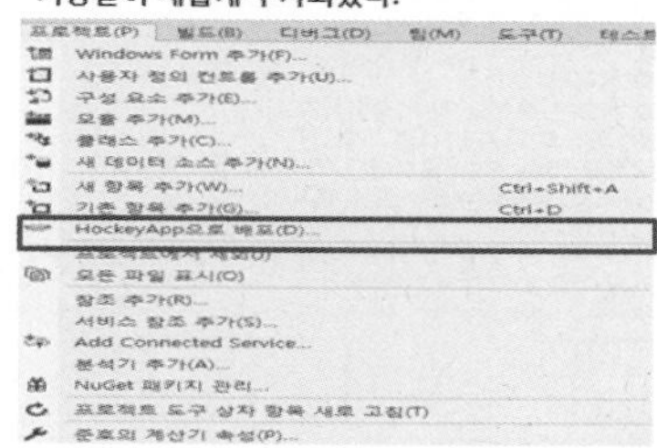

➢ 10.3 Visual Basic 기초 Program

➢ 10.3 Visual Basic 기초 Program
- ➢ 기본적인 본질기능(사칙연산)을 추상화, 단순화한 계산기
- ➢10.3.1 Label, TextBox, Button을 이용한 사칙연산계산기1
- ➢10.3.2 10.3.1 계산기1의 문제와 Code 개선
  - ➢지역 변수, Class 변수, 전역 변수의 개념
  - ➢Private Sub Form1_Load ~~ End Sub의 사용
- ➢10.3.3 초기화버튼 추가하고, 속성을 동적 수정하는 계산기2
  - ➢의사코드(알고리즘의 표현방법중 하나) 만들기
  - ➢화면디자인, 논리작동과정 정리, 흐름도(Flow Chart)작성
  - ➢작업1: 객체 만들기, 작업2: 속성 수정하기
    - ➢Source Code창에서 속성을 수정하는(동적인) 방법
  - ➢작업3: 소스코드(Source Code) 작성하기
  - ➢디버깅(Debugging)과 빌드(Build)
- ➢10.3.4 RadioButton을 이용한 재연산 누적값 계산기3
- ➢10.3.5 결과값을 누적하는 사칙연산계산기2
- ➢A2 학점등급계산 및 다기능 실제 계산기 실행

➢ Visual Studio 시작하기

➢ 바로 가기 아이콘을 이용해 실행
➢ ❶ 바탕 화면의 Visual Studio
➢ 바로 가기 아이콘
➢ 더블 클릭

➢ 시작 메뉴를 이용해 실행
➢ ❷ 시작 메뉴: <시작>-
➢ [모든 Program]-
➢ [MS Visual Studio 2015]-
➢ [Visual Basic] 클릭

➢ 시작페이지 창이 열리면 파일 –새로 만들기 –프로젝트 선택 후
➢ 새 프로젝트 대화상자 창이 열리면
➢ Windows Forms 응용 Program을 선택한다.
➢ 만약 다른 언어의 종류가 선택되어져 있으면(예: Visual C++)
- ➢'다른 언어' 에서 'Visual Basic '을 선택하고

➢ 파일이름,위치(경로),솔루션이름을 자세하게 지정한 후 <확인>

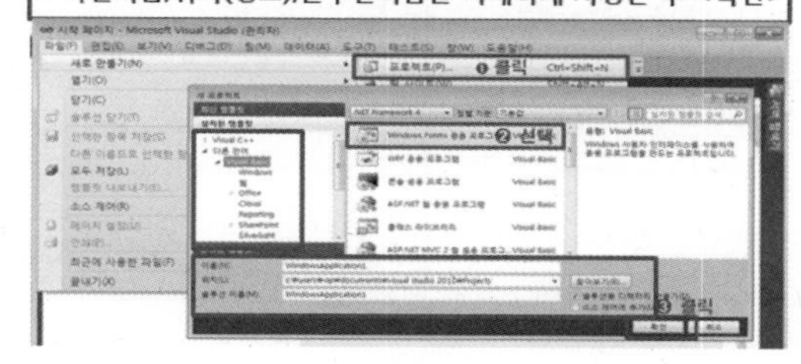

Program 첫 화면에 폼(Form)창이 나타난다

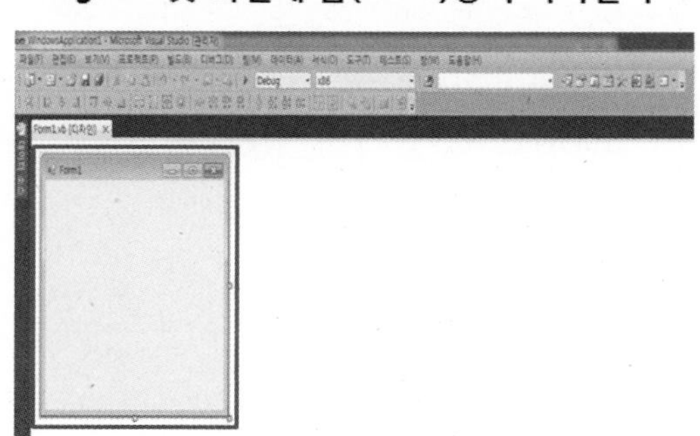

화면 디자인하기로 작업과정을 정리

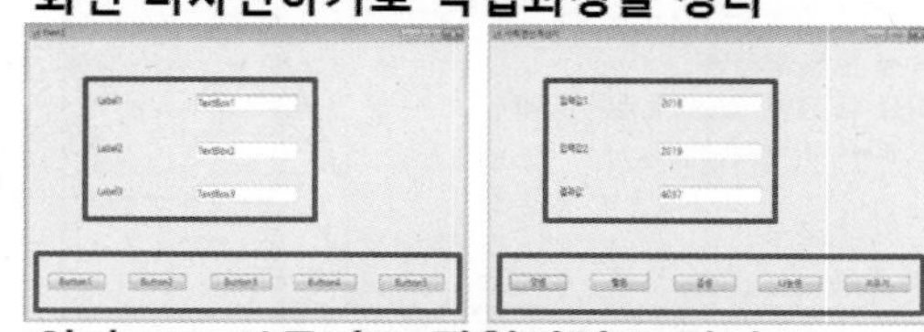

의사코드 만들기로 작업과정을 정리

1) 폼 1개 + 라벨 3개 + 텍스트 박스 3개 + 버튼 5개 배치
2) 라벨과 버튼의 이름은 속성 창의 'Text' 속성에서 수정하지 않고 라벨과 버튼의 이름은 코드에서(동적으로) 속성을 직접 수정한다.
3) 덧셈 버튼 : 숫자를 더한다.
4) 뺄셈 버튼 : 숫자를 빼준다.
5) 곱셈 버튼 : 숫자를 곱해준다.
6) 나눗셈 버튼 : 숫자를 나눠준다.
7) 지우기 버튼 : 숫자를 지워준다.

➢ 1)의사코드 만들기
1. Program에서 사용할 화면 디자인 과정
2. Program의 논리적 작동과정을 정리

➢ 1)사칙연산계산기 Program에서 필요한 변수 생각하기
  ➢ 입력변수2개, 출력변수1개 필요
➢ 2) 입력변수 이름 정하기: 입력값1 입력값2
➢ 3) 출력변수 이름 정하기: 결과값
➢ 4) 화면 디자인에 필요한 객체와 개수 결정하기
  ➢ 폼 1개 + (변수이름을 표기할)라벨 3개
  ➢ + (입력변수2개를 입력 받고, 출력변수1개를 출력할)텍스트박스 3개
  ➢ + (사칙연산기호를 표기할)버튼 4개를 배치.
  ➢ + 지우기(초기화)할 버튼 1개를 추가 배치.
➢ 5) 라벨과 버튼의 이름은 속성 창의 'Text' 속성에서 수정하지 않고 코드에서 속성을 (동적으로)직접 변경한다

➢ 1)의사코드 만들기
1. Program에서 사용할 화면 디자인 과정
2. Program의 논리적 작동과정을 정리

➢ 1)사칙연산계산기 Program에서 필요한 변수 생각하기
  ➢ 입력변수2개, 출력변수1개 필요
➢ 2) 입력변수 이름 정하기: 입력값1 입력값2
➢ 3) 출력변수 이름 정하기: 결과값
➢ 4) 화면 디자인에 필요한 객체와 개수 결정하기
  ➢ 폼 1개 + (변수이름을 표기할)라벨 3개
  ➢ + (입력변수2개를 입력 받고, 출력변수1개를 출력할)텍스트박스 3개
  ➢ + (사칙연산기호를 표기할)버튼 4개를 배치.
  ➢ + 지우기(초기화)할 버튼 1개를 추가 배치.
➢ 5) 라벨과 버튼의 이름은 속성 창의 'Text' 속성에서 수정하지 않고
➢ 코드에서 속성을 (동적으로)직접 변경한다

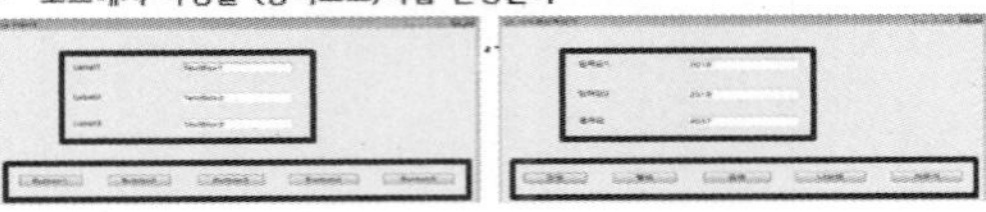

➢ 1)의사코드 만들기
1. Program에서 사용할 화면 디자인 과정
2. Program의 논리적 작동과정을 정리

➢ 1) 입력값1와 입력값2를 TextBox1, 2에서 입력받아서
➢ [+] 버튼을 누르면 : 덧셈을 수행하고, 결과값을 출력한다.
➢ [-] 버튼을 누르면 : 뺄셈을 수행하고, 결과값을 출력한다.
➢ [*] 버튼을 누르면 : 곱셈을 수행하고, 결과값을 출력한다.
➢ [/] 버튼을 누르면 : 나눗셈을 수행하고,결과값을 출력한다.
➢ [지우기 (초기화)] 버튼을 누르면 : 입력값1,2와 결과값 숫자를 지운다.
➢ 3) 라벨과 버튼의 이름은 속성 창의 'Text' 속성에서 수정하지 않고
➢ 코드에서 속성을 (동적으로)직접 변경한다

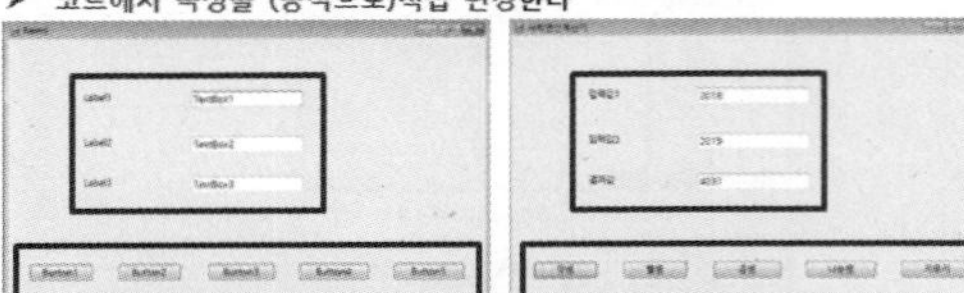

➢ 2) 화면(Form) 디자인

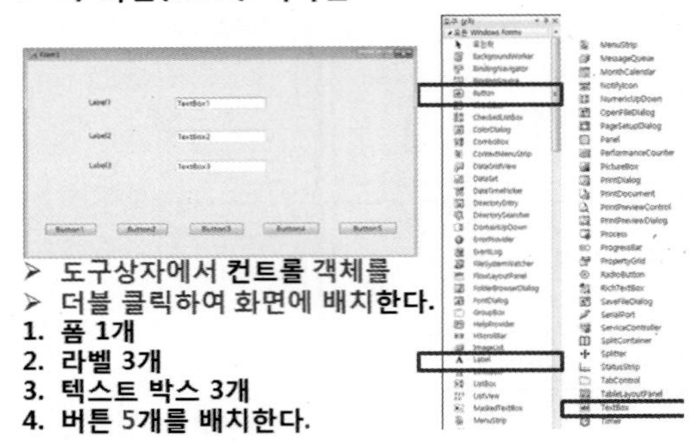

➢ 도구상자에서 컨트롤 객체를
➢ 더블 클릭하여 화면에 배치한다.
1. 폼 1개
2. 라벨 3개
3. 텍스트 박스 3개
4. 버튼 5개를 배치한다.

이전 작업2: 속성 수정하기

속성 창을 열려면
1)폼 창 안에 있는 객체를 선택하고
한번 클릭 하거나

혹은 도구모음에 있는 속성 탭 을 클릭하면
그 객체의 속성 창이 열린다

2) 이 속성 창에서 (반드시 객체 이름 확인)
여러 가지 속성을 바꿀 수 있다.
글자폰트체(맑은고딕) 크기(15) 변경.

3) Code 작성 창 열기

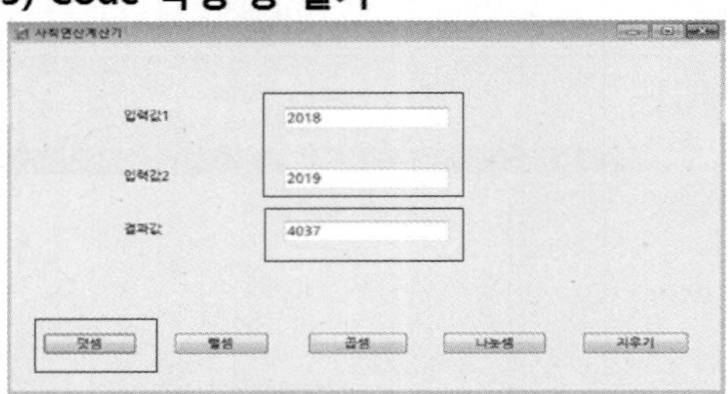

➢ 사칙연산계산기 화면에서
➢ Button1 (+) 객체를 더블 클릭하여
➢ Button1_Click 소스코드 창을 연다.

4) Button1(+ 버튼) 객체를 클릭하면 실행되는 이벤트 프로시저인 소스코드(Source Code)를 작성하려면, Button1객체를 더블 클릭 하여, 코드 창을 열고, 코드를 작성 혹은 수정할 수 있다.

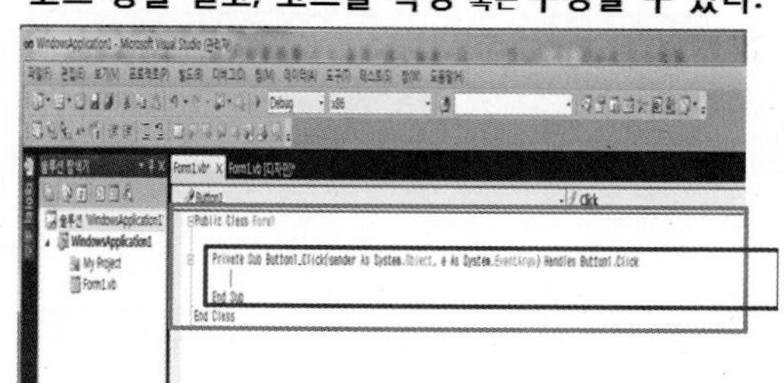

화면(Form)동적수정(방법2:객체속성을 코드에서 수정)

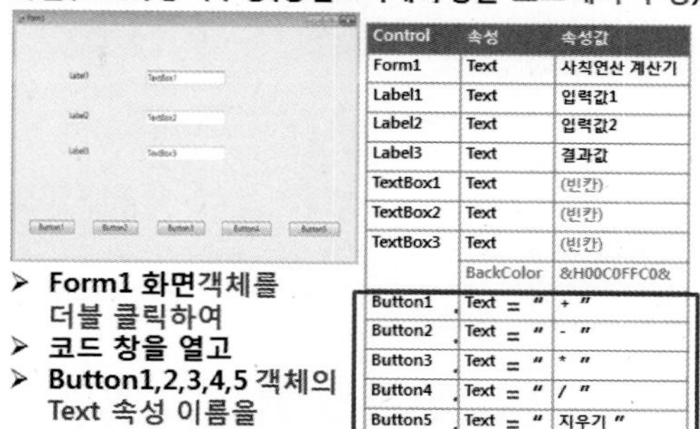

Control	속성	속성값
Form1	Text	사칙연산 계산기
Label1	Text	입력값1
Label2	Text	입력값2
Label3	Text	결과값
TextBox1	Text	(빈칸)
TextBox2	Text	(빈칸)
TextBox3	Text	(빈칸)
	BackColor	&H00C0FFC0&
Button1	Text = "	+ "
Button2	Text = "	- "
Button3	Text = "	* "
Button4	Text = "	/ "
Button5	Text = "	지우기 "

- **Form1 화면객체를 더블 클릭하여**
- **코드 창을 열고**
- **Button1,2,3,4,5 객체의 Text 속성 이름을**
- **코드 속에서 수정한다.**

화면(Form)동적수정(방법2:객체속성을 코드에서 수정)

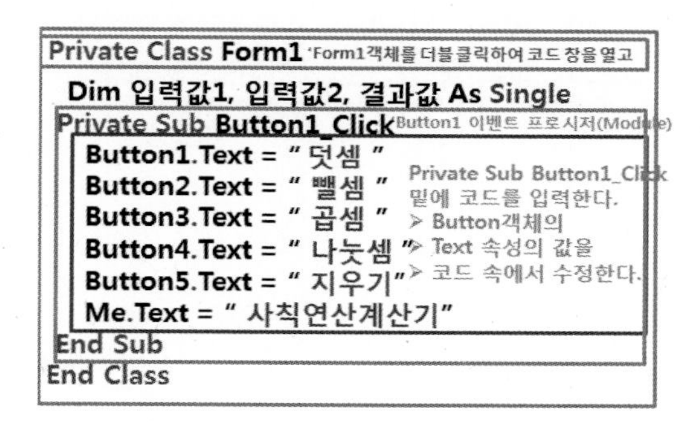

```
Private Class Form1 'Form1객체를 더블클릭하여 코드 창을열고
  Dim 입력값1, 입력값2, 결과값 As Single
  Private Sub Button1_Click  Button1 이벤트 프로시저(Module)
     Button1.Text = " 덧셈 "
     Button2.Text = " 뺄셈 "
     Button3.Text = " 곱셈 "
     Button4.Text = " 나눗셈 "
     Button5.Text = " 지우기"
     Me.Text = " 사칙연산계산기"
  End Sub
End Class
```

Private Sub Button1_Click 밑에 코드를 입력한다.
➢ Button객체의
➢ Text 속성의 값을
➢ 코드 속에서 수정한다.

화면(Form)동적수정(방법2:객체속성을 코드에서 수정)

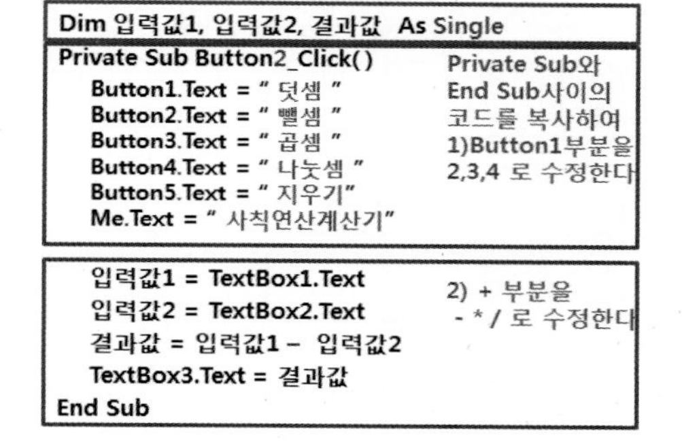

```
Dim 입력값1, 입력값2, 결과값  As Single
Private Sub Button2_Click()
    Button1.Text = " 덧셈 "
    Button2.Text = " 뺄셈 "
    Button3.Text = " 곱셈 "
    Button4.Text = " 나눗셈 "
    Button5.Text = " 지우기"
    Me.Text = " 사칙연산계산기"

    입력값1 = TextBox1.Text
    입력값2 = TextBox2.Text
    결과값 = 입력값1 - 입력값2
    TextBox3.Text = 결과값
End Sub
```

Private Sub와 End Sub사이의 코드를 복사하여 1)Button1부분을 2,3,4 로 수정한다

2) + 부분을 - * / 로 수정한다

화면(Form)동적수정(방법2:객체속성을 코드에서 수정)

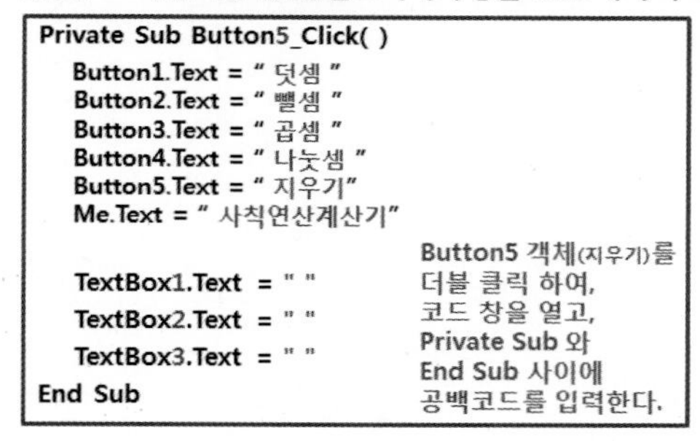

```
Private Sub Button5_Click( )
   Button1.Text = " 덧셈 "
   Button2.Text = " 뺄셈 "
   Button3.Text = " 곱셈 "
   Button4.Text = " 나눗셈 "
   Button5.Text = " 지우기"
   Me.Text = " 사칙연산계산기"

   TextBox1.Text = " "
   TextBox2.Text = " "
   TextBox3.Text = " "
End Sub
```

Button5 객체(지우기)를 더블 클릭 하여, 코드 창을 열고, Private Sub 와 End Sub 사이에 공백코드를 입력한다.

5)디버깅 시작 버튼 혹은 'F5 키'를 눌러 실행

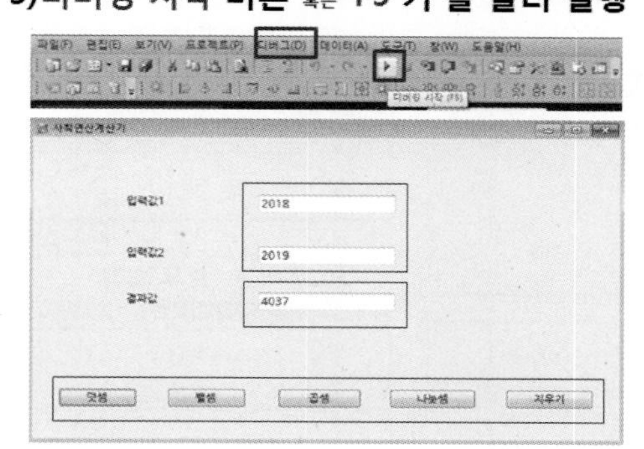

Form동적 수정(방법3: Form1_Load 코드에서 수정)

```
Private Class Form1
Dim 입력값1, 입력값2, 결과값 As Single
  Private Sub Form1_Load
    Label1.Text = "Label1 이름"
    Label2.Text = "Label2 이름"
    Label3.Text = "Label3 이름"
    Button1.Text = " 덧셈 "
    Button2.Text = " 뺄셈 "
    Button3.Text = " 곱셈 "
    Button4.Text = " 나눗셈 "
    Button5.Text = " 지우기"
    Me.Text = " 사칙연산계산기"
  End Sub
  Private Sub Button2_Click
    입력값1 = TextBox1.Text
    입력값2 = TextBox2.Text
    결과값 = 입력값1 + 입력값2
    TextBox3.Text = 결과값
  End Sub
End Class
```

속성을 동적 수정하는 방법을
1) 모든 버튼1,2,3,4,5 코드에 반복적으로 포함하는 것은, 코드의 반복으로 좋지 않다

2) Button1을 시작 버튼으로 만들어서 Private Sub Button1_Click에 한번만 입력하여 시작 버튼을 누를 때 우선적으로 한번만 실행시키거나
3) 혹은 Form1을 더블 클릭하여 Sub Form1_Load 소스코드 창에 입력하여, Form1 이 Load될 때, 우선 한번만 실행하면 실행화면에서 Label 과 Button 들의 화면고정(문자상수) 표시값은 변경되어 출력된다.

#단, 변수값 입력, 출력부분은 변수값이므로, (입력값1,2 = TextBox1 ,2.Text TextBox3.Text = 결과값 등) Private Sub Form1_Load End Sub 속에 넣으면, 실행 시에 폼이 뜨자마자, 입력값1,2를 TextBox1 ,2에 넣기도 전에 실행되어, 입력값을 받지 못하여 실행상 무리가 있어, Sub Button1,2,3,4 에 들어가는 것이 좋다.

Form동적 수정(방법3: Form1_Load 코드에서 수정)

```
Private Class Form1
  Dim 입력값1,   입력값2,   결과값 As Single
  Private Sub Private Sub Form1_Load
  'Form1객체를 더블 클릭하여 코드 창을 열고
    Label1.Text = "Label1 이름"
    Label2.Text = "Label2 이름"
    Label3.Text = "Label3 이름"
    Button1.Text = " 덧셈 "
    Button2.Text = " 뺄셈 "
    Button3.Text = " 곱셈 "
    Button4.Text = " 나눗셈 "
    Button5.Text = " 지우기"
    Me.Text = " 사칙연산계산기"
  End Sub
  ' 다른 Private Sub들 ..........
End Class
```

Private Sub Form1_Load속에 반복되는 동적수정코드를 입력한다.
- 필요한 객체들의
- Text 속성의 값을
- Form1_Load
- 코드 속에서 수정한다.

반복되는 속성 동적수정부분만 Form1_Load에 위치한, 개선된 코드

```
Private Class Form1 ' 이하 중략
  Private Sub Private Sub Form1_Load
    Button1.Text = " 덧셈 "   Button2.Text = " 뺄셈 "   Button3.Text = " 곱셈 "
    Button4.Text = " 나눗셈 "   Button5.Text = " 지우기"   Me.Text = " 사칙연산계산기"
  End Sub
  Private Sub Button1_Click
    입력값1 = TextBox1.Text
    입력값2 = TextBox2.Text
    결과값 = 입력값1 + 입력값2 '변수값 계산 부분(Module)
    TextBox3.Text = 결과값
  End Sub
  Private Sub Button2_Click
    입력값1 = TextBox1.Text
    입력값2 = TextBox2.Text
    결과값 = 입력값1 - 입력값2 2 '변수값 계산 부분(Module)
    TextBox3.Text = 결과값
  End Sub
  Private Sub Button3_Click
    입력값1 = TextBox1.Text
    입력값2 = TextBox2.Text
    결과값 = 입력값1 * 입력값2 '변수값 계산 부분(Module)
    TextBox3.Text = 결과값
  End Sub
  Private Sub Button4_Click
    입력값1 = TextBox1.Text
    입력값2 = TextBox2.Text
    결과값 = 입력값1 / 입력값2 '변수값 계산 부분(Module)
    TextBox3.Text = 결과값
  End Sub
End Class
```

5)디버깅 시작 버튼 혹은 'F5 키'를 눌러 실행

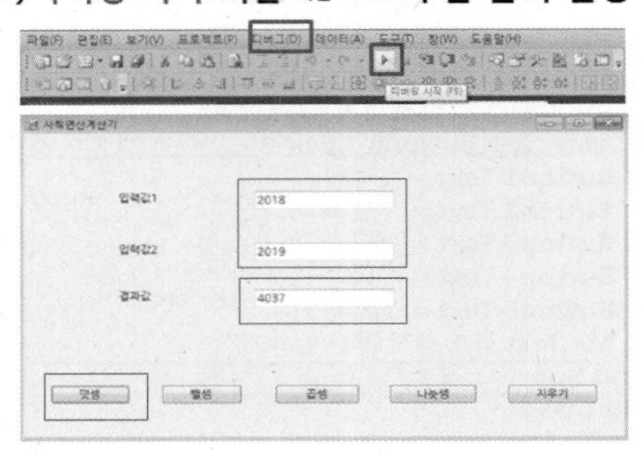

➤ **파일메뉴에서 "모두 저장" 으로 저장**

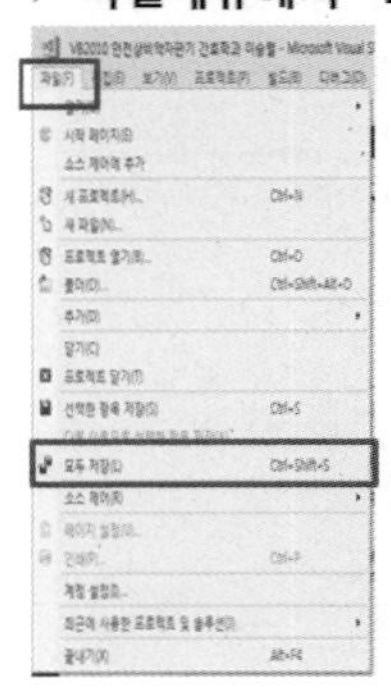

➤ 파일이름,위치(경로),솔루션 이름을 자세하게 지정한 후에

➤ 2015 버전 "모두 저장"

➤ 2017 버전 "모두 저장"

➤ 10.3 Visual Basic 기초 Program

- ➤ 10.3 Visual Basic 기초 Program
  - ' 기본적인 본질기능(사칙연산)을 추상화, 단순화한 계산기
  - ➤10.3.1 Label, TextBox, Button을 이용한 사칙연산계산기1
  - ➤10.3.2 10.3.1 계산기1의 문제와 Code 개선
    - ➤지역 변수, Class 변수, 전역 변수의 개념
    - ➤Private Sub Form1_Load ~~ End Sub의 사용
  - ➤10.3.3 초기화버튼 추가하고, 속성을 동적 수정하는 계산기2
    - ➤의사코드(알고리즘의 표현방법중 하나) 만들기
    - ➤화면디자인, 논리작동과정 정리, 흐름도(Flow Chart)작성
    - ➤작업1: 객체 만들기, 작업2: 속성 수정하기
      - ➤Source Code창에서 속성을 수정하는(동적인) 방법
    - ➤작업3: 소스코드(Source Code) 작성하기
    - ➤디버깅(Debugging)과 빌드(Build)
  - ➤10.3.4 RadioButton을 이용한 계산기3
  - ➤10.3.5 결과값을 누적하는 사칙연산계산기4
    - ➤ Boolean 상수 활용한 누적 계산기.exe

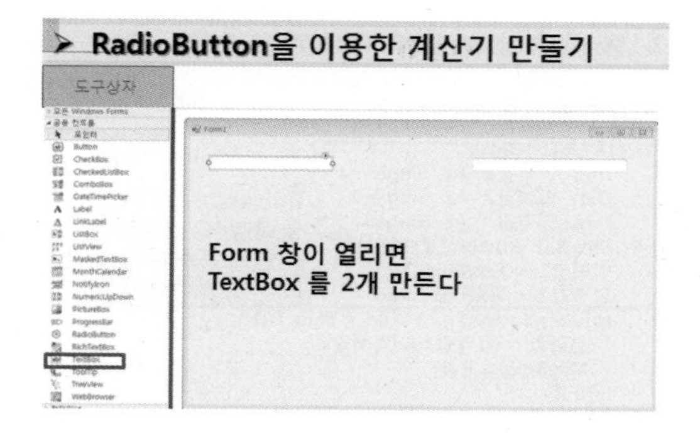

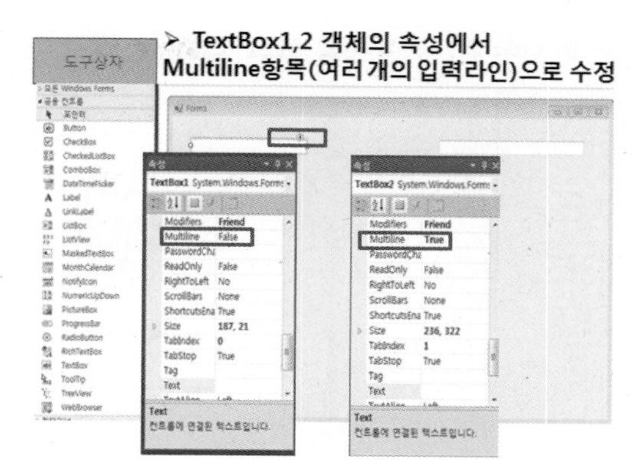

2)화면(Form)내용 수정(방법2: 코드 창에서 수정)

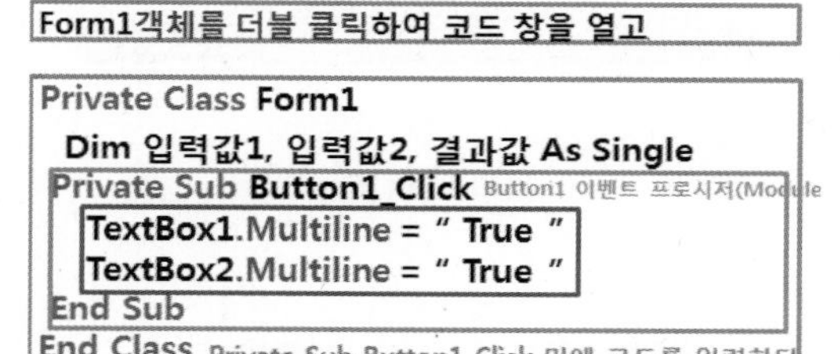

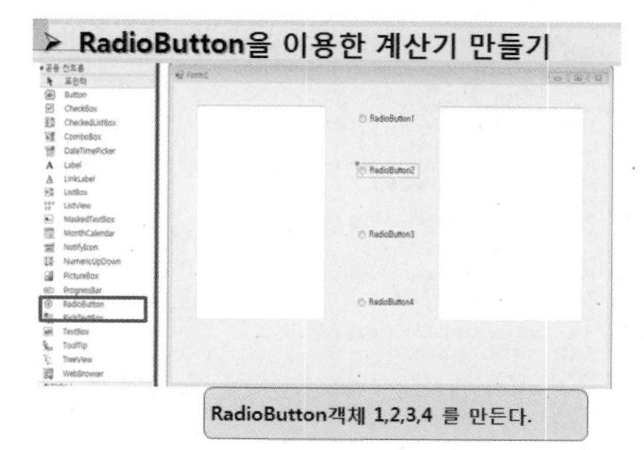

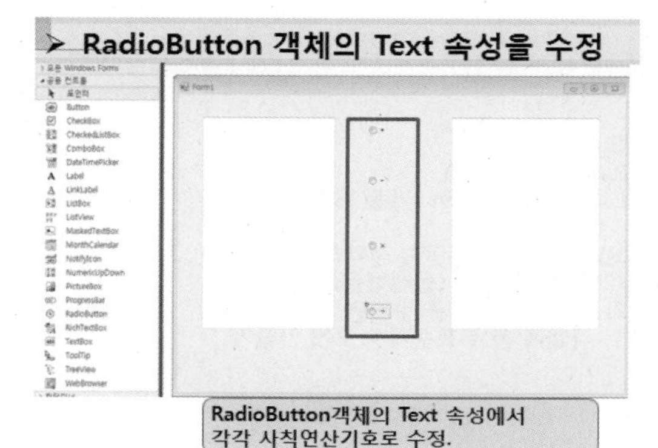

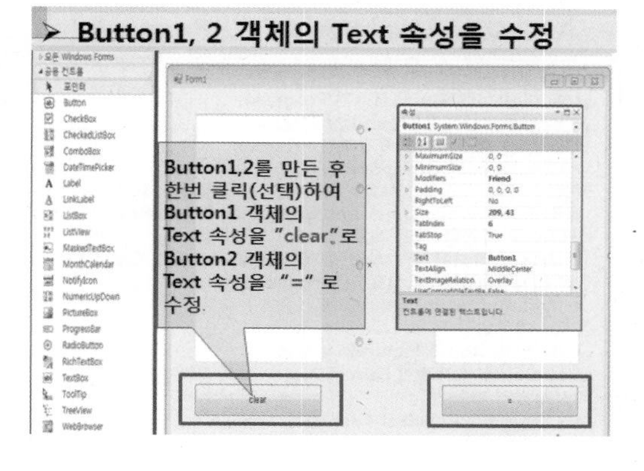

➢ Button2 (=) 객체의 코드 입력 창 열기

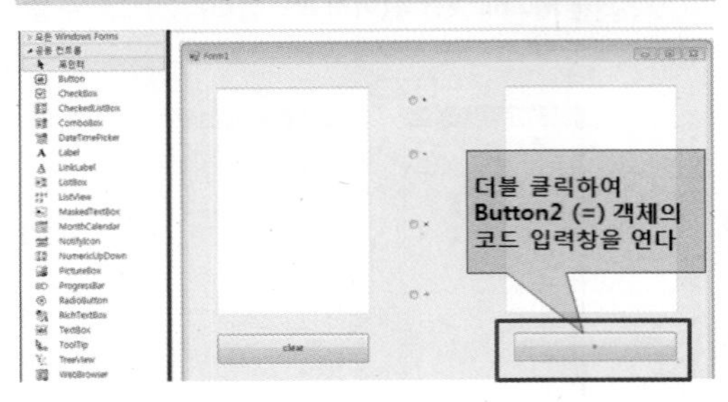

➢ RadioButton을 이용한 계산기 만들기

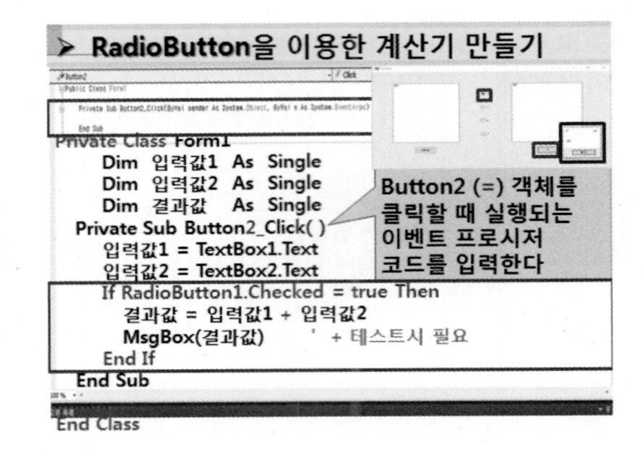

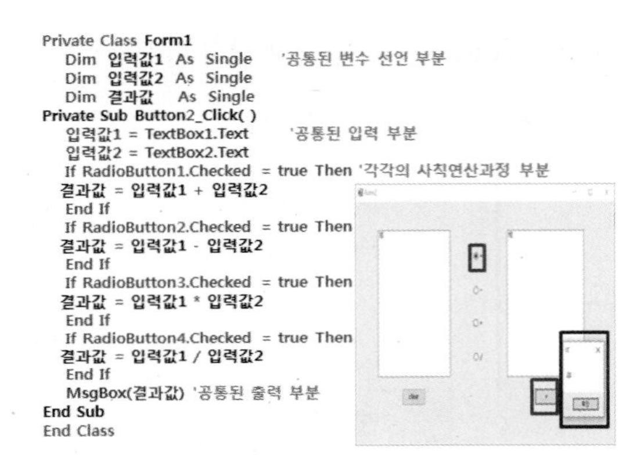

```
Private Class Form1
   Dim 입력값1 As Single    '공통된 변수 선언 부분
   Dim 입력값2 As Single
   Dim 결과값  As Single
Private Sub Button2_Click( )
   입력값1 = TextBox1.Text    '공통된 입력 부분
   입력값2 = TextBox2.Text
   If RadioButton1.Checked = true Then '각각의 사칙연산과정 부분
  결과값 = 입력값1 + 입력값2
   End If
   If RadioButton2.Checked = true Then
  결과값 = 입력값1 - 입력값2
   End If
   If RadioButton3.Checked = true Then
  결과값 = 입력값1 * 입력값2
   End If
   If RadioButton4.Checked = true Then
  결과값 = 입력값1 / 입력값2
   End If
   MsgBox(결과값) '공통된 출력 부분
End Sub
End Class
```

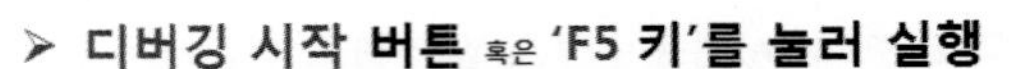

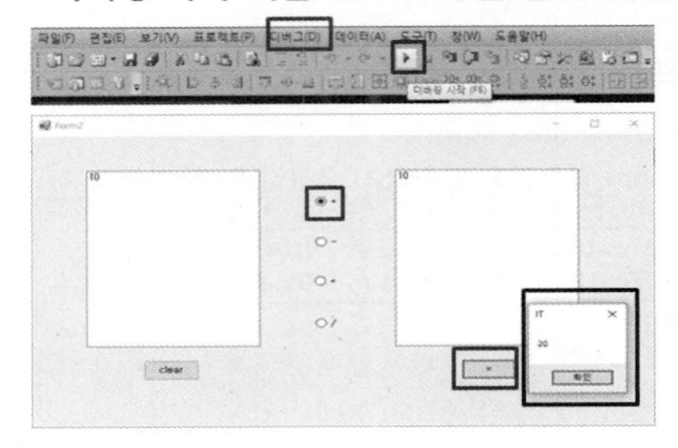

➢ A6: 10.3 Visual Basic 기초 Program

- ➢ **10.3 Visual Basic 기초 Program**
- ➢ 남성, 여성 선택하는 투표하기 Program
  - ➢ RadioButton과 GroupBox를 사용
- ➢ 전체(동의) 체크, 체크 해제하기 Program
  - ➢ CheckBox 와 GroupBox를 사용
- ➢ 잘생긴 사람 투표 or 선호하는 상품(색상 등) 설문 조사
  - ➢ RadioButton과 CheckBox, GroupBox, PictureBox 사용
- ➢ ListBox를 이용한 간단 메모장
  - ➢ ListBox를 사용하여 Add(추가), Remove(삭제), Clear하기
- ➢ 좋은 디자인 포스터에 투표하는 Program
  - ➢ RadioButton과 PictureBox 사용
- ➢ 문제풀이창 만들기
  - ➢ RadioButton과 PictureBox 사용
- ➢ CheckBox와 여러개의 Form을 사용한 자가진단 체크리스트
- ➢ 학점계산기 만들기
  - ➢ ComboBox와 Select Case 문을 사용

➢ RadioButton과 GroupBox를 사용하여
➢ 남성, 여성 선택하는 투표하기 Program: 의사코드

GroupBox 1개,
RadioButton 2개,
Label 1개, Button 1개를 배치하기.

1) **남성인지 여성인지 선택하는**
   RadioButton (옵션버튼)에 체크하고
2) **투표하기 버튼을 누르면**
   라벨에 총 투표수가 나오게 만들기.

남성, 여성 선택하는 투표하기 Program: 화면 디자인 1) GroupBox 선택

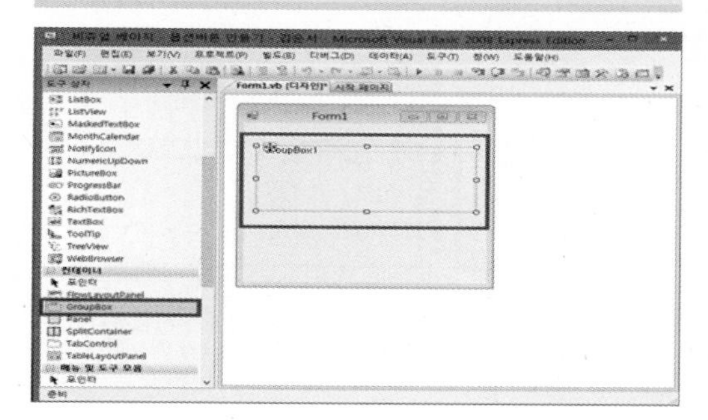

남성, 여성 선택하는 투표하기 Program: 화면 디자인 2) GroupBox 내에서 RadioButton 선택

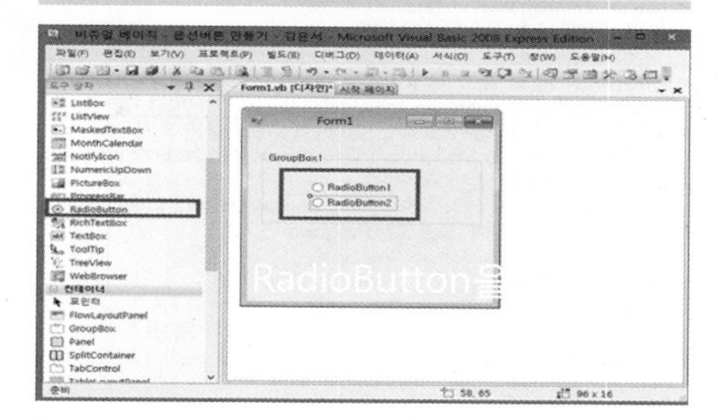

남성, 여성 선택하는 투표하기 Program: 화면 디자인 3) Label 과 Button 선택

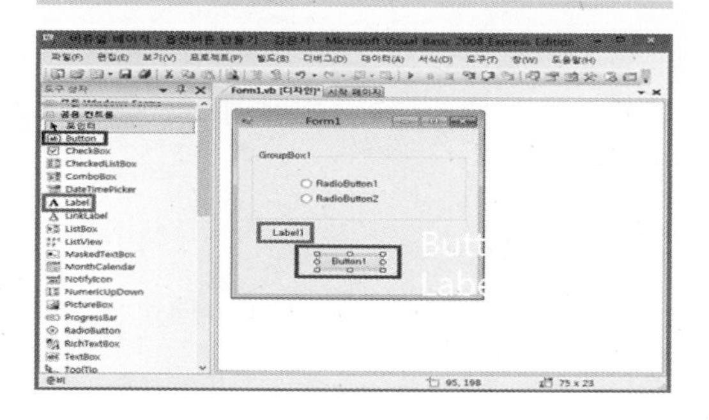

남성, 여성 선택하는 투표하기 Program: 화면 디자인 과 주요 Source Code

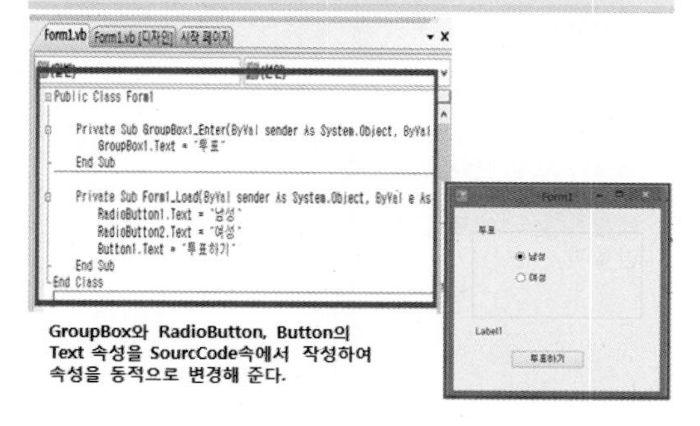

남성, 여성 선택하는 투표하기 Program: 화면 디자인 과 주요 Source Code

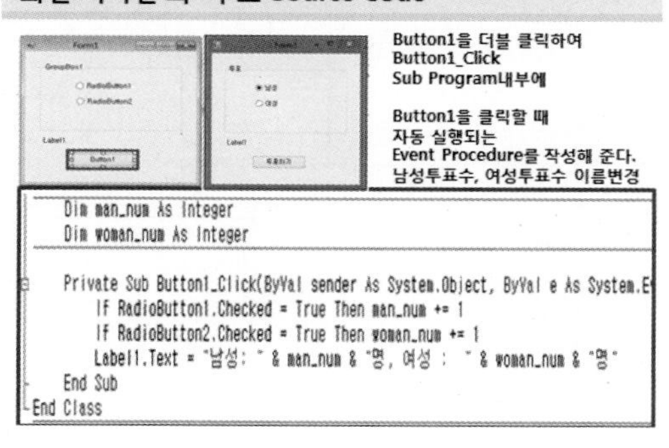

남성, 여성 선택하는 투표하기 Program: 화면 디자인 과 주요 Source Code

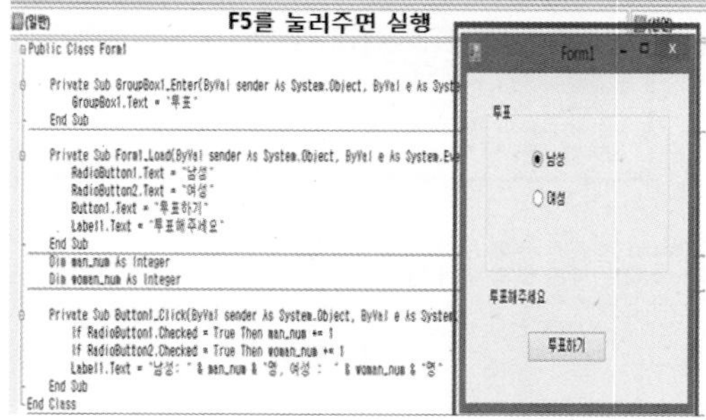

➢ A6: 10.3 Visual Basic 기초 Program

- ➢ 10.3 Visual Basic 기초 Program
- ➢ 남성, 여성 선택하는 투표하기 Program
  - ➢ RadioButton과 GroupBox를 사용
- ➢ 전체(동의) 체크, 체크 해제하기 Program
  - ➢ CheckBox 와 GroupBox를 사용
- ➢ 잘생긴 사람 투표 or 선호하는 상품(색상 등) 설문 조사
  - ➢ RadioButton과 CheckBox, GroupBox, PictureBox 사용
- ➢ ListBox를 이용한 간단 메모장
  - ➢ ListBox를 사용하여 Add(추가), Remove(삭제), Clear하기
- ➢ 좋은 디자인 포스터에 투표하는 Program
  - ➢ RadioButton과 PictureBox 사용
- ➢ 문제풀이창 만들기
  - ➢ RadioButton과 PictureBox 사용
- ➢ CheckBox와 여러개의 Form을 사용한 자가진단 체크리스트
- ➢ 학점계산기 만들기
  - ➢ ComboBox와 Select Case 문을 사용

Radio Button과 CheckBox의 차이점

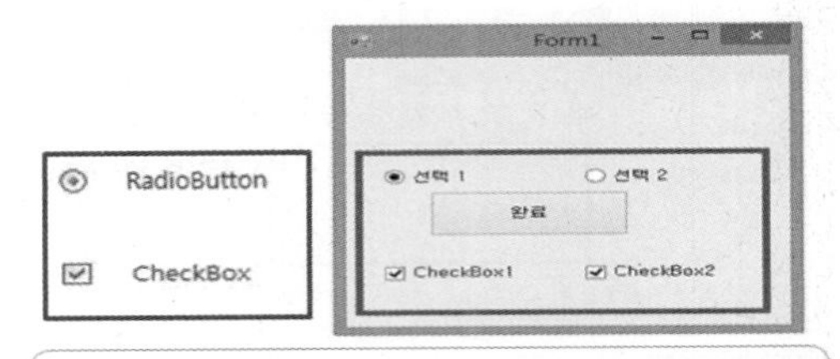

- ➢ Radio Button은 여러 개 중, 단 하나만 체크가 가능하지만,
- ➢ CheckBox는 여러 개를 복수로 선택하여 체크가 가능하다.

➢ CheckBox 와 GroupBox를 사용하여 ➢ 전체(동의) 체크, 체크 해제하기 Program: 의사코드

GroupBox 1개,
CheckBox 2개,
Button 2개를 배치하기.

1) 체크선택 버튼을 누르면 체크가 모두 선택되고,
2) 체크해제 버튼을 누르면 체크가 모두 해제되게 만들기.

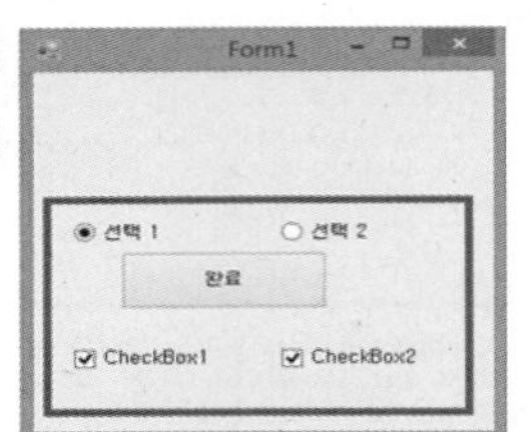

➢ CheckBox 와 GroupBox를 사용하여 ➢ 전체(동의) 체크, 체크 해제하기 Program: 화면설계

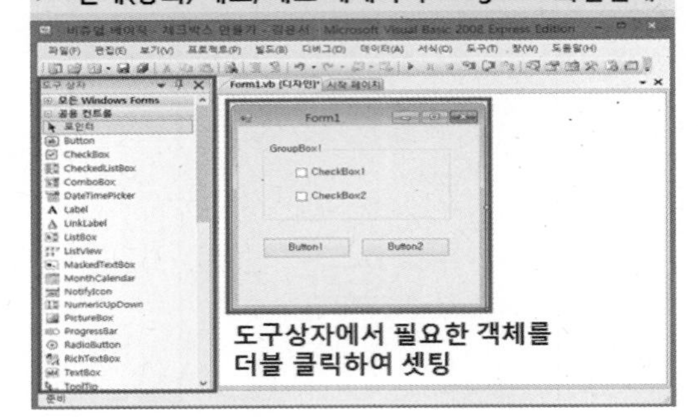

➢ CheckBox 와 GroupBox를 사용하여 ➢ 전체(동의) 체크, 체크 해제하기 Program: 화면설계

```
Public Class form1

    Private Sub GroupBox1_Enter(ByVal sender As System.Object, ByVal
        GroupBox1.Text = "약관동의"
        CheckBox1.Text = "개인정보 제공 동의"
        CheckBox2.Text = "개인정보 이용 동의"
        Button1.Text = "체크선택"
        Button2.Text = "체크해제"
```

Button1은 약관 전체 동의
Button2는 약관 전체 동의 안함 으로
소스코드에서 Text 속성을
동적으로 수정할 수도 있다.

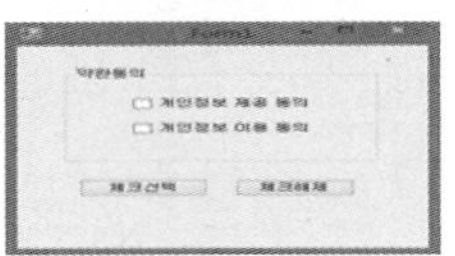

➢ CheckBox 와 GroupBox를 사용하여 ➢ 전체(동의) 체크, 체크 해제하기 Program: 주요코드

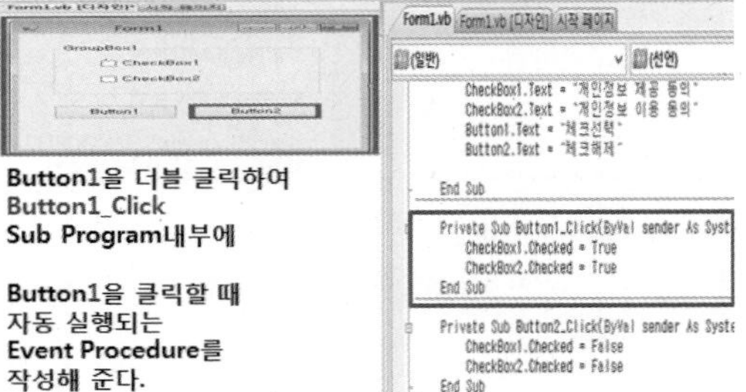

Button1을 더블 클릭하여
Button1_Click
Sub Program내부에

Button1을 클릭할 때
자동 실행되는
Event Procedure를
작성해 준다.

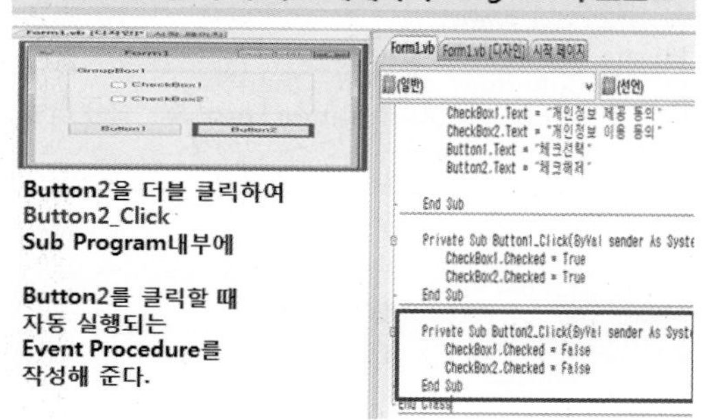

Button2을 더블 클릭하여
Button2_Click
Sub Program내부에

Button2를 클릭할 때
자동 실행되는
Event Procedure를
작성해 준다.

➢ A6: 10.3 Visual Basic 기초 Program

- ➢ 10.3 Visual Basic 기초 Program
- ➢ 남성, 여성 선택하는 투표하기 Program
  - ➢ RadioButton과 GroupBox를 사용
- ➢ 전체(동의) 체크, 체크 해제하기 Program
  - ➢ CheckBox 와 GroupBox를 사용
- ➢ 잘생긴 사람 투표 or 선호하는 상품(색상 등) 설문 조사
  - ➢ RadioButton과 CheckBox, GroupBox, PictureBox 사용
- ➢ ListBox를 이용한 간단 메모장
  - ➢ ListBox를 사용하여 Add(추가), Remove(삭제), Clear하기
- ➢ 좋은 디자인 포스터에 투표하는 Program
  - ➢ RadioButton과 PictureBox 사용
- ➢ 문제풀이창 만들기
  - ➢ RadioButton과 PictureBox 사용
- ➢ CheckBox와 여러개의 Form을 사용한 자가진단 체크리스트
- ➢ 학점계산기 만들기
  - ➢ ComboBox와 Select Case 문을 사용

잘생긴 사람 투표하기 or 선호하는 상품(색상 등) 설문 조사

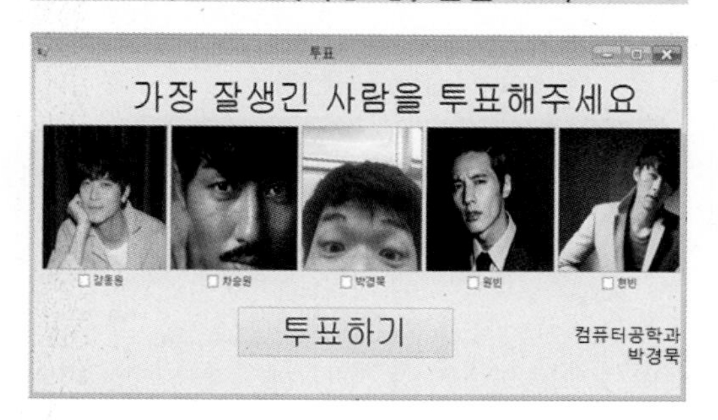

1. 화면 설계 (도구상자에서 필요한 컨트롤 선택)

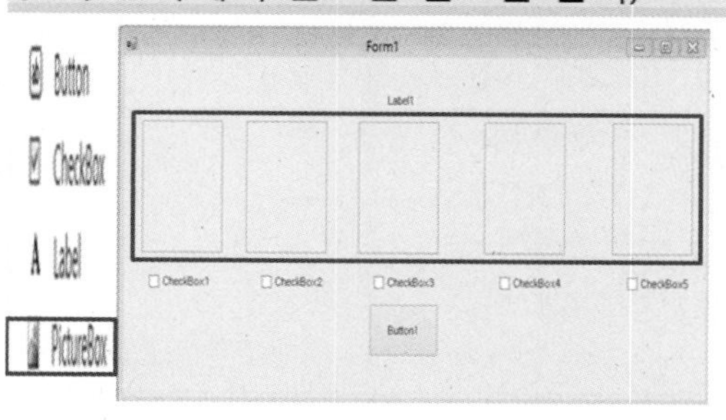

3. PictureBox에 사진 넣기

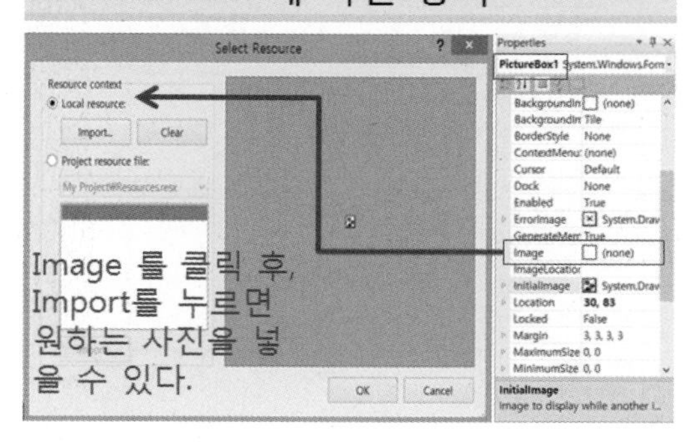

3. PictureBox에 사진 넣기

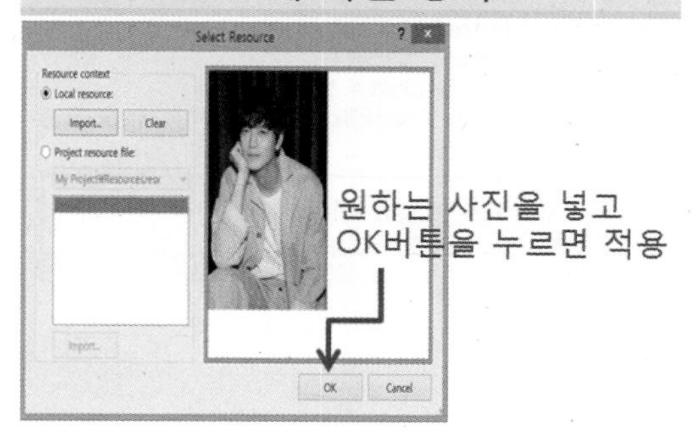

3. PictureBox에 사진 넣기 완성

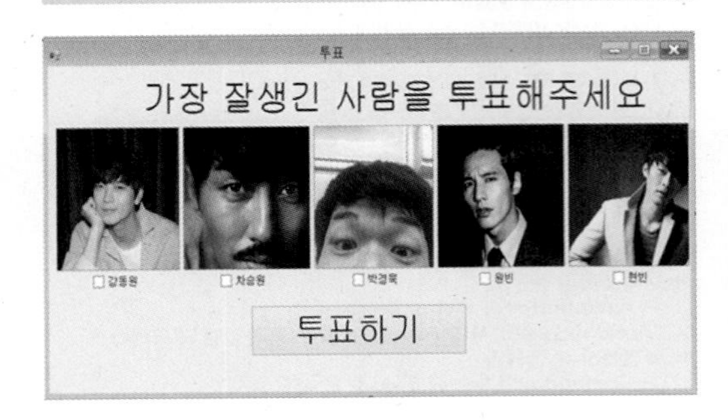

4. 코드 설명

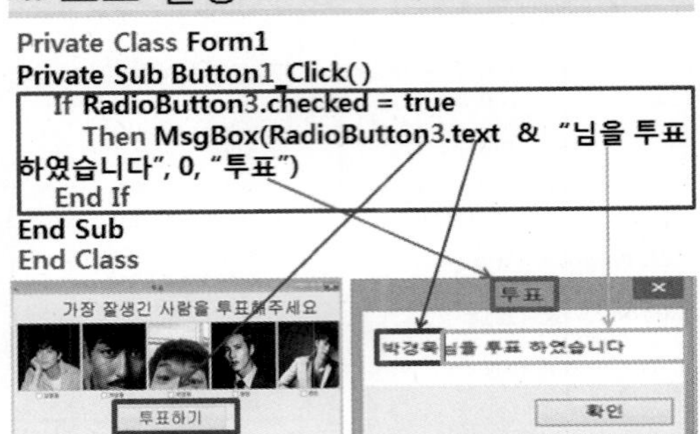

```
Private Class Form1
Private Sub Button1_Click()
  If RadioButton3.checked = true
    Then MsgBox(RadioButton3.text & "님을 투표
하였습니다", 0, "투표")
  End If
End Sub
End Class
```


5. 잘 생긴 사람 투표하기: 전체 Code

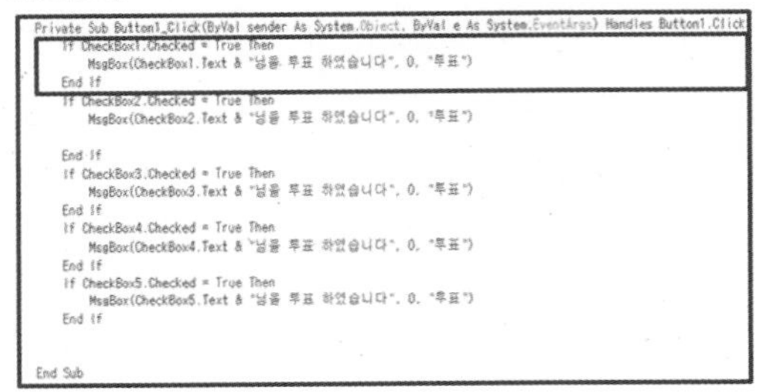

```
Public Class Form1
    Private Sub Button1_Click(ByVal sender As System.Object, ByVal e As System.EventArgs) Handles Button1.Click
        If CheckBox1.Checked = True Then
            MsgBox(CheckBox1.Text & "님을 투표 하였습니다", 0, "투표")
        End If
        If CheckBox2.Checked = True Then
            MsgBox(CheckBox2.Text & "님을 투표 하였습니다", 0, "투표")

        End If
        If CheckBox3.Checked = True Then
            MsgBox(CheckBox3.Text & "님을 투표 하였습니다", 0, "투표")
        End If
        If CheckBox4.Checked = True Then
            MsgBox(CheckBox4.Text & "님을 투표 하였습니다", 0, "투표")
        End If
        If CheckBox5.Checked = True Then
            MsgBox(CheckBox5.Text & "님을 투표 하였습니다", 0, "투표")
        End If

    End Sub
End Class
```

6. 투표 결과

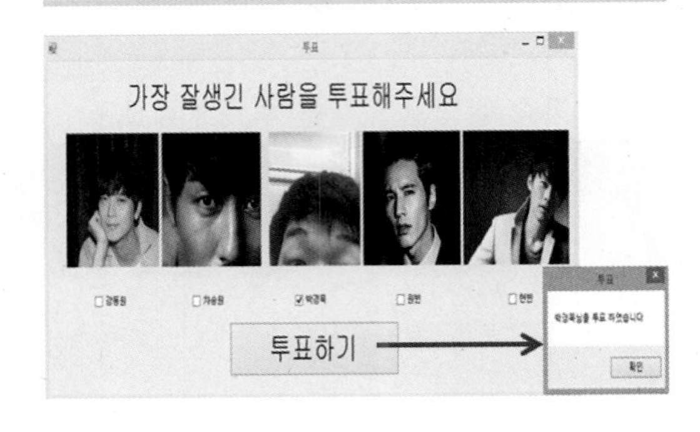

7. 득표수를 누적하는 코드 추가

```
Private Class Form1
Private Sub Button1_Click()
  If CheckBox3.checked = true
    Then MsgBox(CheckBox3.text &   "님을 투표
하였습니다", 0, "투표")

박경묵후보득표수 = 박경묵후보득표수 +1
  End If
End Sub
End Class
```

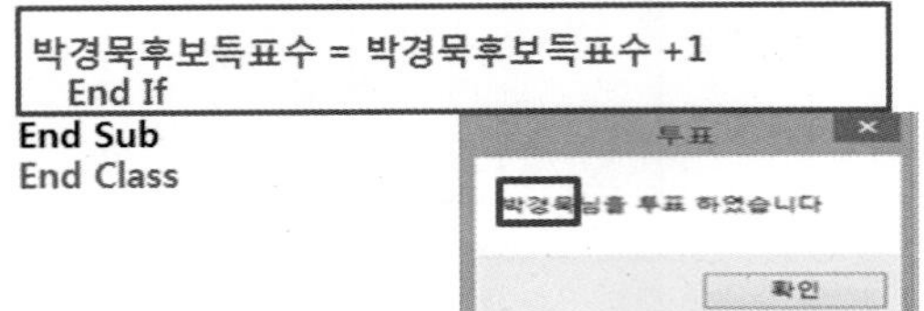

➤ 투표하기 Program 2

```
Private Sub Button1_Click()
Static 후보1득표수 As Integer    '// 변수 선언
Static 후보2득표수 As Integer

If option1.Value = True
Then 후보1득표수 = 후보1득표수  + 1
If option2.Value = True
Then 후보2득표수 = 후보2득표수  + 1

Label4.Text = 후보1득표수 + 후보2득표수 & "명"
'//변수합계 뒤에 "명"을 추가
Label5.Text = 후보1득표수 & "표"
'//변수 뒤에 "표"를 추가
Label6.Text = 후보2득표수 & "표"
'//변수 뒤에 "표"를 추가
End Sub
```

```
Private Class Form1
Private Sub Button1_Click()
   If CheckBox3.checked = true
      Then MsgBox(CheckBox3.text & "님을 투표하였습니다", 0, "투표")
박경묵후보득표수 = 박경묵후보득표수 +1

Label4.Text = 후보1득표수 + 후보2득표수 & "명 투표"
Label5.Text = 박경묵후보득표수 & "표를 획득"
   End If
End Sub
End Class
```

참고: Label4.Text 투표 결과 현황 (총 투표자 수)
Label5.Text 투표 결과 현황 (특정후보 획득 표 수)

```
Private Class Form1
Private Sub Button1_Click()
   If CheckBox3.checked = true
      Then MsgBox(CheckBox3.text & "님을 투표하였습니다", 0, "투표")
박경묵후보득표수 = 박경묵후보득표수 +1

Label4.Text = 후보1득표수 + 후보2득표수 & "명 투표"
Label5.Text = 박경묵후보득표수 & "표를 획득"
   End If
End Sub
End Class
```

➢ A6: 10.3 Visual Basic 기초 Program

- 10.3 Visual Basic 기초 Program
- 남성, 여성 선택하는 투표하기 Program
  - RadioButton과 GroupBox를 사용
- 전체(동의) 체크, 체크 해제하기 Program
  - CheckBox 와 GroupBox를 사용
- 잘생긴 사람 투표 or 선호하는 상품(색상 등) 설문 조사
  - RadioButton과 CheckBox, GroupBox, PictureBox 사용
- ListBox를 이용한 간단 메모장
  - ListBox를 사용하여 Add(추가), Remove(삭제), Clear하기
- 좋은 디자인 포스터에 투표하는 Program
  - RadioButton과 PictureBox 사용
- 문제풀이창 만들기
  - RadioButton과 PictureBox 사용
- CheckBox와 여러개의 Form을 사용한 자가진단 체크리스트
- 학점계산기 만들기
  - ComboBox와 Select Case 문을 사용

➢ 여러가지 아이템을 관리할 수 있는 리스트박스

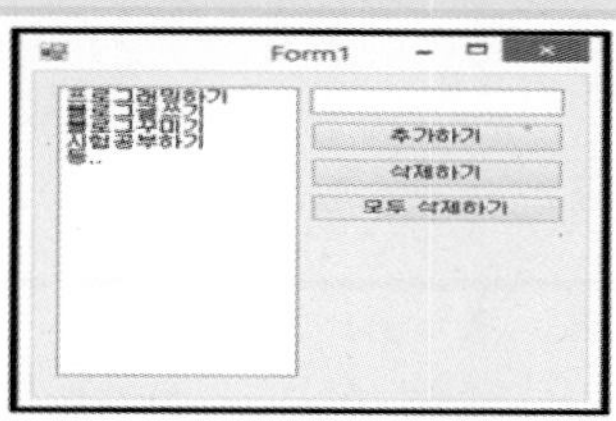

- 리스트박스에 아이템 5개를 추가한다.
- 추가, 삭제하고 싶은 아이템을 입력하고,
- 추가하기 혹은 삭제하기를 누르면
- 그 아이템이 추가 혹은 삭제된다.

리스트박스 이용한 간단 메모장

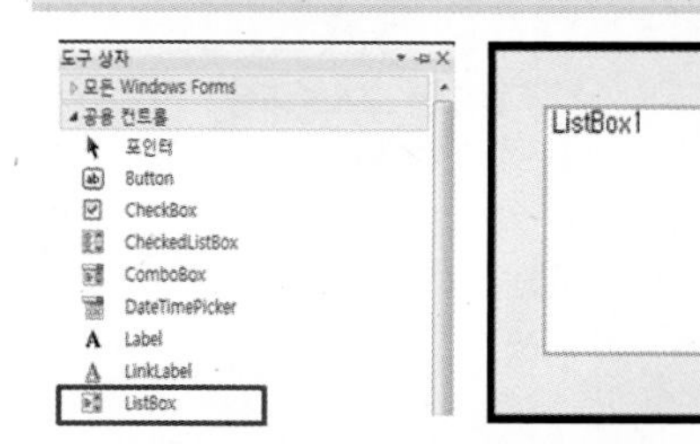

1. 도구상자에서 ListBox를 선택하여, 폼에 추가..

리스트박스 이용한 간단 메모장

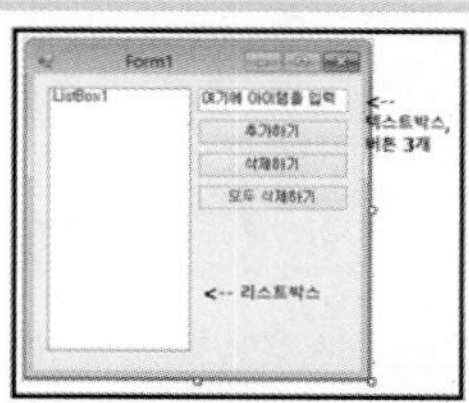

2. 리스트박스, 텍스트박스, 버튼 3개를 각각 추가한다. Text 속성도 그림처럼 수정한다.

> '추가하기' 버튼을
> 더블 클릭해서
> 소스 코드창을 열고
> 코드를 입력한다

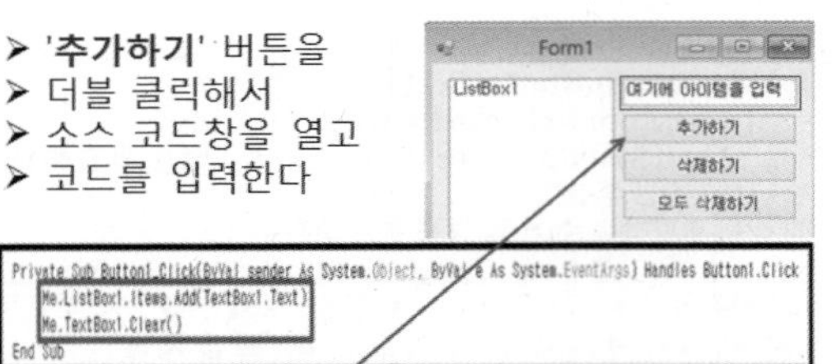

'// 아이템 추가: **추가하기(버튼1)**을 누르면
Me.ListBox1.Items.Add(TextBox1.Text)
'// 텍스트박스에 입력된 글자를
'// 리스트박스에 추가한다.(추가하면 이렇게 정렬.)
Me.TextBox1.Text.Clear()
'// 텍스트박스에 입력된 아이템을 삭제

리스트박스 이용한 간단 메모장

> **삭제하기 버튼을**
> **더블 클릭해서**
> **소스 코드창을 열고**
> **코드를 입력한다**

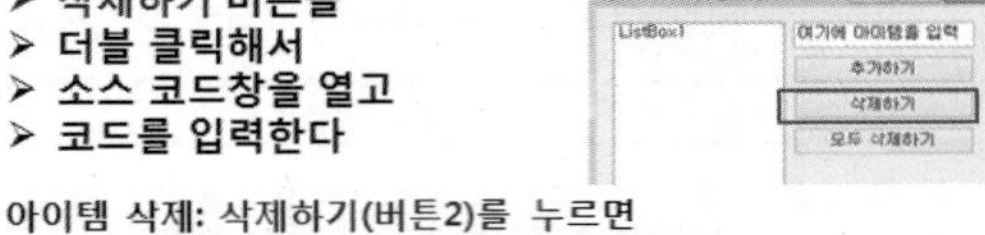

아이템 삭제: 삭제하기(버튼2)를 누르면
Me.ListBox1.Items.Remove(TextBox1.Text)
텍스트박스에 입력된 아이템을 리스트박스에서 삭제

Me.TextBox1.Text.Clear()
텍스트박스에 입력된 아이템을 삭제

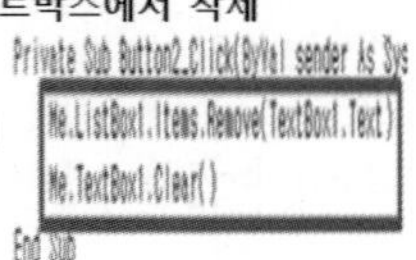

리스트박스 이용한 간단 메모장

> ' **모두 삭제하기**' 버튼을
> 더블 클릭해서
> 소스 코드창을 열고
> 코드를 입력한다

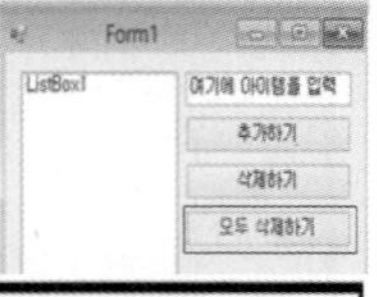


```
Private Sub Button3_Click(ByVal sender As System.Object, ByVal e As System.EventArgs) Handles Button3.Click
    Me.ListBox1.Items.Clear()
End Sub
```

아이템 삭제: **삭제하기(버튼3)**를 누르면
Me.ListBox1.Items.Clear()
리스트박스의 아이템을 모두 지운다.

리스트박스 이용한 간단 메모장

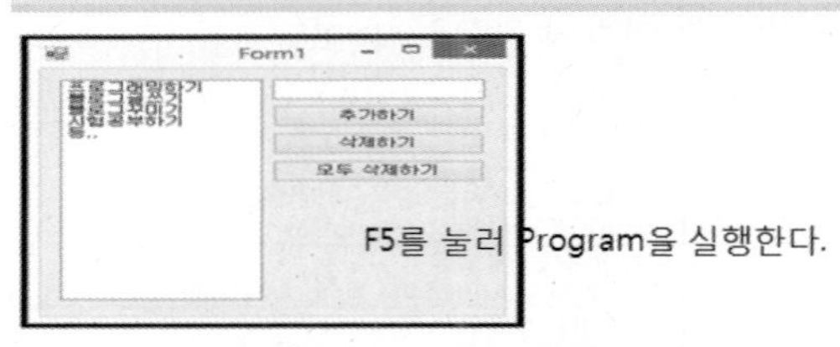

F5를 눌러 Program을 실행한다.

> **리스트박스에 아이템 5개를 추가한다.**
> **추가, 삭제하고 싶은 아이템을 입력하고,**
> **추가하기 혹은 삭제하기를 누르면**
> **그 아이템이 추가 혹은 삭제된다.**

> A6: 10.3 Visual Basic 기초 Program

> **10.3 Visual Basic 기초 Program**
> **남성, 여성 선택하는 투표하기 Program**
> > **RadioButton과 GroupBox를 사용**
> **전체(동의) 체크, 체크 해제하기 Program**
> > **CheckBox 와 GroupBox를 사용**
> **잘생긴 사람 투표 or 선호하는 상품(색상 등) 설문 조사**
> > **RadioButton과 CheckBox, GroupBox, PictureBox 사용**
> **ListBox를 이용한 간단 메모장**
> > **ListBox를 사용하여 Add(추가), Remove(삭제), Clear하기**
> **좋은 디자인 포스터에 투표하는 Program**
> > **RadioButton과 PictureBox 사용**
> **문제풀이창 만들기**
> > **RadioButton과 PictureBox 사용**
> **CheckBox와 여러개의 Form을 사용한 자가진단 체크리스트**
> **학점계산기 만들기**
> > **ComboBox와 Select Case 문을 사용**

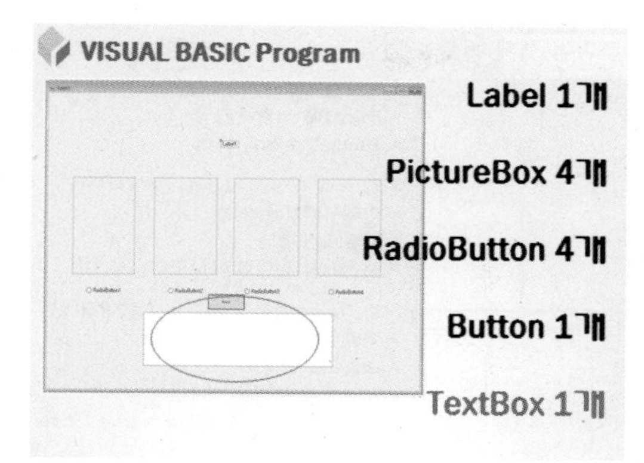

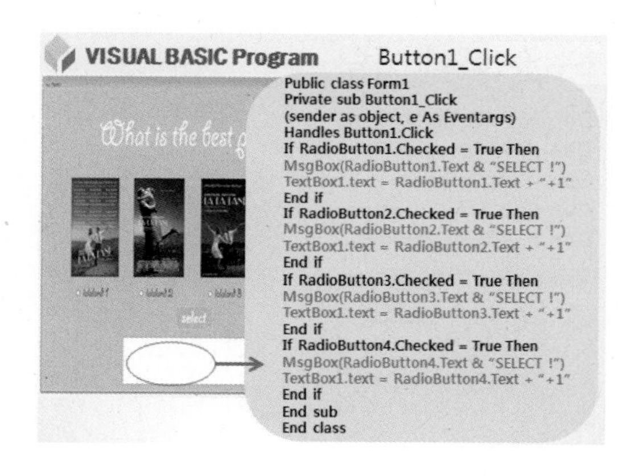

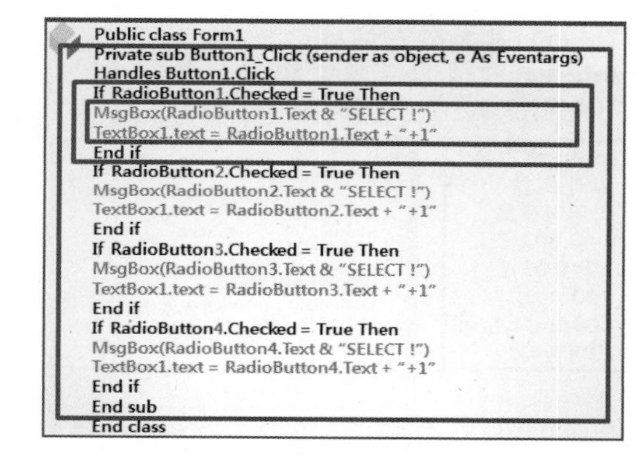

➢ A7: 10.3 Visual Basic 기초 Program

- 10.3 Visual Basic 기초 Program
- 1)시작/정지 2가지 역할을 수행하는 하나의 버튼과 타이머를 이용한 스톱워치 만들기
  - 2가지 역할의 버튼과 파일 출력이 가능한 스톱워치 시연
  - ComboBox와 Select Case문을 사용한 스톱워치 시연
- 2) 시스템 라이브러리 함수를 이용한 디지털 시계 만들기
  - 날짜/ 시간 함수의 사용 형식:
    - Label1.Text = Now "/ 현재시간 & 날짜 2019-04-05 오후 9:29:31
    - Label2.Text = TimeOfDay "/ 현재시간 오후 9:29:31
    - Label3.Text = DateString "/ 현재날짜 2019-04-05
  - A8 VB2010 디지털 시계, 날짜, 스톱워치 양만석
  - Now, Time, Date, Today등 현재날짜, 시간을 표시하는 함수를 이용한 스톱워치
  - Format 함수의 사용 형식: Format(변형할 데이터, "표시 형식")
- 3) 카운트 다운이 가능한 스톱워치
  - A7 VB2015 카운트다운타이머 건축과 이동현
  -

- 10.1 Visual Basic 기초 Program
  - 1) 하나의 버튼으로 시작/정지 2가지 역할을 하는 버튼과 타이머를 이용한 스톱워치 만들기
  - A5 시작정지 2가지 역할을 수행하는 버튼과 타이머를 이용한 스톱워치
    - Program 시연
  - A5 시작정지 2가지 역할을 수행하는 ComboBox와 Select Case문을 사용한 스톱워치
    - Program 시연
  - 실습시작

스톱워치의 핵심이라고 할 수 있는 타이머 객체를 추가

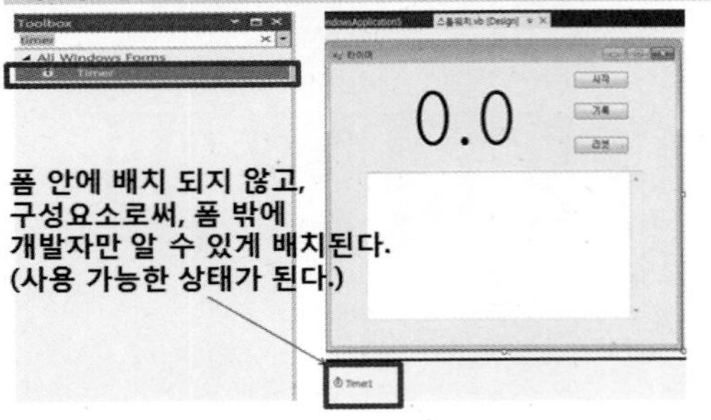

폼 안에 배치 되지 않고, 구성요소로써, 폼 밖에 개발자만 알 수 있게 배치된다. (사용 가능한 상태가 된다.)

타이머 객체 이름을 변경(Text, Name 속성) 실습생략

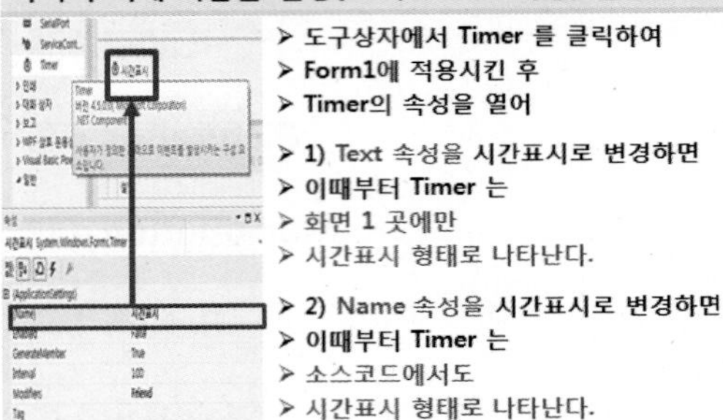

- 도구상자에서 Timer 를 클릭하여
- Form1에 적용시킨 후
- Timer의 속성을 열어
- 1) Text 속성을 시간표시로 변경하면
- 이때부터 Timer 는
- 화면 1 곳에만
- 시간표시 형태로 나타난다.
- 2) Name 속성을 시간표시로 변경하면
- 이때부터 Timer 는
- 소스코드에서도
- 시간표시 형태로 나타난다.
- 예) If 시간표시.enabled = true Then

Timer1 의 속성 창에서 Interval(시간 간격)속성 의 속성값 100(기본값) 을 1000으로 수정한다.

Interval 값은 밀리 초를 의미하므로
1=0.001 초
10=0.01 초
100 = 0.1
1000 = 1초 를 의미한다.

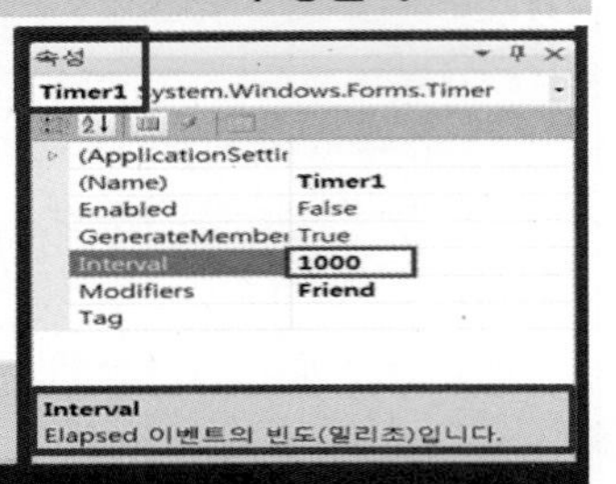

변수 선언 소스코드

```
Dim 시 As Integer
Dim 분 As Integer
Dim 초 As Integer
Dim 밀리초 As Integer
Dim 카운터 As Integer
```

하나의 버튼으로 " 시작" 과 " 정지" 2가지 역할을 번갈아 수행하는 시작/정지 버튼 (Button1) 개선된 코드

```
Private Sub Button1_Click( )
  If Timer1.Enabled = True Then '/타이머가 작동중 이면
     Timer1.Enabled = False '/타이머를 정지시키고
     Button1.Text = "시작" '/Button1에 "시작"을 표시하고
  End If
  If Timer1.Enabled = False Then '/타이머가 정지중 이면
     Timer1.Enabled = True '/타이머를 작동시키고
     Button1.Text = "정지" '/Button1에 "정지"를 표시한다.
  End If
End Sub
```

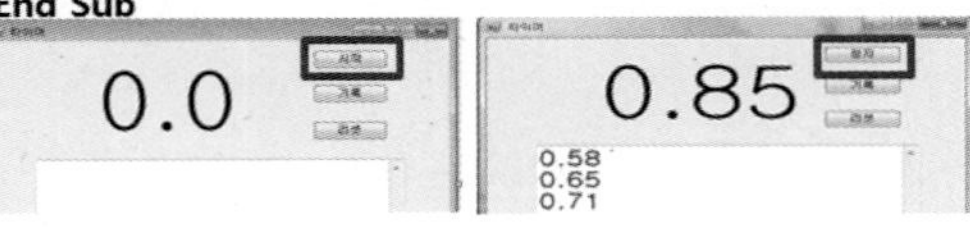

스톱 워치가 계속해서 작동하면서 새로운 기록을 새로운 줄에 추가하는 기록 버튼 (Button2) 소스코드

"기록" 버튼을 더블 클릭하여 코드 창을 열고
"기록" 버튼이 클릭되면 실행할 코드 입력

TextBox1.Text에 있는 기존기록 내용에 (TextBox1.Text) 현재기록 lable1.Text를 추가하고 (& Lable1.Text) 줄을 바꾸어서 다음 줄에 새로운 내용을 추가 출력할 수 있도록 준비하는 코드 (& vbCrLf)

```
Private Sub Button2_Click()
   카운터 += 1
   TextBox1.AppendText(카운터 & " 번째 기록 " & Label1.Text & vbCrLf)
End Sub
```

타이머의 기록과 텍스트박스의 기존 기록을 초기화하는 리셋 버튼 (Button3) 소스코드

```
Private Sub Button3_Click()
   Label1.Text = "0.0"
   TextBox1.Text = ""
End Sub
```

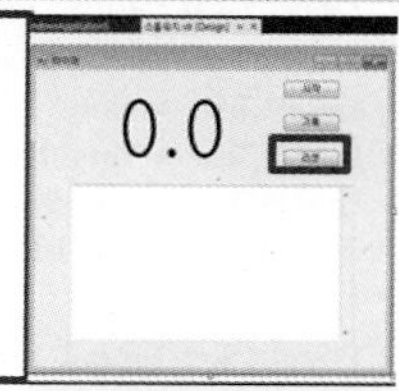


```
Private Class Form1
Private Sub Button1_Click( )
 If Timer1.Enabled = True Then '/타이머가 작동중 이면
    Timer1.Enabled = False '/타이머를 정지시키고
    Button1.Text = "시작" '/Button1에 "시작"을 표시하고
 End If
 If Timer1.Enabled = False Then '/타이머가 정지중 이면
    Timer1.Enabled = True '/타이머를 작동시키고
    Button1.Text = "정지" '/Button1에 "정지"를 표시한다.
 End If
End Sub
Private Sub Button2_Click( )
   TextBox1.Text = TextBox1.Text & Label1.Text & vbCrLf
End Sub
Private Sub Button3_Click( )
   Label1.Text = "0.0"
   TextBox1.Text = ""
End Sub
End Class
```

(Button1,2,3)
3가지 버튼의 전체 코드

테스트가 끝나면, 모두 저장하기 버튼을 눌러 작업내용을 잘 표현하는 이름으로 저장

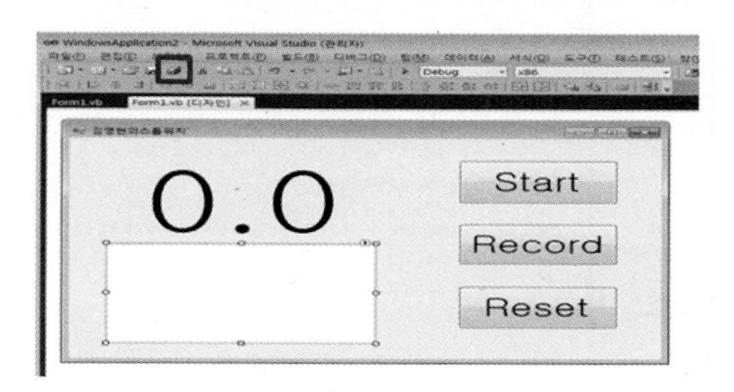

➢ A7: 10.3 Visual Basic 기초 Program

- ➢ 10.3 Visual Basic 기초 Program
- ➢ 1)시작/정지 2가지 역할을 수행하는 하나의 버튼과 타이머를 이용한 스톱워치 만들기
  - ➢ 2가지 역할의 버튼과 파일 출력이 가능한 스톱워치 시연
  - ➢ ComboBox와 Select Case문을 사용한 스톱워치 시연
- ➢ 2) 시스템 라이브러리 함수를 이용한 디지털 시계 만들기
  - ➢ 날짜/ 시간 함수의 사용 형식:
    - ➢Label1.Text = Now "/ 현재시간 & 날짜 2019-04-05 오후 9:29:31
    - ➢Label2.Text = TimeOfDay "/ 현재시간 오후 9:29:31
    - ➢Label3.Text = DateString "/ 현재날짜 2019-04-05
  - ➢ A8 VB2010 디지털 시계, 날짜, 스톱워치 양만석
  - ➢ Now, Time, Date, Today등 현재날짜, 시간을 표시하는 함수를 이용한 스톱워치
  - ➢ Format 함수의 사용 형식: Format(변형할 데이터, "표시 형식")
- ➢ 3) 카운트 다운이 가능한 스톱워치
  - ➢ A7 VB2015 카운트다운타이머 건축과 이동현

시스템 라이브러리 함수를 이용한 디지털 시계 만들기

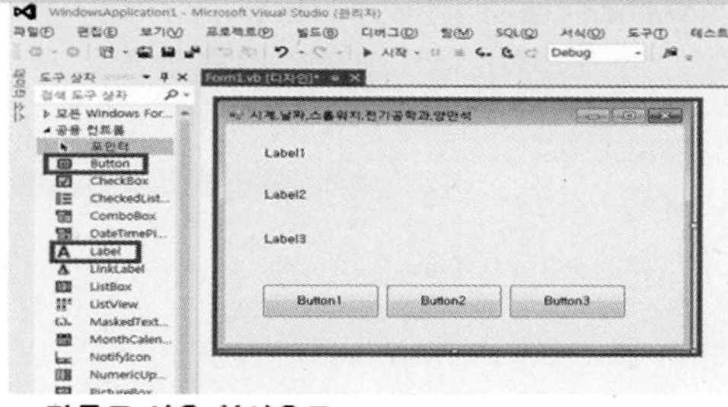

- 만들고 싶은 형식으로
- Label 과 button 을 Form1 에 추가.

속성 변경

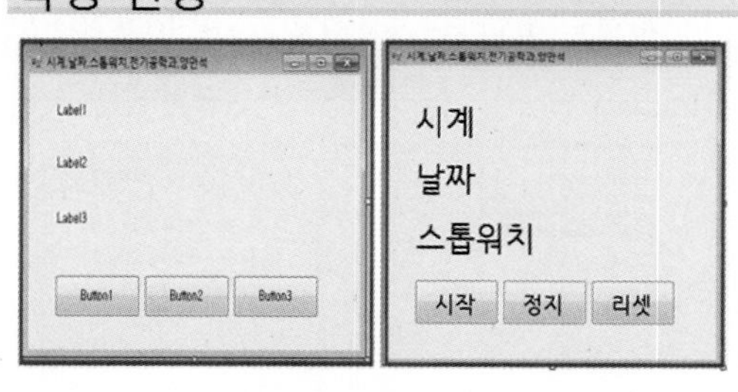

- Label 과 button 의 속성에서
- Name, 글씨체, 크기 를 변경.

Form1의 객체들 속성 변경

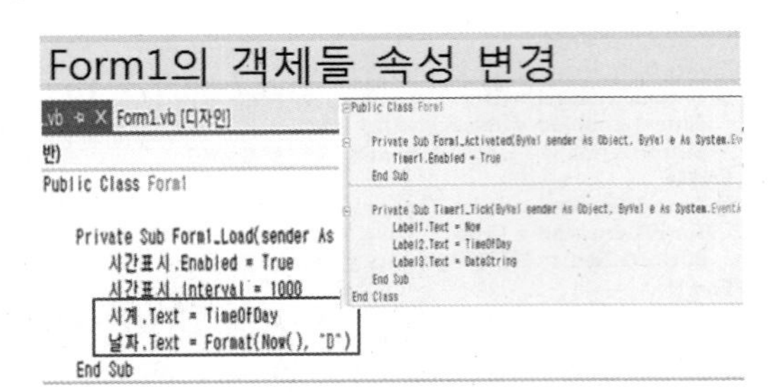

- Enabled 을 "True" 로 변경
- Interval 은 밀리 초 이므로 1000으로 설정 시 초당 1초씩 증가
- TimeOfDay 를 사용하여 현재 시간을 표시
- Format(Now(), "D") 함수를 사용하여 현재 날짜를 표시

➢ 날짜/ 시간 함수의 사용 형식:

➢ Public Class Form1
➢ Private Sub Form1_Load 중략
➢ Label1.Text = Now "/ 현재시간 & 날짜 2019-04-05 오후 9:29:31
➢ Label2.Text = TimeOfDay "/ 현재시간 오후 9:29:31
➢ Label3.Text = DateString "/ 현재날짜 20
➢ Timer1.Enabled = True "/ 즉, 타이머1 실행
➢ End Sub
➢ Private Sub Timer1_Tick 중략
➢ Label1.Text = Now
➢ Label2.Text = TimeOfDay
➢ Label3.Text = DateString
➢ End Sub
➢ End Class

날짜 시간 함수를 이용하여 결과 값 출력

함수 명	기 능	사용 예
Date	현재 컴퓨터의 날짜	2014-12-11
Time	현재 컴퓨터의 시간	오전 5:09:43
Now	현재 컴퓨터의 날짜와 시간	2014-12-11 오전5:09:43

Project1 - Form1 (코드)

```
Command2                Click
Private Sub Command1_Click()
Text1.Text = Format(Date, "yy-mm-dd")
Text2.Text = Format(Time, "hh:nn:ss:dd")
End Sub
Private Sub Command2_Click()
Text1.Text = Format(Date, "ooo")
Text2.Text = Format(Time, "h:n:s")
End Sub
```

날짜 시간 표시

오늘의 날짜 14-12-11

오늘의 시간 11:41:14:30

MODE1 MODE2

➢ 날짜/ 시간 함수의 사용 형식: G, D, d, T, t

➢ NOW() 메소드(함수): 현재 시스템의 년/월/날짜/시간 상태를 표시

General Date 또는 G	날짜 및/또는 시간을 표시합니다.예를 들면 3/12/2008 11:07:31 AM와 같습니다.날짜 표시는 응용 프로그램의 현재 문화권 값에 의해 결정됩니다.
Long Date, Medium Date 또는 D	현재 문화권의 자세한 날짜 형식에 따라 날짜를 표시합니다.예를 들면 Wednesday, March 12, 2008와 같습니다.
Short Date 또는 d	현재 문화권의 간단한 날짜 형식을 사용하여 날짜를 표시합니다.예를 들면 3/12/2008와 같습니다. d 문자를 지정하면 일이 사용자 정의 날짜 형식으로 표시됩니다.
Long Time, Medium Time 또는 T	현재 문화권의 자세한 시간 형식을 사용하여 시간을 표시하며, 일반적으로 시, 분, 초가 포함됩니다.예를 들면 11:07:31 AM와 같습니다.
Short Time 또는 t	현재 문화권의 간단한 시간 형식을 사용하여 시간을 표시합니다.예를 들면 11:07 AM와 같습니다. t 문자를 지정하면 시간 형식을 사용하는 12시간 형식을 사용하는 로캘의 AM 또는 PM 값이 사용자 정의 형식으로 표시됩니다.

➢ 날짜/ 시간 함수의 사용 형식:

➢ NOW() 메소드(함수): 현재 시스템의 년/월/날짜/시간 상태를 표시

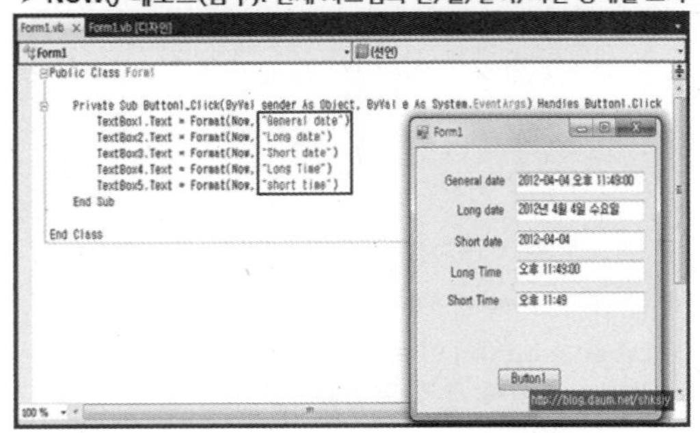

➢ 날짜/ 시간 함수의 사용 형식:

➢ NOW() 메소드(함수): 옵션의 약자 표시도 가능

```
Private Sub Button1_Click(ByVal sender As System.Object,

    TextBox1.Text = Format(Now(), "G")
    TextBox2.Text = Format(Now(), "D")
    TextBox3.Text = Format(Now(), "d")
    TextBox4.Text = Format(Now(), "T")
    TextBox5.Text = Format(Now(), "t")

End Sub
```

Form1

General Date / G	2015-11-18 오전 3:02:32
Long Date / D	2015년 11월 18일 수요일
Short Date / d	2015-11-18
Long Time / T	오전 3:02:32
Short Time / t	오전 3:02

➤ 날짜/ 시간 함수의 사용 형식:

➤ NOW() 메소드(함수):

➤ 현재 시스템의 년/월/날짜/시간 상태를 표시

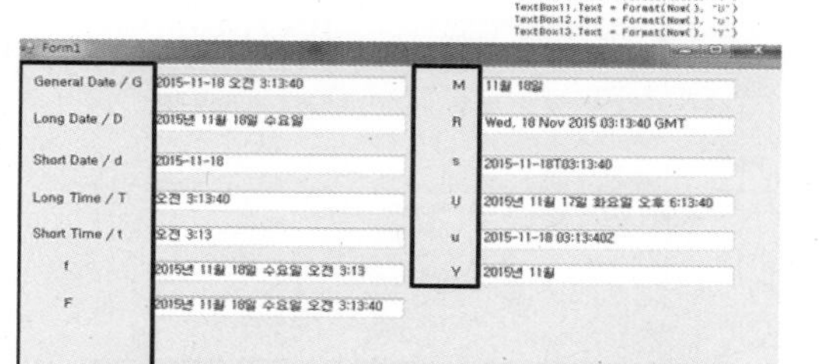

➤ 날짜/ 시간 함수의 사용 형식:

➤ NOW() 메소드(함수): 현재 시스템의 년/월/날짜/시간 상태를 표시

➤ / 날짜를 구분하는 기호

➤ : 시간을 구분 하는 기호

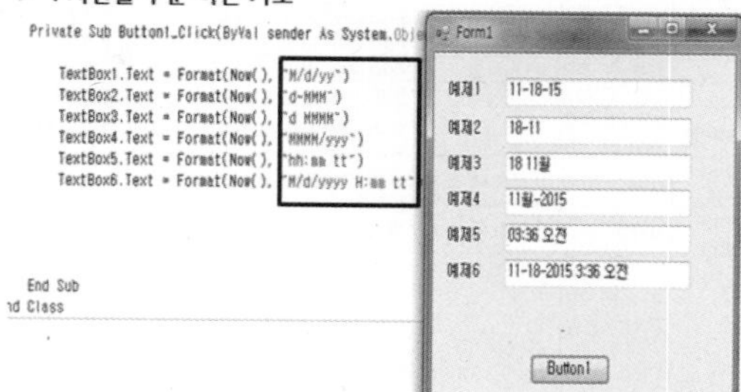

Format 함수의 사용 형식: Format(변형할 데이터, "표시 형식")

➤ 숫자와 관련된 서식 지정 문자

지정 문자	기능	사용 예	결과
#	0 이 아닌 유효 숫자값만 표시	Format(1234.56,"#,##0")	1,235
0	0을 표함한 유효 숫자 표시 이때 빈 자리는 0으로 표시	Format(1234.56,"000000")	001235
,	천 단위로 콤마를 표시	Format(1234.56,"#,##0.00")	1,234.56
.	소수점을 표시		
%	원래의 값에 100을 곱한 후 % 기호를 붙인다.	Format(10.5,"#,##0.0%)	1,050.0%
문자열	빈 칸을 포함한 입력된 문자열을 표시	Format(1234.56,"$ #,##0")	$ 1,234

Format 함수의 사용 형식: Format(변형할 데이터, "표시 형식")

➤ 문자열 서식 지정 문자

지정 문자	기능	사용 예
@	@ 수만큼의 공간에 문자를 오른쪽으로 정렬한 후 남는 공간을 공백으로 둔다. 이때 문자가 없다면 @ 수만큼 공백으로 표시	Format("Hi!","@@@@@") " Hi!"로 표시됨
!	@으로 문자를 정렬한 경우에 사용하는 것으로, @와 반대로 문자를 왼쪽으로 정렬	Format("Hi!","!@@@@@") "Hi! "로 표시됨
&	문자열을 그대로 표시하는데, 해당 문자열이 없을 경우에는 아무것도 나타내지 않는다. 변수를 사용할 경우 상황에 따라 값이 없을 수 있기 때문에 필요한 서식	Format("Hi!","&&&&&") "Hi!" 로 표시됨
<	LCase()함수와 같이 모든 문자를 소문자로 표시한다	Format("Hi!","<") "hi!" 로 표시됨
>	UCase()함수와 같이 모든 문자를 대문자로 표시한다	Format("Hi!",">") "HI!" 로 표시됨

Format 함수의 사용 형식: Format(변형할 데이터, "표시 형식")

➤ 날짜/시간 서식 지정문자

지정 문자	기능	사용 예	결과
y	같은 연도 1월 1일부터 지정된 날짜까지의 일수를 나타냄	Format(#2008-12-31#,"y")	366
yy	연도를 두 자리로 표시	Format(Date,"yy-mm-dd")	08-07-22
yyyy	연도를 네 자리로 표시	Format(Date,"yyyy-mm-dd")	2008-07-22
m	월을 한 자리로 표시	Format(Date,"yy-m-dd")	08-7-22
mm	월을 두 자리로 표시	Format(Date,"yy-mm-dd")	08-07-22
mmm	'Jan'~'Dec'의 3자리수 형태로 월을 표시	Format(Date,"mmm")	Jul
mmmm	'January'~'December'의 Full name형태로 월을 표시	Format(Date,"mmmm")	July
ooo	'1'~'12'의 숫자 형태로 월을 표시	Format(Date,"ooo")	7
oooo	'1월'~'12월'의 Full name 형태로 월을 표시	Format(Date,"oooo")	7월

Format 함수의 사용 형식: Format(변형할 데이터, "표시 형식")

➤ 날짜/시간 서식 지정문자

지정 문자	기능	사용 예	결과
d	날짜를 한 자리로 표시	Format(#2008-2-1#,"yy-m-d")	08-2-1
dd	날짜를 두 자리로 표시	Format(#2008-2-1#,"yy-m-dd")	08-2-01
ddd	'Sun'~'Sat'의 형태로 요일을 표시	Format(Date,"ddd")	Tue
dddd	'Sunday'~'Saturday'의 형태로 요일 표시	Format(Date,"dddd")	Tuesday
aaa	'일'~'토'의 형태로 요일을 표시	Format(Date,"aaa")	화
aaaa	'일요일'~'토요일'의 형태로 요일 표시	Format(Date,"aaaa")	화요일
h	0~23과 같이 한 자리 형태로 시간을 표시	Format(Time,"h:n:s")	9:2:9
hh	00~23과 같이 두 자리 형태로 시간을 표시	Format(Time,"hh:n:s")	09:2:9

Format 함수의 사용 형식: Format(변형할 데이터, "표시 형식")

➢ 날짜/시간 서식 지정문자

지정문자	기능	사용 예	결과
n	분을 한 자리로 표시함	Format(Time,"h:n:s")	9:2:9
nn	분을 두 자리로 표시함	Format(Time,"h:nn:s")	9:02:9
s	초를 한 자리로 표시함	Format(Time,"h:n:s")	9:2:9
ss	초를 두 자리로 표시함	Format(Time,"h:n:ss")	9:2:09
AM/PM	오전/오후를 'AM'과 'PM'으로 표시	Format(Time,"h:n:s AM/PM")	9:2:9 AM
Long Date	자세한 날짜 유형으로 표시	Long Date / Long Time은 윈도우의 제어판에서 제공하는 '국가별 옵션'의 값에 따라 표시	
Long Time	자세한 시간 유형으로 표시		

소스 코드(Source Code)

```
Dim 시, 분, 초 As Integer                                   시 , 분, 초 를 변수로 설정
Private Sub 시작_Click(sender As Object, e As EventArgs) Handles 시작.Click
    스톱워치설정.Enabled = True                               Enabled : 타이머의 실행여부를 확인
    스톱워치설정.Start()                                      Start()  : 타이머를 시작
End Sub

Private Sub 정지_Click(sender As Object, e As EventArgs) Handles 정지.Click
    스톱워치설정.Enabled = False                              Enabled : 타이머의 실행여부를 확인
    스톱워치설정.Stop()                                       Stop()   : 타이머를 중지
End Sub

Private Sub 리셋_Click(sender As Object, e As EventArgs) Handles 리셋.Click
    스톱워치.Text = "00:00:00"                                초기화 : 표시 시간, 분, 초 를 0으로 설정
    시 = 0
    분 = 0
    초 = 0
End Sub

Private Sub 스톱워치설정_Tick(sender As Object, e As EventArgs) Handles 스톱워치설정.Tick
    초 += 1                                  "초" 를 1씩 증가시켜라.
    If 초 = 60 Then                          "초" 가 60이 되면,
        초 = 0                               "초" 를 0으로 하고, "분" 을 1 증가시켜라
        분 += 1
        If 분 = 60 Then                      "분" 이 60이 되면,
            분 = 0                           "분" 을 0으로 하고, "시" 를 1 증가시켜라
            시 += 1
            If 시 = 24 Then                  "시" 가 24가 되면, "시" 를 0으로 하라
                시 = 0
            End If
        End If
    End If
    스톱워치.Text = Format(시, "00") & ":" & Format(분, "00") & ":" & Format(초, "00")
End Sub
```

출력 Format : 시, 분, 초 를 00으로 설정하여 출력
0을 표함한 유효 숫자를 표시(이때 빈 자리는 0으로 표시)

시계, 날짜, 스톱워치가 정상적으로 실행 확인

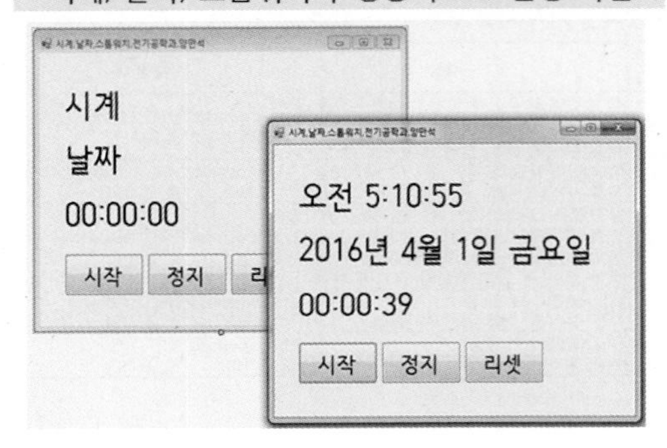

날짜 시간 표시 디지털시계 동작 흐름도(Flow Chart)

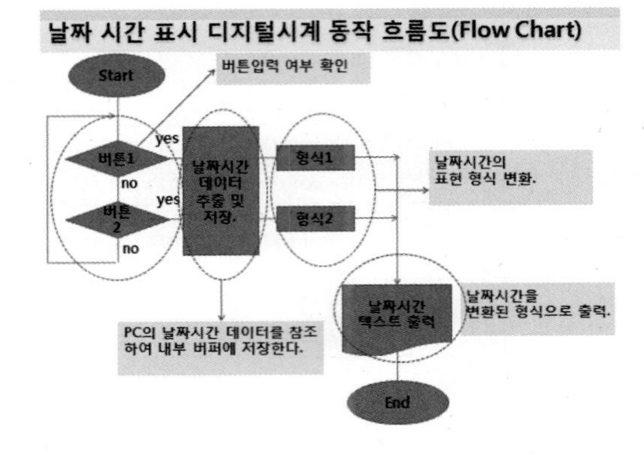

➢ A7: 10.3 Visual Basic 기초 Program

➢ **10.3 Visual Basic 기초 Program**

➢ 1)시작/정지 2가지 역할을 수행하는 하나의 버튼과 타이머를 이용한 스톱워치 만들기

- ➢ 2가지 역할의 버튼과 파일 출력이 가능한 스톱워치 시연
- ➢ ComboBox와 Select Case문을 사용한 스톱워치 시연

➢ 2) 시스템 라이브러리 함수를 이용한 디지털 시계 만들기

- ➢ 날짜/ 시간 함수의 사용 형식:
  - ➢Label1.Text = Now "/ 현재시간 & 날짜 2019-04-05 오후 9:29:31
  - ➢Label2.Text = TimeOfDay "/ 현재시간 오후 9:29:31
  - ➢Label3.Text = DateString "/ 현재날짜 2019-04-05
- ➢ A8 VB2010 디지털 시계, 날짜, 스톱워치 양만석
- ➢ Now, Time, Date, Today등 현재날짜, 시간을 표시하는 함수를 이용한 스톱워치
- ➢ Format 함수의 사용 형식: Format(변형할 데이터, "표시 형식")

➢ 3) 카운트 다운이 가능한 스톱워치

- ➢ A7 VB2015 카운트다운타이머 건축과 이동현

➢ Countdown Timer Program:화면디자인 참고:네이버

- 네이버 타이머

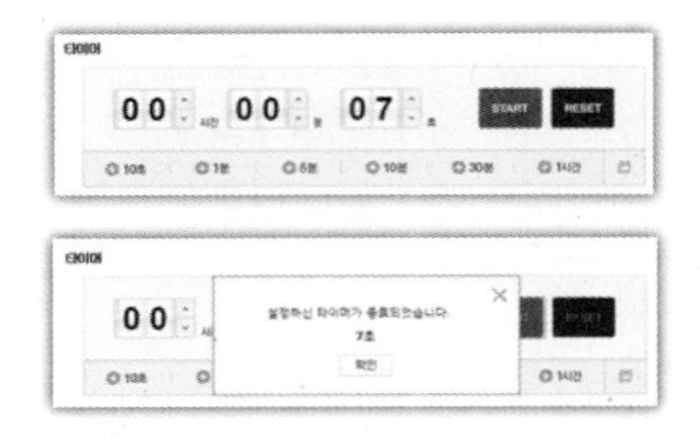

➢ Countdown Timer Program: 의사코드

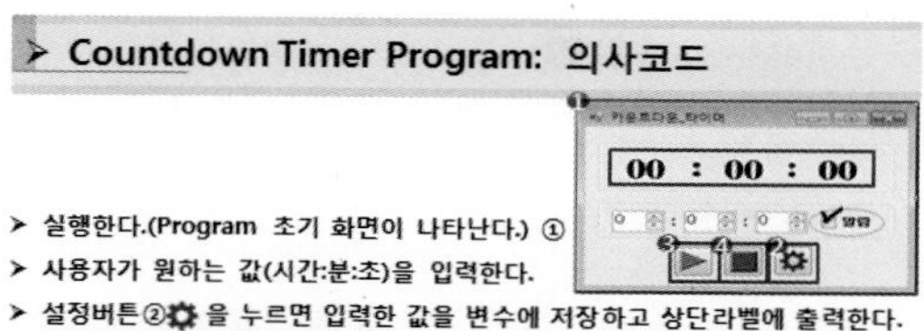

- ➢ 실행한다.(Program 초기 화면이 나타난다.) ①
- ➢ 사용자가 원하는 값(시간:분:초)을 입력한다.
- ➢ 설정버튼②을 누르면 입력한 값을 변수에 저장하고 상단라벨에 출력한다. (0:0:0일 경우 알림창이 나타나며 자료값(시간:분:초)을 입력하도록 한다.)
- ➢ 초기화 버튼④■을 누르면 ① 로 돌아가서 초기화면.
- ➢ 시작버튼③ ▶을 누르면 타이머가 작동한다. (초=초-1)
- ➢ 이때 시작버튼③▶은 일시정지버튼③ ‖ 으로 바뀐다.
- ➢ 일시정지버튼③ ‖ 을 누를 경우 타이머가 멈추고 시작버튼③ ▶으로 바뀐다.
- ➢ 초기화 버튼④■을 누르면 ① 로 돌아간다.
- ➢ 설정한 시간이 모두 지나면 알람 설정에 따라 알림창을 띄운다.
- ➢ Program 동작이 완료되면 위 과정을 반복 또는 종료한다.

➢ Countdown Timer Program: 흐름도(Flow Chart)

➢ Countdown Timer Program: 화면 디자인

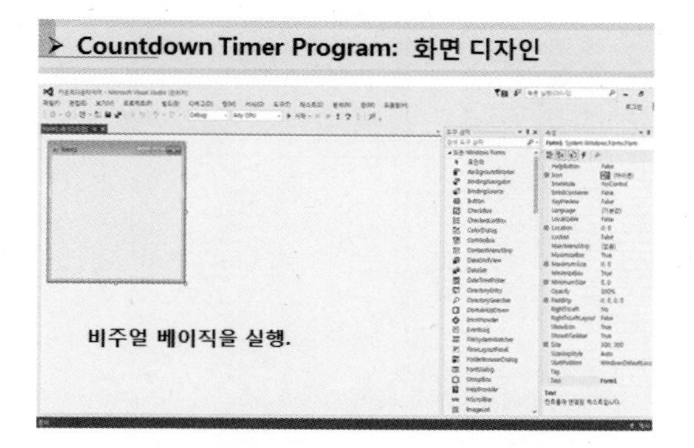

비주얼 베이직을 실행.

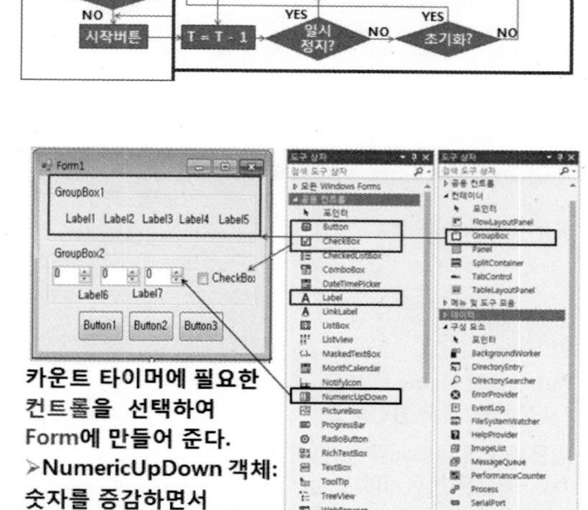

카운트 타이머에 필요한 컨트롤을 선택하여 Form에 만들어 준다.
➢NumericUpDown 객체: 숫자를 증감하면서 입력할 수 있는 객체

➢ Countdown Timer Program: 화면 디자인

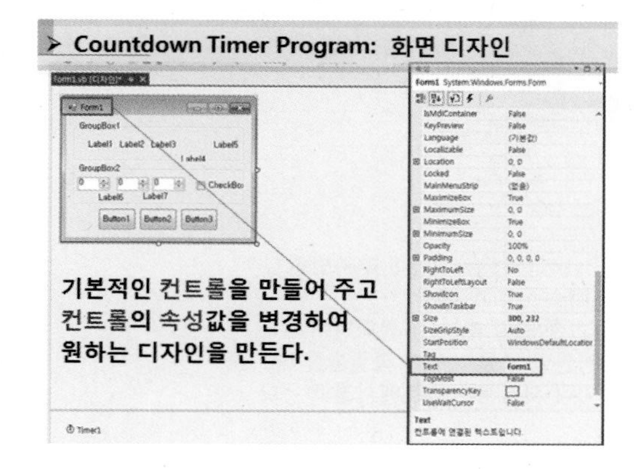

기본적인 컨트롤을 만들어 주고 컨트롤의 속성값을 변경하여 원하는 디자인을 만든다.

➢ Countdown Timer Program: 화면 디자인

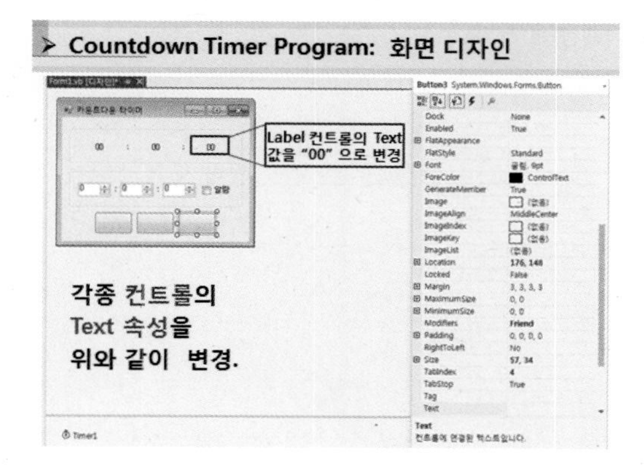

각종 컨트롤의 Text 속성을 위와 같이 변경.

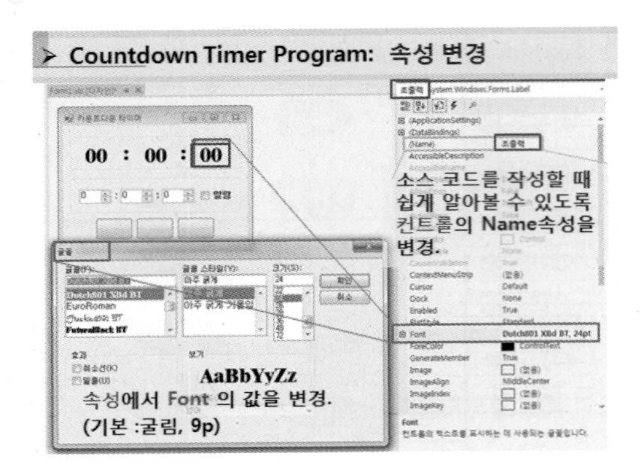
Countdown Timer Program: 속성 변경
00 : 00 : 00
소스 코드를 작성할 때
쉽게 알아볼 수 있도록
컨트롤의 Name속성을
변경.
AaBbYyZz
속성에서 Font 의 값을 변경.
(기본 :굴림, 9p)

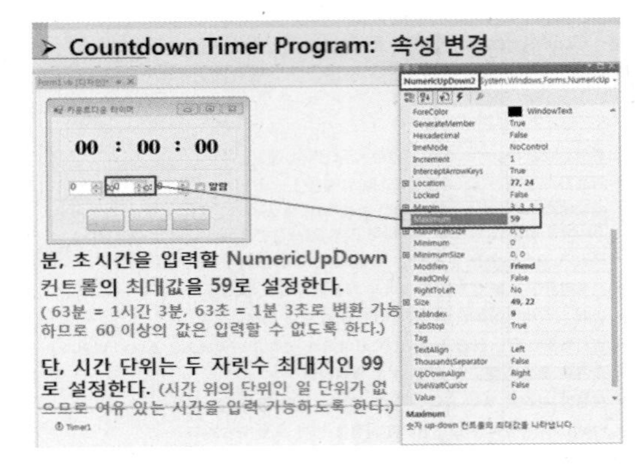
Countdown Timer Program: 속성 변경
00 : 00 : 00
분, 초시간을 입력할 NumericUpDown
컨트롤의 최대값을 59로 설정한다.
(63분 = 1시간 3분, 63초 = 1분 3초로 변환 가능
하므로 60 이상의 값은 입력할 수 없도록 한다.)
단, 시간 단위는 두 자릿수 최대치인 99
로 설정한다. (시간 위의 단위인 일 단위가 없
으므로 여유 있는 시간을 입력 가능하도록 한다.)

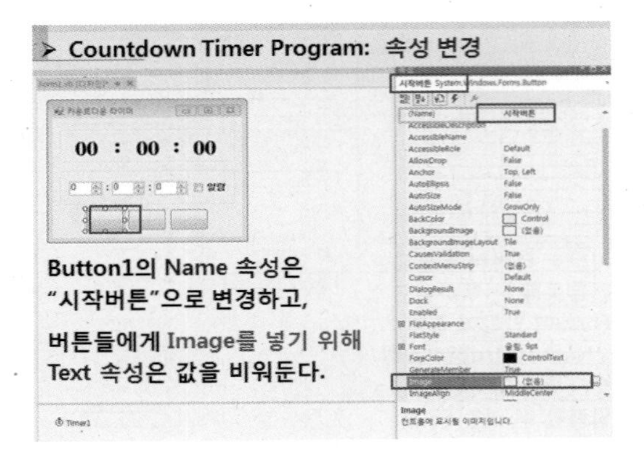
Countdown Timer Program: 속성 변경
00 : 00 : 00
Button1의 Name 속성은
"시작버튼"으로 변경하고,
버튼들에게 Image를 넣기 위해
Text 속성은 값을 비워둔다.

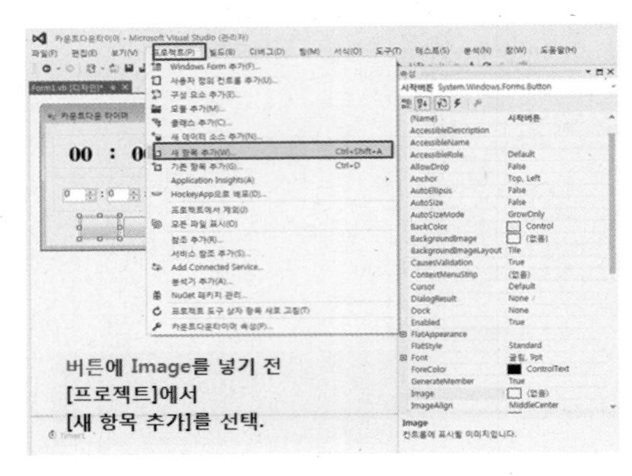
버튼에 Image를 넣기 전
[프로젝트]에서
[새 항목 추가]를 선택.

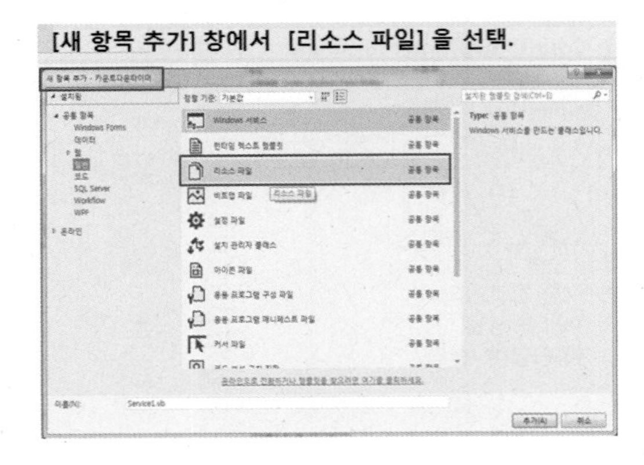
[새 항목 추가] 창에서 [리소스 파일] 을 선택.

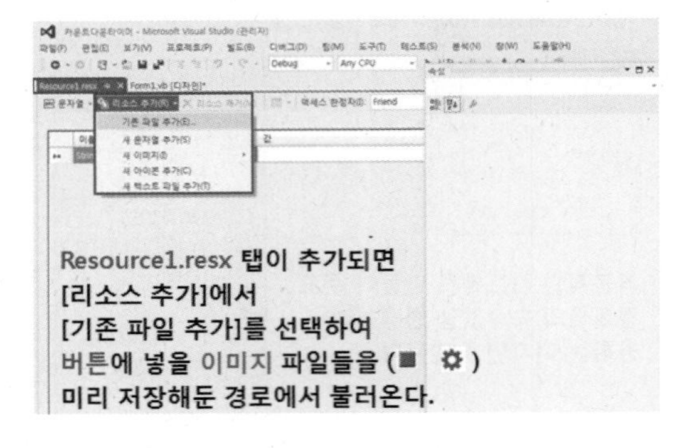
Resource1.resx 탭이 추가되면
[리소스 추가]에서
[기존 파일 추가]를 선택하여
버튼에 넣을 이미지 파일들을 ( )
미리 저장해둔 경로에서 불러온다.

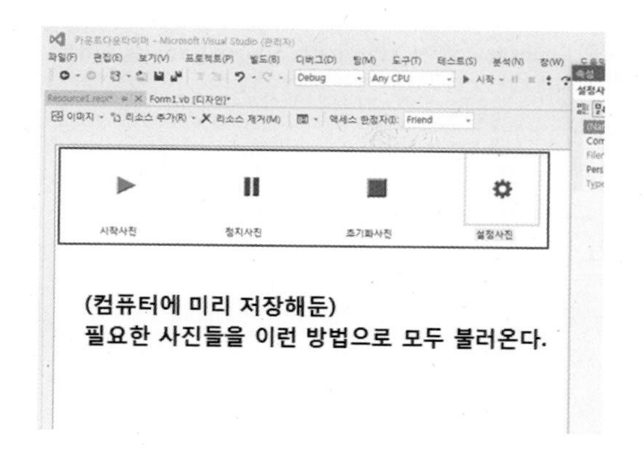

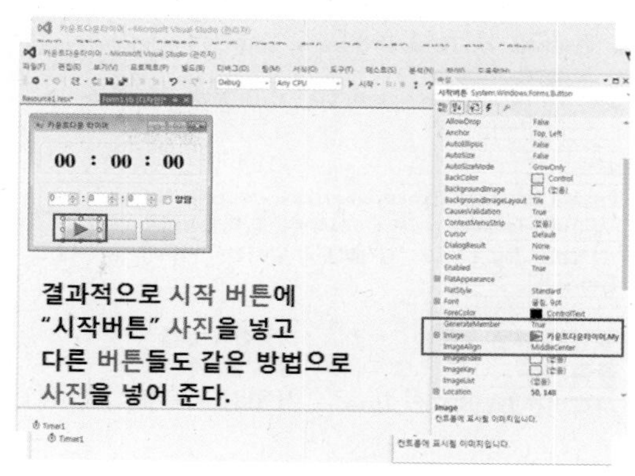

➤ Countdown Timer Program: 화면 디자인

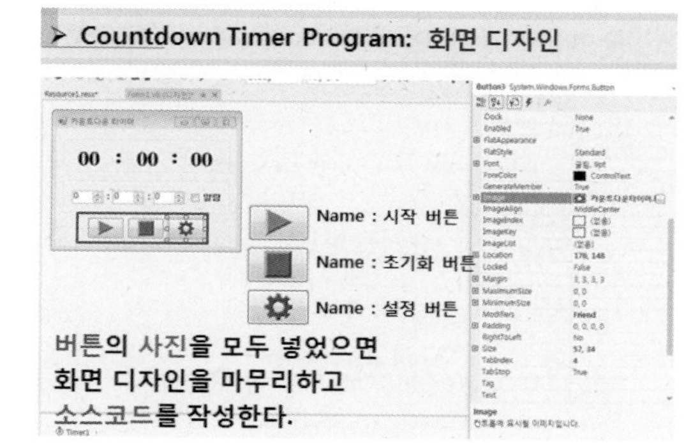

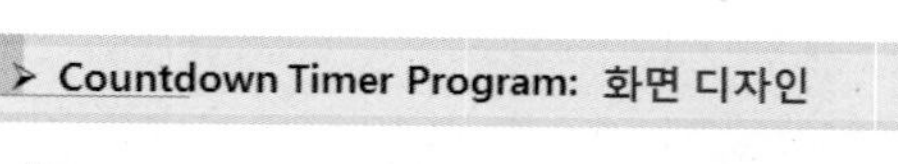

➤ Countdown Timer Program: 화면 디자인

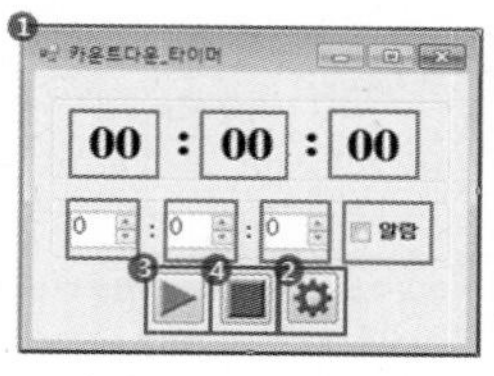

사용자의 입력
또는 속성,
변수 등의 변화로
작동하는 컨트롤

그 외의 컨트롤은
단순한 꾸미기 용도

➤ Countdown Timer Program: Source Code

```
Public Class Form1
    Private 총시간 As Long
    Private 시간값 As Byte, 분값 As Byte, 초값 As Byte

1   Private Sub Form1_Load(sender As Object, e As EventArgs) Handles MyBase.Load ...
2   Private Sub 설정버튼_Click(sender As Object, e As EventArgs) Handles 설정버튼.Click ...
3   Private Sub 시작버튼_Click(sender As Object, e As EventArgs) Handles 시작버튼.Click ...
4   Private Sub 초기화버튼_Click(sender As Object, e As EventArgs) Handles 초기화버튼.Click ...
5   Private Sub 타이머_Tick(sender As Object, e As EventArgs) Handles 타이머.Tick ...

End Class
```

➤ Countdown Timer Program: Source Code(변수선언)

```
Private Class Form1_Load
  Private 총시간 As Long '변수의 선언 부분(Module), Class변수(Form변수)
  Private 시간값 As Byte, 분값 As Byte, 초값 As Byte
  Private Sub Form1_Load 'Form1이 Load될 때의 이벤트 프로시저(Module)
    시작버튼.Enabled = False  '시작버튼을 비활성화'
    시작버튼.Tag = True    '시작버튼과 일시정지 버튼의 전환의 기준값
  End Sub
  ......
End Class
```

"총시간" 이름의 변수를 선언한다. (Long 자료형: 4Byte의 정수형 자료)
"총시간" 변수는 사용자가 입력한 시+분+초를 모두 '초' 단위로 변환하여 합한 값을 사용한다. (예 : 01:02:03 에서 총시간 3600 + 120 + 3 = 3723)

시간값, 분값, 초값 변수는 알림창에서 사용자가 설정한 값을 출력하기 위해 저장하는 Byte 자료형(1Byte의 정수형 자료)의 변수이다.
(99, 59, 59 가 최대값이므로 사용가능)

➤ CountdownTimerProgram: Source Code(Form1_Load)

```
Private Sub Form1_Load(sender As Object, e As EventArgs) Handles MyBase.Load
    시작버튼.Enabled = False
    시작버튼.Tag = True
End Sub
```

```
Private Sub Form1_Load (sender As Object, e As EventArgs) Handles MyBase.Load
 시작버튼.Enabled = False  '시작버튼을 비활성화'
 시작버튼.Tag = True  '시작버튼과 일시정지 버튼의 전환기준값'
End Sub
```

활성화 상태	비활성화 상태
클릭가능	클릭 불가능
시작버튼.Enabled = True	시작버튼.Enabled = False

➤ CountdownTimerProgram: Source Code(설정버튼)

```
Private Sub 설정버튼_Click(sender As Object, e As EventArgs) Handles 설정버튼.Click
    총시간 = 시간입력.Value * 60 * 60 + 분입력.Value * 60 + 초입력.Value
    시간값 = 시간입력.Value
    분값 = 분입력.Value
    초값 = 초입력.Value
    If 총시간 <> 0 Then
        시작버튼.Image = My.Resources.Resource1.시작사진 '시작버튼.Text = "시작"'
        시작버튼.Tag = True
        시작버튼.Enabled = True
        설정버튼.Enabled = True
        If 총시간 ₩ 3600 < 10 Then
            시간출력.Text = "0" & (총시간 ₩ 3600)
        Else 시간출력.Text = (총시간 ₩ 3600)
        End If
        If (총시간 Mod 3600) ₩ 60 < 10 Then
            분출력.Text = "0" & (총시간 Mod 3600) ₩ 60
        Else 분출력.Text = (총시간 Mod 3600) ₩ 60
        End If
        If (총시간 Mod 3600) Mod 60 < 10 Then
            초출력.Text = "0" & (총시간 Mod 3600) Mod 60
        Else 초출력.Text = (총시간 Mod 3600) Mod 60
        End If
    Else
        MsgBox("설정할 시간을 입력하세요.", vbOKOnly, "알림창")
    End If
End Sub
```

```
Private Sub 설정버튼_Click(sender As Object, e As EventArgs) Handles 설정버튼.Click
    총시간 = 시간입력.Value * 60 * 60 + 분입력.Value * 60 + 초입력.Value
    시간값 = 시간입력.Value
    분값 = 분입력.Value
    초값 = 초입력.Value
    If 총시간 <> 0 Then
        시작버튼.Image = My.Resources.Resource1.시작사진
        시작버튼.Tag = True
        시작버튼.Enabled = True
        설정버튼.Enabled = True
```

- 사용자가 직접 입력한 값을 모두 더하여 "총시간" 변수에 대입한다.
("총시간"변수의 단위는 '초' 이므로 시간을 3600곱하고, 분을 60곱하여 초값으로 변환)
- 시간값, 분값, 초값 변수 또한 사용자가 입력한 값을 저장한다.
- 01 : 02 : 03 >)
- 시작사진" 이미지를 출력한다.
- 시작버튼의 테그 값을 참으로 설정한다.
시작버튼을 활성화한다.
설정버튼을 활성화한다.
3600초 + 120초 + 3초 = 3723초 값이 "총시간" 변수에 저장된다.

➤ CountdownTimerProgram: Source Code(설정버튼)

```
Private Sub 설정버튼_Click(sender As Object, e As EventArgs) Handles 설정버튼.Click
    총시간 = 시간입력.Value * 60 * 60 + 분입력.Value * 60 + 초입력.Value
    시간값 = 시간입력.Value
    분값 = 분입력.Value
    초값 = 초입력.Value
    If 총시간 <> 0 Then
        시작버튼.Image = My.Resources.Resource1.시작사진 '시작버튼.Text = "시작"'
        시작버튼.Tag = True
        시작버튼.Enabled = True
        설정버튼.Enabled = True
        If 총시간 ₩ 3600 < 10 Then
            시간출력.Text = "0" & (총시간 ₩ 3600)
        Else 시간출력.Text = (총시간 ₩ 3600)
        End If
        If (총시간 Mod 3600) ₩ 60 < 10 Then
            분출력.Text = "0" & (총시간 Mod 3600) ₩ 60
        Else 분출력.Text = (총시간 Mod 3600) ₩ 60
        End If
        If (총시간 Mod 3600) Mod 60 < 10 Then
            초출력.Text = "0" & (총시간 Mod 3600) Mod 60
        Else 초출력.Text = (총시간 Mod 3600) Mod 60
        End If
    Else
        MsgBox("설정할 시간을 입력하세요.", vbOKOnly, "알림창")
    End If
End Sub
```


※ Mod 연산자 , ₩ 연산자

◆ **Mod : 두 수를 나눈 나머지 값을 반환하는 연산자**

◆ **₩ : 두 수를 나눈 정수 몫을 반환하는 연산자**

예) 65 Mod 60 = 5

```
      1      ... 몫
 60 ) 65
      60
     ----
      5      ... 나머지
```

결과적으로 65 값은 연산자에 의해 몫과 나머지인 1 과 5 로 계산되며 이 값은...

단위를 넣어줄 경우 65 초 = 1 분 5 초 라는 단위변환 계산이 완료된다.

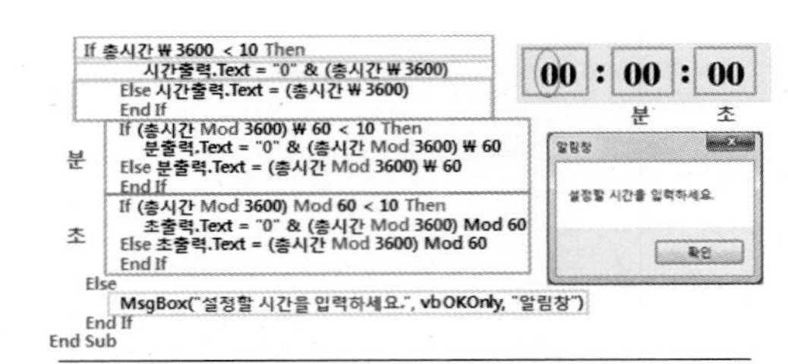

- 만약 "총시간"을 나눈 정수의 몫이 10보다 작을경우
- 시간출력 텍스트에 "0"과 총시간을 3600으로 나눈 정수몫을 결합(&)하여 출력
- 그 외는 시간출력 텍스트 (이 것은 "총시간" 값을 연산하여 시간단위를 출력)
- 나머지 분과 초 단위도 같은 원리.
- 이러한 코드를 작성하는 이유는 타이머의 남은 시간을 출력할 때 일의자리 수만 출력되는 것을 방지하기 위함. (3 : 5 : 8 에서 03 : 05 : 08 로 출력하기 위함)
- 그 외("총시간"이 0인경우) 메시지 박스를 출력한다.

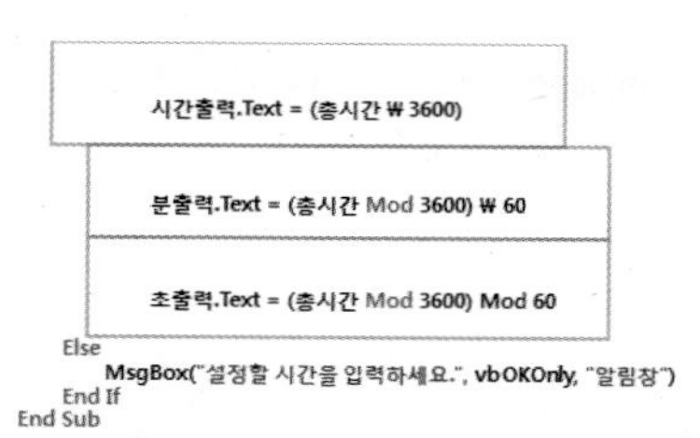

```
        시간출력.Text = (총시간 ₩ 3600)
        분출력.Text = (총시간 Mod 3600) ₩ 60
        초출력.Text = (총시간 Mod 3600) Mod 60
    Else
        MsgBox("설정할 시간을 입력하세요.", vbOKOnly, "알림창")
    End If
End Sub
```

즉, 위처럼 간단하게 명령어를 작성하여도 Program은 정상적으로 작동한다.

그러나 출력되는 화면에는 십의자리 수 0 이 표시되지 않는다.

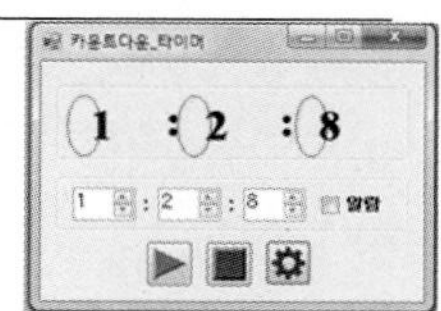

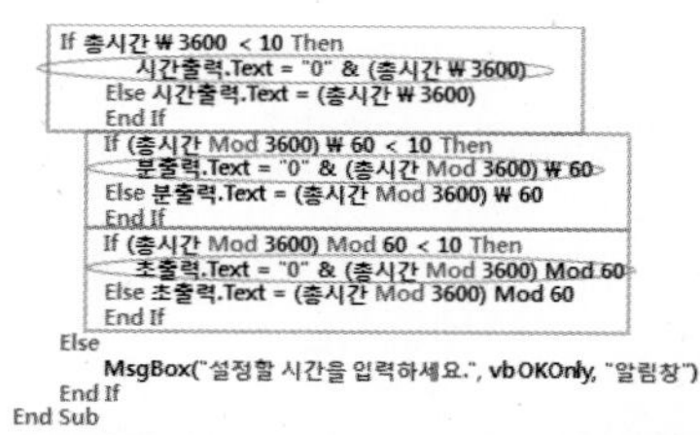

```
        If 총시간 ₩ 3600 < 10 Then
            시간출력.Text = "0" & (총시간 ₩ 3600)
        Else 시간출력.Text = (총시간 ₩ 3600)
        End If
        If (총시간 Mod 3600) ₩ 60 < 10 Then
            분출력.Text = "0" & (총시간 Mod 3600) ₩ 60
        Else 분출력.Text = (총시간 Mod 3600) ₩ 60
        End If
        If (총시간 Mod 3600) Mod 60 < 10 Then
            초출력.Text = "0" & (총시간 Mod 3600) Mod 60
        Else 초출력.Text = (총시간 Mod 3600) Mod 60
        End If
    Else
        MsgBox("설정할 시간을 입력하세요.", vbOKOnly, "알림창")
    End If
End Sub
```

따라서 위처럼 10보다 작은 수에 대하여 십의자리 수 0 과 함께 출력되도록 작성

결과적으로 십의자리에 0 과 함께 계산된 값을 출력한다.

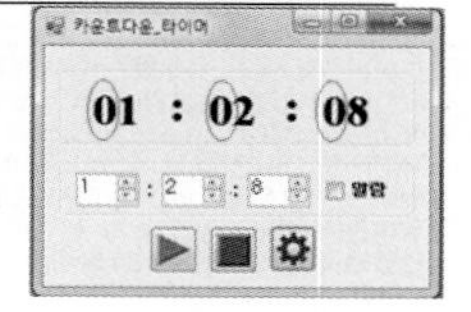

CountdownTimer Program: Source Code(시작버튼)

```
Private Sub 시작버튼_Click(sender As Object, e As EventArgs) Handles 시작버튼.Click
    If 시작버튼.Tag = True Then '시작버튼.Text = "시작" Then'
        시작버튼.Image = My.Resources.Resource1.정지사진 '시작버튼.Text = "일시정지"'
        시작버튼.Tag = False
        설정버튼.Enabled = False
        타이머.Enabled = True
        시간입력.Enabled = False
        분입력.Enabled = False
        초입력.Enabled = False
    ElseIf 시작버튼.Tag = False Then '시작버튼.Text = "일시정지"'
        시작버튼.Image = My.Resources.Resource1.시작사진 '시작버튼.Text = "시작"'
        시작버튼.Tag = True
        설정버튼.Enabled = True
        타이머.Enabled = False
        시간입력.Enabled = True
        분입력.Enabled = True
        초입력.Enabled = True
    End If
End Sub
```

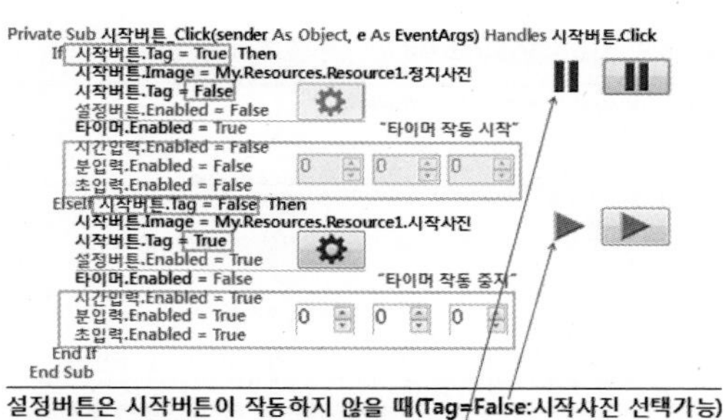

```
Private Sub 시작버튼_Click(sender As Object, e As EventArgs) Handles 시작버튼.Click
    If 시작버튼.Tag = True Then
        시작버튼.Image = My.Resources.Resource1.정지사진
        시작버튼.Tag = False
        설정버튼.Enabled = False
        타이머.Enabled = True            "타이머 작동 시작"
        시간입력.Enabled = False
        분입력.Enabled = False
        초입력.Enabled = False
    ElseIf 시작버튼.Tag = False Then
        시작버튼.Image = My.Resources.Resource1.시작사진
        시작버튼.Tag = True
        설정버튼.Enabled = True
        타이머.Enabled = False           "타이머 작동 중지"
        시간입력.Enabled = True
        분입력.Enabled = True
        초입력.Enabled = True
    End If
End Sub
```

설정버튼은 시작버튼이 작동하지 않을 때(Tag=False:시작사진 선택가능)
설정버튼.Enabled = True 로 활성화되어
시간입력, 분입력, 초입력이 True상태가 되어 입력 가능한 상태가 되고,
설정버튼은 시작버튼이 작동할 때는(Tag=True:정지사진 선택가능)
설정버튼.Enabled = False 이면 비 활성화되어
시간입력, 분입력, 초입력이 False상태가 되어 입력 불가능한상태가 된다

```
Private Sub 시작버튼_Click(sender As Object, e As EventArgs) Handles 시작버튼.Click
    If 시작버튼.Tag = True Then
        시작버튼.Image = My.Resources.Resource1.일시정지버튼사진
        시작버튼.Tag = False
        설정버튼.Enabled = False
        타이머.Enabled = True            "타이머 작동 시작"
        시간입력.Enabled = False
        분입력.Enabled = False
        초입력.Enabled = False
    ElseIf 시작버튼.Tag = False Then
        시작버튼.Image = My.Resources.Resource1.시작버튼사진
        시작버튼.Tag = True
        설정버튼.Enabled = True
        타이머.Enabled = False           "타이머 작동 중지"
        시간입력.Enabled = True
        분입력.Enabled = True
        초입력.Enabled = True
    End If
End Sub
```

시작버튼을 클릭할 때 마다 시작과 일시 정지를 반복하기 위한 코드
If 명령문에서 시작버튼의 Tag 값이 True(참)인 경우에는
타이머.Enabled = True '타이머 작동을 시작시키고
언제든지 타이머 정지를 선택할 수 있는 일시정지버튼 사진을 보여주고
If 명령문에서 시작버튼의 Tag 값이 False(거짓)인 경우 에는
타이머.Enabled = False '타이머 작동을 정지시키고
언제든지 타이머 작동을 선택할 수 있는 시작버튼 사진을 보여주는 코드.

CountdownTimer Program: Source Code(초기화버튼)

```
Private Sub 초기화버튼_Click(sender As Object, e As EventArgs) Handles 초기화버튼.Click
    타이머.Enabled = False
    총시간 = 0
    시작버튼.Image = My.Resources.Resource1.시작사진 '시작버튼.Text = "시작"'
    시작버튼.Enabled = False
    설정버튼.Enabled = True
    시간출력.Text = "00"
    분출력.Text = "00"
    초출력.Text = "00"
    시간입력.Value = 0
    분입력.Value = 0
    초입력.Value = 0
    시간입력.Enabled = True
    분입력.Enabled = True
    초입력.Enabled = True
End Sub
```

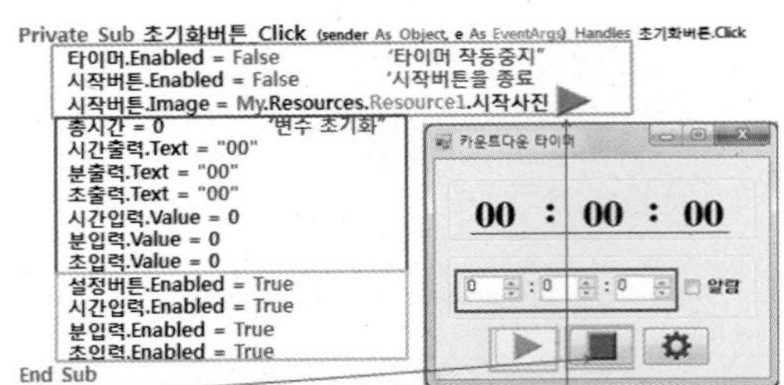

```
Private Sub 초기화버튼_Click (sender As Object, e As EventArgs) Handles 초기화버튼.Click
    타이머.Enabled = False          '타이머 작동중지"
    시작버튼.Enabled = False        '시작버튼을 종료
    시작버튼.Image = My.Resources.Resource1.시작사진
    총시간 = 0              '변수 초기화"
    시간출력.Text = "00"
    분출력.Text = "00"
    초출력.Text = "00"
    시간입력.Value = 0
    분입력.Value = 0
    초입력.Value = 0
    설정버튼.Enabled = True
    시간입력.Enabled = True
    분입력.Enabled = True
    초입력.Enabled = True
End Sub
```


초기화버튼을 누를 경우에는 타이머.Enabled = False '타이머 작동을 중지하고,
총시간,시간입(출)력,분입(출)력,초입(출)력등 모든 변수의값을 0으로 초기화하고,
시작버튼.Enabled = False '시작버튼을 종료하고,
시작버튼을 다시 선택할 수 있도록 활성화된 상태로 만든 시작 사진을 보여준다
설정버튼은 시작버튼이 작동하지 않을 때(Tag=False: 시작사진 선택가능)
설정버튼.Enabled = True 로 활성화되어
시간입력,분입력,초입력이True상태가되어 새로운시간을 입력가능한상태가 된다.

```
Private Sub 타이머_Tick(sender As Object, e As EventArgs) Handles 타이머.Tick
    If 총시간 > 0 Then
        총시간 -= 1     '총시간 = 총시간 - 1
    Else
        총시간 = 0
        초출력.Text = "00"
        시작버튼.Image = My.Resources.Resource1.시작사진
        시작버튼.Tag = True
        시작버튼.Enabled = False
        설정버튼.Enabled = True
        타이머.Enabled = False          "타이머 작동 중지"
        시간입력.Enabled = True
        분입력.Enabled = True
        초입력.Enabled = True
        If 알람박스.Checked = True Then
            MsgBox("설정한 " & 시간값 & "시간 " & 분값 & "분 " & 초값 & "초" 가 모두 지났습니다.", vbOKOnly, "알림창")
        End If
```


타이머가 작동할 때 만약 총시간 값이 0보다 클 경우 총시간의 값을 1만큼씩 감해 간다.
총시간이 0일 경우 Program이 다시 처음부터 작동할 수 있도록 초기화 한다.
시작버튼.Enabled = False '시작버튼을 종료하고,
시작버튼을 다시 선택할 수 있도록 활성화된 상태로 만든 시작 사진을 보여준다
설정버튼은 시작버튼이 작동하지 않을 때(Tag=False: 시작사진 선택가능)
설정버튼.Enabled = True 로 활성화되어
시간입력,분입력,초입력이True상태가되어 새로운시간을 입력가능한상태가 된다.
이때 만약 알람박스에 체크가 되어있다면, 위와 같은 메시지를 출력한다.

```
    End If
    If 총시간 ₩ 3600 < 10 Then
        시간출력.Text = "0" & (총시간 ₩ 3600)
    Else 시간출력.Text = (총시간 ₩ 3600)
    End If
    If (총시간 Mod 3600) ₩ 60 < 10 Then
        분출력.Text = "0" & (총시간 Mod 3600) ₩ 60
    Else 분출력.Text = (총시간 Mod 3600) ₩ 60
    End If
    If (총시간 Mod 3600) Mod 60 < 10 Then
        초출력.Text = "0" & (총시간 Mod 3600) Mod 60
    Else 초출력.Text = (총시간 Mod 3600) Mod 60
    End If
End Sub
```

위의 코드는 타이머가 활성화(작동) 중일때 매 초마다 변하는 시간값을
실시간으로 표시하는 코드.

"총시간" 변수가 타이머에 의해 1씩 감소하므로 위의 코드에서
연산되어 나오는 출력값 또한 달라진다.

코드의 구성은 설정버튼 ⚙ 을 누를 때와 구성이 같다.

➢ Countdown Timer Program: Source Code(타이머)

```
Private Sub 타이머_Tick(sender As Object, e As EventArgs) Handles 타이머.Tick
    If 총시간 > 1 Then
        총시간 -= 1
    Else
        총시간 = 0
        초출력.Text = "00"
        시작버튼.Image = My.Resources.Resource1.시작사진 '시작버튼.Text = "시작"'
        시작버튼.Tag = True
        시작버튼.Enabled = False
        설정버튼.Enabled = True
        타이머.Enabled = False
        시간입력.Enabled = True
        분입력.Enabled = True
        초입력.Enabled = True
        If 알람박스.Checked = True Then
            MsgBox("설정한 " & 시간값 & "시간 " & 분값 & "분 " & 초값 & "초" 가 모두 지났습니다.", vbOKOnly, "알림창")
        End If
    End If
    If 총시간 ₩ 3600 < 10 Then
        시간출력.Text = "0" & (총시간 ₩ 3600)
    Else 시간출력.Text = (총시간 ₩ 3600)
    End If
    If (총시간 Mod 3600) ₩ 60 < 10 Then
        분출력.Text = "0" & (총시간 Mod 3600) ₩ 60
    Else 분출력.Text = (총시간 Mod 3600) ₩ 60
    End If
    If (총시간 Mod 3600) Mod 60 < 10 Then
        초출력.Text = "0" & (총시간 Mod 3600) Mod 60
    Else 초출력.Text = (총시간 Mod 3600) Mod 60
    End If
End Sub
```

➢ Countdown Timer: Source Code(타이머 활성화)

```
Private Sub 타이머_Tick(sender As Object, e As EventArgs) Handles 타이머.Tick
    If 총시간 > 1 Then
        총시간 -= 1
    Else
        총시간 = 0
        초출력.Text = "00"
        시작버튼.Image = My.Resources.Resource1.시작사진 '시작버튼.Text = "시작"'
        시작버튼.Tag = True
        시작버튼.Enabled = False
        설정버튼.Enabled = True
        타이머.Enabled = False
        시간입력.Enabled = True
        분입력.Enabled = True
        초입력.Enabled = True
        If 알람박스.Checked = True Then
            MsgBox("설정한 " & 시간값 & "시간 " & 분값 & "분 " & 초값 & "초" 가 모두 지났습니다.", vbOKOnly, "알림창")
        End If
    End If
    If 총시간 ₩ 3600 < 10 Then
        시간출력.Text = "0" & (총시간 ₩ 3600)
    Else 시간출력.Text = (총시간 ₩ 3600)
    End If
    If (총시간 Mod 3600) ₩ 60 < 10 Then
        분출력.Text = "0" & (총시간 Mod 3600) ₩ 60
    Else 분출력.Text = (총시간 Mod 3600) ₩ 60
    End If
    If (총시간 Mod 3600) Mod 60 < 10 Then
        초출력.Text = "0" & (총시간 Mod 3600) Mod 60
    Else 초출력.Text = (총시간 Mod 3600) Mod 60
    End If
End Sub
```

➢ A8: 10.3 Visual Basic 기초 Program 목차

- ➢ 10.3 Visual Basic 기초 Program
- ➢ 1. MsgBox(알림 창) 기본적 사용법
- ➢ 2. MsgBox안에서 특정 소스코드 사용법
  - ➢ 1) 아이콘과 2) 버튼을 만들어 표시해주는 소스 코드
- ➢ ID와 Password를 입력하여 로그인하는 Program
  - ➢비밀번호를 * 로 가리기
  - ➢입력된 ID와 Password를 Excel 파일 연동하여 확인하고, 일치하면, 로그인할 수 있는 Program
- ➢ 외부 실행문(Shell문)
  - ➢Shell 문을 사용하여 각종 인터넷 사이트 접속하기
  - ➢대한민국 정부 3.0 사이트연결 Program
  - ➢시도별 날씨 실시간 온라인 검색 Program: 날씨 검색 Program시연
  - ➢Excel에서 실시간 최신정보를 가져오는 영화상영정보 및 예매 Program시연
- ➢ 외부 실행문(Shell문)으로 VB 외부의 (예: Windows 환경) Program 실행하기
  - ➢보조 Program에 있는 계산기(Calc.exe) 실행
  - ➢간단한 Sound 모듈 출력 예제: My.Computer.Audio.Play
  - ➢음악파일(MP3)재생기 Program 시연
  - ➢MP3 동요 음악재생기 Program
  - ➢YouTube Downloader Program

MsgBox에 아이콘표시해주는소스코드

1. **vbInformation** : MsgBox에 **Information** 아이콘 표시
2. **vbCritical** : MsgBox에 **Critical** 아이콘 표시
3. **vbQuestion** : MsgBox에 **Question** 아이콘 표시
4. **vbExclamation** : MsgBox에 **Exclamation** 아이콘 표시
5. **vbSystemModal** : MsgBox에 **SystemModal** 아이콘 표시

총정리

소스	아이콘
Vbinformation	(i)
vbCrital	(x)
vbQuestion	(?)
vbExclamation	(!)

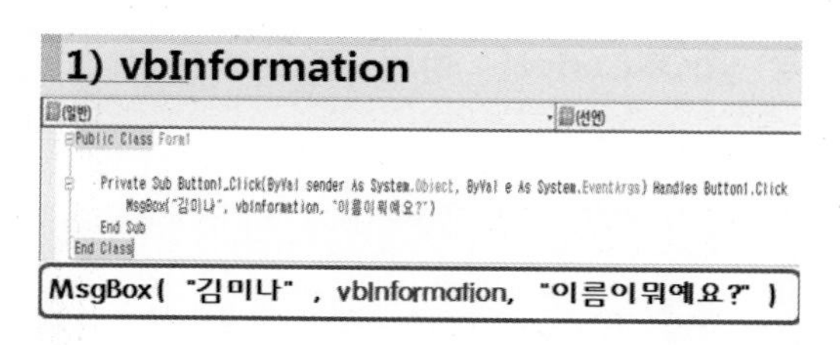

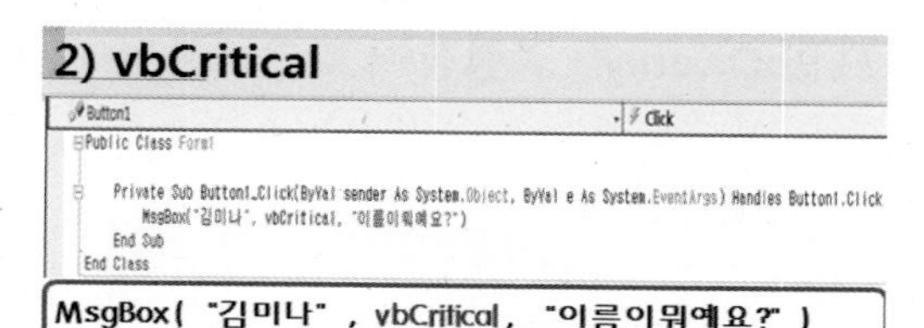

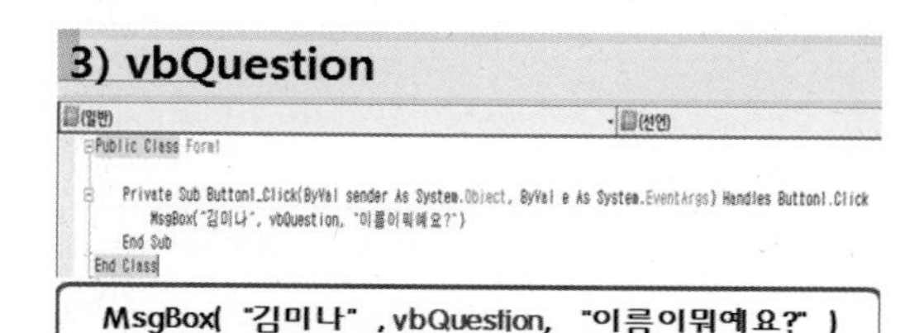

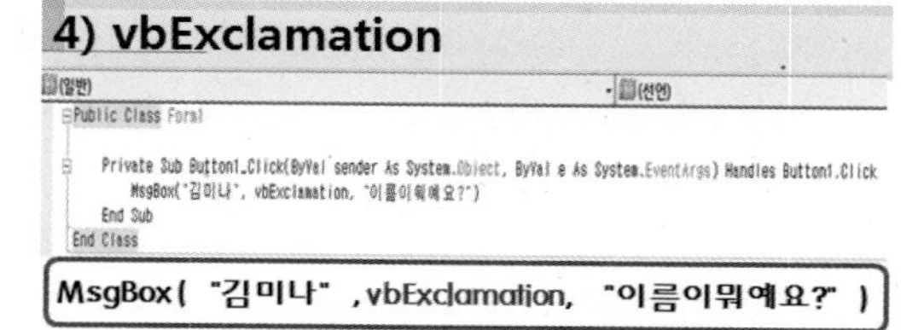

5) vbSystemModal

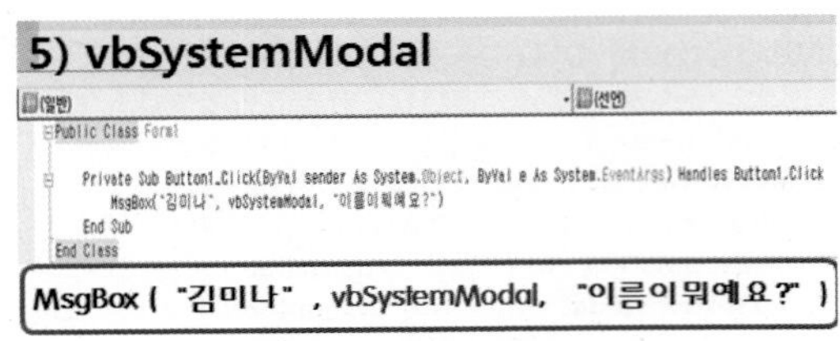

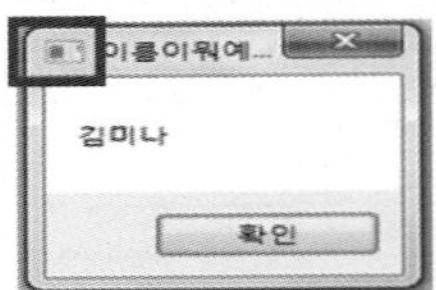

MsgBox에 버튼 표시해주는 소스코드

1. **vbOKonly :** MsgBox안에 **확인버튼**만 표시
2. **vbOKCancel :** MsgBox안에 **확인과 취소버튼** 표시
3. **vbYesNo :** MsgBox안에 **예, 아니오 버튼**표시
4. **vbYesNoCancel :** MsgBox에 **예, 아니오, 취소** 표시
5. **vbRetryCancel :** MsgBox에 **다시 시도, 취소버튼** 표시
6. **vbMsgBoxHelp :** MsgBox에 **확인, 도움말 버튼** 표시
7. **vbAbortRetryIgnore : 중단, 다시 시도, 무시 버튼**
8. **& vbCr & :** MsgBox안에서 **다음 줄로 바꾸기**

1) vbOKonly : 알림창에 확인버튼만

2) vbOKCancel : 확인, 취소 버튼

3) vbYesNo : 예, 아니오 버튼

4) vbYesNoCancel : 예, 아니오, 취소 버튼

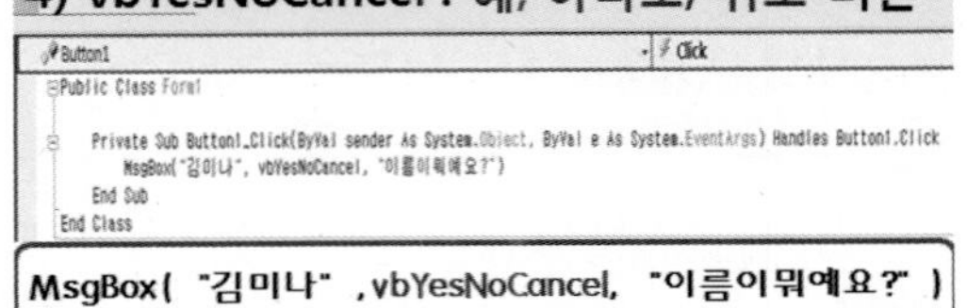

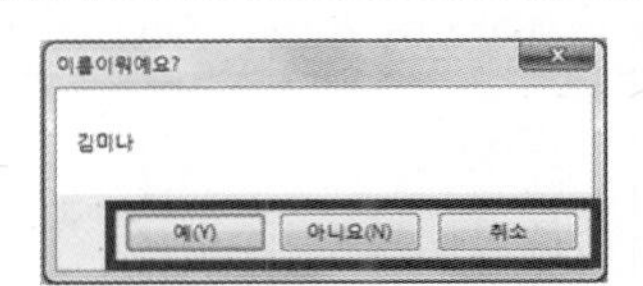

5) vbRetryCancel : 다시 시도, 취소 버튼

```
Public Class Form1
    Private Sub Button1_Click(ByVal sender As System.Object, ByVal e As System.EventArgs) Handles Button1.Click
        MsgBox("김미나", vbRetryCancel, "이름이뭐예요?")
    End Sub
End Class
```

MsgBox("김미나" ,vbRetryCancel, "이름이뭐예요?")

6) vbMsgBoxHelp : 확인, 도움말 버튼

```
Public Class Form1
    Private Sub Button1_Click(ByVal sender As System.Object, ByVal e As System.EventArgs) Handles Button1.Click
        MsgBox("김미나", vbMsgBoxHelp, "이름이뭐예요?")
    End Sub
End Class
```

MsgBox("김미나" ,vbMsgBoxHelp, "이름이뭐예요?")

7) vbAbortRetryIgnore : 중단, 다시 시도, 무시 버튼

8) &vbCr& MsgBox안에서 다음 줄로 바꾸기

```
Public Class Form1
    Private Sub Button1_Click(ByVal sender As System.Object, ByVal e As System.EventArgs) Handles Button1.Click
        MsgBox("김미나" & vbCr & "201521672", vbYesNoCancel, "이름이뭐예요?")
    End Sub
End Class
```

MsgBox("김미나" & vbCr & "201521672" , vbYesNoCancel, "이름이뭐예요?")

2. MsgBox(알림 창) 사용법 응용하기

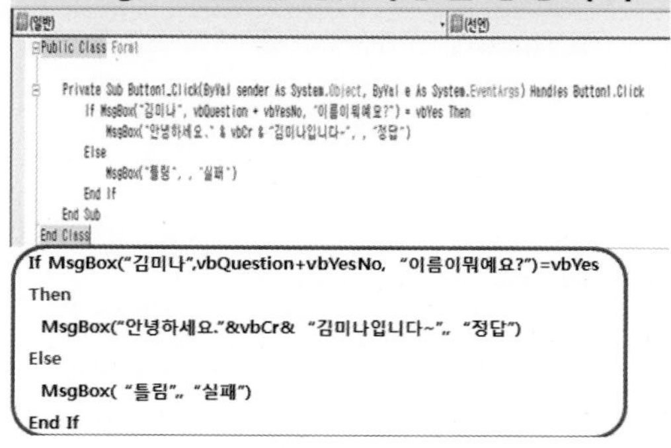

```
Public Class Form1
    Private Sub Button1_Click(ByVal sender As System.Object, ByVal e As System.EventArgs) Handles Button1.Click
        If MsgBox("김미나", vbQuestion + vbYesNo, "이름이뭐예요?") = vbYes Then
            MsgBox("안녕하세요." & vbCr & "김미나입니다~", , "정답")
        Else
            MsgBox("틀림", , "실패")
        End If
    End Sub
End Class
```

If MsgBox("김미나",vbQuestion+vbYesNo, "이름이뭐예요?")=vbYes Then
MsgBox("안녕하세요."&vbCr& "김미나입니다~",, "정답")
Else
MsgBox("틀림",, "실패")
End If

2. MsgBox(알림 창) 사용법 응용하기

If MsgBox("김미나",vbQuestion+vbYesNo, "이름이뭐예요?")=vbYes Then
MsgBox("안녕하세요."&vbCr& "김미나입니다~",, "정답")
Else
MsgBox("틀림",, "실패")
End If

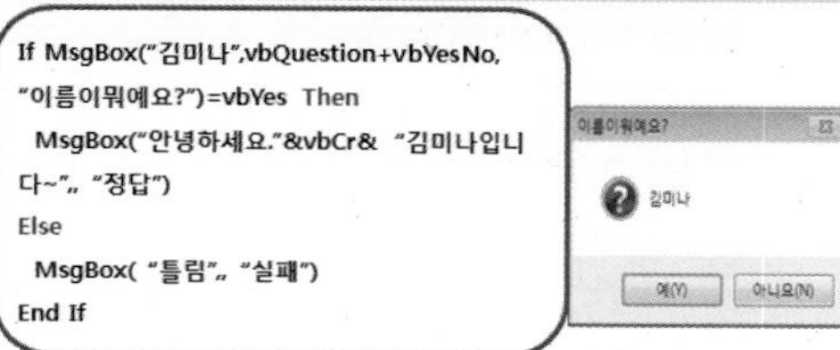

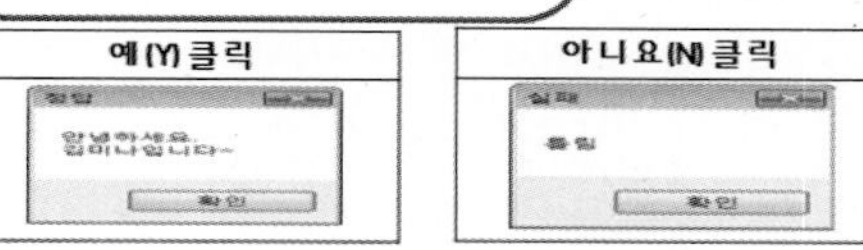

➤ A8: 10.3 Visual Basic 기초 Program 목차

- ➤ 10.3 Visual Basic 기초 Program
- ➤ 1. MsgBox(알림 창) 기본적 사용법
- ➤ 2. MsgBox안에서 특정 소스코드 사용법
  - ➤ 1) 아이콘과 2) 버튼을 만들어 표시해주는 소스 코드
- ➤ ID와 Password를 입력하여 로그인하는 Program
  - ➤비밀번호를 * 로 가리기
  - ➤입력된 ID와 Password를 Excel 파일 연동하여 확인하고 일치하면, 로그인할 수 있는 Program
- ➤ 외부 실행문(Shell문)
  - ➤Shell 문을 사용하여 인터넷 사이트 접속하기
  - ➤정부 3.0 사이트연결 Program
  - ➤시도별 날씨 온라인 검색 Program: 날씨 검색 Program 시연
  - ➤영화 상영정보 및 예매 Program 영화 예매 Program 시연
- ➤ 외부 실행문(Shell문)으로 VB 외부의 (예: Windows 환경) Program 실행하기
  - ➤보조 Program에 있는 계산기(Calc.exe) 실행
  - ➤간단한 Sound 모듈 출력 예제: My.Computer.Audio.Play
  - ➤음악파일(MP3)재생기 Program 시연
  - ➤여러 가지 동요재생 Program
  - ➤YouTube Downloader Program

➤ 비밀번호 *로 가리기

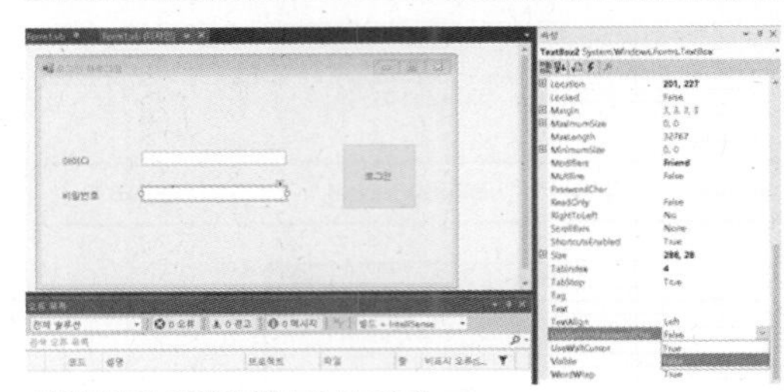

비밀번호가 입력될 텍스트 박스2의
TextBox2.PasswordChar= *

➤ 비밀번호 *로 가리기

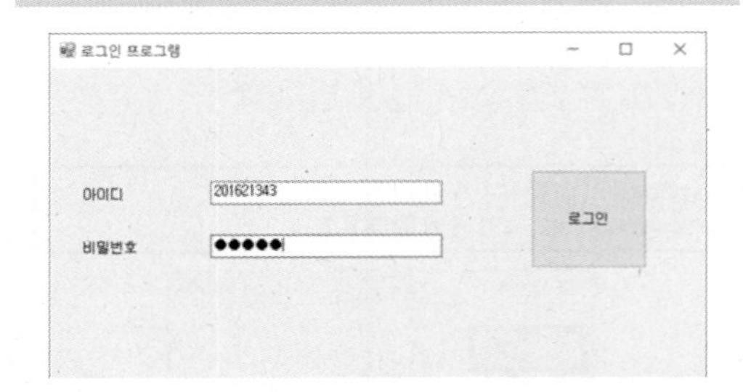

➤ 로그인(ID와 PW 확인) Program: 화면설계

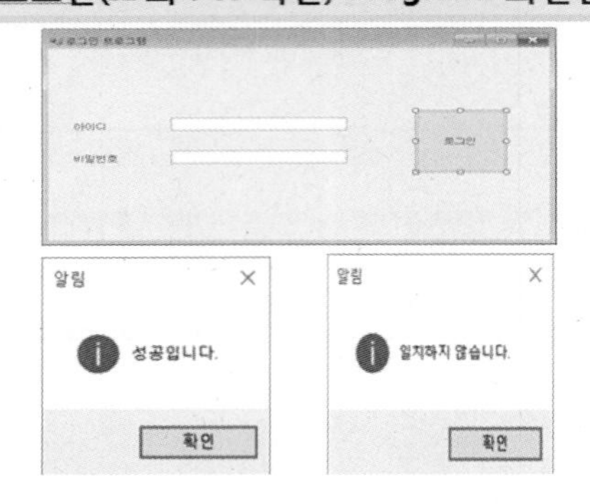

➤ 로그인(ID와 PW 확인) Program: 예제

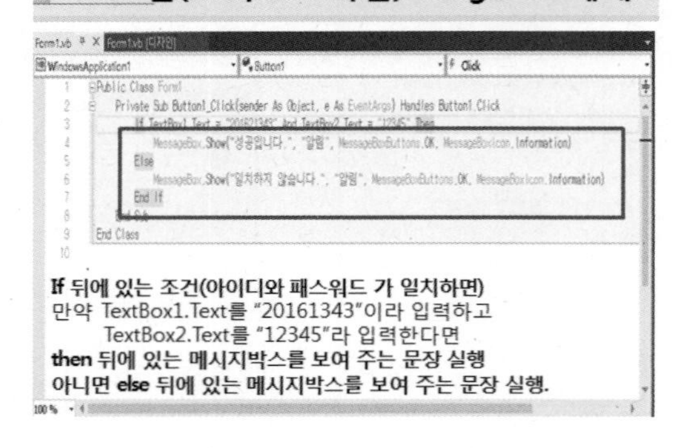

```
Public Class Form1
    Private Sub Button1_Click(sender As Object, e As EventArgs) Handles Button1.Click
        If TextBox1.Text = "201621343" And TextBox2.Text = "12345" Then
            MessageBox.Show("성공입니다.", "알림", MessageBoxButtons.OK, MessageBoxIcon.Information)
        Else
            MessageBox.Show("일치하지 않습니다.", "알림", MessageBoxButtons.OK, MessageBoxIcon.Information)
        End If
    End Sub
End Class
```

If 뒤에 있는 조건(아이디와 패스워드 가 일치하면)
만약 TextBox1.Text를 "20161343"이라 입력하고
TextBox2.Text를 "12345"라 입력한다면
then 뒤에 있는 메시지박스를 보여 주는 문장 실행
아니면 else 뒤에 있는 메시지박스를 보여 주는 문장 실행.

➤ 로그인(ID와 PW 확인) Program: 예제

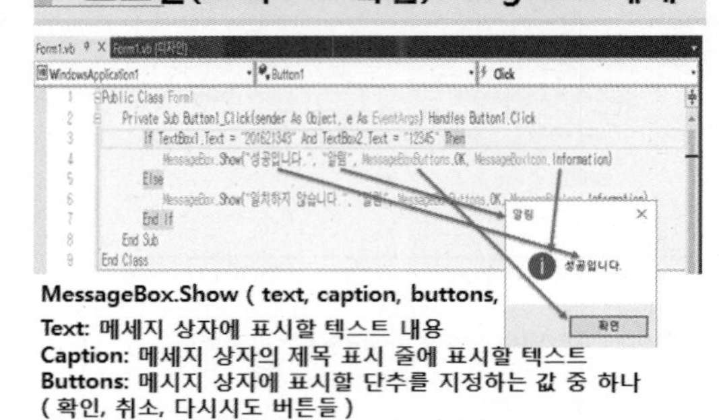

MessageBox.Show (text, caption, buttons,

Text: 메세지 상자에 표시할 텍스트 내용
Caption: 메세지 상자의 제목 표시 줄에 표시할 텍스트
Buttons: 메시지 상자에 표시할 단추를 지정하는 값 중 하나
(확인, 취소, 다시시도 버튼들)
Icon: 메시지 상자에 표시할 아이콘을 지정하는 값 중 하나

➤ 직접적인 상수의 값을 ID와 PW로 사용하여 회원을 확인하는 좋지 않은 로그인 Program의 예제

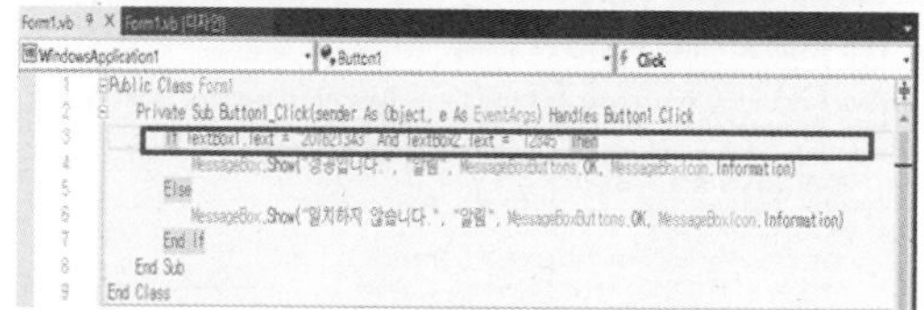

- ➤ 만약,
- ➤ TextBox1에 ID를 201613430이라 입력하고
- ➤ TextBox2에 PW를 12345라 입력한다면
- ➤ 로그인 성공메시지를 출력하는 메시지 박스가 생성.
- ➤ 그렇지 않고 다른 Text가 입력된다면
- ➤ 로그인 실패메시지를 출력.

➤ 직접적인 상수의 값을 ID와 PW로 사용하여 회원을 확인하는 좋지 않은 로그인 Program의 토의

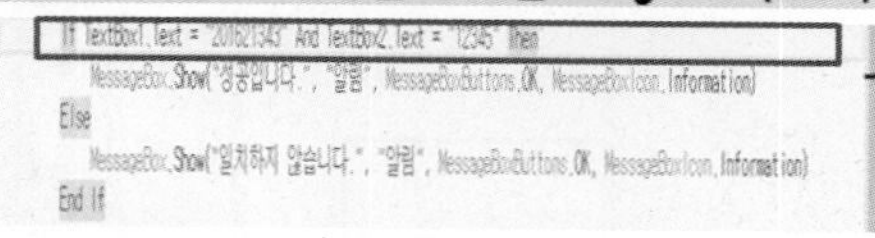

- ➤ 이와 같이 Program에서 직접적인 상수의 값을 사용하면 한 사람의 특정 데이터의 값만 유효한 Program이 된다.
- ➤ 이러한 Program은 상수의 Data 값이 변화할 때마다 Program을 직접 수정하여 변화시켜야 하므로 매우 불편.
- ➤ 입력된 ID와 PW를
- ➤ 외부 DB파일(예: Excel Data 등)에 등록된 회원정보와 비교하여
- ➤ 회원이면 로그인 성공메시지를 출력할 수 있어야 좋은 Program.
- ➤ 또한 외부 DB파일(예: Excel Data 등)에 등록된 회원정보는
- ➤ 항상 고정된 값이 아니라 수시로 수정되어질 수 있는
- ➤ 최신의 자료형태이면 더욱 좋다.

➤ Excel에서 최신 정보를 실시간으로 가져오는 ➤ Source Program 예제

```
Private Sub 삼성전자_Click
(ByVal sender As System.Object, ByVal e As System.EventArgs)
Handles 삼성전자.Click

    Dim 주가정보 As String      → 변수선언 부분
    Dim 엑셀 As Object            주가정보를 문자형 변수로,
    Dim 엑셀파일 As Object        엑셀,엑셀파일을 객체형 변수로 선언.

    엑셀 = CreateObject("excel.application")
    엑셀에 대한 객체를 생성.
    엑셀파일 = 엑셀.workbooks.open("D:\주식정보.xlsx")
    엑셀 객체에 지정한 경로의 엑셀 파일을 오픈.
    주가정보 = 엑셀파일.sheets(1).cells(3, 1).value
    주가정보 변수에 주식정보 엑셀 파일의 Sheets1, 3행 1열(A3)의 정보를 저장.
    출력텍스트박스.Text = 주가정보
    출력텍스트박스에 주가정보 변수의 값을 출력.
    엑셀파일.close()
    엑셀파일을 클로즈.
End Sub
```

➤ 좋은 로그인(ID와 PW 확인) Program 소개

- ➤ 입력, ID와 Password를
- ➤ Excel 파일 연동하여 확인하고
- ➤ 일치하면, 로그인할 수 있는 Program

- ➤ 로그인하면 비로소
- ➤ 사칙연산계산기, 학점계산기, 환율계산기 등
- ➤ 여러 가지 Program을 이용할 수 있는
- ➤ 메뉴 Program으로 갈 수 있다.

- ➤ 좋은 로그인(ID와 PW 확인) Program 은
- ➤ 다른 Program에서
- ➤ 독립된 기능 Module로 호출 혹은 조립될 수 있다.

➤ 좋은 로그인(ID와 PW 확인)Program:의사코드

STEP. 1
- ➤ 입력된 ID와 Password를
- ➤ 외부 Data 저장소(Excel)에서 검색하여
- ➤ 입력된 ID와 Password 둘 중 하나라도 일치하지 않으면
- ➤ ID와 Password를 다시 입력할 것을 요구한다.

STEP. 2
- ➤ 입력된 ID와 Password가 모두 일치하면
- ➤ 환영의 인사말이 나타나고 메인 Program이 시작된다.
- ➤ 필요하면 환영의 사진, 음악, 영상이 추가될 수 있다.

➤ ID와 Password가 일치하지 않았을 때

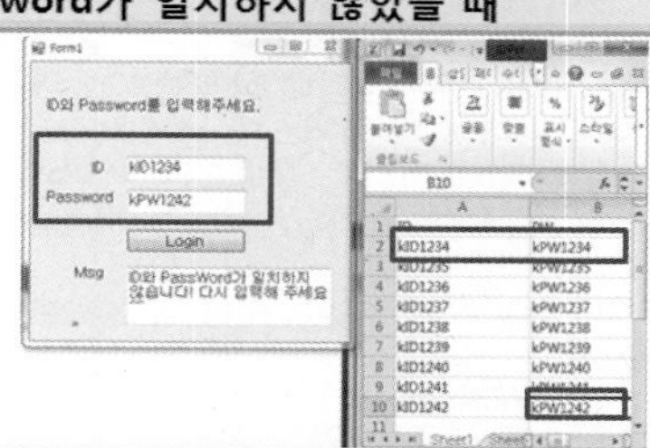

- ➤ 입력된 ID와 Password를
- ➤ 외부 Data 저장소(Excel)에서 검색하여
- ➤ ID와 Password가 둘 중 하나라도 일치하지 않으면
- ➤ ID와 Password를 다시 입력할 것을 요구한다.

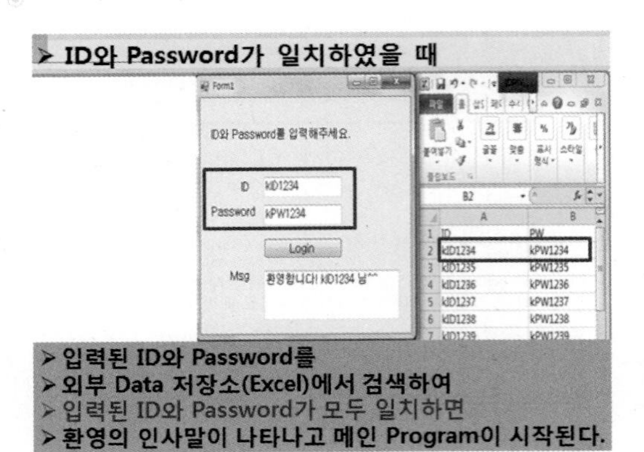

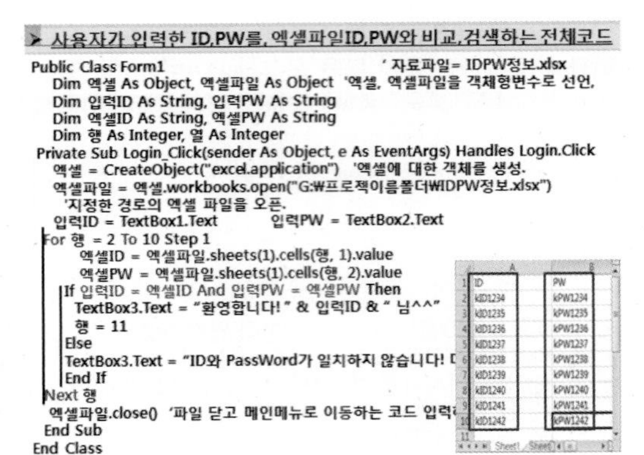

➢ 사용자가 입력한 ID,PW를, 엑셀파일ID,PW와 비교,검색하는 전체코드

```
Public Class Form1                                    ' 자료파일= IDPW정보.xlsx
    Dim 엑셀 As Object, 엑셀파일 As Object '엑셀, 엑셀파일을 객체형변수로 선언.
    Dim 입력ID As String, 입력PW As String
    Dim 엑셀ID As String, 엑셀PW As String
    Dim 행 As Integer, 열 As Integer
  Private Sub Login_Click(sender As Object, e As EventArgs) Handles Login.Click
    엑셀 = CreateObject("excel.application") '엑셀에 대한 객체를 생성.
    엑셀파일 = 엑셀.workbooks.open("G:₩프로젝이름폴더₩IDPW정보.xlsx")
     '지정한 경로의 엑셀 파일을 오픈.
    입력ID = TextBox1.Text          입력PW = TextBox2.Text
   For 행 = 2 To 10 Step 1
       엑셀ID = 엑셀파일.sheets(1).cells(행, 1).value
       엑셀PW = 엑셀파일.sheets(1).cells(행, 2).value
     If 입력ID = 엑셀ID And 입력PW = 엑셀PW Then
       TextBox3.Text = "환영합니다!" & 입력ID & " 님^^"
       행 = 11
     Else
     TextBox3.Text = "ID와 PassWord가 일치하지 않습니다! 
     End If
   Next 행
    엑셀파일.close() '파일 닫고 메인메뉴로 이동하는 코드 입력
  End Sub
End Class
```

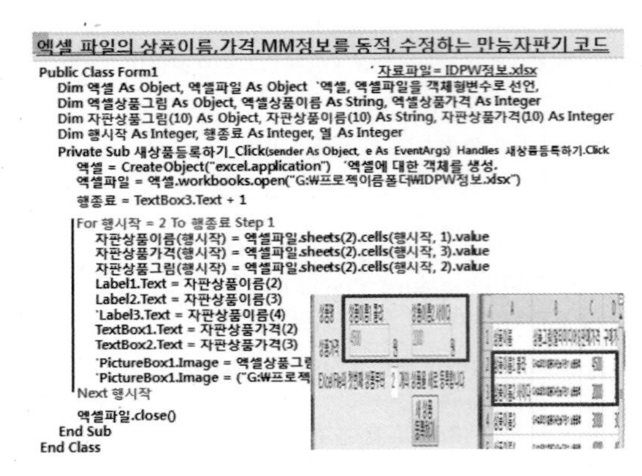

엑셀 파일의 상품이름,가격,MM정보를 동적,수정하는 만능자판기 코드

```
Public Class Form1                          ' 자료파일= IDPW정보.xlsx
  Dim 엑셀 As Object, 엑셀파일 As Object '엑셀, 엑셀파일을 객체형변수로 선언,
  Dim 엑셀상품그림 As Object, 엑셀상품이름 As String, 엑셀상품가격 As Integer
  Dim 자판상품그림(10) As Object, 자판상품이름(10) As String, 자판상품가격(10) As Integer
  Dim 행시작 As Integer, 행종료 As Integer, 열 As Integer
  Private Sub 새상품등록하기_Click(sender As Object, e As EventArgs) Handles 새상품등록하기.Click
    엑셀 = CreateObject("excel.application") '엑셀에 대한 객체를 생성.
    엑셀파일 = 엑셀.workbooks.open("G:₩프로젝이름폴더₩IDPW정보.xlsx")
    행종료 = TextBox3.Text + 1

    For 행시작 = 2 To 행종료 Step 1
      자판상품이름(행시작) = 엑셀파일.sheets(2).cells(행시작, 1).value
      자판상품가격(행시작) = 엑셀파일.sheets(2).cells(행시작, 3).value
      자판상품그림(행시작) = 엑셀파일.sheets(2).cells(행시작, 2).value
      Label1.Text = 자판상품이름(2)
      Label2.Text = 자판상품이름(3)
      'Label3.Text = 자판상품이름(4)
      TextBox1.Text = 자판상품가격(2)
      TextBox2.Text = 자판상품가격(3)
      'PictureBox1.Image = 엑셀상품그림
      'PictureBox1.Image = ("G:₩프로젝
    Next 행시작
    엑셀파일.close()
  End Sub
End Class
```

➢ A8: 10.3 Visual Basic 기초 Program 목차

- ➢ 10.3 Visual Basic 기초 Program
- ➢ 1. MsgBox(알림 창) 기본적 사용법
- ➢ 2. MsgBox안에서 특정 소스코드 사용법
  - ➢ 1) 아이콘과 2) 버튼을 만들어 표시해주는 소스 코드
- ➢ ID와 Password를 입력하여 로그인하는 Program
  - ➢비밀번호를 * 로 가리기
  - ➢입력된 ID와 Password를 Excel 파일 연동하여 확인하고 일치하면, 로그인할 수 있는 Program
- ➢ 외부 실행문(Shell문)
  - ➢Shell 문을 사용하여 인터넷 사이트 접속하기
  - ➢정부 3.0 사이트연결 Program
  - ➢시도별 날씨 온라인 검색 Program: 날씨 검색 Program 시연
  - ➢영화 상영정보 및 예매 Program 영화 예매 Program 시연
- ➢ 외부 실행문(Shell문)으로 VB 외부의 (예: Windows 환경) Program 실행하기
  - ➢보조 Program에 있는 계산기(Calc.exe) 실행
  - ➢간단한 Sound 모듈 출력 예제: My.Computer.Audio.Play
  - ➢음악파일(MP3)재생기 Program 시연
  - ➢여러 가지 동요재생 Program
  - ➢YouTube Downloader Program

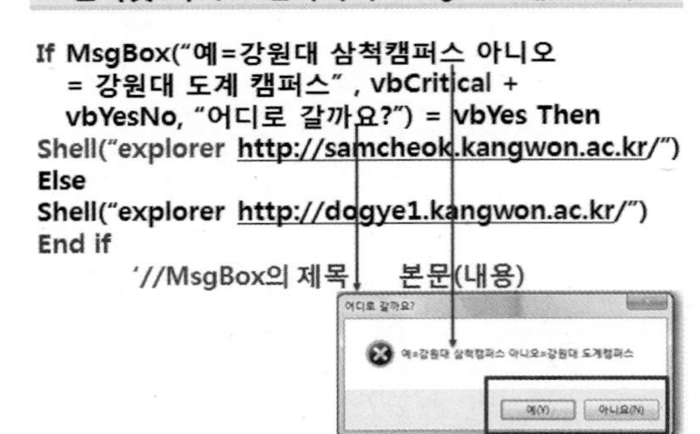

➢ 인터넷 사이트 접속하기: 예(Y) 버튼을 선택시

```
If MsgBox("예=강원대 삼척캠퍼스 아니오
   = 강원대 도계 캠퍼스" , vbCritical +
   vbYesNo, "어디로 갈까요?") = vbYes Then
Shell("explorer http://samcheok.kangwon.ac.kr/")
Else
Shell("explorer http://dogye1.kangwon.ac.kr/")
End if
```

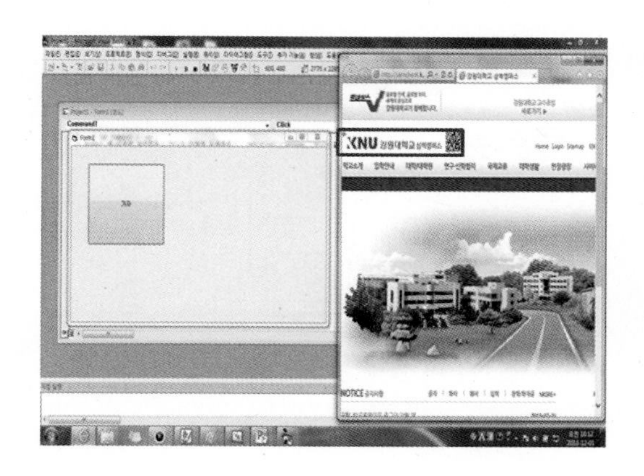

➤ 인터넷 사이트 접속하기:아니오(N) 버튼 선택 시

Private Sub Button1_Click(이하생략)
If MsgBox("예=강원대 삼척캠퍼스 아니오 = 강원대 도계 캠퍼스" , vbCritical + vbYesNo, "어디로 갈까요?") = vbYes Then
Process.Start ("http://samcheok.kangwon.ac.kr/")
Else : Process.Start ("http://dogye.kangwon.ac.kr/")
End if
End sub

참고: Process.Start 는 기본 브라우저로 설정된 브라우저를 실행한다(Chrome.exe 혹은 Explorer.exe)

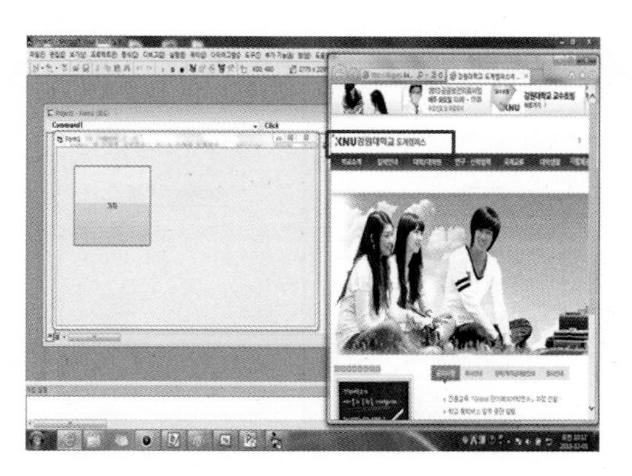

Shell 문과 MsgBox문을 사용한

정부 3.0 사이트연결 Program

정부 3.0은 전자정부의 일환으로서
각 부처간의 칸막이를 없애고
소통, 협력하여
공공정보를 개방 및 공유함으로써
국민들에게 맞춤형 서비스를 제공하는
새로운 행정 서비스를 말한다.

공공행정학과 주재철

➤ 정부 3.0 사이트연결 Program: 화면 디자인

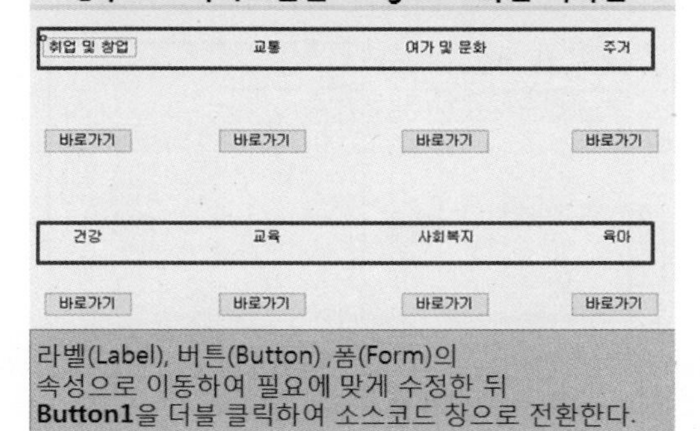

라벨(Label), 버튼(Button) ,폼(Form)의 속성으로 이동하여 필요에 맞게 수정한 뒤 **Button1**을 더블 클릭하여 소스코드 창으로 전환한다.

➤ 정부 3.0 사이트연결 Program: Source Code

If MsgBox("정말 취업 및 창업 서비스로 이동하시겠습니까?", vbQuestion + vbYesNo, "정부 3.0 ")

➔ MsgBox("내용", 아이콘 + 버튼, "제목")

위와 같은 형식을 취하면
어떠한 메시지 박스도 만들 수 있다.

➢ 정부 3.0 사이트연결 Program: Source Code

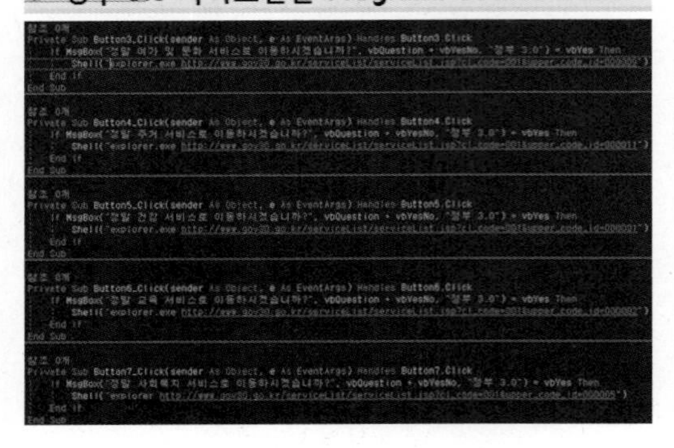

➢ 시도별 날씨 온라인검색 시스템

순서도

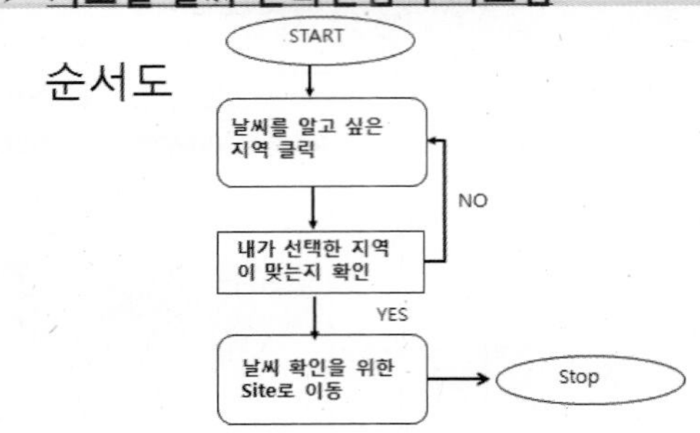

➢ 시도별 날씨 온라인검색 시스템: 의사코드

1. 버튼을 눌렀을 때, 해당지역의 날씨를 알려주는 홈페이지로 이동
2. 버튼을 잘못 눌렀을 때, 메시지박스에서 다른 지역 버튼을 선택 클릭하거나
3. 주간 날씨 소식으로 들어갈 수 있다.

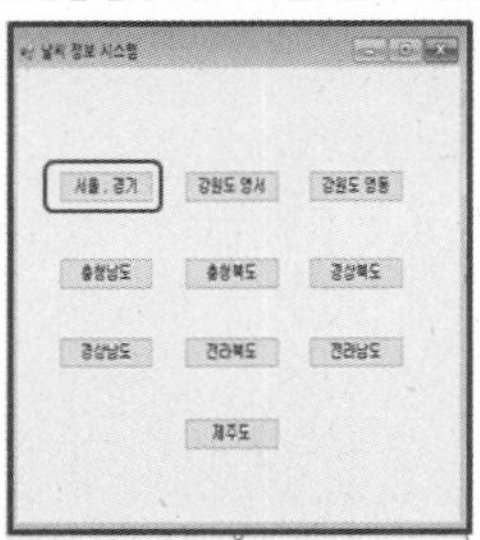

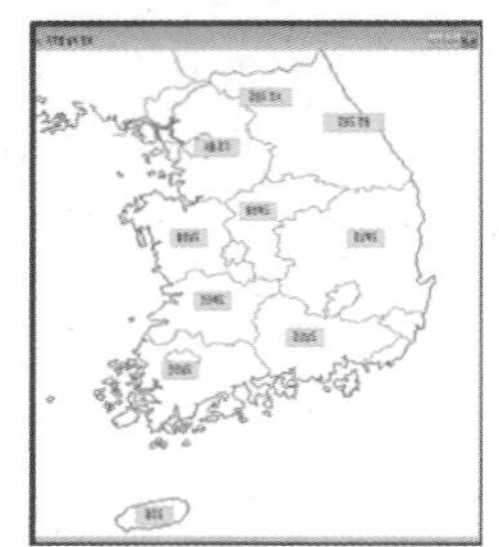

➢ 시도별 날씨 온라인검색 시스템: 기능

- Form 1개
- Button 10개
- Label 1개
- MsgBox 10개

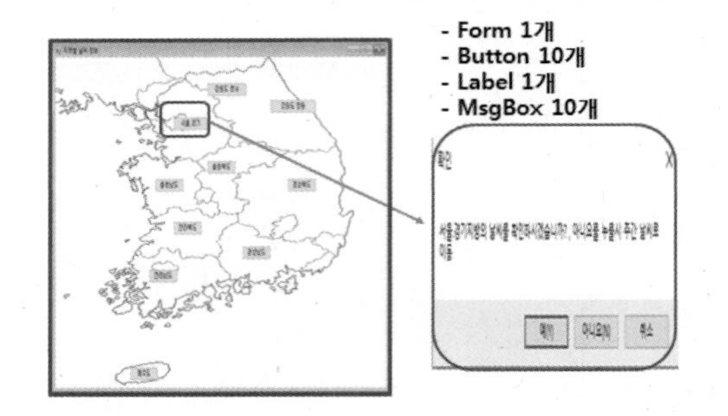

➢ 시도별 날씨 온라인검색 시스템: 기능

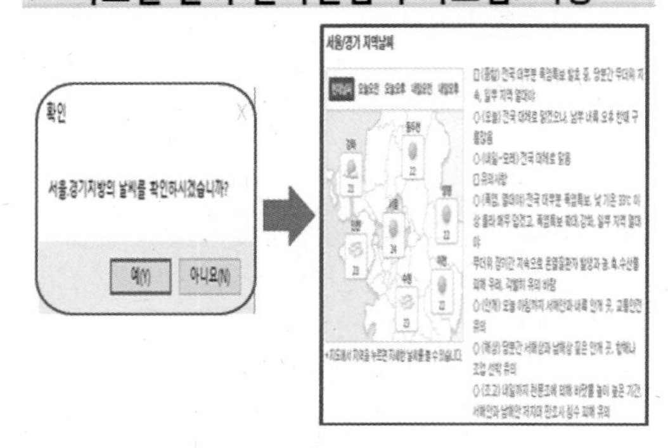

➢ 시도별 날씨 온라인검색 시스템: 기능

예를 누르는 경우

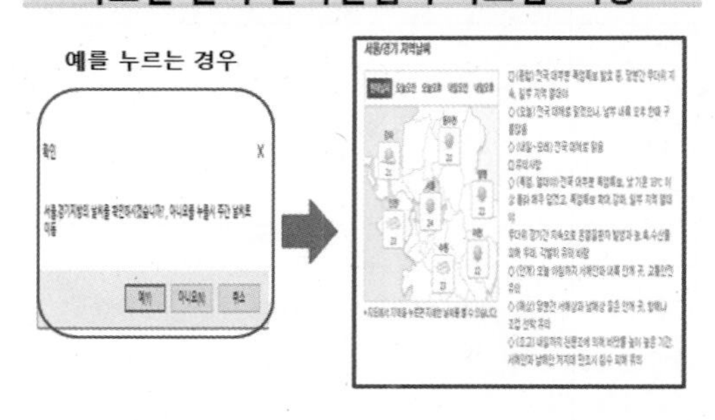

➤ 시도별 날씨 온라인검색 시스템: 기능

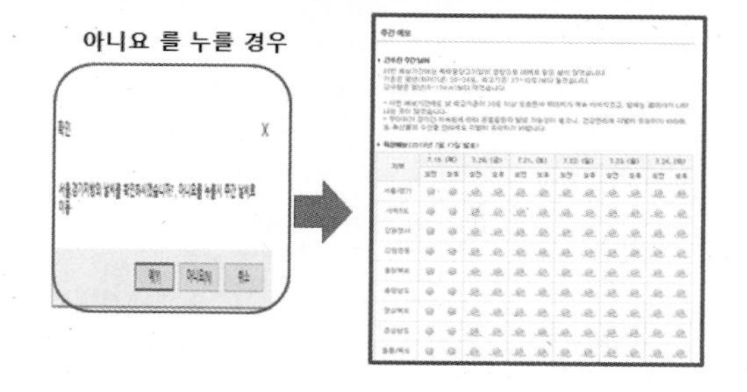

➤ 시도별 날씨 온라인검색 시스템: 소스코드

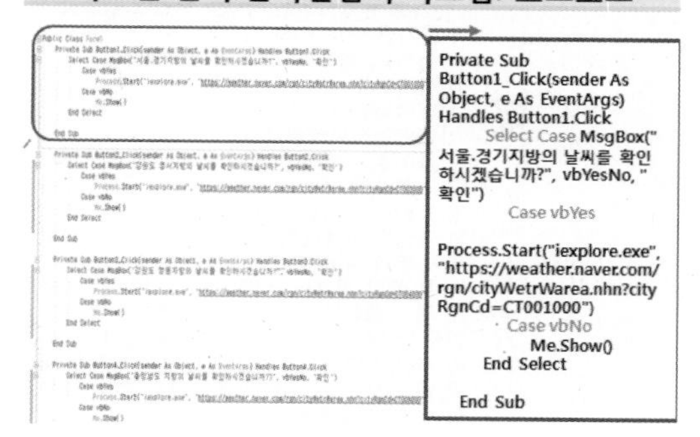

➤ 시도별 날씨 온라인검색 시스템: 소스코드

```
Private Sub Button1_Click (이하 중략)
    Select Case MsgBox("서울.경기지방의 날씨를 확인하시겠습니까?", vbYesNo, "확인")

        Case vbYes  '(예)날씨 정보 Site 링크
Process.Start("iexplore.exe","https://weather.naver.com/rgn/
            '// https://weather.naver.com/
        Case vbNo  ' (아니요) -> 기존 위치로
        Me.Show()
    End Select

End Sub
```

영화 상영정보 및 예매 Program

Program 시연

컴퓨터미디어산업공학부
201821405
장경원

➤ 영화 상영정보 및 예매 PROGRAM: 흐름도

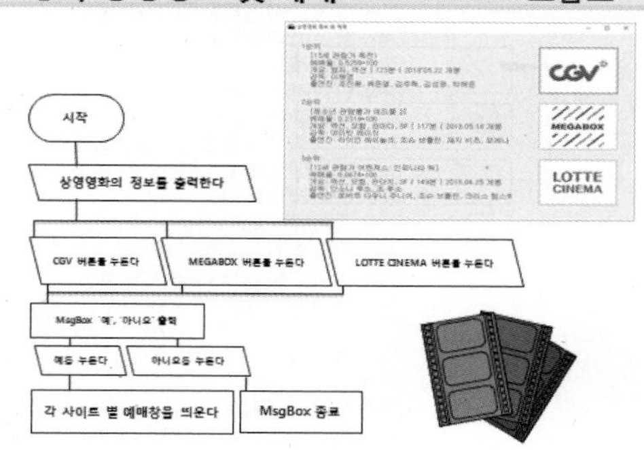

➤ 영화 상영정보 및 예매 PROGRAM: 화면디자인

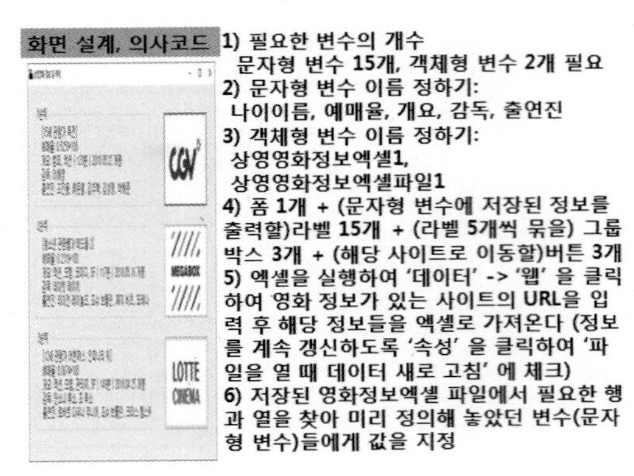

화면 설계, 의사코드

1) 필요한 변수의 개수
 문자형 변수 15개, 객체형 변수 2개 필요
2) 문자형 변수 이름 정하기:
 나이이름, 예매율, 개요, 감독, 출연진
3) 객체형 변수 이름 정하기:
 상영영화정보엑셀1,
 상영영화정보엑셀파일1
4) 폼 1개 + (문자형 변수에 저장된 정보를 출력할)라벨 15개 + (라벨 5개씩 묶을) 그룹박스 3개 + (해당 사이트로 이동할)버튼 3개
5) 엑셀을 실행하여 '데이터' -> '웹' 을 클릭하여 영화 정보가 있는 사이트의 URL을 입력 후 해당 정보들을 엑셀로 가져온다 (정보를 계속 갱신하도록 '속성' 을 클릭하여 '파일을 열 때 데이터 새로 고침' 에 체크)
6) 저장된 영화정보엑셀 파일에서 필요한 행과 열을 찾아 미리 정의해 놓았던 변수(문자형 변수)들에게 값을 지정

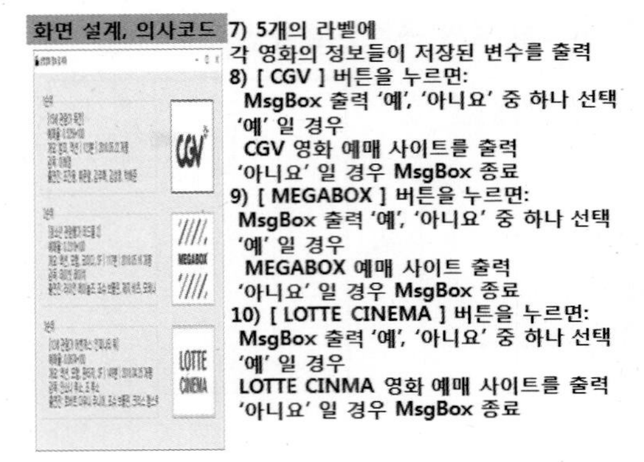

화면 설계, 의사코드

7) 5개의 라벨에
각 영화의 정보들이 저장된 변수를 출력
8) [CGV] 버튼을 누르면:
 MsgBox 출력 '예', '아니요' 중 하나 선택
 '예' 일 경우
 CGV 영화 예매 사이트를 출력
 '아니요' 일 경우 MsgBox 종료
9) [MEGABOX] 버튼을 누르면:
 MsgBox 출력 '예', '아니요' 중 하나 선택
 '예' 일 경우
 MEGABOX 예매 사이트 출력
 '아니요' 일 경우 MsgBox 종료
10) [LOTTE CINEMA] 버튼을 누르면:
 MsgBox 출력 '예', '아니요' 중 하나 선택
 '예' 일 경우
 LOTTE CINMA 영화 예매 사이트를 출력
 '아니요' 일 경우 MsgBox 종료

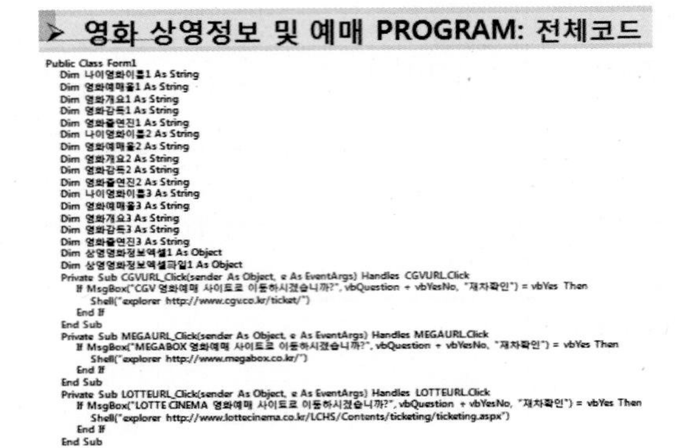

➢ 영화 상영정보 및 예매 PROGRAM: 전체코드

```
Public Class Form1
    Dim 나이영화이름1 As String
    Dim 영화예매율1 As String
    Dim 영화개요1 As String
    Dim 영화감독1 As String
    Dim 영화출연진1 As String
    Dim 나이영화이름2 As String
    Dim 영화예매율2 As String
    Dim 영화개요2 As String
    Dim 영화감독2 As String
    Dim 영화출연진2 As String
    Dim 나이영화이름3 As String
    Dim 영화예매율3 As String
    Dim 영화개요3 As String
    Dim 영화감독3 As String
    Dim 영화출연진3 As String
    Dim 상영영화정보엑셀1 As Object
    Dim 상영영화정보엑셀파일1 As Object
    Private Sub CGVURL_Click(sender As Object, e As EventArgs) Handles CGVURL.Click
        If MsgBox("CGV 영화예매 사이트로 이동하시겠습니까?", vbQuestion + vbYesNo, "재차확인") = vbYes Then
            Shell("explorer http://www.cgv.co.kr/ticket/")
        End If
    End Sub
    Private Sub MEGAURL_Click(sender As Object, e As EventArgs) Handles MEGAURL.Click
        If MsgBox("MEGABOX 영화예매 사이트로 이동하시겠습니까?", vbQuestion + vbYesNo, "재차확인") = vbYes Then
            Shell("explorer http://www.megabox.co.kr/")
        End If
    End Sub
    Private Sub LOTTEURL_Click(sender As Object, e As EventArgs) Handles LOTTEURL.Click
        If MsgBox("LOTTE CINEMA 영화예매 사이트로 이동하시겠습니까?", vbQuestion + vbYesNo, "재차확인") = vbYes Then
            Shell("explorer http://www.lottecinema.co.kr/LCHS/Contents/ticketing/ticketing.aspx")
        End If
    End Sub
```

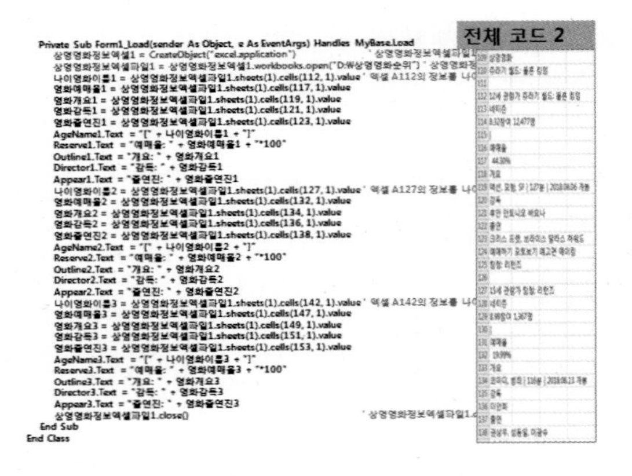

전체 코드 2

```
Private Sub Form1_Load(sender As Object, e As EventArgs) Handles MyBase.Load
    상영영화정보엑셀1 = CreateObject("excel.application")          ' 상영영화정보엑셀파일1
    상영영화정보엑셀파일1 = 상영영화정보엑셀1.workbooks.open("D:₩상영영화순위") ' 상영영화정
    나이영화이름1 = 상영영화정보엑셀파일1.sheets(1).cells(112, 1).value ' 엑셀 A112의 정보를 나이
    영화예매율1 = 상영영화정보엑셀파일1.sheets(1).cells(117, 1).value
    영화개요1 = 상영영화정보엑셀파일1.sheets(1).cells(119, 1).value
    영화감독1 = 상영영화정보엑셀파일1.sheets(1).cells(121, 1).value
    영화출연진1 = 상영영화정보엑셀파일1.sheets(1).cells(123, 1).value
    AgeName1.Text = "[" + 나이영화이름1 + "]"
    Reserve1.Text = "예매율: " + 영화예매율1 + "*100"
    Outline1.Text = "개요: " + 영화개요1
    Director1.Text = "감독: " + 영화감독1
    Appear1.Text = "출연진: " + 영화출연진1
    나이영화이름2 = 상영영화정보엑셀파일1.sheets(1).cells(127, 1).value ' 엑셀 A127의 정보를 나이
    영화예매율2 = 상영영화정보엑셀파일1.sheets(1).cells(132, 1).value
    영화개요2 = 상영영화정보엑셀파일1.sheets(1).cells(134, 1).value
    영화감독2 = 상영영화정보엑셀파일1.sheets(1).cells(136, 1).value
    영화출연진2 = 상영영화정보엑셀파일1.sheets(1).cells(138, 1).value
    AgeName2.Text = "[" + 나이영화이름2 + "]"
    Reserve2.Text = "예매율: " + 영화예매율2 + "*100"
    Outline2.Text = "개요: " + 영화개요2
    Director2.Text = "감독: " + 영화감독2
    Appear2.Text = "출연진: " + 영화출연진2
    나이영화이름3 = 상영영화정보엑셀파일1.sheets(1).cells(142, 1).value ' 엑셀 A142의 정보를 나이
    영화예매율3 = 상영영화정보엑셀파일1.sheets(1).cells(147, 1).value
    영화개요3 = 상영영화정보엑셀파일1.sheets(1).cells(149, 1).value
    영화감독3 = 상영영화정보엑셀파일1.sheets(1).cells(151, 1).value
    영화출연진3 = 상영영화정보엑셀파일1.sheets(1).cells(153, 1).value
    AgeName3.Text = "[" + 나이영화이름3 + "]"
    Reserve3.Text = "예매율: " + 영화예매율3 + "*100"
    Outline3.Text = "개요: " + 영화개요3
    Director3.Text = "감독: " + 영화감독3
    Appear3.Text = "출연진: " + 영화출연진3
    상영영화정보엑셀파일1.close()                              ' 상영영화정보엑셀파일1.c
  End Sub
End Class
```

➢ 주요 코드

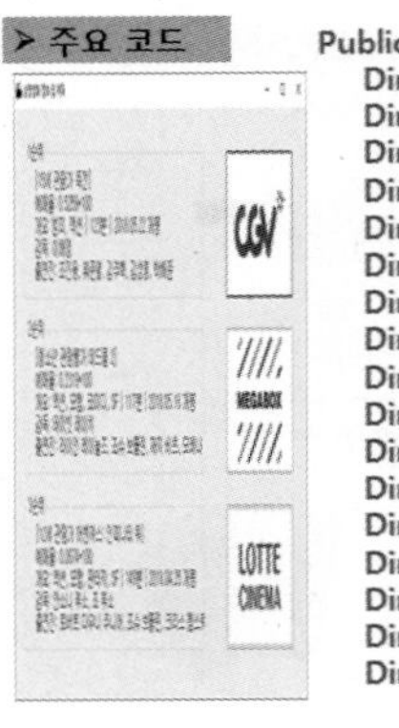

```
Public Class Form1  ' 변수 선언
    Dim 나이영화이름1 As String
    Dim 영화예매율1 As String
    Dim 영화개요1 As String
    Dim 영화감독1 As String
    Dim 영화출연진1 As String
    Dim 나이영화이름2 As String
    Dim 영화예매율2 As String
    Dim 영화개요2 As String
    Dim 영화감독2 As String
    Dim 영화출연진2 As String
    Dim 나이영화이름3 As String
    Dim 영화예매율3 As String
    Dim 영화개요3 As String
    Dim 영화감독3 As String
    Dim 영화출연진3 As String
    Dim 상영영화정보엑셀1 As Object
    Dim 상영영화정보엑셀파일1 As Object
```

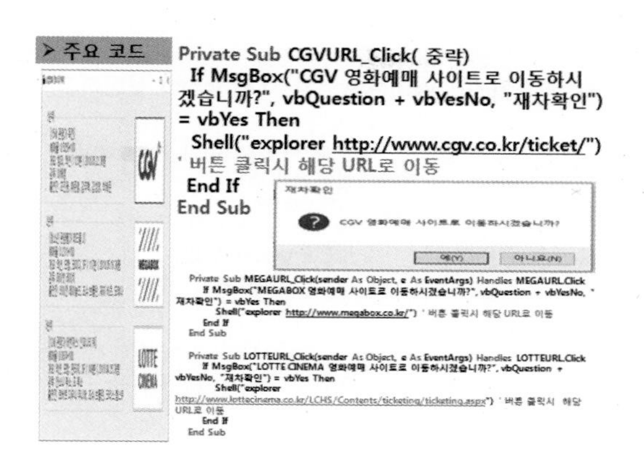

> 주요 코드

```
Private Sub CGVURL_Click( 중략)
  If MsgBox("CGV 영화예매 사이트로 이동하시겠습니까?", vbQuestion + vbYesNo, "재차확인") = vbYes Then
    Shell("explorer http://www.cgv.co.kr/ticket/")
' 버튼 클릭시 해당 URL로 이동
  End If
End Sub

Private Sub MEGAURL_Click(sender As Object, e As EventArgs) Handles MEGAURL.Click
    If MsgBox("MEGABOX 영화예매 사이트로 이동하시겠습니까?", vbQuestion + vbYesNo, "재차확인") = vbYes Then
        Shell("explorer http://www.megabox.co.kr/") ' 버튼 클릭시 해당 URL로 이동
    End If
End Sub

Private Sub LOTTEURL_Click(sender As Object, e As EventArgs) Handles LOTTEURL.Click
    If MsgBox("LOTTE CINEMA 영화예매 사이트로 이동하시겠습니까?", vbQuestion + vbYesNo, "재차확인") = vbYes Then
        Shell("explorer http://www.lottecinema.co.kr/LCHS/Contents/ticketing/ticketing.aspx") ' 버튼 클릭시 해당 URL로 이동
    End If
End Sub
```


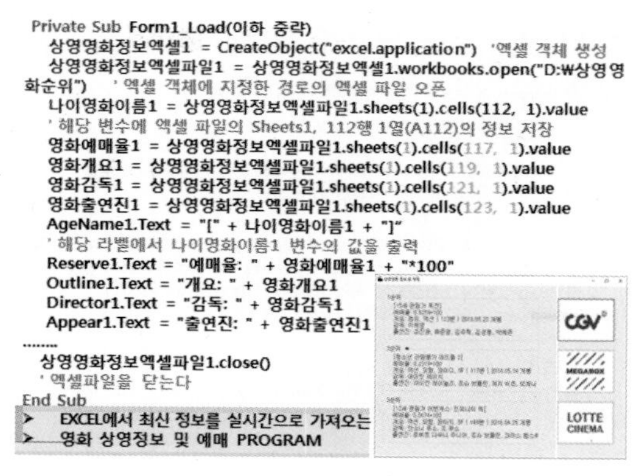

```
Private Sub Form1_Load(이하 중략)
  상영영화정보엑셀1 = CreateObject("excel.application") '엑셀 객체 생성
  상영영화정보엑셀파일1 = 상영영화정보엑셀1.workbooks.open("D:₩상영영화순위") ' 엑셀 객체에 지정한 경로의 엑셀 파일 오픈
  나이영화이름1 = 상영영화정보엑셀파일1.sheets(1).cells(112, 1).value
  ' 해당 변수에 엑셀 파일의 Sheets1, 112행 1열(A112)의 정보 저장
  영화예매율1 = 상영영화정보엑셀파일1.sheets(1).cells(117, 1).value
  영화개요1 = 상영영화정보엑셀파일1.sheets(1).cells(119, 1).value
  영화감독1 = 상영영화정보엑셀파일1.sheets(1).cells(121, 1).value
  영화출연진1 = 상영영화정보엑셀파일1.sheets(1).cells(123, 1).value
  AgeName1.Text = "[" + 나이영화이름1 + "]"
  ' 해당 라벨에서 나이영화이름1 변수의 값을 출력
  Reserve1.Text = "예매율: " + 영화예매율1 + "*100"
  Outline1.Text = "개요: " + 영화개요1
  Director1.Text = "감독: " + 영화감독1
  Appear1.Text = "출연진: " + 영화출연진1
........
  상영영화정보엑셀파일1.close()
  ' 엑셀파일을 닫는다
End Sub
```

> EXCEL에서 최신 정보를 실시간으로 가져오는
> 영화 상영정보 및 예매 PROGRAM

> 영화 상영정보 및 예매 PROGRAM: 실행

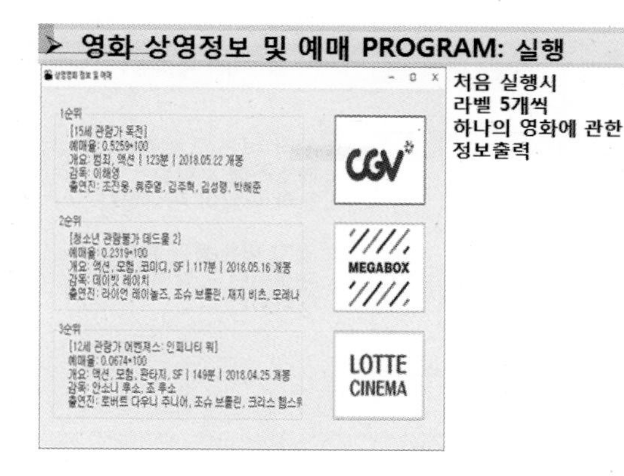

처음 실행시
라벨 5개씩
하나의 영화에 관한
정보출력

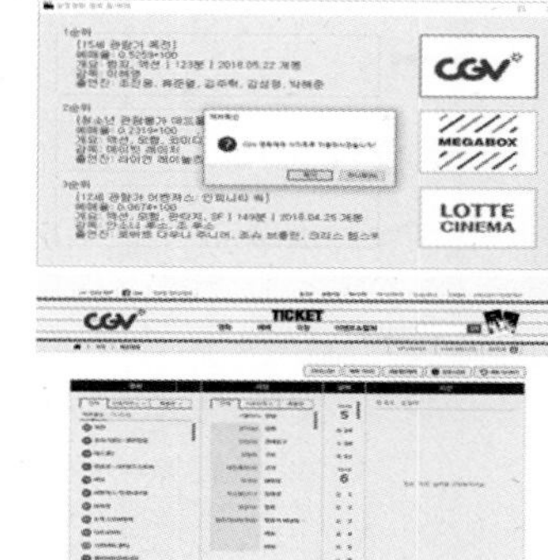

CGV 버튼을 클릭시
MsgBox에
'?' 마크와
'예', '아니요'가 뜨고

'예'를 누를시
아래 사진과 같은
창이 뜨게 된다,
'아니요'를 누를시
MsgBox가 종료된다

MEGABOX 버튼을 클릭시
MsgBox에
'?' 마크와
'예', '아니요'가 뜨고

'예'를 누를시
아래 사진과 같은
창이 뜨게 된다,
'아니요'를 누를시
MsgBox가 종료된다

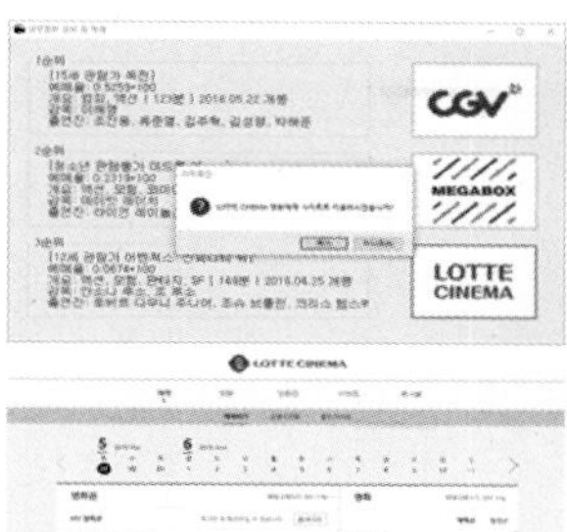

LOTTE CINEMA 버튼 클릭시
MsgBox에
'?' 마크와
'예', '아니요'가 뜨고

'예'를 누를시
아래 사진과 같은
창이 뜨게 된다,
'아니요'를 누를시
MsgBox가
종료된다

➤ VB에서 외부 파일 실행하기

shell은 exe를 실행시키는 명령어(아래의 문장 테스트)

```
Private Sub Button1_Click()
   Dim 호출Program
   '아래의 예제는 XP에서 Windows XP환경에서 실행됨.
아니면 정확한 경로를 지정해 줄 것.

   호출Program = Shell("C:₩windows₩system32₩calc.exe", 1)
   호출Program = Shell("C:₩windows₩system32₩cmd.exe", 1)
   호출Program = Shell("C:₩Program Files₩Microsoft
Office₩Office10₩POWERPNT.exe", 1)

   아래의 예제는 c:에 배치 파일이 있을 경우에 실행.
   호출Program = Shell("C:₩text.bat", 1)
End Sub
```

➤ 외부 실행문(Shell)을 이용하여 VB 외부의 (예; Windows 환경) Program 실행하기

Shell 은 VB 외부의 Program을 실행하게 한다.
Calc.exe 는 Windows 환경의 보조Program에 있는 계산기 Program이다.

간단한 Sound 모듈 출력 예제

리소스에 등록시킨 음악실행 **Program시연**

01 화면 설계와 의사코드

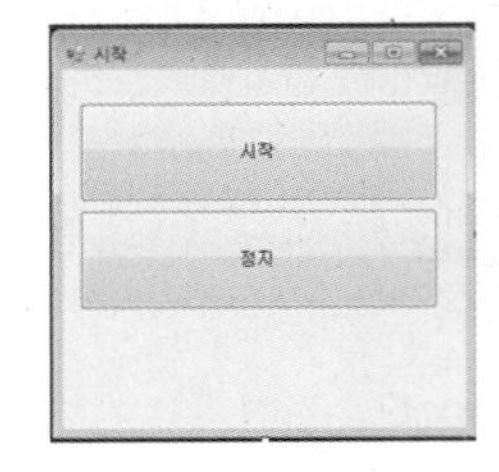

1. 시작 버튼을 누르면 리소스에 저장된 음악 파일이 재생된다.
2. 정지 버튼을 누르면 재생되던 음악 파일이 정지된다.

Visual basic

➤ 사운드를 리소스에 저장하는 방법(요약)

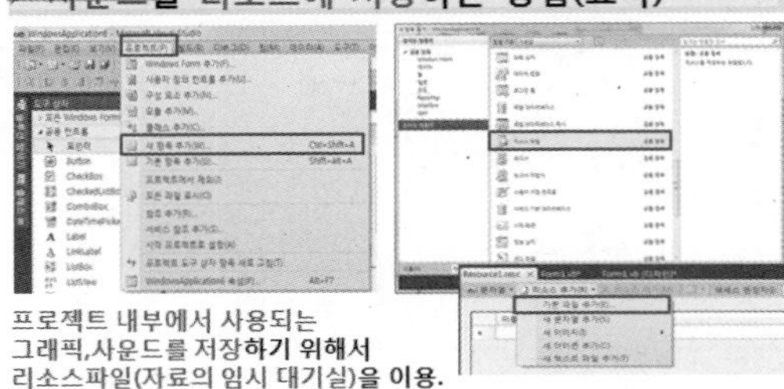

프로젝트 내부에서 사용되는 그래픽,사운드를 저장**하기 위해서** 리소스파일(자료의 임시 대기실)을 **이용.**

1) 프로젝트 탭의 새 항목 추가를 누른 다음
2) 새 항목 추가 창이 열리면 리소스파일을 선택해준다.
3) 리소스추가 창이 열리면 기존파일추가를 클릭, 경로창이열리면 미리 준비해둔 그래픽,사운드를 리소스에 저장해준다.

03 시작 버튼(Button1) Code 만들기

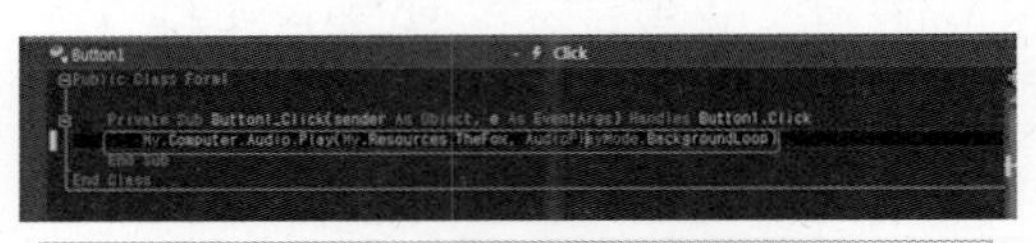

시작 버튼(Button1) 을 더블 클릭하여 코드를 입력한다.

My.Computer.Audio.Play (My.Resources.불러올 음악 파일명, Audioplaymode.BackgroundLoop)
이때 불러올 음악 파일명의 확장자는 mp3 보다 wav 를 권장

My.Computer.Audio.Stop()

Visual basic

04 정지 버튼(Button2) Code 만들기

```
Public Class Form1

    Private Sub Button1_Click(sender As Object, e As EventArgs) Handles Button1.Click
        My.Computer.Audio.Play(My.Resources.TheFox, AudioPlayMode.BackgroundLoop)
    End Sub

    Private Sub Button2_Click(sender As Object, e As EventArgs) Handles Button2.Click
        My.Computer.Audio.Stop()
    End Sub
End Class
```

정지 버튼(Button2) 을 더블 클릭하여 코드를 입력한다.

My.Computer.Audio.Play(My.Resources.불러올 음악 파일명, Audioplaymode.BackgroundLoop)
이때 불러올 음악 파일명의 확장자는 mp3 보다 wav 를 권장

My.Computer.Audio.Stop()

Visual basic

➢MP3 동요 음악재생기 Program: 의사코드,화면

- ➢ 의사코드:
- ➢ 1) 노래선택 버튼을 클릭하면,
- ➢ 선택된 노래가 재생된다.
- ➢ 2) 시간 후 종료예약 을, 콤보박스에서 선택하면,
- ➢ 선택한 시간 종료 후 자동 종료된다.

- ➢ 화면 디자인
- ➢ 화면에 필요한 객체
  - ➢ 버튼 8개
  - ➢ 콤보박스 1개

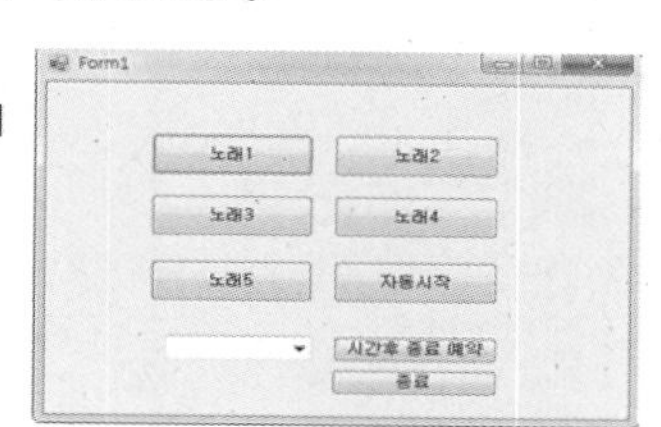

➢MP3 동요 음악재생기 Program: 전체 코드

```
Public Class Form1
    Private Sub Button1_Click(sender As Object, e As EventArgs) Handles Button1.Click
        My.Computer.Audio.Play(My.Resources._1_뽀뽀뽀, AudioPlayMode.Background)
    End Sub

    Private Sub btnMusic2_Click(sender As Object, e As EventArgs) Handles btnMusic2.Click
        My.Computer.Audio.Play(My.Resources._2_유치원_하나둘셋, AudioPlayMode.Background)
    End Sub

    Private Sub btnMusic3_Click(sender As Object, e As EventArgs) Handles btnMusic3.Click
        My.Computer.Audio.Play(My.Resources._3_내동생, AudioPlayMode.Background)
    End Sub

    Private Sub btnMusic4_Click(sender As Object, e As EventArgs) Handles btnMusic4.Click
        My.Computer.Audio.Play(My.Resources._4_퐁당퐁당, AudioPlayMode.Background)
    End Sub

    Private Sub btnMusic5_Click(sender As Object, e As EventArgs) Handles btnMusic5.Click
        My.Computer.Audio.Play(My.Resources._5_우리유치원, AudioPlayMode.Background)
    End Sub

    Private Sub btnPause_Click(sender As Object, e As EventArgs) Handles btnPause.Click
        My.Computer.Audio.Stop()
    End Sub

    Private Sub btnStop_Click(sender As Object, e As EventArgs) Handles btnStop.Click
        My.Computer.Audio.Stop()
    End Sub
End Class
```

➢MP3 동요 음악재생기 Program: 주요 코드

```
➢ Public Class Form1
    Private Sub Button1_Click(sender As Object, e As
EventArgs) Handles Button1.Click
    My.Computer.Audio.Play(My.Resources._1_뽀뽀뽀,
AudioPlayMode.Background)
➢     End Sub
```

➢MP3 동요 음악재생기 Program: 변수 선언

```
'// 변수선언
Dim 자동실행여부 As Boolean
Dim 자동실행순서 As Integer
Dim 플레이어현재상태 As Integer
Dim 예약시간 As Integer

'// 원래는 변수이름이 왼쪽과 같이 되어있는 것을
'// 오른쪽과 같이 전면 수정하였다.
'// auto: 자동실행여부
'// auto_: 자동실행순서
'// state: 플레이어현재상태
'// auto_time: 예약시간
```

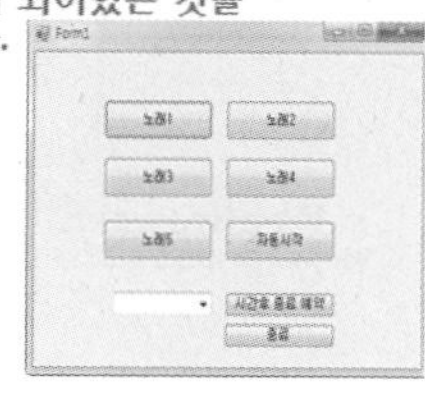

➢MP3 동요 음악재생기 Program:노래버튼1클릭코

```
Private Sub Button1_Click(sender As Object, e As
EventArgs) Handles Button1.Click
        AxWindowsMediaPlayer1.URL = "노래1.mp3"
        자동실행여부 = False
        자동실행순서 = 1
        예약시간 = 0
        End Sub
```

'// 노래5 버튼까지 동일하게 반복부분 중략...

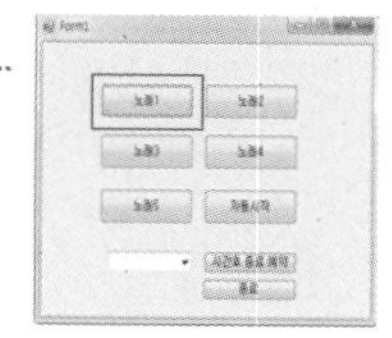

➢MP3 동요 음악재생기 Program:자동시작버튼 코드

```
Private Sub Button7_Click(sender As Object, e As EventArgs) Handles Button7.Click
    auto_time = 0

    If Not ComboBox1.Text = "" Then
        auto_time = Convert.ToInt32(ComboBox1.Text) + Convert.ToInt32(Format(Now, "HH"))
        If auto_time > 24 Then auto_time = auto_time - 24
    End If

    auto = True
    auto_index = 1
    Timer1.Enabled = True
    AxWindowsMediaPlayer1.URL = "1.mp3"
```

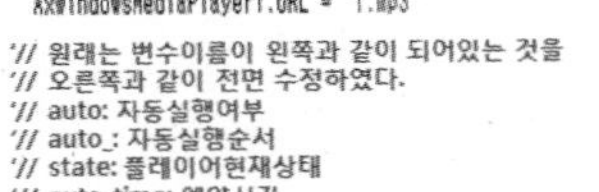

'// 원래는 변수이름이 왼쪽과 같이 되어있는 것을
'// 오른쪽과 같이 전면 수정하였다.
'// auto: 자동실행여부
'// auto_: 자동실행순서
'// state: 플레이어현재상태
'// auto_time: 예약시간

➢MP3 동요 음악재생기 Program: 종료예약버튼 코드

'//콤보 박스 및 종료예약버튼 선택시 메시지 출력

```
Private Sub Button6_Click(sender As Object, e As EventArgs) Handles Button6.Click
  If Not ComboBox1.Text = "" Then
   MsgBox(ComboBox1.Text + "시간 후 플레이가 종료됩니다.")  '// 예) 3 시간 후 플레이가 종료됩니다.
  End If
End Sub
```

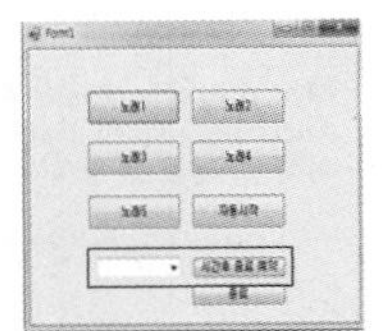

➢MP3 동요 음악재생기 Program: 종료예약버튼 코드

'//콤보 박스 및 종료예약버튼 선택시 타이머와 연계한 종료

```
Private Sub Timer1_Tick(sender As Object, e As EventArgs) Handles T

    If auto And states = 1 Then


        If Convert.ToInt32(Format(Now, "HH")) = auto_time Then
            Timer1.Enabled = False
            Timer1.Stop()
        End If

        auto_index = auto_index + 1
        If auto_index > 5 Then auto_index = 1
        AxWindowsMediaPlayer1.URL = auto_index.ToString() + ".mp3"
    End If
End Sub
```

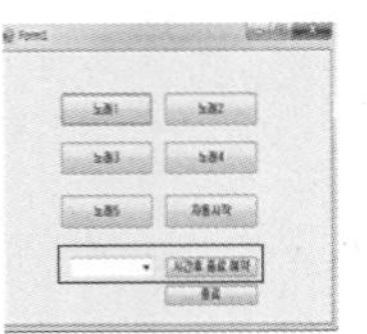

➢MP3 동요 음악재생기 Program: 종료버튼 코드

```
Private Sub Button5_Click(sender As Object,
e As EventArgs) Handles Button5.Click
        End  '//Program 종료 선언
        End Sub
```

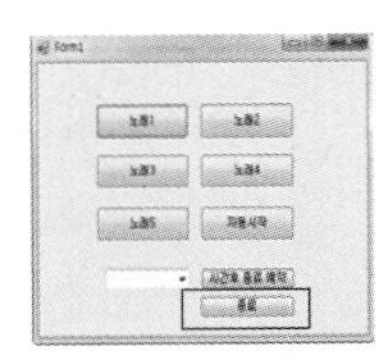

➢ YouTube Downloader Program: 사용된 도구

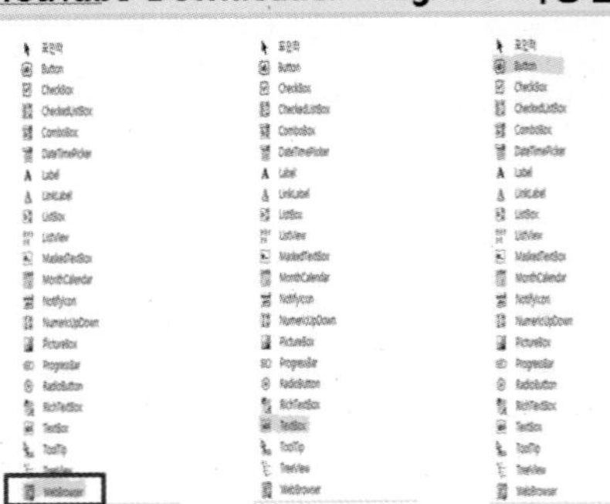

➢ YouTube Downloader Program: Source Code

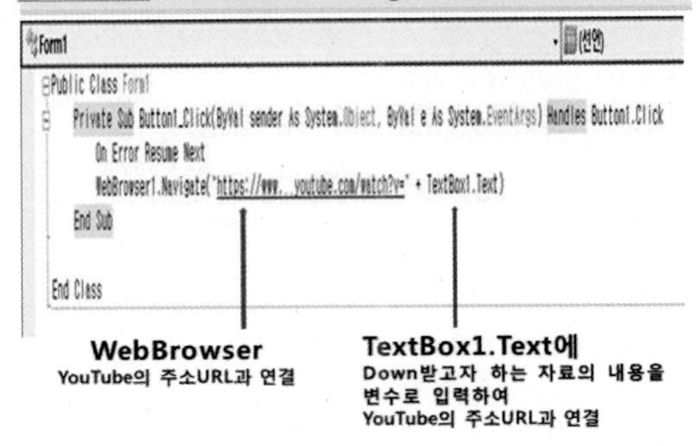

10.4 Visual Basic 전공분야 응용 IT융합 Program 사례1

컴퓨팅 사고방식을 기르고 프로그래밍을 잘하려면

- 1) 평소에 컴퓨팅 사고방식(Computational Thinking)으로 생각하여 논리적인 문제해결 방법을 찾아내는 습관을 기른다.
- 2) 예제 Program들을 많이 찾아보아야 한다(Benchmarking)
  - 모범사례 분석(Best Practice Analysis) ;
    - 관심 분야의 우수한 Program들을 비교 대상으로 삼아
    - 자신의 Program 속에 도입할 수 있도록
    - 우수한 요인들을 찾아내고자 하는 벤치마킹 방법.
  - 스왓 분석(SWOT Analysis) ;
    - 관심 분야의 기존 예제 Program에서
    - 강점(Strengths),약점(Weakness), 기회(Opportunities), 위협(Threats)으로 작용할 수 있는 요인들을 도출하려는 벤치마킹 방법.
- 3) 많은 Program의 구조와 논리와 흐름을 이해하려고 노력하고
- 4) 직접 많은 Program을 작성해 보는 것이라 할 수 있다.

알고리즘(Algorithm)과 컴퓨팅 사고방식

- 1) 평소에 컴퓨팅 사고방식(Computational Thinking)으로 생각하여 논리적으로 문제해결 방법을 찾아내는 습관을 기른다.

- 일상생활에서의 문제해결방법(알고리즘)이
- 좀 더 효율적인 방법이 될 수 있도록 변화시켜본다.

- 예) " 일반적인 라면 끓이는 방법"
  - 물 넣기 - 물 끓이기 - 스프 넣기 - 면 넣기 -
  - 시간 되면 불 끄기 - 그릇에 담기 - 먹기...
- 이때 라면의 맛을
  - 개개인의 입맛에 맞게
  - 맛있게 하려면 어떻게 해야 할까?

2

알고리즘(Algorithm)과 컴퓨팅 사고방식

- 이때 라면의 맛을 맛있게 하려면 어떻게 해야 할까?
  - 1) "일반적인 라면 끓이는 방법"의 순서를 바꾸거나
  - 2) 혹은 과정의 일부를 생략하거나
  - 3) 혹은 물의 양을 다르게 하거나
  - 4) 혹은 가열하는 불의 온도를 다르게 하거나
  - 5) 혹은 투입하는 음식재료(김치 혹은 해산물 혹은 계란 등)를 다르게 하면
  - 개인의 입맛에 맞는 새로운 방법으로
  - 새로운 문제해결방법(알고리즘)을 만들 수 있다

- 즉 문제해결방법(알고리즘)에 따라서
- 작업 과정의 효율성도 달라지고,
- 작업 결과(라면의 맛)도 달라지기 때문에
- 일상생활에서의 문제해결방법(알고리즘)이
- 좀 더 효율적인 방법이 될 수 있도록 자꾸 변화시켜본다.

3

컴퓨팅 사고방식을 기르고 프로그래밍을 잘하려면

- 1) 평소에 컴퓨팅 사고방식(Computational Thinking)으로 생각하여 논리적으로 문제해결 방법을 찾아내는 습관을 기른다.
- 2) 예제 Program들을 많이 찾아보아야 한다(Benchmarking)
  - 모범사례 분석(Best Practice Analysis) ;
    - 관심 분야의 우수한 Program들을 비교 대상으로 삼아
    - 자신의 Program 속에 도입할 수 있도록
    - 우수한 요인들을 찾아내고자 하는 벤치마킹 방법.
  - 스왓 분석(SWOT Analysis) ;
    - 관심 분야의 기존 예제 Program에서
    - 강점(Strengths),약점(Weakness), 기회(Opportunities), 위협(Threats)으로 작용할 수 있는 요인들을 도출하려는 벤치마킹 방법.
- 3) Program의 구조와 논리와 흐름을 이해하려고 노력하고
- 4) 직접 많은 Program을 작성해 보는 것이라 할 수 있다.

알고리즘(Algorithm)과 컴퓨팅 사고방식

- 매뉴얼(Manual)과 알고리즘(Algorithm)
  - 생활속: 예)라면을 맛있게 끓이는 방법에 대한 생각
  - 분야별: 예)자동차 사용설명서, 전자제품 사용설명서 등
  - 제품별: 예)인공지능에어컨의 작동방법이 담긴 설명서등
  - 업무별: 예: 직무명세서와 직무기술서 등

- 메뉴얼의 구체적인 방법이 Program의 핵심논리이므로
  - 의사코드(자연언어로 표현된 일종의 매뉴얼)와
  - 흐름도(의사코드의 핵심논리를 간단하게 도식화한 것) 등
- 알고리즘이 더욱 효율적인 처리 방법과 절차가 되도록
  - 변화시켜서 개선해 본다.
  - 수정, 보완, 개선해 나가는 것이 바로 혁신

5

알고리즘(Algorithm)과 컴퓨팅 사고방식

- 응용분야에 특히 의존적인 분야는
- 전문가와 상의해서
- 복잡한 문제 해결 절차를 가진 Algorithm이
- 효율화, 간소화, 최적화되도록 변화시켜 본다.

- 삼각형의 넓이 $S=\frac{1}{2}ah$ (a: 밑변, h: 높이)
- 원의 넓이 $S=\pi r^2$
- 호의 길이 $l=2\pi r \times \frac{x}{360}$ (r: 반지름, x :중심각)
- 구의 부피 $V=\frac{4}{3}\pi r^3$

➤ 알고리즘(Algorithm)과 컴퓨팅 사고방식

- ➤ **업무매뉴얼은**
  - ➤ 직무 명세서(Job Statement),직무 기술서(Job Description)
- ➤ **업무매뉴얼의 장점:**
  - ➤1) 복잡한 업무절차를 효율적으로 수행하게 한다.
  - ➤2) 업무담당자의 부재 시에도 수행 가능하게 한다
  - ➤3) 업무상 복잡하고 비효율적인 부분을 찾아서 개선 가능하게 한다.

➤ **업무매뉴얼 상의**
➤ **업무처리지침, 업무처리절차, 보고계통 등**
➤ 업무의 세부 사항을 파악하여,
➤ **업무를 더욱 효율적으로 처리할 수 있도록**
➤ 변화시켜서 개선해 본다

7

➤ 알고리즘(Algorithm)과 컴퓨팅 사고방식

➤ **예) 내과 병동간호사 직무기술서 (직무내용 요약정리)**

- ➤1. 업무 인수.인계사항: 전체 인수.인계, 팀별 인수.인계사항
- ➤2. 투약 준비: 수액확인 및 준비
- ➤3. 병실 순회(rounding)및 환자 상태, 간호 요구 사항 파악:
- ➤4. 비품 및 장비의 사용현황 및 물품 check :
- ➤이상 직무 내용을
- ➤변화시켜서 개선해 본다.

- ➤또한
- ➤병원 업무흐름도,
- ➤병원 외래환자 진료 시스템 흐름도 등을
- ➤수정, 보완, 개선해 나가는 것이 바로 혁신

8

병원 외래환자 진료 시스템 흐름도

Program(Outline) Flow chart : 개략 순서도

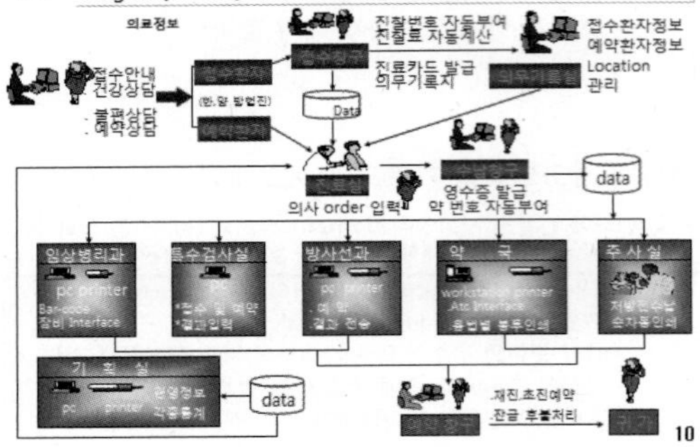

의료정보
접수안내
건강상담
불편상담
예약상담
진찰번호 자동부여
진찰료 자동계산
접수환자정보
예약환자정보
진료카드 발급
의무기록지
Location
관리
Data
의사 order 입력
영수증 발급
약 번호 자동부여
data
임상병리과
특수검사실
방사선과
약 국
주사실
기 획 실
data
.재진.초진예약
.잔금 후불처리

10

➤ 알고리즘(Algorithm)과 컴퓨팅 사고방식

- ➤ 1) IT 전문가들에 의해 기존에 만들어진 여러 가지 Program(SW) 사용법에 익숙해져야 한다.
  - ➤ Word Processor Program Web Browser Program
  - ➤ Power Point, Excel, Access 등의 Program
  - ➤ Messenger 혹은 NateOn 혹은 KakaoTalk 등의 Program
  - ➤ Windows Media Player 등의 Program
  - ➤ Photoshop 혹은 Windows Movie Maker 등의 Program
- ➤ 2) 여러 가지 Program(SW) 사용 중에, 경우에 따라서는
  - ➤1. 기존기능을 개선 가능한 부분을
  - ➤더 효율적으로 수정하는 방법과
  - ➤2. 또는 창의적인 아이디어를 통해
  - ➤새로운 기능을 부여하는 방법을 계속해서 생각하는 등
  - ➤3. Program(SW)을 바라보고, 이해하고, 수정할 수도 있는
  - ➤안목과 의견을 가져야 한다

11

컴퓨팅 사고방식을 기르고 프로그래밍을 잘하려면

- ➤ 1) 평소에 컴퓨팅 사고방식(Computational Thinking)으로 생각하여 논리적으로 문제해결 방법을 찾아내는 습관을 기른다.
- ➤ 2) 예제 Program들을 많이 찾아보아야 한다(Benchmarking)
  - ➤ 모범사례 분석(Best Practice Analysis) ;
    - ➤관심 분야의 우수한 Program들을 비교 대상으로 삼아
    - ➤자신의 Program 속에 도입할 수 있도록
    - ➤우수한 요인들을 찾아내고자 하는 벤치마킹 방법.
  - ➤ 스왓 분석(SWOT Analysis) ;
    - ➤관심 분야의 기존 예제 Program에서
    - ➤강점(Strengths),약점(Weakness), 기회(Opportunities), 위협(Threats)으로 작용할 수 있는 요인들을 도출하려는 벤치마킹 방법.

➤ 3) Program의 구조와 논리와 흐름을 이해하려고 노력하고
➤ 4) 직접 많은 Program을 작성해 보는 것이라 할 수 있다.

➤ 사칙연산계산기를 응용한 전공분야 응용 IT융합 Program사례 1

- ➤ **10.4 Visual Basic 전공분야 응용 IT융합 Program사례 1**
  - ➤ 길이 단위(cm, inch, yard) 변환 Program (자료 출력)
    - ➤ 융합에너지학과 주재형
  - ➤ 온도단위(섭씨온도, 화씨온도) 변환계산기 (자료 계산)
    - ➤ 지구환경공학과 이병학
  - ➤ 원소 기호, 원자 번호, 몰 질량 출력 Program (자료 출력)
    - ➤ 화학공학과 정준희
  - ➤ 치아발치 요금계산기 (RadioButton)
    - ➤ 치위생학과 최민영
  - ➤ 몰 농도와 퍼센트 농도 계산기 Program (자료 계산)
    - ➤ 화학공학과 고지윤
  - ➤ 이상기체, 대기압조건 가정 몰수 계산기 Program (자료 계산)
    - ➤ 화학공학과 박승화
  - ➤ 원자로건물 종합누설률시험 만족도평가 Program(자료 계산)
    - ➤ 융합에너지학과 황철규
- ➤ 길이 단위(cm, inch, yard) 변환,온도단위변환,원소기호,원자번호,몰 질량 출력,, 치아발치 요금계산,몰 농도 퍼센트농도 몰수계산기, 이상기체, 대기압조건 가정 몰수계산, 원자로건물종합누설률시험 만족도평가 Program

➢ 길이 단위 변환 Program 작성 동기

□ 전기공사 설계업무 중 케이블 길이 단위에 차이가 있어 <u>전력케이블 산출시, 혼선을 초래함.</u>

□ 또한, 실생활에서도 쉽게 INCH 혹은 YARD를 접하기에 <u>다양한 용도로 활용할 수 있음.</u>

- ○ 미국식 단위계 : INCH, YARD 등
- ○ 국제 단위계 : CM, M, TON 등

United States — Arbitrary Retarded Rollercoaster | The Rest of the World — Logical Smooth Sailing

➢ 길이 단위 변환 Program 화면 구성

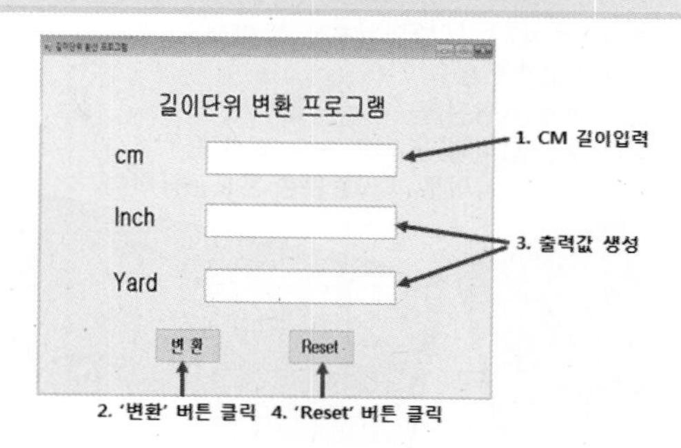

➢ 길이 단위 변환 Program 흐름도

➢ 길이 단위 변환 Program Source Code

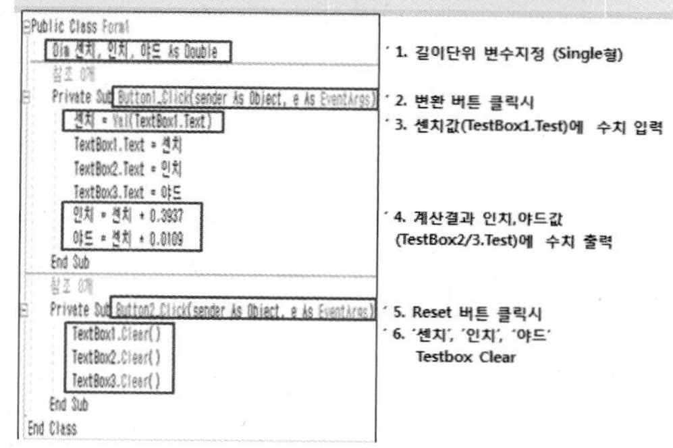

```
Public Class Form1
    Dim 센치, 인치, 야드 As Double                              ' 1. 길이단위 변수지정 (Single형)
    참조 0개
    Private Sub Button1_Click(sender As Object, e As EventArgs)  ' 2. 변환 버튼 클릭시
        센치 = Val(TextBox1.Text)                                ' 3. 센치값(TestBox1.Test)에 수치 입력
        TextBox1.Text = 센치
        TextBox2.Text = 인치
        TextBox3.Text = 야드
        인치 = 센치 * 0.3937                                     ' 4. 계산결과 인치,야드값
        야드 = 센치 * 0.0109                                     '    (TestBox2/3.Test)에 수치 출력
    End Sub
    참조 0개
    Private Sub Button2_Click(sender As Object, e As EventArgs)  ' 5. Reset 버튼 클릭시
        TextBox1.Clear()                                         ' 6. '센치', '인치', '야드'
        TextBox2.Clear()                                         '    Testbox Clear
        TextBox3.Clear()
    End Sub
End Class
```

➢ 사칙연산계산기를 응용한 전공분야 응용 IT융합 Program사례 1

- ➢ 10.4 Visual Basic 전공분야 응용 IT융합 Program사례 1
  - ➢ 길이 단위(cm, inch, yard) 변환 Program (자료 출력)
    - ➢ 융합에너지학과 주재형
  - ➢ 온도단위(섭씨온도, 화씨온도) 변환계산기 (자료 계산)
    - ➢ 지구환경공학과 이병학
  - ➢ 원소 기호, 원자 번호, 몰 질량 출력 Program (자료 출력)
    - ➢ 화학공학과 정준희
  - ➢ 치아발치 요금계산기 (RadioButton)
    - ➢ 치위생학과 최민영
  - ➢ 몰 농도와 퍼센트 농도 계산기 Program (자료 계산)
    - ➢ 화학공학과 고지윤
  - ➢ 이상기체, 대기압조건 가정 몰수 계산기 Program (자료 계산)
    - ➢ 화학공학과 박승화
  - ➢ 원자로건물 종합누설률시험 만족도평가 Program(자료 계산)
    - ➢ 융합에너지학과 황철규

➢ 길이 단위(cm, inch, yard) 변환,온도단위변환,원소기호,원자번호,몰 질량 출력,, 치아발치 요금계산,몰 농도 퍼센트농도 몰수계산기, 이상기체, 대기압조건 가정 몰수계산, 원자로건물종합누설률시험 만족도평가 Program

➢ 온도단위(섭씨온도, 화씨온도) 변환 계산기:

➢섭씨온도란? 표시 단위기호는 ℃이다.
➢온도의 표준으로
➢물이 어는점(빙점)을 0 ℃ 로
➢물이 끓는점(비점)을 100 ℃ 로 정하고,
➢빙점과 비점 사이를 100 등분한 온도눈금이다.

➢ 온도단위(섭씨온도, 화씨온도) 변환 계산기:

- ➢ 화씨온도란? 표시 단위기호는 ℉ 이다.
- ➢ 온도의 표준으로
- ➢ 물이 어는점(빙점)을 32 ℉ 로
- ➢ 물이 끓는점(비점)을 212 ℉ 로 정하고,
- ➢ 빙점과 비점 사이를 180등분한 온도눈금이다.

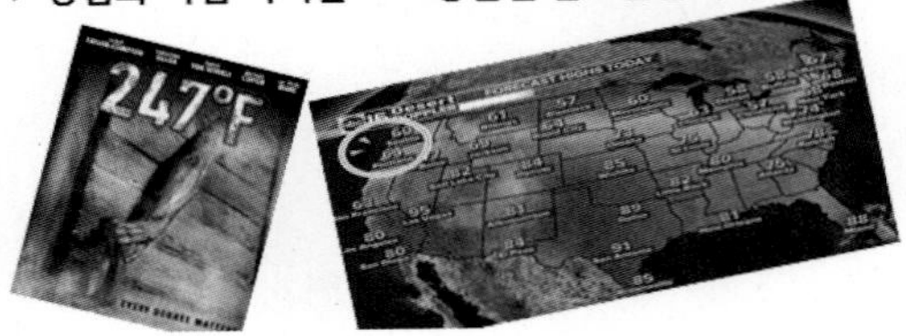

➢ 온도단위(섭씨온도, 화씨온도) 변환 계산기:

- ➢ **우리나라는 주로 섭씨온도를,**
- ➢ **미국은 주로 화씨 온도를 사용한다.**

- ➢ **온도단위 변환계산방법(알고리즘)**
  - ➢ **(섭씨온도 VS 화씨온도 VS 절대온도)**
  - ➢ **℃ = <u>(화씨온도 - 32) / 1.8</u>**
  - ➢ **℉ = 섭씨온도 * 9 / (5 + 32)**

절대온도??

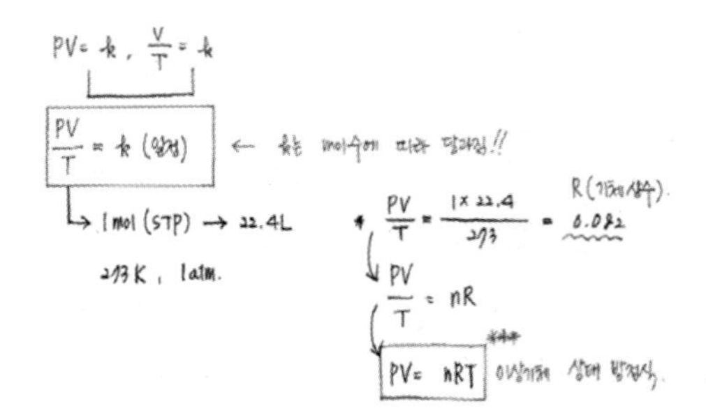

➢ 온도단위(섭씨온도, 화씨온도)변환 계산기: 화면디자인

Form1

섭씨	------------>	화씨(이곳에는 입력금지)
화씨	------------>	섭씨(이곳에는 입력금지)
섭씨	------------>	절대온도(이곳에는 입력금지)

변환

➢ 온도단위 변환 계산기: Source Code

```
Public Class Form1
    Dim 입력값1 As Integer
    Dim 결과값1 As Single
    Dim 입력값2 As Integer
    Dim 결과값2 As Single
    Dim 입력값3 As Integer
    Dim 결과값3 As Integer
    Private Sub Button1_Click(sender As Obj
Handles Button1.Click
        입력값1 = TextBox1.Text
        결과값1 = 입력값1 * 9 / 5 + 32
        TextBox2.Text = 결과값1
        입력값2 = TextBox3.Text
        결과값2 = (입력값2 - 32) / 1.8
        TextBox4.Text = 결과값2
        입력값3 = TextBox5.Text
        결과값3 = 입력값3 + 273
        TextBox6.Text = 결과값3
    End Sub
End Class
```

➢ 온도단위 변환 계산기: Source Code

변수 이름을 한글이름으로 수정하여 알기 쉽게 수정된 소스코드

```
Public Class Form1
    Dim 섭씨 As Integer
    Dim 화씨변환 As Single
    Dim 화씨 As Integer
    Dim 섭씨변환 As Single
    Dim 섭씨2 As Integer
    Dim 절대온도 As Integer
    Private Sub Button1_Click(sender As Object,
Handles Button1.Click
        섭씨 = TextBox1.Text
        화씨변환 = 섭씨 * 9 / 5 + 32
        TextBox2.Text = 화씨변환
        화씨 = TextBox3.Text
        섭씨변환 = (화씨 - 32) / 1.8
        TextBox4.Text = 섭씨변환
        섭씨2 = TextBox5.Text
        절대온도 = 섭씨2 + 273
        TextBox6.Text = 절대온도
    End Sub
End Class
```

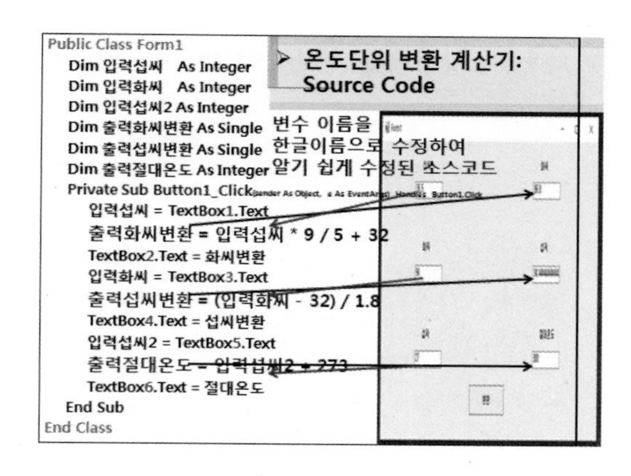

➢ 사칙연산계산기를 응용한 전공분야 응용 IT융합 Program사례 1

➢ **10.4 Visual Basic 전공분야 응용 IT융합 Program사례 1**
- ➢ 길이 단위(cm, inch, yard) 변환 Program (자료 출력)
  - ➢ 융합에너지학과 주재형
- ➢ 온도단위(섭씨온도, 화씨온도) 변환계산기 (자료 계산)
  - ➢ 지구환경공학과 이병학
- ➢ 원소 기호, 원자 번호, 몰 질량 출력 Program (자료 출력)
  - ➢ 화학공학과 정준희
- ➢ 치아발치 요금계산기 (RadioButton)
  - ➢ 치위생학과 최민영
- ➢ 몰 농도와 퍼센트 농도 계산기 Program (자료 계산)
  - ➢ 화학공학과 고지윤
- ➢ 이상기체, 대기압조건 가정 몰수 계산기 Program (자료 계산)
  - ➢ 화학공학과 박승화
- ➢ 원자로건물 종합누설률시험 만족도평가 Program(자료 계산)
  - ➢ 융합에너지학과 황철규

➢ 길이 단위(cm, inch, yard) 변환,온도단위변환,원소기호,원자번호,몰 질량 출력,, 치아발치 요금계산,몰 농도 퍼센트농도 몰수계산기, 이상기체, 대기압조건 가정 몰수계산, 원자로건물종합누설률시험 만족도평가 Program

➢ 원소기호 Program: 의사코드와 화면 디자인

1.폼 1개 + 라벨 3개
+ 텍스트 박스 3개
+ 버튼 21개 배치

2. 각 원소 이름 버튼을 클릭하면 텍스트 박스 1,2,3에 다음과 같이 출력된다.

➢ TextBox1 TextBox2 TextBox3
➢ 원소기호 원자번호 몰질량 의
➢ 순서로 텍스트가 나타나게 된다.

3 . 취소 버튼을 클릭하면 Program이 종료된다.

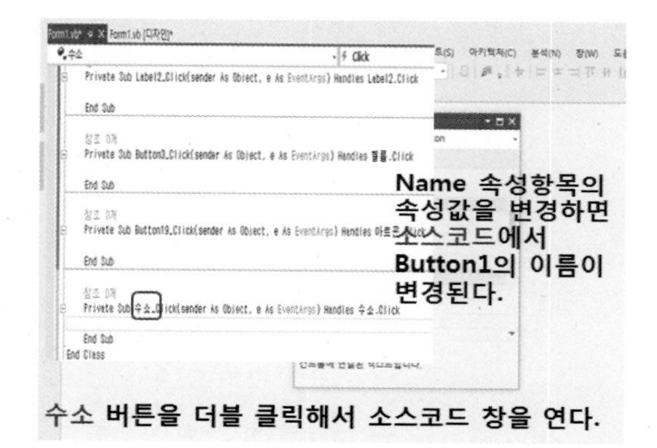

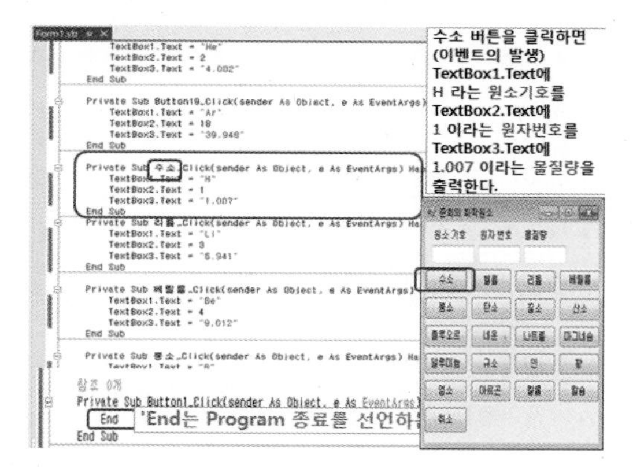

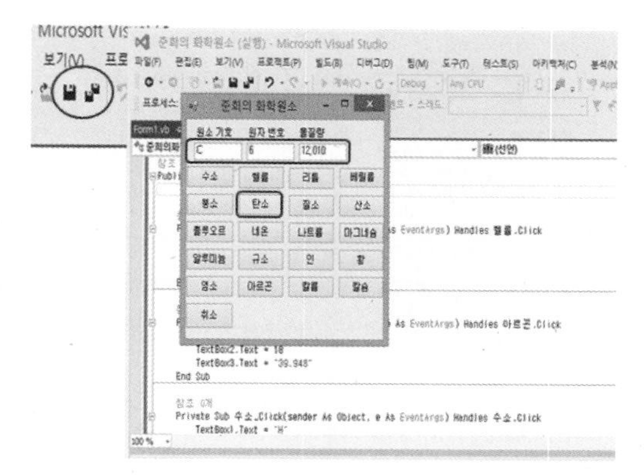

➤ 사칙연산계산기를 응용한 전공분야 응용 IT융합 Program사례 1

- 10.4 Visual Basic 전공분야 응용 IT융합 Program사례 1
  - 길이 단위(cm, inch, yard) 변환 Program (자료 출력)
    - 융합에너지학과 주재형
  - 온도단위(섭씨온도, 화씨온도) 변환계산기 (자료 계산)
    - 지구환경공학과 이병학
  - 원소 기호, 원자 번호, 몰 질량 출력 Program (자료 출력)
    - 화학공학과 정준희
  - 치아발치 요금계산기 (RadioButton)
    - 치위생학과 최민영
  - 몰 농도와 퍼센트 농도 계산기 Program (자료 계산)
    - 화학공학과 고지윤
  - 이상기체, 대기압조건 가정 몰수 계산기 Program (자료 계산)
    - 화학공학과 박승화
  - 원자로건물 종합누설률시험 만족도평가 Program(자료 계산)
    - 융합에너지학과 황철규
- 길이 단위(cm, inch, yard) 변환,온도단위변환,원소기호,원자번호,몰 질량 출력,, 치아발치 요금계산,몰 농도 퍼센트농도 몰수계산기, 이상기체, 대기압조건 가정 몰수계산, 원자로건물종합누설률시험 만족도평가 Program

➤ 치아발치 요금 계산기: 의사코드와 화면 디자인

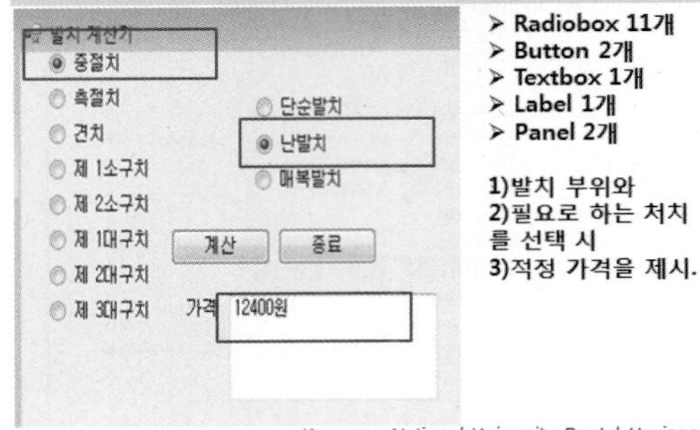

Kangwon National University Dental Hygiene

➤ 치아발치 요금 계산기: Source Code

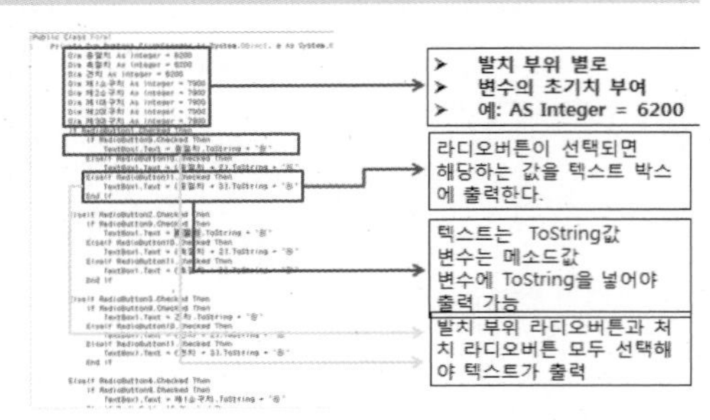

Kangwon National University Dental Hygiene

```
If RadioButton1.Checked Then
    If RadioButton9.Checked Then
        TextBox1.Text = 중절치.ToString + "원"
```

- ➤ 라디오버튼1(중절치)이
- ➤ 선택되고
- ➤ 라디오버튼9(난발치)가
- ➤ 선택되면
- ➤ 해당하는 값을
- ➤ 텍스트 박스에 출력

발치 부위 라디오버튼과 처치 라디오버튼 모두 선택해야 텍스트가 출력

텍스트는 ToString값 변수는 메소드값 변수에 ToString을 넣어 출력

사칙연산계산기를 응용한 전공분야 응용 IT융합 Program사례 1

- 10.4 Visual Basic 전공분야 응용 IT융합 Program사례 1
  - 길이 단위(cm, inch, yard) 변환 Program (자료 출력)
    - 융합에너지학과 주재형
  - 온도단위(섭씨온도, 화씨온도) 변환계산기 (자료 계산)
    - 지구환경공학과 이병학
  - 원소 기호, 원자 번호, 몰 질량 출력 Program (자료 출력)
    - 화학공학과 정준희
  - 치아발치 요금계산기 (RadioButton)
    - 치위생학과 최민영
  - 몰 농도와 퍼센트 농도 계산기 Program (자료 계산)
    - 화학공학과 고지윤
  - 이상기체, 대기압조건 가정 몰수 계산기 Program (자료 계산)
    - 화학공학과 박승화
  - 원자로건물 종합누설률시험 만족도평가 Program(자료 계산)
    - 융합에너지학과 황철규
- 길이 단위(cm, inch, yard) 변환,온도단위변환,원소기호,원자번호,몰 질량 출력,, 치아발치 요금계산,몰 농도 퍼센트농도 몰수계산기, 이상기체, 대기압조건 가정 몰수계산, 원자로건물종합누설률시험 만족도평가 Program

➤ 몰농도와 퍼센트농도 계산기: 용어 설명

➤몰농도;
➤용액 1리터에 녹아있는 용질의 몰수로 나타내는 농도로 mol/ℓ 또는 M으로 표시한다.

➤퍼센트농도;
➤단위 질량의 용액 속에 녹아 있는 용질의 질량을 백분율로 나타낸 농도

➤필요성;
➤화학실험을 할 때 시약 제조를 하기 위해 필요한 시약의 양을 쉽게 계산 할 수 있도록 계산과정을 간편화한 실용적인 Program

➤ 몰농도와 퍼센트농도 계산기: 화면 디자인

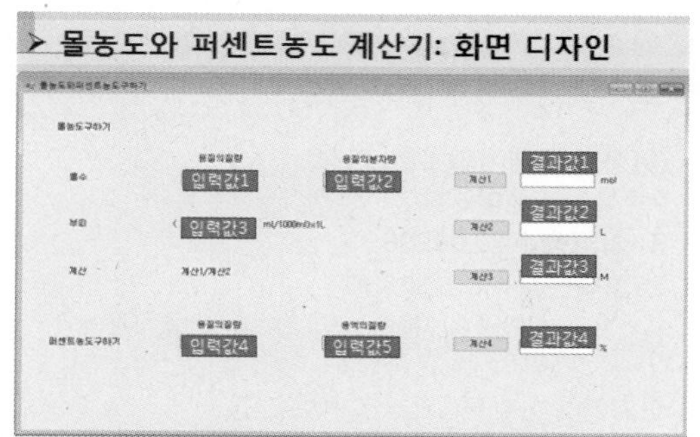

➤ Form1개 + Label14개 + Botton4개 + TextBox9개로 구성.
➤ 텍스트박스를 순서대로 배열해야 혼란이 없다

➤ 몰 수를 계산하는 Button1 코드

```
Private Sub Button1_Click(sender As Object, e As
EventArgs) Handles Button1.Click
    Dim 입력값1 As Single
    Dim 입력값2 As Single
    Dim 결과값1 As Single
'입력값과 결과값: 변수 선언
    입력값1 = TextBox1.Text
    입력값2 = TextBox2.Text
    결과값1 = 입력값1 / 입력값2
'입력값과 결과값: 계산
    TextBox3.Text = 결과값1
End Sub
```

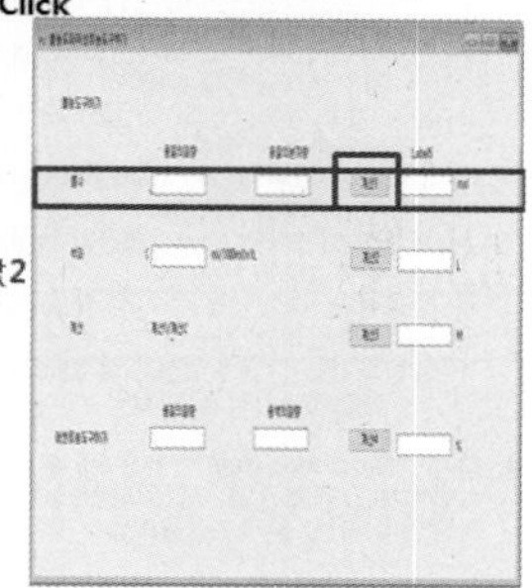

➤ 부피를 계산하는 Button2 코드

```
Private Sub Button2_Click(sender As Object, e As
EventArgs) Handles Button2.Click
    Dim 입력값3 As Single
    Dim 결과값2 As Single
'입력값과 결과값: 변수 선언
    입력값3 = TextBox4.Text

    결과값2 = 입력값3 / 1000
'입력값과 결과값: 계산
    TextBox5.Text = 결과값2
End Sub
```

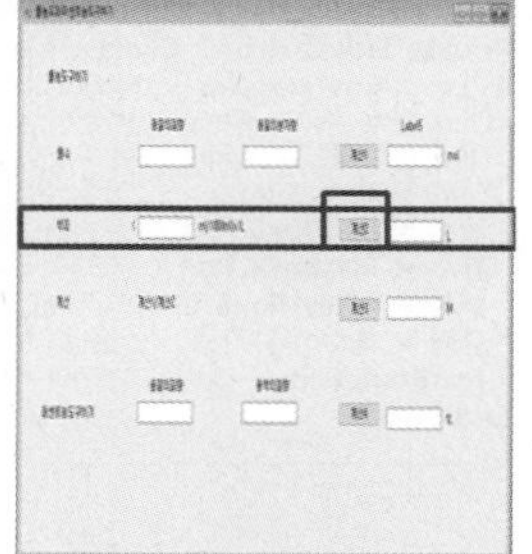

➤ 결과값1 / 결과값2 를 계산하는 Button3 코드

```
Private Sub Button3_Click
  Dim 입력값1, 입력값2, 입력값3, 결과값1, 결과값2, 결과값3 As Single

  입력값1 = TextBox1.Text
  입력값2 = TextBox2.Text
  입력값3 = TextBox4.Text

  결과값1 = 입력값1 / 입력값2
  결과값2 = 입력값3 / 1000
  결과값3 = 결과값1 / 결과값2

  TextBox3.Text = 결과값1
  TextBox5.Text = 결과값2
  TextBox6.Text = 결과값3
End Sub
```

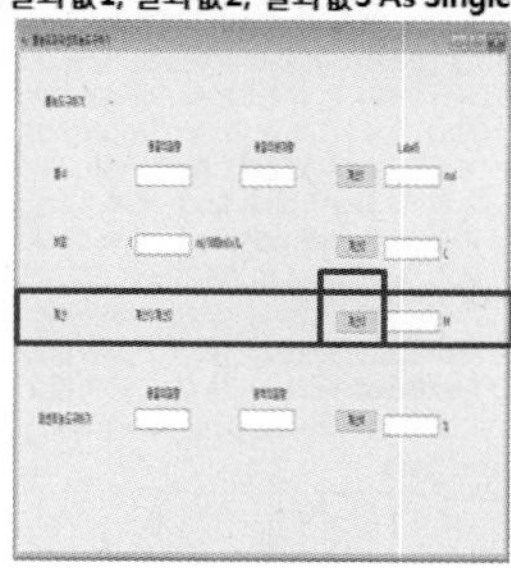

➤ 퍼센트 농도를 계산하는 Button4 코드

```
Private Sub Button4_Click
  Dim 입력값4, 입력값5, 결과값4 As Single

  입력값4 = TextBox7.Text
  입력값5 = TextBox8.Text

결과값4 = 입력값4 /
  (입력값5 + 입력값4) * 100

  TextBox7.Text = 입력값4
  TextBox8.Text = 입력값5
  TextBox9.Text = 결과값4
End Sub
```

➤ 몰농도와 퍼센트농도 계산기: 실행 화면

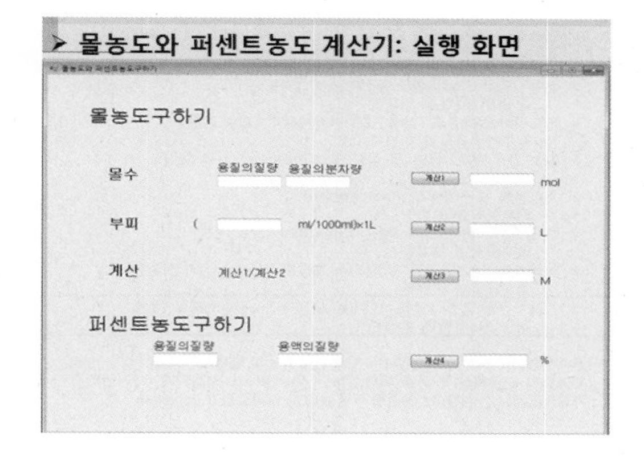

➤ 사칙연산계산기를 응용한 전공분야 응용 IT융합 Program사례 1

- ➤ **10.4 Visual Basic 전공분야 응용 IT융합 Program사례 1**
  - ➤ 길이 단위(cm, inch, yard) 변환 Program (자료 출력)
    - ➤ 융합에너지학과 주재형
  - ➤ 온도단위(섭씨온도, 화씨온도) 변환계산기 (자료 계산)
    - ➤ 지구환경공학과 이병학
  - ➤ 원소 기호, 원자 번호, 몰 질량 출력 Program (자료 출력)
    - ➤ 화학공학과 정준희
  - ➤ 치아발치 요금계산기 (RadioButton)
    - ➤ 치위생학과 최민영
  - ➤ 몰 농도와 퍼센트 농도 계산기 Program (자료 계산)
    - ➤ 화학공학과 고지윤
  - ➤ 이상기체, 대기압조건 가정 몰수 계산기 Program (자료 계산)
    - ➤ 화학공학과 박승화
  - ➤ 원자로건물 종합누설률시험 만족도평가 Program(자료 계산)
    - ➤ 융합에너지학과 황철규

➤ 길이 단위(cm, inch, yard) 변환,온도단위변환,원소기호,원자번호,몰 질량 출력,, 치아발치 요금계산,몰 농도 퍼센트농도 몰수계산기, 이상기체, 대기압조건 가정 몰수계산, 원자로건물종합누설률시험 만족도평가 Program

➤ 이상기체, 대기압조건 가정 몰수 계산기: 알고리즘

(이상기체,대기압조건 가정)

P x V = n x R x T

R=기체상수=0.08206

T=절대온도=℃ + 273.15

몰수(n)=$\frac{V}{R\times T}$ = $\frac{m(\text{질량})}{M(\text{분자량})}$

질량(m)=n × M

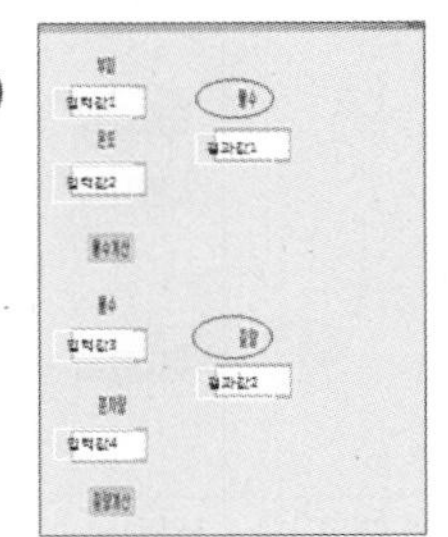

➤ 몰수계산기: Source Code(Button1: 몰수계산)

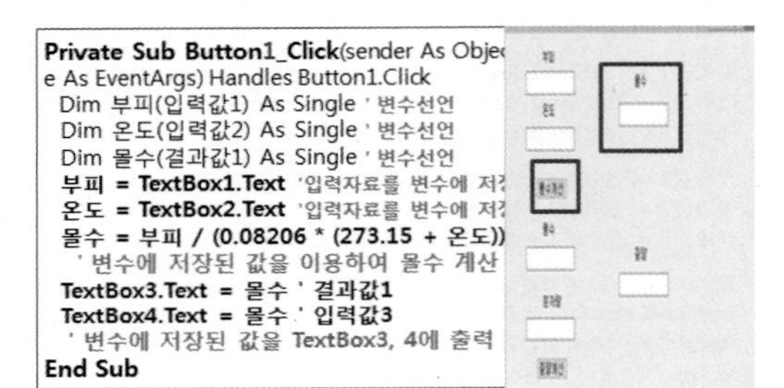

```
Private Sub Button1_Click(sender As Obje
e As EventArgs) Handles Button1.Click
  Dim 부피(입력값1) As Single ' 변수선언
  Dim 온도(입력값2) As Single ' 변수선언
  Dim 몰수(결과값1) As Single ' 변수선언
  부피 = TextBox1.Text '입력자료를 변수에 저
  온도 = TextBox2.Text '입력자료를 변수에 저
  몰수 = 부피 / (0.08206 * (273.15 + 온도))
   ' 변수에 저장된 값을 이용하여 몰수 계산
  TextBox3.Text = 몰수 ' 결과값1
  TextBox4.Text = 몰수 ' 입력값3
  ' 변수에 저장된 값을 TextBox3, 4에 출력
End Sub
```

➤ 몰수계산기: Source Code(Button2: 질량계산)

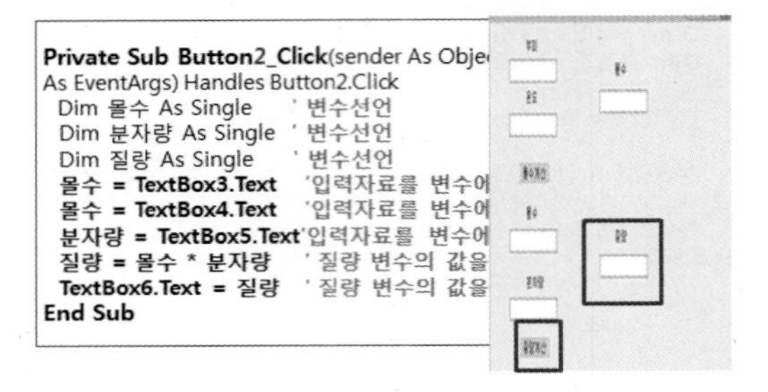

```
Private Sub Button2_Click(sender As Obje
As EventArgs) Handles Button2.Click
  Dim 몰수 As Single    ' 변수선언
  Dim 분자량 As Single  ' 변수선언
  Dim 질량 As Single    ' 변수선언
  몰수 = TextBox3.Text   '입력자료를 변수에
  몰수 = TextBox4.Text   '입력자료를 변수에
  분자량 = TextBox5.Text'입력자료를 변수에
  질량 = 몰수 * 분자량    ' 질량 변수의 값을
  TextBox6.Text = 질량   ' 질량 변수의 값을
End Sub
```

➤ 사칙연산계산기를 응용한 전공분야 응용 IT융합 Program사례 1

- ➤ **10.4 Visual Basic 전공분야 응용 IT융합 Program사례 1**
  - ➤ 길이 단위(cm, inch, yard) 변환 Program (자료 출력)
    - ➤ 융합에너지학과 주재형
  - ➤ 온도단위(섭씨온도, 화씨온도) 변환계산기 (자료 계산)
    - ➤ 지구환경공학과 이병학
  - ➤ 원소 기호, 원자 번호, 몰 질량 출력 Program (자료 출력)
    - ➤ 화학공학과 정준희
  - ➤ 치아발치 요금계산기 (RadioButton)
    - ➤ 치위생학과 최민영
  - ➤ 몰 농도와 퍼센트 농도 계산기 Program (자료 계산)
    - ➤ 화학공학과 고지윤
  - ➤ 이상기체, 대기압조건 가정 몰수 계산기 Program (자료 계산)
    - ➤ 화학공학과 박승화
  - ➤ 원자로건물 종합누설률시험 만족도평가 Program(자료 계산)
    - ➤ 융합에너지학과 황철규

➤ 길이 단위(cm, inch, yard) 변환,온도단위변환,원소기호,원자번호,몰 질량 출력,, 치아발치 요금계산,몰 농도 퍼센트농도 몰수계산기, 이상기체, 대기압조건 가정 몰수계산, 원자로건물종합누설률시험 만족도평가 Program

원자로건물 종합 누설률 시험 만족도 평가 Program Program 시연

융합에너지공학과 황철규

➢ 원자로건물 누설률시험 Program: 의사 코드

➢ 원자로건물 종합 누설률 시험

➢ DBA(Design Basic Accident)로 인해
➢ 원자로건물 내 압력이 설계압력에 도달했다고,
➢ 가정하였을 때
➢ 원자로 건물 외부로 누설되는
➢ 방사능물질량의 제한치 초과여부를 판단하는 시험
➢ 시험조건
  ➢1) 원자로건물 내부 가압(47.86psig)
  ➢2) 원자로건물 내부 대기 안정화
➢ 상기 조건 만족시 시험 착수하며,
➢ 착수/종료시점의 데이터를 가지고 누설률을 구한다.

➢ 원자로건물 누설률시험 Program: 의사코드,흐름도

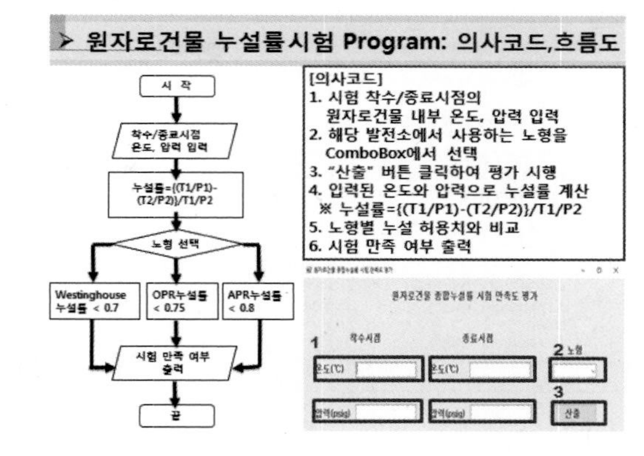

➢ 원자로건물 누설률시험 Program: 화면 설계

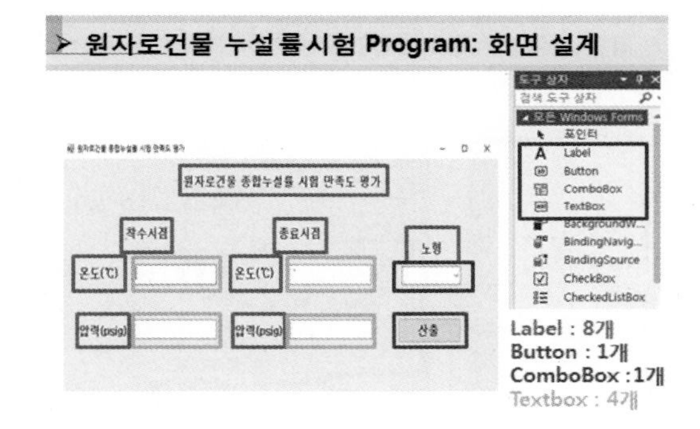

Label : 8개
Button : 1개
ComboBox : 1개
Textbox : 4개

➢ 원자로건물 누설률시험 Program: 화면 설계

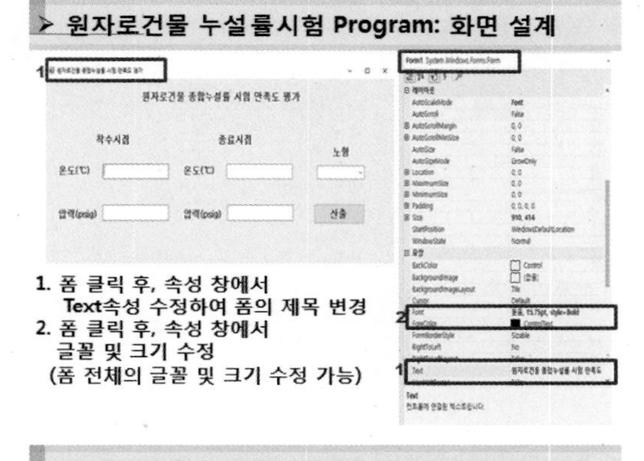

1. 폼 클릭 후, 속성 창에서
   Text속성 수정하여 폼의 제목 변경
2. 폼 클릭 후, 속성 창에서
   글꼴 및 크기 수정
   (폼 전체의 글꼴 및 크기 수정 가능)

➢ 원자로건물 누설률시험 Program: 화면 설계

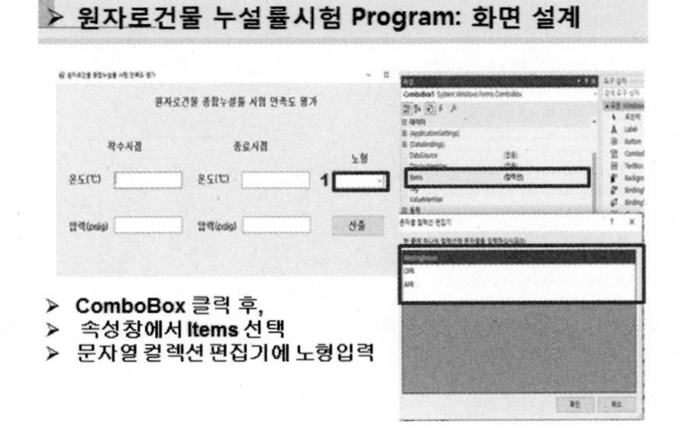

➢ ComboBox 클릭 후,
➢ 속성창에서 Items 선택
➢ 문자열 컬렉션 편집기에 노형입력

➢ 원자로건물 누설률시험 Program: Source Code

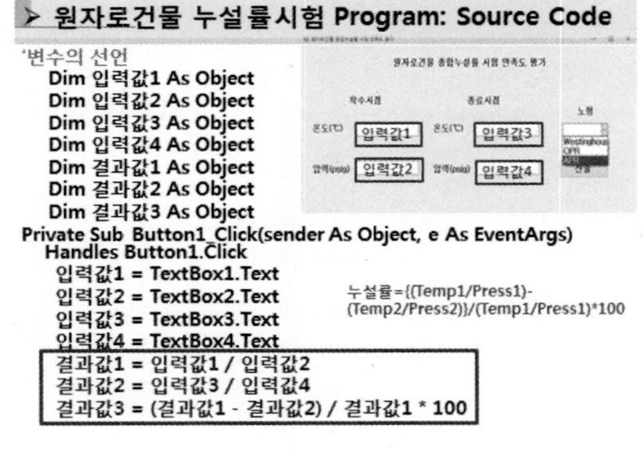


```
'변수의 선언
    Dim 입력값1 As Object
    Dim 입력값2 As Object
    Dim 입력값3 As Object
    Dim 입력값4 As Object
    Dim 결과값1 As Object
    Dim 결과값2 As Object
    Dim 결과값3 As Object
Private Sub Button1_Click(sender As Object, e As EventArgs)
    Handles Button1.Click
        입력값1 = TextBox1.Text
        입력값2 = TextBox2.Text
        입력값3 = TextBox3.Text
        입력값4 = TextBox4.Text
        결과값1 = 입력값1 / 입력값2
        결과값2 = 입력값3 / 입력값4
        결과값3 = (결과값1 - 결과값2) / 결과값1 * 100
```

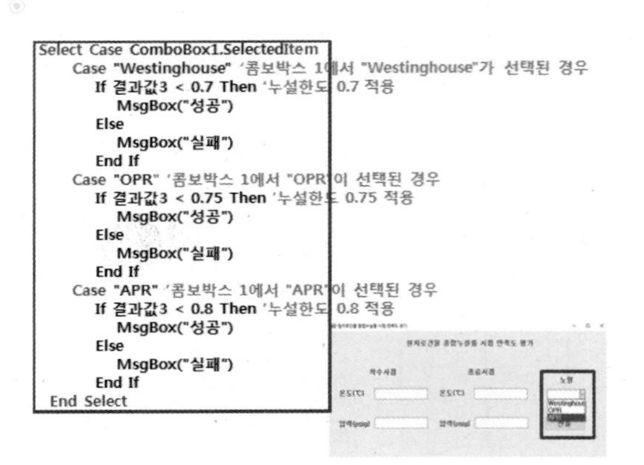

A4:사칙연산계산기를 응용한 전공분야 응용 IT융합 Program사례1

- 10.4 Visual Basic 전공분야 응용 IT융합 Program사례 1
  - 표준 체중과 비만도 계산기 Program RadioButton
    - 식품영양학과 윤진영
  - 정기예금 이자 계산기 (자료 계산)
    - 지역경제학과 위성빈
  - 아르바이트 급여 계산기 (자료 계산)
    - 재료금속공학과 신효정
  - 운동 종류와 운동시간에 따른 칼로리 계산 Program CheckBox
    - 레저스포츠학과 박상영
  - 식품 영양소별 칼로리 계산기 레저스포츠학과 한성민
    - CheckBox, ComboBox와 Select Case문
  - 건축면적의 단위 제곱 미터 평수 환산하기 건축디자인과 김수용
    - CheckBox, ComboBox와 Select Case문
  - 소화설비의 수원량 계산 재난관리공학 신성균
    - RadioButton, ComboBox와 Select Case문
  - 화재조사 시스템 재난관리공학 추현호
    - Picturbox

➤ 표준 체중과 비만도 계산기 Program: 시작하기

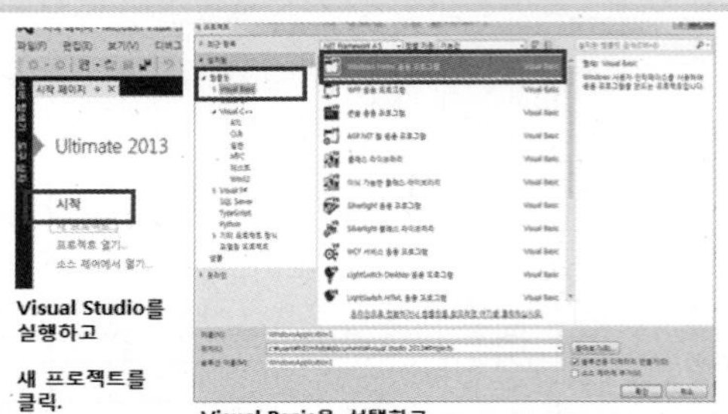

➤ 표준 체중과 비만도계산기 Program: 필요한 Control

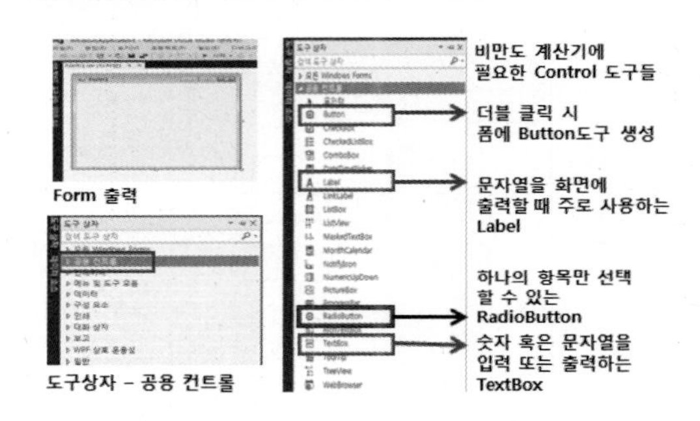

➤ 비만도 계산기: 의사코드를 작성하여, 화면 디자인

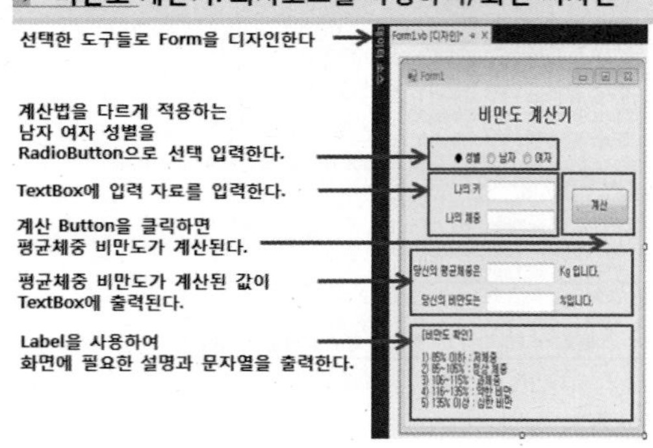

➤ 비만도 계산기: 의사코드를 사용하여 흐름도 작성

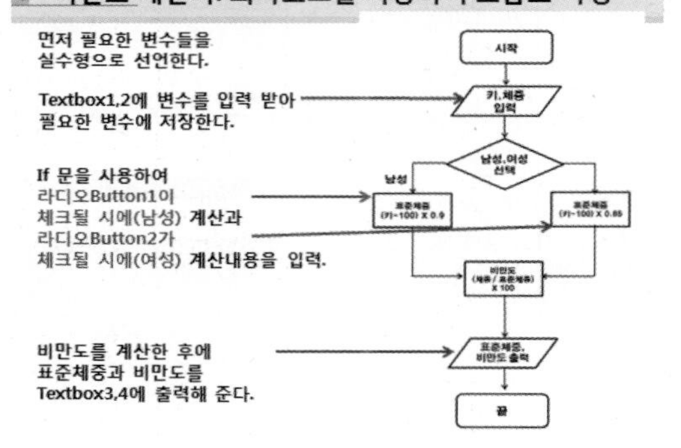

➤ 비만도 계산기 Program: Source Code 입력 준비

- ➤ 화면 디자인을 완료한 후에,
- ➤ Button에 소스코드를 입력하기 위해 Button을 더블클릭 한다.

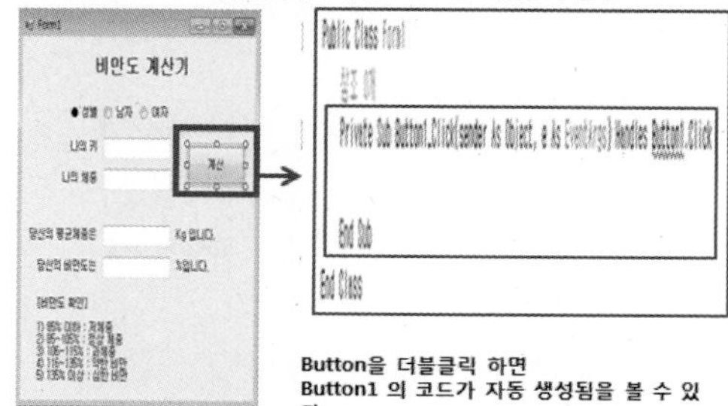

Button을 더블클릭 하면 Button1 의 코드가 자동 생성됨을 볼 수 있다.

➤ 비만도계산기:의사코드를 사용하여 Source Code작성

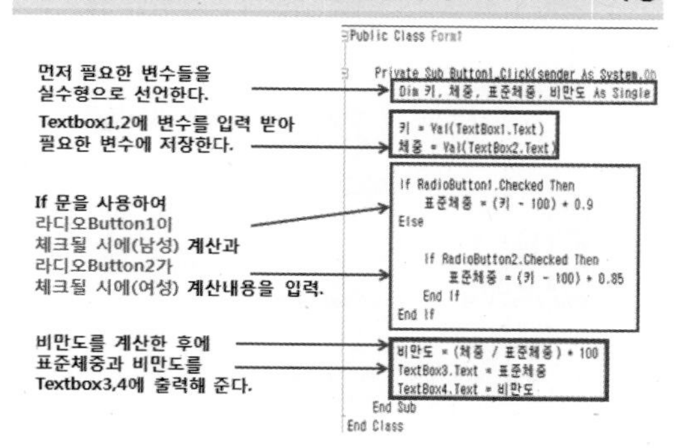

➤ 비만도계산기: 흐름도를 사용하여 Source Code작성

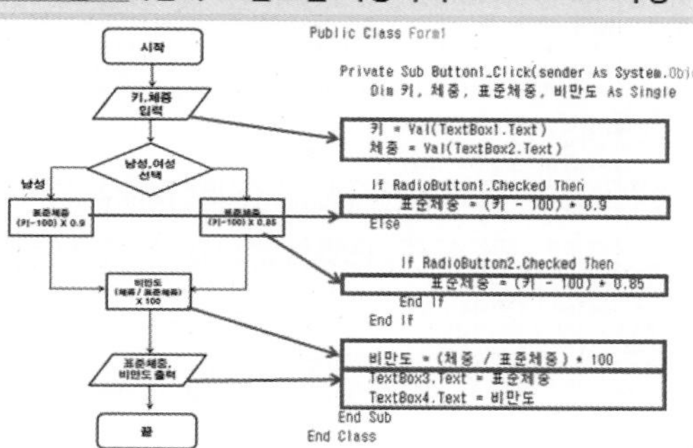

➤ 표준 체중과 비만도 계산기 Program: 실행하기

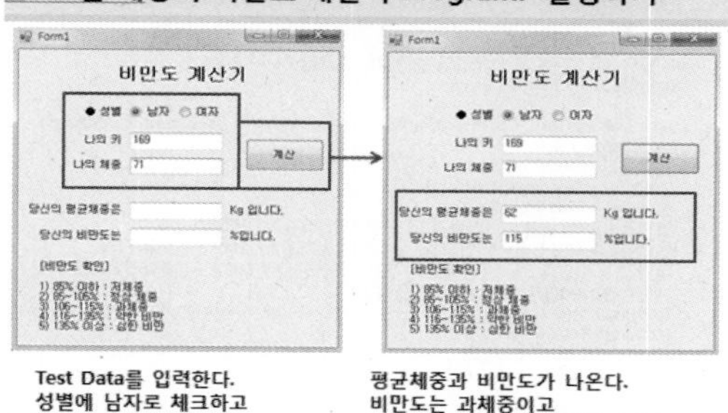

Test Data를 입력한다. 성별에 남자로 체크하고 키와 체중을 입력 후 계산 Button을 누르면..

평균체중과 비만도가 나온다. 비만도는 과체중이고 체중은 9kg 정도를 감량해야 한다 !!!

키 몸무게로 BMI 지수(체지방지수) 계산기 Code

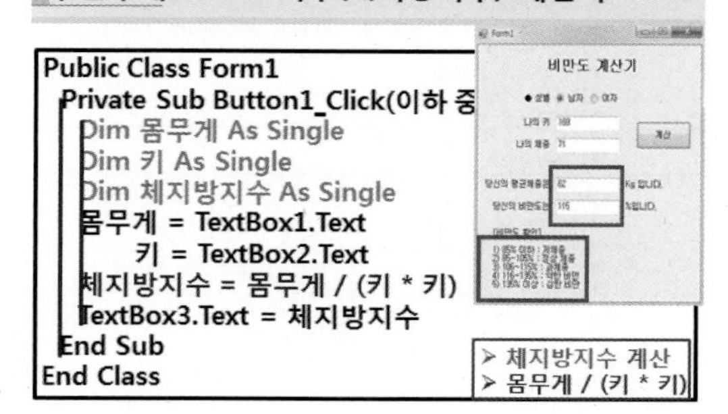

```
Public Class Form1
  Private Sub Button1_Click(이하 중
    Dim 몸무게 As Single
    Dim 키 As Single
    Dim 체지방지수 As Single
    몸무게 = TextBox1.Text
        키 = TextBox2.Text
    체지방지수 = 몸무게 / (키 * 키)
    TextBox3.Text = 체지방지수
  End Sub
End Class
```


A4:사칙연산계산기를 응용한 전공분야 응용 IT융합 Program사례1

- ➤ 10.4 Visual Basic 전공분야 응용 IT융합 Program사례 1
  - ➤ 표준 체중과 비만도 계산기 Program RadioButton
    - ➤ 식품영양학과 윤진영
  - ➤ 정기예금 이자 계산기 (자료 계산)
    - ➤ 지역경제학과 위성빈
  - ➤ 아르바이트 급여 계산기 (자료 계산)
    - ➤ 재료금속공학과 신효정
  - ➤ 운동 종류와 운동시간에 따른 칼로리 계산 Program CheckBox
    - ➤ 레저스포츠학과 박상영
  - ➤ 식품 영양소별 칼로리 계산기 레저스포츠학과 한성민
    - ➤ CheckBox, ComboBox와 Select Case문
  - ➤ 건축면적의 단위 제곱 미터 평수 환산하기 건축디자인과 김수용
    - ➤ CheckBox, ComboBox와 Select Case문
  - ➤ 소화설비의 수원량 계산 재난관리공학 신성균
    - ➤ RadioButton, ComboBox와 Select Case문
  - ➤ 화재조사 시스템 재난관리공학 추현호
    - ➤ Picturbox
- ➤ 표준 체중과 비만도 계산, 정기예금 이자 계산, 아르바이트 급여 계산, 운동 종류와 운동시간에 따른 칼로리 계산, 식품 영양소별 칼로리 계산, 건축면적의 단위 제곱 미터 평수 환산, 소화설비의 수원량 계산 Program

➢ 정기예금 이자 계산기 Program: 개념과 원리

정기 예금

예금주가
일정 기간 환급을 요구하지 않을 것을 약정하고
일정 금액을 은행에 예치

원금+이자

은행은
일정 이율의 이자를 지급할 것을 약속하고
계약 만기시에 이자를 붙여서 돌려줌

➢ 정기예금 이자 계산기 Program: 화면 디자인

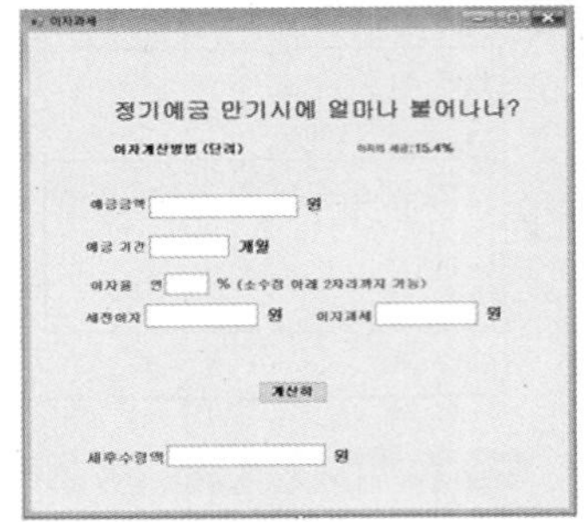

Label 17개

TextBox 6개

Button 1개

➢ 정기예금 이자 계산기 Program: Source Code

```
Public Class Form1
   Dim 입력값1, 입력값2, 입력값5, 입력값6, 결과값 As Integer
   Dim 입력값3 As Single

   Private Sub Button1_Click(sender As System.Object, e As System.EventArgs)
Handles Button1.Click
        입력값1 = TextBox1.Text
        입력값2 = TextBox2.Text
        입력값3 = TextBox3.Text
        입력값5 = (입력값1 * (입력값2 / 12)) * (입력값3 / 100)
        입력값6 = -(입력값1 * (입력값2 / 12) * (입력값3 / 100) * 0.154)
        결과값 = (((입력값1 * (입력값2 / 12) * (입력값3 / 100)) - ((입력값1 * (입력값2
/ 12) * (입력값3 / 100)) * 0.154))) + 입력값1
        TextBox4.Text = 결과값
        TextBox5.Text = 입력값5
        TextBox6.Text = 입력값6
   End Sub
End Class
```

원리금 구하는 공식:
(원금 x 12분의 예금기간 x 100분의 이자율
– 이자의 대한 세금) + 원금

➢ 정기예금 이자 계산기 Program: Source Code

알기쉬운 변수값으로 수정된 코드

```
Public Class Form1
  Dim 입력예금금액, 입력예금기간, 출력세전이자, 출력이자세금, 출력세후수령액 As Integer
  Dim 입력예금이자율 As Single
  Private Sub Button1_Click (sender As System.Object, e As System.EventArgs) Handles
Button1.Click
    입력예금금액 = TextBox1.Text
    입력예금기간 = TextBox2.Text
    입력예금이자율 = TextBox3.Text
    출력세전이자 = (입력예금금액 * (입력예금기간 / 12) * (입력예금이자율 / 100)
    출력이자세금 = (입력예금금액 * (입력예금기간 / 12) * (입력예금이자율 / 100) *
0.154)
    출력세후수령액 = (((입력예금금액 * (입력예금기간 / 12) * (입력예금이자율 / 100))
- ((입력예금금액 * (입력예금기간 / 12) * (입력예금이자율 / 100)) * 0.154))) + 입력예
금금액
    TextBox4.Text = 출력세후수령액
    TextBox5.Text = 출력세전이자
    TextBox6.Text = 출력이자세금
  End Sub
End Class
```

원리금 구하는 공식:
(원금 x (예금기간/12) x 이자율
– 이자세금) + 원금

➢ 정기예금 이자 계산기 Program: 사용법

이자과세

정기예금 만기시에 얼마나 불어나나?

이자계산방법 (단리)

예금금액 원

예금 기간 개월

이자율 연 % (소수점 이하 2자리까지 가능)

세전이자 원 이자과세 원

계산하기

세후수령액 원

1.예금금액

2.예금기간

3.연 이자율
을 입력한다

4.계산하기
버튼을 누른다

A4:사칙연산계산기를 응용한 전공분야 응용 IT융합 Program사례1

- 10.4 Visual Basic 전공분야 응용 IT융합 Program사례 1
  - 표준 체중과 비만도 계산기 Program RadioButton
    - 식품영양학과 윤진영
  - 정기예금 이자 계산기 (자료 계산)
    - 지역경제학과 위성빈
  - 아르바이트 급여 계산기 (자료 계산)
    - 재료금속공학과 신효정
  - 운동 종류와 운동시간에 따른 칼로리 계산 Program CheckBox
    - 레저스포츠학과 박상영
  - 식품 영양소별 칼로리 계산기 레저스포츠학과 한성민
    - CheckBox, ComboBox와 Select Case문
  - 건축면적의 단위 제곱 미터 평수 환산하기 건축디자인과 김수용
    - CheckBox, ComboBox와 Select Case문
  - 소화설비의 수원량 계산 재난관리공학 신성균
    - RadioButton, ComboBox와 Select Case문
  - 화재조사 시스템 재난관리공학 추현호
    - Picturbox
- 표준 체중과 비만도 계산, 정기예금 이자 계산, 아르바이트 급여 계산, 운동 종류와 운동시간에 따른 칼로리 계산, 식품 영양소별 칼로리 계산, 건축면적의 단위 제곱 미터 평수 환산, 소화설비의 수원량 계산 Program

➢ 아르바이트 급여 계산기 Program: 제작 동기

방학 때마다 아르바이트를 하면서
월급을 받기 전에 세금을 떼고
주휴수당을 포함한 정확한 급여를
미리 계산하고 싶어서 만들게 되었다.

단순한 계산기를 이용하면
세금이 얼마나 빠지고
주휴 수당이 얼마 들어오는지
계산하기가 불편했기 때문이다.

➢ 아르바이트 급여 계산기: 용어설명: 4대 보험

- 국가의 책임하에 질병, 노령, 실업 등 사회적 위험으로부터 국민의 건강과 일정 이상의 소득 보장을 위하여
- 국민들이 의무적으로 보험에 가입하도록 강제한
- 사회보장제도의 일종

- 국민연금 : 근로자 부담 부분 기준소득월액 기준 4.5%
- 건강보험 : 근로자 부담 부분 보수월액 기준 3.12%
- 고용보험 : 근로자 부담 부분 실업급여 0.65%
- 산재보험 : 사업주가 전액 부담

- 다 합해서 급여의 약 8.41%를 뗀다

➢ 아르바이트 급여 계산기: 용어설명: 주휴수당

- 근로기준법 제55조(휴일)에는 사용자는 1주일 동안 소정의 근로 일수를 개근한 노동자에게
- **'1주일에 평균 1회 이상'의 유급휴일을 주어야 한다**고 규정하고 있다.
- 이 유급 휴일에 받는 것을 주휴 수당 이라고 한다.

- **보통 주5일 근무제로**
- **하루 8시간이상**
- **주40 시간이상 근무하면**
- **8시간×시급의 주휴수당을 받는다**

➢ 아르바이트 급여 계산기: 계산 방법

- **시급 x 근무시간 x 한달 근무 일수**
- **+ (주휴 수당)**
- **– 4대 보험 or 근로소득세**
- **= 월 급여**

- **용어설명:근로소득세**
- **4대 보험에 가입하지 않는 경우,**
- **의무적으로 월 급여의 3.3%를 공제한다.**

➢ 급여 계산기:알기 쉽게 수정된 흐름도(Flowchart)

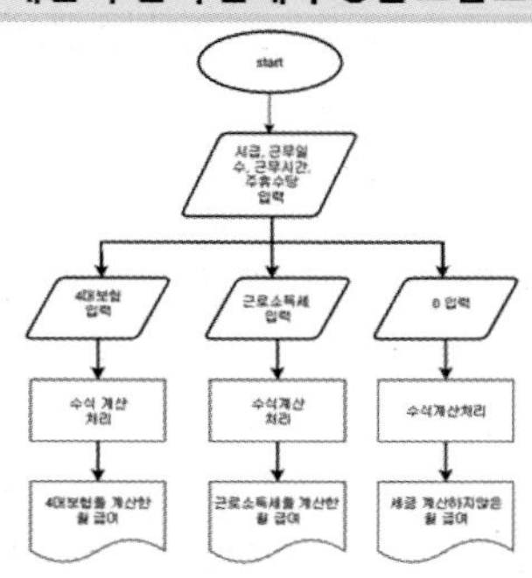

➢ 급여 계산기: 알기 쉽게 수정된 실행 화면

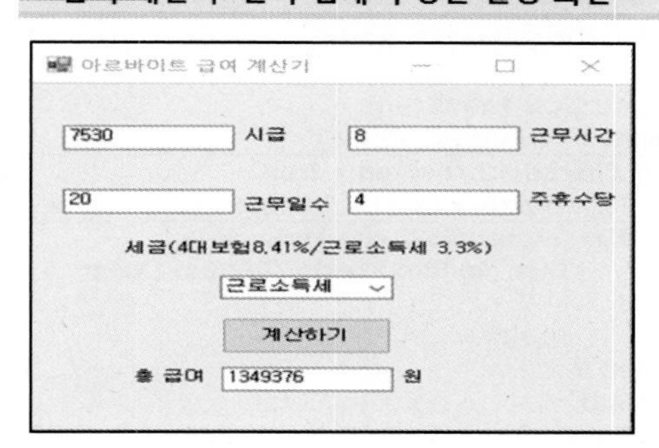

➢ 아르바이트 급여 계산기: Source Code

소스코드 (알기 쉬운 코드로) 어떻게 수정할 수 있을까?

```
Public Class Form1
    Dim 입력값1 As Integer
    Dim 입력값2 As Integer
    Dim 입력값3 As Integer
    Dim 입력값4 As Integer
    Dim 입력값5 As Integer
    Dim 결과값 As Integer
    Private Sub TextBox5_TextChanged(sender As Object, e As EventArgs) Handles TextBox5.TextChanged

    End Sub

    Private Sub Form1_Load(sender As Object, e As EventArgs) Handles MyBase.Load

    End Sub

    Private Sub Button1_Click(sender As Object, e As EventArgs) Handles Button1.Click
        입력값1 = Val(TextBox1.Text)
        입력값2 = Val(TextBox2.Text)
        입력값3 = Val(TextBox3.Text)
        입력값4 = Val(TextBox4.Text)
        입력값5 = Val(TextBox6.Text)
        결과값 = 입력값1 * 입력값2 * 입력값4 + 입력값3 * 입력값1 * 8 - 입력값1 * 입력값2 * 입력값4 / 100 * 입력값5
        TextBox5.Text = 결과값
    End Sub
```

➢ 아르바이트 급여 계산기: Source Code

변수 이름을 한글이름으로 수정하여 알기 쉽게 수정된 소스코드

```
Private Sub 계산하기(sender As Object, e As EventArgs) Handles Button1.Click
    시급 = Val(TextBox1.Text)
    근무시간 = Val(TextBox2.Text)
    주휴수당 = Val(TextBox3.Text)
    근무일수 = Val(TextBox4.Text)
    '세금 = Val(ComboBox1.Text)
    월급 = 시급 * 근무시간 * 근무일수 + 주휴수당 * 시급 * 8 - 시급 * 근무시간 * 근무일수 / 100 * 세금
    TextBox5.Text = 월급
End Sub
Private Sub ComboBox1_SelectedIndexChanged(sender As Object, e As Ev

    Select Case ComboBox1.SelectedIndex

        Case 0 ' 4대보험
            세금 = 8.41
        Case 1 ' 근로소득세
            세금 = 3.3
        Case 2 ' 세금없음
            세금 = 0

    End Select
```

아르바이트 급여 계산기

시급 / 근무시간 / 근무일수 / 주휴수당

세금(4대보험8.41%/근로소득세 3.3%)

4대보험

계산하기

총 급여 원

A4:사칙연산계산기를 응용한 전공분야 응용 IT융합 Program사례1

- ➢ **10.4 Visual Basic 전공분야 응용 IT융합 Program사례 1**
  - ➢ 표준 체중과 비만도 계산기 Program RadioButton
    - ➢ 식품영양학과 윤진영
  - ➢ 정기예금 이자 계산기 (자료 계산)
    - ➢ 지역경제학과 위성빈
  - ➢ 아르바이트 급여 계산기 (자료 계산)
    - ➢ 재료금속공학과 신효정
  - ➢ 운동 종류와 운동시간에 따른 칼로리 계산 Program CheckBox
    - ➢ 레저스포츠학과 박상영
  - ➢ 식품 영양소별 칼로리 계산기 레저스포츠학과 한성민
    - ➢ CheckBox, ComboBox와 Select Case문
  - ➢ 건축면적의 단위 제곱 미터 평수 환산하기 Program
    - ➢ 건축디자인과 김수용
    - ➢ CheckBox, ComboBox와 Select Case문
  - ➢ 소화설비의 수원량 계산 재난관리공학 신성균
    - ➢ RadioButton, ComboBox와 Select Case문
  - ➢ 화재조사 시스템 재난관리공학 추현호
    - ➢ Picturbox
- ➢ 표준 체중과 비만도 계산, 운동과 운동시간에 따른 칼로리 계산, 식품 영양소별 칼로리 계산, 소화설비의 수원량 계산 Program

➢ 운동종류,운동시간 칼로리계산Program: 화면 디자인

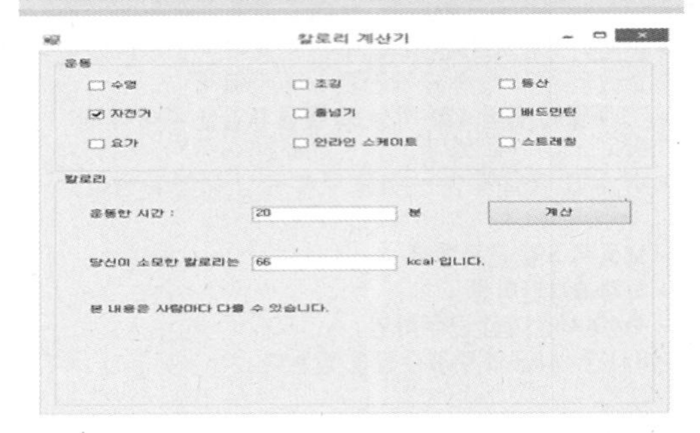

➢ 운동종류,운동시간 칼로리계산Program: 소스 코드

```
Private Class Form1
Private Sub Button1_Click( )
   If CheckBox1.checked = true
     Then TextBox2.text = TextBox1.text * 12.25
     Else If CheckBox2.checked = true
          Then TextBox2.text = TextBox1.text *
12.25
          Else If .......
   End If
End Sub
End Class
```

➢ 운동종류,운동시간 칼로리계산Program: 소스 코드

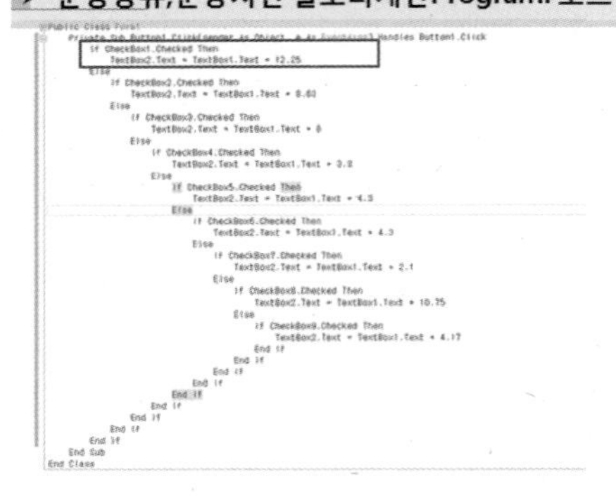

```
Public Class Form1
    Private Sub Button1_Click(sender As Object, e As EventArgs) Handles Button1.Click
        If CheckBox1.Checked Then
            TextBox2.Text = TextBox1.Text * 12.25
        Else
            If CheckBox2.Checked Then
                TextBox2.Text = TextBox1.Text * [illegible]
            Else
                If CheckBox3.Checked Then
                    TextBox2.Text = TextBox1.Text * [illegible]
                Else
                    If CheckBox4.Checked Then
                        TextBox2.Text = TextBox1.Text * [illegible]
                    Else
                        If CheckBox5.Checked Then
                            TextBox2.Text = TextBox1.Text * 4.3
                        Else
                            If CheckBox6.Checked Then
                                TextBox2.Text = TextBox1.Text * 4.3
                            Else
                                If CheckBox7.Checked Then
                                    TextBox2.Text = TextBox1.Text * 2.1
                                Else
                                    If CheckBox8.Checked Then
                                        TextBox2.Text = TextBox1.Text * 10.75
                                    Else
                                        If CheckBox9.Checked Then
                                            TextBox2.Text = TextBox1.Text * 4.17
                                        End If
                                    End If
                                End If
                            End If
                        End If
                    End If
                End If
            End If
        End If
    End Sub
End Class
```

A4:사칙연산계산기를 응용한 전공분야 응용 IT융합 Program사례1

- 10.4 Visual Basic 전공분야 응용 IT융합 Program사례 1
  - 표준 체중과 비만도 계산기 Program RadioButton
    - 식품영양학과 윤진영
  - 정기예금 이자 계산기 (자료 계산)
    - 지역경제학과 위성빈
  - 아르바이트 급여 계산기 (자료 계산)
    - 재료금속공학과 신효정
  - 운동 종류와 운동시간에 따른 칼로리 계산 Program CheckBox
    - 레저스포츠학과 박상영
  - 식품 영양소별 칼로리 계산기 레저스포츠학과 한성민
    - CheckBox, ComboBox와 Select Case문
  - 건축면적의 단위 제곱 미터 평수 환산하기 건축디자인과 김수용
    - CheckBox, ComboBox와 Select Case문
  - 소화설비의 수원량 계산 재난관리공학 신성균
    - RadioButton, ComboBox와 Select Case문
  - 화재조사 시스템 재난관리공학 추현호
    - Picturbox
- 표준 체중과 비만도 계산, 정기예금 이자 계산, 아르바이트 급여 계산, 운동 종류와 운동시간에 따른 칼로리 계산, 식품 영양소별 칼로리 계산, 건축면적의 단위 제곱 미터 평수 환산, 소화설비의 수원량 계산 Program

식품 영양소별 칼로리 계산 Program: 의사코드

- 용어 설명: 열량(kcal)
- 체내에서 발생하는 에너지의 양을 말한다. 사람은 이 열량을 이용하여 일정한 체온을 유지하고 음식의 소화를 비롯한 운동을 할 수 있다. 열량의 단위는 kcal(칼로리)를 사용하고 탄수화물, 지방, 단백질을 3대 열량영양소라 한다.

- 의사코드:
- **탄수화물 1g은 약 4kcal,**
- **지방 1g은 약 9kcal,**
- **단백질 1g은 약 4kcal의 열량을 낸다.**
- **식품별 1g 섭취할 때의 열량(kcal)을 계산한다.**

식품 영양소별 칼로리 계산 Program: 화면디자인

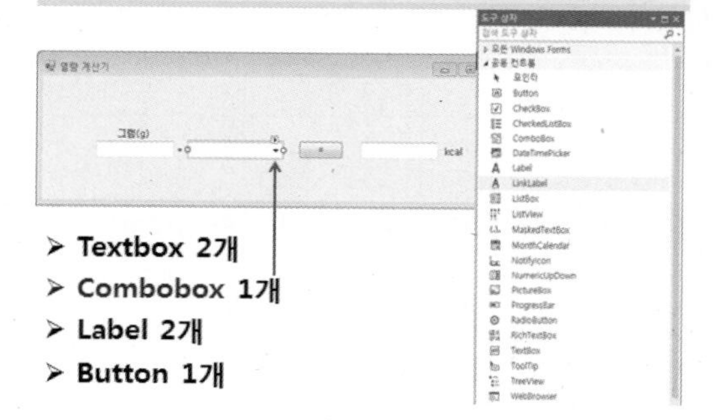

식품 영양소별 칼로리 계산 Program: 소스 코드

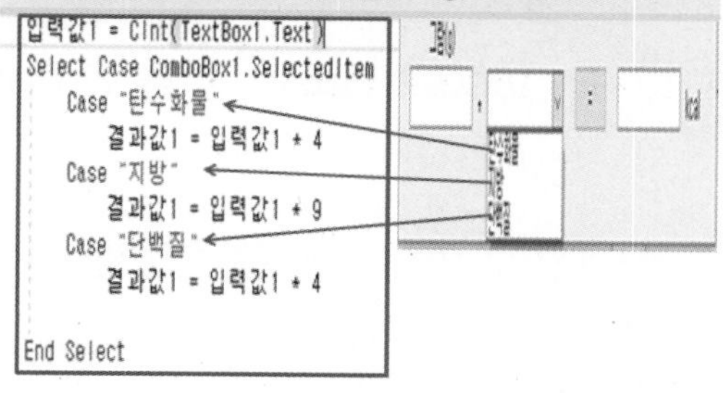


```
TextBox2.Text = 결과값1
```

A4:사칙연산계산기를 응용한 전공분야 응용 IT융합 Program사례1

- 10.4 Visual Basic 전공분야 응용 IT융합 Program사례 1
  - 표준 체중과 비만도 계산기 Program RadioButton
    - 식품영양학과 윤진영
  - 정기예금 이자 계산기 (자료 계산)
    - 지역경제학과 위성빈
  - 아르바이트 급여 계산기 (자료 계산)
    - 재료금속공학과 신효정
  - 운동 종류와 운동시간에 따른 칼로리 계산 Program CheckBox
    - 레저스포츠학과 박상영
  - 식품 영양소별 칼로리 계산기 레저스포츠학과 한성민
    - CheckBox, ComboBox와 Select Case문
  - 건축면적의 단위 제곱 미터 평수 환산하기 건축디자인과 김수용
    - CheckBox, ComboBox와 Select Case문
  - 소화설비의 수원량 계산 재난관리공학 신성균
    - RadioButton, ComboBox와 Select Case문
  - 화재조사 시스템 재난관리공학 추현호
    - Picturbox
- 표준 체중과 비만도 계산, 정기예금 이자 계산, 아르바이트 급여 계산, 운동 종류와 운동시간에 따른 칼로리 계산, 식품 영양소별 칼로리 계산, 건축면적의 단위 제곱 미터 평수 환산, 소화설비의 수원량 계산 Program

제곱미터, 평수 환산Program: 알고리즘(문제해결 방법)

$1m^2$ = 0.3025 평
1,818cm X 1,818cm
1평 = $3.305m^2$
1평 = 1.8m X 1.8m

m^2 를 평으로 바꿀 땐 : 0.3025 를 곱함
평을 m^2으로 바꿀 땐 : 3.305 를 곱함

➤ 제곱미터, 평수 환산하기 Program: 화면디자인

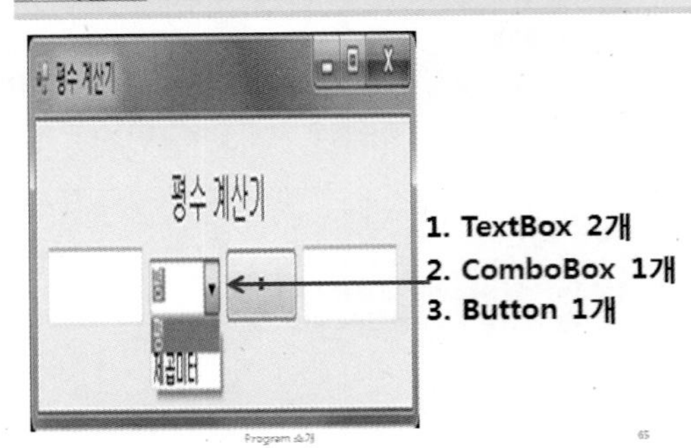

65

➤ Select Case 문을 사용한 Program 코드

```
Select Case ComboBox1.SelectedItem
        Case "평"           '/ 1 평 =  3.3058㎡
              결과값1 = 입력값1 * 3.3058
        Case "제곱 미터"    '/ 1 ㎡ =  0.3025평
              결과값1 = 입력값1 * 0.3025
End Select
TextBox2.Text = 결과값1
```

66

10.5 Visual Basic 응용 Program

➤ A11 제10.5장 Visual Basic 응용 Program

➤10.2 컴퓨팅 사고력(Computational Thinking)
➤컴퓨팅 사고과정으로 작성하는 효과적인 Program 작성과정
➤예: 표준체중과 비만도 계산, 가족수당 계산, 음료수 자동 판매기

➤10.5 Visual Basic 응용 Program
➤각종상품, 음성출력, 24시간,무인 자동판매기 Program으로 발전
➤1) 필요한 변수(상품종류나 가격 등 변화할 수 있는 자료)를 Excel 파일 연동하여 실시간(최신) 자료를 입력, 사용하면서
➤2) 음성 출력기능을 사용한 인간적 인터페이스를 통해서
➤3) 어떤 상품이라도 24시간, 무인으로, 자동 판매 가능하다.

➤Kiosk; 각종상품, 음성출력, 24시간,무인 자동판매기 Program
➤기본적으로 음료수 자동 판매기를 비롯하여
➤인형, 가구, 핸드폰, 미세먼지, 재난관리용품, 산소 자판기 등
➤잔돈을 음성으로 알려주는 음성모듈을 추가한 자판기
➤신용카드, 가상화폐로 결제하는 결제모듈을 추가한 자판기

1

➤ 컴퓨팅 사고과정으로 작성하는 Program

➤시스템 분석:
➤문제의 핵심 본질을 중심으로
➤시스템의 목적, 기능 범위 등을 정의한다.
➤사용자가 음료수 가격을 먼저 지불하고
➤원하는 음료수를 선택하고
➤원하는 음료수를 제공받고,
➤남은 금액(잔돈)이 있다면 돌려받을 수 있는
➤여러 가지 기능을 가진 음료수자판기를 만들려고 한다.
➤만약 이때 신용카드 혹은 모바일 결제 기능이 필요한지,
➤아닌지를 결정하여 그 과정도 포함할지를 결정한다.
➤어떤 방법과 과정으로
이러한 목적을 달성할 수 있는
Program을 효율적으로 만들 수 있을까?

2

➤ 컴퓨팅 사고과정으로 작성하는 Program

➤시스템 분석: 의사코드(Pseudo Code)의 작성
➤1. 의사코드 혹은 스토리 보드를 먼저 작성한다.
➤스토리 보드(SB: Story Board 혹은 시나리오 혹은 콘티)
➤Scenario:
➤영화나 TV드라마의 촬영을 위하여
➤필요한 모든 사항을 기록한 대본, 각본
➤전체적인 이야기(Story)와
➤배우에 의해 만들어지는 행동과 대사 및 동작과
➤영상의 묘사뿐만 아니라 카메라 위치, 조명, 사운드 등에
➤관한 사항까지 상세하게 묘사하여 알려주고 지시하는 내용
➤Conti는 콩글리시. 바른 영어 표현은 Continuity.
➤영화나 TV드라마의 흥행 성공은 대본, 각본이 가장 중요함
➤좋은 Program이 만들어지려면
➤바로 이 의사코드가 잘 만들어져야 한다.

3

➤ 컴퓨팅 사고과정으로 작성하는 Program

➤시스템 분석: 의사코드(Pseudo Code)의 작성
➤1. 의사코드 혹은 스토리 보드를 먼저 작성한다.
➤의사코드(Pseudo Code: 가짜 코드)
➤(여기에서는 자판기를 사용할 때의 요금 지불, 음료 선택 등)
➤일련의 과정과 업무 흐름을
➤한글 혹은 영어로 알기 쉽게 표현하여
➤관계자(사용자, 사용부서)와 협의, 합의한 후에
➤올바른 문제해결(일 처리) 방법을 먼저 확정해야 한다.

➤문제해결(일 처리) 방법이 복잡할수록
➤의사코드가 반드시 필요하며
➤코딩 전에 먼저 작성해야 한다.
➤코딩하는 도중에 알고리즘이 흔들리면 많은 문제가 발생.

4

➤ 컴퓨팅 사고과정으로 작성하는 Program의 예
➤ 비만도 계산기: 의사코드를 작성하여, 화면 디자인

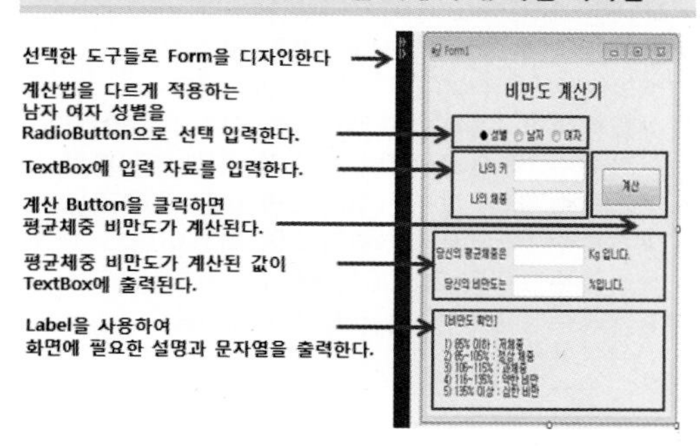

➤ 비만도 계산기: 의사코드를 사용하여 흐름도 작성

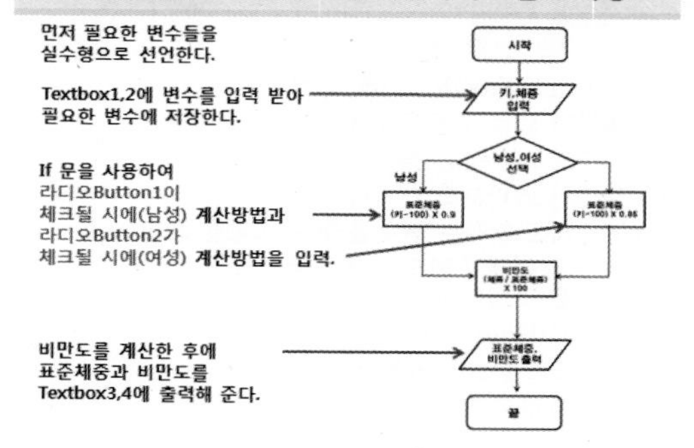

➤ 비만도 계산기:의사코드를 사용하여 Source Code작성

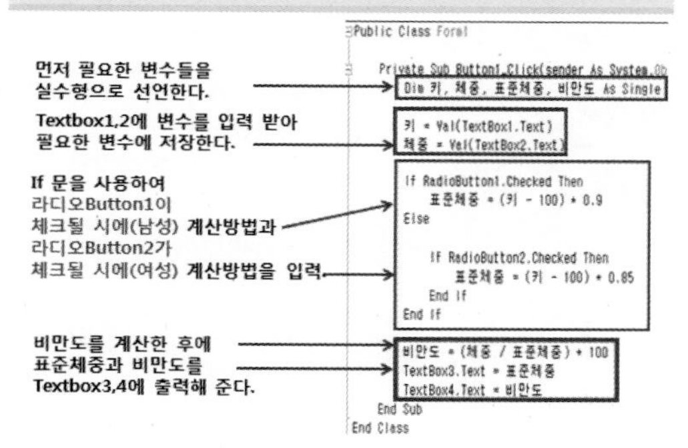

➤ 비만도 계산기: 흐름도를 사용하여 Source Code작성

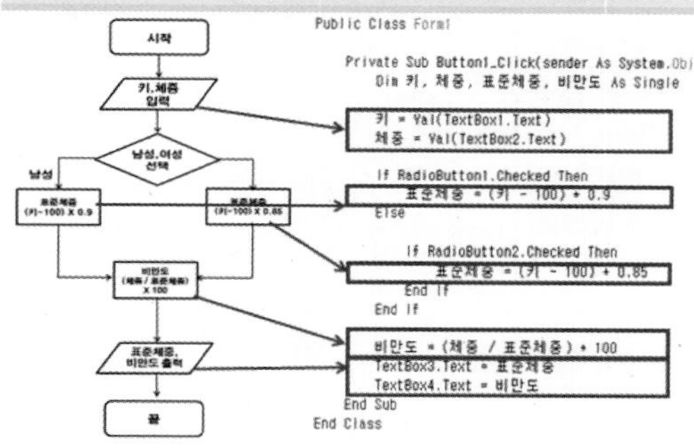

➤ 표준 체중과 비만도 계산기 Program: 실행하기

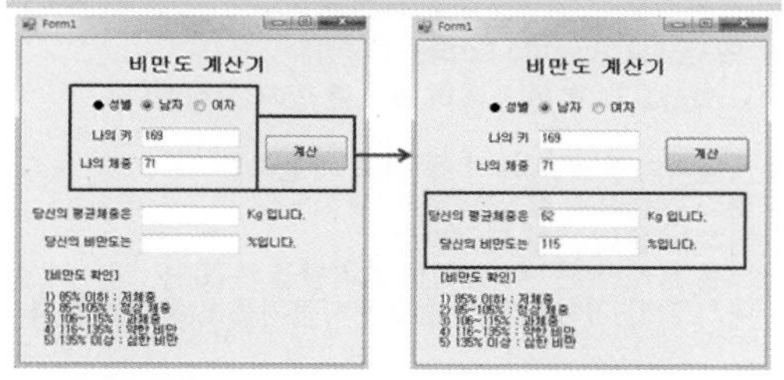

Test Data를 입력한다.
성별에 남자로 체크하고
키와 체중을 입력 후
계산 Button을 누르면..

평균체중과 비만도가 나온다.
비만도는 과체중이고
체중은 9kg 정도를 감량해야 한다 !!!

➤ 컴퓨팅 사고과정으로 작성하는 Program의 예
➤ 효과적인 Program작성법:가족수당: 의사코드를 작성

➤1. 시스템 분석: 해결하고자 하는 문제의 정의
- ➤어떤 기업이 직원들을 위해 가족수당을 주려고 하는데
- ➤결혼여부가 미혼이면 30000원,
- ➤가족 수(자녀)가 1명 이면 40000원,
- ➤가족 수(자녀)가 2명 이면 50000원,
- ➤가족 수(자녀)가 3명 이상이면
- ➤가족 수 1인당 20000원 씩을 지급하는 방법으로
- ➤가족수당을 지급한다고 할 때,
- ➤사원들의 가족수당을 계산하는 Program 을 작성하려고 한다면?

13

➢ 컴퓨팅 사고과정으로 작성하는 Program의 예
➢ 효과적인 Program작성법:가족수당: 의사코드를 작성

➢2. 시스템 설계: 문제를 해결하는 방법의 표현
- ➢의사코드(Pseudo Code)작성
- ➢복잡한 업무 흐름을 쉬운 언어로 정의하는
- ➢의사코드를 작성한다.
- ➢작성된 의사코드 속에서
- ➢계산하고자 하는 변수를 찾고 이름을 정의하고
- ➢계산 과정에서 반드시 필요한 인수를 찾고 이름을 정의한다.
- ➢흐름도(Flow Chart) 작성
- ➢의사코드를 도식화해서
- ➢간략하게 표현하는 흐름도를 작성한다.

14

➢ 효과적인 Program작성법의 예: 가족수당

➢작성된 의사코드 속에서 찾아낸

➢변수와 인수의 이름(결혼, 가족수)결정
- ➢가족수: 변수이름은 공백없이 표현
- ➢결혼여부 (기혼,미혼)가 미혼이면 30000원,
- ➢가족수 (배우자+자녀)가 1명 이면 40000원,
- ➢가족수 (배우자+자녀)가 2명 이면 50000원,
- ➢가족수 (배우자+자녀)가 3명 이상이면
- ➢가족수 1인당 20000원 씩을 지급하는
- ➢가족수당이라는 이름의 Program을 작성하세요.

15

➢ 흐름도와 Program의 구조: 가족수당 계산

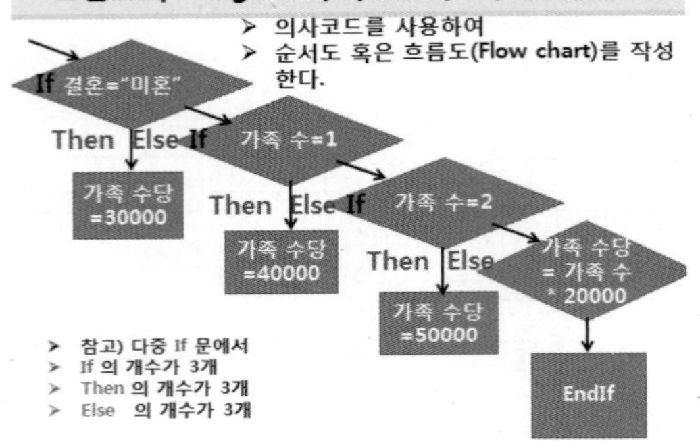

➢ 흐름도와 Program의 구조: 가족수당 계산

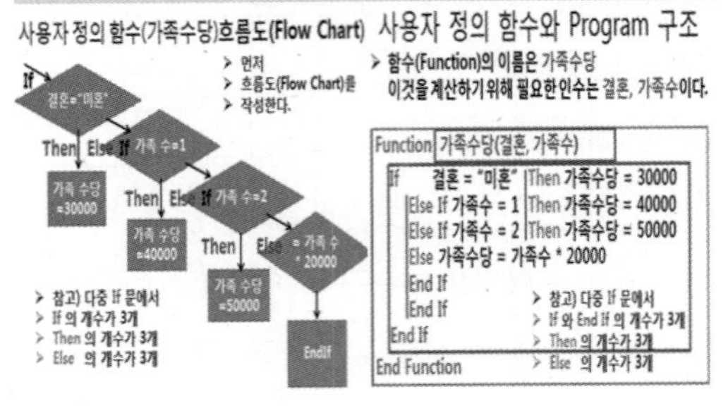

➢ 흐름도(Flow Chart)를 보고 Program코드를 작성한다.

➢ 인수와 Program의 구조: 가족수당 계산

➢ 여기에서 Program(Function)의 이름은 가족수당 이것을 계산하기 위해 필요한 인수는 결혼, 가족수이다.

```
Function 가족수당(결혼,가족수)
  If      결혼 = "미혼" Then 가족수당 = 30000
          Else If 가족수 = 1 Then 가족수당 = 40000
          Else If 가족수 = 2 Then 가족수당 = 50000
          Else 가족수당 = 가족수 * 20000
          End If
          End If
  End If
End Function
```

- ➢ 참고) 다중 If 문에서
- ➢ If 와 End If 의 개수가 3개
- ➢ Then 의 개수가 3개
- ➢ Else 의 개수가 3개

➢ 컴퓨팅 사고과정으로 작성하는 Program의 예
➢ 효과적인 Program작성법: 자판기 : 의사코드를 작성

➢ 의사코드(Pseudo Code)의 작성

➢1. 의사코드 혹은 스토리 보드를 먼저 작성한다.

➢사용자가 음료수 가격 을 먼저 지불하고
➢원하는 음료수 를 선택하고
➢원하는 음료수 를 제공받고,
➢남은 금액(잔돈) 이 있다면 돌려받을 수 있는
➢여러 가지 기능을 가진 음료수자판기를 만들려고 한다.

19

➢ 예) 음료수 자동판매기: 한글 의사코드 1

➢① 가진 돈을 자동판매기 에 넣는다.

➢② '음료수(예: 콜라) 선택' Button을 누른다

➢③ 음료수를 받는다.

➢ 예) 음료수 자동판매기: 한글 의사코드 2

➢예) 자동 판매기 의사 코드
- ➢① 가진 돈을 자동판매기 에 넣는다.
- ➢② '음료수(예: 콜라) 선택' Button을 누른다
- ➢③ 음료수를 받는다.
- ➢④ 투입한 돈이 음료수가격(예;500원)만큼 감소
- ➢⑤ 만약 남은 돈이 (If조건)
  - ➢⑥ 음료수가격 이상이면 (Yes조건 분기)
    - ➢다른 음료수를 선택하려면 ②번으로 돌아간다.
  - ➢⑦ 그렇지 않으면 (No조건 분기)
    - ➢⑧ 잔돈을 받고 끝낸다.

➢ 예) 음료수 자동판매기: 한글 의사코드 3

- ➢ ① 가진 돈을 자동판매기 투입구에 넣는다.
- ➢ ② '음료수(예: 콜라) 선택' Button을 누른다
- ➢ ③ 만약 (If조건) 투입금액(혹은 잔돈)이
  - ➢음료수가격(예;500원) 이상이면 (Yes조건 분기)
    - ➢음료수를 출력한다.
    - ➢투입금액을 음료수가격(예;500원)만큼 감소시킨다.
    - ➢다른 음료수를 선택하려면 ②번으로 돌아간다.
  - ➢그렇지 않으면 (No조건 분기)
    - ➢음료수를 출력하지 않는다.
    - ➢투입금액이 부족하다는 출력을 한다
    - ➢① 에서 금액을 더 투입하고 원하는 음료수를 선택한다.
- ➢ ④ 아니면 잔돈반환Button을 눌러 잔돈을 받고 끝낸다.
- ➢ ③ ④ ⑤ ⑥ ⑦ ⑧

➢ 의사코드(Pseudo Code)에서 필요한 변수 찾기

➢의사코드(Pseudo Code)의 작성과정에서
➢계산이 필요하다면
➢계산 과정에서 반드시 필요한 변수와 인수를 찾고
➢그 이름들을 알기 쉽게 한글이름으로 정의한다.

➢변수: 계산 과정에서,
➢사용자의 선택과 상황에 따라서 변화할 수 있는 값.

23

➢ 의사코드(Pseudo Code)에서 필요한 변수 찾기: 예 ➢ AI뉴스 자동생성 알고리즘이 작성한 실시간 뉴스

➢ 의사코드(Pseudo Code)에서 필요한 변수 찾기
➢예) 뉴스핌과 금융 AI 전문기업 씽크풀이 공동 개발한 AI뉴스 자동생성 알고리즘인 뉴스봇(NewsBot)이 실시간으로 작성한 기사 [서울=뉴스핌] 로보뉴스

➢2019년 4월 11일 오전 9시 25분 현재
➢삼성SDS 주가는 전일대비 0.21% 상승한 23만원이다.
➢교보증권은 삼성SDS 에 대한 투자의견을 매수,
➢목표주가를 26만5000원으로 유지했다.
➢삼성SDS 는 지난해 4분기 연결기준
➢잠정 매출액이 2조7820억원으로
➢전년 동기 2조4666억원 대비 12.7% 증가했다.
➢같은 기간 영업이익은 2583억300만원으로
➢전년 동기 2065억3800만원 대비 25% 증가했다.

24

➢ 예) 음료수 자동판매기: 의사코드 4: 변수 찾기

- ➢ 변수후보 찾기: 사용자의 선택과 상황에 따라 변할 수 있는 값
- ➢ ① 가진 돈(100, 500,1000)을 자동판매기 투입 한다.
- ➢ ② 원하는 '음료수(예: 콜라) 선택' Button을 누른다
- ➢ ③ 만약 (If조건) 투입금액(혹은 잔돈)이
  - ➢음료수가격(예;500원) 이상이면 (Yes조건 분기)
    - ➢음료수를 출력한다.
    - ➢투입금액을 음료수가격(예;500원)만큼 감소시킨다.
    - ➢다른 음료수를 선택하려면 ②번으로 돌아간다.
  - ➢음료수가격(예;500원) 미만이면 (No조건 분기)
    - ➢음료수를 출력하지 않는다.
    - ➢투입금액이 부족하다는 출력을 한다(문자 혹은 음성 출력)
    - ➢① 에서 금액을 더 투입하고 원하는 음료수를 선택한다.
- ➢ ④ 아니면 잔돈반환Button을 눌러 잔돈을 받고 끝낸다.
- ➢ ③ ④ ⑤ ⑥ ⑦ ⑧

➢ 예) 점차 확장(상세화)하는 의사코드 5: 변수 찾기

➢의사코드의 작성 : 우선, 크게 2가지 Module로 대별

➢가) Module
원하는 음료수(예: 콜라)를 마시기 위해
필요한 금액 (그 음료수 가격: 동전 혹은 지폐)을
투입(투입한 금액)한다.

➢나) Module
원하는 음료수(예: 콜라)를 선택하여 그 음료수를 제공 받고
남은 금액(잔돈)이 있으면 돌려받는다.

➢위의 의사코드에서 사용자의 선택을 중심으로 계산을 위해 필요한 변수(인수)를 찾아내고 쉬운 이름으로 명명 (원하는 음료수, 음료수 가격, 투입한 금액, 잔돈)
➢Ex) 콜라, 800(콜라의 가격) , 1000(현재 지갑에 있는 화폐의 종류) , 200(잔돈) 은 그 값이 사용자의 선택과 상황에 따라 변화할 수 있는 값이다.

31

➢ 예) 점차 확장(상세화)하는 의사코드 6-1

➢3.의사코드의 확장 : 점차, 4가지 Module로 상세화

➢가) Module:
➢원하는 음료수(예: 콜라)를 마시기위해 필요한 금액(그 음료수 가격: 동전 혹은 지폐)을 투입(투입한 금액)한다.

➢가1) Module:
➢원하는 음료수(예: 콜라)를 마시기위해 마음속에서 결정하는과정

➢가2) Module:
➢필요한 금액(그 음료수 가격: 동전 혹은 지폐)을
투입(투입한 금액)하는 과정

32

➢ 예) 점차 확장(상세화)하는 의사코드 6-2

➢3.의사코드의 확장 : 점차, 4가지 Module로 상세화
➢

➢나) Module:
➢원하는 음료수(예: 콜라)를 선택하여 그 음료수를 제공받고, 남은 금액(잔돈)이 있으면 돌려받는다.

➢나1) Module:
➢원하는 음료수(예: 콜라)를 선택하여 그 음료수를 제공받는 과정

➢나2) Module:
➢남은 금액(잔돈)이 있으면 돌려받는 과정

33

➢ 예) 점차 확장(상세화)하는 의사코드 7

➢3. Module 단위 별로 의사코드를 구체화
➢가1) Module: 원하는 음료수(예: 콜라)를
마음속에서 결정하는 과정

➢가1A): 원하는 음료수(예: 콜라)를 선택하기 위해 필요하다면 자판기까지 이동하는 과정(Module) 추가
(1)(만약 지금 실내자리에 앉아있다면 자리에서일어선다.)
(2)문 쪽으로 이동한다.
(3)문을 연다.
(4)밖으로 나간다.
(5)문을 닫는다.
(6)자판기 앞으로 이동해 간다.
(7)자판기 앞에 선다.

34

➢ 예) 점차 확장(상세화)하는 의사코드 8

➢3. Module 단위 별로 의사코드를 구체화
➢가1) Module: 원하는 음료수(예: 콜라)를
마음속에서 결정하는 과정

➢가1B):원하는음료수(예: 콜라)를 선택하는과정(Module)
(1)먼저 사용자가 원하는 **음료수(예: 콜라)**의 가격이 얼마인지 파악.
(2)자판기의 현금투입구가 동전과지폐를 다 받는지 파악.
(3)사용자지갑에 지금현재 동전과지폐가 얼마나있는지 파악.

35

➢ 예) 점차 확장(상세화)하는 의사코드 9

➢3. Module 단위 별로 의사코드를 구체화
➢가2) Module: 원하는 음료수(예: 콜라)**를 위해 필요한 금액을 투입하는 과정**

(1) 사용자가 원하는 **음료수(예: 콜라)**의 가격만큼의 동전과 지폐를, 지갑에 갖고 있는지 파악.
(2-1) 만약 사용자가 원하는 음료수 가격만큼의 동전과 지폐를 갖고 있다면 투입한다.
(2-2) 만약 사용자가 원하는 음료수 가격만큼의 동전과 지폐를 갖고 있지 않다면 다른 방법을 생각한다. (동전과 지폐를 임차 or 포기, etc)

36

➢ 예) 점차 확장(상세화)하는 의사코드 10

➢3. Module 단위 별로 의사코드를 구체화
➢나1) Module: 원하는 음료수(예: 콜라)를 선택하여 Button을 누르고 제공받는 과정

(1) 사용자가 투입한 동전과 지폐의 금액을 확인한다.
(2) 사용자가 원하는 **음료수(예: 콜라)**의 Button을 힘차게(?) 누른다.
(3) 자판기는 사용자가 지정한 음료수(콜라)를 제공한다.(아래 칸으로 내려준다.)
(4) 사용자는 지정한 음료수(콜라)를 꺼내 든다.

37

➢ 예) 점차 확장(상세화)하는 의사코드 11

➢3. Module 단위 별로 의사코드를 구체화
➢나2) Module: 남은 금액(잔돈)이 있으면 돌려받는 과정

(1) 자판기는 사용자가 투입한 동전과 지폐의 총액에서 사용자가 선택한 **음료수(예: 콜라)**의 가격을 공제한다

(2) 자판기는 **음료수(예: 콜라)**의 가격을 공제한 금액을 잔돈 배출구로 배출한다.

(3) 이때 잔돈의 금액을 사람의 목소리 인터페이스를 통하여 들려줄 수도 있다.(음성 합성 Module 추가)
➢계속적인 Module의 추가로 복잡하고 큰 Program을 완성해 나간다.

38

➢ 컴퓨팅 사고과정으로 작성하는 Program

➢2)시스템 설계: 순서도 혹은 흐름도(Flow Chart)의 작성

➢2. 복잡한 문제해결(일 처리) 방법을 더욱 쉽게 도식화하여 표현하는 흐름도(Flow Chart)를 작성한다.

➢3. 이 과정에도 변수가 필요하다면
➢계산 과정에 반드시 필요한 변수와 인수를 찾고
➢그 이름들을 알기 쉽게 한글이름으로 정의한다.

➢변수: 계산 과정에서 그 값이
➢상황과 선택에 따라 변화할 수 있는 값.
➢변수가 너무 많으면 복잡한 문제(?)

39

➢ SW의 전체적인 구조(Architecture) 중심 설계

➢ System 구조도(Structure Chart)로 표현한다
➢ System을 Module 단위로 분할
➢ Module의 이름과 기능 정의(사각형의 박스로 표현)
➢ System을 이루는 Module들의 관계와 전체구조를 파악
➢ Module의 계층적 구성(호출 관계가 화살표로 표현)
➢ Module 사이의 입출력 Interface를 표시
➢

자동판매기 시스템
전체구조도(Structure Chart)

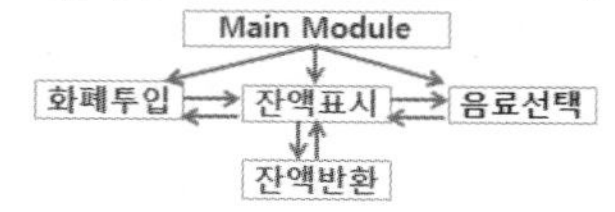

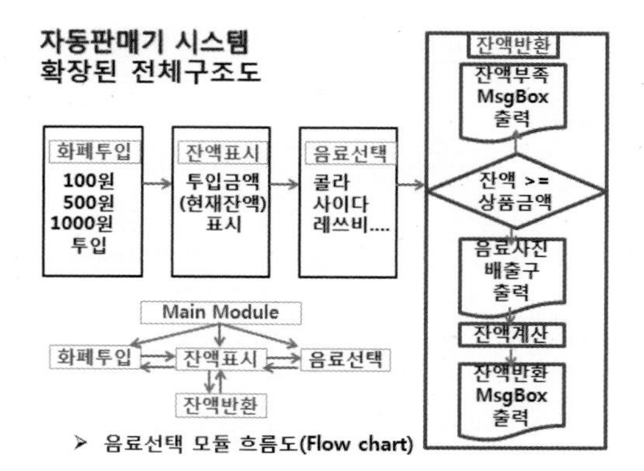

➢ 음료선택 모듈 흐름도(Flow chart)

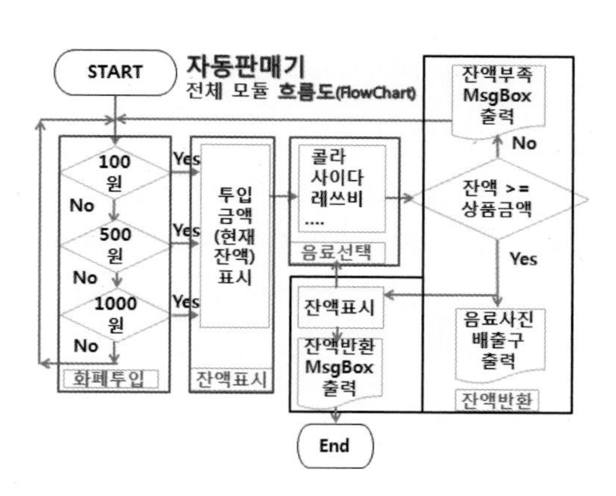

➤ 제10.5장 Visual Basic 응용 Program

➤ **10.5 Visual Basic 응용 Program**

➤ 간단한 음료수 자동 판매기 Program 1, 2, 3
  ➤자동 판매기 Program은 모든 상품 판매의 기본으로 중요

➤각종상품, 음성출력, 24시간,무인 자동판매기 Program으로 발전
  ➤1) 필요한 변수(상품종류나 가격 등 변화할 수 있는 자료)를 Excel 파일 연동하여 실시간(최신) 자료를 입력, 사용하면서
  ➤2) 음성 출력기능을 사용한 인간적 인터페이스를 통해서
  ➤3) 어떤 상품이라도 24시간, 무인으로, 자동 판매 가능하다.

➤**Kiosk**; 각종상품, 음성출력, 24시간,무인자동판매기 Program
  ➤기본적으로 음료수 자동 판매기를 비롯하여
  ➤인형, 가구, 핸드폰, 미세먼지, 재난관리용품, 산소 자판기 등
  ➤잔돈을 음성으로 알려주는 음성모듈을 추가한 자판기
  ➤신용카드, 가상화폐로 결제하는 결제모듈을 추가한 자판기

➤ 음료수 자동판매기 Program: 실습

➤ A10 음료수 자동판매기 실행 Program 허재

➤ 음료수 자동판매기 Program : 시작하기

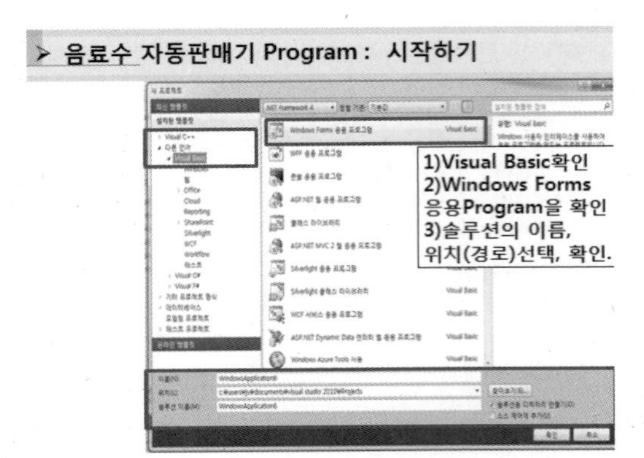

➤ 음료수 자동판매기 Program : 화면 디자인

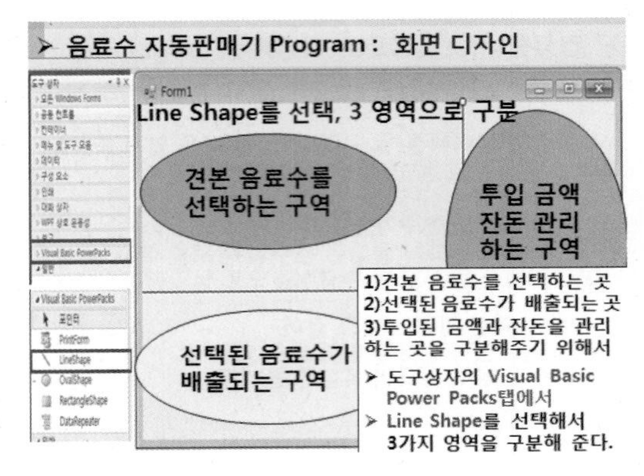

➤ 음료수 자동판매기 Program : 화면 디자인

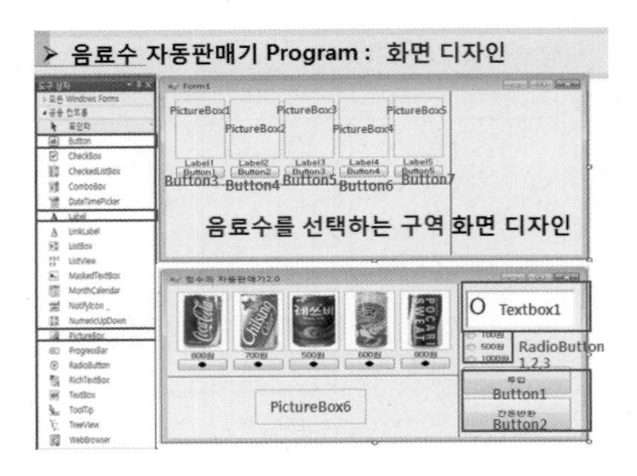

음료수가 선택되는 구역에 음료수 사진을 표시하는 방법

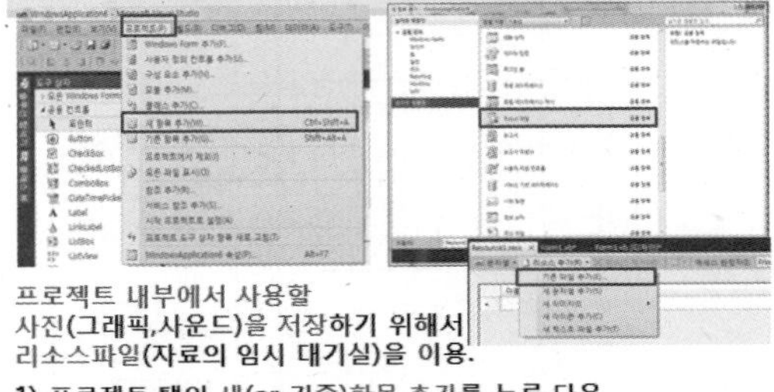

프로젝트 내부에서 사용할
사진(그래픽,사운드)을 저장하기 위해서
리소스파일(자료의 임시 대기실)을 이용.

1) 프로젝트 탭의 새(or 기존)항목 추가를 누른 다음
2) 새(or 기존)항목 추가 창이 열리면 리소스파일을 선택해준다.
3) 리소스추가 창이 열리면 기존파일추가를 클릭, 경로창이 열리면 미리 준비해둔 사진 파일(들)을 리소스에 저장해준다.

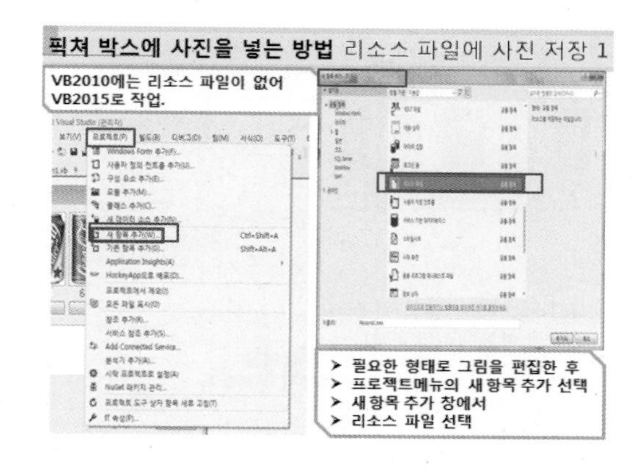
픽쳐 박스에 사진을 넣는 방법 리소스 파일에 사진 저장 1
VB2010에는 리소스 파일이 없어
VB2015로 작업.
➤ 필요한 형태로 그림을 편집한 후
➤ 프로젝트메뉴의 새 항목 추가 선택
➤ 새 항목 추가 창에서
➤ 리소스 파일 선택

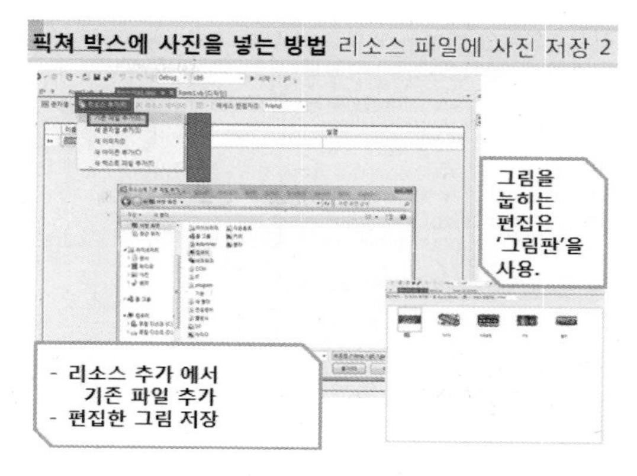
픽쳐 박스에 사진을 넣는 방법 리소스 파일에 사진 저장 2
그림을
늘히는
편집은
'그림판'을
사용.
- 리소스 추가 에서
기존 파일 추가
- 편집한 그림 저장

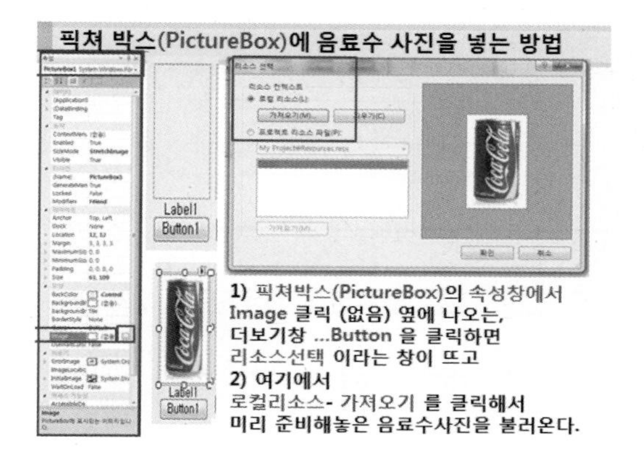
픽쳐 박스(PictureBox)에 음료수 사진을 넣는 방법
Label1
Button1
1) 픽쳐박스(PictureBox)의 속성창에서
Image 클릭 (없음) 옆에 나오는,
더보기창 ...Button 을 클릭하면
리소스선택 이라는 창이 뜨고
2) 여기에서
로컬리소스- 가져오기 를 클릭해서
미리 준비해놓은 음료수사진을 불러온다.

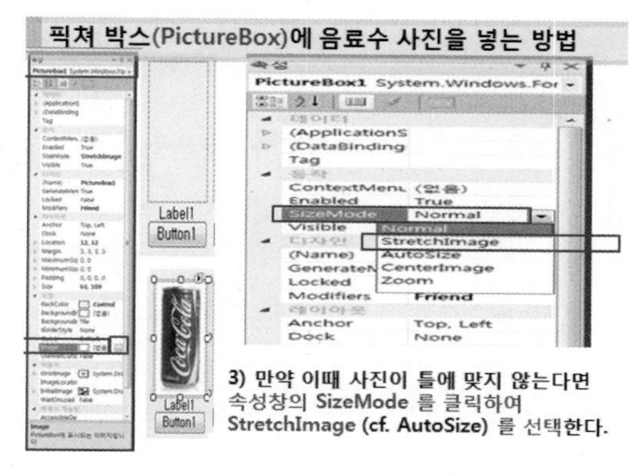
픽쳐 박스(PictureBox)에 음료수 사진을 넣는 방법
PictureBox1 System.Windows.For
(ApplicationS
(DataBinding
Tag
ContextMenu (없음)
Enabled True
SizeMode Normal
Visible
Normal
StretchImage
(Name)
AutoSize
CenterImage
Zoom
Locked
Modifiers Friend
Anchor Top, Left
Dock None
Label1
Button1
3) 만약 이때 사진이 틀에 맞지 않는다면
속성창의 SizeMode 를 클릭하여
StretchImage (cf. AutoSize) 를 선택한다.

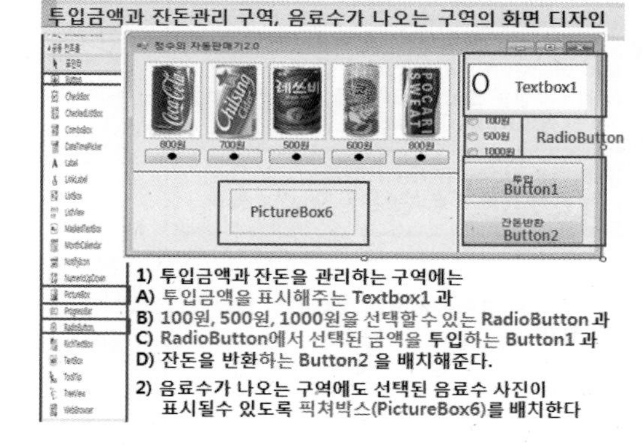
투입금액과 잔돈관리 구역, 음료수가 나오는 구역의 화면 디자인
800원
700원
500원
600원
800원
Textbox1
100원
500원
1000원
RadioButton
투입
Button1
잔돈반환
Button2
PictureBox6
1) 투입금액과 잔돈을 관리하는 구역에는
A) 투입금액을 표시해주는 Textbox1 과
B) 100원, 500원, 1000원을 선택할 수 있는 RadioButton 과
C) RadioButton에서 선택된 금액을 투입하는 Button1 과
D) 잔돈을 반환하는 Button2 을 배치해준다.
2) 음료수가 나오는 구역에도 선택된 음료수 사진이
표시될수 있도록 픽쳐박스(PictureBox6)를 배치한다

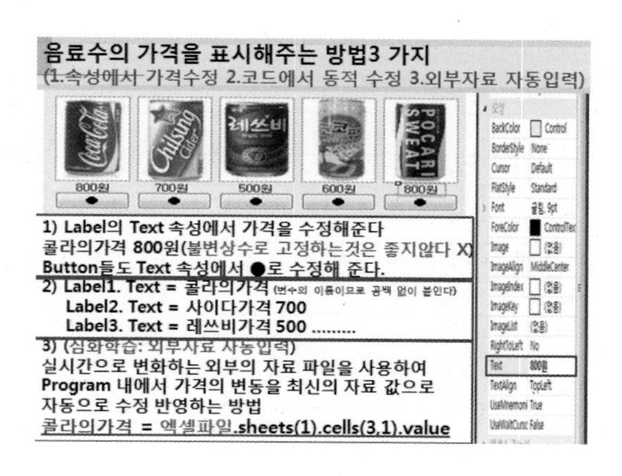
음료수의 가격을 표시해주는 방법3 가지
(1.속성에서 가격수정 2.코드에서 동적 수정 3.외부자료 자동입력)
800원
700원
500원
600원
800원
1) Label의 Text 속성에서 가격을 수정해준다
콜라의가격 800원(불변상수로 고정하는것은 좋지않다 X)
Button들도 Text 속성에서 ●로 수정해 준다.
2) Label1. Text = 콜라의가격 (변수의 이름이므로 공백 없이 붙인다)
Label2. Text = 사이다가격 700
Label3. Text = 레쓰비가격 500 ....
3) (심화학습: 외부자료 자동입력)
실시간으로 변화하는 외부의 자료 파일을 사용하여
Program 내에서 가격의 변동을 최신의 자료 값으로
자동으로 수정 반영하는 방법
콜라의가격 = 엑셀파일.sheets(1).cells(3,1).value
BackColor Control
BorderStyle None
Cursor Default
FlatStyle Standard
Font
ForeColor
Image (없음)
ImageAlign MiddleCenter
Text 800원
TextAlign TopLeft
UseMnemonic True

실시간으로 변화하는 외부 자료(DB, EXCEL, ACCESS)를 읽어와서 실시간(최신) 자료로 자동 수정하는 Code

```
Private Sub 가격정보_Click (ByVal sender As System.Object,
e As System.EventArgs) Handles 콜라.Click
  Dim 콜라의가격   As Integer ' 변수선언 부분
  Dim 엑셀         As Object  ' 콜라의가격을 2Byte정수형 변수로 선언
  Dim 엑셀파일     As Object  ' 엑셀,엑셀파일을 객체형 변수로 선언
  엑셀 = CreateObject("excel.application") ' 엑셀 객체를 생성.
  엑셀파일 = 엑셀.workbooks.open("F:₩자판기프로젝₩미세먼지.xlsx")
       ' 엑셀 객체에 지정한 경로의 엑셀 파일(음료수가격정보)을 오픈.
  콜라의가격 = 엑셀파일.sheets(2).cells(1, 2).value
  ' c.f 출력하려면 엑셀파일.sheets(2).cells(1, 2).value = 콜라의가격
       ' 콜라의가격 변수에 음료수가격정보 를 가져온다.
       ' 엑셀 파일의 Sheets2, 1행 2열의 정보(셀 B1)를 저장.
  label1.Text = 콜라의가격
       ' label1의 출력텍스트에 콜라의가격
  엑셀파일.close() ' 엑셀파일을 클로즈.
End Sub
```

	A	B
1	콜라의 가격	800
2	사이다의 가격	700
3	레스비의 가격	500
4	코코팜의 가격	600
5	레스비의 가격	800

TextBox1(투입금액 or 잔돈금액 표시창)값의 초기화 (0)

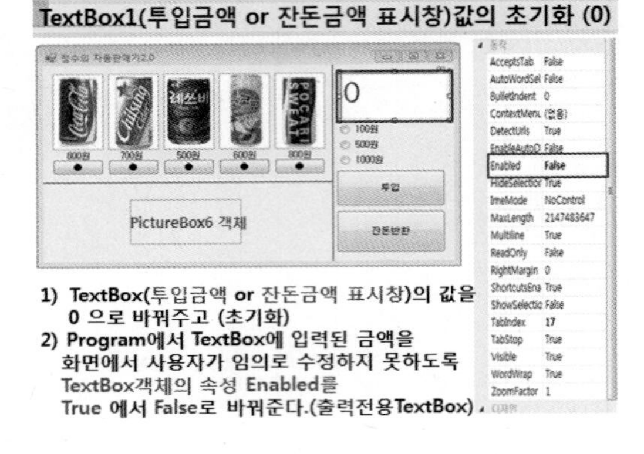

1) TextBox(투입금액 or 잔돈금액 표시창)의 값을 0 으로 바꿔주고 (초기화)
2) Program에서 TextBox에 입력된 금액을 화면에서 사용자가 임의로 수정하지 못하도록 TextBox객체의 속성 Enabled를 True 에서 False로 바꿔준다.(출력전용TextBox)

옆으로 누운 음료수 사진이 음료수가 나오는 구역에 표시되는 방법

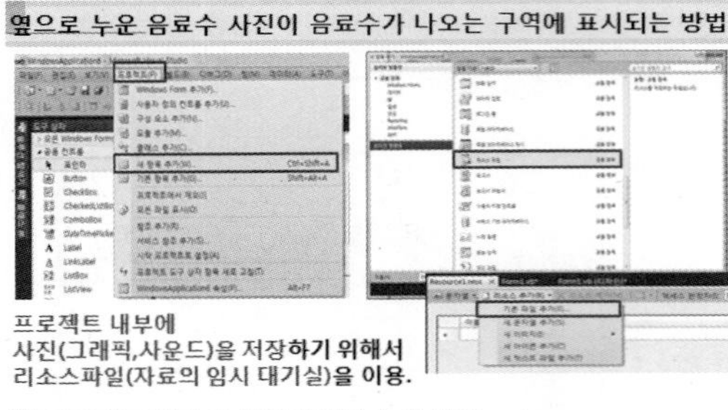

프로젝트 내부에
사진(그래픽,사운드)을 저장하기 위해서
리소스파일(자료의 임시 대기실)을 이용.

1) 프로젝트 탭의 새 항목 추가를 누른 다음
2) 새 항목 추가 창이 열리면 리소스파일을 선택해준다.
3) 리소스추가 창이 열리면 기존파일추가를 클릭, 경로창이열리면 미리 준비해둔 사진 파일을 리소스에 저장해준다.

백원, 오백원, 천원 의 변수선언과 변수값의 초기화

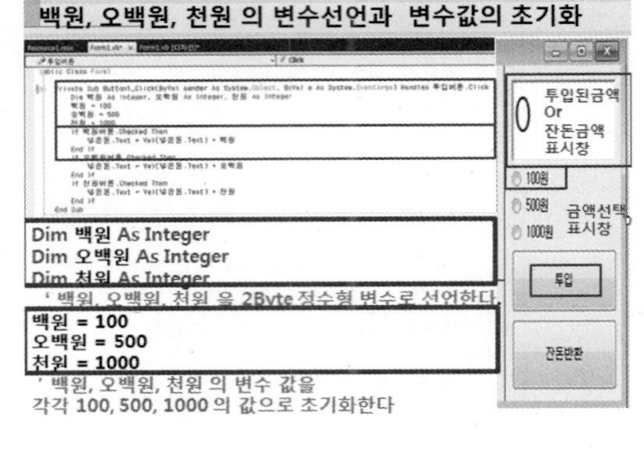


```
Dim 백원 As Integer
Dim 오백원 As Integer
Dim 천원 As Integer
' 백원, 오백원, 천원 을 2Byte 정수형 변수로 선언한다.
백원 = 100
오백원 = 500
천원 = 1000
' 백원, 오백원, 천원 의 변수 값을
각각 100, 500, 1000 의 값으로 초기화한다
```

금액(예:100원) Button과 투입 Button(Button1) 클릭 시

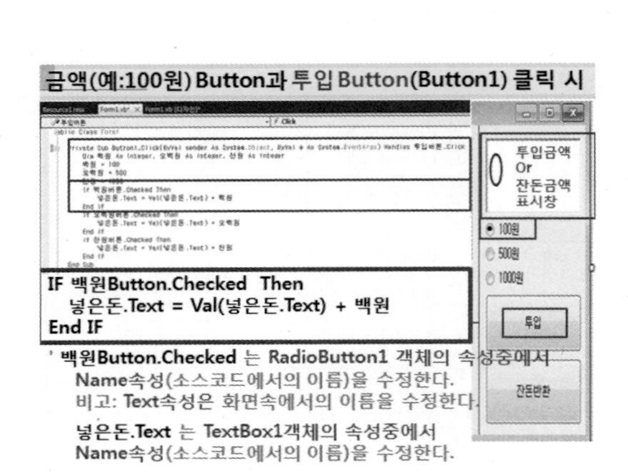


```
IF 백원Button.Checked  Then
   넣은돈.Text = Val(넣은돈.Text) + 백원
End IF
```

' 백원Button.Checked 는 RadioButton1 객체의 속성중에서
Name속성(소스코드에서의 이름)을 수정한다.
비고: Text속성은 화면속에서의 이름을 수정한다.
넣은돈.Text 는 TextBox1객체의 속성중에서
Name속성(소스코드에서의 이름)을 수정한다.

➤ Name 속성과 Text 속성에 대한 비교(수정의 차이점)

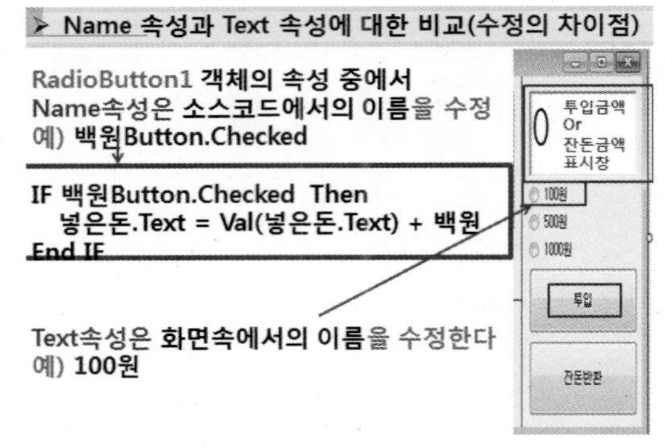

RadioButton1 객체의 속성 중에서
Name속성은 소스코드에서의 이름을 수정
예) 백원Button.Checked

```
IF 백원Button.Checked  Then
   넣은돈.Text = Val(넣은돈.Text) + 백원
End IF
```

Text속성은 화면속에서의 이름을 수정한다
예) 100원

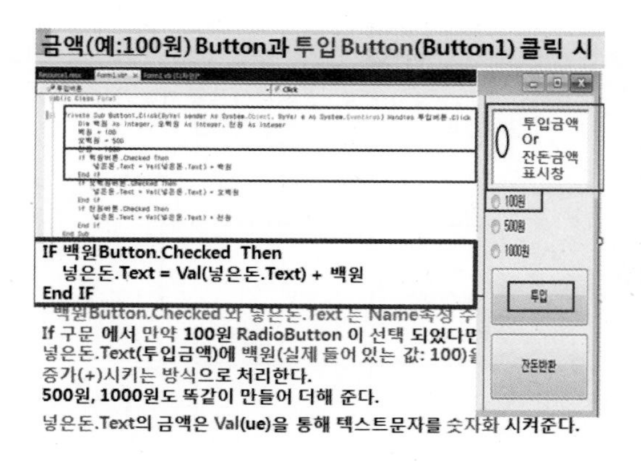
금액(예:100원) Button과 투입 Button(Button1) 클릭 시
투입금액
Or
잔돈금액
표시창
100원
500원
1000원
투입
잔돈반환
IF 백원Button.Checked Then
넣은돈.Text = Val(넣은돈.Text) + 백원
End IF
백원Button.Checked 와 넣은돈.Text 는 Name속성 수
If 구문 에서 만약 100원 RadioButton 이 선택 되었다면
넣은돈.Text(투입금액)에 백원(실제 들어 있는 값: 100)을
증가(+)시키는 방식으로 처리한다.
500원, 1000원도 똑같이 만들어 더해 준다.
넣은돈.Text의 금액은 Val(ue)을 통해 텍스트문자를 숫자화 시켜준다.

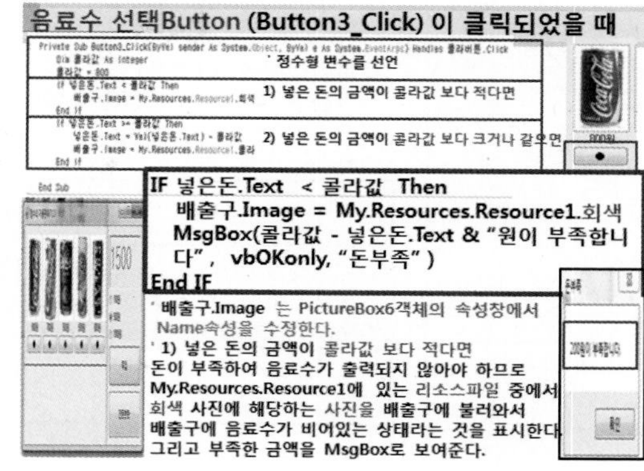
음료수 선택Button (Button3_Click) 이 클릭되었을 때
정수형 변수를 선언
1) 넣은 돈의 금액이 콜라값 보다 적다면
2) 넣은 돈의 금액이 콜라값 보다 크거나 같으면
IF 넣은돈.Text < 콜라값 Then
배출구.Image = My.Resources.Resource1.회색
MsgBox(콜라값 - 넣은돈.Text & "원이 부족합니다", vbOKonly, "돈부족")
End IF
' 배출구.Image 는 PictureBox6객체의 속성창에서
Name속성을 수정한다.
' 1) 넣은 돈의 금액이 콜라값 보다 적다면
돈이 부족하여 음료수가 출력되지 않아야 하므로
My.Resources.Resource1에 있는 리소스파일 중에서
회색 사진에 해당하는 사진을 배출구에 불러와서
배출구에 음료수가 비어있는 상태라는 것을 표시한다.
그리고 부족한 금액을 MsgBox로 보여준다.

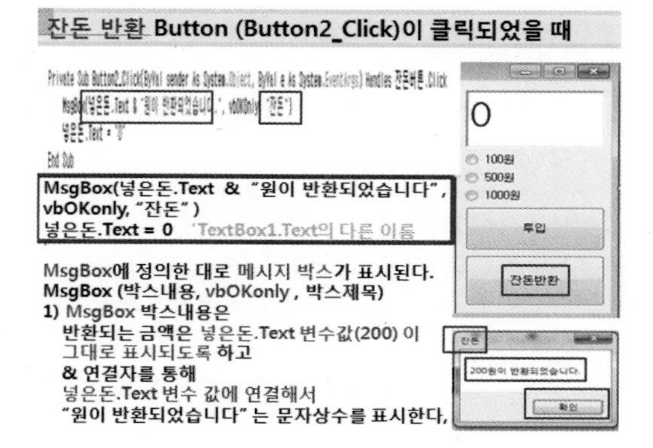
잔돈 반환 Button (Button2_Click)이 클릭되었을 때
0
100원
500원
1000원
투입
잔돈반환
MsgBox(넣은돈.Text & "원이 반환되었습니다", vbOKonly, "잔돈")
넣은돈.Text = 0 'TextBox1.Text의 다른 이름
MsgBox에 정의한 대로 메시지 박스가 표시된다.
MsgBox (박스내용, vbOKonly , 박스제목)
1) MsgBox 박스내용은
반환되는 금액은 넣은돈.Text 변수값(200) 이
그대로 표시되도록 하고
& 연결자를 통해
넣은돈.Text 변수 값에 연결해서
"원이 반환되었습니다" 는 문자상수를 표시한다.
잔돈
200원이 반환되었습니다.
확인

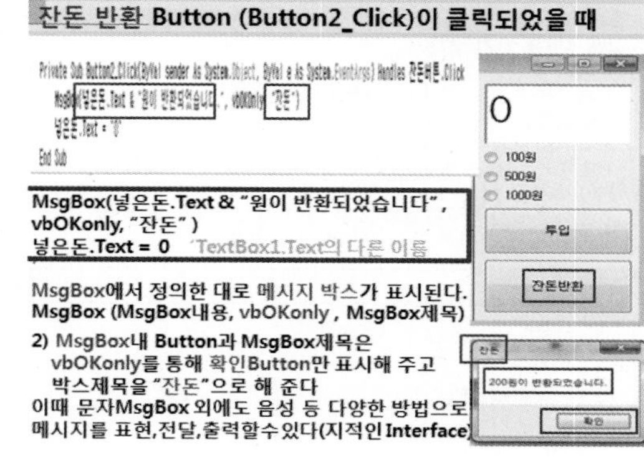
잔돈 반환 Button (Button2_Click)이 클릭되었을 때
0
100원
500원
1000원
투입
잔돈반환
MsgBox(넣은돈.Text & "원이 반환되었습니다", vbOKonly, "잔돈")
넣은돈.Text = 0 'TextBox1.Text의 다른 이름
MsgBox에서 정의한 대로 메시지 박스가 표시된다.
MsgBox (MsgBox내용, vbOKonly , MsgBox제목)
2) MsgBox내 Button과 MsgBox제목은
vbOKonly를 통해 확인Button만 표시해 주고
박스제목을 "잔돈"으로 해 준다
이때 문자MsgBox 외에도 음성 등 다양한 방법으로
메시지를 표현,전달,출력할수있다(지적인Interface)
잔돈
200원이 반환되었습니다.
확인

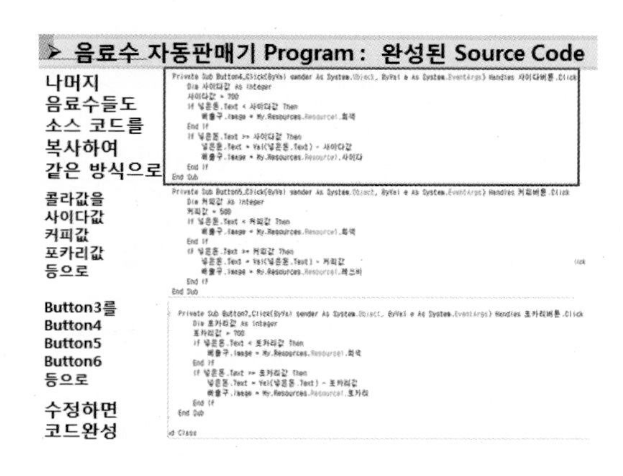
음료수 자동판매기 Program : 완성된 Source Code
나머지
음료수들도
소스 코드를
복사하여
같은 방식으로
콜라값을
사이다값
커피값
포카리값
등으로
Button3를
Button4
Button5
Button6
등으로
수정하면
코드완성

음료수 자동판매기 Program : 완성
정수의 자동판매기2.0
1500
800원
700원
500원
600원
800원
100원
500원
1000원
투입
잔돈반환

➢ 파일메뉴에서 "모두 저장" 으로 저장

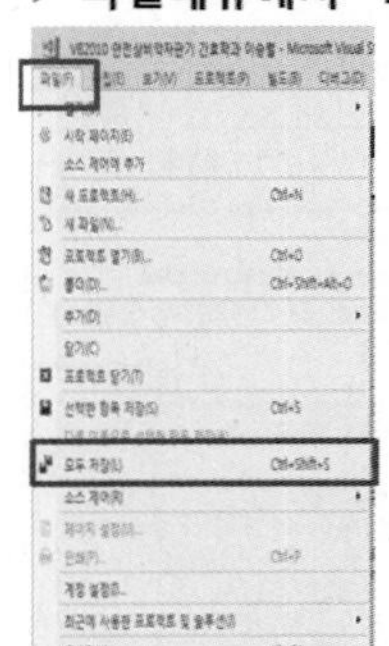

➢ 파일이름,위치(경로),솔루션 이름을 자세하게 지정한 후에

➢ 2015 버전 "모두 저장"

➢ 2017 버전 "모두 저장"

➢파일이름,위치(경로),솔루션이름을 자세하게 저장
- ➢새 프로젝트 시작 시에도
- ➢파일이름과 위치(경로),솔루션이름을 지정 가능하다.
- ➢파일이름과 위치(경로),솔루션이름을 모두
- ➢예) G:/계산기/혜정이의 똑똑한 계산기

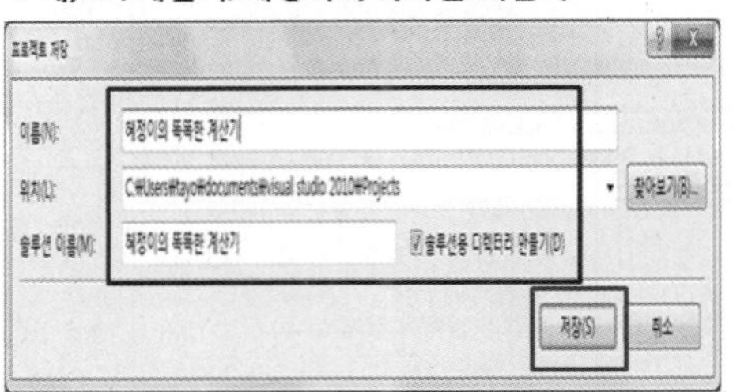

➢1) 솔루션 경로와 이름을 바꾸어 저장한 경우에

➢실행파일을 찾기 위해서는,
- ➢미리 지정한 위치(경로)에서,
- ➢솔루션 이름과 동일한, **Folder**를 찾아서
- ➢Obj(혹은 Bin)폴더로 들어간다
- ➢즉, G:/저항계산기/Obj/Debug 에서
- ➢솔루션 이름과 동일한, File 저항계산기.exe 를 찾는다.

➢공통) 솔루션 이름과 동일한 저항계산기.exe 실행 파일을 찾아
- ➢원하는 위치(PPT파일과 동일 폴더)에 보관해두고 실행.
- ➢바로 가기 아이콘 혹은 하이퍼링크 연결

저항 계산기	2015-06-04 오후...	응용 프로그램	25KB
저항 계산기.pdb	2015-06-04 오후...	PDB 파일	46KB
저항 계산기.vshost	2015-06-04 오후...	응용 프로그램	12KB
저항 계산기.vshost.exe.manifest	2009-08-31 오전...	MANIFEST 파일	1KB
저항 계산기	2015-06-04 오후...	XML 문서	1KB

➢2) 솔루션 경로와 이름을 바꾸지 않은 경우,

➢매우 불편하다.

➢실행파일을 찾기 위해서는, 기본(Default) 경로이름을 찾아
- ➢**WindowsApplication1**, 혹은 2, 혹은 3, 혹은 ...
- ➢... 변화되는 기본(Default)이름으로, **Folder**와 **File**을 찾는다.
- ➢Obj(혹은 Bin)폴더로 들어간다
- ➢즉, WindowsApplication1/Obj/Debug 에서
- ➢즉, WindowsApplication1.exe File을 찾는다.

➢공통) WindowsApplication1.exe 실행 파일을 찾아,
- ➢원하는 위치(PPT파일과 동일 폴더)에 보관해두고 실행.
- ➢바로 가기 아이콘 혹은 하이퍼링크 연결

이름	수정한 날짜	유형	크기
WindowsApplication1	2018-07-18 오후...	응용 프로그램	2,263KB
WindowsApplication1.pdb	2018-07-18 오후...	Program Debug...	78KB

실행

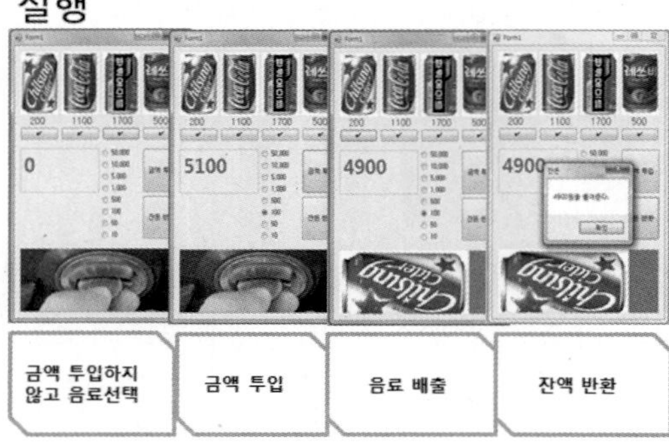

➢ 제10.5장 Visual Basic 응용 Program

➢ **10.5 Visual Basic 응용 Program**

➢ 간단한 음료수 자동 판매기 Program
- ➢자동 판매기 Program은 모든 상품 판매의 기본으로 중요

➢ 각종상품, 24시간, 무인, 음성출력, 자동판매기 Program으로 발전
- ➢1) 필요한 변수(품목이나 가격 등 변화할 수 있는 자료)를 Excel 파일 연동하여 최신의 자료를 입력 사용 가능하면서
- ➢2) 음성 출력기능을 사용한 인간적 인터페이스를 통해서
- ➢3) 어떤 상품이라도 24시간 무인으로 자동 판매 가능하다.

➢**Kiosk**; 각종상품, 음성출력, 24시간, 무인 자동판매기 Program
- ➢기본적으로 음료수 자동 판매기를 비롯하여
- ➢인형 자판기, 핸드폰 자판기, 산소 자판기 등
- ➢잔돈을 음성으로 알려주는 모듈을 추가한 자판기 Program
- ➢신용카드, 가상화폐로 결제하는 모듈을 추가한 Program

➢ Kiosk; 24시간, 무인, 음성출력, 각종상품 자동판매기 Program

- ➢ Kiosk; 키아스크(1. 신문, 음료 등을 파는 매점 2. 공중전화 박스)
  - ➢ telephone booth[box, kiosk] (공중) 전화 박스. phone box
  - ➢ information kiosk 간이 안내소
  - ➢ electronic kiosk (매점에 설치된) 전자 쇼핑 단말기.
- ➢ Kiosk; 식당 • 편의점 • 백화점까지 확산
  - ➢http:'www.yonhapnewstv.co.kr/MYH20190515003200038/?did=1825m
- ➢ 4~5년 전부터 도입이 시작된 이 키오스크는 최근 들어 식당, 편의점은 물론, 친절한 고객응대의 상징 백화점에까지 등장.
- ➢ 일부 패스트푸드점에선 이미 도입률이 60%에 이르렀고
- ➢ PC방, 편의점도 무인 매장이 늘고 있다.
- ➢ <편의점 직원> "심야시간에는 이런 키오스크나 앱을 통해서 결제하는 시스템을 도입함으로써 점포의 운영 효율성을 높이고..."

➢ Kiosk; 24시간, 무인, 음성출력, 각종상품 자동판매기 Program

➢롯데리아·맥도날드 매장 60%에 키오스크...

➢외식업계에 따르면 국내 업계 '투톱'인 롯데리아와 맥도날드는 전국 점포의 60%에 키오스크를 설치한 것으로 집계됐다.

➢현재 도심, 오피스 밀집 지역, 대학가 매장은 거의 다 키오스크가 있다고 보면 된다

➢KFC는 1년만에 100% 설치완료

➢매장 수로는 '투톱'에 비할 바 못하지만, 대중적 인지도는 높은 KFC는 본사 차원에서 키오스크 도입에 발벗고 나선 경우다.

➢ KFC는 2018년 전국 196개 매장 가운데 스키장·야구장 등 특수매장을 제외한 모든 일반 매장에 키오스크 설치를 마쳤다. 주요 패스트푸드 업계로서는 첫 '키오스크 100% 설치' 사례다

➢ Kiosk; 24시간, 무인, 음성출력, 각종상품 자동판매기 Program

➢"키오스크 1대 당 직원 1.5명 역할"...

- ➢ 업계 관계자는 "키오스크 한 대를 들이면 인건비 1.5명을 절감하는 효과를 낸다"고 귀띔했다.

➢24시간 매장 '반토막

- ➢ 경기 불황과 인건비 상승으로 국내 외식업계의 전망이 어두운 가운데 종업원을 고용하는 대신 비용 절감을 위해 키오스크(무인결제 주문기기)를 설치하는 매장이 빠르게 확산하는 반면, 심야에도 문을 여는 '24시간 매장'은 과거의 절반 수준으로 줄어든 것으로 나타났다.
- ➢ 키오스크 확산과 반대로 '24시간 매장'의 급격한 감소도 눈에 띈다.

➢"최저임금 인상과 무관" 지적도...

➢"붐비는 시간대 주문받기 위한 것"

- ➢ 패스트푸드 업계, 무인결제주문기기 '키오스크' 설치 확산
- ➢ 연합뉴스 (Yonhapnews) 유튜브로 보기

➢ 제10.5장 Visual Basic 응용 Program

- ➢ 10.5 Visual Basic 응용 Program
- ➢ 간단한 음료수 자동 판매기 Program
  - ➢자동 판매기 Program은 모든 상품 판매의 기본으로 중요

➢각종상품, 음성출력, 24시간,무인 자동판매기 Program으로 발전

- ➢1) 필요한 변수(상품종류나 가격 등 변화할 수 있는 자료)를 Excel 파일 연동하여 실시간(최신) 자료를 입력, 사용하면서
- ➢2) 음성 출력기능을 사용한 인간적 인터페이스를 통해서
- ➢3) 어떤 상품이라도 24시간, 무인으로, 자동 판매 가능하다.

➢Kiosk; 각종상품, 음성출력, 24시간, 무인 자동판매기 Program

- ➢기본적으로 음료수 자동 판매기를 비롯하여
- ➢인형, 가구, 핸드폰, 미세먼지, 재난관리용품, 산소 자판기 등
- ➢잔돈을 음성으로 알려주는 음성모듈을 추가한 자판기
- ➢신용카드, 가상화폐로 결제하는 결제모듈을 추가한 자판기

➢ 음료수 자동판매기 응용 Program

- ➢인형 자동판매기
  - ➢인형 자동판매기 Program 시연
- ➢가구 자동판매기
  - ➢가구 자동판매기 Program 시연
- ➢핸드폰 자동판매기
  - ➢핸드폰 자동판매기 Program 시연
- ➢미세먼지 마스크 자동판매기
  - ➢미세먼지 마스크 자동판매기 Program 시연
- ➢재난관리용품 응급자동판매기
  - ➢재난관리용품 응급자동판매기 Program 시연
- ➢산소 캔 자동판매기
  - ➢산소 캔 자동판매기 Program 시연

110

➢ 인형 자동판매기: 화면 디자인

➤ 가구 자동판매기: 화면 디자인

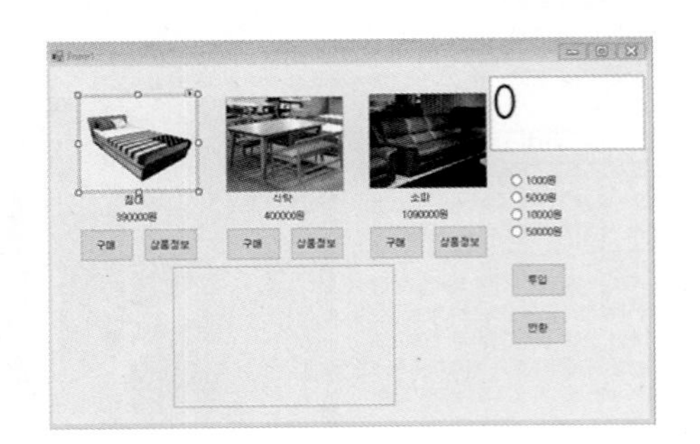

➤ 산소캔 자동판매기: 화면 디자인(사진 넣기)

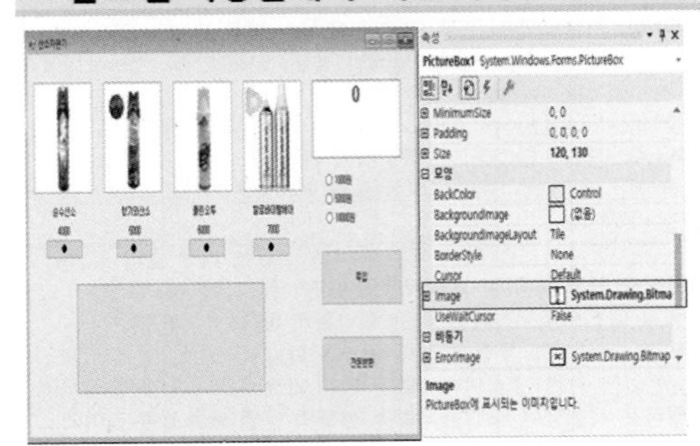

➤ 산소캔자동판매기:Source Code(엑셀연동)

```
Private Sub 순수산소가격정보_Click(이하 중략)
'가격표시Label 클릭시
  Dim 순수산소의가격 As Integer
'정수변수선언
  Dim 엑셀 As Object
  Dim 엑셀파일 As Object
'엑셀,엑셀파일을 객체형 변수로 선언
  엑셀 = CreateObject("excel.application")
  엑셀파일 = 엑셀.workbooks.open
             ("e:₩산소자판기.xlsx")
  순수산소의가격 = 엑셀파일.sheets(1)
                   .cells(2, 1).value
'엑셀파일 2행1열(A2)에있는 가격정보를 가져옴
  순수산소가격정보.Text = 순수산소의가격
'출력텍스트에 가격을 출력
    엑셀파일.close()
  End Sub
```

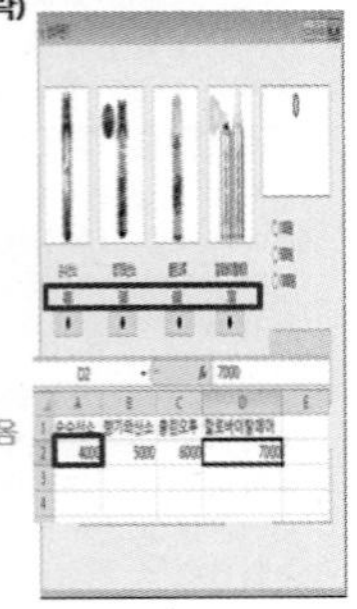

➤ 산소캔자동판매기:Source Code(금액투입)

```
Private Sub 투입_Click 이하 중략
  Dim 천원 As Integer, 오천원 As Integer, 만원 As Integer
  천원 = 1000
  오천원 = 5000
  만원 = 10000   '천원,오천원,만원의 변수 값을 각각 초기화
  If 천원Button.Checked  Then
'RadioButton1객체의 name속성을 천원Button으로 변경
    넣은돈.Text = Val(넣은돈.Text) + 천원
  End If
If 오천원Button.Checked  Then
'RadioButton2객체의 name속성을 오천원Button으로 변경
    넣은돈.Text = Val(넣은돈.Text) + 오천원
  End If
If 만원Button.Checked  Then
'RadioButton3객체의 name속성을 만원Button으로 변경
    넣은돈.Text = Val(넣은돈.Text) + 만원
  End If
End Sub
```

투입금액, 잔돈금액 표시창

➤ 산소캔자동판매기:Source Code(상품선택)

```
Private Sub Button1_Click 이하 중략
  Dim 순수산소의가격 As Integer
  Dim 엑셀 As Object
  Dim 엑셀파일 As Object
  엑셀 = CreateObject("excel.application")
  엑셀파일 = 엑셀.workbooks.open("e:₩산소의  가격.xlsx")
  순수산소의가격 = 엑셀파일.sheets(1).cells(2,  1).value
  순수산소가격정보.Text = 순수산소의가격
  엑셀파일.close()
   If 넣은돈.Text < 순수산소의가격 Then
     배출구.Image = My.Resources.Resource1.없음
'픽처박스5의 name속성을 배출구로 수정
     MsgBox(순수산소의가격 - 넣은돈.Text & "원이 부족합
니다", vbOKOnly, "돈부족")
    End If
    If 넣은돈.Text >= 순수산소의가격 Then
     넣은돈.Text = Val(넣은돈.Text) - 순수산소의가격
     배출구.Image = My.Resources.Resource1.순수산소1
     End If
End Sub
```

➤ 산소캔자동판매기:Source Code(잔돈반환)

```
Private Sub 잔돈반환_Click(sender As Object, e As EventArgs) Handles 잔
돈반환.Click
    MsgBox(넣은돈.Text & "원이 반환되었습니다", vbOKOnly, "잔돈")
    넣은돈.Text = "0"
```

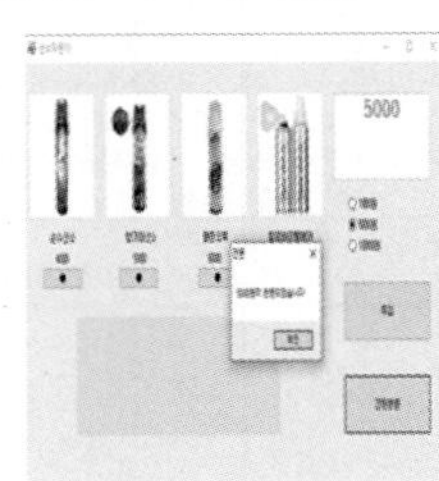

➢ 산소캔자동판매기:Source Code(음성출력)

```
Private Sub 잔돈반환_Click(sender As Object, e As EventArgs) Handles 잔돈반환.Click
        Dim 잔돈, 만의자리, 천의자리 As Double
        잔돈 = Val(넣은돈.Text)
        만의자리 = Int(잔돈 / 10000) '만의자리계산
        천의자리 = Int((잔돈 Mod 10000) / 1000) '천의자리계산
        MsgBox(넣은돈.Text & "원이 반환되었습니다", vbOKOnly, "잔돈") '잔돈반환 메세지
        넣은돈.Text = "0"
        If 잔돈 > 0 Then
        End If
        If 만의자리 > 0 Then '만의자리가 1이상이면 음성출력
           Select Case 만의자리 '만의자리 음성출력
              Case 1
My.Computer.Audio.Play(My.Resources.Resource1.일, AudioPlayMode.WaitToComplete)
        ........중략......
              Case 9
My.Computer.Audio.Play(My.Resources.Resource1.구, AudioPlayMode.WaitToComplete)
            •
            •
            •
```

음성출력파일

잔돈금액반환 및 음성출력 과정(ARS) 의사코드

만약 잔돈이 있으면
"잔돈은 잔돈(변수값) 원 입니다" 를 출력해야 한다.
먼저 잔돈 변수에 들어 있는 금액과는 상관없는 처음 음성
1) **"잔돈은"** 음성을 재생한다.

만약 잔돈이 "1600"라고 하면 잔돈(변수값) 읽는 방법
그 중 천의 자리 숫자가 1이므로
(녹음음성숫자1)를 읽어 준다. 2) "**일**"
"잔돈은 1천 6백원 입니다" 에서 "천" 에 해당하는 음성부분을
(녹음음성숫자1000) 재생한다. 3) "**천**"
같은 방식으로 백의 자리숫자가 6 이므로
잔돈이 "1600"이므로 4) "**육**" (녹음음성숫자6)
잔돈은 1천 6백원 입니다" 에서 5) "**백**" (녹음음성숫자100) 을
재생하고
마지막으로 6) "**원 입니다**" 를 재생해준다.

잔돈 천의자리, 백의자리 숫자 계산,출력하는 모듈

```
Private Sub Button1_Click_1 (중략)
        Dim 잔돈 As Double
        Dim 백의자리 As Double
        Dim 천의자리 As Double
        잔돈 = Val(TextBox1.Text)
        천의자리 = Int(잔돈 / 1000)
        TextBox2.Text = 천의자리
        백의자리 = Int((잔돈 Mod 1000) / 100)
        TextBox3.Text = 백의자리
End Sub
```

만약 잔돈이
"1600"이라고 하면,
천의 자리 숫자는 1 이고
백의 자리 숫자는 6 이다.

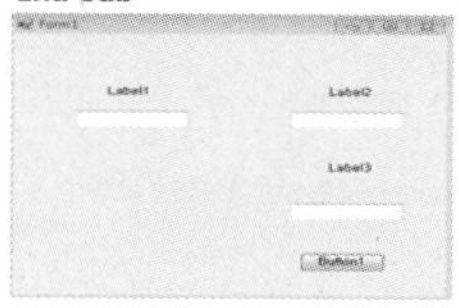

잔돈금액 천의자리, 백의자리 변수숫자 계산 방법

```
Private Sub 잔돈반환및말하기()
        Dim 잔돈, 백의자리, 천의자리 As Double
        잔돈 = Val(넣은금액.Text)
        천의자리 = Int(잔돈 / 1000)
        백의자리 = Int((잔돈 Mod 1000) / 100)
        넣은금액.Text = "0"      .......이하 중략......
    End Sub
```

잔돈(변수값) 읽는 방법 계산과정
잔돈변수에 들어 있는 금액이 1600원 이라고 가정하면
1) 천의자리 변수를 계산하기 위하여
천의자리= Int(잔돈 / 1000) : 를 계산하면
잔돈변수를 1000으로 나눈 몫은 1이 되고
이 값이 천의자리 변수에 저장된다.
이때 변수들이 미리부터 Integer(정수형) 변수로 선언되면
잔돈변수에 들어 있는 금액이 1600원이므로
천의자리= Int(잔돈 / 1000) : 의 결과값이 1.6이 되어,
반올림되어 천의자리 변수에 2로 올라가기 때문에
처음에는 Double(실수형)변수로 정의하여 계산한 1.6에서
1의 값만 정수화하기 위하여 먼저 Double(실수형)변수로 계산하고
Integer(정수형) 변수로 바꿔준다.

잔돈금액 천의자리, 백의자리 변수숫자 계산 방법

```
Private Sub 잔돈반환및말하기()
        Dim 잔돈, 백의자리, 천의자리 As Double
        잔돈 = Val(넣은금액.Text)
        천의자리 = Int(잔돈 / 1000)
        백의자리 = Int((잔돈 Mod 1000) / 100)
        넣은금액.Text = "0"      .......이하 중략......
    End Sub
```

잔돈(변수값) 읽는 방법 계산과정
잔돈변수에 들어 있는 금액이 1600원 이라고 가정하면
1) 천의자리 변수를 계산하기 위하여
천의자리= Int(잔돈 / 1000) : 를 계산하면
잔돈변수를 1000으로 나눈 몫은 1이 되고
이 값이 천의자리 변수에 저장된다.
2) 백의자리 변수를 계산하기 위하여
백의자리= Int((잔돈 Mod 1000) / 100) : 를 계산하면
잔돈변수를 1000으로 나눈 나머지 600을
다시 100으로 나눈 몫은 6이 되고
이 값이 백의자리 변수에 저장된다.

➢ 잔돈반환 및 말하기함수: 음성(잔돈은)

```
Private Sub 잔돈반환및말하기()
        Dim 잔돈, 백의자리, 천의자리 As Double
        잔돈 = Val(넣은금액.Text)
        천의자리 = Int(잔돈 / 1000)
        백의자리 = Int((잔돈 Mod 1000) / 100)
        넣은금액.Text = "0"
    If 잔돈 > 0 Then
    My.Computer.Audio.Play(My.Resources.잔돈은, AudioPlayMode.WaitToComplete)
    Else
    My.Computer.Audio.Play(My.Resources.잔돈이 없어요,
AudioPlayMode.WaitToComplete)
        If 천의자리 > 0 Then
            Select Case 천의자리
                Case
                My.Co
            End Sele
            My.Co
        End If
        If 백의자리
            Select C
                Case
                My.Co
            End Selec
            My.Comp
```

잔돈이 있다면 If 조건 문 Then 이하를 실행하여
"잔돈은 잔돈(변수값) 원 입니다."
중에서 금액과 상관없이 처음으로 출력해야 할
"잔돈은" (녹음음성잔돈은)을 재생한다.

잔돈이 없다면 If 조건 문 Else 이하를 실행하여
"잔돈이 없어요" 라는 음성파일을 출력한다

➢ 잔돈반환 및 말하기함수: 음성(일)

```
Private Sub 잔돈반환및말하기()
    Dim 잔돈, 백의자리, 천의자리 As Double
    잔돈 = Val(넣은금액.Text)
    천의자리 = Int(잔돈 / 1000)
    백의자리 = Int((잔돈 Mod 1000) / 100)
    넣은금액.Text = "0"
    If 잔돈> 0 Then
      My.Computer.Audio.Play(My.Resources.잔돈은,
AudioPlayMode.WaitToComplete)
      If 천의자리 > 0 Then
        Select Case 천의자리
          Case 1
          My.Computer.Audio.Play(My.Resources.숫자1,
AudioPlayMode.WaitToComplete)
          Case 2
          My.Computer.Audio.Play(My.R
          Case 3
          My.Computer.Audio.Play(My.R
          Case 4
          My.Computer.Audio.Play(My.R
          Case 5
          My.Computer.Audio.Play(My.R
          Case 6
          My.Computer.Audio.Play(My.Resources.숫자6, AudioPlayMode.WaitToComplete)
          Case 7
```

잔돈(변수값) 읽는 방법
만약 잔돈이 "1600"라고 하면
그 중 천의 자리 숫자가 1이므로
(녹음음성파일숫자1)를 읽어 준다.
예) "일"

➢ 잔돈반환 및 말하기함수: 음성(천)

```
Private Sub 잔돈반환및말하기()
    Dim 잔돈, 백의자리, 천의자리 As Double
    잔돈 = Val(넣은금액.Text)
    천의자리 = Int(잔돈 / 1000)
    백의자리 = Int((잔돈 Mod 1000) / 100)
    넣은금액.Text = "0"
    If 잔돈> 0 Then
      My.Computer.Audio.Play(My.Resources.잔돈은, AudioPlayMode.WaitToComplete)
      If 천의자리 > 0 Then
        Select Case 천의자리
          Case 1
           My.Computer.Audio.Play(My.Resources.숫자1, AudioPlayMode.WaitToComplete)
          Case 2
          중략 ---------------------
           Case 8
           My.Computer.Audio.P                                        plete)
           Case 9
           My.Computer.Audio.P                                        plete)
        End Select
        My.Computer.Audio.Play(My.Resources.숫자1000,
AudioPlayMode.WaitToComplete)
        End If
        If 백의자리 > 0 Then
          Select Case 백의자리
            Case 1
```

"잔돈은 1천 6백원 입니다" 에서
"천" 에 해당하는 음성부분을
(녹음음성숫자1000) 재생한다.

➢ 잔돈 말하기함수: 음성(육 백 원입니다)

```
Private Sub 잔돈반환및말하기()
    Dim 잔돈, 백의자리, 천의자리 As Double
    잔돈 = Val(넣은금액.Text)
    천의자리 = Int(잔돈 / 1000)
    백의자리 = Int((잔돈 Mod 1000) / 100)
    넣은금액.Text = "0"
    If 잔돈 > 0 Then
      My.Computer.Audio.Play(My.Resources.잔돈은, AudioPlayMode.WaitToComplete)
      If 천의자리 > 0 Then
        Select Case 천의자리
          Case 1
            My.Computer.Audio.Play(My.Resources.숫자1, AudioPlayMode.WaitToComplete)
          Case 2
            My.Computer.Audio.Play(My.Resources.숫자2, AudioPlayMode.WaitToComplete)
          Case 3
            My.Computer.Audio.Play(My.Resources.숫자3, AudioPlayMode.WaitToComplete)
          Case 4
            My.Computer.Audio.Play(My
          Case 5
            My.Computer.Audio.Play(My
          Case 6
            My.Computer.Audio.Play(My
          Case 7
            My.Computer.Audio.Play(My
```

같은 방식으로 백의 자리와
예)"육" (녹음음성숫자6)
예)"백" (녹음음성숫자100)
예)"원 입니다"를 재생해준다.

➢ 산소캔자동판매기:Source Code(음성출력)

```
If 천의자리 > 0 Then '천의자리가 1이상이면 음성출력
          Select Case 천의자리 '천의자리 음성출력
              Case 1
My.Computer.Audio.Play(My.Resources.Resource1.일,
AudioPlayMode.WaitToComplete)
              Case 2
My.Computer.Audio.Play(My.Resources.Resource1.이,
AudioPlayMode.WaitToComplete)
          ... 중략 ...
                Case 9
My.Computer.Audio.Play(My.Resources.Resource1.구,
AudioPlayMode.WaitToComplete)
          ... 중략 ...
My.Computer.Audio.Play(My.Resources.Resource1.천,
AudioPlayMode.WaitToComplete)
      End If
My.Computer.Audio.Play(My.Resources.Resource1.원이반환되었습니다,
AudioPlayMode.WaitToComplete) '마지막에 출력됨
   End Sub
```

➢ 단계적 정제로 새로운 모듈들을 추가 ++

- ➢ Software의 설계도 같은 개념으로 접근
  - ➢ 처음에는 간단한 기능을 가진 Module로 만들고
  - ➢ 점차, 작은 단위의 Module로 세분화해서, 추가해 나간다
- ➢ 1)가능하면 검증된 Library, Class 등 기존 SW부품 재사용
- ➢ 2)기존부품이 없으면 재사용가능한 새로운Component개발

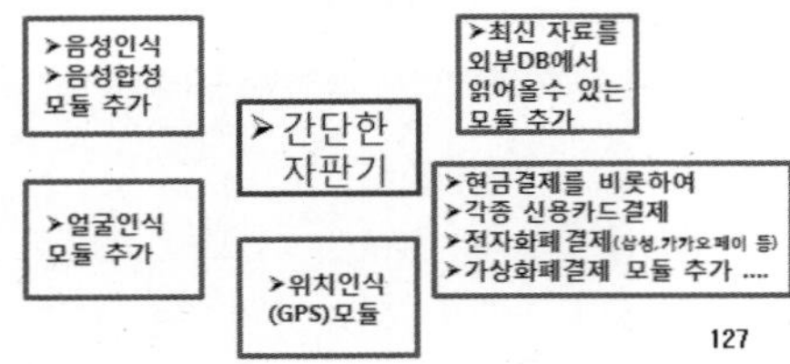

127

10.5 Visual Basic 전공분야 응용 IT융합 Program 사례2

A13 10.6 Visual Basic 실시간 응용 Program

- 10.6 Visual Basic 실시간(On-Line Real-Time)응용 Program:
- Data주도 설계(Data-driven Design) or 반사적 설계를 이용하여 실시간으로 외부 정보(최신 정보)를 사용하는 Program
  - 외부데이터(외부Server의 DB자료), Excel, Excess, SQL Server 등
- 실시간 환율을 이용하여 외국화폐를 원화로 환전하는 Program
  - 컴퓨터공학과 문은상
- 실시간 주가 정보를 이용한 주가 정보 분석 Program
  - 컴퓨터공학과 문은상
- 실시간 기온 정보조회 Program
  - 재료금속공학과 신효정
- 실시간 전국 시도별(강원도 삼척시) 날씨 정보조회 Program
  - 건설융합학부 이종규
- 실시간 전국 시도별 미세먼지 정보조회 Program
  - 지구환경과 이병학
- 실시간 전국 부동산(아파트 평당가격) 정보조회 Program
  - 건축학과 김재석
- 실시간 화재 자동탐지 및 전국 재난안전관리 연결망 Program
  - 소방방재공학과 신성균, 추현호

Data주도 설계 (Data-driven Design) or 반사적 설계를 이용하여 실시간으로 외부정보(최신정보)를 사용하는 Program

- 1) Program을 직접 수정하지 않도록 보호하기 위해서,
- 쉽게 수정될 수 있는 외부 DB의 자료를 사용
  - 외부 Server의 DB자료,
  - Excel, Excess, Word문서, 기타 File 등의 외부 자료
- 2) 외부 Data의 계속적인 변화로부터 Program을 보호
- 실시간으로 외부정보(최신정보)를 사용
  - 환율, 할인율 등의 자료는
  - 시간 별로, 또는 구매자 유형에 따라 계속 변화한다
    - 예: 월요일은 10%, 화요일은 20%, ..., 노인은 30%, ...
  - 그러므로 환율, 할인율을 나타내는 숫자는 DB와 같은 외부 Data 저장소에서 읽어오는 것이 좋다.
  - 최신의 환율, 할인율을 읽어와서 동적으로 수정

A13 10.6 Visual Basic 실시간 응용 Program

- 10.6 Visual Basic 실시간(On-Line Real-Time)응용 Program:
- Data주도 설계(Data-driven Design) or 반사적 설계를 이용하여 실시간으로 외부 정보(최신 정보)를 사용하는 Program
  - 외부데이터(외부Server의 DB자료), Excel, Excess, SQL Server 등
- 실시간 환율을 이용하여 외국화폐를 원화로 환전하는 Program
  - 컴퓨터공학과 문은상
- 실시간 주가 정보를 이용한 주가 정보 분석 Program
  - 컴퓨터공학과 문은상
- 실시간 기온 정보조회 Program
  - 재료금속공학과 신효정
- 실시간 전국 시도별(강원도 삼척시) 날씨 정보조회 Program
  - 건설융합학부 이종규
- 실시간 전국 시도별 미세먼지 정보조회 Program
  - 지구환경과 이병학
- 실시간 전국 부동산(아파트 평당가격) 정보조회 Program
  - 건축학과 김재석
- 실시간 화재 자동탐지 및 전국 재난안전관리 연결망 Program
  - 소방방재공학과 신성균, 추현호

원화 환전 Program: 의사코드와 화면설계

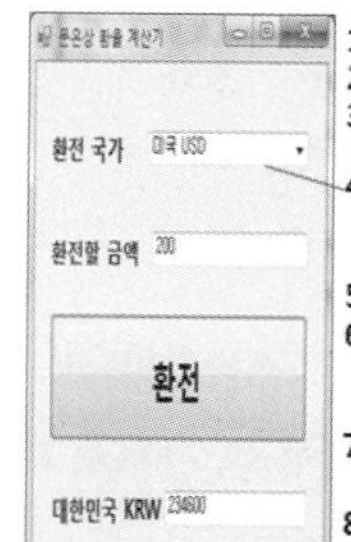

1. 국가별 실시간 환율 정보를
2. 온라인 사이트에서 가져와서
3. 엑셀에 저장.
4. 엑셀에 저장된 국가별 환율 정보가 옆에 있는 콤보 박스 목록에 연결.
5. 원화로 환전할 화폐의 종류를 선택하고
6. 환전할 금액(여기서는 200 USD)을 입력한 후
7. 환전Button을 클릭하면 (이벤트 발생)
8. 원화로 환산된 금액 출력 (이벤트 프로시저 실행)

원화 환전 Program: 콤보박스에 내용입력

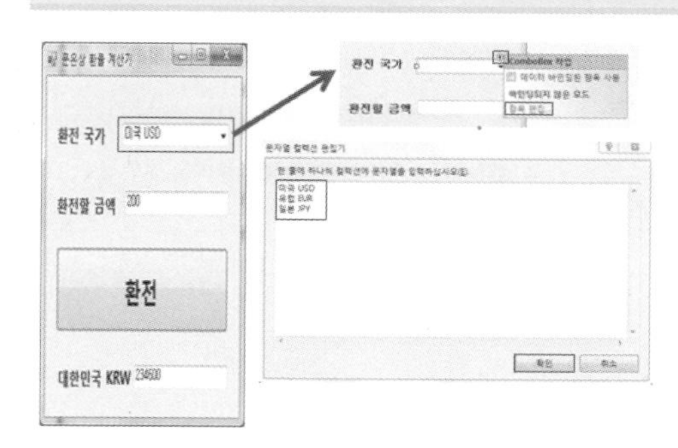

원화 환전 Program: 흐름도를 사용해 코딩

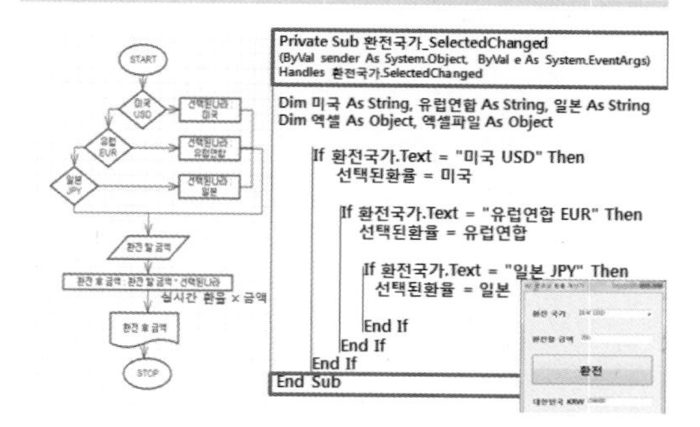

➢ 웹사이트에서 엑셀로 환율 가져오기 1

엑셀을 이용하여 여러 국가의 환율을 가져오는 과정.

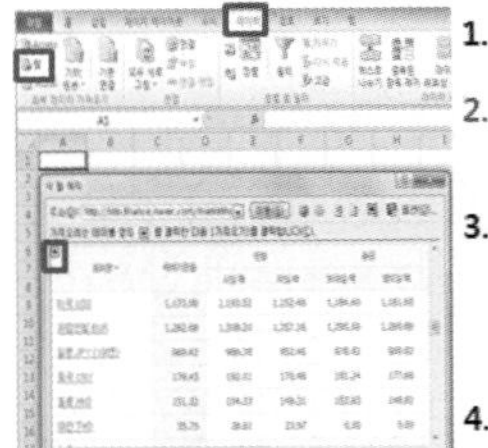

1. Microsoft Excel을 실행.
2. 데이터 메뉴의 웹을 클릭 하여
3. 웹 브라우저를 이용하여 환율 사이트로 이동하여 세계 각국의 환율정보가 있는 사이트를 찾아 이동.
4. 정보를 가져오기 위해서
5. ➡ Button을 클릭.

➢ 웹사이트에서 엑셀로 환율 가져오기 2

1. 데이터 가져오기 를 클릭 후
2. 속성 을 선택.

3. 외부 데이터 범위 속성 창이 열리면
4. 환율정보를 실시간으로 반영하도록
5. 새로 고침 옵션 을 수정.

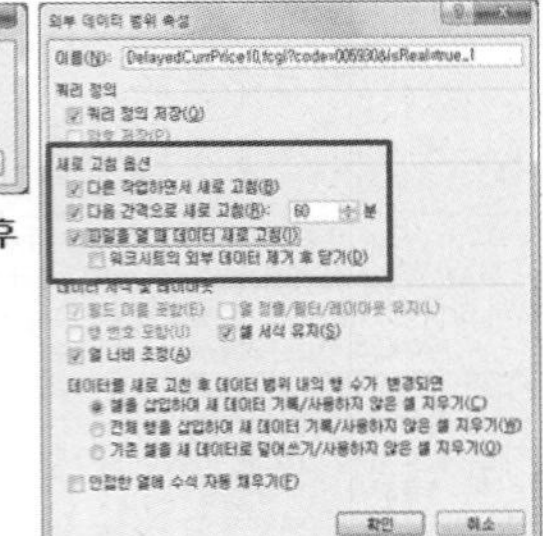

➢ 웹사이트에서 엑셀로 환율 가져오기 3

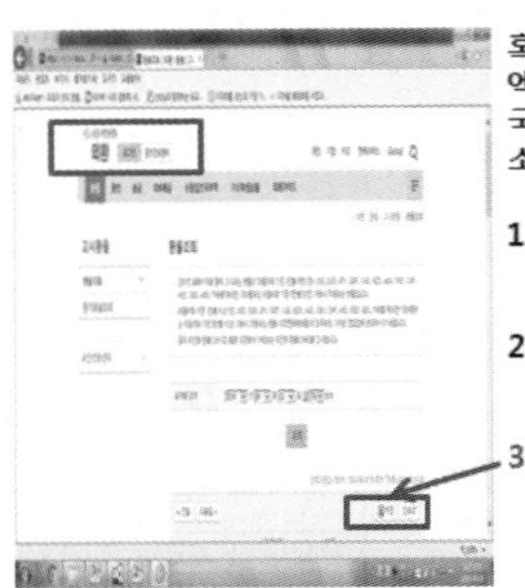

혹은 방법2) 다음은 환율정보를 엑셀로 바로 저장할 수 있는 국민은행 환율 정보 사이트를 소개한다.

1. 웹 브라우저를 이용하여 환율 사이트로 이동하는데
2. 환율정보를 직접 가져오기 위해
3. 엑셀로 저장 Button을 클릭. 이때 엑셀 파일명을 F:₩환율정보.xlsx 로 저장

➢ 웹사이트에서 엑셀로 환율 가져오기 4

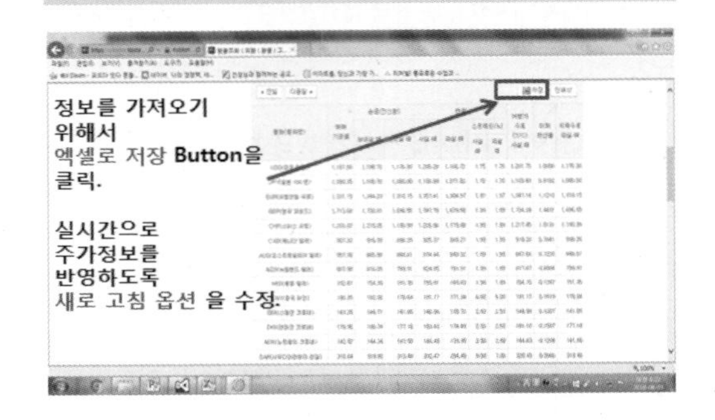

정보를 가져오기 위해서 엑셀로 저장 Button을 클릭.

실시간으로 주가정보를 반영하도록 새로 고침 옵션 을 수정.

➢ 엑셀파일에서 VBProgram으로 환율 가져오기

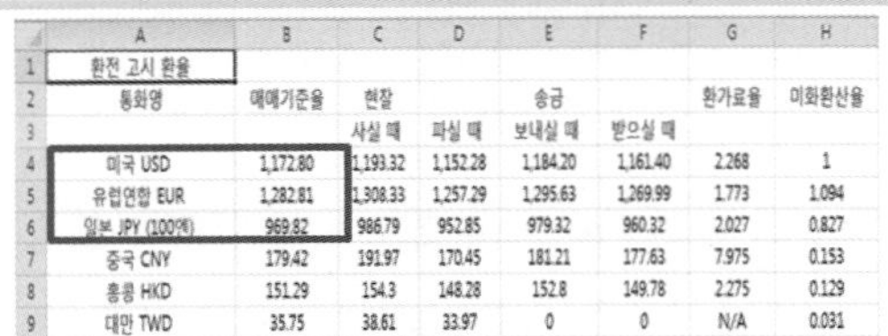

	A	B	C	D	E	F	G	H
1	환전 고시 환율							
2	통화명	매매기준율	현찰		송금		환가료율	미화환산율
3			사실 때	파실 때	보내실 때	받으실 때		
4	미국 USD	1,172.80	1,193.32	1,152.28	1,184.20	1,161.40	2.268	1
5	유럽연합 EUR	1,282.81	1,308.33	1,257.29	1,295.63	1,269.99	1.773	1.094
6	일본 JPY (100엔)	969.82	986.79	952.85	979.32	960.32	2.027	0.827
7	중국 CNY	179.42	191.97	170.45	181.21	177.63	7.975	0.153
8	홍콩 HKD	151.29	154.3	148.28	152.8	149.78	2.275	0.129
9	대만 TWD	35.75	38.61	33.97	0	0	N/A	0.031

미국, EU, 일본, 중국, 홍콩, 대만 6개 국가의 환율정보를 가져온다.
(이때 엑셀 파일명을 D:₩환율정보.xlsx 로 저장한다)
엑셀로 저장된 엑셀 경로와 파일명 D:₩환율정보.xlsx 의 내용
USD(B4) => cells(4, 2) 4행2열
EUR(B5) => cells(5, 2) 5행2열
JPY(B6) => cells(6, 2) 6행2열

➢ VB에서 원화 환전 Program 만들기

1. Visual Studio를 실행하고
2. 새 프로젝트를 선택.

1. Visual Basic을 선택하고
2. Windows Form 응용 Program을 선택해준 뒤
3. 확인을 선택.

➢ VB에서 원화 환전 Program 만들기

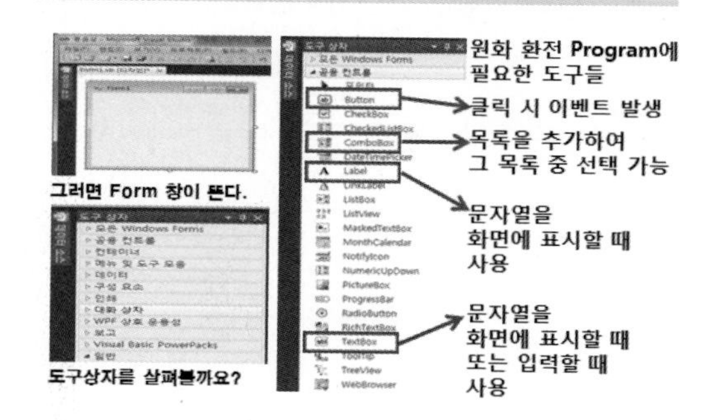

➢ VB에서 원화 환전 Program 만들기

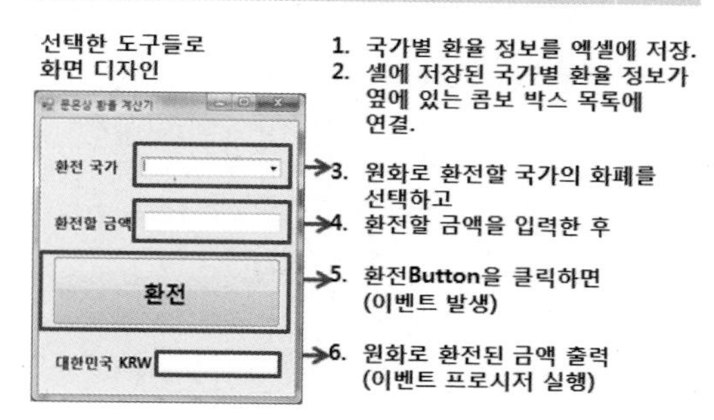

➢ VB에서 원화 환전 Program 만들기

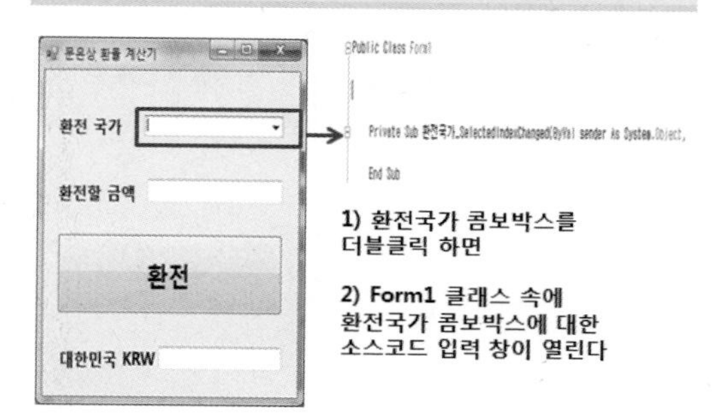

➢ 원화 환전 Program: Source Code 만들기

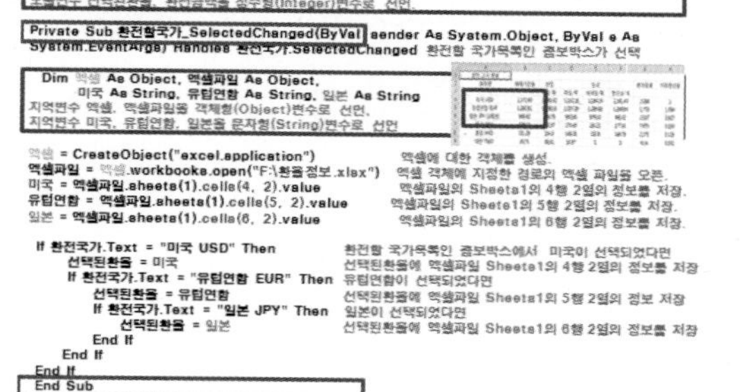

➢ 원화 환전 Program: Source Code 만들기

```
Dim 선택된환율 As Integer, 환전금액 As Integer
```

모듈변수 선택된환율, 환전금액을 정수형(Integer)변수로 선언.

```
Private Sub 환전할국가_SelectedChanged(ByVal sender As System.Object,
ByVal e As System.EventArgs) Handles 환전국가.SelectedChanged
```

환전할 국가목록인 콤보박스가 선택되었다면

```
Dim 엑셀 As Object, 엑셀파일 As Object,
    미국 As String, 유럽연합 As String, 일본 As String
```

지역변수 엑셀, 엑셀파일을 객체형(Object)변수로 선언,
지역변수 미국, 유럽연합, 일본을 문자형(String)변수로 선언

```
엑셀 = CreateObject("excel.application")
```

엑셀에 대한 객체를 생성.

```
엑셀파일 = 엑셀.workbooks.open("F:₩환율정보.xlsx")
```

엑셀 객체에 지정한 경로의 엑셀 파일을 오픈.

➢ Source Code 만들기

```
Private Sub 환전할국가_SelectedChanged
미국 = 엑셀파일.sheets(1).cells(4, 2).value
```

엑셀파일의 Sheets1의 4행 2열(B4)의 정보를 저장.

```
유럽연합 = 엑셀파일.sheets(1).cells(5, 2).value
```

엑셀파일의 Sheets1의 5행 2열(B5)의 정보를 저장.

```
일본 = 엑셀파일.sheets(1).cells(6, 2).value
```

엑셀파일의 Sheets1의 6행 2열(B6)의 정보를 저장.

```
If 환전국가.Text = "미국 USD" Then
```

콤보박스에서 미국이 선택되면

```
    선택된환율 = 미국 //위의 엑셀파일에서 가져온 1152.20 값이 입력됨
```

선택된환율에 엑셀파일 Sheets1의 4행 2열의 정보를 저장.

```
    If 환전국가.Text = "유럽연합 EUR" Then
```

유럽연합이 선택되면

```
        선택된환율 = 유럽연합 //엑셀파일에서 1309.82 값이 입력됨
```

선택된환율에 엑셀파일 Sheets1의 5행 2열의 정보를 저장.

```
        If 환전국가.Text = "일본 JPY" Then
```

일본이 선택되면

```
            선택된환율 = 일본 //1059.59 값 입력됨
```

선택된환율에 엑셀파일 Sheets1의 6행 2열의 정보를 저장

```
        End If
    End If
End If
End Sub
```

➢ 원화 환전 Program: Source Code 만들기

	A	B	C
1	환전 고시 환율		
2	통화명	매매기준율	현찰
3			사실 때
4	미국 USD	1,152.20	1,172.36
5	유럽연합 EUR	1,309.82	1,335.88
6	일본 JPY (100엔)	1,059.59	1,078.13
7	중국 CNY	177.58	190.01
8	홍콩 HKD	148.51	151.46
9	대만 TWD	35.53	38.37
10	영국 GBP	1,621.38	1,653.64
11	오만 OMR	2,992.73	3,172.29
12	캐나다 CAD	879.61	897.11

이러한 방식으로 환율정보를 웹에서 가져온다.

다음은 엑셀로 가져온 환율정보를 Visual Basic에서 입력 받아 실시간 환율정보를 출력하는 Program을 알아본다.

➢ 원화 환전 Program: Source Code 만들기

```
Dim 선택된환율 As Integer, 환전금액 As Integer
```
전역변수 선택된환율, 환전금액을 정수형 변수로 선언

```
Private Sub 환전할금액_TextChanged(ByVal sender As System.Object, ByVal e As System.EventArgs) Handles 환전할금액.TextChanged
```
환전할 금액이 입력되면

```
    환전금액 = 환전할금액.Text
```
TextBox 환전할 금액에 입력된 값을 전역변수 환전금액에 저장

```
End Sub
```

➢ 원화 환전 Program: Source Code 만들기

```
Dim 선택된환율 As Integer, 환전금액 As Integer
```
전역변수 정수형 선택된환율, 환전금액을 선언.

```
Private Sub 환전버튼_Click(ByVal sender As System.Object, ByVal e As System.EventArgs) Handles 환전버튼.Click
```
환전버튼을 클릭하면

```
    환전후금액.Text = 환전금액 * 선택된환율
```
환전후금액을 계산한 후 대한민국KRW TextBox에 출력.

```
End Sub
End Class
```

➢ 원화 환전 Program: Source Code 만들기

완성된 Program을 확인해보자

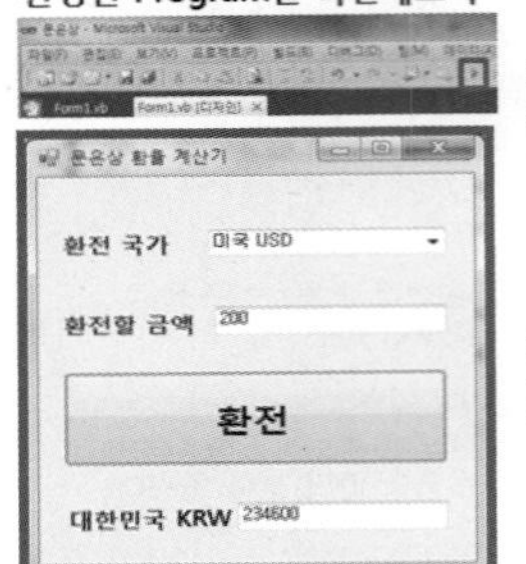

디버깅앤 실행 버튼을 클릭하면

원화 환전 Program 이 실행되는 것을 확인할 수 있다.

A13 10.6 Visual Basic 실시간 응용 Program

- ➢ 10.6 Visual Basic 실시간(On-Line Real-Time)응용 Program:
- ➢ Data주도 설계(Data-driven Design) or 반사적 설계를 이용하여 실시간으로 외부 정보(최신 정보)를 사용하는 Program
  - ➢ 외부데이터(외부Server의 DB자료), Excel, Excess, SQL Server 등
- ➢ 실시간 환율을 이용하여 외국화폐를 원화로 환전하는 Program
  - ➢ 컴퓨터공학과 문은상
- ➢ 실시간 주가 정보를 이용한 주가 정보 분석 Program
  - ➢ 컴퓨터공학과 문은상
- ➢ 실시간 기온 정보조회 Program
  - ➢ 재료금속공학과 신효정
- ➢ 실시간 전국 시도별(강원도 삼척시) 날씨 정보조회 Program
  - ➢ 건설융합학부 이종규
- ➢ 실시간 전국 시도별 미세먼지 정보조회 Program
  - ➢ 지구환경과 이병학
- ➢ 실시간 전국 부동산(아파트 평당가격) 정보조회 Program
  - ➢ 건축학과 김재석
- ➢ 실시간 화재 자동탐지 및 전국 재난안전관리 연결망 Program
  - ➢ 소방방재공학과 신성균, 추현호

➢ 실시간 주가정보 출력 Program: 의사코드

1. 주식정보조회 사이트의 주가정보를 엑셀에 저장.
2. 셀에 저장된 각 기업의 주가정보를 기업 이름 버튼에 맞게 연결.
3. 사용자가 기업 이름 버튼을 클릭하면 (이벤트 발생)
4. 해당 기업의 주가정보가 출력 (이벤트 프로시저 실행)
5. 초기화 버튼을 누르면 주가정보는 초기화.

➤ 실시간 주가정보 출력 Program: 화면디자인

선택한 도구들로 Form 의 디자인을 구성.

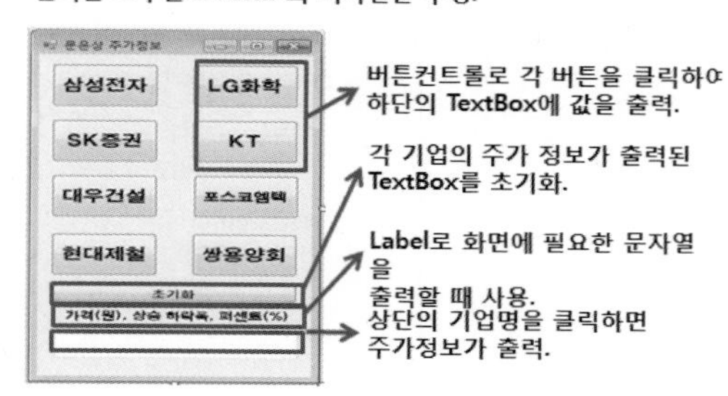

➤ 실시간 주가정보 출력 Program: 엑셀정보

엑셀을 이용하여 각 기업의 실시간 주가를 가져온다.

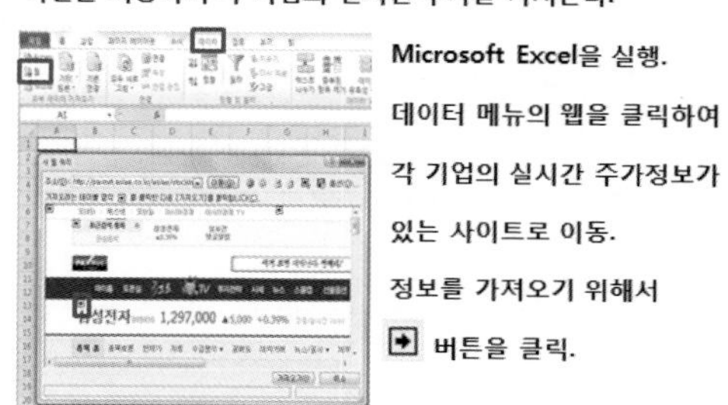

Microsoft Excel을 실행.

데이터 메뉴의 웹을 클릭하여

각 기업의 실시간 주가정보가

있는 사이트로 이동.

정보를 가져오기 위해서

➔ 버튼을 클릭.

➤ 실시간 주가정보 출력 Program: 엑셀정보

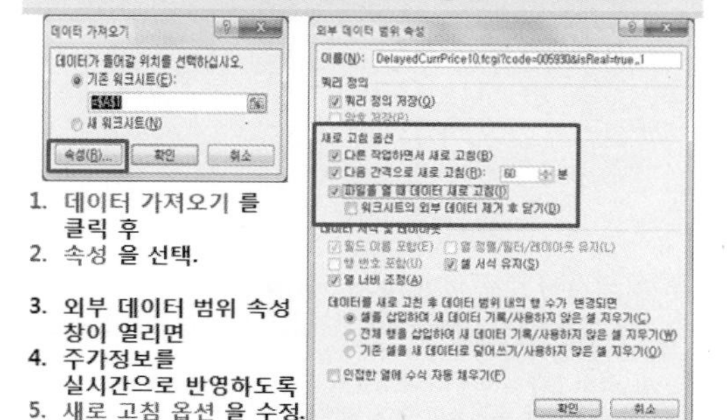

1. 데이터 가져오기 를 클릭 후
2. 속성 을 선택.

3. 외부 데이터 범위 속성 창이 열리면
4. 주가정보를 실시간으로 반영하도록
5. 새로 고침 옵션 을 수정.

➤ 실시간 주가정보 출력 Program: 엑셀정보

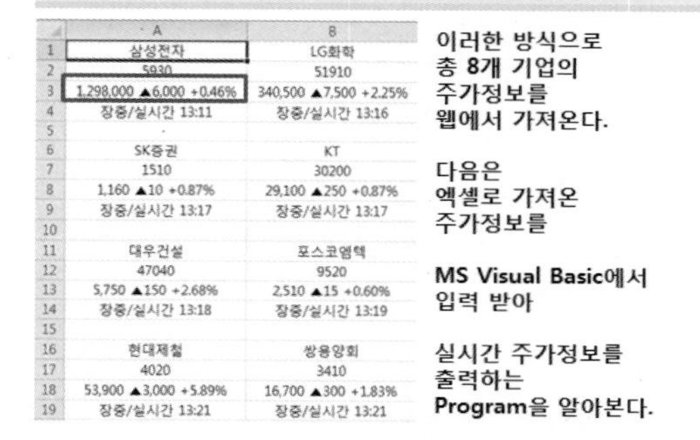

	A	B
1	삼성전자	LG화학
2	5930	51910
3	1,298,000 ▲6,000 +0.46%	340,500 ▲7,500 +2.25%
4	장중/실시간 13:11	장중/실시간 13:16
5		
6	SK증권	KT
7	1510	30200
8	1,160 ▲10 +0.87%	29,100 ▲250 +0.87%
9	장중/실시간 13:17	장중/실시간 13:17
10		
11	대우건설	포스코엠텍
12	47040	9520
13	5,750 ▲150 +2.68%	2,510 ▲15 +0.60%
14	장중/실시간 13:18	장중/실시간 13:19
15		
16	현대제철	쌍용양회
17	4020	3410
18	53,900 ▲3,000 +5.89%	16,700 ▲300 +1.83%
19	장중/실시간 13:21	장중/실시간 13:21

이러한 방식으로 총 8개 기업의 주가정보를 웹에서 가져온다.

다음은 엑셀로 가져온 주가정보를

MS Visual Basic에서 입력 받아

실시간 주가정보를 출력하는 Program을 알아본다.

➤ 실시간 주가정보 Program: Source Code

이벤트를 발생시킬 Button의 소스 코드를 알아 본다.

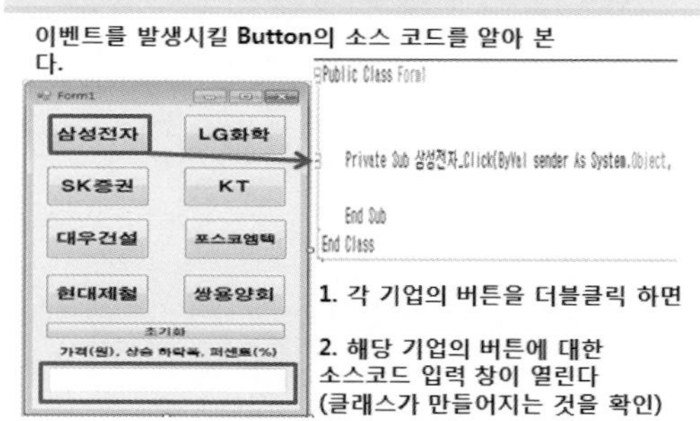

1. 각 기업의 버튼을 더블클릭 하면

2. 해당 기업의 버튼에 대한 소스코드 입력 창이 열린다 (클래스가 만들어지는 것을 확인)

➤ 실시간 주가정보 Program: Source Code

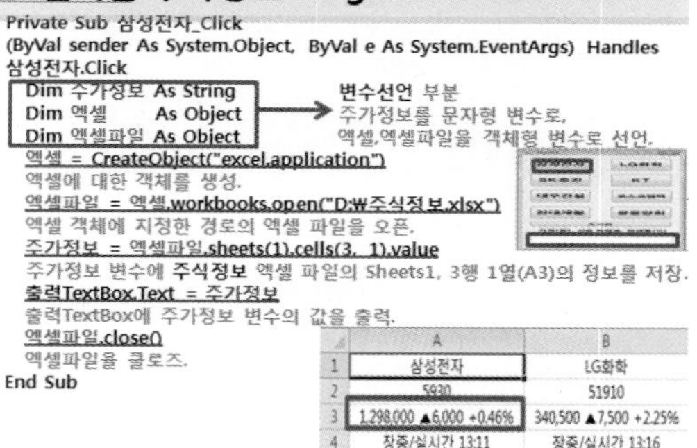

```
Private Sub 삼성전자_Click
(ByVal sender As System.Object, ByVal e As System.EventArgs) Handles
삼성전자.Click
  Dim 주가정보 As String
  Dim 엑셀      As Object
  Dim 엑셀파일 As Object
  엑셀 = CreateObject("excel.application")
  엑셀에 대한 객체를 생성.
  엑셀파일 = 엑셀.workbooks.open("D:₩주식정보.xlsx")
  엑셀 객체에 지정한 경로의 엑셀 파일을 오픈.
  주가정보 = 엑셀파일.sheets(1).cells(3, 1).value
  주가정보 변수에 주식정보 엑셀 파일의 Sheets1, 3행 1열(A3)의 정보를 저장.
  출력TextBox.Text = 주가정보
  출력TextBox에 주가정보 변수의 값을 출력.
  엑셀파일.close()
  엑셀파일을 클로즈.
End Sub
```


	A	B
1	삼성전자	LG화학
2	5930	51910
3	1,298,000 ▲6,000 +0.46%	340,500 ▲7,500 +2.25%
4	장중/실시간 13:11	장중/실시간 13:16

➢ 실시간 주가정보 Program: Source Code

```
Public Class Form1
  Dim 현재주가 As String
  Dim 주가등락 As String
  Dim 주가등락율 As String
  Dim 엑셀 As Object
  Dim 엑셀파일 As Object
   Private Sub Button1_Click(sender As System.Object, e
System.EventArgs) Handles 삼성전자.Click
   엑셀 = CreateObject("excel.application")
   엑셀파일 = 엑셀.workbooks.open("D:주식정보.xlsx")
   현재주가 = 엑셀파일.sheets(1).cells(4, 3).value
   주가등락 = 엑셀파일.sheets(1).cells(4, 4).value
   주가등락율 = 엑셀파일.sheets(1).cells(4, 5).value
   출력TextBox.Text =
          현재주가 + "원 " + 주가등락 + "원 " + 주가등락율 + "%"
   엑셀파일.close()
```

만약 주가정보가 현재가, 전일비, 등락률 등 3가지로 각각 다른 셀에 나누어져 있다면 다음과 같이 주가정보1,2,3으로 분류하여 연결 출력한다.

	A	B
1	삼성전자	LG화학
2	5930	51910
3	1,298,000 ▲6,000 +0.46%	340,500 ▲7,500 +2.25%
4	장중/실시간 13:11	장중/실시간 13:16

281800원 상승29,000원 0.010%

➢ 실시간 주가정보 Program: 실행

완성된 Program을 확인.

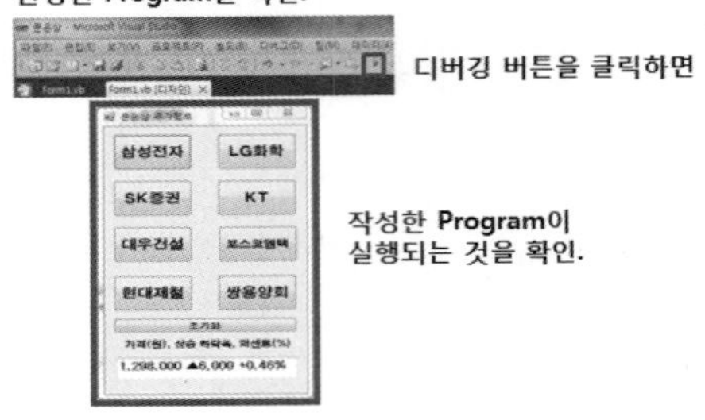

디버깅 버튼을 클릭하면

작성한 Program이 실행되는 것을 확인.

➢ A14 10.6 VB 전공분야 응용 IT융합 Program 2

➢ 10.6 Visual Basic 전공분야 응용 IT융합 Program 2

➢ 자율주행시스템 자동차
- ➢ 컴퓨터공학과 오길규, 이석환, 하 손
- ➢ 자율주행시스템 자동차 소프트웨어.exe 실행
- ➢ 의사코드(알고리즘의 표현방법중 하나) 만들기
- ➢ 의사코드를 사용하여 화면 디자인하는 과정
- ➢ 의사코드와 화면을사용하여 논리 작동과정 정리
- ➢ 의사코드, 화면을 이용하여 흐름도(Flow Chart) 작성
- ➢ 소스코드(Source Code) 작성하기

➢ 자율주행시스템 자동차

자율주행시스템 자동차 소프트웨어.exe 실행

오 길규, 이 석환, 하 손

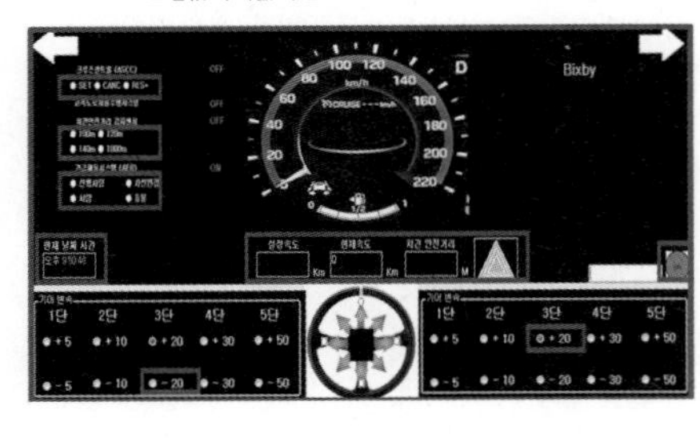

➢ 객체지향 SW 개발 공정 (RUP)

➢ RUP는 객체지향 SW개발 공정의 사실상 표준(De Facto)

- ➢ 1) SW의 전체적인 구조(Architecture) 중심 설계
  - ➢ System을 구성하는 Module들의 전체구조를 효율적으로 구성
  - ➢ 이해가 용이, 유연성이 증대, 확장성이 우수한 제품 개발
- ➢ 2) 사용 사례(Use Case)에 의한 구동(驅動 ; Drive)
  - ➢ 요구사항을 조기 정립하여 전체공정을 효율적으로 운용
- ➢ 3) CBD(Component 지향 SW 설계)
  - ➢ 재사용 가능한 검증된 Component의 사용(조립)과 개발
  - ➢ 개발속도 향상, 개발비용 절감, 품질향상
  - ➢ Software부품(Component)들과 Library
  - ➢ CBD(Component Based Development)
  - ➢ Software부품(Component)들의 연결과 API
  - ➢ Open API를 활용한 매시업(Mashup) 서비스 사례
- ➢ 4) 반복 및 점증적 개발로 위험을 최소화

➢ SW의 전체적인 구조(Architecture) 중심 설계

- ➢ System 구조도(Structure Chart)로 표현한다
  - ➢ System을 기능 Module 단위로 분할
  - ➢ Module의 이름과 기능 정의(사각형의 박스로 표현)
  - ➢ System을 이루는 기능Module들의 관계와 전체구조를 파악
  - ➢ Module의 계층적 구성(호출 관계가 화살표로 표현)
  - ➢ Module 사이의 입출력 Interface를 표시

자율주행 자동차 시스템
System 구조도(Structure Chart) 1

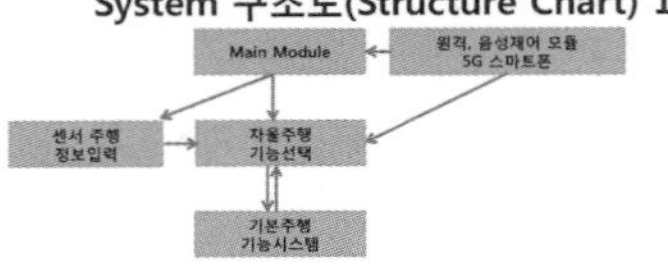

➢ 자율주행 자동차시스템

➢ 크게 분할된 Module들을 대략적인 구조로 구조화한

➢ 기능 Module별 System 구조도(Structure Chart) 1

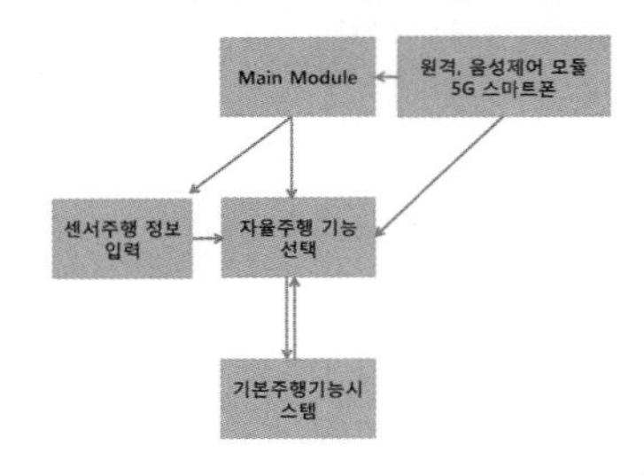

4

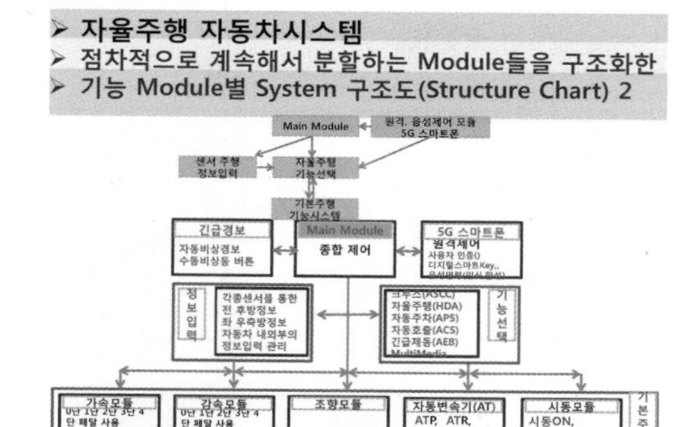

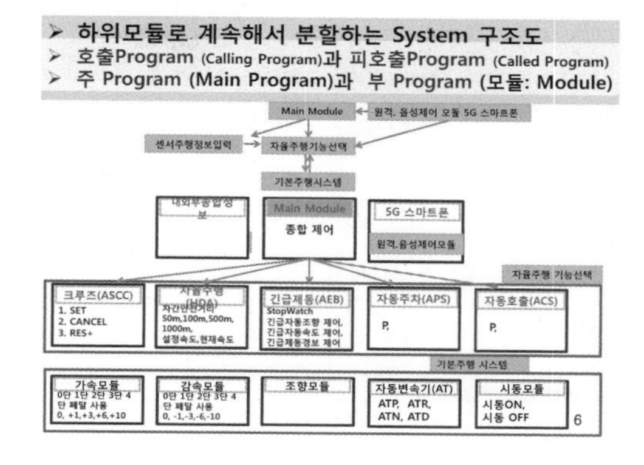

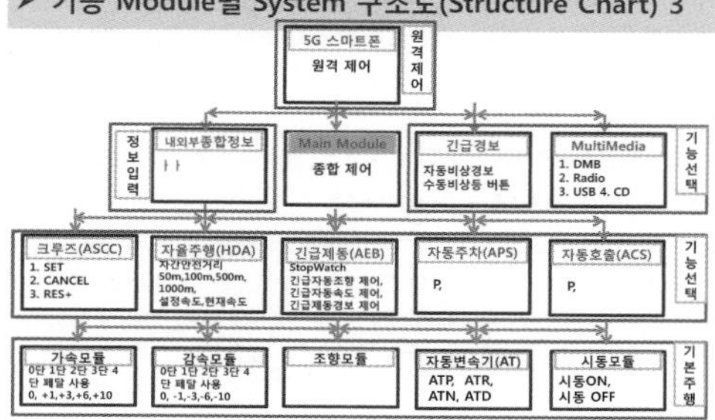

기본주행시스템: 의사코드 일부: 시동버튼과 자동변속기

- 시동 버튼: 하나의 버튼을 번갈아 사용한다.
- ▶START/RUN ▶ OFF
- 시동「ON」 상태에서 전진 또는 후진 시, 장애물이 있으면 각 센서 별로 감지된 위치와 거리를 표시
- 자동 변속기(AT)) 레버 위치에 따라서
- 차창 전, 후방 상황 모니터에 A 에 음성 안내 메시지 B를 출력 한다
- P(주차) 버튼: A "주차가 잘 되었습니다." 화면 안내 메시지 출력
- B "주차가 잘 되었습니다." 음성 안내 메시지 출력
- R(후진) 버튼: A "실제 후진 화면 사진" 화면 출력
- B "지금부터 후진합니다." 음성 안내 메시지 출력
- 후진 중에 장애물이 있으면 각 센서별로 감지된 위치와 거리를 표시
- N(중립) 버튼: A "변속기 중립입니다." 화면 안내 메시지 출력
- B "변속기 중립입니다." 음성 안내 메시지 출력
- D(주행) 버튼: A "실제 전진 화면 사진" 화면 출력
- B "지금부터 주행합니다." 음성 안내 메시지 출력

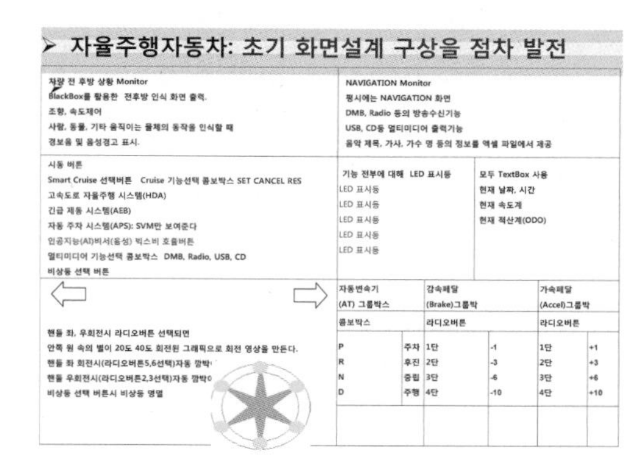

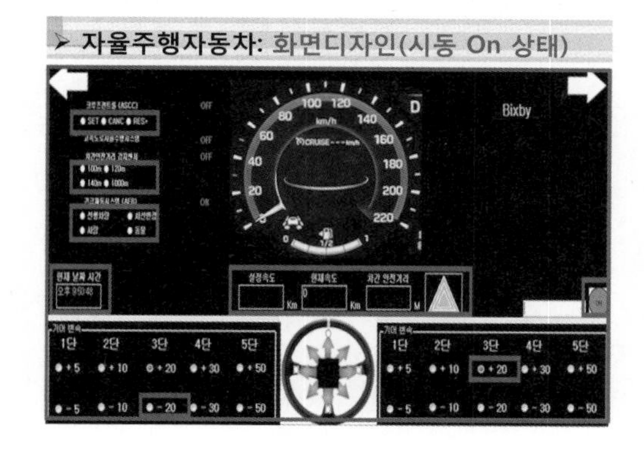

➢ Program 실행 시 최적 해상도 설정방법

1) 시작 입력란에 해상도 검색 2)해상도, 배율 변경

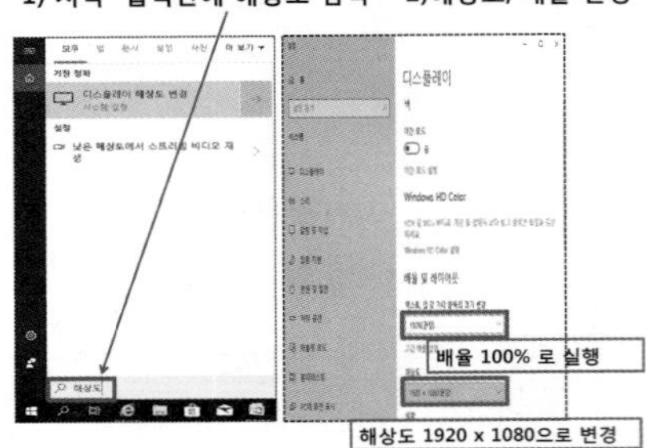

➢ 자율주행자동차:Source Code (시동 On/Off)

```
If 시동OnOff = "Off" Then '// 시동 OFF 일 때, 누르면
My.Computer.Audio.Play(My.Resources.Resource3.
자동차시동거는소리,AudioPlayMode.WaitToComplet
시동OnOff = "On"
날짜.Text = Format(Now(), "d")
시계.Text = TimeOfDay
시동끄기.Image = My.Resources.Resource2.시동켜기
현재속도화면.Text = 0      '//시동ON 전체화면 이미
'//시동을 키면 각종 RadioButton 활성화
크루즈컨트롤(셋, 캔슬, 리셋).Visible = True
차간안전거리50,100,200,1000.Visible = True
선행차량.Visible = True  차선변경.Visible = True
사람.Visible = True       동물.Visible = True
긴급제동시스템_LED_표시등.Text = "ON"
감속1~5단.Visible = True 가속1~5단.Visible = True
End If
If 시동OnOff = "On" Then  '// 시동 ON 일 때 , 누르
   시동OnOff = "Off"
   Me.Close()
End If
```

➢ 자율주행자동차: 크루즈컨트롤(ASCC):기능설명

- ➢ 크루즈컨트롤(ASCC)이란?
- ➢ 운전자가 희망하는 속도(설정속도계)로 지정하면
- ➢ 가속페달을 밟지않아도 그 속도를 유지하면서 주행하는 장치.
- ➢ 먼저 크루즈컨트롤(Cruise Control) 기능을 선택한 후
- ➢ 실행할 수 있는 관련된 기능은 3가지이다.
- ➢ 1) SET- : 현재 주행속도를 설정속도계 속도로 지정한다.
- ➢ 2) CANCEL을 선택하면 현재의 설정속도계 속도를 해제한다.
- ➢ 3) RES+을 선택하면 현재 설정속도계를 한단계 가속(+5)한다.

➢ 자율주행자동차:크루즈컨트롤(ASCC): 의사Code

- ➢ 의사코드:
- ➢ 크루즈컨트롤(ASCC) 버튼을 누르고 Cruise기능을 선택한 후에
- ➢ 1. SET- 2. CANCEL 3. RES+ 3가지 상태의 RadioButton 중 에서 1개를 선택한다.
- ➢ 1) SET을 선택하면 현재속도계를 설정속도계로 지정하고
- ➢ 설정속도계로 정속 주행한다.
- ➢ 한번 더 선택을 하면 설정속도계를 한 단계 감속(-5)한다.
- ➢ 2) CANCEL을 선택하면 현재의 설정속도계를 해제한다.
- ➢ 3) RES+을 선택하면 현재 설정속도계를 한 단계 가속(+5)한다.

➢ 크루즈컨트롤(ASCC): 흐름도(Flow Chart)

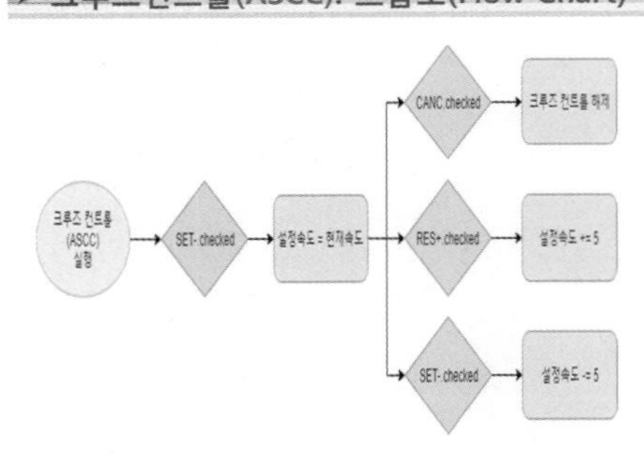

➢ 객체지향 SW 개발 공정 (RUP)

➢ RUP는 객체지향 SW개발 공정의 사실상 표준(De Facto)

- ➢ 1) SW의 전체적인 구조(Architecture) 중심 설계
  - ➢ System을구성하는 Module들의 전체구조를 효율적으로 구성
  - ➢ 이해가 용이, 유연성이 증대, 확장성이 우수한 제품 개발
- ➢ 2) 사용 사례(Use Case)에 의한 구동(驅動 ; Drive)
  - ➢ 요구사항을 조기 정립하여 전체공정을 효율적으로 운용
- ➢ 3) CBD(Component 지향 SW 설계)
  - ➢ 재사용 가능한 검증된 Component의 사용(조립)과 개발
  - ➢ 개발속도 향상, 개발비용 절감, 품질향상
  - ➢ Software부품(Component)들과 Library
  - ➢ CBD(Component Based Development)
  - ➢ Software부품(Component)들의 연결과 API
  - ➢ Open API를 활용한 매시업(Mashup) 서비스 사례
- ➢ 4) 반복 및 점증적 개발로 위험을 최소화

➢ 크루즈컨트롤(ASCC)기능:사용사례(Use Case)

Use Case	크루즈컨트롤(ASCC) 기능 사용 사례(Use Case)
참여액터 (Actor)	크루즈컨트롤(ASCC) 버튼 객체(액터는 차후 Prog.에서 Class가 된다)
시작조건	1) 시동 ON 상태이고,(AND조건) 2) 자동변속기가 D의 값을 가지고,(AND조건) 3) 가속페달이 눌러진 양수 +의 상태값을 가지면서,(AND조건) 4) 감속페달이 눌러지지 않은 상태 0 의 상태값(초기값)을 가지고 5) 크루즈컨트롤(ASCC) 버튼을 선택한 상태이면 Cruise기능선택 RadioButton에서 1. SET 2. CANCEL 3. RES+ 3가지 상태 중에서 1개를 선택할 수 있다.
사건의 흐름	Cruise기능선택 RadioButton에서 1. SET 2. CANCEL 3. RES+ 3가지 상태 중에서 1개를 선택한다. 1. SET을 선택하면, 현재속도를 설정속도로 출력하고 정속주행한다. 2. CANCEL을 선택하면, 현재의 설정속도를 해제하고 한 단계 감속(-5)한다. 가속페달(Accel)을 선택하지 않으면 계속 감속한다. 3. RES+을 선택하면, 현재의 설정속도를 한 단계 가속(+5)한다.
종료조건	Cruise기능선택 RadioButton에서 2. CANCEL 을 선택하고 크루즈컨트롤(ASCC) 버튼을 해제하였을 때

추상화를 통한 모형의 예:UML(Sequence Diagram)

➢ Modeling 표현 방법의 특징: 객체 중심의 추상화
- ➢ 객체들 사이의 메시지교환을 시간적 순서(위에서 아래)로 표현한 순차D
- ➢ 사각형은 객체의 생성과 소멸을, 화살표는 메시지의 송,수신을 표현

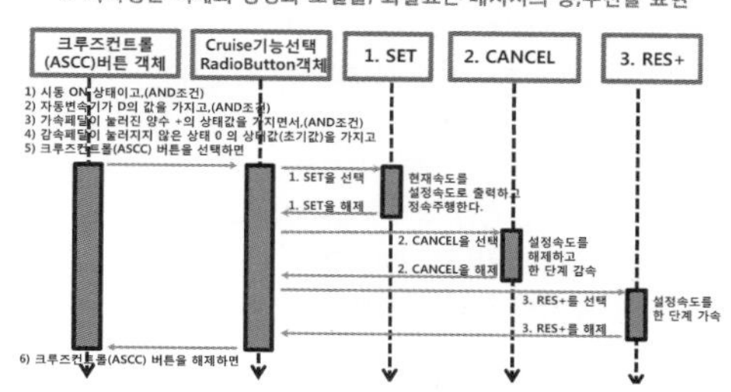

➢ 자율주행자동차:크루즈컨트롤(ASCC):Source Code

➢ 크루즈컨트롤(ASCC) 버튼을 누르고 Cruise기능을 선택하면

```
If 크루즈_컨트롤OnOff = "OFF" Then
My.Computer.Audio.Play(My.Resources.Resource3.크루즈_컨트롤을_시작한다, AudioPlayMode.WaitToComplete) '// 안내음성을 출력한다.
크루즈_컨트롤OnOff = "On"      '// 크루즈_컨트롤 기능을 선택한다.
크루즈_LED_표시등.Text = "ON"  '// 크루즈 LED 등 화면에 "ON" 을 표시한다.
End If
```

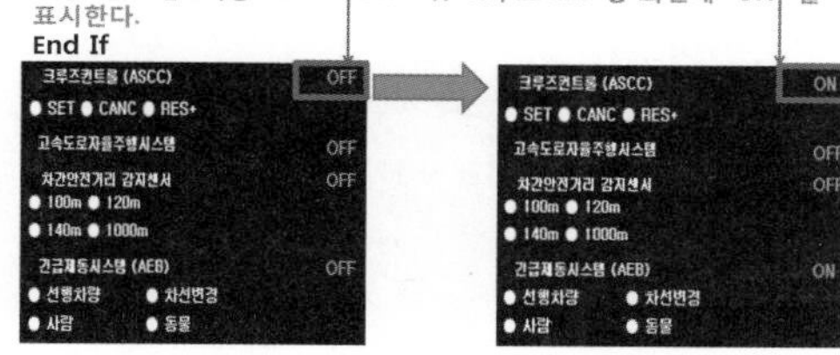

➢ 자율주행자동차: 크루즈컨트롤(ASCC):Source Code: SET)

➢ 1) SET버튼을 처음 누른 경우

```
If 셋.Checked And (크루즈설정_LED_표시등.Text = "") And (현재속도 >= 30) Then
크루즈설정_LED_표시등.Text = "SET" '// 크루즈LED표시등에 SET 표시
설정속도 = 현재속도        '// 현재속도 를 설정속도 변수에 입력
설정속도.Text = 현재속도   '// 현재속도 를 설정속도 화면에 입력
End If
If 셋.Checked And (크루즈설정_LED_표시등.Text = "") And (현재속도 < 30) Then
My.Computer.Audio.Play(My.Resources.Resource3.속도를_더_올려주세요, AudioPlayMode.WaitToComplete)'/설정속도는30km이상으로설정했기때문
End If   '// 30미만이면 속도를 더 올려주세요 음성출력
```

➢ 자율주행자동차: 크루즈컨트롤(ASCC):Source Code: SET)

➢ 2) SET버튼을 두번째 누른 경우

```
If 셋.Checked And 크루즈설정_LED_표시등.Text = "SET" Then
설정속도 = 설정속도 - 5  '// 셋이 켜진 상태에서 한번 더 누르면
현재속도 = 현재속도 - 5  '// 설정속도를 -5 줄인다. (36 – 5 = 31)
설정속도화면.Text = 설정속도 '// 화면에 표시(36 – 5 = 31)
현재속도화면.Text = 현재속도 '// 화면에 표시(36 – 5 = 31)
End If
```

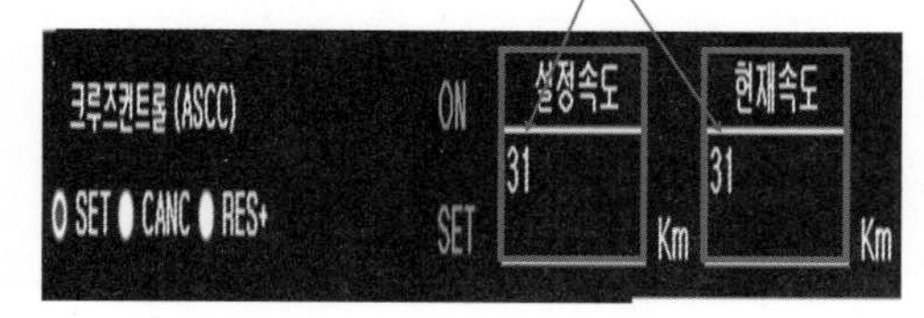

➢ 자율주행자동차: (ASCC):Source Code : CANC & RES+)

➢ CANC버튼을 누른 경우

```
If 캔슬.Checked Then
크루즈_컨트롤OnOff = "OFF" '
My.Computer.Audio.Play(My.Resources.Resource3.크루즈_컨트롤을_종료한다, AudioPlayMode.WaitToComplete)
크루즈_LED_표시등.Text = "OFF"
크루즈설정_LED_표시등.Text = ""
설정속도 = 0
설정속도화면.Text = ""
End If
```

'// 캔슬버튼 누르면 크루즈컨트롤 종료 안내
'// 크루즈 LED등에 OFF 표시
'// SET, CANC, RES+ 라디오버튼 해제
'// 종료되었으므로 설정속도(변수)를 0으로
'// 종료되었으므로 설정속도(화면)를 0으로

➢ RES+ 버튼을 누른 경우

```
If 리셋.Checked Then         '// 리셋버튼을 누르면
설정속도 = 설정속도 + 5     '// 설정속도를 +5 해준다.
현재속도 = 현재속도 + 5     '// 현재속도도 +5 해준다.
설정속도화면.Text = 설정속도  '// 설정속도를 화면에 표시한다.
현재속도화면.Text = 현재속도  '// 현재속도를 화면에 표시한다.
End If
```

➤ 자율주행자동차: 고속도로 자율주행(HDA): 기능설명

- ➤ 고속도로 자율주행 지원시스템(HDA)이란?
- ➤ 고속도로 자율주행 지원시스템 HDA는 'Highway Driving Assist'의 약자로,
- ➤ 고속도로에서 현재의 주행 상태를 유지하면서,
- ➤ 각종 센서를 통해 입력한 외부정보와
- ➤ 네비게이션의 각종 정보를 활용해서,
- ➤ 앞차와의 간격과, 차선, 장애물을 인식하고,
- ➤ 돌발 상황에서의 위험을 회피하고,
- ➤ 안전 운전을 차량 스스로 지원해주는 시스템이다.

➤ 자율주행자동차: 고속도로 자율주행(HDA):의사Code

- ➤ 의사코드:
- ➤ 고속도로 자율주행시스템(HDA) 버튼이 선택되면,
- ➤ 감지센서(여기서는 RadioButton)를 통해서
- ➤ 차간안전거리를 입력 받는다.
  - ➤ 선행차량과의 차간안전거리는
  - ➤ 50m, 100m, 200m, 1000m 등
  - ➤ 편의상 4가지 경우로 한정하여 입력 받는다.
- ➤ 안전거리 정책: 입력된 차간안전거리가 있으면
  - ➤ 현재속도계 기준 km단위와,
  - ➤ 차간안전거리 기준 m단위를 제외한,
  - ➤ 숫자만 단순비교하고 유지하는 안전거리 정책을 사용한다.
    - ➤ 예: 시속 50km 기준 50m,
    - ➤ 100km 기준 100m,
    - ➤ 200km 기준 200m 등으로
  - ➤ 선행차량 없음을 선택한 경우에는
  - ➤ 편의상 1000m 로 간주한다.

➤ 자율주행자동차: 고속도로 자율주행(HDA):의사Code

- ➤ A) 선행차량이 없을 경우, 설정속도계로 주행한다.
- ➤ • 선행차량이 가속을 하여 선행차량이 없을 경우에는
- ➤ (예:현재속도계가 100 km인데 선행차량 없음을 선택한 경우)
- ➤ 현재속도계 100km < 선행차량 없음은 1000m 이므로)
- ➤ 긴급자동속도 제어의 방법으로, 설정속도계에 도달할 때 까지 자동가속한 후,
- ➤ 설정속도계를 유지하며 정속 주행한다.

- ➤ B) 선행차량이 있을 경우, 차간거리를 일정하게 유지하기 위해 속도를 조절한다.
- ➤ 1) 현재속도계 대비하여 입력된 차간안전거리가 작은 경우에는
- ➤ (예: 현재속도계가 100 km인데 차간안전거리 50m를 선택한 경우에는
- ➤ 현재속도계 100km = 50m) 현재속도계를 50km로, 감속 주행 한다.

➤ 자율주행자동차: 고속도로 자율주행(HDA):의사Code

- ➤ B) 선행차량이 있을 경우, 차간거리를 일정하게 유지하기 위해 속도를 조절한다.
- ➤ 2) 현재속도계 대비하여 입력된 차간안전거리가 같은 경우에는
- ➤ (예: 현재속도계가 100 km인데 차간안전거리 100m를 선택한 경우에는
- ➤ 현재속도계 100km = 100m)현재속도계를 유지하는 정속주행 한다.

- ➤ 3) 선행차량이 가속을 하여 차간거리가 멀어진(큰) 경우에는
- ➤ (예: 현재속도계가 100 km인데 200m를 선택한 경우에는
- ➤ 현재속도계 100km < 200m) 긴급자동속도 제어의 방법으로,
- ➤ 설정속도계에 도달할 때 까지 자동가속한 후,
- ➤ 설정속도계를 유지하며 정속 주행을 실시한다.

➤ 자율주행자동차: 고속도로 자율주행(HDA):의사Code

- ➤ C) 선행차량이 감속을 하여 차간거리가 가까워진 경우에는
- ➤ 예: 현재속도계기준 120 km에 차간안전거리50m 선택한 경우
- ➤ 현재속도계 120km > 차간안전거리 50m 이므로)
- ➤ 차간안전거리를 유지하며 주행할 수 있도록
- ➤ 긴급자동속도 제어의 방법으로,
- ➤ 차간안전거리 기준 설정속도계(50km)에 도달할 때 까지
- ➤ 자동 감속한 후,
- ➤ 설정속도계를 유지하며 정속주행을 실시한다.

- ➤ 긴급감속 경보제어: 비상등 버튼을 수동 선택할 때와 동일하다.
- ➤ (경보화면) 좌•우회전 깜박이 비상등이 점멸하고,
- ➤ (경보소리) 긴급경보음(사이렌)을 울리면서,
- ➤ 긴급상황을 차량내부의 운전자, 탑승자와 차량외부로
- ➤ 위험을 경보한다.

➤ 고속도로 자율주행(HDA):흐름도(Flow Chart)

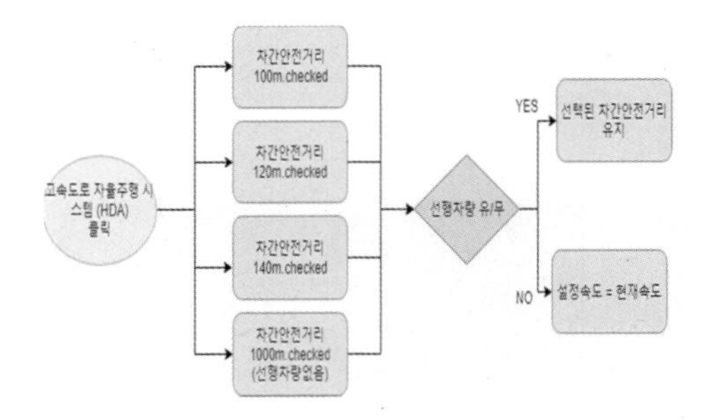

➢ 자율주행자동차:(HDA):차간안전거리 감지센서

```
If 차간안전거리100.Checked Then '/차간안전거리센서에100m가선택되면
차간안전거리감지센서_LED_표시등.Text = "ON" '/차간안전거리(화면)에 표시
차간안전거리_LED_표시등.Text = "100m"        '/ LED 표시등 (화면)에 표시
안전거리.Text = "100"                         '/차간안전거리(변수)에 표시
차간안전거리.Image = My.Resources.Resource2._50m  '// 시범영상출력
End If
End Sub
```

차간안전거리 감지센서 OFF
100m 120m
140m 1000m

차간안전거리 감지센서 ON
100m 120m 100m
140m 1000m
설정속도 Km 현재속도 0 Km 차간 안전거리 100 M

➢ 자율주행자동차: 긴급제동 시스템(AEB) : 기능설명

- ➢ 자동 긴급제동 시스템(AEB)이란?
- ➢ Autonomous Emergency Braking 의 약자로서
- ➢ 말 그대로 자동 긴급제동 시스템이다.

- ➢ 주행 중인 차량의 전방 혹은 좌우 측방에서
- ➢ 자동차와 사람, 동물, 움직이는 혹은 정지된 물체와 같은 장애물을
- ➢ 인식하여 충돌을 예상할 때,

- ➢ 이를 운전자가 개입하지 않는다고 판단하면
- ➢ 자동차 스스로 자동으로 핸들과 브레이크를 작동하여
- ➢ 충돌을 방지해주는 첨단 안전기술 시스템이다.

➢ 자율주행자동차: 긴급제동 시스템(AEB) : 의사 Code

- ➢ 의사코드:
- ➢ 긴급제동시스템(AEB)기능은 시동 ON 상태가 되면
- ➢ 자동으로 선택된다.
- ➢ 긴급제동시스템(AEB)기능이 선택된 상태에서
- ➢ 1. 전방 차량의 급제동
- ➢ 2.측방 차량의 무리한 전방차선 진입
- ➢ 3. 보행자와의 추돌
- ➢ 4. 기타 움직이는 물체(동물 등)와의 추돌 위험 등
- ➢ 편의상 4가지 경우로 한정하여,
- ➢ 레이더장비 탑재 3D카메라 센서(RadioButton)을 통해 입력 받는다.
- ➢ 4가지 긴급한 상황 중에서 1개의 상황이 입력되면
- ➢ 그 상황에 맞게 미리 준비된 상황사진
- ➢ 혹은 비디오가, 전방 Monitor에 출력된다.

➢ 긴급제동 시스템(AEB) : 의사 Code

- ➢ 긴급자동 조향제어:
  - ➢ 화면상의 장애물 방향에 따라
  - ➢ 좌•우회전 방향을 결정하고,
  - ➢ (모든 장애물이 우 방향에 위치하는 것으로
  - ➢ 편의상 설정했기 때문에 좌회전으로 기본설정)
  - ➢ StopWatch 시각을 기준으로
  - ➢ 1초에 좌•우회전 1회 5도씩 총3회 까지
  - ➢ (편의상 설정한 기준으로
  - ➢ 추후 정확한 방법으로 변경될 수 있음)
  - ➢ 현재 핸들 방향을 긴급자동회전
  - ➢ Animation 효과가 날수 있도록 화면에 표시한다.

➢ 자율주행자동차: 긴급제동 시스템(AEB) : 의사 Code

- ➢ 긴급자동 속도제어:
  - ➢ 긴급자동 감(가)속을 할 때는
  - ➢ StopWatch 시각을 기준으로
  - ➢ 1초에 20m(분속:1200m, 시속:7200m=7.2km)를
  - ➢ 현재속도계에서 자동으로 감(가)속(-7.2km/hour) 하여 표시한다.
  - ➢ (감(가)속의 빠르기는 편의상 설정한 기준으로
  - ➢ 추후 실험적으로 증명된 정확한 다른 방법으로 변경될 수 있다.
    - ➢ 다른 방법의 예:
    - ➢ 1초에 10m(분속:600m, 시속:3600m=3.6km)를
    - ➢ 현재속도계에서 자동으로 감(가)속 (-3.6km/hour) 표시)

➢ 자율주행자동차: 긴급제동 시스템(AEB) : 의사 Code

- ➢ 긴급제동 경보제어: 비상등을 수동 선택할 때와 동일
  - ➢ (경보화면) 좌•우회전 깜박이 비상등이 점멸하고,
  - ➢ (경보소리) 긴급경보음(사이렌)을 울리면서, 긴급상황을
  - ➢ 차량내부의 운전자, 탑승자와 차량외부로 위험을 경보한다.

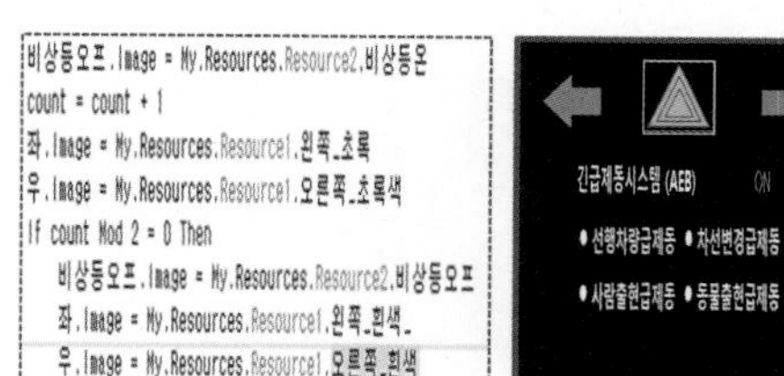

```
비상등오프.Image = My.Resources.Resource2.비상등온
count = count + 1
좌.Image = My.Resources.Resource1.왼쪽_초록
우.Image = My.Resources.Resource1.오른쪽_초록색
If count Mod 2 = 0 Then
   비상등오프.Image = My.Resources.Resource2.비상등오프
   좌.Image = My.Resources.Resource1.왼쪽_흰색_
   우.Image = My.Resources.Resource1.오른쪽_흰색
```

➢ 긴급제동 시스템(AEB): 흐름도(Flow Chart)

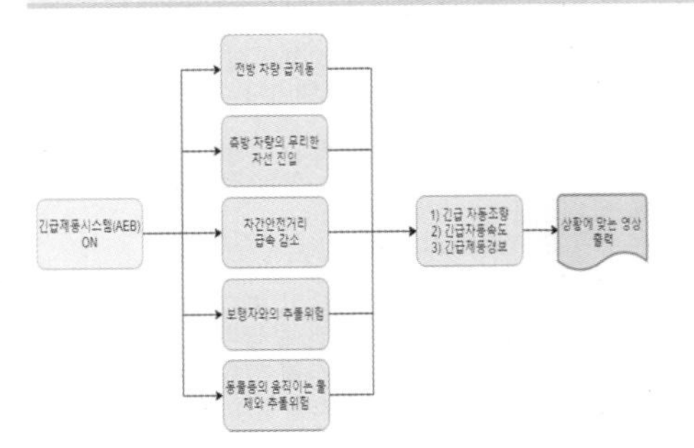

➢ 긴급제동 시스템: 선택(시작) Code

```
Private Sub 긴급제동시스템_Click
(sender As Object, e As EventArgs)
템.Click
긴급제동시스템_LED_표시등.Text = "ON"
'// 긴급제동버튼을 누르면 LED 표시등에 ON 표시
My.Computer.Audio.Play(My.Resources.Resource3.긴급_제동_
시스템을_시작한다, AudioPlayMode.WaitToComplete)
'// 음성안내를 출력한다
End Sub
```

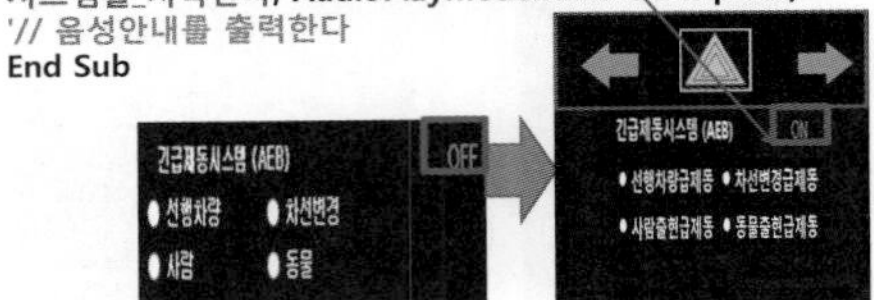

➢ 긴급제동 시스템(AEB): 시작 후 Source Code

```
If 긴급제동시스템_LED_표시등.Text = "ON" Then
 Form2.Show()
 Form2.AxWindowsMediaPlayer1.URL =
"C:₩과제₩Resources₩선행차량급제동.mp4
 '// 선행차량 버튼이 선택되면 관련된 동영상을 출력
Form2.AxWindowsMediaPlayer1.Ctlcontrols.play()
End If
```

➢ 원격제어,음성인식,합성 AI비서(Bixby): Code

```
Private Sub 빅스비Button_Click(이하 중략)
    My.Computer.Audio.Play(My.Resources.Resource3.빅스비
인사, AudioPlayMode.WaitToComplete)  '/빅스비 인사가 출력
   빅스비명령.Visible = True
 '// 음성명령이 선택 가능하도록 예시가 담긴 콤보 박스가 출력
End Sub
```

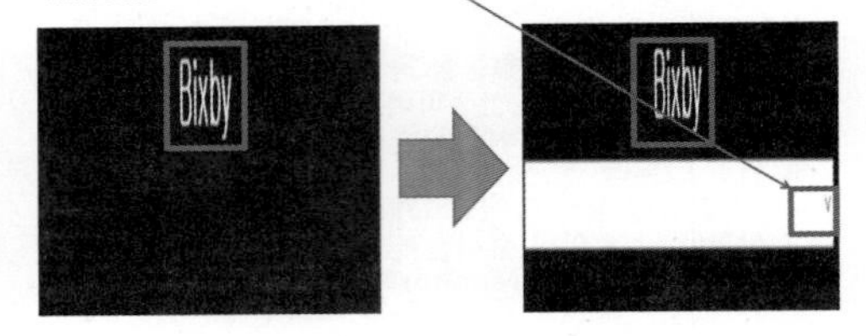

➢ 자율주행(HDA) : 차간안전거리 감지센서

```
If 차간안전거리100.Checked Then  '// 차간안전거리센서에 100m가 선택
차간안전거리감지센서_LED_표시등.Text = "ON" '/차간안전거리(화면)
차간안전거리_LED_표시등.Text = "100m" '/LED표시등 (화면)에 표시
안전거리.Text = "100"               '/차간안전거리 (변수)에 표시
차간안전거리.Image = My.Resources.Resource2._50m '/영상출력
End If
End Sub
```

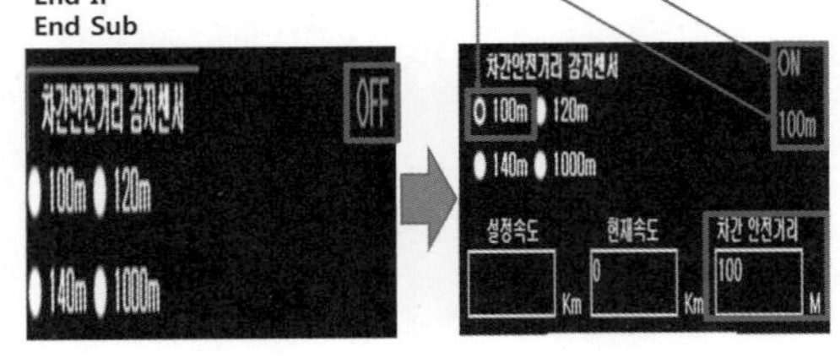

➢ AI비서(Bixby): Code (차간 안전거리)

```
If 빅스비명령.Text = "고속도로 자율주행 시스템 100m 실행"
Then
My.Computer.Audio.Play(My.Resources.Resource3.고속도로
100m, AudioPlayMode.WaitToComplete) '// 음성 메시지 출력
'// 고속도로 자율 주행 시스템 버튼기능을 똑같이 수행
'// 100m라디오버튼이름 선택과정 삽입요망
차간안전거리감지센서_LED_표시등.Text = ON"
차간안전거리_LED_표시등.Text = "100m"
안전거리.Text = "100"
차간안전거리.Image = My.Resources.Resource2._100m
End If
```

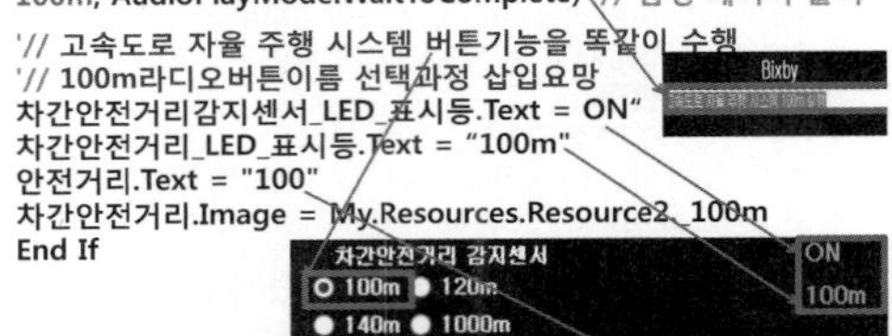

➢ AI비서(Bixby): Code (크루즈_컨트롤OnOff)

```
If 빅스비명령.Text = "크루즈컨트롤 켜줘" Then
My.Computer.Audio.Play(My.Resources.Resource3.크루즈컨트롤켜줘, AudioPlayMode.WaitToComplete) '// 음성 메시지 출력
'// 크루즈컨트롤 버튼 기능을 똑같이 수행
If 크루즈_컨트롤OnOff = "OFF" Then
My.Computer.Audio.Play(My.Resources.Resource3.크루즈_컨트롤을_시작한다, AudioPlayMode.WaitToComplete) '/음성 출력
크루즈_LED_표시등.Text = "ON"'/(화면)에 표시
크루즈_컨트롤OnOff = "On"   '/(변수)에 표시
End If
```

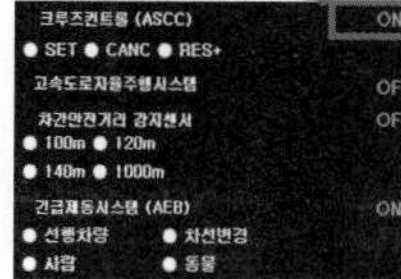

➢ AI비서(Bixby): Code (크루즈_컨트롤OnOff)

```
If 빅스비명령.Text = "크루즈컨트롤 꺼줘" Then
My.Computer.Audio.Play(My.Resources.Resource3.크루즈컨트롤꺼줘, AudioPlayMode.WaitToComplete) '// 음성 메시지 출력
'// 크루즈컨트롤 버튼 기능을 똑같이 수행
My.Computer.Audio.Play(My.Resources.Resource3.크루즈_컨트롤을_종료합니다, AudioPlayMode.WaitToComplete)
크루즈_LED_표시등.Text = "OFF" '/(화면)에 표시
크루즈_컨트롤OnOff = "OFF" '/(변수)표시
End If
```

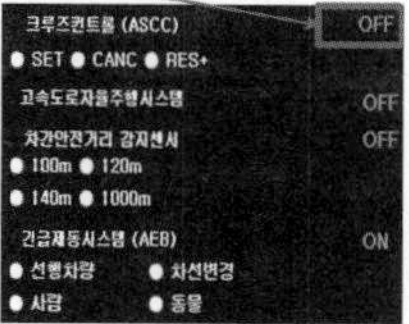

➢ 속도계 화면(Animation): Code

```
Private Sub 현재속도tb_TextChanged    ......중략......
    If 현재속도 <= 0 Then
        속도0.Visible = True
    Else 속도0.Visible = False
    End If
    If 현재속도 = 5 Then
        속도5.Visible = True
    Else 속도5.Visible = False
    End If

    If 현재속도 = 10 Then
        속도10.Visible = True
    Else 속도10.Visible = False
    End If
 ......반복 부분 중략......

    If 현재속도 >= 260 Then
        속도260.Visible = True
    Else 속도260.Visible = False
    End If
```

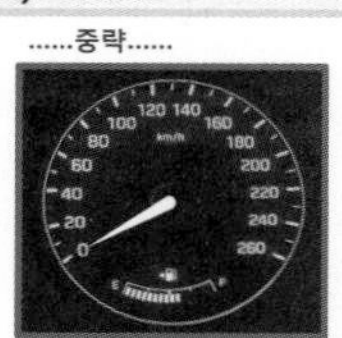

➢ 자율주행자동차: 핸들 화면(Animation): Code

```
Private Sub 핸들보이기_CheckedChanged(sender As Object, e As EventArgs) Handles 핸들보이기.CheckedChanged
  핸들돌리기.Visible = True
  핸들정면.Visible = True
  핸들우회전.Visible = True
  핸들좌회전.Visible = True
  핸들45도.Visible = True
  핸들135도.Visible = True
  핸들225도.Visible = True
  핸들315도.Visible = True
  handle3.Visible = True
  핸들숨기기.Visible = True
  핸들사진.Visible = True
  핸들보이기.Visible = Fal
```

```
Private Sub 핸들숨기기_CheckedChanged
(sender As Object, e As EventArgs) Handles
핸들 숨기기.CheckedChanged

    핸들사진.Visible = False
    핸들돌리기.Visible = False
    핸들정면.Visible = False
    핸들우회전.Visible = False
    핸들좌회전.Visible = False
    핸들45도.Visible = True
    핸들135도.Visible = True
    핸들225도.Visible = True
    핸들315도.Visible = True
    handle3.Visible = False
    핸들숨기기.Visible = False
    핸들보이기.Visible = True
  End Sub
```

➢ 자율주행자동차: 핸들 화면(Animation): Code

```
If 핸들정면.Checked Then
핸들사진.Image = My.Resources.Resource2.핸들_회전__0도방향
좌.Image = My.Resources.Resource1.왼쪽_흰색
우.Image = My.Resources.Resource1.오른쪽_흰색
End If
```

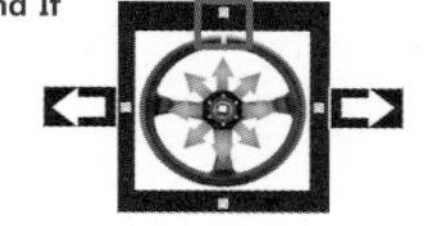

```
If 핸들우회전.Checked Then
핸들사진.Image=My.Resources.Resource2.핸들_회전__90도방향
우.Image = My.Resources.Resource1.오른쪽_초록색
좌.Image = My.Resources.Resource1.왼쪽_흰색
End If
```

➢ 비상등 화면 On / Off (Animation): Code

```
Private Sub 비상등오프_Click ...중략...
비상등오프.Image = My.Resources.Resource2.비상등온
count = count + 1          '// 시동OnOff = "On"
좌.Image = My.Resources.Resource1.왼쪽_초록
우.Image = My.Resources.Resource1.오른쪽_초록색
```

```
If count Mod 2 = 0 Then   '// 시동OnOff = "Off"
비상등오프.Image = My.Resources.Resource2.비상등오프
좌.Image = My.Resources.Resource1.왼쪽_흰색_
우.Image = My.Resources.Resource1.오른쪽_흰색
End If
```

CHAPTER

11

정보보안과 인터넷윤리

11.1 정보화 사회의 부정적인 면

11.2 Computer Virus와 정보 보안

11.3 개인정보 유출 예방 및 보안관리 10계명

창의적 소프트웨어 파워배양과 미래 IT융합기술

컴퓨팅 기술(IT)과 컴퓨팅 사고(CT)력

Computing Technology (IT) & Computational Thinking (CT)

11 CHAPTER

정보보안과 인터넷윤리

11.1 정보화 사회의 부정적인 면

사회학적 통찰과 풍자로 유명한 영국의 소설가 조지 오웰(George Orwell, 1903~1950)의 소설에서 비롯된 'Big Brother'는 긍정적 의미로는 선의 목적으로 사회를 돌보는 보호적 감시를, 부정적 의미로는 음모론에 입각한 권력자들의 사회통제 수단을 말한다. 이 소설이 발표될 시점에는 비현실적이라고 공감하기 어려웠지만 정보화 사회가 되면서 유출된 개인정보와 감시 시스템을 이용하여 소수의 권력자들이 다수를 감시하고 지배하는 형태가 나타나고 있다. 또한 웹사이트 가입 시 개인정보를 해당 사이트에 제공하므로 개인의 기본적인 신상 정보와 수입, 선호하는 물품과 생각 등이 노출되게 되므로 오래전 제시된 빅브라더의 공포가 현실에서 나타나고 있다.

그리고 인터넷을 통한 통신은 실생활의 편리를 가져온 대신 정보 유출의 범위가 넓혀지게 되고 그것을 여러 방면에서 이용하려는 해커와 크래커들의 등장으로 그 위험성이 증가하고 있다. 개인 정보 유출, 피싱 및 스미싱, 산업스파이 등을 예로 들 수 있다. 이에 우리 사회는 개인, 기업, 사회적인 측면에서 볼 때 정보 윤리와 정보 보안의 측면이 더욱 강조되고 있다.

SNS를 통한 온라인 인맥이 형성되고 많은 사람들이 사이버 세계에 탐닉하게 됨에 따라 가족 사이에 대화가 줄어들고 개인화의 경향이 점차 커지게 되어 디지털 격차에 따른 사회적 문제로 나타나게 될 것이다. 인터넷의 미래 모습을 예측하는 일부 학자들은 휴머니즘과 유토피아가 사라진 디스토피아적 미래를 우려하고 있으며 우리 인류는 그것을 대비해야 한다고 말한다. 또한 급속하게 인터넷이 확산됨에 따라 예전의 모습과는 다르게 인터넷에 대한 의존율이 크게 높아졌다. 이것은 컴퓨터(스마트폰)포비아, 앱 중독증후군, 팝콘 브레인 등 정신적, 신체적, 사회적 질병을 야기할 수 있고 가족과 지역사회, 국가 차원을 떠나 전 세계적인 문제로 확산되고 있다.

오늘날 우리나라는 현재 인터넷보급률이 세계 1위이고 인구의 약 80% 정도가 인터넷을 사용하는 인터넷강국이다. 그러나 사이버 공간에서 자신의 권리를 침해당해도 별다른 대응을 하지 못하고, 저작권에 대해 알면서도 불법 다운로드를 하며, 청소년의 14.3%가 인터넷 중독이라는 조사 결과가 있다. 이런 현실은 인터넷윤리의 필요성을 강조하고 있다. 또한 인터넷 역기능에 시달리는 것을 예방하기 위해서는 무엇보다도 확고한 인터넷 윤리의식을 갖추어야 한다.

11.2 Computer Virus와 정보 보안

11.2.1 정보보안

정보보안은 정보환경에서 모든 정보자원을 위/변조, 유출, 훼손 등과 같은 정보보안 사고로부터 보호하는 것이다.

전통적으로 정보보안의 주요한 목표는 허락되지 않은 사용자 또는 객체가 정보의 내용을 알 수 없도록 하는 기밀성, 허락되지 않은 사용자 또는 객체가 정보를 함부로 수정할 수 없도록 하는 무결성, 허락된 사용자 또는 객체가 정보에 접근하려 하고자 할 때 이것이 방해받지 않도록 하는 가용성 등이 있다.

정보보안에 가해지는 위협에는 허위자료를 내부의 정상적인 정보자료처럼 만드는 위조, 정보의 내용 일부 또는 전부를 다른 내용으로 바꾸는 변조, 허가되지 않는 사용자가 내용을 확인하거나 복제하여 외부로 보내지는 유출, 정보를 일부 또는 전부를 변경 파괴하여 정상 작동이 어렵게 하는 훼손 등이 있다.

11.2.2 해킹

해킹은 뛰어난 IT실력을 기반으로 특정한 정보 시스템에 모르게 침입하여 그 속에 축적되어 있는 각종 정보를 유출하거나 변조, 삭제행위를 말하며 최근에는 사이버 세계를 어지럽히는 범죄로 사회에 적지 않은 물의를 일으키고 있는 실정이다. 원래 해커는 컴퓨터를 너무 좋아해서 컴퓨터를 이해하는 데 시간을 아낌없이 사용하는 매니아를 의미했으나 시간이 점차 지남에 따라 해커 중의 일부 가 다른 사람들의 지식을 훔치거나 시스템을 붕괴시키는 악의적 활동을 하는 크래커로 등장하면서 부정적인 의미를 지니게 되었다. 또한 그들은 해킹을 통해 정보의 획득은 물론이고 정보화 사회 기반을 흔드는 기술적 위협이 되어 정보보안이 더욱 중요시되고 있다.

최근에는 악성코드 감염시도를 통하여 해당 조직으로부터 정보를 빼내가는 지능형 타깃 위협인 APT공격이 확산되고 정치적 목적을 가지고 공격하는, 좀비PC를 활용한 DDos공격이 나타나고 있다.

11.2.3 악성코드

악성 코드는 의도적으로 컴퓨터 사용자에게 피해를 주고자 만든 악의적인 프로그램을 총칭한 것으로 컴퓨터 바이러스, 트로이목마, 웜으로 분류할 수 있다. 컴퓨터 바이러스는 기생하는 위치에 따라 하드디스크의 부트 섹터 영역에 기생하는 부팅 바이러스, 파일에 기생하는 파일 바이러스, 각 프로그램용 데이터 파일 안에 존재하여 읽는 순간 악성행위를 하는 매크로 바이러스로 나눌 수 있다. 그리고 트로이 목마는 유용한 프로그램으로 가장하여 사용자에게 제공되며 그것을 다운받아 설치하는 순간 원하지 않는 잘못된 기능을 수행하는 것이다. 또한 웜은 컴퓨터 시스템 파괴 또는 작업을 지연하거나 방해하는 악성 코드로 스스로 활동하며 자기 복제 기능이 있어서 빠른 전파력이 있다.

11.2.4 모바일 악성 코드

손안의 PC로 모바일이 많이 상용화됨에 따라 편리함과 더불어 모바일 기기의 악성코드의 위협이 증가하고 있다. 대표적인 모바일 악성코드로는 사용자 몰래 SMS메시지를 저장된 전화번호로 보내 고액 서비스 이용료를 부과되는 모스키토, 감염된 단말기의 시스템 애플리케이션을 다른 파일로 교체해 단말기를 사용할 수 없게 하는 스컬스, MMS에 자신의 복사본을 첨부해 단말기 주소록에 있는 모든 연락처에 발송하는 컴워리어 등이 있다.

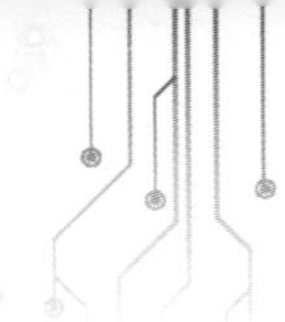

11.2.5 정보보호 실천수칙

○ 윈도우 보안 패치 자동 업데이트 설정하기
○ 악성코드 백신 및 스파이웨어 제거 프로그램 설치하기
○ 윈도즈 로그인 패스워드 설정하기
○ 패스워드는 8자리 이상의 영문과 숫자를 혼합하여 만들고 3개월마다 변경하기
○ 신뢰할 수 있는 웹 사이트에서 제공하는 프로그램만 설치하기
○ 인터넷에서 다운로드 받은 파일은 악성코드 검사하기
○ 출처가 불분명한 메일은 바로 삭제하기
○ 메신저 사용 중 수신된 파일은 악성코드 검사하기
○ 인터넷상에서 개인 및 금융정보를 알려주지 않기
○ 중요 문서 파일은 암호를 설정하고 백업 생활화하기

11.2.6 악성코드 피해 감소를 위한 예방법

○ 정품 소프트웨어의 사용을 생활화하기
○ 보낸 사람이 불분명한 이메일은 열어보지 않기
○ 백신 프로그램을 설치하고, 자동검색 및 자동 업데이트 기능을 설정하기
○ 중요한 데이터는 반드시 백업해 두는 것을 생활화하기
○ 비밀번호는 영문과 숫자를 혼합하여 8자리 이상으로 만들고 주기적으로 변경하기
○ 네트워크 공유폴더를 쓸 때는 비밀번호 설정하기
○ 문서 공유는 최소로 하기

11.2.7 악성코드 감염 대응법

○ 하드디스크 포맷과 FDISK 사용은 가능한 하지 않기
○ 백신 프로그램이나 백신 사이트 등을 통하여 악성코드 감염 증상을 정확하게 파악하기
○ 백신업체나 관련 기관을 통하여 악성코드를 정확하게 파악하기
○ 악성코드 관련 정보를 가능한 한 많이 수집하기
○ 백업 데이터가 있는 경우 감염된 파일을 완전히 삭제하여 복구하기
○ 두 개 이상의 백신 프로그램을 이용해서 악성코드가 완전히 삭제되었는지 확인하기

11.3 개인정보 유출 예방 및 보안관리 10계명

개인 정보란 개인정보법 제2조 제1항에 의하면 살아있는 개인에 관한 정보로 성명, 주민등록 번호 및 영상 등을 통하여 개인을 식별할 수 있는 정보를 말한다. IT기술이 발달함에 따라 대량의 데이터를 컴퓨터로 처리하게 되었고 이러한 과정에서 개인정보침해가 증가하여 개인정보를 보호해야한다는 필요성이 강조되고 국제기구들은 그를 위한 방안과 지침을 제시하기 시작했다.

11.3.1 OECD개인정보보호 8원칙

경제개발 협력 기구인 OECD는 회원국의 경제성장과 금융안정 촉진, 세계 경제 발전에 기여하고 개도국의 건전한 경제성장에 기여하기 위해 설립된 국제기구이다. OECD는 개인 데이터의 국제 유통과 프라이버시 보호에 관한 가이드라인을 회원국에게 알려주고 개인정보 8개의 원칙을 아래와 같이 권고하고 있다.

원칙	내용
수집제한의 원칙	개인정보는 합법적 절차에 의해 수집
목적명시의 원칙	정보수집의 목적이 명확히 제시
정확한 확보의 원칙	이용 목적에 필요한 범위에서 정학
이용제한의 원칙	명시된 목적 외의 다른 용도 사용 불가
안전성 확보의 원칙	각종 위험으로부터 보호
개인참여의 원칙	자기 정보의 소재를 확인할 권리를 가짐
책임의 원칙	개인정보 관리자는 정보 관리의 책임

11.3.2 개인정보 침해 대응 방안

(1) 사전 대응 방안

개인 정보 유출을 방지하기 위해서는 스스로 자신의 개인 정보를 잘 관리하는 것이 가장 중요하다. 이에 사전 대응 방안으로는 I-PIN(인터넷상 식별번호)의 사용, 쿠키삭제, PC자동보안 업데이트 프로그램의 사용, 주민등록번호클린센터를 통한 가입관리 등을 들 수 있다.

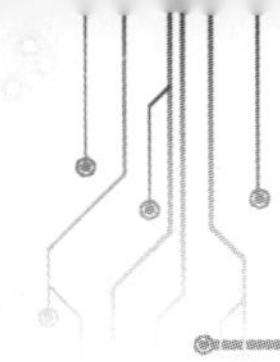

(2) 개인 정보 오남용 피해 예방 10계명

한국 인터넷진흥원의 개인정보침해보호센터에서 제공하는 개인정보 오남용 피해예방 10계명은 다음과 같다.

○ 회원 가입을 하거나 개인정보를 제공시, 개인정보취급방침 및 약관을 확인한다.
○ 회원 가입 시에는, 비밀번호를 유추하기 어렵게 영문자와 숫자 등으로 8자리 이상으로 설정한다.
○ 가능한 한, I-PIN 등을 활용하고, 꼭 필요하지 않은 개인정보는 제공하지 않는다.
○ 자신이 가입한 사이트에 타인이 자신인 것처럼 로그인하기 어렵게 비밀번호를 주기적으로 변경한다.
○ 타인이 자신의 명의로 회원가입을 방지할 수 있는 명의도용 확인서비스를 이용한다.
○ 자신의 ID, 비밀번호 등 개인정보가 공개되지 않도록 주의해서 관리한다.
○ 인터넷에 올리는 데이터에 개인정보가 포함되지 않게 주의한다.
○ 인터넷 금융 거래 시에는, 금융 정보 등을 암호화한 후 저장하고 공공장소에서 금융거래를 피한다.
○ 인터넷에서 아무 자료나 함부로 다운로드하지 않게 주의한다.
○ 개인정보 유출시, 관리자에게 삭제요청하고 처리되지 않는 경우 개인정보침해신고센터에 신고한다.

(3) 사후 대응 방안

국내 개인 정보 피해 구제는 정보통신, 금융, 의료 등 각 개별 분야마다 개인 정보와 관련하여 이를 관리하고 감독하는 담당 행정부처 또는 관련 법령에 의해 설립된 기구 등이 해당 분야의 개인정보보호 역할을 하고 있다. 공공분야는 행정안전부가 담당하고 금융분야는 금융감독원이, 정보통신분야는 방송통신위원회가 담당한다.

한국 인터넷 진흥원 산하의 개인정보침해신고센터에서 개인정보 침해가 되었을 경우, 누구든지 신고할 수 있다. 그리고 이용자와 사업자 사이의 개인정보 분쟁 조정뿐만 아니라 국민의 권리 보호, 기업의 능률향상, 건전한 유통질서 확립을 위해 목적으로 개인정보 분쟁위원회를 운영하고 있다.

INDEX

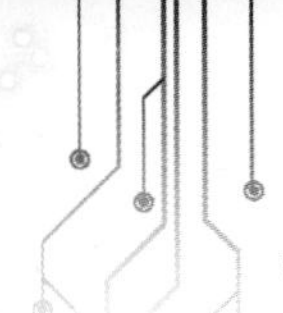

A

B

C

D

E

ㅇ

ㅈ

■ 저자소개

김정중

고려대학교 대학원 전산과학과 졸업
한국방송공사(KBS) 전산정보실 전산분석팀장
University of Auckland 교환교수
현, 강원대학교 교양학부 교수

컴퓨팅 기술(IT)과 컴퓨팅 사고(CT)력 _ 창의적 소프트웨어 파워배양과 미래 IT융합기술

발행일 2019년 09월 01일 초판 1쇄
지은이 김정중
펴낸이 심규남
기 획 이정선 · 심규남
펴낸곳 연두에디션
주 소 경기도 고양시 일산동구 동국로 32 동국대학교 산학협력관 608호
등 록 2015년 12월 15일 (제2015-000242호)
전 화 031-932-9896
팩 스 070-8220-5528
ISBN 979-11-88831-25-8
가 격 27,000원

이 책에 대한 의견이나 잘못된 내용에 대한 수정정보는 연두에디션 홈페이지나 이메일로 알려주십시오.
독자님의 의견을 충분히 반영하도록 늘 노력하겠습니다.
홈페이지 www.yundu.co.kr